NUEVA ENCICLOPEDIA CUMBRE

NUEVA ENCICLOPEDIA CUMBRE

VOLUMEN 15

ÍNDICE ANALÍTICO

CARIBE GROLIER
PUERTO RICO

IMPRESO EN 2002

Caribe Grolier, Inc.
Calle del Parque 601
Santurce, Puerto Rico 00910

ISBN: 0-7172-5114-4 (Obra completa)

ISBN: 0-7172-5130-6 (Volumen 15)

Impreso en los Estados Unidos de América.

Índice analítico de la Nueva Enciclopedia Cumbre

Guía para usar este índice

El índice sirve como referencia para localizar conceptos en la enciclopedia con facilidad. En un artículo cualquiera de la obra, no se encuentran todas las referencias a ese tema, que pueden estar repartidas en varios volúmenes diferentes. Este índice presenta la información de tal modo que, por ejemplo, para el artículo de **abeja**, podemos encontrar que hay información e ilustraciones sobre abejas en el tomo 1 (dentro del artículo: **abeja**), pero también en los tomos **2**, **3**, **7**, **8**, **9**, **10**, **11** y **13**:

abeja 1:21, 26
— africana **1:***23*
— europea **1:***24*
— obrera **1:***22*
—, desarrollo de la **1:**23
—, enemigos de la **1:**25
abeja de flor **8:**8
Abejas, fase cultural del Valle de Tehuacán **13:**138
artrópodos **2:**78
artrópodos, orden de los **2:**78
cera **3:**326
colmena **1:**22; **4:**136
comunicación animal **4:**181
danza de las abejas **1:**22
distribución del trabajo **1:**22
éxodo de la colmena **1:**23
fecundación de las flores **1:**24
himenópteros **7:**180
miel **9:**218
nido **10:**98
polinización **11:**154
regulación biológica **1:**24
reinas y su función **1:**23

Algunas características sobre cómo se han acomodado los elementos del índice son las siguientes:

El número del tomo siempre se escribe con letra negrita, y los números de las páginas, con letra normal, separando ambos con dos puntos: **1**:45. Si en un mismo tomo debe consultarse más de una página, los números de páginas se escriben separados por comas: **1**:45, 78. Cuando se mencionen dos o más tomos con páginas en cada uno, las páginas de cada tomo se separan con punto y coma: **1**:45, 78; **5**:7; **8**:97, 56, 214.

En la enciclopedia, los conceptos se dividen en dos grupos: artículos, que son los que forman la enciclopedia misma, y voces, que son términos o palabras importantes dentro de un artículo. Los artículos se escriben con letra negrita, respetando la ortografía exacta que tienen dentro de la obra, y las voces se escriben con letra normal. El orden de las palabras se ha modificado, para que sea más fácil localizarlas. Los apellidos se escriben antes del nombre de una persona, los adjetivos se escriben después del sujeto que modifican, los nombres de lugares geográficos se escriben antes del sustantivo que los describe:

Barnum, Phineas Taylor 2:255
Baro, río **6**:67
Barobudur, templo de **9**:54

Cuando en una lista de términos, alguna palabra se repite con gran frecuencia, se reemplaza con un guión largo —. Por ejemplo, en la entrada de **aceleración**, cada vez que aparece la palabra aceleración al principio de una línea, se reemplaza por guión:

aceleración 1:46
— angular **6:**165
— de la gravedad **7:**52
— lineal **6:**165
física **6:**165, 166

Para facilitar la lectura, se han usado tres márgenes distintos. Las entradas y voces se acomodan en el margen izquierdo. Las referencias de esos términos se colocan en lista con una sangría. Si algún concepto abarca más de un renglón, la segunda línea y las siguientes se sangran todavía más:

Academia de Ciencias, Artes y
    Bellas Letras de París
    6:124

aeropuerto 1:88
  — Internacional Benito Juárez
    de la ciudad de México
    1:89, **10:**191

ágora 1:100
  arquitectura **2:**56
  Zenón de Citio **14:**177

Las ilustraciones se indican subrayando el texto:

Antigua Biblia ilustrada **5:**256

bajorrelieve 2:220
  armadura **2:**43
  arquitectura **2:**58
  bajorrelieve **2:**101; **8:**49
  Bajorrelieve con la figura de una
    deidad, Shrisuaji,
    Mandore, India **7:**299
  Bajorrelieve griego en Delfos,
    Grecia **7:**62
  bajorrelieve, La Anunciación a
    los pastores **12:**116
  Bajorrelieve maya en Copán,
    Honduras **7:**219

Los nombres de obras literarias, los títulos de pinturas o esculturas y las palabras en idioma extranjero se indican con letras cursivas:

Acta *sanctorum* **7:**119

African National Congress **1:**323

Ana Karenina **12:**141

Cuando en la boigrafía de algún escritor, pintor, escultor o compositor se mencionen sus obras, se indica con las palabras: obra o bibliografía:

Ahmet, Hashim 1:119
  bibliografía **1:**119

En ocasiones, una voz puede describir un concepto muy importante, aunque no sea un artículo de la enciclopedia. En esos casos, la voz se indica como si fuera artículo, junto a la lista de términos que amplían la información sobre ella:

Adriano
  — emperador **13:**315
  — mausoleo de **1:**316
  España **5:**313
  Gran Bretaña **7:**40
  judaísmo **8:**118
  Juvenal, Décimo Junio **8:**130
  Marco Aurelio **9:**87
  Olimpia **10:**203
  panteón **10:**308
  Roma **12:**98
  Santa Sofía de Constantinopla
    12:215
  Suetonio Tranquilo Cayo **13:**73

A

A 1:17
Aachen 1:331
Aalborg 5:125
Aalto, Alvar 1:17
Aar, río 13:76
aardvark 1:17
Aarhus 5:124
Aarón 1:17
— pectoral de 7:27
incienso 7:293
maná 9:50
AB intestato 1:17
sucesión 13:63
ab origen 1:32
abacá 1:17
ábaco 1:17
aritmética 2:33
arquitrabe 2:59
Abache, Sani 10:101
abad 1:18
Abadán 1:17
Abaddón 12:155
abadejo 1:18
abadesas 1:18
abadía 1:18
— de Batalha, Portugal 11:175
— del Pico 1:300
Abadía Méndez, Miguel 1:18
abadías 7:192
abah 14:65
Abaj Takalik 9:136
Abancay 1:213, 330; 2:28
abanderado 1:172
abanico 1:18
ventilador 14:50
vestido 14:72
abaq 1:17
Abarca de Bolea, Pedro Pablo 1:19
abárido 1:19
abarrotero 5:208
Abascal y Sousa, José Fernando 1:19
Abascal, José Fernando 11:251
Abasemakholweni 8:327
Abasí 1:19
abasidas 1:20, 332; 3:165; 8:38, 51
abasies 1:336
Abasolo, Mariano 1:20
abatí 9:38
Abayubá 1:20
Abbatelli 10:292
Abbe, Ernesto 14:176
Abbe, lago 6:67
Abbeville 6:219
Abbot, Charles G. 13:27
ABC, el 1:20
Abd el-Kader 2:11
ABD el-Krim, Mohamed ibn 1:20
Abdala, califato de 1:26
Abd-Allah b Yasin 1:197
Abdel Nasser, Gamal 8:257
Abdel-Hanid, Hayel 13:285
Abd-el-Krim 9:108
Abd-el-Mottalib 9:31
Abdera 2:143; 5:47
Abderramán I 1:20
España 5:314
Abderramán II 9:318
Abderramán III 1:20
Abenmasarra 1:26
árabes 1:333
España 5:314
mozárabes 9:319
Omar Ben Hafsun 10:209
Abdías 2:309
Abdicación 1:20
abdomen 1:21
insectos 8:6
laparoscopia 8:174
abdominales, anillos 9:100
Abdul Gayoom, A. 9:43
Abdul Hamid II 13:296
Abdul Illah 8:42
Abdul Rahman 9:42
Abdul Rahman Aref 8:42
Abdul Salam Aref 8:42
Abdul-Azid al-Faisal al-Saud 7:259
Abdul-Karin al-kabariti 8:108
Abdullah 8:107
Abdullah bin Khalifa al-Thani, emir 11:245
Abdullah, emir 8:151
Abdullah, Ibn-Hussein 1:21
Abdullah, rey de Arabia 1:250
Abdullan al-Sallal, brigadier 14:162
Abdus Sattan 2:246
abecedario 3:168; 7:31
— gótico 1:171
Abedra 11:217
abedul 1:21
— blanco 1:21
ártica, región 2:71
madera 9:13
Abeid Karume 14:172
abeja 1:21, 26
— africana 1:*23*
— europea 1:*24*
— obrera 1:*22*
—, desarrollo de la 1:23
—, enemigos de la 1:25
abeja de flor 8:8
Abejas, fase cultural del Valle de Tehuacán 13:138
artrópodos 2:78
artrópodos, orden de los 2:78
cera 3:326
colmena 1:22; 4:136
comunicación animal 4:181
danza de las abejas 1:22
distribución del trabajo 1:22
éxodo de la colmena 1:23
fecundación de las flores 1:24
himenópteros 7:180
miel 9:218
nido 10:98
polinización 11:154
regulación biológica 1:24
reinas y su función 1:23
abejorro 1:25
himenópteros 7:180
insecto 8:8
Abel 3:154
Abel y Caín 1:26
Abel, Niels Henrik 1:26
Abela, Eduardo 1:26
Abelardo 13:316
Abelardo de Salisbury 5:208
Abelardo, Pierre 1:26, 301
Anselmo de Laón, san 1:301
Abeliana, categoría 9:10
Abelson 10:74
Abella Caprile, Margarita 1:26
Abella Trias, Julio C. 1:26
Abén Aboo (Diego López), 1:26
Aben Haní 7:190
Abén Humeya 1:26
Alpujarras 1:202
Juan de Austria 8:113
Aben Jaldún 7:190
Aben Jot 8:110
Aben Masawih 1:332
Aben, Massarra 7:190
Aben Tofail 7:190
abencerrajes 1:26
Isabel *la católica* 8:49
jardinería 8:88
Muley Hacén 9:327
Abenmasarra 1:26
Aberastury, Maximiliano 1:27
Aberdeen 1:27
—, puerto en Escocia 1:27
—, Universidad de 10:258
—, George 11:27
Gran Bretaña 7:35, 37
universidad 13:316
aberdeen angus 1:27
—, raza animal 2:18
Aberdeenshire 1:27
Abernathy, Ralph David 1:27
aberración 1:27
— cromática 8:222
abertura angular 6:315
abertura palpebral 8:165
Abessolé, Paul Mba 6:260
abeto 1:27
— blanco 1:28
árbol 1:345, 347
arco, tiro de 1:352
madera 9:13
abey 1:28
Abidján 1:28
Sierra Leona 12:320
Ábidos 12:297
Abigail Adams 9:326
abigeato 6:328
abiogénesis 1:28
generación espontánea 6:299
abisal 1:28
Abisini 7:93
Abisinia 1:29
—, Negus de 11:194
Addis Abeba 1:67
águila 1:115
Badoglio, Pietro 2:214
Etiopía 6:67, 69
Italia 8:63
lengua 8:218
Negus 10:69
sal común 12:169
abisinios 7:186
abismos 6:311
abispón 7:309
Abjasia 6:317
abjasios 6:317
abjasos 2:94
Abkhazia 1:29
—, Actividad económica 1:29
ablación 6:329; 12:28
ablandamiento 9:7
ablativo 1:29
abluciones de pies 7:168
abluciones del dorso 7:168
abnakis 7:309
Abo Bakr 1:336
abogacía 1:29
abogado 1:29
fiscal 6:163
abogado del diablo 1:30
Abolhassan Bani-Sadr 8:39
abolición 13:236
abolición de la esclavitud 8:154
abolicionismo 1:30
— absoluto 1:30
esclavitud 5:281
abolicionistas 7:89
abolla 64
abono 1:31
nitrogenado 1:31
algodón 1:182
educación rural 5:223
guano 7:75
hollín 7:210
huerta y horticultura 7:239
labranza 8:156
nítrico, ácidos 10:105
pipirigallo 11:104
aborigen 1:32
aborto 1:32
— habitual 7:325
About, Edmond 1:32
ABQ 10:60
abracadabra 1:33
Abraham 1:33
—, Testamento de 1:325
—, culto de 9:31
Agar 1:99
escritura 5:284
Historia Sagrada 7:194
Iraq 8:41
Isaac 8:47
Islam e islamismo 8:52
Jehová 8:93
judaísmo 8:117, 118
Lot 8:309
Mesopotamia 9:178
Moíses 9:265
patriarca 11:14
Rebeca 11:313
Sara o Sãray 12:225
abrasión marina 6:306
abrasivo 1:33
Abren, Casimiro de 3:76
Abreu de Figueroa, Gonzalo 3:146
Abreu de Meneses 5:77
Abreu Gómez, Ermilo 1:33
Abreu, Casimiro José de 1:33
Abreu, Diego de 8:34
Abreu, João Capistran de 1:33
Abreu, Marta 9:113
abreviatura 1:33
abrigo 11:229; 14:65
abril 1:35
abrocoma 1:35
abrojo 1:35
abrótano 1:35
Abru, Antonio de 5:76
Abruzos 1:324
Abruzos, Luis Amadeo de Saboya, duque de los 1:35
Absalón 1:35
absceso 1:36
abscisa, ordenada y cota 1:36
abscisas 6:314
abscisión 1:36
absentismo 1:36
absentista 8:180
ábside 1:36
absolución 1:36
absoluta 7:249
absolutismo 1:36
Edad Moderna 5:209
Fernando VII 6:136
Francia 6:222
Gran Bretaña 7:41
Legislativo, poder 8:211

Telema **13:**147
absoluto 1:36
metafísica **9:**180
Texeira de Pascoães, Joaquim **13:**139
absorción 1:37
— por la materia **1:**170
alimentación **1:**186
higrómetro **7:**177
hoja **7:**203
tintorería **13:**198
abstención **10:**81
abstencionismo 1:38
abstinencia 1:38
abstracción 1:38
— lírica **14:**91
Gran Bretaña **7:**45
pintura **11:**95
abstraccionismo
— geométrico **14:**46
escultura **5:**294
Orozco, José Clemente **10:**256
Uruguay **13:**329
abstracto **5:**267
abstracto, arte 1:39
modernismo y arte moderno **9:**263
abstracto, expresionismo **14:**46
Abtao **9:**164
Abu Bekr **8:**51
Abu Dhabi 1:39
Abu Dhabi **1:**332
Emiratos Árabes Unidos **5:**249
Qatar**11:**245
Reuter, agencia **12:**37
Abu Mena **5:**229
Abu Nuwas **1:**333
Abu Sayeede Choudhury **2:**246
Abu Simbel 1:39
Abu Simbel **7:**185
Abu, monte **7:**302
Abu-Abdillah **9:**320
Abuam **13:**99
Abu-Bekr **10:**209
abubilla 1:39
abuelo 1:39
Abukir 1:39
Abul Beka **7:**190
Abul Hasán, Granada, rey de **9:**327
Abula, paso de **14:**74
Abulcasis **5:**315
Abulfeda **6:**304
Abul-Hacén **3:**10
abulia 1:39
Abu-Said de Mehne **8:**39
Abu-Simbel **12:**297
Abu-Talib **9:**31
Abu-Yafar-Almansur **2:**216
acacia 1:40
— árbol de **9:**13
algarrobo **1:**179
academia 1:40
— europeas **1:**40
— americanas **1:**41
Atenas **2:**134
Platón **11:**135
Reforma **11:**325
Academia Argentina de Letras **6:**328
Academia Colombiana de la Lengua **1:**350
Academia de Artes y Ciencias Cinematográficas **1:**41; **8:**214
Academia de Artes y Ciencias Cinematográficas de Hollywood **3:**154; **6:**259
Academia de Ciencias de Suecia **6:**73; **12:**36
Academia de Ciencias, Artes y Bellas Letras de París **6:**124
Academia de Dijon **12:**119
Academia de la Historia de Venezuela **1:**213
Academia Dominicana **5:**162
Academia Española de la Lengua **14:**188
Academia Francesa **1:**33, 40, 121
Academia Francesa de Ciencias **8:**201
Academia Lituana de Ciencias **8:**288
Academia Mexicana de la Lengua **8:**126; **12:**82
Academia Militar de Montevideo **9:**250
Academia Militar de West Point **8:**209
Academia Panameña **1:**172
Academia Puertorriqueña de la Lengua **12:**61
Academia Real de Arte Dramático de Londres **8:**197
Academia Sueca de Letras **8:**163
Academia Uruguaya de Letras **14:**191
academicismo **5:**295; **9:**275; **13:**5
académico **1:**320
Academius Romanus **12:**61
Academos **1:**40
Acadia 1:41
lengua **8:**218
Nueva Escocia **10:**156
Síbaris y sibaritismo **12:**310
acadios **2:**101; **9:**178; **12:**275
acaguay **7:**310
Acajutla **12:**181, 183, 200
acalefo 1:42
Acamapichtli 1:42
aztecas **2:**198
Itzcóatl **8:**69
acanto 1:42
acantocéfalos 1:42
nematelmintos **10:**70
acantopterigio, pez
acanturo 1:42
lucio **8:**316
mojarra **9:**266
mújol **9:**327
pargo **10:**327
Acapipiotl **10:**91
Acapulco de Juárez. 1:42
Acapulco, la Quebrada **1:**43
balneario **2:**228
Guerrero **7:**101
Laguna, Tomás Antonio de la Cerda y Aragón, marqués de la **8:**165
playa **11:**136
Revillagigedo **12:**38
Acaraí **3:**69
Acaray **10:**324
Acarigua **2:**256; **7:**158
ácaro 1:43
enfermedades parasitarias **5:**262
garrapata **6:**286
Acatémpan, abrazo de **9:**199
Acatenango 1:43
—, volcán de **12:**157
Guatemala **7:**77, 81
Acatita de Baján **1:**216; **7:**164
Acaya **1:**349; **7:**60; **11:**32
Acayana **8:**117
Acaz **8:**50
accadio **1:**130
accesibilidad **11:**229
acceso **8:**78
accesorios **6:**92, 202
Acciajouli, casa de **7:**60 **7:**
accidente 1:43
— aéreo **1:**43
— geológico **1:**210
— gramatical **7:**31
— concreto del paisaje físico **13:**10
del verbo **7:**325
nombre **10:**128
seguros sociales **12:**267
Accio, batalla naval de **2:**159; **9:**87; **13:**270
acción 1:43
— de informar **6:**17
— antropogénica **6:**312
— biológica **6:**312
— ofensiva **13:**98
drama **5:**169
luz eléctrica **8:**333
voluntad **14:**131
acción católica 1:44
Pío X, san **11:**101
acción refleja 1:44
accionista **14:**16
accipitridae **2:**48
Accra 1:44
Ghana **6:**321
acebo 1:45
árbol **1:**346
madera **9:**13
acebucheno **10:**206
acedera 1:45
ártica, región **2:**71
acéfalos **10:**268
aceite 1:45
— industrial **1:**45
— fijos y volátiles **1:**45; **2:**229
— animales y vegetales **1:**45; **11:**99
— de ricino **5:**173; **11:**244
— pesado **6:**244, 289
— de eucalipto **6:**72
— de linaza **7:**282; **8:**268
— de chaulmugra **8:**230
— cocido **8:**268
— crudo **8:**268
— de crotón **11:**244; **13:**163
— virgen **10:**207
algodón **1:**182
almendra **1:**195
ánfora **1:**279
asfalto **2:**82
grasa **7:**51
hinojo **7:**181
jabón **8:**71
lavándula **8:**200
lino **8:**268
perfumería **11:**49
plomería (fontanería) **11:**139
aceitosidad **13:**94
aceituna 1:46
aceleración 1:46
— angular **6:**165
— de la gravedad **7:**52
— lineal **6:**165
física **6:**165, 166
acelerador de partículas 1:46
Walton, Ernest Thomas Sinton **14:**138
acelerador lineal de Stanford **13:**129
aceleradores **2:**147
acelga 1:47
Acelguate, río **12:**200
acento gramatical 1:47
acento prosódico **7:**31
acepilladora 1:47
aceptación 1:47
herencia **13:**64
acequia **6:**300; **12:**66
Acer macrophyllum **1:**349
Acer saccharum **1:**349
Aceraceae **9:**71
Acerenza **13:**323
acería **5:**231
acero 1:47
— desmenuzado **1:**33
— de dureza **7:**157
acero **1:**212
aleación **1:**153
ancla **1:**264
arco, tiro de **1:**352
armadura **2:**43
Habana, Ciudad de la **7:**114
Herramienta neumática **7:**157
hierro **7:**172
Huachipato **7:**234
Revolución Industrial **12:**51
termita **13:**167
tierra **13:**192
acerolo 1:49
Acertijo **1:**70; **8:**121
acetaldehído **11:**74
acetato 1:50
— de celulosa **11:**127, 305
dosímetro **5:**166
acético, ácido 1:50
etano **6:**66
fenacetina **6:**129
gelatina **6:**297
acetilcolina 1:50
acetileno 1:50
lámpara **8:**167
linterna **8:**268
petroquímica **11:**74
acetilsalicílico, ácido **2:**104; **6:**175
acetona **1:**51; **2:**211; **9:**13
acetum **1:**50
Acevedo Díaz, Eduardo 1:51
Uruguay **13:**329
Acevedo Hernández, Antonio 1:51
Acevedo y Gómez, José 1:51
aciclovir **7:**195
aciculares **7:**203
acidez **6:**130; **11:**77
ácido 1:51
— acético **1:**50, 51; **8:**256
— aminados **1:**250
— antihelmíntico **1:**195
— antiséptico **13:**198
— ascórbico **1:**51; **11:**125
— ascórbico **11:**334; **13:**42, 92
— bórico **1:**52
— carbónico **7:**169; **13:**257
— cianhídrico **8:**161; **13:**324
— cítrico **8:**261
— cloracético **7:**308
— crabónico **7:**249
— desoxirribonucleico (ADN) **1:**293; **5:**151; **10:**183; **13:**14
— eleosteárico **13:**285
— esteárico **1:**149

— etilénico **1**:55
— formaldehído **1**:52
— fosfórico **1**:31, 348
— gamma-aminobutírico (GABA) **10**:80, 81
— grasos **8**:214; **10**:307
— haloideos **7**:125
— málico **12**:243
— metabórico **3**:48
— nicotínico **11**:29
— nítrico **1**:252; **10**:105
— nitroso **1**:277
— nucleicos **1**:68, 71, 293; **8**:146
— ortobórico **3**:48
— pirobórico **3**:48
— ribonucleico **1**:208, 293; **10**:183
— succínico **1**:223
— sulfúrico **1**:62, 63; **5**:242; **10**:105
— sulfuroso **5**:89
— tártrico **8**:256; **13**:122
— tetrabórico **3**:48
— tímico **13**:196
— úrico **5**:261; **7**:175, 223
agua mineral **1**:112
anhídrido **1**:290
gusto **7**:109
hidrógeno **7**:166
hidrotimetría **7**:169
lsd **8**:313
jardinería **8**:89
sulfuro **13**:82
acidolácticos **14**:164
acidosis **1**:144; **8**:14
acidosis y alcalosis 1:52
acimut 1:52
balizamiento **2**:227
horizonte **7**:225
teodolito **13**:160
ácinos glandulares **10**:307
Ackon **1**:53
Acla **2**:29, 223
aclimatación 1:52
vida **14**:81
acné 1:52
enfermedades de la piel **5**:262
Acolhuacan **11**:264
acólito 1:52
Acolman **9**:204
Acolman, convento **7**:190
Aconcagua 1:53
Aconcagua **2**:26
aeroplano **1**:87
alpinismo **1**: 202
América **1**:230
América del Sur **1**:238
Argentina, República **2**:14
Mendoza **9**:165
montaña **9**:285
acondritos **1**:79
aconitina **1**:53, 144
acónito 1:53
alcaloide **1**:144
droga **5**:173
Aconquija 1:53
— sierra de **6**:308
acorazado 1:53
acorazado Missouri **1**:54
— de bolsillo **2**:39, **11**:289
armada **2**:39
espolón **6**:20
hierro **7**:174
infantería de marina **7**:324
acorde 1:54
acordeón 1:54
— perfeccionado **2**:245
acordeón **8**:11
acordeonista **1**:54
ácoro **3**:158
acosmista **12**:12
acoso **2**:76
Acosta, Cecilio 1:54
Venezuela **14**:46
Acosta, Joaquín 1:54
Acosta, Joseph de **5**:317; **11**:266
Acosta, Óscar **7**:219
Acosta, Tavera **10**:251
Acosta, Vicente **12**:184
acotillo **2**:35
acozote **10**:183
ACP **12**:214; **13**:86
Acre 1:54
América de Sur **1**:241
Fenicia **6**:129
acre 1:55
Acre, San Juan de 1:55
Ricardo I, *Corazón de León* **12**:61
acreción, disco 1:55
acreedor **10**:174; **11**:194
acrídidos **10**:261
acrílico 1:55
acrilonitrilo **11**:74
Acrisios **11**:57
acriu **13**:118
acrobacia 1:55
acrobacias acuáticas **1**:55
acromático **10**:184
acromegalia 1:55
gigante **6**:323
acromiodos **10**:286
Acrópolis 1:56
Acrópolis **2**:55
Acrópolis, Atenas **7**:192
ágora **1**:100
areópago **2**:8
arqueología **2**:52, 56
Atenas **2**:133
Erecteón **5**:274
Fidias **6**:147
Grecia **7**:59
imperio romano **7**:278
mayas **9**:141
Schilemann, Heinrich **12**:247
victoria **14**:77
Yaxchilán **14**:161
acrosoma **6**:13; **7**:17
acróstico 1:57
Acta de Sucesión **7**:39
Acta de Supremacía **7**:39; **11**:325
Acta de Tolerancia Religiosa, Inglaterra **1**:283
Acta de Unión Inglesa-Escocesa **1**:255
Acta del Congreso de Viena **7**:204
Acta del Parlamento **7**:39
Acta Isabelina de Leyes de Pobreza **11**:168
Acta Pilati **11**:89
Acta pública **11**:51
Acta *sanctorum* **7**:119
Actas de los apóstoles **1**:330
actas de nacimiento **8**:209
actas oficiales **8**:251
Acteón **5**:105
ACTH 1:57
artritis **2**:77
actinia **1**:276; **14**:183
actínidos 1:57
Seaborg, Glenn Thodore **12**:251
torio **13**:223
actinio 1:57
radiactividad **11**:276
actinolita **2**:79
actinómetro **2**:274
actinomicosis 1:57
Bollinger, Otto **3**:31
actinota **13**:320
actinótica **11**:114
actitud **5**:194
actitud estética **13**:10
actividad **5**:288
actividad cerebral **8**:168
actividad económica **11**:208
actividad física excesiva **7**:181
actividad industrial **12**:87
actividad volcánica **14**:51
actividades administrativas **11**:185
actividades infantiles **7**:321
actividades pedagógicas **7**:322
acto **5**:284
acto cognoscitivo **1**:38
actomiosina **13**:92
Actopan **7**:163
actor **8**:82
actor **10**:222
actor **10**:309; **13**:240
actos fallidos **11**:223
actriz **7**:135, 149
actuación 1:57
actuales **10**:169
acuaplano 1:57
acuarela 1:57
acuarela **1**:59
pintura **11**:94
acuario 1:58
— de Barcelona **1**:59
— de Tennessee **13**:158
acuario **1**:294
acuario de New England, Boston, Massachusetts **1**:59
acuario de St. Thomas en las Islas Vírgenes **1**:59
Acuario 1:58
astronomía **2**:125
febrero **6**:123
Piscis **11**:110
zodiaco **14**:179
acuáticos **13**:5
acuatizaje **7**:165
acueducto 1:59
— Anio Vetus **12**:98
— de Chapultepec a Tenochtitlán **13**:159
— de Falopio **6**:114
— de las Ferraras (Puente del Diablo) **13**:121
— del río Owens **1**:61
acueducto de Segovia **1**:60
acueducto romano en Túnez **1**:60
acueducto romano, Segovia **12**:259
Agripa, Marco Vipsanio **1**:110
arquitectura **2**:57
puente **11**:227
Querétaro **11**:250
riego **12**:66
Acuerdo Bryan-Chamorro **10**:95
Acuerdo de Arusha (Tanzania) **13**:33
Acuerdo de Cartagena **1**:270; **3**:266
Acuerdo de Gdansk **13**:29
Acuerdo del Carmelo **5**:161
Acuerdo General sobre Aranceles y Comercio (G.A.T.T.) 1:61
liberación económica **8**:242
Acuerdo Monetario Europeo 1:61
acuerdos de Helsinki **5**:62
acuerdos de Kourou **13**:86
acuerdos de Munich **12**:61
acuerdos SALT **10**:146
Aculco **7**:164
aculturación 1:62
acumulador **5**:211; **6**:325
acumulador eléctrico 1:62
Peral y Caballero, Isaac **11**:42
Acuña de Figueroa, Francisco 1:63
literatura hispanoamericana **8**:281
Acuña o Cunha, Tristán da 1:64
Acuña, Cristóbal de **6**:134
Acuña, Juan de 1:63
biografía **1**:63
virreinatos **14**:103
Acuña, Manuel 1:63
México **9**:202
Saltillo **12**:178
acuñación **9**:275; **10**:163
acuosa **13**:199
acuoso **7**:249
acupresión **9**:152
acupuntura 1:63
Acús **10**:108
Acusativo **3**:275
acústica 1:64
armonía y acorde **2**:46
disonancia **5**:144
física **6**:164, 167
fonética **6**:191
impedancia **7**:273
reflector **11**:323
sonido **13**:40
acústico, nervio **10**:196
acutángulos **13**:260
achagua **7**:310
Achala, Sierra de 1:51
Ache, Caran d' **3**:246
Achenwall, Godofredo **6**:29
Achernar, estrella **6**:61
Acheson, Dean Gooderham 1:51
Acheul, Saint **6**:219
Achillini, Alessandro 1:51
Achitofel **1**:35
Achmed Sukarno **7**:315
adagio 1:65
aforismo **1**:92
refrán y refranero **11**:326
sonata **13**:36
Adalberto, san **6**:48
Adalid y Gamero, Manuel **7**:219
Adam Gottlob Oehlenschläger **1**:267
Adamntios Korais **7**:62
Adamov, Arthur **6**:227
Adams Ansel 1:65
Adams, Abigail **6**:128
Adams, Alice **13**:121
Adams, Charles Francis 1:65
Adams, John 1:65
Estados Unidos **6**:41
Adams, John Quincy 1:65
Monroe, James **9**:280
Santa Alianza **12**:210
Adams, Juan **11**:112

Adams, Samuel **12**:44
Adán **5**:205; **7**:28, 194
Adán y Eva 1:65
Caín **3**:154
catolisismo **3**:294
Eddas **5**:210
revelación **12**:38
adaptación 1:65
animal **1**:293
mimetismo **9**:226
reeducación **11**:322
Adare, Cabo **1**:303
Adda, lago **6**:75
Addams, Jane 1:66
Butler, Nicholas Murray **3**:126
mujer **9**:326
Addis Abeba 1:67
— duque de **2**:214
Djibouti, República de **5**:148
Etiopía **6**:68, 69
Sudán **13**:67
Addison, Joseph 1:67
adecuado **8**:146
Adelaida 1:67
Antártida **1**:302
Australia **2**:162
adelantado 1:67
adelfa 1:67
Adelia 1:67
pingüino **11**:93
Adelina **11**:16
Adén 1:67
— Golfo de **1**:334; **2**:89; **13**:32; **14**:162
Arabia **1**:334
Arábigo, Mar **1**:338
Asia **2**:93
descubrimientos y exploraciones geográficas **5**:72
Socotora **13**:23
Yemen, República de **14**:162
Adenauer, Konrad 1:68
Alemania **1**:162
adenina **12**:61; **5**:151
adenitis cervical **12**:226
adenohipófisis **13**:201
adenoideo o citógeno **13**:139
adenoides 1:68
adenoma eosinófilo **1**:55
adenosintrifosfato 1:68
adenovirus 1:68
Ader, Clément 1:68
aviación **2**:187
Adga **11**:143
Adhemar **3**:46
adherencia 1:68
adhesión **5**:38; **9**:277
adhesivos **2**:81
adiabáticas **11**:311
adicción 1:69
adición 1:69
álgebra **1**:179
aritmética **2**:34
fraccionarios, números **6**:207
adicto **7**:183
Adige **14**:39
Adigio **14**:58
Adigio, río **5**:154; **13**:202
Adigio, valle del **13**:178
adiposidad 1:69
adiposo **13**:139
adiposo, tejido **10**:172
adirondacks 1:69
Adisson, enfermedad de **5**:261
aditivo 1:69
adito o adyton 1:69
adivinación 1:69
buenaventura **3**:95
quiromancia **11**:269
adivinadora **1**:*70*
adivinanza 1:70
juego **8**:121
oral, literatura **10**:230
Adivino, pirámide del **13**:334
Adjaristán **6**:317
adjetivas **10**:229
adjetivo 1:70,
análisis gramatical **1**:258
género gramatical **6**:301
lenguaje **8**:219
nombre **10**:128
Adjuntas 1:71
Adjuta, grutas de 7:302
Adler, Alfred 1:71
psicoanálisis **11**:223
Adler, Felix 1:71
Adlerberth **13**:71
Admeto, rey de Tebas **1**:148
administración 1:71
— oral **1**:258
— pública **7**:83; **11**:194; **12**:295
fideicomiso **6**:147
Administración Nacional Oceánica y Atsmosférica de Estados Unidos (NOAA) **7**:12
administrativa, organización **6**:219
admiración 1:71
admirativas **10**:229
admisión **9**:314
ADN bicatenario **1**:68
ADN y ARN 1:71
ADN, molécula de **1**:71
animal **1**:293
blástula **3**:6
doble hélice **5**:151
nucleicos, ácidos **10**:154
oncogén **10**:210
Roberts, Richard **12**:82
Watson, James Dewey **14**:143
Wilkins, Maurice Hugh Federick **14**:150
Adney **7**:45
Adnía **13**:24
adobe 1:72
adobe **5**:225; **10**:87
otomí **10**:270
adolescencia 1:72
epilepsia **5**:270
infancia **7**:319
juventud **8**:130
Adonais, Premio **13**:59
adonías 1:73
Adonis 1:73
adonis 1:73
— baetica **1**:73
— pyrenaica **1**:73
adopción 1:73
adoración de los animales 1:73
adoración de los Reyes Magos 1:73
adoración del Sol 1:73
adormidera 1:74
opio **10**:226
adorno **1**:292; **8**:202; **14**:14
Adorno, Theodor Wiesengrun
Marcuse, Herbert **9**:88
Adour, río **6**:214
Adramalech **5**:136
adrenales, glándulas 1:74
adrenalina 1:74
— sintética **6**:254
droga **5**:173
opoterapia **10**:227
plásticos **11**:130
secreción **12**:253
suprarrenal **13**:86
adrenocorticotrópica (ACTH) **7**:229
adresógrafo **9**:77
Adria **1**:76
Adriaen **10**:267
Adrián IV **6**:124
Adrian, Edgard Douglas 1:74
Adriano
— emperador **13**:315
— mausoleo de **1**:316
España **5**:313
Gran Bretaña **7**:40
judaísmo **8**:118
Juvenal, Décimo Junio **8**:130
Marco Aurelio **9**:87
Olimpia **10**:203
panteón **10**:308
Roma **12**:98
Santa Sofía de Constantinopla **12**:215
Suetonio Tranquilo Cayo **13**:73
Adriano IV **12**:160
Adriano, Publio Elio 1:75
Andalucía **1**:265
Adrianópolis 1:75
Valente Flavio **14**:14
Adriático 1:75
Albania **1**:137
Balcanes **2**:224
Dalmacia **5**:8
esponja **6**:20
Europa **6**:76
Jónico, Mar **8**:107
Mediterráneo, Mar **9**:153, 154
Montenegro **9**:287
rubicón **12**:123
Suiza **13**:77
Venecia **14**:39
Yugoslavia **14**:167
Adserbeiyán 1:76
adsorcion 1:76
Adua **6**:69; **9**:166
aduana 1:76
aduanales **13**:246
aduaneros, aranceles **10**:65
aduar **9**:107
Adula **13**:77
Adula,monte **13**:76
adulteración 1:76
fraude **6**:234
adulterio 1:76
adulto **6**:286; **8**:177
adultos, educación de 1:76
advección 1:77
adventicia **2**:67
adventicios, conos **14**:126
adventistas 1:77
bautismo **2**:268
adverbio 1:78
lenguaje **8**:219
adversarios **7**:127
adversativa, coordinación **10**:229
Adviento **6**:150
advocatus **1**:29
Aecio **2**:135; **6**:221
Aedes aegytpi **9**:310
Aelita **13**:214
Aelopos **2**:49
Aemilia **12**:102
aeolípila 1:78
aeración 1:78
aérea **7**:140; **11**:58
aéreo **6**:253; **13**:290
Aero Club de Francia **12**:223
Aerobee **14**:23
aerobias **2**:210; **12**:30
aerobics 1:78
aerobiosis y anaerobiosis 1:79
aerodinámica 1:79
aeroplano **1**:87
artes industriales **2**:69
hierro **7**:174
satélite artificial **12**:236
vuelo **14**:135
aeródromo **1**:81; **8**:334; **11**:111, 171
aeroespacial, industria **14**:141
aerofotografía **9**:70
aerognosi **6**:311
aerógrafo 1:79
aerolito 1:79
bólido **3**:22
aerolitos 1:79
níquel **10**:104
aeromecánica **1**:79
aerómetros pesamostos **14**:96
aeromodelismo 1:79
educación **5**:218
modelismo **9**:261
pasatiempo **10**:336
aeromodelistas **9**:260
aeromoza 1:79, 80
aeronauta **14**:177
aeronáutica 1:79,
aeronáutica **1**:81, 82
aeroplano **1**:88
alférez **1**:172
astronáutica **2**:108
dirigible **5**:139
Dornier, Claude **5**:165
duraluminio **5**:179
estabilidad **6**:26
estabilizador **6**:27
flecha **6**:175
ingeniería **7**:331
La Cierva y Codorniú, Juan de **8**:158
techo **13**:134
túnel aerodinámico **13**:284
turborreactor **13**:288
aeronáuticos **9**:71
aeronave 1:82
—, diseño de **14**:135
helicóptero **7**:141
planeador **11**:118
aeroplano 1:82
— de motor **2**:187
— diseño y construcción del **1**:86
— instrumentos de navegación aérea **1**:86
— partes de **1**:84
— vuelos famosos realizados en la primera mitad del siglo XX **1**:87
— y submarino **7**:93
aeroplano militar **1**:83
aeroplanos **7**:140
Earhart, Amelia **5**:183
hélice **7**:165
hidrdoplano **7**:168
portaaviones **11**:171
radar **11**:275
aeropuerto 1:88
— Internacional Benito Juárez

de la ciudad de México 1:89, 10:191
— Kennedy, New York 1:89; 10:90
— La Guardia 10:90
— terminal de Ezeiza 2:18
aeropuerto de Sydney, Australia 1:89
aeropuerto militar 1:88
pista 11:111
radiofaro 11:281
aerosol 1:89
aerosondas 6:334
aerostación 1:89
globo aerostático 6:333
aerostática 1:79; 6:47; 14:135
aerotimpánica 13:42
aerotrén 1:89
Aetas, grupos 2:95
afán 5:166
afanípteros 10:101
afaquia 8:223
afasia 1:90
Broca, Paul 3:83
enfermedades mentales 5:262
afata 1:90
afección 7:143, 176; 9:57
afelio 1:90
Marte 9:111
órbita 10:232
Áfer 13:164
aféresis 1:90
gramática 7:31
Afewerki, Issayas 5:274
affixus 1:91
Affre, monseñor, arzobispo de París 12:54
afganes 8:37
Afganistán 1:90
— bandera de 2:239
Asia 2:85, 99
descubrimientos y exploraciones geográficas 5:75
dravidiano, lenguaje 5:172
Estados Unidos 6:42, 43
Irán o Persia 8:35
Kabul 8:131
lapislázuli 8:174
lengua 8:216, 217
mina 9:227
obeja 10:273
rupia 12:136
Shevardnadze, Eduard 12:310
zorro 14:189
afgano 13:293
afganos 2:94
afición 1:219
aficionado 1:219
afijo 1:91
lengua 8:216
áfilas 7:204
afinación 1:91
afinidad 1:91
afluentes 14:162, 168
afluentes rumanos 12:129
Afobo 5:47
aforismo 1:92
África 1:92
— central 2:185; 8:215; 10:297; 14:170, 171
— ciudades y comunicaciones 1:94
— comienzo de una nueva era 1:96
— costas de 5:73
— cultura 1:97
— del Norte 6:328; 8:192
— del Sur 2:181, 192; 8:149; 9:231
— descubrimiento y exploración de 5:78
— división política 1:96
— ecuatorial 6:259; 7:22; 8:137
— geografía física 1:92
— guerra de 2:75; 10:164
— historia y colonización 1:95
— meridional 8:131
— occidental 1:170; 6:273; 10:100, 161
— occidental francesa 9:43; 10:100
— oriental 1:141, 161; 2:246; 8:225; 9:285; 12:68
— pueblos y razas de 1:93
— religión 1:96
— Suroriental 10:166
— tropical 9:160
África 13:210, 254, 300
African National Congress 1:323
Africano, Congreso Nacional (CNA) 9:55
Afrika Korps 7:95
afrikaans 13:313
afrikaner 1:322; 13:314
agricultura 1:107
alabastro 1:131
Alemania 1:162
aloe 1:198
alosaurios 1:199
alpiste 1:202
América del Sur 1:244
anfibio 1:278
Angola 1:284
árabes 1:333
Arabia 1:334
Arábigo, Mar 1: 338
negro 10:66; 67
Afrodita 1:98
Astarté 2:105
dioses paganos 5:136
Eneas 5:257
Fenicia 6:129
Hero y Leandro 7:156
Istar 8:58
Pandora 10:308
Paris 10:329
Psique 11:224
símbolo 12:327
Troya 13:273
Venus 14:51
afta 1:98
aftosa, glosopeda o fiebre 1:98
Aga Khan I 1:98
Aga Khan II 1:98
Aga Khan III, sir Mohammed Shah, Sultán 1:98
Aga, Zara 1:263
agaces, indios 8:34
agachadiza 1:98
agalerado 6:264
agalla 1:98
branquia 3:68
petroquímica 11:74
Agamenón 1:99
caballo de Troya 3:136
Casandra 3:271
Agamenón 5:204
Electra 5:236
Agamenón 7:266
Ifigenia 7:268
Menelao 9:166
Micenas 9:212
Orestes 10:242
Troya 13:273
agamí 1:99
aganrog 2:195
Agar 1:99
Isaac 8:47
Sara o Sāray 12:225
agar-agar 1:99
alga 1:178
purgante 11:244
agaricácea 1:99
Agarista 1:149
Agassiz, Jean Louis Rodolphe 1:99
Agassiz, lago 9:228; 10:132
ágata 1:99
ágata 9:229
Agatha Barbara 9:46
ágata cóndor 2:15
anhídrido 1:290
agave 1:100
tequila 13:162
Ageladas 6:147; 11:151
Agena, satélite 2:115
Agence France-Presse 11:51
agencia 1:100
— Central de Inteligencia de Estados Unidos (CIA) 3:283
— de Energía Atómica Internacional 10:146
— de Noticias de Petrogrado 13:125
— de Protección al Ambiente 7:270
— Espacial Europea 7:82
— Federal de Investigación 14:140
— Internacional de Energía Atómica en Viena 9:270
— marítima Lloyd's 8:303
— para el Control de Armamentos 13:310
agencias gubernamentales 6:36
agencias publicitarias 11:225
agencias periodísticas 1:100
Agenor 3:152; 6:84
agente 10:210; 11:162
agente bactericida 1:313
agente judicial 13:261
agentes patógenos 7:154
Agenzia Nazionale Stampa Associata 13:53
Agesilao 8:94
Agha, Zubeida 10:287
Agiabampo, bahía de 12:330; 13:40
ágidas 6:7; 7:59
agitación social 7:280
agitador helicoidal 10:105
Aglaya 7:28
aglomeraciones 1:59
aglutinación 1:100
Agnani 7:335
Agnese 9:67
Agni 1:100
Manú 9:62
Agnon, Semuel Yosef seudónimo de S. Y. Czaczkes 1:100
Sachs, Nelly 12:158
agnosticismo 1:100
Athayde, Tristán de 2:133
verificación 14:56
ágora 1:100
arquitectura 2:56
Zenón de Citio 14:177
Agoracrites 7:63
Agost, esfinge de 7:259
Agosta, batalla naval de 12:93, 152
Agosti, Orlando Ramón 2:24
agosto 1:100
Agote, Luis 1:101
Agotkon 5:136
Agoult, condesa de 8:273
Agra 1:101
Agra 5:243
Agra 13:103
India 7:298
Nehru 10:69
Shah-Jahan 12:303
agrafia 5:262
ágrafos 2:49
agramado 8:268; 13:180
Agramonte Simoni, Arístides 1:101
Agramonte, Ignacio 1:101
agranulocitosis 1:101
agraria, ley 7:29
agraria, reforma 10:69
agrario 13:81
Ágreda, sor María de Jesús de 1:101
Agrelo, Pedro José 6:295
agrícola 1:320; 6:275; 14:58
agrícola aldeano, periodo 9:178
agrícola incipiente, periodo 9:178
Agrícola, Cneo Julio 1:101
agrícola-ganaderos 2:236
Agricola, George Bauer 1:102
agricultura 1:102, 242, 270
— científica 1:106
— en América 1:107
— factores 1:103
— historia de 1:104
— importancia de 1:102
— ingeniería agronómica 1:107
— los esclavos mecánicos 1:106
— los tesoros del Nilo 1:104
— producción agrícola 1:103
— regiones agrícolas del mundo 1:107
— revolución agraria 1:106
— romana 1:105
— sistema medieval 1:105
agricultor 1:103
agricultoras 7:227
Agrigento (Girgenti) 1:109
Empédocles 5:250
Sicilia 12:314
agrimensor 14:141
agrimensura 1:109
geometría 6:314
Agrio, lago 5:197
Agripa 2:160; 10:308
Agripa, Herodes 12:218
Agripa Póstumo 1:110
Agripina 10:74
Agripina, Julia 1:110
Agripina la Mayor 1:110
agrobiosistema 11:184
agrología 8:87
agronomía 5:219
agronómica 7:332
Agropecuarias, Instituto de Investigaciones 10:295
agua 1:110
— carmelitana 13:225
— congelada 7:49

— corrientes **8**:46
— de abedul **1**:21
— de barita **2**:27
— de cristalización **7**:164
— del tiempo **13**:329
— duras **14**:163
— minerales **2**:273; **7**:168
— pluviales **8**:46
— residuales, tratamiento de **1**:111
— salada **9**:78
— subterráneas **8**:46
— timolada **13**:196
agua **5**:259; **8**:293,330
agua grande **7**:268
alimentación **1**:187
Anáhuac **1**:257
árbol **1**:347
atolón **2**:143
bebidas **2**:273
deforestación **5**:37
dique **5**:137
Dumas, Jean-Baptiste-André **5**:178
energía **5**:258
erosión **5**:276
fuego y sus consecuencias **6**:243
géiser **6**:296
hidrato **7**:164
hidrógeno **7**:166
hidrostática **7**: 168
hielo **7**:169
hoja **7**:203
huerta y horticultura **7**:239
impermeabilización **7**:282
iones, intercambio de **8**:32
irrigación **8**:46
lago **8**:163
mala **9**:155
nivel **10**:107
potasio **11**:179
preservación **11**:191
recursos naturales **11**:319
seguridad **12**:262
tiempo **13**:188
vida **14**:80
Agua Azul, cascadas de, Chiapas **9**:193
agua de mar, purificación del 1:111
agua fuerte 1:112
agua mineral 1:112
agua oxigenada 1:112
agua pesada 1:112
átomo **2**:148
Agua Prieta **13**:41
agua regia 1:112
Agua, volcanes de El **7**:81; **12**:157
aguacate 1:112
— lagunas **6**:48
guacamole **7**:71
Aguachapán **12**:183
Aguadilla 1:113
Puerto Rico **11**:230
Aguado, Alejandro María 1:113
Aguado, Pedro de, fray **14**:46
aguafuerte **7**:27; **13**:212
aguamarina 1:113
berilo **2**:297
Aguán **14**:164
Agúan o Romano,río **7**:218
Aguanaval, río **1**:208; **5**:180; **14**:169
aguantar **13**:127
Aguapey **2**:73; **10**:324; **13**:326
aguara-guazú 1:113
aguardiente 1:113, 144
aguaribay **9**:269
Aguarico, río **5**:196
aguas jurisdiccionales 1:114
Aguascalientes 1:113
— Convención de **14**:92, 173
— historia **1**:114
Posada, José Guadalupe **11**:178
aguatinta 1:114
Aguayo y Sánchez, Alfredo Miguel 1:114
aguda **10**:258; **11**:53; **13**:279
agudo **5**:277
Águeda, río **12**:172
Aguibolus **5**:136
aguijón **1**:25
aguijones **7**:180
águila 1:114
— calva **8**:32
águila **10**:97
águila calva **2**:179
arpía **2**:48
Asia **2**:91
ave **2**:180, 181
vía láctea **14**:73
Aguilar Barquero, Francisco 1:116
Quirós Segura, Juan Bautista **11**:269
Aguilar, cerro **8**:125
Aguilar, Cristóbal de **11**:64
Aguilar, Gabriel **11**:64
Aguilar, Gaspar de 1:115
Aguilar, Grace 1:115
Aguilar, Jerónimo de 1:115
Aguilar, José Gabriel 1:115
Aguilar, Manuel 1:116
Aguilar, Rafael de **12**:197
Aguilar, Ricardo **7**:220
Aguilera **14**:140
Aguilera Malta, Demetrio 1:116
Ecuador **5**:201
Gil Gilbert, Enrique **6**:323
Aguilera, Francisco J. 1:116
Aguinaldo, Emilio 1:116
Filipinas, República de **6**:155
Quezón, Manuel Luis **11**:254
Aguirre Beltrán, Gonzalo 1:116
Aguirre Cerda, Pedro 1:117, 216
Allende Gossens, Salvador **1**:216
Aguirre, Francisco de 1:116
Villagra, Francisco de **14**:93
Aguirre, Juan Bautista 1:116
Literatura hispanoamericana **8**:280
Aguirre, Juan Pedro 1:116
Aguirre, Julián 1:117
Argentina, República **2**:27
Aguirre, Lope de 1:117
Aguirre, Nataniel 1:117
Aguirre, Osmín **12**:183
Aguirre, Raúl Gustavo 1:117
Aguiyi Ironsi **10**:101
aguja 1:117
— de Cleopatra **10**:171
— de registro **12**:13
— metálicas **14**:66
gramófono **7**:32
Agujas, cabo de las **1**:92; **13**:312
agujero negro 1:117
física **6**:169
gravitacional, colapso **7**:53
Hawking, Stephen William **7**:133
agupazó **6**:270
Agurto, Luis Felipe **11**:63
agus termales **6**:244
Agustí, Ignacio 1:118
Agustín **5**:152; **11**:15
Agustín I **8**:68, 185; **9**:199
Agustín, José 1:118
bibliografía **1**:118
Literartura hispanoamericana **8**:283
Agustín, san 1:118
Alfredi I, el grande **1**:177
anglosajones **1**:284
ermitaño **5**:275
espiritualismo **6**:18
Mónica, santa **9**:277
Neoplatonismo **10**:72
orden religiosa **10**:234
Orosio, Paulo **10**:256
padre nuestro **10**:282
predestinación **11**:185
Agustina de Aragón 1:118
agustinas **13**:165
agustinas, convento de las **12**:172
Agustini, Delmira 1:118
mujer **9**:327
agustinos 1:118; **8**:192
agutí 1:118
aguzanieves 1:119
Ah Puch **9**:139
Ahaggar, macizos montañosos de **12**:164
Ahasvero **8**:119
Ahenobarbo, Dominico **1**:110
Ahitzotl **14**:173
Ahmad al-Bashir, Omar Hassan **13**:67
Ahmad b Ibrahim al-Gazi **6**:69
Ahmad Gran **13**:33
Ahmad Hasan al-Bakr **7**:254
Ahmad Tejan Kabbah **12**:320
Ahmadi **8**:151
Ahmed Ben Bella **2**:11
Ahmed Fahwkr **1**:70
Ahmed Hassan al-Bakr **8**:42
Ahmed Hatif-Iafahani **8**:39
Ahmed ibn Madshid **5**:71
Ahmed Mati Bey Zogu 1:119
Zogu I **14**:179
Ahmed Sha Massud **1**:91
Ahmed Z. Yamani **1**:337
Ahmed Zogú **1**:138
Ahmedabad 1:119
Ahmet, Hashim 1:119
bibliografía **1**:119
Ahmet, Midhat 1:119
Ahomadegbe, Justín **2**:293
ahorro 1:119, 120
ahorro **5**:195
Ahram, Al 1:120
ahriman 1:120; **14**:188
Ahseverus **8**:119
ahuacamolli **7**:71
ahuacatl **1**:113
Ahuachapán 1:120
Salvador, el **12**:182
ahuehuete 1:120, 121, 348
Ahuilizapan **10**:252
ahuizote 1:120
nutria **10**:166
Ahuízotl o Ahuítzotl 1:120
arte plumario **2**:66
aztecas **2**:198, 203
Moctezuma II **9**:258
pochteca **11**:145
Tenochtitlán **13**:159
Ahura Mazdah **12**:11
Aibek **9**:48
Aicard, Jean François Victor 1:121
Aída 1:121
Tibbet, Lawrence Mervil **13**:184
Verdi, Giuseppe **14**:55
aigrettes **6**:287
Aiguillon **12**:94
Aiken **13**:45
Aiken, doctor **9**:77
Aikido 1:121
Ailette **10**:197
Ai-ling **13**:41
aillarehue **1**:343
Ailly, Pedro **6**:305
aimara 1:121
puna, cultura de **11**:243
quena **11**:249
quichúas o quechúas **11**:254
aimará **7**:309, 310
aimara, las ruinas de Tiahuanaco **1**:121
aimarás **7**:311; **13**:248; **14**:115
Ain **5**:112
aino o ainu 1:122
ainos **2**:95; **11**:311
ainú **2**:96, 95
aipí **13**:115
Air France **6**:217
Air, macizos montañosos el **12**:164
aire 1:123
— contaminación del **1**:123
— comprimido **7**:157
ametralladora **1**:248
arco, tiro de **1**:351
atmósfera **2**:140
atmósfera **2**:143
Baleares **2**:224
fuelle **6**:244
gas **6**:287
ladrillo **8**:160
Le Corvusier **8**:203
polvo de moldeo **11**:162
tiempo **13**:188
vida **14**:80
visibilidad **14**:105
vuelo **14**:135
aire acondicionado 1:123
refrigeración **11**:328
plastificación **11**:331
ventilación **14**:50
aire líquido 1:123, 124
Aire, Academia del **2**:130
Aire, sierra del **11**:173
aire, vehículos de colchón de 1:123
aireación **5**:194; **13**:167
aireación artificial **11**:162
aireadas **7**:239
Airola **7**:278
Aisén 1:124
Aisén del General, región **1**:124
Aisén, Región **8**:165
Aislacionismo **9**:281
aislamiento 1:124
— acústico **1**:124
— eléctrico **1**:125
— térmico **1**:124; **8**:161
aislante **2**:82; **8**:161
aislar **8**:201
Aisne **5**:277

Aitoff **9**:69
Aiutamicristo, palacios **10**:292
Aixa **3**:10; **5**:315; **9**:327
Aix-la-Chapelle **1**:159, 331
Ajaccio (Córcega) **6**:107, 302
ajaccio 1:125
Ajalón, valle de **8**:110
Ajalpan **13**:138
Ajanta, cavernas **7**:298
Ajedrecista **3**:224
ajedrez 1:125
— campeonatos mundiales **1**:126, 127
— campo de batalla **1**:126
— formación de combate **1**:126
— gigante **1**:128
— historia y grandes maestros **1**:128
— nomenclatura **1**:127
— olimpíadas **1**:129
— poderío bélico **1**:126
— revista de tropas **1**:126
— tablero común de **1**:125
— tablero de juego de **8**:120
— táctica y estrategia **1**:128
ajedrez **1**:128
Filidor, François André **6**:154
ajenjo 1:129
artemisa **2**:67
ají 1:129
pimiento **11**:91
Ají pique **12**:32
ajiaco 1:129
ajimeces **2**:58
ajimez 1:129
Ajmán **5**:249
ajo 1:129
Ajó **12**:223
ajolote 1:129
ajonjolí 1:129
Ajuereado **13**:138
Ajusco, Sierra del **9**:208
Akaba, Golfo de **12**:330
Akademgorodok **8**:134
Akaishi, montes **8**:79
Akbar **9**:276
Akbar, Abul-P-Fath Yalal al-Dín Muhammad 1:130
Aken **5**:235
Akershus, fortaleza de **10**:264
Akhdar, Jabal Al **10**:208
Akhenatón **5**:235; **7**:180
Akihito 1:130
Hirohito **7**:186
Japón **8**:84
Akilov, G. P. **8**:134
Akkad (o Accad) 1:130
Iraq **8**:41
Akkapana, cerro de **1**:121
Ákko **1**:55; **6**:129
akla kona **7**:290
Akpes **6**:329
Akragas, Colonia doria de **1**:109
Akrobatein (griego) **1**:55
Aksakov, Sergei **12**:141
Aksakov, Sergej Timofievich 1:130
Aksum **6**:69
Akuffo, Frederich **6**:320
Akufo-Addo, Edward **6**:320
Al Batinah **10**:208
Al Jonson **14**:148
Al Kala Nhar **1**:143
Alá 1:130
Arabia **1**:331
Alabama 1:30
— río **6**:32
Alabama **1**:182
Estados Unidos **6**:32, 33, 41
King, Martin Luther **8**:142
Soto, Hernando de **13**:44
alabanza **7**:180
alabarda **2**:43
alabastro 1:130
alabeo **1**:170
alacaluf **7**:310
alacalufes **7**:310; **13**:192; **14**:115
Alacoque, María Margarita **12**:163
alacrán 1:131
ALADI 1:131; **2**:104
Aladino 1:131
Bagdad **2**:216
folklore o folclor **6**:189
Alagoas 1:131
Alagón, río **12**:172
Alah **5**:206
Alajuela 1:131
Guardia Gutiérrez, Tomás **7**:76
Alajuela, conjuración de 1:131
ALALC (Asociación Latinoamericana de Libre Comercio) 1:131
Andino, Pacto (Grupo Andino) 1:270
Ecuador **5**:198
México **9**:196
Alalia **6**:187
Alamagro, Diego de **11**:115
Alamán, Lucas 1:131
México **9**:202
alamanes **1**:158
alambique 1:131
destilación **5**:93
alambrado **1**:207
alambre 1:132
alambre de cobre enroscado **1**:133
labranza **8**:156
Alamein, El 1:134
Alaminos, Antonio 1:134
Hernández de Córdoba, Francisco **7**:155
álamo 1:134
— blanco **1**:347; **9**:12
— negro **9**:12
árbol **1**:345
álamo **6**:178
madera **9**:13
Álamo, El 1:134
Álamos **10**:160; **13**:41
Álamos, laboratorio científico de Los **11**:335
Aland, archipiélago de **6**:159
Aland, islas **8**:258
Al-Anon **1**:151
alanos
Edad Media **5**:205
España **5**:314
hunos **7**:253
inmigración y emigración **7**:335
libro **8**:252
alantoides **5**:68
Alarcón Rivera, Fabián **5**:201
Alarcón y Arriaza, Pedro Antonio de 1:134
Alarcón y Valera, Pedro Antonio de **10**:326
Alarcón, Honorio **14**:14
Alarcón, Juan Ruiz de **13**:127, 203
España **5**:320
Alarico I 1:135
godos **7**:11
Mantua **9**:62
Padua **10**:283
sitio **13**:9
alarma, sistemas de 1:135
Alas Clarín, Leopoldo **5**:266, 320; **6**:103; **11**:45
Alas Ureña, Leopoldo 1:135
Alaska 1:135
águila **1**:115
alce **1**:147
Aleutianas **1**:170
alga **1**:178
América **1**:230
América del Sur **1**:235
anexión **1**:277
armiño **2**:46
ártica, región **2**:71
ave **2**:180
descubrimientos y exploraciones geográficas **5**:74
esquimales **6**:25
Estados Unidos **6**:30, 41
exploraciones polares **6**:97
fiordo **6**:161
glaciar **6**:329
iglú **7**:266
Latinoamérica **8**:182
mocasín **9**:257
Monroe, James **9**:280
montañismo **9**:285
paletería **11**:30
platos voladores **11**:135
reno **12**:20
Rocosas, Montañas **12**:88
secoya **12**:252
Stefansson, Vilhjalmur **13**:53
tundra **13**:283
vivienda **14**:114
Yukón **14**:168
Alassio **12**:81
Alatau **8**:143
Al-Ateen **1**:151
aláudidas **1**:198
aláudidos **3**:158
Álava 1:136
Vasco, país **14**:28
Victoria **14**:109
alavitas **13**:6
alazán **3**:133
Alba Longa 1:137
imperio romano **7**:275
Alba y Bonifaz, Santiago 1:137
Alba, duque de 1:136
Ávila **2**:189
ejército **5**:233
Felipe II **6**:127
tercio **13**:164
Alba, Fernando **9**:202
Alba, tercer duque de 1:137
albacea 1:137
fideicomiso **6**:147
Albacete 1:137
Andalucía **1**:264
Mancha, La **9**:51
albahaca 1:137
Albán, Monte **10**:170
Véase Monte Albán
albanés
Grecia **7**:54, 61
indoeuropeo **7**:315
lengua **8**:217
Albania 1:137
— pueblo y su historia **1**:138
— recursos naturales **1**:138
Albania **1**:138
Albania **9**:154
Balcanes **2**:223
bandera de **2**: 239
Europa **6**:76; 81
Guerra Mundial, Segunda **7**:93
Mohamed II **9**:264
Tirana **13**:201
Tito, Josip Broz, llamado **13**:206
Varsovia, Pacto de **14**:27
Zogú I **14**:179
albaricoque 1:139
Albarracín, Paula **12**:229
Albarrán y Domínguez, Joaquín 1:139
Albategnio **13**:96
albatros 1:139
ave **2**:178
albedo 1:139
Neptuno **10**:74
albedrío **12**:248
albéitar **14**:73
Al-Beitar, Ben **14**:73
Albelda **2**:312
Albemarle, fragata **10**:70
Albéniz, Isaac 1:139
Mercé, Antonia, la Argentina **9**:172
Rubinstein, Arthur **12**:123
Segovia, Andrés **12**:259
Turina, Joaquín **13**:289
Alberche **2**:189; **9**:20; **13**:104, 212
Alberdi, Juan Bautista 1:140
Argentina, República **2**:25
Echeverría, Esteban **5**:185
Mitra **9**:250
Sarmiento, Domingo Faustino **12**:229
Sastre, Marcos **12**:232
Alberes, monte **11**:108
albergue **6**:92
Alberoni, Giulio 1:140
Neuhof, Theodor Antonio, barón de **10**:76
Triple Alianza **13**:269
Albers, Joseph **10**:215
Albert i Paradís, Caterina 1:140
Alberta **5**:212; **9**:282; **12**:88
Alberta, Canadá **12**:65
Alberti, Leon Battista 1:140
Florencia **6**:181
Roma **12**:100
Alberti, Luis **5**:163
Alberti, Manuel 1:140
Argentina, República **2**:20
Alberti, Manuel Maximino **12**:92
Alberti, Rafael 1:140
España **5**:320
Alberto Alejandro Luis **11**:290
Alberto el magno, san 1:141
Alemania **1**:167
Edad Media **5**:208
escolasticismo **5**:281
geografía **6**:305
globo aerostático **6**:333
Tomás de Aquino, santo **13**:216
universidad **13**:316
zoología **14**:186
Alberto I **13**:80
Alberto I, príncipe **9**:272
Alberto I, rey de Bélgica 1:141
Leopoldo III **8**:229
Alberto II **12**:161

Alberto IV, conde de Habsburgo **12**:91
Alberto Víctor **5**:213
Alberto Williams **6**:190
Alberto, Canal **2**:282
Alberto, lago 1:141
descubrimientos y exploraciones geográficas **5**:76
Albertville, Congo **13**:111
Albi **1**:141
albigenses 1:141
bogomilitas **3**:18
Francia **6**:221
Inquisición **7**:336
albinismo 1:141
Albino Luciani **8**:114
Albino, Johny **11**:240
Albión 1:141
— molinos **9**:75
Gran Bretaña **7**:40
albita **13**:23
Albizu Campos, Pedro 1:141
Puerto Rico **11**:231
Albo, José **8**:118
Alboin **8**:301
Albornoz, Álvaro de **5**:155
Albornoz, Gil de 1:142
Pontificios, Estados **11**:167
Ruíz, Juan **12**:128
Albret, Enrique de **9**:92
Albright, Jacob **6**:85
Albright, Madeleine **6**:43
Albucasis **10**:186
Albuera **2**:296; **12**:195
Albufera 1:142
— laguna **14**:13
albumen **7**:129; **12**:272
albúmina 1:142
fermentación **6**:133
fotogabado **6**:200
fotografía **6**:203
globulina **6**:334
albuminadas **12**:272
albuminoides **2**:27
albuminucia **6**:148
albumosas **1**:186
Albuquerque **1**:273; **6**:134; **10**:87
Albuquerque, Alfonso de 1:142
Asia **2**:99
albura **9**:12
alca 1:143
pingüino **11**:92
alcachofa 1:143
Alcalá de Henares 1:143
— Universidad de **10**:178; **11**:253
bachillerato **2**:212
Empecinado, Juan Martín Díaz, el **5**:250
Madrid **9**:20
Pérez, Antonio **11**:45
Pérez Montalbán, Juan **11**:46
Ruíz, Juan **12**:128
Sancho IV, el Bravo **12**:202
universidad **13**:316
Alcalá Galiano, Antonio 1:143
Trafalgar **13**:240
Alcalá Galiano, Dionisio 1:143
Alcalá la Real 1:143
Alcalá Zamora, Niceto 1:143
Azaña Díaz, Manuel **2**:194
Alcalá, Ordenamiento de **10**:333
alcalde 1:144
municipio **9**:331
álcali 1:144
— cáustico **12**:30
feldespato **6**:125
fenolftaleína **6**:130
jabón **8**:71
vidrio **14**:84
alcalinidad **6**:130
alcalino **7**:109; **8**:89
alcalinotérreos **3**:159
alcaloide 1:144
— vegetal **11**:264
alcaloide **7**:113
atropina **2**:154
ergotina **5**:274
estricnina **6**:63
glicerina **6**:332
Haba de san Ignacio **7**:156
hierba **7**:171
Ladenburg, Albert **8**:160
nicotina **10**:96
Robinson, sir Robert **12**:84
teína **13**:139
veneno **14**:41
alcalosis compensada **1**:52
alcalosis metabólica **1**:52
alcalosis respiratoria **1**:52
Alcamenes **7**:63
alcance **13**:201
Alcance y energía de las partículas alfa 1:170
alcanfor 1:144
— de Borneo **1**:145
— de tomillo **13**:196
— sintético **13**:259
alcanfor, árbol de **9**:14
droga **5**:173
terapéutica **13**:163
Wallach, Otto **14**:139
alcanforero 1:145
Alcántara **6**:106; **11**:176; **13**:212
Alcántara y García, Pedro 1:145
Alcántara, Francisco Martín de **11**:115
Alcántara, puente de **14**:74
alcantarillado 1:145
hogar **7**:201
alcaparra 1:145, 146
alcaravea 1:146
Alcaraz, España **1**:137
Alcaraz, sierra de **7**:71; **11**:37
alcatraz 1:146
Alcatráz, penal de **11**:202
alcaucil **1**:143
alcaudón 1:146
alcaudones **11**:5
alcázar 1:146
— de los reyes de Castilla **12**:258
— de Sevilla **1**:146, 333; **2**:206; **9**:321
— de Segovia **1**:146, 147
— de Toledo **13**:212
Herrera y Gutiérrez de la Vega, Juan de **7**:158
Sevilla **12**:298
Tarifa **13**:119
Alcázar, Baltasar del 1:147
Alcazarquivir 1:147
— batalla de **9**:108
Marruecos **9**:108
Portugal **11**:176
alce africano 1:148
alce 1:147
alce americano **1**:148
Arizona **2**:35
ártica, región **2**:71
Washington, estado de **14**:141
alcedínidas **9**:113
Alcedo y Bejarano, Antonio de 1:148
Alcedo y Herrera, Dionisio de 1:148
Alcedo, José Bernardo 1:148
Alceo **10**:184
Alcestis 1:148
Alciato, Juan Pablo **13**:314
Alcíbar, José de **9**:206
Alcibíades 1:148
Aristófanes **2**:32
Atenas **2**:134
Peloponeso o Morea **11**:33
álcidas **6**:211
Alciona, estrella **11**:138
Alcira 1:148
alcista **3**:33
Alcmeón **6**:170
Alcmeón, llamado Megacles **1**:149
alcmeónidas 1:148
Alcocer, Jerónimo **5**:162
Alcocer, Mariano 1:149
alcogel **6**:297
alcohol 1:149
— absoluto **1**:149
— Alílico **1**:149
— desnaturalizado **1**:149
— etílico **1**:149; **6**:66; **7**:168
— metílico **1**:152; **6**:196
— sólido **1**:149
— butílico **2**:211
— teñido **13**:168
aldehído **1**:152
antiséptico **1**:314
automóvil **2**:171
destilación **5**:93
dipolo **5**:137
drogadicción **5**:174
estimulante **6**:54
extracto **6**:105
fenol **6**:130
fermentación **6**:133
líquido **8**:271
petroquímica **11**:74
sangre **12**:208
alcohólicos **1**:70
alcohólicos anónimos 1:150
grupo, terapia de **7**:70
alcoholismo 1:150
imbecilidad **5**:270
marginación social **9**:92
alcoideas **11**:92
alcornoque 1:151
Argelia **2**:10
Alcorta, Diego de 1:151
Argentina, República **2**:25
Alcorta, Figueroa **2**:23
Alcott , Amos Bronson **1**:151
Alcott, Louisa May 1:151
literatura infantil **8**:285
Alcover i Maspons, Joan 1:151
biografía **1**:151
Alcoy 1:151
Alcuíno **13**:315
Alcuino de York 1:152
alcuzcuz **9**:107
Aldama, Ignacio **8**:224
Aldama, José **9**:203
Aldama, Juan **8**:224; **9**:199
Aldan **12**:312
Aldan, río **12**:137
Aldana, Lorenzo de **11**:9
Aldanov, Mark **12**:141
Aldao, José Félix 1:152
Aldave, Víctor **11**:63
aldeas ujamaa **13**:114
aldeas y centros ceremoniales, periodo de las **9**:178
aldebarán 1:152
estrella **6**:61
Tauro **13**:126
aldehído 1:152
furfurol **6**:254
madera **9**:12
Aldelung **5**:112
Alder, Kurt 1:152
Diels, Otto **5**:115
Alderete, Jerónimo de **5**:274; **14**:11, 94
Aldington, Richard **7**:273
Aldo Manucio **5**:284
Aldo Manuzio el Joven **9**:64
Aldobrandini **5**:154
aldosterona **6**:51
Aldrin, Buzz **5**:79
Aldrin, Edwin E. 1:152
Apolo **1**:327
astronáutica **2**:116
Luna, la **8**:324
Aldrin, John **2**:47
Aldroito **11**:295
ale **2**:272
aleación 1:152
acero **1**:47
electricidad **6**:234
hierro **7**:172
metalúrgia **9**:18
aleaciones de metales **1**:153
aleaciones de metales **13**:28
Alebua, Ezequiel **12**:177
alecaión **11**:332
alecito **3**:6
Alecto **11**:142; **6**:254
alegoría 1:153
alegre **11**:50
alegría **5**:250
Alegría, Ciro 1:153
Alegrías **12**:168
alegro 1:154
Alehzone **2**:34
Aleichem, Scholem 1:154
Aleijadinho, el 1:154
escultura **5**:295
Aleixandre, Vicente 1:154
España **5**:320
generación del 27 **6**:299
Alejandra Fedorovna 1:154
Alejandra, princesa de Dinamarca **8**:108
Alejandreta 1:154
Alejandría 1:154
— Clemente de **10**:250; **11**:15
— Ctesibio de **10**:248
— escuela de **2**:124, **11**:96
— Faro de **12**:321
— Hero de **1**:78, **11**:215
— iglesia copta de **6**:68
— puerto de **6**:118
— san Atanasio de **6**:69, 85
Alejandría, puerto de **12**:321
Alejandría, Egipto **1**:154
árabes **1**:332
Arquímides **2**:53
Atanasio, san **2**:132
atlas **2**:138
biblioteca **2**:310
Egipto **5**:224
Filón de Alejandría **6**:157

Grecia **7**:60
Helenismo **7**:140
Hess, Rydolph **7**:161
patriarca **11**:14
plantas venenosas **11**:125
Plotino **11**:140
puerto **11**:229
reloj de arena **12**:13
Teócrito **13**:160
tolomeo I **13**:213
Tolomeo, Claudio **13**:214
Ungaretti Giuseppe **13**:304
universidad **13**:315
Víctor Manuel III **14**:77
Alejandrina **7**:63
—, escuela **6**:304
Alejandrino, verso **6**:323
alejandrita **11**:84
Alejandro III el magno o el grande 1:155
Anatolia **1**:261
animal doméstico **1**:297
barba **2**:250
caballo **3**:133
Dardanelos **5**:18
Demóstenes **5**:47
descubrimientos y exploraciones geográficas **5**:70
Diógenes **5**:134
Egipto **5**:227
Europa **6**:82
falange **6**:113
Fenicia **6**:130
Filipo de Macedonia **6**:156
fundición **6**:252
geografía **6**:304
Grecia **7**:59
helenismo **7**:140
India **7**:300
Irán o Persia **8**:38
Jerusalén **8**:97
liga **8**:257
Lisipo **8**:272
logística **8**:300
manuscritos **9**:64
Marco Antonio **9**:87
medicina **9**:149
Nilo, río **10**:102
sitio **13**:9
Tadjikistán **13**:99
Tebas **13**:134
Tesalia **13**:174
Tiro **13**:201
Tolomeo I **13**:213
vestido **14**:63
Alejandro I, papa **10**:312
Alejandro I de Serbia **14**:167
Alejandro I 1:157
Austerlitz **2**:161
Georgia **6**:317
Rusia **12**:143
Alejandro II 1:157
Bismarck, Otto von **2**:331
Nicolás II **10**:96
Alejandro III 1:157
Becket, santo Tomás **2**:274
Eduardo el Confesor **5**:213
Nicolás II **10**:96
papado **10**:313
Pilsudski, Jósef **11**:91
Sacro Imperio Romano Germánico **12**:160
Trubetzkoi, príncipe Pablo **13**:274
Alejandro VI 1:157
América **1**:232
arbitraje **1**:344
Borgia **3**:47
España **5**:317
Francisco de Paula, san **6**:231
Isabel, la católica **8**:50
Miguel Angel Bounarrotti **9**:220
Paulo III **11**:17
pontificios, estados **11**:167
Savonarola, Girolamo **12**:245
Tordesillas, tratado de **13**:222
Vaticano, Ciudad del **14**:29
Alejo **10**:96
Alekhine, Aleksandr Alehin, llamado 1:157
Aleko **11**:274
Alekseevich Cherenkov, Pavel **13**:110
Alekseevich Kropotkin, príncipe **13**:19
Aleksis Kivi **6**:161
alelos **10**:211
Alem, Leandro Nicéforo 1:157
Alvear, Marcelo Torcuato de **1**:215
Argentina, República **2**:23
Juárez Celman, Miguel **8**:117
Yrigoyen, Hipólito **14**:165
Alemán, Arnoldo **10**:95
alemán, idioma 1:157
— características **1**:158
— grupos y dialectos **1**:158
Alemán, J. M. **10**:303
Alemán, Mateo 1:158
Estébanez Calderón, Serafín **6**:48
picaresca **11**:79
Alemán, Miguel 1:158
México **9**:200
Ruiz Cortines, Adolfo **12**:128
Alemania 1:158
Alemania **1**:280
Alemania **1**:348
— Agricultura y ganadería **1**:164
— Artes plásticas **1**:166
— Berlín **1**:165
— Bosques **1**:164
— Ciencia **1**:167
— Ciudades **1**:165
— Clima **1**:164
— Comercio y servicios **1**:165
— Costas **1**:164
— De la unidad a la división **1**:161
— del Norte **7**:128
— Educación **1**:165
— El sacro imperio romano-germánico **1**:159
— formación **1**:158
— gobierno **1**:163
— Hidrografía **1**:163
— historia **1**:158
— La guerra de **7**:87
— La reunificación **1**:163
— Las dos alemanias **1**:162
— Literatura **1**:165
— Los Habsburgo **1**:159
— Los Hohenzoller **1**:160
— Música **1**:165
— nazista **7**:335
— Occidental **1**:158; **8**:145; **11**:279
— Oriental **1**:158, 162; **8**:145
— Orografía **1**:163
— Población y religión **1**:164
— Recursos minerales e industria **1**:164
— Territorio **1**:163
— y Suiza **12**:12
academia **1**:41
accidente **1**:43
acueducto **1**:60
Adric, Ivo **1**:273
alemanes **1**:164; **3**:117; **6**:318
Algeciras **1**:181
Alpes **1**:201
Alsacia y Lorena **1**:204
Andersen, Adolf **1**:268
anexión **1**:277
Anglosajones**1**:284
alemanda, suite **13**:75
Alembert, Jean Le Rond D' 1:168
Enciclopedia **5**:252
Paradoja de D'Alembert **1**:168
Principio de D'Alembert **1**:168
Francia **6**:222, 227, 230
Alemtejo, penillanura del **11**:173
Alencar, José Martiniano de 1:168
Alencastre Noroña y Silva, Fernando de 1:168
virreinatos **14**:103
Alensbury **2**:189
áleph **1**:17
Alepo 1:168
Saladino i **12**:171
Siria **13**:6
Alepoudelis, Odysseus **5**:247
alerce 1:168
árbol **1**:346
alergenos **1**:169; **5**:64
alergia 1:169
enteritis **5**:267
erupción **5**:277
alerón 1:169
guía y control, sistemas de **7**:102
Alesanco, Logroño **13**:35
Alesia **14**:54
Alessandri Palma, Arturo 1:170
Alessandri, Arturo **7**:255
Alessandria **5**:187
Alessandro **6**:118
Alessio, Mateo de **11**:63
aleta **11**:74
aletargadas **8**:301
aletas **1**:289; **14**:186
aletas
Aletschhorn **13**:76
aleurona **12**:273
Aleutianas 1:170
Bering, Vitus **2**:298
descubrimientos y exploraciones geográficas **5**:77
esquimales **6**:25
aleutoesquimal **2**:96
alevi **13**:294
alevines **2**:8
alevosía **2**:81; **5**:58
Alexander Pope **8**:278
Alexander von Humboldt **7**:247
Alexander, Boyd 1:95, 170
África **1**:95
Alexander, sir William **10**:156
Alexanderson, Ernst **11**:284
Alexandre Gusmao, José **7**:316
Alexandrovsk **12**:168
alfa **11**:307; **9**:106
Alfa Centauri, estrella **5**:145; **6**:61; **10**:323
Alfa Crucis, estrella **6**:61
Alfa, partículas 1:170
alfabeto 1:170, 171
— árabe **8**:217
— castellano **8**:153
— de manos **1**:171
— español **13**:299
— fenicio **1**:17; **3**:152
— fonético **6**:191; **7**:31
— griego o cirílico **1**:171
— hebreo **1**:171
— latino **1**:171
— Morse **7**:142
— Morse **13**:146
— Ogham **3**:316
— romano **8**:153
— semítico **13**:299
Fenicia **6**:130
gramática **7**:31
lenguaje por signos **8**:220
alfalfa 1:172
forraje **6**:198
heno **7**:146
labranza **8**:156
leche y lechería **8**:204
Alfambra **13**:173
alfanje **14**:65
Alfano, Franco **11**:226
Alfaques, puerto de los, España **12**:170
al-Farabi **10**:72
Alfaradi **7**:190
alfarería 1:172
Alfarería barnizada, Villa Nativa, Perú **7**:292
hogar **7**:199
Talavera de la Reina **13**:104
alfarero **11**:170
alfarismo **11**:137
Alfaro Siqueiros 1:172
Siqueiros, David Alfaro **13**:5
Alfaro, Eloy 1:172
Álvarez, Eudófilo **1**:214
Ecuador **5**:200
Estrada, Emilio **6**:59
García, Lisardo **6**:283
Plaza Gutiérrez, Leónidas **11**:137
Alfaro, Ricardo Joaquín 1:172
alfas **2**:150
Al-Fatah, primer consejo legislativo **10**:293
Alfeo, río **7**:151
alférez 1:172
teniente **13**:157
Alfieri, Vittorio, conde 1:172
Gómez de Avellaneda, Gertrudis **7**:19
Italia **8**:65
alfiler 1:173
Alfinger, Ambrosio 1:173
Dorado, el **5**:165
Alföld, llanura **7**:251
alfombra tipo persa **1**:173
alfombras 1:173
— orientales **1**:174
Alfonseca, Juan Bautista **5**:163
alfónsigo de tierra **3**:146
Alfonsín, Raúl Ricardo 1:175
Argentina, República **2**:24
Sábato, Ernesto **12**:155
Alfonso de Albuquerque **5**:74
Alfonso *el Batallador* **5**:315; **9**:319; **14**:174
Alfonso I, del Congo **1**:286

Alfonso II
Alfonso III **11**:176; **5**:315
Alfonso IV **3**:329; **5**:316; **7**:318
Alfonso V de Aragón y IV de Cataluña 1:175
Almanzor, Abu ´Amir Muhammad **1**:194
Borgia **3**:142
España**5**:316
Alfonso Maria de Ligorio, san 1:176
Alfonso VI, el bravo 1:175
Ávila **2**:189
España **5**:315
Galicia **6**:266
Madrid **9**:18
Mozambique **9**:319
Portugal **11**:176
Toledo **13**:212
universidad **13**:317
Alfonso VIII 1:175
Almohade **1**:197
Berengüela de Castilla **2**:295
Blanca de Castilla **2**:335
España **5**:315
Jimenez de Rada, Rodrigo **8**:103
orden religiosa **10**:236
trovador **13**:273
universidad **13**:317
Alfonso IX de León y de Berenguela **6**:105, 135
Alfonso IX **10**:236; **12**:171, 172
Alfonso X, *el Sabio* 1:176
Alfonso el Sabio **2**:313
abogado **1**:30
adelantado **1**:67
derecho **5**:60
Edad Media **5**:209
España **5**:315
Galicia **6**:5
Jeréz de la Frontera **8**:95
Manuel I **9**:63
María, Virgen **9**:94
mudeja **9**:320
papel **10**:314
partidas, las **10**:333
regente **11**:329
renacimiento**12**:19
Sacro Imperio Romano Germánico **12**:161
Sancho IV, el Bravo **12**:202
Toledo **13**:212
universidad **13**:317
Alfonso XII de Borbón 1:176
Escorial, El **5**:283
España **5**:318
hipódromo **7**:184
Oller y Cesteros, Francisco **10**:208
Alfonso XIII de España 1: 176
abdicación **1**:20
España **5**:318
Franco Bahamonde, Francisco **6**:232
Primo de Rivera y Orvaneja, Miguel segundo marqués Estella **11**:201
Alfonso, príncipe **6**:266
alforfón. 1:177
Alfred Dreyfu, capitán s **8**:91
Alfredo de Vigny **5**:171
Alfredo I el Grande 1:177
Alfredo *el Grande* **11**:107
Juan Manuel, Infante, don **8**:304
Alfredo, rey **2**:38
Alfvén, Hannes 1:177
piratería **1**:177
alga 1:177,
alga 1: 178
al-Gafigí, ‘Abd al-Rahman **3**:249
algalia **11**:48
algarrobo 1:179
árbol **1**:346
Argentina, República **2**:16
Santiago del Estereo **12**:220
Algarve **11**:173, 174
Algarve, Angola **1**:287
algas **1**:177; **2**:71; **7**:150
Algazel **1**:333; **2**:184
álgebra 1:179
— Ecuaciones **1**:180
— Operaciones elementales **1**:179
— de conjuntos **9**:128
Gauss, Carl Friedrich **6**:294
geometría **6**:314
Algeciras 1:180
Juan Manuel, Infante, don **8**:114
Alger, Boston, Estados Unidos **2**:207
Algernon Parsons, sir Charles **13**:287
Algezares (Murcia) **12**:153
algodón 1:181
algodón **13**:180
— americano de Upland **1**:181
— brasileño **1**:181
— máquina desmotadora de **14**:149
— peruano **1**:181
— Sea-Island **1**:181
algodón **2**:8
Argelia **2**:10
Arizona **2**:35
fibra **6**:146
Guyana **7**:111
hilandería e hilados **7**:177
India **7**:297
labranza **8**:156
Laos **8**:173
Pasto **11**:9
textiles **13**:179
vestido **14**:65
algodonero **1**:181
algonquina **6**:307; **9**:264
algonquinos 1:182
— indios **7**:309; **14**:139
esquimales **6**:25
pieles rojas **11**:85
vivienda **14**:114
algoritmo 1:182
aritmética **2**:34
programación **11**:210
alguacil 1:182
audiencia **2**:157
caballito del diablo **3**:132
notificación **10**:137
tribunal **13**:261
alhajas **8**:112
Alhama, sierra **11**:37
Alhamar, Mohamed ben- **7**:47
Alhambra 1:182
Alhambra **1**:183; **5**:314; **7**:47; **11**:316
Andalucia **1**:266
Arabia **1**:333
azulejos y baldosas **2**:206
Granada **7**:46
jardinería **8**:88
reconquista **11**:315, 316
Alhamilla, sierras de **11**:37
Alhaquén II, de Arabia **1**: 194, 333
Alhazen **10**:227
alhelí 1:183
— amarillos **1**:183
alhenna o alheña **14**:65
alheña 1:183
alhóndiga **7**:75
Alhóndiga de Granaditas **11**:104 **7**:164
Al-Horr, emir **11**:29
Alhucemas **5**:303
Alí **8**:42
Alí Akbar Hachemi Rafsanyani **8**:39
Alí Araki, Mohamed **8**:39
Ali Bajá **2**:38; **8**:229
Alí Bhutto, Zulfiqar **10**:287
Alí bin-Said, sultán **14**:172
Ali Hassan Mwinyi **13**:115
Alí Jamenei **8**:39
Alí Jinnah **8**:257
Ali Mahdí Mohamed **13**:33
Alí Razmara **9**:311
Alí, Muhammad **3**:63
Alí, Shakir **10**:287
Alia, Ramiz **7**:61
aliados **1**:134; **13**:260
alianza 1:183; **13**:257
— Baptista Mundial **2**:249
— de Augsburgo **2**:159
— de Gran Bretaña, España, Francia y Portuga **13**:107
— del Anáhuac **1**:257; **8**:69
— militar **13**:269
— Popular Republicana Americana **11**:65
— Popular Revolucionaria Americana **1**:330
— Santa **1**:183 **10**:306
Alí-Babá 1:184
Alí-Bey **2**:214
Alí-Othman **2**:214
Alicante 1:184
Alcoy **1**:151
almadraba **1**:193
submarino **13**:60
Alice, Antonio 1:185
***Alicia en el país de las maravillas* 1**:185
Dodgson, Charles Lutwidge **5**:153
literatura infantil **8**:284
Rackham, Arthur **11**:274
alicíclica **7**:165
alienación 1:185
Aliev, G **2**:195
alifáticos, compuestos 1:185
aligator 1:185
Alighieri, Dante 1:185
Academia **1**:40
alegoría **1**:153
arqueología **2**:51
Florencia **6**:181
March, Ausias **9**:86
renaimiento **12**:19
Virgilio **14**:99
Alijev **2**:195
alimentación 1: 185
alimentación **1**: 186
— clasificación de los alimentos **1**:186
— sustancias fundamentales de los alimentos **1**:186
— efectos de la **1**:188
— regulación de los alimentos **1**:189
— condiciones de un buen régimen alimenticio **1**:190
— régimen para el diabético **1**:191
— del niño **1**:191
— estimulantes **1**:191
alimentación **7**:129
economía doméstica **5**:195
Educación **5**:219
estreñimiento o constipación **6**:63
harina **7**:319
insuficiencia **8**:13
paja **10**:285
alimento **14**:61; **6**:92; **8**:224
alineación 1:191,
alineación **1**: 192
alioídeas **1**:129
alisa **14**:141
alisios 1:192
viento **14**:88
aliso 1:192
madera **9**:13
alistamiento **12**:294
aliteración **3**:148
alivio de caminantes **13**:196
Aliyev, Heydar **2**:195
Aljafería, palacio de la **9**:321
aljamas arábigas **1**:40
aljamía **5**:284
Aljandría **2**:60
Al-Kayat **1**:333
al-Kindi **10**:72
Alkmaar **7**:205
al-kohl **1**:149
Al-Kuwait **8**:151
alma 1:192
alma **8**:75
— madre **13**:247
espíritu **6**:18
Filosofía **6**:157
Herbert, Johann, Friedrich **7**:150
Alma-Ata **8**:135
almacén **6**:93
almacenadores **13**:107
almacenaje **13**:55
almacenamiento **10**:153
— de la cosecha **8**:155
almáciga 1:192
almácigos **13**:217; **2**:61
Almadén 1:192
almadraba 1:193
red **11**:320
almafuerte 1:193
Almagesto **1**:274; **13**:214
Almagro el Mozo, Diego **1**:213
Almagro, Diego de 1: 194
Aguirre, Francisco de **1**:116
Alvarado, Pedro de **1**:213
América del sur **1**:244
Felipillo **6**:128
Gallo, isla de **6**:271
Soto, Hernando de **13**:44
Virreinatos **14**:103
Al-mamún, rey de Arabia **1**:332; **8**:42
almanaque 1:194
almandino **7**:48
Al-Mansur **1**:194
Almanza, Martín de **13**:213
Almanzor, Abu ’Amir Muhammad 1:194
aberroes **2**:184,

España **5**:314
León **8**:225
Almaraz, Andrés **9**:201
Almaraz, Carlos **7**:189
Alma-Tadema, sir Lawrence 1:194
Almatret (Lérida) **14**:92
almeas **5**:15
almedinilla
Almeida Garrett, João Baptista 1:195
Almeida Neves, Tancredo **3**:76
Almeida, Francisco de **1**:142, 194; **9**:23
Almeida, José Américo de **3**:76
Almeida, Lorenzo 1:194
almeja 1: 195
almeja **1**: 194
Alméndiz Chirino **13**:41
almendra 1:195
Almendralejo, España **2**:213
almendro **1**:195, 346
Almería 1:195
Andalucía **1**:264
España **5**:311
almetes de cobre **2**:52
almidón 1:196
adherencia **1**:68
alimentación **1**:189
árbol **1**:347
azúcar **2**:204
carbohidrato **3**:233
harina **7**:129
semilla **12**:273
Almijara, sierra **11**:37
almilla **14**:68
alminar o minarete 1:196
— de La Gran Mezquita en Túnez **1**:196
— de una mezquita en Luxor, Egipto **1**:197
Almirantazgo, islas del 1:196
Bismarck, archipielago de **2**:330
Papúa, Nueva Guinea **10**:317
almirante 1:197
almirante *12:43*
almizclado **13**:225
almizcle 1:197
aromáticos, compuestos **2**:48
blaps **2**:336
pécari **11**:23
perfumería **11**:48
almizclero 1:197
Asia **2**:91
almogáraves **5**:267
almogávar 1:197
almohade 1:197
Alfonso VII **1**: 176
Marruecos **9**:105
almorávide 1:197
España **5**:314
almorávides, dinastías de los **9**:108
Almotamid, rey de Arabia **1**:333 **7**:190
almuecín **1**:196
almuédano **1**:196
almuerzo **8**:324
aloctonía **3**:235
alodio **6**:143
aloe 1:198
madera **9**:13
Alomía Robles, Daniel **11**:63
alondra 1:198
ave **2**:179
paseriformes **11**:5
Alone, Hernán Díaz Arrieta 1:198
Alonso de Madrigal el Tostado **9**:20
Alonso Niño, Pedro **1**:232
Alonso Pacheco, Manuel A. 1:199
Puerto Rico **11**:237
Alonso Rochi, Alejandro **10**:95
Alonso y Trelles, José 1:199
Alonso, Alicia 1:198
danza **5**:17
Alonso, Amado 1:198
Saussure, Ferdinand de **12**:244
Alonso, Dámaso 1:199
España **5**:320
Góngora y Argote, Luis de **7**:19
Alonso, Martín **10**:297; **5**:295
Alonso, Mateo 1:199
Alonzo Stagg, Amos **6**:257
alopatía **7**:120
alopecia 1:199
areata **1**:199
calvicie **3**:173
Alora **9**:40
alosaurios 1:199
alotropía 1:199
aloxita **1**:33
alpaca 1:199
Argentina, República **2**:17
Fibiger, Johannes **6**:145
lana **8**:168
Alp-Arslán **12**:*105*
alpendre **14**:117
alpenstock **9**:284
Alpera, cueva de (Albacete) **12**:134
Alpes 1:199
Alpes **1**:199; **1**:200; **13**:77
— Albaneses **1**:137
— Bávaros **1**:163; **8**:126; **13**:76
— Cadóricos **5**:154
— calizos **13**:202
— de Glaris **13**:76
— Dináricos **5**:8; **7**:54
— grisones **13**:76
— Japoneses **8**:79
— Julianos **1**:200
— lepontinos **13**:76
— Marítimos **1**:200; **10**:108
— Meridionales **10**:158
— Occidentales **1**:324; **6**:213
— Orientales **1**:200
— Peninos **12**:329; **13**:76
— Réticos **13**:76, 202
— Septentrionales **1**:137
Aníbal **1**:291
arminio **2**:46
Berna **2**:302
Etruscos **6**:71
gamuza **6**:274
Guerras Púnicas **7**:100
Hungría **7**:250
Italia **8**:59
lombardos **8**:301
marmota **9**:104
perro **11**:56
Po **11**:143
Viena **14**:87
alpha **1**:171; **13**:62
Alpha Leonis o Regulus **8**:226
alpinismo 1:201
alpinismo **1**:202
montañismo **9**:284
turismo **13**:289
alpino **10**:256
alpiste 1:202
Alpujarra **6**:134
Alpujarras 1:202
Abén, Humeya **1**:26
alquilación 1:202
alquiler 1:202
alquimia 1:202
alquimia **1**:203
átomo **2**:143
ocultismo **10**:184
alquimista **9**:25; **11**:83
alquimistas **5**:245; **13**:247
alquinos **13**:11
alquitrán 1:203
benceno o benzol **2**:291
fenól **6**:130
impermeabilización **7**:282
Alsacia y Lorena 1:204
Alemania **1**:160
anexión **1**:277
Bebel, August **2**:272
Estrasburgo **6**:59
Francia **6**:218
Guillermo I **7**:104
Palatinado **10**:289
Alsep, laboratorio **2**:120
Alsina, Adolfo 1:204
Avellaneda, Nicolás **2**:182
Rocha, Dardo **12**:86
Alsina, Valentín 1:204
Alster, río **7**:125
Alta Edad Media **5**:205
alta fidelidad **7**:32
alta frecuencia **13**:175
Alta Gracia **6**:114
alta mar 1: 204
alta presión, áreas de **14**:87
Alta Sajonia **7**:131
Alta Silesia **1**:161; **10**:185
alta tensión **13**:175
Alta Verapaz 1:206
Altai **2**:85; **5**:223
Altai ruso **2**:94
Altai, montes 1:204
Gobi, desierto de **6**:336
— montes **8**:135
Rusia **12**:138
Tartaria y Tártaros **13**:123
Altaides **2**:84
altair 1:204
Altair, estrella **6**:61
Altamira y Crevea, Rafael 1:205
Altamira, cueva de 1:205
Altamira, cuevas de **1**:204
Lascaux **8**:178
mural, pintura **9**:335
pintura **11**:95
prehistória **11**:186
rupestre, arte **12**:134
Altamira, sierras de **6**:105
Altamirano, Fernando **9**:201
Altamirano, Ignacio M.
Altamirano, Ignacio Manuel 1:205
literatura hispanoamericana **8**:282
México **9**:202
altar 1:206
altar 1:205
— de los Reyes, Egipto **8**:193
Altas Mesetas **2**:10
altas presiones atmosféricas **7**:181
Altata **12**:331
altavoz 1:206
— eléctrico **9**:155
Altdorf, plaza de **13**:153
Altdorfer, Albrecht **1**:166
Alteneck, Hefner **2**:256
altepetalli 2: 200
alteraciones vasomotoras **13**:8
alternado **6**:158
alternador 1:206
alternador 1:207
alternancia 1:207
Althing **8**:53
Althusser, Louis 1:207
altigrafía **10**:256
altímetro 1:207
— absoluto **1**:207
— barométrico **1**:207
radar **11**:275
Altinkum **13**:297
altiplanicie mexicana 1:208
altiplano andino 1:208
Puna, Cultura de **11**:243
altiplano, desierto **11**:242
altiplano, región del (*planalto*) **9**:132
Altis **10**:203
altitud 1:208
Altman, Ricard **10**:154
Altman, Sidney 1:208
Cech, Thomas, Robert **3**:309
Alto Egipto **1**:316; **5**:227; **13**:133
Alto Garona **6**:289; **13**:214
alto horno 1:208
fundición **6**:252
Alto Níger **12**:319
Alto Nilo **10**:317
Alto Palatinado **10**:289
Alto Paraguay **10**:321
Alto Paraná 1:208
Paraguay **10**:321
Posadas **11**:178
Alto Perú **10**:282; **11**:251; **13**:213
alto riesgo **11**:314
Alto Tatra **11**:157
alto Turquita **13**:83
alto volta 1:208
Alto Zambeze **12**:*289*
altocúmulo 1:208
Altolaguirre, Manuel **6**:299
altoparlante **7**:32; **12**:10
Altorrelieve del obispo de Absalom **10**:173
Altos de Guatemala **7**:76
altos hornos **7**:230
Altos Picos **13**:49
Altos Pirineos **6**:289
altramuz 1:208
— amarillo **2**:27
altruismo 1:209
Altstadt, ciudad **7**:125
altura 1:209
física **6**:167
horizonte **7**:225
sonido **13**:39
triángulo **13**:260
Alty **9**:77
alubia 1:209
alucinación 1:210
alucinógeno **9**:96
alucinógenos **5**:175
alucita 1:210
alud 1:210
aludes **6**:311
aluishiri **7**:310
alumbrado 1:210
— orígenes **1**:210
— clases de **1**:211
Edison, Thomas Alva **5**:211
alumbrado público 1:212
alumbramiento de aguas **11**:181

alumbre 1:212
— de cromo **1**:212
— de potasio **13**:82
alúmina **1**:248 **6**:125 **8**:160 **13**:293
aluminio 1:212
alambre **1**:132
bauxita **2**:268
hierro **7**:172
latón **8**:197
peso específico **11**:68
química **11**:260
termita **13**:167
aluminosilicatos **14**:177
aluminotérmica **13**:28
alumnas **1**:77
alumno 1:213
alundo **1**:33
alunita 1:213
alunizaje **2**:118
aluvial 1:213
suelo **13**:72
aluviales **10**:255
aluvión **1**:241; **2**:61; **9**:183
Alva Edison, Thomas **7**:32; **8**:24; **13**:175
Alva Ixtlilxóchitl, Fernando de **7**:193; **9**:202
Alvar Aalto **6**:161
Alvar Núñez Cabeza de Vaca **8**:34, 280
Alvarado Tezozomoc, Hernando de **7**:193; **9**:202
Alvarado, Alonso de 1:213
Alvarado, Diego de **5**:162; **11**:116
Alvarado, Diego de **12**:200
Alvarado, Lisandro
Venezuela 14:46
Alvarado, Pedro de 1:213
Ampudia, Juan de **1**:253
Belalcázar, Sebastián de **2**:279
Belejep-Tzi **2**:280
Cakchikel **3**:157
Diaz del Castillo, Bernal **5**:108
Grijalva, Juan de **7**:66
México Tenochtitlán **9**:208
Moscoso de Alvarado, Luis **9**:308
noche triste, la **10**:126
Pizarrro, Francisco **11**:115
Porto Viejo **11**:173
Salvador, El **12**:183
Soconusco **13**:22
Álvarez Armellino, Gregorio **13**:330
Álvarez Buylla, A. **6**:103
Álvarez Cabral, Pedro **1**:232; **2**:99; **3**:75; **5**:74
Álvarez Carrillo de Albornoz, Gil 1:142; **1**:214
Álvarez Castro, Miguel **12**:184
Álvarez de Arenales, Juan Antonio 1:214
Perú **11**:64
Álvarez de Castro, Mariano 1:214
Gerona o Girona **6**:319
Álvarez de Sotomayor, Fernando **5**:318
Álvarez de Toledo, F. 1:214
Alba, Tercer Duque de **1**:137
Álvarez Díaz, Nicanor 1:214
Álvarez Dumont **9**:40
Álvarez Gato, Juan **12**:259
Álvarez Jonte, Antonio 1:214
Argentina, República **2**:21
triunvirato **13**:270
Álvarez Pineda, Alfonso **5**:73
Álvarez Quintero, Serafín 1:215
España **5**:32
Álvarez Thomas, Ignacio 1:215
Argentina, República **2**:22
Álvarez, Agustín 1:213
Argentina, República **2**:26
Álvarez, Eudófilo 1:214
Álvarez, Gregorio 1:214
Álvarez, José Sixto (Fray Mocho) 1:214
Álvarez, Juan 1:214
Ayutla, plan de **2**:193
Juárez, Benito **8**:116
Álvarez, Louis Walter 1:214
Álvarez, Luis Fernando **14**:46
Álvarez, Melquíades 1:214
extensión universitaria **6**:103
Álvarez, Miguel de los Santos 1:214
Álvarez, Rafael **7**:79
Álvaro, de Cordoba o Álvaro Cordobés 1:215
Alvear, Carlos María de 1:215
Brown, William **3**:87
Independencia **7**:294
Ituzaingó, batalla de **8**:68
Lautaro, logia **8**:199
Posadas, Gervasio Antonio de **11**:178
Alvear, Marcelo Torcuato de 1:215
Argentina, República **2**:23
Monteagudo, Bernardo **9**:285
alvéolo **10**:187
alveolos **1**:22
Alvor, acuerdo de **1**:288
Alzaga, Martín de 1:216
Argentina, República **2**:19
Pueyrredón, Juan Martín de **11**:241
Saavedra, Cornelio **12**:153
Alzedo, José Bernardo **11**:63
Alzheimer, Alois 1:216
—, enfermedad de **1**:216; **5**:167
Allah **1**:130
Allahabad **6**:279
Allais, Maurice 1:192
Allan Poe, Edgar **6**:43, 51
Allan, Juan **11**:146
Allee **14**:81
Allegheny, río **11**:114
Allegri, Antonio 1:216
Asunción **2**:131
Italia **8**:66
Allemby, general **2**: 280, 289
Allen, Florencia **9**:325
Allen, Woody 1:216
Allende Gossens, Salvador 1:216
Neruda, Pablo **10**:75
Pinochet, Ugarte Agusto **11**:94
Allende, Ignacio María de 1:216
López Rayón, Ignacio **8**:307
México **9**:199
Allende, Isabel **8**:283
Allende, Pedro Humberto 1:216
Urrutia, Jorge **13**:325
Alligator Americano **3**:154
Amacuzac **14**:161
Amadeo de Saboya **6**:150
Amadeo I de España 1:216
Amadeo III **12**:156
Amadeo, Tití **11**:240
Amadeo, Víctor **13**:334
Amadís de Gaula 1:216
libros de caballería **8**:253
Portugal **11**:177
Amado, Jorge 1:217
Latinoamérica **8**:190
Brasil **3**:76
Amador de los Ríos, José 1:217
Amador Guerrero, Manuel 1:217
Obaldia, José Domingo de **10**:171
Amadora, Portugal **11**:175
amahuaca **7**:310
Amajaque **7**:163
Amalfi 1:217
Italia **8**:62
amalgama **9**:173
amalgamación
amalgamación
amalgamación 1:217
metalurgia **9**:184
oro **10**:255
Amalias **11**:32
Amalie, Charlotte **14**:99
Amaltea 1:217
amamantación **11**:78
Amambay 1:217
Paraguay **10**:321
Amami, islas **12**:152
Amán **6**:49
amanita 1:218
amantecas **2**:66, 202
amanuense **12**:254; **14**:10
Amanullah **1**:90
Amapá 1:218
Amapala (Honduras), puerto de **6**:192 **13**:138
Amapala **12**:199
amapola 1:218
— roja **1**:218; **6**:180
Amar, río **9**:52
amaraje **2**:116
Amaral, Jesús **11**:240
Amaral, Tarsila do **3**:76
amarantáceas **1**:218
amaranto 1:218
Amara-Pengha **7**:303
Amaravati **13**:58
amarilidáceas **1**:100; **6**:178; **8**:126
amarilis 1:218
literatura hispanoamericana **8**:280
Perú **11**:62
amarilla, raza **6**:160; **11**:309
amarillo 1:218
Amarillo, Mar 1:218
Amarillo, Mar **12**:298
Manchuria **9**:52
Yalú **14**:160
Amarillo, río 1:218
Mongolia **9**:276
Amasis, rey de Egipto **11**:151
amasuyo **7**:309
Amasya (Capadocia) **6**:58
Amat y Junyent, Manuel 1:218
Amaterasu-o-Mikami. 1:218
religión **12**:11
amateur 1:219
montañismo **9**:284
amateurismo 1:219
Amati 1:219
amatista 1:219
amatista **9**:229
Amatitlán, lago **7**:77
amatl **2**:201
amatoria **10**:184
Amaya, Carmen 1:219
Amazona *7:228*
Amazonas 1:220
— afluente **2**:293
— cuenca del **8**:195; **11**:60; **13**:58
— indios **6**:175
acueducto **1**:61
Aguirre, lope de **1**:117
América **1**:230
América del sur **1**:242
Bolivia **3**:26
Brasil **3**:70
guaraníes **7**:75
Wallace, Alfred Russel **14**:138
amazonas 1:220
bosque **3**:53
Amazonas, Comisaría del 1:220
Amazonas, río, y Amazonia 1:220
América del sur **1**:238
Ecuador **5**:196
geología **6**:309
Gil de Taboada y Lemus, Francisco **6**:323
Iquitos **8**:34
Jimenez de la Espada, Marcos **8**:103
Loja **8**:300
manatí **9**:51
Marañón, río **9**:85
Pinzón, Vicente Yáñez **11**:100
Pizarro, Gonzalo **11**:115
Putumayo **11**:244
Tapajoz **13**:115
ámbar 1:223
resinas **12**:28
ámbar gris 1:223
perfumería **11**:48
Ambato 1:223
Mera, Juan León **9**:171
Amberes 1:224
Bélgica **2**:283
diamante **5**:104
Escalda **5**:277
Hals, Franz **7**:125
hipódromo **7**:184
Lazarillo de tormes **8**:201
Nurmi, Paavo **10**:165
patinaje **11**:11
Plantin, Christoph **11**:125
Reuter, agencia **12**:37
Rubens, Peter Paul **12**:122
sitio **13**:10
Van Dyck, Anton **14**:22
Amberley **12**:150
ambición 1:224
ambidextrismo 1:224
ambiente 1:224
ambiente **1**:225
— físico **1**:225
— humano **1**:225
— y herencia **1**:225
animal **1**:293
eugenesia **6**:73
Lynch, Benito **8**:336
vestido **14**:61
ámbito económico **9**:171
ambivalencia 1:225
amblicefálidos **12**:290
ambo **8**:310
amboianos de Molucas **9**:43
Amboina **9**:270
Amboise (Francia) **14**:95
Amboseli **8**:*141*
ambrina 1:226
Ambriz **1**:288

Ambrogi, Arturo **12:**184
Ambrosetti, Juan B. 1:226
ambrosía 1:226
Ambrosiana, biblioteca **11:**102
ambrosiano **1:**226
Ambrosio, san 1:226
Agustín, san **1:**118
Brueghel **3:**88
Teodosio I, Flavio **13:**161
Ambrosius Aurelianus **2:**78
ambulancia 1:226
ambulatoria, medicina 1:226
Amchaspands **10:**252
Amealco **11:**250
amébidos **12:**81
Amecameca **6:**30; **9:**207; **11:**168
Amédée, Charles **6:**228
Ameghino, Carlos 1:226
Ameghino, Florentino 1:226
Ameghino, Juan **1:**226
Ameland, isla **14:**190
amén 1:227
amenaza **7:**84
Amenemhat III **6:**117
Amenhotep IV 1:227
Ekhnatón **5:**235
Nefertiti **10:**64
Amenhotep o Amenofis III 1:227
Amenhotep III **1:***227*
faraón **6:**117
Luxor **8:**329
Memnón **9:**161
Tebas **13:**133
vidrio **14:**85
Amenofis III 1:227
amenorrea **1:**300
amentos **11:**93; **12:**243
Amergin **6:**261
América 1:227, *229*
América **1:**229
— América del Norte **1:**228
— Central y Antillas **1:**228
— clima, vegetación y agua **1:**230
— del Sur **1:**229
— descubrimientos, exploraciones y colonización **1:**232
— española **2:**21; **8:**159; **9:**246
— Estructura y relieve **1:**229
— hispana **2:**137 **8:**221
— Las montañas occidentales **1:**229
— Latina **5:**191 **7:**184 **8:**157
— meridional **6:**325 **8:**174 **10:**279
— montañas occidentales **1:**229
— precolombina **10:**176; **11:**33
— tropical **6:**8; **7:**196; **13:**118
— vida económica y población **1:**231
América Central 1:234
América del Norte 1:235
— aspecto físico **1:**235
— comunicaciones **1:**236
— historia **1:**237
— pueblos del continente **1:**236
— riquezas naturales **1:**236
América del Sur 1:237
— comunicaciones **1:**243
— corrientes marítimas **1:**238
— costas **1:**237
— estructura montañosa **1:**238
— historia **1:**244
— Independencia **1:**245
— llanuras **1:**239
— población **1:**243
— recursos naturales **1:**242
— Relaciones con América del Norte **1:**246
— ríos **1:**242
American Economic Association **13:**55
American Express **13:**120
American Society for Psychical Research **6:**18
americana **7:**190; **14:**69
americanismo 1:246
americanismos **6:**7
americano **11:**309
americanos, indígenas **14:**160
Américas, Día de las **6:**150
americio 1:247
berkelio **2:**298
elemento químico **5:**244
plutonio **11:**142
Seaborg, Glenn Theodore **12:**251
Américo Vespucio **1:**227, 232, 244; **11:**331
amerindias **1:**260
amerindio **13:**86, 103; **14:**173
amesha spentas **1:**120
ametralladora 1:247
ametralladora **1:**248 **2:**43
armas **2:**43
Peral y Caballero, Isaac **11:**42
Amezaga, Carlos Germán 1:248
Amezaga, Juan José 1:248
Berreta, Tomás **2:**304
amhara **6:**68
Amhara, reino de **6:**67
amianto 1:248
amianto **6:**146; **13:**181
amiba o ameba 1:249
amibas **5:**195
amibiasis **1:**249, 296
Amicis, Edmondo de 1:249
Amicleas **3:**271
amidas **5:**178
Amiel, Henri Frédéric 1:249
Giusti, Robert F. **6:**328
Suiza **13:**81
Amiens 1:249
— batalla de **7:**91
— catedral de **14:**99
— Museo de **11:**244
— Paz de **9:**169 **11:**19
Amiens **1:**250
anarcosindicalismo **1:**260
Francia **6:**219
Amiens, Pedro de 1:250
amígdala y amigdalitis 1:250
— blancas o diftéricas **1:**282
— faríngeas **1:**68
— o tonsilas **1:**68
— rojas **1:**282
adenoides **1:**68
amigdalina **8:**161
amiláceas **1:**348
amilasa **5:**106
Amílcar Barca 1:250
Aníbal **1:**291
Asdrúbal **2:**80
Imperio Romano **7:**279
amilopsina **1:**187
Amimona **5:**10
Amín al-Hafiz **13:**7
amina **7:**191; **9:**31
aminado, ácido **2:**27
Aminnta **6:**197
aminoácido 1:250
aminoácidos **5:**151
alimentación **1:**191
Anfinsen, Christian Boehner **1:**279
caseína **3:**273
hipoglucemia **7:**185
peptona **11:**41
aminoplásticos
Aminta **13:**125
Amintas II **2:**32
Amintas III y Eurídice **6:**156
Amish **8:**33, 107
Ammán o 'Amman 1:250,
— historia **1:**251
Ammianio **11:**141
Ammón **1:**35 **13:**133, 298
Ammonio Saccas **11:**140
Amneris **10:**216
amnesia 1:251
disociación psicológica **5:**144
enfermedades mentales **5:**262
amniocentesis 1:251
Down, síndrome **5:**167
amnios **5:**68
Amru, Ben-el Ass **3:**155
Amschel, Mayer **12:**118
Amstel-Dam **1:**253
Amsterdam 1:253
— Holanda, Tranvia urbano en **13:**255
— Real Academia de Ciencias de **10:**212
— Universidad de **14:**135
Arhenius, Svante August **2:**59
Atlántico, océano **2:**137
banco **2:**235
Canal Rokin, en Amsterdam, Holanda **1:**254
deporte **5:**52
diamante **5:**104
Dou o Douw, Gerrit **5:**167
Federación Sindical Internacional (FSI) **6:**124
Holanda **7:**205
Leeuwenhoek, Anton van **8:**209
Nurmi, Paavo **10:**165
puerto **11:**229
Rembrandt **12:**15
Teatro Carre, en Amsterdam, Holanda **1:**254
Amstrong, Louis **3:**9
Amú-Daria 1:254
— río **1:**90; **12:**138
Aral, Mar de **1:**340
Asia **2:**87
Tadjikistán **13:**98
Uzbekistán **13:**334
amuleto 1:254
vidrio **14:**85
Amulio **7:**275
Amunátegui, hermanos 1:254
Amundsen **1:**302; **6:**97
Amundsen, Evelyn **13:**49
Amundsen, Roald **5:**78, 79; **6:**96, 97, 98, 233; **11:**8, 162
Amundsen, Roald Engebrecht 1:255
Antártida **1:**303
Scotland Yard **12:**250
Amur 1:255
— río **2:**87
— lago **12:**138
— valle del **12:**312
Ojotsk, Mar del **10:**199
Rusia **12:**136
Siberia **12:**311, 312
Ana **14:**119
Ana Bolena **1:**255, 283; **8:**48; **14:**154
Ana Bolena **3:**21
Ana de Austria **8:**317; **9:**145
Ana Estuardo 1:255
Ana Isabel Alicia **9:**315
Ana Karenina **12:**141
Ana, reina **10:**89
Ana, santa 1:256
Ana, Sor **5:**114
Anabaena **10:**107
anabaptista 1:256
Anabasis **2:**63; **11:**56
anabolé **1:**185
anabólicos, esteroides **6:**51
anabolismo **1:**185; **2:**100; **9:**179
Anacaona 1:256
Dominicana, República **5:**159
anacardiáceas **1:**256; **13:**164
anacardiáceo **14:**191
anacardo 1:256
anace **13:**118
Anacleto **10:**312, 313
Anacleto II, papa **7:**335
anaconda 1:256
Uruguay **13:**329
Quiroga, Horacio **11:**268
anacoreta 1:257
anacoretas **9:**277
Anacreonte 1:257
Iberos **7:**257
oda **10:**184
Polícrates **11:**151
anacreóntica **1:**257
anacreóntico **6:**135
ánade 1:257
Anadir, Golfo de **2:**88
Anadyr, cordillera **12:**137
anaerobias **2:**210; **12:**31
anaerobiosis 1:257
anaeróbicos **1:**79
anafase 1:257
Anafesto, Paulo Lucio **5:**182
anafilaxia 1:257
Anagni **13:**323
Anagnosia **12:**232
Anah **6:**72
Anahib **5:**136
Anáhuac 1:257
— Mesa de **1:**208; **7:**163, 311
aztecas **2:**198
Madre, Sierra **9:**18
teocalli o teocali **13:**160
anal 1:257
suevos **13:**73
Tácito, Cayo Cornelio **13:**97
analfabetismo 1:257
conceptos **1:**257
retraso escolar **12:**35
tendencias modernas **1:**257
UNESCO **13:**304
analgésico 1: 258
acetato **1:**50
fenacetina **6:**129
analgésicos **5:**174; **7:**171; **12:**257
análisis 1:258
— volumétrico **7:**169
— funcional **8:**165
— marginal **9:**92
experimento **6:**94

pH **11:**77
análisis espectral 1:258
Kirchhoff, Gustav Robert **8:**143
análisis gramatical 1:258
analítica **11:**260; **6:**314; **7:**70
analizador polarográfico **11:**149
analogía 1:259
Anam **1:**299; **8:**216; **14:**90
Anambra **2:** 307
anamita **2:**95, 96; **8:**216
anamnesis **5:**101
anamorfosis 1:259
ananá **1:**107
ananás 1:259
piña **11:**101
ananías 1:260
Pablo, san **10:**279
Anapurna **9:**284
anaranjado 1:260
anarcosindicalismo 1:260
anarquía 1:260
anarquismo **1:**260; **13:**10, 19
anarquista **6:**181; **11:**219; **13:**18, 173
Anás **11:**6
Anas platyrhynchos **11:**12
Anasagasti, Teodoro de 1:260
anasarca **7:**168
Anasazi, cultura 1:260
anasazi **9:**176; **10:**169; **11:**226
Anastasia **10:**96
Anastigmático **10:**174
anata 1:261
Anathoth **8:**94
anátido **3:**328; **6:**280
Anatole Thibault, Jacques Antoine **6:**211
Anatolia 1:261
— escavaciones de **7:**195
Asia **2:**85
Asia Menor **2:**100
Esmirna **5:**302
Grecia **7:**58
Rodas **12:**89
Anatolijs Gordunov **8:**234
anatolios **8:**22
anatomía 1:261
— comparada **1:**262; **6:**89
— histología **1:**261
— microscópica **1:**261; **9:**45
— patológica **1:**261; **5:**260; **6:**145; **8:**161; **9:**150
— topográfica **1:**349
— vegetal **1:**262
— y fisiología de gallina **6:**269
antropología **1:**318
botánica **3:**56
descripción **5:**68
educación **5:**219
embriología y embrión **5:**248
enfermero **5:**263
fonética **6:**191
Hipócrates **7:**183
medicina **9:**150
neurología **10:**80
prótesis **11:**218
teratología **13:**163
válvula **14:**18
Vesalio, Andrés **14:**60
anatómicos **10:**126
anatoxina de Ramón **5:**118
Anatta **6:**18
Anaxágoras 1:262
astronomía **2:**123
Demócrito **5:**47
Eurípides **6:**74
metafísica **9:**180
Perícles **11:**50
Anaximandro 1:262
astronomía **2:**123
geografía **6:**304
Mileto **9:**223
Pitágoras **11:**112
topografía **13:**221
Anaxímenes **9:**223
anaxirides **14:**62
anay **13:**166
Anaya, Pedro María 1:262
hispanoamericanos **7:**189
Ancash 1:263
Anceo **2:**28
ancianidad 1:263
Ancira **2:**269
Ancistrodon **9:**257
Anckermann, Jorge 1:263
ancla 1:264
Panamá **10:**301
Anco Marcio **13:**121
Ancón **12:**174
Ancón, cerro **2:**223
Ancón, cultura de 1:264
Ancón, tratado de 1:264
Ancón, valle de **1:**264
Ancona **1:**76; **2:**189; **11:**101
Ancona, Eligio 1:264
Ancud, bahía de **11:**229
Ancha es la puerta **12:**331
Anchieta, beato José de 1:263
São Paulo **12:**225
ancho **6:**315; **13:**85
anchoa 1:263
atún **2:**155
boquerón **3:**46
Anchorage, Alaska **1:**136
anchos **2:**7
anchoveta **11:**61
And **1:**274
anda **13:**58
Andagoya **5:**73
Andalién **14:**12
andaluces **2:**103
Andalucía 1:264
— árabe **2:**312
Abderramán I **1:**20
Algeciras **1:**180
España **5:**304, 307, 310
Extremadura **6:**105
Granada **7:**46
Jaén **8:**74
Málaga **9:**40
Reyles, Carlos **12:**57
vándalo **14:**21
andalucía palmiche, dátiles **10:**295
andaluz **1:**220; **7:**235; **12:**228
Andamán **7:**295
Andamán y Nicobar, islas 1:266
Asía **2:**88, 95
India **7:**299
Nicobar, islas **10:**96
andamanes **2:**95
andamanésico **8:**216
andamio 1:266
andante 1:266
andaqui **7:**310
Andarmán **2:**292
Ande, río **6:**214
Anden, W.H. **7:**44
Andermatt, Suiza **13:**77
Anders Celsius **8:**267
Anders Leonard Zorn **1:**112
Anders, William **2:**117
Anders, Wladyslaw 1:266
Andersen, Hans Christian 1:267
Dinamarca **5:**126
Judío Errante **8:**119
literatura infantil **8:**284
títeres **13:**205
Anderson **6:**334
Anderson Imbert, Enrique 1:267
Argentina, República de **2:**27
Anderson, Carl David 1:267
antipartícula **1:**312
átomo **2:**150
Yukawa, Hideki **14:**168
Anderson, Charles **9:**178
Anderson, Klas P **2:**220
Anderson, Luis 1:267
Anderson, Marian 1:267
mujer **9:**326
Anderson, Philip Warren 1:267
Van Vleck, John Hasbrouck **14:**24
Anderson, Sherwood 1:267
Faulkner, William **6:**120
generación perdida **6:**299
Anderssen, Adolf 1:268
Andes 1:268
— argentino-chilenos **1:**268
— argentinos **2:**132
— áridos **2:**14
— centrales **2:**193
— colombianos **7:**245
— cordillera de los **1:**87, 243; **2:**13; **5:**196; **8:**300; **9:**22; **10:**297
— cordillera Occidental de los **8:**167
— Cordillera Oriental de los **8:**100
— chilenos **8:**174
— de Bolivia **6:**328
— de Chile **1:***269*
— peruanos y chilenos **10:**129
— Septentrionales **7:**235
— sierra de los **1:**241
— valle de los **2:**14, 195
— venezolanos **8:**160
Aconcagua **1:**53
América del Sur **1:**238
Argentina, República de **2:**15
Ayacucho **2:**192
efedra **5:**223
geología **6:**308
glaciar **6:**329
Godoy, Dagoberto **7:**11
indios americanos **7:**311
lagarto **8:**163
Latinoamérica **8:**185
Lima **8:**260
maíz **9:**38
Mendoza, ciudad **9:**165
Misti **9:**245
O'Higgins, Libertador General Bernardo **10:**193
perisodáctilo **11:**52
Perú **11:**59
Quina **11:**264
San Martín, José de **12:**195
Táchira **13:**97
Titicaca **13:**205
Valle del Cauca **14:**20
Zamora Chinchipe **14:**172
andesitas **8:**199
Andhara Pradesh (haiderabad) **7:**299
Andhra Pradesh **7:**120
Andina, cordillera **13:**319
Andina, Precordillera **6:**309
andino **10:**256
Andino, Pacto (Grupo Andino) 1:270
andinos, Altos **8:**191
Andinos, valles **1:**343
Andizham **13:**334
andoperuanos **7:**311
Andorra 1:270
Andorra **1:**271; **5:**309
arte **1:**270
bandera de **2:**239
desarrollo económico **1:**270
educación **1:**270
Europa **6:**81
forma de gobierno **1:**270
geografía física **1:**270
geografía humana **1:**270
historia **1:**270
población **11:**144
protectorado **11:**218
San Marino **12:**193
Andouin-Dubreil **5:**76
Andover **13:**144
Andrada **11:**25
Andrada y Silva, José Bonifacio de 1:272
Brasilia **3:**77
Andrade, Ignacio **3:**284
Andrade, Mário de 1:272
Brasil **3:**76
Latinoamérica **8:**190
Andrade, Olegario Víctor 1:273
Argentina, República de **2:**25
Vedia, Agustín de **14:**32
Andrade, Oswald de **8:**190
Andrade, Ruy Freire de 1:273
Andrade, Simón de 1:273
Andragacio **7:**28; **8:**113
André **10:**261
Andrea **1:**219; **13:**82
Andrea Navagiero, Micer **3:**50
Andrea Vesalio **1:**261
Andrea, Miguel de 1:273
Andre-Deshays, Claudie **12:**242
Andreev, Leonid Nikolaevich 1:273
Andreiev **5:**171
Andreiev, Leonid **12:***129*
Andreotti **8:**64
Andreotti, Giulio **8:**64
Andrés **13:**29
Andrés del Monte Celio, monasterio de san **10:**235
Andrés, príncipe **9:**315
Andrés, san 1:273
Andretti, Mario **2:**169
Andréu Iglesias, César **11:**238
Andreve, G. **10:**303
Andrew Barton, Paterson **2:**164
Andrews y Clark **12:**87
Andria **13:**164
Andriático **7:**271
Andric, Ivo 1:273
Andrinopolis 1:273
paz, tratado de **11:**19, 20
Solimán Celebí **13:**30
Andris Skele **8:**234
androceo **6:**177, 178, 179; **11:**123
androcles 1:273
andrógenos 1:273
acción de los andrógenos **1:**273
andrógenos **7:**229

biosíntesis de los androgenos 1:273
Androgeo 9:235
Andrómaca 1:274
Andrómaca, tragedia la 11:272
Andrómeda 1:275
nereidas 10:74
Piscis 11:110
Perseo 11:57
Andrómeda, galaxia de 1:274, 275
astronomía 2:129
Hubble, Edwing Powell 7:235
Andrómeda, Gran Espiral de 10:62
Andrómeda, nebulosa de 2:125
Andrónico 2:33
Andrónico II, emperador de Oriente 12:93
Andropov, Yuri Vladimirovich 6:161; 13:309
Androscoggin, río 10:85
androsterona 1:257, 275
Butenandt, Adolf 3:126
Andújar 12:195
anea 1:275
Anedo 6:295
anélidos 1:275
Golgi, Camillo 7:16
lombriz 8:301
oligoquetos 10:203
sanguijuela 12:208
zoología 14:183, 185
anemia 1:276
— perniciosa 1:276; 9:235
— tratamiento de la 14:148
asfixia 2:83
droga 5:173
enfermedades de la infancia 5:261
Factor Rh 6:110
glóbulo 6:335
helmintiasis 7:143
infarto 7:324
lecitina 8:202
Sydenham, Thamas 13:91
anemófilas 6:177
anemómetro 1:276
estación meteorológica 6:29
instrumento 8:12
meteorología 9:187
viento 14:88
anémona 1:276
— coronaria 1:276
— de los bosques 11:125
anémona marina 1:276
anemonina 1:276
anemoscopios 14:88
aneroide 1:277
anestesia 1:277
hipnotismo 7:183
Morton, William Thomas Green 9:305
novocaína 10:143
química 11:259
anestésico 5:154, 173, 174;
anestesiólogo 1:277
Aneto, pico de 1:277
Aragón 1:339
Pirineos 11:108
aneurisma 2:67
anexión 1:277
anfetamina 1:277, 278
drogadicción 5:174
anfiartrosis 2:72
anfibio 1:278
— anuro 11:297; 12:19
anfibio 7:243
Asia 2:91
hidroavión 7:165
hipopótamo 7:185
regeneración 11:329
vertebrados 14:59
zoología 14:185, 186
anfibol 2:79
anfíboles 9:229
anfibólica 11:114
Anfictionía 12:163
Anfictionía de Delfo, Consejo de la 12:163
anfineuros gasterópodos 9:270
Anfinsen, Christian Boehmer 1:279
Anfión 10:103
anfioxo 1:279
zoología 14:185
Anfípolis 13:280
Anfisa 12:163
anfiteatro 1:279
— anatómico 13:303
Ionesco, Eugène 8:32
Mérida 9:174
quirófano 11:268
Tarragona 13:121
Anfitrite 13:269
ánfora 1:279
ánfora *aribaloide* 7:293
Ánfora ática 7:213
Angamos 7:88
Angangueo 9:214
Angara, río 2:218
Angaur 10:289
Angediva, isla de 6:336
ángel 10:254
ángel de cemento 5:*295*
Ángel de la Columna de la Independencia 9:199
Ángel de la Guarda 2:219
Ángel Exterminador 11:116
Ángel Lázaro 13:160
Ángela de Mérici, santa 1:279
ángeles 1:279
dogma 3:294
islam e islamismo 8:51
ángeles de la Guarda 1:215, 280
ángeles, la caída de los 1:280
Ángeles, Los 1:280
Véase Los Ángeles
Ángeles, Victoria de los 1:281
angélica 1:281
Angélico, Fra 1:281
escuela artística 5:289
Orvieto 10:262
Signorelli, Luca 12:322
Vaticano, ciudad del 14:29
Angelina 5:43
Angelino Medoro 11:63
Angelis, Pietro d' 1:282
Angell, sir Norman 1:282
Angerman 13:68
Angers 6:121
Angers, Concilio de 14:66
Anghiera, Pedro Mártir de 14:11
angina 1:282
— de pecho 1:282
Asociación Internacional de Médicos 2:103
Jenner, Eduard 8:94
anginas crónicas 1:282
angiografía 1:282
Moniz, Antonio Cayetano de Abreu Freire Egas 9:277
Angiografía digitalizada 1:282
Angiolillo, Miguel 3:218
Angiolo, Andrea d' 12:231
angioplastia 1:282
angiospermas 1:282
botánica 3:56
monocotiledóneas 9:279
polinización 11:153
Angkor 1:283
Angkor Thom 1:283
Angkor Vat, templo de 7:313
Angkor, Gran 1:283
Angkorvat, Cambodia, vista del templo 7:*313*
Anglada, Hermenegildo 5:318
Anglería, Pedro Mártir de 1:283
universidad 13:317
Anglese 13:54
Anglesey 7:32
anglicana 2: *57,* 79; 7:39; 13:313
anglicanismo 1:283
historia 1:283
doctrina y organización interna 1:283
metodismo 9:188
anglicanos 1:67; 14:90
anglicismos *2:251*
angloalemanes 13:315
Anglo-Boer 7:85
Anglobóer, guerra 12:60
Anglo-Normandas, islas 7:39; 8:96
anglorusos 8:39
anglos 1:284; 5:205
anglosajona 2:162
anglosajones 1:284
Angol 1:284
Malleco 9:44
Angola 1:284
— aldea de Kunene 1:288
— central 1:284
— de troy 1:287
bandera de 2:239
geografía humana 1:284
geografía física 1:284
desarrollo económico 1:284
historia 1:284
descubrimientos y exploraciones geográficas 5:76
Guinea 7:105
lanzacohetes 8:172
mina 9:227
Portugal 11:175
Santo Tomé y Príncipe 12:223
Sousa, Martín Alfonso 13:45
Zambeze 14:171
angoni 13:90
Angora 6:291
Angora o Ankara 1:289
Turquía 13:295
Angostilla, paso 10:323
Angostura 10:251
Angostura, Congreso de 14:176
Angostura, puente de 14:45
Angra do Heroísmo, capital, Azores 2:196
Angramanius 12:11
Angström, Anders Jonas 1:289
luz 8:331
Angström, Knut Johan 1:289
Anguila 2:239; 7:275, 306; 12:166
anguila eléctrica 6:325
Anguila, bandera de 2: *239*
Anguila, islas 1:309
anguiliforme 8:230
Anguilula aceti 10:70
Anguilla 1:289
angular, Velocidad 6:165
Angulema, catedral de 12:*105*
Angulema, duque de 10:279; 12:67
Angulema, duquesa de 8:310
Angulema, rama 6:222
Angulema, Valois, conde de 6:230
Angulerma 14:15
ángulo 1:289
— completo 1:290
— consecutivos 1:290
— convexo 1:289
— de paralaje 13:147
— de planeo 14:136
— línea bisectriz del 10:318
— llano 1:290
— nulo 1:290
— rectos 1:290
— saliente 1:289
ángulos adyacentes 1:290
ángulos cóncavo 1:290
ángulos congruentes 1:290
ángulos convexo 1:290
ángulos llano 1:290
Erskine, John 5:276
goniómetro 7:19
luz 8:331
paralaje 10:323
polígono 11:152
transportador 13:248
Anhalt, Sajonia 1:163
Anhangaban 12:224
anhídricos326
anhídrido 1:123
— arsenioso 1:290
— sulfuroso 1:290
— carbónico 1:290
— bórico 1:291
— fosfórico 1:291
— permangánico 1:291
— silícico 1:*291*
— sulfúrico 1:291
— carbónico,Ciclo de 3:238
asfixia 2:83
explosivos 6:99
fuente 6:244
hemoglobina 7:143
planta 11:121
tiempo 13:187
Aníbal 1:291
— ejército de 12:164
— guerras de 7:258
Asdrúbal 2:81
caballería 3:130
elefante 5:243
imperio romano 7:279
Sagunto o Sagunt 12:164
transportes 13:253
Aniello, Tommaso 12:61
anihilación 1:292
aníka 1:100
anilina 1:292
hierba 7:171
Perkin, William Henry 11:53
quermes 11:251
anillo 1:292
— coloreado interno 8:43
— de hierro 13:224
— de luz de Einstein 7:54
— de oro 1:*292*
— de penitencia 1:292
— del Pescador 3:102
— pastoral 1:292
— de Newton 8:17, *18*
— retráctil 8:301

anillo de nibelungo 1:293
animadores **8**:299
animal 1:293
— acuáticos **7**:169
— enfermedades de los **5**:261
— fabuloso **13**:305
— racional **7**:212
— reino **6**:199
— salvajes **11**:192
— unicelulares **7**:329
— vida **6**:315
animales **14**:181
El organismo de los animales **1**:293
Los animales y su medio **1**:295
El hombre y los animales **1**:296
hibernación **7**:162
hilo **7**:178
reinos de la naturaleza **11**:336
animal doméstico. 1:296
animálculos **14**:183
Animalia **9**:186
animismo 1:299
aino o ainu **1**:122
mágia **9**:24
religión **12**:11
animista **2**:96; **31**:114
ánimo **1**:301; **10**:212
aniones **5**:66, 144; **8**:31, 32
aniquilación 1:299
Aniquilación de la materia **1**:299
anís 1:299
anisol **2**:48
Anita, araña **2**:122
Anitúa, Fanny 1:299
Anjou **6**:216
— Carlos de **10**:259
— casa de **12**:314
— ducado de **6**:222
— duque de **12**:*87*
— Felipe de **5**:317
— Godofredo de **7**:40
— María de **8**:317
Ankara 1:299; **8**:137
Anklam **8**:259
Ankobra, río **6**:320
Ankrab, Joseph **6**:320
Ann Arbor **9**:214
Anna Elisabeth Brancovan de Noailles **8**:211
Anna Galería Faustina (Faustina II) **2**:160
Annaba **2**:11
Annaeus Séneca **9**:281
Annam o Anam 1:299
Annam **2**:248; **7**:313
Annapurna Himal, Himalayas **7**:179
Anne 3:86
Annecy lago **6**: **6**:214
Annecy, ciudad **12**:156
Annenberg, Walter **9**:192
Anneo Séneca, Lucio **10**:75
Annes, Esteban **13**:273
Annie Besant **13**:162
Annobón (África). **6**:184
Annobón (Pigalu) 1:300
Guinea Ecuatorial, República de **7**:106
Annovazzi, N. **3**:129
Annual **2**:295
Annunzio, Gabriele D' 1:300
Italia **8**:65
literatura **8**:279
Áno Panayia Makarios **7**:61
anobio 1:300
ánodo 1:300
diodo **5**:134
disociación **5**:144
Fleming, John Ambrose **6**:176
luz eléctrica **8**:334
magnetrón **9**:29
metalúrgia **9**:184
radiotelefonía y radiotelegrafía **11**:284
anofeles, mosquito **10**:297
anomalías **13**:163
anomalías psíquicas **12**:35
anomalístico **9**:175
anona 1:300
anonáceas **1**:300
Anopheles **9**:310, 325, **14**:26, 182
anopluros **7**:144; **8**:9
anorexia 1:300
Anorexia nerviosa 1:300
anormales **11**:314
anoteráceas **1**:35
Anouilh, Jean 1:300
Becket, santo Tomás **2**:274
anquilostoma **14**:184
Anquises **5**:257
ANSA 1:300
ANSA **11**:51
ánsar níval **6**:281
ánsar 1:300
Anseba, río **6**:68
Anselmi, Giuseppe Antonio 1:300
Anselmo de Canterbury, san 1:300
Anselmo de Laón, san 1:301
Anselmo, san **5**:208, 281
Anser cinereus **2**: 189
anseriforme **3**:328; **10**:253
Anserma **12**:84
Ansermet, Ernest **1**:117
Ansgar, san **9**:242
Ansham **9**:53
ansiedad 1:301
emoción **5**:249
hipocóndria **7**:183
neurosis **10**:81
Anspach **2**:269
Ansúrez, conde **14**:19
anta 1: 301
alce **1**:147
Anta o Antisuyo **1**:269
antabús 1:301
antagonismo **13**:22
Antakieh **1**:311
antálcidas **7**:99, 100
Antálcidas, paz de **7**:59
Antall, Jozsef **7**:252
Antananarivo **9**:11
antarctosaurio **6**:309
Antares (módulo lunar) **2**:*120*
Antares 1:301
Antarktik **10**:129
Antártica **10**:*180*
Antártica chilena **11**:243
Antártica, península **6**:98
Antárticas Francesas **6**:219
Antártico **1**:227; **6**:95; **7**:144, 307; **12**:115; **13**:28
Antártico, Círculo Polar **10**:324; **14**:180
Antártico, océano 1:301
antarticoandina **3**:57
Antártida 1:302
— conquista de la **6**:97
— occidental **1**:303
— oriental **1**:302
— témpano de hielo **1**:302
descubrimientos y exploraciones geográficos **5**:*77*
exploraciones **1**:302
Geografía y geología **1**:302
geología **6**:311
glaciar **6**:328
Nueva Zelanda **10**:158
Patagónia **11**:11
pingüino **11**:92, 93
plantas y animales **1**:303
Reclamaciones territoriales **1**:302
Shackleton, sir Ernest Henry **12**:303
temperatura **13**:154
Wegener, Alfred Lothar **14**:144
antas **1**:269
ante 1:147, 303
antecedentes **7**:87, 90; **12**:48
antecos y periecos 1:303
antena 1:304
— colectiva **1**:304
— helicoidale **1**:304
— sistema direccional de **11**:286
radar **11**:274
radiotelefonía y radiotelegrafía **11**:284
Antenor **10**:283
Antenor Orrego **11**:62
Anteo **6**:189; **7**:151
anteojos 1:304
— oscuros **8**:168
luz **8**:332
vestido **14**:68
Antequera **9**:40
— ciudad de **8**:165
— Fernando de **11**:329; **14**:33, 75
— José de **2**:44
antera **11**:123
anteras **6**:177, 178
anteroposteriores **7**:174
Anthemia nobilis **9**:64
antiaérea **2**:76
antiaérea, defensa 1:304
Antiapeninos **1**:324
antiaris 1:304
Anti-Atlas **9**:105
antibatería **2**:76
antibiótico 1:305
— penicilina **6**:176
ascomicetes **2**:80
catarro **3**:290
disentería **5**:143
estreptomicina **6**:63
Hinshelwood, sir Cyril Norman **7**:181
lágrima **8**:165
odontología **10**:187
sordera **13**:42
terramicina **13**:170
vitaminas **14**:108
antibolchevique, ejército **14**:166
anticalvinismo **9**:188
anticiclón **14**:87, 90
Anticlea **13**:301
anticlerical **7**:112
anticlericalismo **13**:81
anticlinal 1:305
— pliegue **6**:313
minería **9**:232
anticoagulante sanguíneo **7**:145
anticomunista **12**:58
anticonceptivos orales **6**:51
anticonceptivos, método 1:305
anticongelante **13**:42
Anticristo 1:305
Averroes **2**:184
anticuerpo 1:305
CD-4, células **3**:305
enfermedades contagiosas **5**:261
lobulina **6**:334
microbio **9**:215
vacunas y sueros **14**:5
antidepresivos **5**:*174*
antidiftérico **5**:118
antídoto 1:305
hierba **7**:171
antiesclavista **8**:313
antiescleroso **2**:67
antiescorbútica **1**:45; **9**:125; **14**:108
antiespasmódico **7**:116
Antífanes **7**:61
antiferromagnéticos, materiales **10**:64
antífona 1:305
antifonal **13**:109
antígeno **1**:305
Antígeno-anticuerpo, grupos sanguíneos. **7**:71
antígenos **6**:334; **13**:15
Antígona 1:305
Edipo **5**:211
Tebas **13**:134
Antigone **1**:172
Antigónidas **7**:60
Antígono **11**:49
Antigua **7**:306
— Cartago **5**:233
— ciudad **7**:150
Antigua Biblia ilustrada **5**:256
Antigua de Darién 1:305
Antigua Guatemala **12**:157
antigua Unión Soviética **9**:231; **11**:279
Antigua y Barbuda 1:305
— bandera de **2**:239
Balboa, Vasco Nuñez de **2**:223
imperio británico **7**:275
Antigua, Guatemala **7**:78, 79
antigüedad **2**:69; **5**:272
— Clásica **5**:202, 205
— Oriental **5**:202, 205
— troyanas **12**:247
Antigüedades romanas **2**:51
antigüedades 1:248, 306; **5**:134
Antiguo **6**:92
— Continente **2**:181
— pastor inglés **11**:*55*
— Testamento **2**:308; **3**:129, 218; **5**:7; **6**:13, 49, 117; **7**:113, 135, 211; **8**:94, 104, 118; **9**:64; **11**:40; **12**:159, 275; **13**:24, 181, 198; **14**:72, 169
— romanos **7**:177
antihelios **10**:327
antihemorrágica **1**:188
antihistamínicas **6**:148
Antilia, isla **5**:70
Antilíbano **2**:85; **13**:6
antilocápridos **2**:76, 77
Antíloco **9**:161
antílope 1:306
alce africano **1**:148
Arizona **2**:35
Asia **2**:91
antilopinso **6**:261
Antill, John Henry **2**:164

Antillas 1:307
— de Puerto Rico **13:**103
— Grandes **1:**308
— independencia de las **7:**295
— indígenas de las **11:**104
— Mayores **1:**107, 309; **2:**136; **8:**77
— Menores **1:**228, 309; **2:**136; **7:**304
— Neerlandesas **7:**208
agua de mar, purificación del **1:**111
ave **2:**180
indios americanos **7:**309
Kingston **8:**142
Ñame **10:**167
piratería **11:**107
Santa Lucía **12:**214
tarpón **13:**12
Antillas Británicas 1:309
Antillas Holandesas 1:309
— bandera de **2:** 239
Historia **1:**309
Holanda **7:**206
Antillas, Mar de las 1:307
Atlántico, océano **2:**136
esponja **6:**20
Golfo, Corriente del **7:**16
Magdalena, río **9:**24
Panamá **10:**300
Puerto Rico **11:**229
Santo Domingo, isla de **12:**221
Zelaya **14:**176
antimateria 1:309
antimerinos **9:**11
antimonio 1:310
— gris **1:**310
América del Sur **1:**243
Asia **2:**92
elemento químico **5:**245
vidrio **14:**85
antineutrones **1:**292, 310
antinómicos **12:**244
antinucleones **1:**299
Antioco **9:**5
Antíoco III
Antíoco III, rey de Siria **1:**292
Antíoco IV **7:**280
Antíoco XIII **12:**269
Antíocos de Siria **8:**97
antiodorífero **1:**183
antioncogén **10:**211
Antiope **1:**220; **13:**174
Antioquía 1:310
— de Siria **11:**26
— Ignacio de **11:**15
— Teófilo de **11:**15
Bernabé, san **2:**302
Godofredo de Bouillon **7:**11
Medellín **9:**148, 156
Pablo, san **10:**279
patriarca **11:**14
Robledo, Jorge **12:**84
antipapa 1:311
papado **10:**312, 313
antipartícula 1:311
anihilación **1:**292
Antipas, Herodes **12:**176
Antípater **5:**48; **7:**155
antiperistáticas, contracciones **14:**131
antipirético **5:**174; **6:**129; **13:**196
antipirina **6:**148
antípoda 1:303, 312
antípodas **6:**304
Antípodas y las Auckland, islas **1:**302
antiprotones **1:**292, 310
antiquark 1:312
quark **11:**246
antirraquítica **14:**108
antirraquítico **5:**173
Antisana, cima volcánica **11:**270
antisemitismo 1:312
discriminación **5:**143
Ford, Henry **6:**193
judaísmo **8:**118
antisepsia **11:**9; **12:**276
antiséptico 1:144,313
asepcia **2:**81
droga **5:**173, 174
esterilización **6:**51
halógenos **7:**125
química **11:**259
urea **13:**324
yodoformo **14:**164
antisintomáticos **13:**241
antiséptico lisozima **6:**176
Antístenes de Atenas 1:314
Antisuyo **7:**291; **13:**101
antitanque **2:**76
Antitauro, montaña **2:**85
antitérmico **6:**130
antitoxinas 1:314
enzimas **5:**268
Antium **6:**199, 301
— batalla naval de **6:**198
Antizana **5:**196
antlets **7:**310
antocianinas **14:**151
Antofagasta 1:314
Andes **1:**269
Atacama **2:**131
Salta **12:**177
Antoine Jean Gros **8:**313
Antoine, André 1:315
antología 1:315
Anton **6:**240
Antón, san **1:**316
Antonelli, Juan Bautista **10:**304; **11:**240
Antonello da Messina 1:315
Antonescu, Ion 1:315
Rumania **12:**131
Antonieta, María **10:**63
Antonietto **13:**304
Antonino **13:**315
Antonino Pío 1:316
Aurelio, Marco **2:**160
Sixto V **13:**12
Antoninos, familia de los **12:**98
Antonio **13:**82
Antonio Abad, san, llamado el Ermitaño 1:316
ermitaño **5:**275
orden religiosa **10:**234
Antonio Allegri, llamado *Il Correggio* **12:**60
Antonio César **2:**274
Antonio de Nebrija **1:**247
Antonio de Padua, san 1:316
Antonio González Balcarce **7:**20
Antonio María Claret, san 1:317
Antonio Ricardo **7:**285
Antonio Rosales **14:**175
Antonio y Cleopatra **12:**304
Antonio Zaccaría, san **10:**238
Antonio, san **9:**274; **11:**41; **13:**133
antorchas **6:**244
antracita 1:317
carbón **3:**234
España **5:**309
etano **6:**66
ántrax 1:317
bacteria y bacteriología **2:**211
antropofagia **6:**152
antropófago 1:317
Herodoto **1:**317
Plinio **1:**317
Estrabón **1:**317
Titolivio **1:**317
Aníbal **1:**317
caníbal **1:**317; **3:**216
antropogeografía **6:**303
antropoide **6:**322
antropoides **7:**212
antropología 1:317
— criminal **7:**332
— cultural **6:**70
— metafísica **9:**95
— moderna **9:**250
— Museo Nacional de, ciudad de México **9:**196, 201
— pedagógica **13:**153
— social **6:**162; **13:**15
aculturación **1:**62
Ameghino, Florentino **1:**227
anatomía **1:**317
arqueología **1:**317
biología **1:**317
Blumberg, Baruch Samuel **3:**9
diferencias culturales **1:**317
educación física **5:**222
encíclica **5:**252
estructuralismo **6:**64
fisiología **1:**317
Frazer, James George **6:**234
geografía **6:**303
geografía física **1:**317
gigante **6:**323
historia **1:**317
historia **7:**191
método de investigación **1:**317
Quatrefages de Breau, Jean Louis Armand de **11:**246
sociología **13:**21
antropólogo **11:**7
antropólogos **7:**212
— sociales **7:**319
antropometría 1:318
Johan Friedrich Blumenbach **1:**318
Petrus Camper **1:**318
Alphonse Bertillon **1:**318
dactiloscópico **1:**318
Juan Vusetich **1:**318
antropomorfismo 1:319
El Olimpo **1:**318
poilteísmo **11:**155
Antsirabé **9:**11
Antung **9:**52
anturio 1:319
aráceas **1:**318
espádice **1:**318
espata **1:**318
anú **2:**102
Anu **7:**116
Anuar-el-Sadat **5:**228
Anuario **11:**312
Anubis **5:**136; **9:**252
Anunciación 1:319
Anunciación de Nuestra Señora **6:**150
anunciadores **8:**299
anuncios luminosos 1:319
anuros **1:**278, 279; **12:**225
Anuszkiewicz, Richard **10:**215
Anwar al-Sadat **2:**277; **6:**42; **7:**131; **8:**248
Anza, Juan Bautista de 1:319
bahía de San Francisco de California **1:**319
misión de Dolores **1:**319
San Francisco de Hierba Buena **1:**319
Anziqua **1:**286
Anzoátegui 1:319
Venezuela **1:**319

anzuelo **8:**301; **11:**67
añadidos **13:**127
añil 1:319
azul **2:**206
año 1:320
— agrícola **8:**155
— civil **1:**320; **9:**176
— de perdón **1:**321
— geofísico internacional **1:**302; **10:**182
— juliano **9:**176
— litúrgico **3:**295
— romano **9:**176
— sideral **1:**320
— trópico **1:**320
tiempo **13:**190
año bisiesto 1:320
febrero **6:**123
mes **9:**176
año luz 1:320, 321
años luz **6:**61
astronomía **2:**125
universo **13:**319
Año Nuevo 1:321
— chino **1:**321
Año Santo 1:321
Año Jubilar **8:**117
añublo, tizón o roya 1:321
aorta 1:321
arteria **2:**67
aortitis **1:**321
aoudad **10:**274
Aouret, Francois Marie, pseudónimo de Voltaire **2:**271
Apa **10:**320
apacentamiento **6:**195
apache 1:321
Apache **10:**199
— mimbre **9:**56
apaches **7:**310; **11:**86
Apalaches, Montes 1:322
Adrinodacks **1:**69
América **1:**229
América del Norte **1:**235
Maine **9:**33
Maryland **9:**116
montaña **9:**284
New Jersey **10:**86
Oklahoma **10:**199
Pennsylvania **11:**38
Tennessee **13:**158
apalai **7:**310
Apaneca
aparato **7:**142; **10:**107; **12:**181; **14:**39
aparato *8:269*
aparato circulatorio **5:**249
aparato de Golgi **6:**13; **7:**16
aparato digestivo **1:**249; ***5:119***, 249; **6:**56, 297

aparato geiseriano **6:**296
aparato lagrimal **8:**165
aparato respiratorio **1:**37; **5:**220, 249, 272
aparato vocal de un hombre moderno *7:*214
aparato vocal de un Homo erectus *7:*214
aparato vocal de un niño moderno recién nacido **7:**214
Aparatos auxiliares **7:**32
aparatos refrigeradores **7:**139
aparejo **11:**149
Aparicio, Sebastián de 1:322
apartheid 1:322
Klerk, Frederik Willem de **8:**144
Mandela, Nelson **9:**55
Tutu, Desmond **13:**298
Unión Sudafricana **13:**314
apatita **9:**229; **14:**90
apatosaurio 1:323
Apatzingán **9:**214
Apatzingán, constitución de 1:323
apelación 1:323
Apeles 1:323
biografía **1:**323
Grecia **7:**63
pintura **11:**96
Apeles de México **12:**92
apeltadas **7:**203
apéndice **1:**21
apéndice vermiforme **1:**323
apéndice y apendicitis 1:323
apéndice y apendicitis **1:**261, 323
apendicitis 1:324
enfermedad **5:**260
Apenino ligur **1:**324
Apenino toscano **1:**324
Apeninos 1:324
— cordilleras de los **6:**75; **8:**322
— montes **6:**71
alpinismo **1:**201
Ario **2:**30
astronáutica **2:**120
Bolonia **3:**32
Europa **6:**76
Francisco de Asis, san **6:**231
Italia **8:**61
Po **11:**143
Ravena **11:**303
Tíber **13:**184
Apephis **11:**271
apercepción temática de Murray **13:**176
aperire **1:**35
aperos de labranza **13:**238
apertura angular **6:**165
apetito 1:324
Aphra Behn **9:**324
aphrilis **1:**35
Apia **12:**186
apiacá **7:**310
Apiano **7:**62
Apiano, Pedro **6:**305
ápice **1:**350; **7:**31, 202
Apick Kardagh **13:**126
apicultor **1:**24
apicultura 1:324
abeja **1:**21, *22*
zootecnia **14:**187
ápidos **8:**8
apinages **7:**310
apio 1:309, 324
apioídeas **1:**146
Apis 1:325
dioses paganos **5:**136
apisonador **12:**252
Apito **11:**231
Apium graveolens **1:**325
Apizaco **13:**208
aplantillados **8:**161
Apocalipsis 1:325
— de San Juan *2:*309
Apocalipsis **6:**305
Armagedon **2:**43
Miguel Arcángel, san **9:**220
Nuevo Testamento **10:**160
tapiz **13:**116
apocalíptico **12:**245
apocinácea **6:**64
apocináceas **1:**67; **11:**247
apócope 1:325
gramófono **7:**31
apócrifo 1:325
apócrifos **10:**160
Apodaca, Juan, virrey Ruiz de **3:**174
apoderado 1:325
apodo **6:**8
ápodos **1:**278
apodyterium **13:**166
Apofina **12:**186
apófisis 1:325
hueso **7:**241
vértebra **14:**59
apófisis espinosa **14:**59
apófisis ósea **6:**20
apófisis torácica **2:**77
apófisis transversas **14:**59
apogeo **2:**110; **6:**332; **10:**232
apolista **7:**309
Apolo 1:325
Apolo **1:**326
— escultura de *1:325*
— templo de **2:**293; **7:**151; **10:**186; **11:**164
Proyecto Apolo **1:**152; **2:**47, 113, 116, 117, 119, 120, *121;* ***8:**323,* 324; **13:**87
Apolo de Veyes **2:**52
Apolo Didemeón **3:**53
Apolo o Liceo, templo de **2:**133; **8:**255
Apolodoro **7:**63
Apologético **13:**173
Apología **7:**67
Apología de Sócrates **11:**135
apólogos **6:**109; **10:**318
Apolonio **11:**49
Apolonio de Pérgamo **6:**132, 314
Apolonio de Rodas 1:328
Grecia **7:**62
Apolonio *el Sofista* **5:**111
Apollinaire **5:**176
Apollinaire, Guillaume 1:328
bateau–lavoir, Le **2:**265
Francia **6:**227
orfismo **10:**244
Aponte Martínez, Luis **3:**241
Apopaya **12:**27
apoplejía **6:**185
apos o prefectos **7:**291
apósitos **14:**39
apostasía 1:328, 336
catolicismo **3:**296
Apostles, islas **14:**153
apóstol **12:**218
Apóstol de la Democracia Mexicana **9:**16
Apóstol de las Indias **1:**329
Apóstol de los Negros **11:**26
Apóstol del Nuevo Mundo **1:**263
apostolado 1:328
Apostolado de la Oración **1:**44, 329
apóstoles 1:329, *330*
— Andrés **1:**329
— Bartolomé **1:**329
— Bernabé **1:**329
— Felipe **1:**329
— Juan **1:**329
— Judas Iscariote **1:**329
— Judas Tadeo **1:**329
— Mateo **1:**329
— Matías **1:**329
— Pablo **1:**329
— Pedro **1:**329
— san Pablo **5:**271
— Santiago **1:**329
— Santiago el Menor **1:**329
— Simón **1:**329
— Tomás **1:**329
Jesucristo **8:**99
Judas Iscariote **8:**119
orden religiosa **10:**238
apostólica **7:**266
Apostólica Romana, Iglesia católica **10:**310
Apostólica, Sagrada Penitencia **10:**312
apostolicidad **3:**296
apostólicos, viajes **10:**279
apotegma 1:330
aforismo **1:**92
pirámide **11:**105
polígono **11:**152
Appalaches **5:**45
Appalachicolo o Chattahoochee, río **6:**32
Appenzell **13:**76, 80, 81
Appert **2:**211
Appia **5:**280
Apple **10:**223
Applegart **11:**189
Appleton **14:**153
Appleton, sir Edward Victor 1:330
Gran Bretaña **7:**44
radiotelefonía **11:**284
applets **8:**91
Appun, Karl Ferdinand **10:**251
APRA **11:**65
aprendices **2:**69
aprendiz **14:**122
aprendizaje 1:330
audiovisual, educación **2:**158
educación **5:**213
aprismo 1:330
aprocadores **1:**339
apropiación **11:**116
apropiado **8:**146
áptero **13:**203
ápteros **14:**185
Aptidon, Hassan Gouled **5:**149
aptitud 1:330
examen **6:**90
infancia **7:**322
Apué, salto del **13:**115
Apulco,río **11:**226
Apuleyo, Lucio 1:330
abogado **1:**30
danza **5:**12
Fedro **6:**125
Mobiliario y mueble **9:**253
Apuntes de un lugareño **12:**107
Apuntes para una semblanza de Silvestre Revueltas **12:**55
Apure 1:330
— río **1:** 330
América del Sur **1:**241
Barinas **2:**254
Guanare **7:**75
Venezuela **14:**43
Apure-Orinoco, sistema **14:**45
Apurímac 1: 330
aimara **1:**121
Ayacucho **2:**192
Aquae Calidae **14:**78
Aquae Grani **1:**331
Aquambué **5:**136
Aquapendente, Fabrizio de **5:**248
Aquea, Liga **6:**124
aquelarre **3:**89; **14:**138
Aqueloe **2:**49
Aqueloo 1:330
Aqueménida, imperio **8:**38
aqueménidas **8:**38
aqueos **7:**58, **8:**22, **8:**217
Aqueronte **3:**255, **6:**254
Aquidabau **10:**323
Aquila **1:**114
Aquila chrysaetus **1:**114
Aquilares **13:**280
Aquiles 1:331
— talón de **6:**52
— tendón de **1:**331
Agamenón **1:**99
Alejandro III, *el magno o el grande* **1:** 155
amazonas **1:**220
Andrómaca **1:**274
armadura **2:**42
Ayax **2:**193
Eneas **5:**257
Estigia **6:**52
Héctor **7:**137
Hesíodo **7:**160
Ilíada **7:**268
Medea **9:**148
Memnón **9:**161
Odisea **10:**185
Quirón **11:**269
Tetis **13:**178
Troya **13:**273
Aquino (Nápoles) **13:**216
Aquino, Benigno S. **1:**331, **6:**155, **9:**88
Aquino, Corazón 1:331
Marcos, Ferdinando E. **9:**88
Aquino, María de **3:**13
Aquino, Tomás de, santo *Véase* Tomás de Aquino, santo
Aquisgrán 1:331
— Tratado de **9:**95
— catedral de **12:**5, 105
Alemania **1:**159
Carlomagno, Carlos I llamado **3:**248
Reuter, agencia **12:**37
Aquitania **1:**102; **11:**104
— provincia **6:**220
— duque de **13:**273
— Leonor de **8:**115; **12:**61
— príncipe de **5:**213
— reino de **13:**214
aquitanios **6:**265
Ara Pacis, altar de la paz **12:***98*
Arabia, decadencia y fin del imperio **1:**333
Árabe del Sahara, República Democrática **9:**109

Árabe, Liga **10:**292, 307
Árabe, narrativa contemporánea **9:**30
árabe-israelí, guerra **6:**260; **8:**107, 240; **10:**293
Arabella **13:**57
Arabella, araña *2:122*
árabes 1:331
— arte **1:**333
— ciencias **1:**332
— civilización **1:**332
— decadencia y fin del imperio **1:**333
— literatura **1:**333
— los árabes actuales **1:**333
— raza **6:**277
— sedentarios **9:**107
— sudaneses **13:**66
— viajes de los **5:**72
ábaco **1:**17
Acre, San Juan de **1:**55
alcázar **1:**147
alcohol **1:**149
Argelia **2:**10
Armenia **2:**45
arqueología **2:**50
arquitectura **2:**57
Asia **2:**94
España **5:**311
Fez **6:**145
Francia **6:**218
higuera **7:**177
Indostán **7:**316
inmigración y emigración **7:**335
Irán o Persia **8:**37
Iraq **8:**40
Isaac **8:**47
Isabel *la Católica* **8:**49
laúd **8:**197
lengua **8:**218
manteca o mantequilla **9:**60
Marruecos **9:**107
Mesopotamia **9:**178
mozárabes **9:**318
noria **10:**129
perfumería **11:**48, ,
química **11:**261
radiestesia **11:**277
semita **12:**275
Sevilla **12:***298*
Suez, canal de **13:**74
Sumatra **13:**83
Tablas Alfonsinas **13:**96
tapiz **13:**116
Tarragona **13:**121
transportes **13:**251
Trípoli y Tripolitania **13:**269
turquesa **13:**293
Turquía **13:**294
Valencia **14:**13
arabescos **2:**58; **12:**9
Arabia 1:333
— del Sur, Federación de **1:**68, 335
— Golfo de **2:**287
— Península de **5:**249; **10:**64, 208
— Pétrea **1:***334*
avestruz **2:**185
esclavitud **5:**280
Fénix **6:**130
gacela **6:**260
hogar **7:**202
Islam e islamismo **8:**51
Lawrence, Thomas Edward **8:**201
libros de caballerías **8:**253
sardónice **12:**228
semita **12:**275
sombrero **13:**34
vestido **14:**65, 66
zorro **14:**189
Arabia Saudita 1:335
— Arabia Saudí **1:**337
— bandera **2:***239*
— desarrollo de la Arabia islámica **1:**336
— historia **1:**335
— reino de **1:**334, 336
— Unificación de Arabia **1:**336
Abu Dhabi **1:**39
Arabia **1:**334
Arabia Saudita **1:**333, 337
Guerra del Golfo Pérsico **7:**88
Ibn-Saud, Abdul-Aziz **7:**259
Medina **9:**152
minería **9:**231
panarabismo **10:**307
Pérsico, Golfo **11:**57
petróleo **11:**71
Qatar **11:**245
Arábiga, península **6:**308; **14:**65
arábigo **2:**96
Arábigo o de Omán, Mar **7:**312
Arábigo, Mar 1:338
Ahmedabad **1:**119
Arabia **1:**334
Gujarat **7:**108
Karachi **8:**134
Maldivas **9:**43
arábigos **13:**136
arabinosa **6:**332
Araca, distrito minero **6:**47
aracanga **8:**309
aráceas **1:**319; **3:**157; **6:**178; **9:**40
arácnido 1:338
— aracneidos **6:**20
araña **1:**341
artrópodo **2:**78
escorpión **5:**283
insecto **8:**5
zoología **14:**185
aracnoides **9:**167
aracnoiditis **9:**167
Arachnoïdiscus ehrenbergi **5:***106*
Arachon **6:**216
arado 1:338
— alomadores **1:**339
— brabanta **1:**339
— de balanza **1:**339
— de discos **1:**339
— de pie **7:**290
— de vertedera **1:**338, 339
— función del **1:**339
— partes **1:**339
— patatero **1:**339
— reversible **1:**339
— subsolador **1:**339
— tipos de **1:**339
— topo **1:**339
— vitícola **1:**339
Fenicia **6:**130
labranza **8:**155,157
yugo **14:**166
arador mecánico **1:***105*
Arafat, Yasir 1:339
Gaza, franja de **6:**295
Jordania **8:**107
Palestina **10:**293
Peres, Shimon **11:**44
Rabin, Yitzhac **11:**272
Arafura, mar de **9:**157
Arago, Dominique François 1:339
Ampére, André Marie **1:**252
Francia **6:**230
Frizeau, Armand-Hippolyte-Louis **6:**239
Neptuno **10:**74
telégrafo **13:**145
Aragón 1:339
— Agustina de **2:**294
— Alfonso V, rey de **2:**291
— Blanca de **6:**107
— Canal Imperial de **14:**174
— casa de **12:**314
— Catalina de **3:**21, **5:**265, **11:**325, **14:**110
— Fernando de **5:**209
— guerra de **6:**127
— Juan II de **6:**135
— Louis **6:**227, **13:**87
— María de **8:**48
— Mora, Fabiola de, y **2:**224
— Petronila de **3:**289
— reino de **11:**316, **13:**173, **14:**173, 174
— rey de **11:**294
— y Navarra **12:**21
Aragón **1:**340
Alfonso V de Aragón y IV de Cataluña **1:**175
Argensola, Lupercio Leonardo y Bartolomé Leonardo de **2:**12
España **5:**316
Europa **6:**83
Felipe II **6:**127
Fernando II, *el católico* **6:**135
feudalismo **6:**144,
Foix, Catalina de **6:**188
Huesca **7:**241
Jorge, san **8:**108
Juan Manuel, Infante don **8:**114
Mina, Francisco Xavier **9:**227
Santander, Francisco de Paula **12:**217
Santillana, Iñigo López de Mendoza, marqués de **12:**220
aragonesa, escuela **2:**12
Aragua 1:340
Maracay **9:**85
Valencia **14:**13
araguaca **7:**309, 310
Araguaya **13:**209
arahuaca taína, lengua **11:**231
arak o raek **2:**272
Aral, Mar de 1:340
Asia **2:**87
lago **8:**164
Rusia **12:**138
Uzbekistán **13:**334
araliáceas **6:**326; **7:**169
Aram Khachaturian **13:**209
Aramak **13:**153
Aramayo **3:**30; **11:**12
Aramburo, Pedro E **2:**24
Aramburu, Juan C. **3:**241
Aramburu, Pedro Eugenio 1:340
Rojas, Isaac Francisco **12:**95
aramea **8:**218
arameas **2:**95
arameo **7:**135, 136; **13:**6
Arán, valle de **1:**277; **8:**231; **12:**60
Arana, Diego de **5:**159
Arana, Felipe de 1:340
arancel ad valorem **1:**76
arancel aduanero **1:**76
arancel específico **1:**76
aranceles de aduanas **13:**119
Aranco, provincia **2:**324
Aranda, conde de 1:340
España **5:**317
Aranda, Pedro de **7:**11
Arango y Parreño, Francisco 1:340
Arango, Doroteo **14:**92
Aranha, Graça **3:**76
Aranha, Oswaldo 1:341
Aranjuez 1:341
— concierto de **12:**168
— palacio de **7:**158
Madrid **9:**20
parques **10:**331
Rusiñol y Prast, Santiago **12:**150
aránway **11:**255
araña 1:341
— en su red **8:***7*
— nido **10:**98
araña **10:**97
artrópodo **2:***77*
migala **9:**219
Aráoz de Lamadrid, Gregorio **2:**182
Arap Moi **8:**138
arapajos **7:**309
Arapey **2:**73; **12:**178; **13:**326
Araphao **10:**61
Arapiles 2:264
Arapiles, batalla de los 1:342
— salmantino de **1:**342
arara **7:**310
Ararat 1:342
— Mayor **1:**342
— Menor **1:**342
Armenia **2:**45
Éufrates, río **6:**72
montaña **9:**285
Aras **8:**35
Arata, Pedro N. 1:342
Arauca 1:342
— río **14:**43
llanos, los **8:**290
araucana **7:**309; **8:**184
Araucana, La 1:342
Angol **1:**284,
Araucania, región de la 1:343
Malleco **9:**44
Temuco **13:**155
araucanos 1: 343
— costumbres **1:** 343
— historia **1:** 343
— pueblo **1:** 343
— religión **1:** 343
aborigen **1:** 32
Araucana, La **1:** 342
Argentina **2:**17
Banquedano, Manuel **2:**249
Calafquen **3:**157
Caupolican **3:**302
Marín de Poveda, Tomás **9:**96
Tucapel **13:**280
vivienda **14:**115
araucaria 1:344
Argentina **2:**16
geología **6:**309
Arauco 1:344
— epopeya de **14:**12
— Golfo de **8:**309
Angol **1:**284
araucos **14:**115

Araujo Sales, Eugenio E. **3**:241
Araujo, Arturo **12**:183
Araujo, José Joaquín **2**:25
Araujo, Juan de **11**:63
Arauquita **1**:342
Aravalli, montes **7**:108, 296
arawacos **3**:244
arawak **3**:50; **13**:103
arawako **14**:47
arawakos **5**:158
arawi **11**:255
Araxes **8**:35
Arbenz Guzmán, Jacobo 1:344
Arbenz, Jacobo **3**:283
Arber, Werner **13**:14
Arbiter, Petronio **8**:181
arbitraje 1:344
— futbol **6**: 256
— industrial **1**:344
— internacional **1**:344
laudo **8**:197
árbitro 1:345
Arbogasto **13**:161
Arbois **11**:8
árbol 1: 345
— árboles célebres **1**: 348
— bignoniáceo **8**:174
— caricáceo **10**:314
— clasificaciones **1**: 345
— de áloe **1**:*198*
— de banana **2**:*234*
— de hoja caduca **14**:141
— de la Noche Triste **1**:348
— de la quina **1**:269
— de la Virgen **1**:348
— de transmisión **2**:172
— del alcanfor **1**:145
— del corcho **1**:151
— el árbol: una víctima **1**: 347
— filogenético **5**:*133*
— flores y fruto **1**: 347
— frutal **7**:177
— hojas **1**: 347
— jícaro **8**:101
— raíz, tronco y copa **1**: 346
— rubiáceo **11**:263
— tung **1**:29
abeja **1**:23
acacia **1**:40
guayaco **7**:81
árbol de guernica 1:348
árbol de la goma 1:348
árbol del pan o artocarpo 1:348
árbol genealógico 1:348
pedigree **11**:24
Haeckel, Ernst Heinrich **7**:118
arboladura 1:348
fragata **6**:210
arboladura de una fragata de tres mástiles **6**:210
Arboleda, Julio 1:348
arbórea **13**:96
arboricultura **1**:346
arbotantes **1**:351
Arbrissel, Roberto de **10**:235
arbusto 1: 348
— poligaláceo **11**:302
— saxifragáceo **7**:231
angiospermas **1**:282,
arbustos de hierba, China **7**:171
zarza **14**:175
Arbuthnot,John **8**:106
Arbutus **9**:21
Arc de Triomphe **12**:14
arca 1:348
— de Noé **1**:342; **2**:45; **10**:206
— del Testamento o de la Alianza **13**:95
— Santa de la Alianza **8**:95, 118
Diluvio **5**:121
arcabuz 1:349
ejército **5**:233
arcadas **1**:351
Arcadia 1:349
Pan **10**:299
Peloponeso o Morea **11**:32
Sierra **12**:317
Arcadio **2**:333; **8**:113; **13**:161
arcaica, era **6**:307; **7**:63
arcaico **6**:160; **14**:63
arcaico, arte **2**:52
arcaicos o marimbas **8**:195
arcaísmos **1**:247; **6**:7
arcángel **8**:98
arcángel Gabriel **1**:280, 319; **3**:295; **8**:51
arcángel Miguel **1**:280
arcángel Rafael **1**:280
arcángeles **1**:280; **6**:79, 260
Arcanos celestes **13**:90
Arcaya, Pedro Manuel **14**:46
arce 1: 349
árbol **1**:345
madera **9**:13
Arce **5**:295; **9**:205
Arce, Gaspar Núñez de **1**:63
Arce, José 1:349
Arce, José Manuel de **14**:20
Arce, Manuel José 1:349
arcilla 1:350
— cocida **8**:160
arena **2**:5
ladrillo **8**:161
termes **13**:167
Arciniega, Claudio de **7**:191; **8**:192
Arciniegas, Germán 1:350
Arciniegas, Ismael Enrique 1:350
arcipreste de Hita 1:350
Edad Moderna **5**:209
español, idioma **6**:5
fábula **6**:109
Arcipreste de Talavera **6**:5
arco 1:350
arpa **2**:48
arquitectura **2**:56
ejército **5**:231
flecha **6**:175
geodésica **6**:302
Arco de Adriano **1**:75
Arco de Bará **1**:351; **13**:121
arco de carbón **8**:168
Arco de la Independencia en Ghana, África **6**:*321*
arco de Lisboa **8**:*271*
arco de mercurio **11**:319
Arco de Tito **1**:351
Arco de Trajano **1**:351; **9**:174
arco de triunfo 1:351
Arco de Triunfo de la Estrella, en París **1**:351; **9**:110; **12**:124; **13**:258
Arco de Triunfo en los Campos Elíseos **3**:198
Arco de una puerta en un templo masón **1**:351
Arco del Ecce Homo **8**:97
Arco en honor del emperador Séptimo Severo en el Foro de Roma **7**:6
arco iris 1:351
arco iris **5**:88
espectro **6**:10
iridio **8**:42
luz **8**:330
parhelio **10**:327
arco ojival **7**:25
arco policromo **1**:351
arco voltaico **1**:211; **5**:*164*; **8**:269; **13**:29
arco voltaico lámpara de **6**:205
Arco, Juana de **3**:169; **5**:208; **6**:222; **10**:252, 328; **13**:10
arco, tiro de 1:351
arcontado 1:352
areópago **2**:8
Atenas **2**:133
Grecia **7**:59
arcontes **7**:59
arcos Malayos **2**:84
arcos mixtilíneso **7**:191
arcos neurales **14**:185
arcos triunfales **2**:56
arcosa **2**:5
Arcturus, estrella **6**:61
Arcueuil y de Marsella **12**:161
archaguas **14**:47
Archdeacon **12**:223
Archena (Murcia) **9**:153
Archer, Milton Huntington **7**:187
Archidona **10**:250
archiduque Rodolfo **2**:277
Archipenko **5**:295
archipiélago **7**:132; **8**:175; **11**:91; **12**:38
archipiélago de Chiloé **2**:335
archipiélago de las Aleutianas **1**:135
archipiélago de las Canarias **13**:138, 156
archipiélago de las Molucas **1**:142
archipiélago de Luisiadas **9**:157
archipiélago de Palmar **1**:302
archipiélago Juan Fernández **12**:269
Archipiélago Malayo **12**:203; **13**:36, 122
archivo 1:350
— Americano **1**:282
— de Bolívar **8**:208
— de Indias **1**:265, 350; **12**:298
— del templo Coreano **1**:350
Arda, río **1**:75
Ardahan **3**:79
Ardashir **8**:38
Ardéal **13**:246
ardeidas **6**:287
Ardenas **7**:206
Ardenas, meseta de las **2**:281
Ardigó, Roberto **6**:137
ardilla 1:352
Arkansas **2**:36
Asia **2**:91
aré **7**:310
área 1:352
— Biológica de la Zona del Canal de Panamá **13**:15
— ciclónicas y anticiclónicas **14**:88
— lateral **11**:105
— total **11**:105
— y volumen de figuras geométricas tridimensionales **6**:314
esfera **5**:295
ortoedro **10**:260
paralelogramo **10**:324
polígono **11**:152
superficie **13**:85
Arecibo 1:352
—, Observatorio de **11**:236
Adjuntas **1**:71
Marqués, René **9**:105
Puerto Rico **11**:230
Zeno Gandía, Manuel **14**:176
Areco, Jorge Pacheco **13**:330
arecuná **7**:310
arejos **2**:78
Arelino Filarete, Antonio **12**:198
Arén **12**:60
arena 2:5
— auríferas **7**:179
— o sílice, compuesto de **14**:84
arena **1**:33; 2:6; **8**:119
arcilla **1**:350
ladrillo **8**:160
Arenal, Concepción 2:6
España **5**:318
Arenal, volcán **1**:228
arenas movedizas 2:7
arenisca 2:7
geología **6**:313
arenque 2:7
arenque **2**:8
sardina **12**:228
Areny **1**:272
areómetros **2**:54
areopagitas **2**:8
areópago 2:8
ágora **1**:100
Marte **9**:111
Arequipa 2:8
— obispo de **7**:157
— universidad de **2**:280
Andes **1**:269
Ayacucho **2**:192
Belaunde Terry, Fernando **2**:279
Elías, Domingo **5**:246
La Fuente, Antonio Gutiérrez de **8**:162
Latinoamérica **8**:192
Leguía, Augusto Bernardino **8**:213
Misti **9**:245
Paz Soldán, Mariano Felipe **11**:21
Perú **11**:60, 63
Salaverry, Felipe Santiago **12**:173
Socabaya, batalla de **13**:17
Valdivia, Pedro de **14**:11
Ares 2:8
dioses paganos **5**:136
Zeus **14**:177
Aretino, seudónimo de Pietro Bacci 2:8
Aretusa **9**:184
arévacos **7**:257; **12**:34
Arévalo Martínez, Rafael 2:9
Guatemala **7**:80
Arévalo, Juan José 2:9
Arbenz Guzmán, Jacobo **1**:344
biografía **2**:9
Arezzo **2**:9; **8**:64; **11**:70
Arezzo, Guido d' **8**:66
Arezzo, Pablo de **10**:243
Arfe 2:9
Arfe y Villafañe, Juan de, llamado el *Cellini español* **2**:9
Arfe, Antonio **2**:9
Arfe, Enrique **2**:9; **11**:134
Arfe, León **2**:9
Arfvedson **8**:286

Arga, río **10**:298
argalí **1**:298
argamasa **8**:161
arganeo **1**:264
Argantonio 2:9
biografía **2**:9
iberos **7**:257
Argañaraz, Francisco de **8**:125
Argel 2:11
— capitulación de **6**:225
— desierto de **10**:169
Argelia 2:9, 138, 239, 290, 295
— bandera de **2**: *239*
— guerra de **6**:225
África **1**:93, 97
alcornoque **1**:151
Arabia Saudita **1**:337
Francia **6**:219
Gaulle, Charles de **6**:294
mono **9**:278
oasis **10**:169
petróleo **11**:71
Sahara **12**:164
zuavo **14**:189
Argensola, Lupercio Leonardo y Bartolomé Leonardo 2:12
soneto **13**:37
Argentina, República 2:12
— bandera de **2**:239
— biodiversidad **2**:16
— clima **2**:14
— comunicaciones y transportes **2**:18
— Conservatorio Nacional de Música y Arte Escénico de **13**:301
— cultura **2**:24
— economía **2**:17
— Estado **2**:18
— hidrografía **2**:15
— hitoria **2**:18
— litoral **2**:14
— revista **6**:59
araucanos **1**:343, 345
Argentina **11**:10
Arias, Harmodio **2**:29
Brawn, Williams **3**:87
Casa Rosada **3**:270
Catamarca **3**:289
Díaz de guzmán, Ruy **5**:107
escultura **5**:295
estancia **6**:46
geología **6**:308
harina **7**:130
inmigración y emigración **7**:335
Instituto para la integración de América Latina (ITAL) **8**:10
López, Francisco Solano **8**:306
Magallanes, estrecho de **9**:22
montañismo **9**:285
Nahuel Huapí **10**:30
Paraná, río **10**:324
queso **11**:252
Santa Catarina **12**:210
Sarmiento, Domingo Faustino **12**:229
Sistema Económico Latinoamericano (SELA) **13**:8
Victoria **14**:77
Zárate **14**:174
Argentina, Rosario **12**:113
Argentino Roca, Julio **2**:182; **9**:251
Argentino, lago **2**:16
argentita **9**:229
Argeo **13**:126
arginina 2:27
argirodita **6**:318
Argirópolis **12**:229
Argólida **5**:10; **7**:55, **9**:212; **11**:32
argón 2:27
argón **2**:28
atmósfera **2**:141
elemento químico **5**:244
argonauta 2:27
argonautas 2:27
Aries **2**:30
Argos **2**:28
Jasón **8**:90
argonáutica **1**:328
Argonne, bosque de **10**:296
Argos 2:28
argonautas **2**:27
Fidias **6**:147
Grecia **7**:58
Peloponeso o Morea **11**:32
Perseo **11**:57
Píndaro **11**:91
Pirro **11**:109
Policleto **11**:151
Temístocles **13**:154
argostragopanes **2**:91
Argovia **13**:80, 81
arguaje **9**:81
Arguedas, Alcides 2:28
Bolivia **3**:31
Latinoamérica **8**:189
Arguedas, José María 2:28
Latinoamérica **8**:190
Perú **11**:62
Argüelles, Agustín de 2:28
Argüello, Leonardo **13**:35
Argüello, Santiago 2:29
bibliografía **2**:29
Nicaragua **10**:95
argumento 2:29
— humorístico **7**:194
aria 2:29
Ariadna 2:29
Dionisos **5**:135
Minos y Minotauro **9**:235
textiles **13**:179
Ariane **7**:82
Ariane, cohete **2**:123
Arias Dávila, Pedro (Pedrarias) 2:29
Díaz del Castillo, Bernal **5**:108
Nicaragua **10**:93
Arias de Saavedra, Hernando **10**:322
Arias Madrid, Arnoldo **10**:302
Arias Madrid, Arnulfo 2:29
Arias, Arnulfo **10**:302; **13**:230
Arias Montano, Benito 2:29
Arias Sánchez, Oscar 2:29
Arias Trujillo, Bernardo 2:29, 30
Arias, Harmodio 2:29
Arias, José **11**:11
Arica 2:30
Ancón, Tratado de **1**:264
anexión **1**:277
arbitraje **1**:345
Aridjis, Homero 2:30
México **9**:202
Aridoamérica **10**:169; **11**:248
Ariége **1**:270; **6**:289
Arieja **1**:270
Ariel **12**:90; **13**:320
Ariel, premio **13**:29
Aries 2:30
astronomía **2**:125
equinoccio **5**:272
marzo **9**:118
Piscis **11**:110
zodiaco **14**:179
ariete hidráulico 2:30
arilo **12**:274
Arimán **9**:250
Arimatea, José de **8**:100; **11**:7
ario 2:30
Turquestán **13**:293
arioindios **2**:98
arios **2**:97; **5**:172, 280; **7**:300, 314
arios, tierra de los **8**:38
Ariosto, Ludovico 2:30
Shakespeare, William **12**:304
Aripe, cascadas y rápidos de **10**:324
Aris, Michael **2**:160
Arismendi, Juan Bautista **3**:147
Arista, Mariano 2:30
Aristágora **9**:223
Aristarco **7**:62; **8**:252; **13**:213, 267
Aristeo **6**:74
Aristide, Jean-Bertrand 2:31
Arístides 2:31
Guerras Médicas **7**:99
Mileto **9**:223
ostracismo **10**:269
Temístocles **13**:154
aristocracia 2:31
gobierno **7**:6
hogar **7**:200
monarquía **9**:273
Aristócrates **5**:48
Aristófanes 2:31
Atenas **2**:134
Grecia **7**:61
griego **7**:66
helenismo **7**:140
literatura **8**:276
Pericles **11**:50
realismo **11**:313
Shaw, George Bernard **12**:308
Aristóteles 2:32
— *Física de* **14**:21
abiogénesis **1**:28
aristocracia **2**:31
barómetro **2**:256
Boecio, Severino **3**:16
Buridán, Jean **3**:121
Demóstenes **5**:47
escena **5**:279
especie **6**:9
gobierno **7**:6
inducción **7**:317
lógica **8**:300
Maeterlinck, Maurice **9**:22
monarquía **9**:273
sociología **13**:22
tragedia **13**:240
aristotelia 2:33
aristotélico **7**:190
aristotelismo escolástico **14**:21
Arit, Roberto **2**:37
aritenoides **14**:135
aritmética 2:33
— revolución **2**:34
— superior **2**:34
álgebra **1**:179, 180
división **5**:146
educación **5**:215
escuela **5**:288
matemáticas **9**:126
potenciación **11**:179
progresión **11**:210
promedio **11**:212
unidad **13**:305
aritmómetro de Pascal **9**:77
Arizaro **2**:13
Arizona 2:34
— actividades económicas **2**:35
— clima **2**:35
— hidrografía **2**:35
— territorio y recursos **2**:34
— turismo **2**:35
— vida vegetal y animal **2**:35
Arizona **5**:137, 257; **8**:47; **11**:56, 86; **13**:148, 261, 284
anexión **1**:277
apache **1**:322
Estados Unidos **6**:31
Gran Cañón **7**:45
Guadalupe Hidalgo 7:73
indios americanos 7:311
lagarto **8**:163
Lamb, Willis Eugene, Jr. **8**:166
plata **11**:132
pueblo, indios **11**:227
Vázquez de Coronado, Francisco **14**:31
yaqui **14**:160
Arjumand Banu 7:298
Arkángel 2:36
Rusia **12**:139
Arkansas 2:36
— actividad económica **2**:36
— clima **2**:36
— hidrografía **2**:36
— río **6**:31; **10**:199
— territorio y recursos **2**:36
— vegetación y vida animal **2**:36
Delaware **5**:40
descubrimientos y exploraciones geográficas **5**:74
Estados Unidos **6**:32
Soto, Hernando de **13**:44
Arkwright, Richard 2:37
textiles **13**:180
Arlanzón, río **3**:119
arlecchino **2**:37
arlequín 2:37
pantomima **10**:309
títeres **13**:205
vestido **14**:69
Arlés **12**:89, 111
Arlón, marquesados **2**:284
Arlt, Roberto 2:37
armada 2:38
— británica **2**:39
— canadiense **2**:40
— de Alemania **2**:41
— de Estados Unidos **2**:41
— de Italia **2**:41
— de Japón **2**:41
— estadounidense **2**:38, 39
— estrategia y táctica de la **2**:40
— Invencible **5**:169, 317; **6**:127, 239, 264; **7**:41; **8**:48; **13**:12
— *Real Británica 2:37, 39*
almirante **1**:197
Era de la aviación **2**:39
estructura de una flota de guerra **2**:39
historia de la guerra naval **2**:38

jefatura **2**:40
Lepanto **2**:38
naves de guerra **2**:39
personal **2**:40
perspectivas **2**:41
poderío naval **2**:41
Roma y su herencia **2**:38
vida en el mar **2**:40
armadillo 2:42
América del Sur **1**:239
mulita **9**:327
armadura 2:42
— de satén **13**:140
— de tafetán **13**:140
armaduras **5**:232
ejército **5**:231
Armagedón 2:43
armamentismo **10**:281
armamentos, convenios sobre **10**:65
armarios **9**:252, 254
armas 2:43
— blancas **2**:43, 79
— de bronce **13**: 135
— de fuego **2**:43; **3**:165; **11**:111; **12**:263; **13**:98; **14**:149
— de guerra **8**:172
— inteligentes **7**:88
— nucleares **10**:150
— ofensiva **6**:287
— químicas **2**:43
arcabuz **1**:349
Edad Media **5**:209
ejército **5**: 233
esgrima **5**:296
guaraníes **7**:76
hacha **7**:116
herramienta **7**:157
honda **7**:217
Armas Alfonzo, Alfredo 2:44
Armas Nucleares de Mediano Alcance, Tratado sobre **10**:144
armazón **11**:228
armazón estructural **1**:294
Armelina, Medora **12**:126
Armellini **13**:270
Armendáriz, José, marqués de Castelfuerte 2:44
Armendáriz, Pedro 2:45
México **9**:203
Armenia 2:45
— Armenia **3**:298
bandera de **2**:239
Asia **2**:87
Asiria **2**:101
Aurelio, Marco **2**:160
Azarbaiján **2**:195
Europa **6**:84
gitano **6**:328
Iglesia armenia **2**:46
Irán o Persia **8**:35
mongol, imperio **9**:276
Polo, Marco **11**:157
Rusia **12**:146
Tabriz **13**:96
armenias, estelas **6**:48
armenio moderno **8**:217
armerías **7**:149
Arminio **6**:85
armiño 2:46
ártica, región **2**:71
Asia **2**:91
peletería **11**:30
armisticio 2:46
armonía y acorde 2:46
— de las esferas **11**:112
— imitativa **10**:212
dibujo **5**:109
escala musical **5**:277
estilo **6**:53
armónica 2:46
promedio **11**:212
armónico 2:46
armonio 2:46
Armórica **6**:220; **13**:325
Armour, Juana **3**:122
Armstrong, Louis 2:47
Armstrong, Neil A 2:47
Apolo **1**:327
astronáutica **2**:118
Luna, la **8**:324
transbordador espacial **13**:243
Armstrong, talleres **2**:75
ARN (ácido ribonucleico) **1**:208, 293; **9**:279; **10**:154, 210
ARN de transferencia **12**:61
Arnaiz **1**:87
Arnauld, Antoine **12**:298
arnés 2:47
Arnhem **7**:207
árnica 2:47
Arniches y Barrera, Carlos 2:47
España **5**:320
sainete **12**:166
Arno **13**:184
Arno, río **6**:181
Arnold, Benedict **9**:34
Arnold, Matheus 2:47
humanidades, educación en las **7**:246
Arnold, Thomas 2:47
Arnoldson, Klas Pontus 2:48
Arnolfo di Cambio 2:48
Arnoux **11**:140
Arns y Aloisio Lorsheider, Evaristo **3**:241
Aro **1**:292
Aroa **14**:160
Aroe **9**:157
aroideas **3**:157, 158
aromáticos, compuestos 2:48
Arona, Juan de **11**:21
Arosa **6**:266; **13**:77
Arosemena Gómez, Otto **5**:201
Arosemena Monroy, Carlos Julio 2:48
Ecuador **5**:200
Suárez Veintemilla, Mariano **13**:59
Arosemena Tola, Carlos Julio 2:48
Ecuador **5**:200
Arosemena, Florencio **10**:302
Arosemena, Pablo 2:48
Arouet, François-Marie **13**:108
Arp, Hans **1**:166
Arp, Jean **5**:6
arpa 2:48
Latinoamérica **8**:195
Venezuela **14**:47
Arpad Gonez **7**:252; **9**:26
Arpanet **8**:19
arpelia **2**:48
arpía 2:48, 49
arpillera **5**:250; **8**:268
arpón 2:49
esquimales **6**:25
arponero **2**:49
arqueoastronomía 2:49
arqueología 2:49
— americana **14**:166
— del arte **2**:50
— Escuela Francesa de **9**:121
— evolución y descubrimientos **2**:49
— literaria **2**:50
— prehistórica **2**:50
Edad Antigua **5**:203
historia **7**:191
arqueológica, excavación **10**:286
arqueológica, zona **10**:319
arqueornitas **10**:253
arqueozoica, era 2:53
geología **6**:307
paleontología **10**:291
arqueta **12**:*33*
arquetipo **5**:170; **9**:54; **12**:305
arquiacantocéfalos **1**:42
arquianélidos **1**:276
arquibanco **9**:254
Arquijo **13**:37
Arquíloco **7**:224; **12**:329
arquillas **9**:254
Arquímedes 2:53, 54
— tornillo de **12**:65
aerostación **1**:89
ágebra **1**:180
desplazamiento **5**:92
energía solar, aprovechamiento de la **5**:260
estática **6**:47
geometría **6**:314
Grecia **7**:62
máquina **9**:72
palanca **10**:289
técnica y tecnología **13**:136
arquitectura 2:54
— alemana **2**:56
— asiria **2**:102
— asturiana **5**:316
— babilónica **8**:39
— budista **7**:315
— civil **7**:190
— colonial hispanoamericana **7**:189
— colonial y contemporánea venezolana **14**:45
— contemporánea **2**:58; *8:105*
— cristiana **1**:18; **5**:316
— de rascacielos **2**:58
— de Taxco **13**:128
— gótica **1**:17; *2:56*; **11**:12; **13**:227, 238
— griega **1**:17, 42
— griega **2**:54, 55
— helénica **8**:39
— hindú **2**:54
— hispanocolonial **7**:191
— inglesa **2**:56, 57
— latinoamericana **8**:186
— militar **8**:192
— moderna **8**:203
— mozárabe **5**:316
— ojival **6**:285
— religiosa **6**:50; **7**:190
— romana **2**:55
— rusa **2**:57
Asiria y Babilonia **2**:55
Egipto **2**:54
Europa **2**:57
Grecia **2**:55
La India **2**:55
Renacimiento **2**:58
Roma **2**:56
arquitrabe 2:59
entablamento **5**:267
friso **6**:238
Arrabal, Fernando **5**:172
arrak **10**:295
arrancada **8**:235
Arrás **12**:*83*
Arras **13**:116; **14**:66
Arras, Tratado de **9**:135
Arrau, Claudio 2:59
arrayán 2:59
arrebol **14**:65
arrecacha **1**:325
arrecife 2:59;
geología **6**:311
Palmas, Las **10**:29
Arredondo, José Miguel **12**:86
Arredondo, Nicolás de **14**:104
Arredra **6**:7
arrendajo 2:59
arrendamiento 2:59
arrendatario 2:59
Arreola, Juan José 2:59
arresto **7**:115
Arrhenius, Svante August 2:59
ácido **1**:52
Arriaga, Antonio **13**:286
Arriaga, Manuel de 2:60
biografía **2**:60
arriana **5**:314
arrianismo 2:60
Atanasio, san **2**:132
Basilio el Grande, san **2**:60
Francia **6**:221
Leandro, San **8**:202
patrología **11**:15
persecusión **11**:57
Reconquista **11**:316
Teodorico **13**:160
Toledo **13**:212
Arriano **5**:269
Arrieta, Emilio 2:60
zarzuela **14**:175
Arrieta, Rafael Alberto 2:60
arriñonadas **7**:203
Arrio **2**:60, 132:**13**:268
arritmia 2:60;
arritmias complejas **2**:60
electrocardiografía **5**:239
Arriví, Francisco 2:60; **8**:190
obra **2**:60
arrobas **11**:264
Arroehead Country **9**:228
arrope **9**:177
Arrow, Kenneth Joseph 2:60
bibliografía **2**:60
Arrowsmith **9**:68
Arroy, J. **10**:303
Arroyo **9**:246
Arroyo Catalán **2**:73
arroyo de polvo **13**:53
Arroyo del Río, Carlos Alberto 2:60; **5**:200
biografía **2**:60
Arroyo Grande **13**:325
arroyo Pergamino **11**:49
Arroyo, Guimaraes **11**:178
arroz 2:60
cultivo **2**:61
zonas arroceras y producción mundial **2**:61
clases de arroz **2**:62
valor nutritivo **2**:62
historia **2**:62
otros usos **2**:62
cultivo de arroz **1**:102

arroz amargo **9**:56
arroz de hormiga **7**:227
arroz, China **2**:61
arroz, Thailandia **2**:61
Arruga, Hermenegildo **2**:62
biografía **2**:62
Arruza, Carlos **2**:62; **13**:127
biografía **2**:62
ars antigua **2**:62
ars nova **2**:62
Ars Versificatoria **11**:147
Arsenal **2**:315; **3**:113
arsénico **2**:62
droga **5**:173
veneno **14**:41
vidrio **14**:85
arsénico, ácido **2**:63
arsfenamina **13**:95
Arsinoe II **13**:213
Arsinoe, templo de **9**:27
art deco **2**:63
Art Déco, estilo **6**:53
art nouveau **2**:63
Artá y del Drach, cuevas de **9**:45
Artafernes **9**:85
Artajerjes I **2**:63; **8**:95; **13**:154
biografía **2**:63
Artajerjes II **8**:94; **12**:33
Artaud, Antonin **2**:64
biografía **2**:64
Arta-Viraf-Namak **8**:39
arte **2**:63
Asiria **2**:102
heráldica **7**:149
hermenéutica **7**:154
Iberos **7**:258
impresionismo **7**:286
pintura **7**:94
xilografía 14:157
arte abstracto **6**:228
arte antiguo **6**:258
arte barroco Latinoamericano **8**:190
arte bizantino **2**:333; **5**:316
Arte carolingio **3**:*254*
arte cavernario **8**:178
Arte celta 3:316
arte clásico **7**:13
arte Conceptual **11**:95
Arte Contemporáneo, museo **7**:270
arte de imprimir **7**:109
arte de la guerra **6**:198
arte egipcio **5**:293
arte etrusco **6**:72, 154
arte folclórico **1**:26
arte folclórico **8**:191, 194
arte gótico **7**:12
arte griego arcaico **6**:48
arte indígena **8**:101
arte italiano **11**:110
arte mestizo (Sincrético) **8**:192
arte militar **7**:330**13**:9
arte mudéjar **5**:317
arte musulmán **6**:154
arte nuevo **6**:258
arte oriental **14**:85
arte paleolítico **1**:205
arte de vender **2**:64, 66
Cualidades del buen vendedor **2**:65
La técnica de la venta **2**:65
Orígenes **2**:64
arte moderno **1**:26, 39; **2**:66; **5**:295
Arte Moderno, museo de **10**:90, 129
Arte Moderno, Museo de, ciudad de México **9**:207
Arte Moderno, Museo de, París **12**:321
Arte Nacional, Museo de, Bielorrusia **12**:149
arte plumario **2**:66
Arte Poética **10**:70
Arte poética **11**:147
arte popular **1**:216
arte popular **6**:191
arte popular urbano **2**:*64*
arte prehispánico **1**:*241*
Arte Rockford, museo de **7**:270
arte románico **5**:316
Arte y arquitectura **7**:302
Arte y Ciencias de Lakeview, museo de **7**:270
Arte, Museo de **10**:87
Arte, Museo de, de Portland **9**:34
Arté, Ildefonso **5**:163
Arteaga, Julio Carlos de **11**:239
Arteaga, Sebastian López de **2**:67
obra **2**:67
Artefacto **10**:318
Artega, Manuel **3**:241
Artemis **7**:258
Artemisa **2**:67
ajenjo **1**:129
biografía **2**:325
Dafne **5**:6
Diana **5**:105
dioses paganos **5**:136
Ëfeso **5**:223
Ifigenia **7**:266
muñeca **9**:332
Niobe **10**:103
Orón **10**:251
Artemisa absinthinm **2**:67
Artemisa, reina **9**:135
arteria **1**:321; **2**:67
arteria hepática **7**:174
arterial **7**:145
arterial, sistema **12**:30
arteriolas **2**:67
arterosclerosis **2**:134
arteria **2**:67
arteriosclerosis cerebral **5**:262
artes gráficas **2**:67
Artes gráficas publicaciones **14**:124
Artes gráficas y publicaciones **14**:125
artes industriales **2**:67
artes marciales **1**:121
artes o aparejos de pesca **11**:320
artes plásticas **5**:210
artes plásticas **8**:10, 65
Artes plásticas y música **7**:253
artes útiles **2**:69
Artes y Ciencias Cinematográficas, Academia de **10**:263
Artes, Academia de las, de Berlín **9**:164
artesanía **1**:350
artesanía **2**:67
artesanía idígena, mercado de **10**:170
artesanía indígena **6**:132
Artesanía indígena Boliviana **3**:31
Artesanías de los indios Athabaskan, Alaska, EE.UU. **7**:311
Artesanías, Venezuela, **14**:47
artesanos **6**:108**8**:104
artesianos **11**:181**12**:66
Arthur Wellesley, duque de Wellington **14**:145
Arthur Wellington **11**:27
Artibonito, río **5**:246; **7**:121
Ártica, Región
ártica, región **2**:69
Alaska **1**:136
exploraciones polares **6**:95
Clima y producciones **2**:70
La flora **2**:71
La fauna **2**:71
Exploraciones **2**:71
hemisferio **7**:144
Nordenskjöld, Niels Adolf Erik barón de **10**:129
sol de media noche **13**:28
Steffanson, Vilhjalmur **13**:53
Tierra **13**:191
Wilkins, sir George Hubert **14**:150
Ártico **12**:88
Ártico **2**:69-72
Ártico, Círculo Polar **14**:180
esquimales **6**:25
Estados Unidos **6**:31
Finlandia **6**:159
frailecillo **6**:211
pingüino **11**:92
árticos, ríos **7**:202
articulación **2**:72
dislocación **5**:143
tartamudeo **13**:122
artículo **2**:72
análisis gramatical **1**:258
género gramatical **6**:301
palabra **10**:287
artículos escolares **11**:**127**
Artífice **8**:174
artificial **7**:170; **11**:327
Artigas **2**:72
Jesualdo **8**:98
Lavalleja, Juan Antonio **8**:200
Lecor, Carlos federico **8**:203
Uruguay **13**:327
Artigas, José Gervasio **2**:72
Asencio, Grito de **2**:81
Congreso de Tres Cruces **2**:73
Éxodo del pueblo oriental **2**:72
Gobierno **2**:73
Instrucciones del año 13 **2**:73
Invasión portuguesa **2**:73
Jefe revolucionario en la banda oriental **2**:72
Paraná **10**:325
Posadas, Gervasio Antonio de **11**:178
Su obra **2**:74
Suárez, Joaquín **13**:59
vida y muerte en el exilio **2**:74
Artigas, Miguel **7**:19
artillería **2**:74
armada **2**:42—76
Asiria **2**:101
Obús **10**:177
paracaídas **10**:319
Santiago de Cuba, combate naval de **12**:220
Historia **2**:74
artillería de costas **5**:234
artillería de tierra **5**:234
Artillería moderna **2**:75
Artillería, Academia de **11**:44
artiodáctilos **2**:76
artiodáctilos **2**:77
Bóvidos **3**:61
mamífero **9**:49
órix **10**:251
pécari **11**:23
ungulados **13**:304
artiodáctilos rumiantes **1**:306; **7**:237
artistas **2**:63; **5**:289
artista **13**:207
artistas plásticos **14**:71
artística, industria **14**:13
artístico, estilo **7**:19
Artkino **9**:309
Artois, condado **2**:284
Artois, región de **6**:244
artopitecos **9**:278
artópodo **9**:79, 320
artritis **2**:77
artritis reumatoide **1**:57
artritismo **2**:72; **8**:335
artrópodo **2**:77
araña **1**:341
acantocéfalos **1**:42
arácnido **1**:338
escorpión **5**:283
insecto **8**:5
onicóforo **10**:212
zoología **14**:183–184
Arturo, rey **2**:78
Merlin **9**:175
Spencer, Edmund **13**:48
tabla o mesa redonda **13**:95
Artus, fenómeno de **6**:131
Arú, archipiélago **2**:182
aruán **7**:310
Aruba **2**:78
agua de mar, purificación del **1**:111
Holanda **7**:206
Aruba, bandera de **2**: 239
Arug **2**:251
Arunachal Pradesh (Itanagar) **7**:299
aruncana **7**:309
Arundel, conde de **8**:106
Arusha **13**:114
arúspices **6**:198**9**:25
aruz **2**:62
arveja **2**:78
arvejilla de olor **7**:107
arvejillas **6**:198
Arvelo, Alberto **14**:46
Arvelo, Carlos **2**:79
bibliografía **2**:79
Arvelo, Rafael **14**:46
arvernos **6**:220
arvícola **2**:79
arvicólidos **2**:79; **8**:214
arvum **2**:79
Arzadum, Carmelo **2**:79
obra **2**:79
Arze, Esteban **2**:79
biografía **2**:79
arzobispo **2**:79
Austria **2**:166
Errázuriz, Crescente **5**:276
Paulo III **11**:17
arzobispo de Canterbury **1**:283, 284; **7**:40
Arzobispo Primado de España **13**:212
asafétida **12**:29
Asafyev, Boris **12**:142
asalto **2**:79
sitio **13**:9
asamblea **2**:79
Sociedad de Naciones **13**:20
Temístocles **13**:154
Asamblea Constituyente **2**:160; **13**:209, 323

Asamblea de eclesiásticos **13:**163
Asamblea de Notables de México **9:**135
Asamblea de Soissons **11:**104
Asamblea de Weimer **11:**255
Asamblea Federal **1:**163; **7:**161
Asamblea General de la Federación **7:**9
Asamblea General de la ONU **1:**339, 341; **13:**304
Asamblea General de Pennsylvania **6:**233
Asamblea Legislativa bicameral **11:**234
Asamblea Legislativa francesa **6:**327; **7:**72
asambleas públicas **6:**197
Asamkirche, Munich **9:**330
Asante **6:**321
Asar **8:**41
Asaradón **2:**101; **10:**103
asbesto 2:79
América del sur **1:**243
amianto **1:**249
asfalto **2:**83
asbestosis 2:80
Ascalón de Siria **12:**275
Ascanio **7:**275
ascárides o áscaris **7:**143; **8:**301, 302
ascaridoideos **2:**79
ascaris 2:80
Ascaris Lumbricoides **2:**79
Ascásubi **13:**323
Ascásubi, Francisco Javier **12:**85
Ascásubi, Francisco Javier **9:**88
Ascásubi, Hilario 2:79
bibliografía **2:**79
Argentina, República **2:**25
Ascásubi, José 2:80
biografía **2:**80
Ascasubi, Manuel 2:80
biografía **2:**80
ascendencia euro-africana **7:**82
ascendientes **6:**299; **13:**64
Ascensión **2:**136;**7:**275; **8:**122; **11:**250
Ascensión, isla de **2:**116; **9:**83
ascensional **13:**134
ascensor 2:80
ascensor para cadalso **9:**44
asceta **7:**137; **13:**99, 130
ascetismo 2:80
Edad Media **5:**205
Justino, san **8:**130
Siva **13:**11
ascidia **14:**185
ascomicetes 2:80
trufa **13:**276
Ascone, Vicente **13:**328
ascórbico, ácido **14:**108
ascos **2:** 80
Ascra **7:**160
Asculum **11:**109
Asch, Sholem 2:80
bibliografía **2:**80
Ascham, Rogelio **1:**352
Aschoff-Tawara, nódulo de **3:**8
Asdrúbal 2:80; **12:**37
Anibal **1:**291-292
aeronáutica **1:**81
caballería **3:**130
California **3:**166
imperio romano **7:**279
Indíbil **7:**306
asedio 2:81
asegurógrafo **9:**74
Asencio, arroyo **2:**81
Asencio, Grito de 2:81
Asenjo Barbieri, Francisco 2:81
obra **2:**81
asepcia 2:81
quirófano **11:** 267
aséptica **7:**154
aserradas **7:**203
aserrado **3:**258
aserrín **6:**242
asesinato 2:81
eutanacia **6:**85
homicidio **7:**214
asesor vocacional **14:**122
aseverativas **10:**229
asexual, reproducción 2:81
desarrollo **5:**66
reproducción **12:**25
Asfa Wosen Haile Selasie, emperador **6:**69
asfaltenos **2:**82
Asfaltites, lago **2:**82
asfalto 2:81
asfalto **2:**82
impermeabilización **7:**282
Asfalto del petróleo 2:82
Asfalto natural **2:**82
Asfalto de petróleo **2:**82
Propiedades y métodos de refinación **2:**82
Usos **2:**82
Asfalto natural 2:82
asfixia 2:83
derechos humanos **5:**63
primeros auxilios **11:**200
prisión **11:**202
ashantis **10:**67
Ashley Cooper, Anthony **8:**296
Asia 2:83
Límites y situación **2:**84
Geología **2:**84
Orografía **2:**84
Hidrografía **2:**86
Costas **2:**88
Clima **2:**89
Recursos naturales **2:**90
La fauna **2:**90
Agricultura, ganadería, caza y pesca **2:**91
Riquezas minerales **2:**92
La industria **2:**92
Comercio y transportes **2:**92
Población **2:**93
Grupos humanos **2:**94
Lenguas **2:**95
Religiones **2:**96
Cultura **2:**96
Organización social **2:**96
adonis **1:**73
Afganistán **1:**90
África **1:**92
agricultura **1:**107
América del Sur **1:**241
Amicis, Edmondo de **1:**249
Andamán y Nicobar, islas **1:**266
Arabia **1:**334
ario **2:**30
arpella **2:**48
arroz **2:**60
Atila **2:**135
ave **2:**181
avestruz **2:**184
avutarda **2:**192
azucena **2:**205
Caspio, mar **3:**276
durazno **5:**180
enebro **5:**257
esquimales **6:**25
Europa **6:**74
gallo de monte **6:**270
grama **7:**30
hielo **7:**169
Joffre, Joseph Jacques Sesaire **8:**105
Labranza de arroz **8:**155
Lenin, Pico **8:**221
Malaca **9:**39
Mongolia **9:**276
mono **9:**278
Negro, Mar **10:**68
Pacífico, Océano **10:**280
pera **11:**42
rata **11:**302
ricksha orickshaw **12:**64
semita **12:**275
Suez, Canal de **13:**74
Tierra **13:**191
víbora **14:**74
zafiro **14:**170
Asia central **2:**106; **6:**336; **8:**135; **10:**273; **12:**275; **13:**84
Asia Menor 2:100
acueducto **1:**59
Alejandreta **1:**154
Aristóteles **2:**32
Bayaceto I **2:**269
Éfeso **5:**223
escitas **5:**280
español, idioma **6:**7
Estrabón **6:**58
Guerras Médicas **7:**99
helenismo **7:**140
invasión **8:**22
Levante **8:**236
Milcíades **9:**223
Nínive **10:**103
papiro **10:**317
Pedro, san **11:**26
Pérgamo **11:**49
Rodas **12:**89
Santa Claus **13:**210
sitio **13:**5
Timoteo, san **13:**197
Vesubio **14:**72
Asia meridional **9:**160
Asia Occidental **8:**107; **9:**178
Asia oriental **6:**285; **8:**78
Asia rusa **7:**248
Asia sudoccidental **8:**150
Asia suroriental, pacto defensivo **11:**267
Asia, exploración moderna de **5:**76
Asia, penetración en **5:**73
Asia, sur de **7:**170
Asiática Morden-Clark **2:**99
asiático **11:**92, 309
asiento **8:**254
asientos **13:**256
asilo 2:100
Asilo de Niñas de Nuestra Señora de las Mercedes **11:**46
asimetría del átomo de carbono **14:**24
asimilación **11:**235
asimilación 2:100
asimiladores **13:**107
Asimov, Isaac 2:100, 101
Asinio Pollión **2:**311
Asiria 2:101
— Cultura y arte **2:**102
— Gobierno **2:**102
— Religión **2:**102
Arqueología **2:**50
arquitectura **2:**55
azulejos y baldosas **2:**206
escuela **5:**287
imperio **7:**274
Istar **8:**58
ladrillo **8:**160
Mesopotamia **9:**178
mobiliario y mueble **9:**252
asiriobabilónico **2:**95; **12:**11
asirios **13:**283
ejército **5:**232
hogar **7:**199
quiromancia **11:**269
vestido **14:**61
Asís, Francisco de **3:**96; **10:**238
Asistencia **13:***300*
Asiv Asrav **8:**39
asma 2:102
bronquios **3:**86
Asmara **5:**274; **6:**68, 69
Asmodeo **1:**280
asnal, 277
asnal, ganadería **6:**275, 277
asno 1:104; **2:**103; *7:58*
asnos salvajes **2:**91
Asociación Americana de Economistas **14:**76
Asociación Atlética nacional Colegial **6:**258
Asociación Caribe de Libre Comercio **1:**308
Asociación Cristiana de Jóvenes 2:103
basquetbol **2:**262
Mott, Juan Raleigh **9:**315
volley-ball **14:**128
Asociación Cristiana Femenina 2:103
Asociación de Empleadas **1:**273
Asociación de Mayo o Joven Argentina **2:**25; **7:**110
Asociación Espiritista Nacional **6:**18
Asociación Estadounidense de psiquiatría **7:**217
Asociación Estadounidense Médica Holística **9:**152
Asociación Europea de Libre Comercio **6:**78
Asociación Internacional de la Bauxita **13:**86
Asociación Internacional de Médicos para la prevención de la guerra nuclear 2:103
Asociación Internacional de Trabajadores **13:**17
Asociación Internacional para los Estudios Semióticos **6:**65
Asociación Latinoamericana de Integración (ALALC) 1:131
Andino, Pacto **1:**270
Ecuador **5:**198
Uruguay **13:**328
Asociación para el Progreso de la Raza de Color **8:**142
Asociación para la Neutralización de Dinamarca **2:**220

Asociación Temática Americana (ATA) **6**:153
Asociación Unitaria Universalista **13**:315
Asoka 2:104
— pilar de **7**:300
aspa o cruz de san Andrés **9**:329
asparas **5**:15
aspas **7**:141
Aspasia **11**:50
aspecto étnico **7**:189
Aspecto y estructura de las plantas **11**:124
Aspectos regionales 2:162
Aspenda **13**:255
asperón **2**:5
áspid 2:104
vívora **14**:74
aspidosamina **11**:247
Aspidosperma quebracho **11**:247
aspidospermatina **11**:247
aspidospermina **11**:247
aspiración **2**:83
aspiradora 2:104
aspiradores **14**:50
Aspirantas **1**:44
aspirina 2:104
dolor **5**:154
estupefaciente **6**:66
fiebre **6**:148
Aspirto **14**:72
Asroc **13**:62
Assad, Hafez al- 2:104
Assal, lago **5**:148
Assam (Dispur) **2**:95; **5**:75; **7**:299
Assam, reino de **7**:300
Assam, valle de **7**:296
assamés **7**:300
assamese **12**:*209*
Asser, Tobias Michael Carel 2:105
Asset Accumulation and Economie Activity **13**:209
assiniboine **13**:11
Assis, Joaquim Maria Machado de **8**:189
Associated Press **11**:51; **13**:125
Assuán **5**:138; **10**:102, 144
Assuán **5**:229
Assur **7**:116; **13**:194
asta o driza **2**:238
Astaire, Fred 2:105
Astarté 2:105
Dido **5**:114
Fenicia **6**:129
Iberos **7**:258
Istar **8**:58
madre **9**:17
astatino alabamina **7**:125
astenosfera 2:105
geología **6**:311
Tierra **13**:192
Asterión **6**:84
Asterionella formosa **5**:*106*
asterisco **11**:243
asteroides 2:105
astrogeología **2**:107
Ofelia **10**:187
sistema solar 13:9
Asteropea **11**:138
asthma cardíaco **2**:103
Astianax **1**:274
astigmatismo 2:105
lentes de contacto **8**:223
oftalmología **10**:190
ojo **10**:198
astillero 2:106; **3**:113
Astolfo, rey **11**:104
Aston, Francis William 2:106
Astorga **13**:153
Astorga y Liria, palacios de **12**:*91*
ASTP Apolo–Soyuz **1**:328
Astrabad **5**:75
Astracán 2:106
Razin, Stenka **11**:311
Tamerlán **13**:109
tartaria y tártaros **13**:123
Volga **14**:128
astrágalo 2:106
astragalomancia **13**:93
Astrea **2**:105
Astrid Bernadotte 2:106
Antártida **1**:302;
Leopoldo III **8**:229
Astrida **12**:120
astringente **1**:183; **5**:168; **7**:177
Astrofísica 2:106
astronomía **2**:123
astrofotografía 2:107
astrogeología 2:107
astrolabio 2:108,
astrolabio armilar **2**:108
astrolabio marino **2**:108
astrolatría o sabeísmo **11**:155
astrología 2:108
alineación **1**:191
alineación 192
horóscopo **7**:231
magia **9**:25
astrometría **2**:107
Armstrong, Niel A. **2**:47
astronáutica 2:108
Aldrin, Edwin E. **1**:152
astronauta sobre la Luna. **8**:323
Astronautas **2**:111
astronáutica **2**:122, 123
Cápsula espacial **3**:228
encuentro en el espacio **2**:114
Estaciones elementales **2**:110
estación espacial **6**:28
Naves tripuladas **2**:110
satélite artificial **12**:242
Sondas o satélites de exploración planetaria **2**:110
Vostok, programa espacial **14**:131
astronave **2**:109, 114
astronomía 2:123
— elemental **11**:252
— megalítica **2**:49
—, satélites de **6**:99
—, utilidad de la **2**:123
árabes **1**:332
Arago, Dominique FranÇoise **1**:339
arqueoastronomía **2**:49
astrofísica **2**:106
astrolabio **2**:108
búsqueda de vida en otros planetas **2**:130
constelaciones **2**:125
Distancias siderales **2**:125
Diferentes clases de astros **2**:125
Cuasares, pulsares y hoyos negros **2**:127
educación **5**:215
espectroscopio **2**:130
espícula **6**:15
estereoscópio **6**:50
galaxia **2**:129
Historia **2**:123
implosión **7**:282
Instrumental astronómico **2**:129
instrumentos científicos **8**:13
Kepler, Johannes**8**:140
magnitud **9**:29
minuto **9**:235
nebulosas extragalácticas **2**:129
química **11**:259
retrogradación **12**:36
sistema solar **2**:124
Schmidt, cámara **2**:130
Swedenborg, Emmanuel **13**: 90
Tablas Alfonsinas **13**:96
tiempo **13**:189
trópico **13**:271
astrónomo **2**:125 **5**:145, 202, 210 **7**:159 **8**:228 **9**:66 **10**:323
astros **1**:192 **2**:108 **10**:251
Astudillo **10**:290
astures **7**:257
Asturias 2:130
— crónicas de **2**:160
— España **2**:190
— Principado de **10**:275
— reino de **11**:316
— rey de **2**:160; **11**:29, 295
Argüelles, Agustín de **2**:28
Díaz de Solís, Juan **5**:108
España **5**:308
extensión universitaria **6**:103
Jovellanos, Gaspar melchor de **8**:111
legión extranjera **8**:211
Pelayo, don **11**:29
vivienda **14**:117
Asturias, Miguel Ángel 2:130
Cardoza y Aragón, Luis**3**:242
literatura hispanoamericana **8**:282
Asturias, príncipe de 2:130
Fernando VII **6**:136
Asturias-León, rey de **11**:295
Asuán, presa 2:131
Abu Simbel **1**:39
Asuero **6**:49
Asuero, rey **2**:309
Asunción 2:131
Artigas, José Gervasio **2**:74
Hernandarias **7**:154
intendencia **8**:15
jardinería **8**:88
Nueva Esparta **10**:157,
Nuñez Cabeza de Vaca Alvar **10**:164
Paraguay **10**:322
Roa Bastos Augusto **12**:82,
Asunción de la virgen
Asunción de la Virgen **6**:150, 282, **11**:102, **12**:185
asunción de María, iglesia de Asam,Alemania, **2**:131
Asunción, Capital **2**:131; **2**:194
Asunción, Catedral de la **9**:308
Asunción, fuerte de Nuestra Señora de la **10**:322
Asunción**,** la **1**:243; **9**:93
Asunción, parroquia de la **10**:269
Asúnsolo **5**:295
Asuntos Exteriores **1**:272
Asur **2**:101, 102; **10**:103
Asurbanipal 2:131
Asiria **2**:101
diccionario **5**:111
Nínive **10**:103
Atabex **11**:231
Atacama 2:131
Tacna y Arica, conflicto de **13**:97
momia **9**:271
Atacama, desierto de **5**:89**14**:11
atacamas **5**:101; **9**:43
atacameños **7**:310
Atahualpa 2:132,
Velalcázar, Sebastián de **2**:279
Ecuador **5**:200
Garcilazo de la Vega, el Inca **6**:285
Granada, Nicoñás **7**:48
Huáscar o Tupac Cusi Hualpa **7**:235
Latinoamérica **8**:183
rumiñáhui **11**:115
Pizarro, Francisco **12**:133
Soto, Hernendo de **13**:44
Valverde, Vicente de **14**:18
Atahualpa y Ollanta **14**:21
Atahualpa, Santos **12**:22
Atal Bihari Vajpayee **7**:302
Atálidas **7**:60
Atalo III **2**:100
Atanagildo **3**:91; **12**:298
Atanarico, rey de los visigodos **13**:161
Atanasio, san 2:132
Doctores de la Iglesia **5**:152
patrología **11**:15
monasterio **9**:274
Trinidad, Santísima **13**:268
Atántico, océano **7**:185
atapaka **7**:309
atapascana **7**:309
atapascos **7**:310
ataque **5**:257; **7**:132; **8**:9; **11**:200
Ataques y pérdidas de conocimiento **11**:202
atardecer **10**:280
Atargatis **12**:275
atars **6**:68
Atarva-Veda **14**:32
Ataúlfo **2**:25**25**:314
atavismo 2:132
Lombroso, Cesare **8**:302
Atawuallpa **11**:255
ataxia 2:132
tabes dorsal **13**:95
atazamoño **7**:310
Atbara **5**:243
Atbara, río **6**:67
ATDA 2:115
atecos **11**:248
Ategina **7**:258
ateísmo 2:132
ateísta **12**:12
Atenágoras **11**:15
Atenas 2:133
academia **1**:40
biblioteca **2**:311
Dracon **5**:167
estadio **6**:29
hogar **7**:58
laconia **8**:159
Milciades **9**: 233
ostracismo **10**: 269, 332
pintura **11**:96
Sagradas, guerras **12**:163
Tebas **13**:134
Atenas de Cuba **9**:125
Atenas del Plata **3**:97
Atenas, Acrópolis de **10**:332

Atenas, ducado de **5**:316
Atenas, Matropolitano de **7**:57
atención **2**:134
Atenea **2**:134
Atenas **2**:133
arquitectura **2**:56
Busto de atenea **2**:*134*
Acrópolis **1**:56
caballo de Troya **3**:137
Fidias **6**:147
Gorgonas **7**:22
Paris **10**:329
Pegaso **11**:27
símbolo **12**:327
Zeus **14**:177
Atenea Partenos **1**:56; **10**:332
Atenea Promacos **1**:56
Atenea, Templo de **11**:49
ateneo **2**:134
Argentina, República **2**:26
Hazaña Díaz, Manuel **2**:194
Ateneo de Madrid **7**:19
Ateneo Puertorriqueño **11**:236; **13**:44
atenienses **5**:269; **9**:255; **10**:242
ateromatoso **11**:270
aterosclerosis **2**:134
aterrizaje **2**:134
Athabasca, río **9**:**99**:10
Atharva-Veda **12**:*208*
Athayde, Tristán de **2**:134
Atheneum **12**:247; **13**:315
Athos **2**:135
—, monte **7**:99
armada **2**:38
Atenas **2**:133
Atica
Acrópolis **1**:56
bosque **3**:53
Demóstenes **5**:47
Fidias **6**:147
Helena **7**:140
jonios **8**:107
Maratón **9**:85
Milciádes **9**:223
Neptuno **10**:74
Peloponeso o Morea **11**:33
Temístocles **13**:154
Teseo **13**:174
ático **7**:66
ático, periodo **7**:61
atigones **10**:298
Atila **2**:135
batalla **2**:264
Edad Media **5**:205,
ejército **5**:233
Francia **6**:221
hunos **7**:253
lengua **8**:218
merovingios **9**:175
Paris **10**:328
ostrogodo **10**:269
Roma **12**:99
transportes **13**:253
Venecia **14**:40
Atiles, Ramón **11**:241
Atitlán **2**:135
Guatemala **7**:77
Lago Atitlán **1**:233
Atizapán de Zaragoza **8**:307
Atlachino **3**:147
Atlanta **6**:34, 315
atlantes
Atlántida **2**:137
escultura **5**:293,
atlantes de Tula **13**:281
Atlantic City **10**:86
Marruecos **9**:106
España **5**:305
Atlántico **2**:135
— Central **6**:33
— cordillera del **10**:181
— del Sur, océano **12**:213
— fuerza de submarinos en el **10**:103
—, isla del **12**:83
— norte **8**:154**9**:81**10**:180, 281
— septentrional **11**:92
— sur **1**:87; **13**:330
Aguirre, Lópe de **1**:117
América **1**:227
Santa Catarina **12**:210
Venezuela **14**:42
Atlántico, océano **2**:135
astronáutica **2**:116
Delaware **5**:40
en la historia **2**:136
España **5**:305
Estados Unidos **6**:31
Extensión y geología **2**:135
Francia **6**:214
Islas y mares secundarios **2**:136
Magallanes, Estrecho de **9**:22
Montana **9**:282
Pennsylvania **11**:38
Pinsón, Martín Alonso Yáñes **11**:100
Rochela, La **12**:86
satélite artificial **12**:239
viento **14**:88
Atlántida **2**:137
océano y oceanografía **10**:182
revista **12**:39
Uruguay **13**:327
Atlas **2**:137
— Catalán **11**:178
— D **9**:173
— del Perú **11**:21
— físico de Berghaus **7**:248
— general **9**:68
— Mediano **2**:138
— Mediceo **11**:178
— Medio **9**:105
Atlas, cordillera **1**:92; **9**:105; **12**:164; **13**:156
Atlas, gigante **2**:139
Atlas, hueso cervical **14**:59
Atlas, montes **2**:137, 295
Atlas-Agena **10**:232
Atlas-Centaur **13**:87
Atlasov, Vladimir **5**:75
atled 12:328
atletismo **2**:139
Historia **2**:139
Formas actuales **2**:139
El ideal **2**:140
Figuras **2**:140
Atlitlán, lago **13**:31
Atlixco **1**:120; **10**:91
Atman **6**:18
atmósfera **2**:140
aire **1**:123
astronáutica **2**:108
electrónica **5**:241
Estratosfera **2**:142
evaporacioón **6**:85
Exosfera **2**:142
hielo **7**:169
Ionosfera **2**:142
lluvia **8**:293
Magnetosfera **2**:142
Mesosfera **2**:142
oxígeno **10**:278
satélite artificial **12**:241
Temosfera **2**:142
tiempo **13**:187
Troposfera **2**:142
viento **14**:87
atmósfera solar **7**:142
atmosférica **11**:193
atmosféricos, silbidos **10**:191
Atocha, Basílica de **10**:308
atole champurrado **2**:272
Atoleiros, batalla de los **11**:44
atolón **2**:143
Atolón, Samoa, Tonga **12**:187
atolón de Eniwetok **3**:39
atolones **2**:59 **10**:280
Oceanía **10**:179
zoología **14**:183
atómica, bomba **10**:99, 169, 227
atómicas **2**:43
atomismo **2**:143
determinismo **5**:95
atomismo lógico **12**:150
átomo **2**:143
— de carbono **2**:290
— de radio. **5**:*89*
—, estructura del **8**:201
—, núcleo del **14**:168
A B C del **2**:145
agua pesada **1**:112
aplicaciones científicas e industriales **2**:153
átomos de carbono **8**:148
átomos de hidrógeno **2**:290
átomos de hierro **7**:145
átomos de un elemento **14**:14
Bohr: el universo atómico **2**:147
cámara de niebla **3**:182
Dalton y el átomo **2**:144
Demócrito **2**:143
descubrimiento **2**:145
desintegración de átomo **2**:145
dilema de la energía atómica **2**:150
doppler, efecto **5**:164
Dunning, John Ray **5**:179
electricidad **5**:236
elemento químico **5**:244
energía **5**:257
fenol **6**:130
fisión nuclear **2**:148
Grandes casualidades **2**:144
hidrato **7**:164
invenciones y descubrimientos **8**:28
isótopos **2**:148
Lehn, Jean-Marie **8**:213
Millikan: el electrón **2**:146
mineralogía **9**:229
moléculas **2**:143
mundo nuclear **2**:147
neutrones, bomba de **10**:82
Peso atómico **2**:144
pila atómica **2**:151
química **11**:260
radical químico **11**:276
rayos cósmicos **2**:149
Rutherford: la lámina de oro **2**:146
unitaria **13**:314
Uranio y metales fisionables **2**:151
Atón **5**:235, **13**:298
átona **7**:31
atoray **7**:310
Atoyac **13**:208
Atoyac, río **11**:226
Atoyac, valle de **10**:170
atracción **2**:154
electricidad **5**:237
atracción gravitacional **5**:150, **7**:103
atracción gravitacional **9**:24
atracción universal **6**:166
atracción universal, ley de la **7**:52
atractibilidad **6**:164
atractivos turísticos **13**:*291*
atrapamoscas **2**:154
atrapamoscas sudamericana **11**:124
Atrato, río **2**:154
Quibdó **11**:254
Atreo **9**:166
atrio **2**:154
vivienda **14**:118
atrofia **2**:154
atrófica **6**:290
Atropa belladona **2**:154
atropina **2**:154
alcaloide **1**:144
droga **5**:173
átropos **10**:326
atsahuacana **7**:309
ATT **13**:142
Atta **7**:227
at-Ta'if **1**:335
Attar **1**:334
Atterbom, Per **13**:71
Attilio, poeta **2**:305
Attlee, Clement Richard **2**:154
Gran Bretaña **7**:43
laborismo **8**:154
Attu, isla de **1**:228
Atuel, río **9**:165
atuendo tradicional **13**:*299*
atuendo tradicional de Ucrania **13**:*299*
atún; **2**:155
Atures **10**:251
Atwood, Margaret Eleanor **2**:155
Atzacualco **13**:159
Aub, Max **2**:155
Aubame, Jean-Hilaire **6**:259
Aube **12**:276
Auber, Daniel **12**:251
Aubert de Gaspe, Philippe **3**:205
Aubervilliers **10**:328
Aubigné, Francisca de **12**:246
Aubusson **13**:116
auca **7**:311
Aucanada **2**:224
aucca **1**:344
Auckland **10**:159**11**:229
Auclitzen, Constantino **11**:163
Auch, Francia **6**:289
Auden, Wystan Hugh **2**:156
audiencia **2**:156
— de Charcas **7**:97
— de los Confines **7**:80
— de México **9**:165
— de Perú **8**:163
— de Quito **8**:159
protector de indios **11**:217
Latinoamérica **8**:184
Virreinatos **14**:102
audífonos **6**:49
audimetría **10**:196
audiograma **10**:196
audiómetro **10**:196
audión **2**:157

radiotelefonía **11**:284
audiovisual, educación **2**:157, 158
auditivo **6**:191
auditorio **7**:195; **11**:143
Audra, Charles **14**:143
Audubon, Jean Jacob **2**:158, 159
Aue, Hartmann von **1**:165
Aufklarung **8**:144
Aug San **2**:160
Augier **5**:171
Augier, Guillaume Victor Émile **6**:227
Augier, hermanos **6**:229
Augsburgo **2**:159
Alemania **1**:160
Valdés, Alfonso de **14**:11
Augsburgo, dieta de **5**:137; **11**:324
Augsburgo, Pacificación de **11**:324
augures **2**:243 **6**:197 **9**:25
August Arrhenius **10**:269
Augusta **2**:311 **6**:316 **12**:*102* **9**:32
Auguste Felix **11**:**80**
Augusti, Lucus **8**:316
Augustine, Saint **6**:182
Augusto
Agripa, Marco Vipsanio **1**:110
bibliografía **2**:309
España **5**:313
febrero **6**:123
latina, literatura **8**:181
literatura **8**:277
Mérida **9**:174
noviembre **10**:142
Pretoriana, Guardia **11**:195
Taquigrafía **13**:117
Virgilio **14**:99
Augusto H., Álvarez **9**:206
Augusto la Panonia **7**:252
Augusto, Cayo Julio César Octaviano **2**:159
Augusto, emperador **5**:257; **7**:224; **10**:275
Augusto, Felipe **10**:328
Augusto, foro de **2**:52
Augusto, Octavio **5**:227
Augusto, título **2**:159
Augustulo, Rómulo **8**:62
Augústulo, Rómulo **5**:205
Auki **12**:177
Aulis **7**:266
Aulnoy, condesa de **8**:283
aumentativos **10**:128
Aung San Suu Kyi, Daw **2**:160
Aupick **2**:267
Aura 2:229
Aura **6**:245
Aureliano **1**:335; **14**:177
Aurelio **2**:160
Aurelio, Marco **2**:160
ensayo **5**:266
Roma **12**:98
aureomicina **2**:160
neumonía o pulmonía **10**:78
tifus exantemático **13**:194
Auric **7**:220
Auric, Georges **12**:268
auricular **13**:177; **14**:186
aurículas
Auriga **2**:125 **14**:73
Aurigny **7**:32
auriñaciense **6**:219
Auriol, Vincent **2**:160
auriphrygiata **9**:250
Aurora **2**:161
magnetósfera **9**:29
Memnón **9**:161
aurora boreal **2**:161
geografía **6**:302
Aurora Boreal **8**:320
manchas solares **9**:51
Aurora roja **2**:255
aurrescu **2**:161
Aurum **1**:34
aurum flamma (llama de oro) **2**:242
auscultación **8**:161
Auschwitz **7**:211
ausetanos **7**:257
Auseva, monte **11**:29
Auslösung **1**:57
Austen, Jane
Austen, Jane **2**:161
Gran Bretaña **7**:44
literatura infantil **8**:285
mujer **9**:327
austeridad **3**:297 **12**:245
Austerlitz **2**:161
batalla **2**:264
Alejandro I **1**:157
Pitt, William **11**:113
Sacro Imperio Romano Germánico **12**:161
Austerlitz, Frederick **2**:105
Austin **2**:161
Austin, Stephen F **2**:161
Austral **2**:1857:1448:196
Austral, islas **11**:153
Australasia, región de **14**:180
australes **2**:125
Australes, islas **11**:153
Australia **2**:161
— del Espíritu Santo **14**:9
— del Sur **2**:163
— Occidental **2**:163
—, aborígenes del sur de **7**:199
—, bandera de **2**:239
—, mar de **1**:194
Adelaida **1**:67
Aspectos regionales **2**:162
atolón **2**:143
Australian Act **13**:92
Australiana, Confederación **10**:157
australianos **7**:333; **8**:216: **14**:114
bumerang **3**:105
Colonización y gobierno **2**:162
Cultura **2**:164
Dogerty, Peter C. **5**:153
Economía **2**:163
ferrocarril **6**:141
harina **7**:130
legislativo, poder **8**:212
Melanesia **9**:157
plomo **11**:140
sabana **12**:155
Timor **13**:196
zoogeografía **14**:180
australopiteco **2**:164
Australopithecus **7**:215
Austria **2**:165
— y el Piamonte, guerra **11**:101
—, Alta **2**:166
—, Ana de **11**:329; **6**:127, 222
—, archiduque de **6**:126
—, Baja **2**:166
—, bandera de **2**:239
—, Carlos V de **6**:222
—, casa de **6**:222; **8**:238; **10**:292
—, don Juan de **11**:89
—, duque Leopoldo de **12**:61
—, Felipe el Hermoso, archiduque de **8**:115
—, Fernando I de **7**:252
—, Francisco Fernando, archiduque de **2**:81
—, Francisco José I, emperador de **9**:135
—, guerra con **11**:101
—, José II de, emperador **11**:101
—, Juan de **1**:202; **2**:38; **6**:118; **11**:45
—, Juan José de **6**:127
—, Margarita de **5**:136; **6**:118, 122, 127; **14**:32
—, María Adelaida, archiduquesa de **7**:247
—, María Teresa de **6**:125; **9**:95
—, Mariana de **6**:127; **11**:329
—, Maximiliano I de **6**:126; **7**:208
Alemán, idioma **1**:157
Aspecto físico **2**:165
austriacos **13**:263
Cultura **2**:167
Dollfuss, Engelbert **5**:154
Economía **2**:165
estrechos **6**:60
Historia **2**:166
lana **8**:169
Lliria **7**:271
Milán **9**:222, 270, 280
patinaje **11**:11
Principales ciudades **2**:166
Pueblo y gobierno **2**:166
Revolución Francesa **12**:49
Siracusa **13**:5
Transportes y comercio **2**:165
Viena **14**:87
Austria-Hungría **2**:168
Adriático **1**:76
Hungría **7**:252
austroasiático **8**:216
Austroasiáticos **2**:96
Austro-Húngaro, imperio
austrohúngaro, imperio **2**:300; **14**:166
Austronésicas **2**:96
austronésico **8**:216
Austro-Prusiana **7**:85
austro-prusiana, campaña **7**:180
autan **6**:214
autárquica **1**:271
auténtica **13**:10
autismo **2**:168
auto de fe **2**:168
auto de fe **7**:336
Auto de fe en la Plaza Mayor de Madrid **12**:81
Auto de Nabal y Abigail **12**:126
auto sacramental **2**:177
autobiografía **8**:327; **13**:13
Autobiografía de Bertrand Russell **12**:151
autobús **10**:210
Autobús Birmingham, Inglaterra **2**:*329*
autoclave **2**:168
autocosechadoras **13**:265
Autocracia **2**:168
Autoctonía, teoría de la **3**:235
autoctonismo **7**:308
autodidacta **14**:174
autódromo **2**:168, *169*
autoflagelándose **2**:80
autógena **13**:28
autogiro **2**:169
helicóptero **7**:141
La Cierva y Codorniú, Juan de **8**:158
autógrafo **2**:169
autohipnotarse **7**:182
autohipnotismo **13**:36
autoinjerto **2**:169
autoinmunizante **5**:246
automación **2**:169
autómata **2**:169
automatismo **9**:235
automatización **2**:169
automodelismo **9**:260
automotriz **7**:331
automóvil **2**:170
Alemania **1**:165
autódromo **2**:169
automóvil **10**:77
automóvil **5**:117
automóvil Ford Modelo T. **8**:25
automóvil lunar **1**:326
automóviles de vapor **2**:170
camión **3**:189
Carburador **2**:172
carrera **3**:261
Colocación del motor en el chasis **2**:174
educación **5**:218
Enfriamiento **2**:176
estabilidad **6**:27
Ford, Henri **6**:193
Frenos **2**:175
Historia **2**:170
Importancia **2**:176
Inyección electrónica **2**:172
jeep **8**:93
Lubricación **2**:175
Motor **2**:171
Propulsión **2**:174
Puente trasero **2**:173
seguridad **12**:261
Sistema eléctrico **2**:172
Sistemas de seguridad **2**:176
Suspensión **2**:174
transbordador **13**:242
Transmisión **2**:172
transportes **13**:250
turismo **13**:290
automovilista **12**:260
Autónoma Tomás Frías, Universidad de **11**:180
autonomía **2**:176
España **5**:312
Puerto Rico **11**:235
autonomía federal **8**:306
Autonomista, Partido, Puerto Rico **9**:334
autopista **2**:177
Camerún **3**:187
Autopista estatal en Parks, Alaska **6**:44
peaje **11**:22
autopistas de la telecomunicación **13**:142
autopolinización **11**:123
autopsia **2**:177; **10**:223
diagnóstico **5**:101
autor **5**:212
autor anónimo **8**:201
autor o causante **13**:63
autoridad **7**:199
Autoridad Nacional Palestina **6**:295
autoridad patriarcal **7**:5

autoritarismo 2:177
autorización **6:**111
autorretrato 2:177
Autorretrato de Goitia 1955. **7:**13
Autorretrato de Rembrandt **2:***177*
autos **13:**132
autos deportivos **8:**291
autosugestión **7:**191; **13:**75, 241
Autralopithecus **7:**215
Autun **10:**308; **13:**106
Autun, catedral **12:**105
Auvernia, llanuras volcánicas de **6:**216, 220
auxiliar **8:**10
Auyama **10:**300
Auyantepuy, macizo de **14:**43
Auzelle **6:**228
avambaé **9:**241
Avance, revista **7:**261
avaricia 2:177
Adrianópolis **1:**75
turco **13:**288
Edad Media **5:**205
Grecia **7:**60
invasión **8:**23
Avaris **5:**227
ave 2:177
— acuática **2:**36
— amaestrada **11:**314
— camello **2:**184
— canora **14:**55
— caprimúlgida **7:**71
— cicónida **9:**84
— de la piedra **11:**16
— de rapiña **6:**294; **11:**247
— de San Martín **2:**181
— del paraíso **10:**97
— gallinácea **7:**71
— marina **7:**75
— palmípeda **6:**280
— pelecánida **11:**30
— pelecánida marina **11:**272
— psitácidas **8:**309
— rapaz **12:**289
— rapaz **9:**5
— trompeta **1:**99
Buhos y lechuzas **2:**181
buitre **3:**101
El canto, reclamo conyugal **2:**178
El movimiento migratorio **2:**180
Fénix **6:**130
La rapidez de vuelo **2:**181
Las crías **2:**180
Las rapaces **2:**180
Nidos y huevos **2:**179
Plumaje y alas **2:**178
Rapaces aristrocráticas y plebeyas **2:**181
zarapito **14:**174
ave del paraíso 2:178, 182
ave fría 2:182
ave lira 2:182
Ave María **1:**280
Ave María, escuelas del **9:**59
Avebury **13:**56
Avebury, lord **8:**313
Aveiro **11:**174, 175
Aveledo, Agustín 2:182
avellana **11:** 154
avellanas **1:**352
Avellanas **2:**182
Avellaneda 2:182
Plaza, Victorino de la **11:**137
Lanús **8:**172
Avellaneda, Marco Manuel 2:182
Avellaneda, Nicolás 2:182
Alsina, Adolfo **1:**204
Roca, Julio Argentino **12:**86
Tucumán **13:**280
avellano 2:183
madera **9:**13
Avellino (Italia) **2:**183
Avemaría **9:**93
Avempace 2:183
árabes **1:**333
avena 2:183
— forrajera **2:**183
leche y lechería **8:**204
pan **10:**299
avenamiento **5:**172
Avendaño, Francisco 2:183
avenida **1:***345*
— Butchary **3:**220
— central de la ciudad de Berlín **2:**299
— de la Salle en Chicago **3:**177
— de las Esfinges **13:**133
— del centro de Nassau **2:**217
— del Libertador **9:**165
— en el distrito Latino de París, Francia **6:**217
— Park **7:**130
— Regent en Londres, Inglaterra. **8:**305
— Unter de Linden (Bajo los Tilos) **2:**299
aventadora 2:183, 184
Aventina, colina **12:**100
aventura 2:183
Avenzoar **1:**333; **9:**149
avernos **14:**54
Averroes 2:183
árabes **1:**333
España **5:**315
Hispanoárabe, literatura **7:**190
Maimónides **9:**32
terapéutica **13:**163
aversión **6:**185
avesta **6:**81; **8:**38, 217
avéstico **8:**39
avestruz 2:185
ñandú **10:**167
vestido **14:**66
aviación 2:185
Earhart, Amelia **5:**183
Francia **6:**217
negocio **10:**65
techo de las nubes **13:**134
Avicebrón 2:187, 188
Avicena Abú 'Alí Husayn b Sína 2:188
árabes **1:**333
neoplatonismo **10:**72
terapéutica **13:**163
Averroes **2:**184
avícola, producción **14:**141
avicultura 2:188
gallina **6:**269
zootecnia **14:**187
Avicultura Criadero **2:***188*
Avicultura Pato **2:***188*
Avidio Casius o Gaius Avidius 2:189
Avieno **1:**142; **7:**256
Avignon **10:**310
Avignón **2:**291
Avignon, prisiones de **12:**67
Ávila 2:189
Vega Carpio, Félix Lope de **14:**33
Avila Camacho, Manuel 2:190
México **9:**200
Ávila Camacho, presa **9:**195
Ávila, Jorge de, fray **14:**161
Ávila, José Cecilio **7:**20
Ávila, Juan de **5:**319; **10:**282
Ávila, Pedro Arias de **10:**165, **13:**44
Ávila, provincia de **6:**105
Ávila, san Juan de 2:190
Avilés 2:190
Avilés, Ángel **11:**240
Avilés, Hernando **11:**240
Aviñón 2:190
Edad Media **5:**207
Fabri, Jean Henri **6:**107
Novés, Laura de **10:**142
Pontificios, Estados **11:**167
Urbani VI **13:**323
Vaticano **14:**29
avión 2:190
avión **12:**127
avión caza F-15 **11:**274
avión cohete tripulado **2:**142
avión de carga tipo Hércules **2:**186
avión de propulsión a chorro **1:**88
avión F-14 Tomcat **11:**171
avión F-14 Tomcat aterrizando **11:**172
avión Harrier **2:**39
avión militar **1:**207; **10:**319
avión militar B-50 **1:**88
avión Stearman **1:**85
avión supersónico **1:**80
helicóptero **7:**141
transportes **13:**251
aviones comerciales **14:**136
aviones minadores **9:**227
aviones subsónicos **13:**63
avioneta Cessna **1:**84
avioneta modelo Oshkosh de 1941 **2:**186
Avis, casa de **5:**265
Avis, orden de **11:**176
Avisa Relation oder Zeitung **11:**51
avispa 2:190, 191
nido de avispas **7:**180
avitaminosis 2:191
avoceta 2:191
Avoceta americana en una playa **2:**191
Avogadro, Amadeo 2:191
Avogadro, ley de **6:**287
gas **6:**287
molécula **9:**267
química **11:**262
avoirdupois 2:191
Avreamka, Anales de **12:**149
Avron, monte **9:**213
avutarda 2:192
Avvakum, Arcipreste **12:**140
Awaj, río **5:**9
Awash, lago **6:**67
Awash, río **6:**67
Awrangzeb **12:**303
Axayácatl 2:192
Axayácatl **13:**159
Moctezuma II **9:**258
Axelrod, Julius 2:192
Kats, bernard **8:**135
Euler, Ulf Svante von **6:**73
Axioma 2:192
formalismo **6:**196
Sausssure, ferdinand de **12:**244
tésis **13:**174
grupo, teoría de **7:**70
axis **14:**59
axolotl **1:**129
axón **5:**48; **10:**79, 80
Ayacucho 2:192
Andes **1:**269
Olavarría, José Valentín de **10:**201
Pringles, Juan Pascual **11:**202
Toledo, Francisco de, conde de Oropesa **13:**213
Junín **8:**126
Ayacucho, batalla de 2:193
Quezada, Juan Isidro **11:**251
Ferguson, Guillermo **6:**131
Gamarra, Agustín **6:**273
Ayacucho, puerto **1:**220
Ayala, Daniel **9:**274
Ayala, Manuel José de **8:**239
Ayala, Plan de **14:**172
Ayamonte (España), puerto de **7:**73
Ayarza **7:**77
Ayassoluk **5:**223
Ayatollah Khomeini, Ruhollah **3:**58
Ayax 2:193
Sófocles **13:**24
lucha **8:**315
Ayerza, Abel 2:193
aylesbury **11:**13
ayllo inca **11:**255
Ayllón **12:**259
Ayllón, Joaquín de **8:**280
Ayllón, sierra de **12:**259
ayllu 2:193
Saavedra, Bautista **12:**153
Manco Cápac **9:**54
ayllus **7:**290
aymaras 2:193
Bolivia **3:**28
incas **7:**291
Aymé, Marcel **6:**227
Ayodha, mezquita de **7:**302
Ayohuma **2:**285
Ayohuma **12:**195
Ayohuma, batalla de **14:**140
Ayolas, Juan de 2:193
Ayolas, Juan de **8:**34
descubrimientos y exploraciones geográficos **5:**73
Ayoluengo **5:**309
Ayora, Isidro 2:193
Ecuador **5:**200
Ayora, Juan de **2:**29; **9:**201
ayotl **7:**79
Ayrshire, raza **6:**277
Aysén, territorio de **7:**255
Aytana, sierra de **1:**184
Aytona, marqués de **9:**274
Ayub Khan, Mahammed **10:**287
Ayub, Castillo de **8:**110
Ayubidas **5:**228
Ayuí, costa de **2:**73
ayuno 2:193
templarios **13:**155
Ayuthia **13:**101, 103
Ayutla, plan de 2:193
Zarco, Francisco **14:**174
Aza, Vital 2:193
azabache 2:193
caballo **3:**133
azadón **13:**211
azafrán 2:193
amarillo **1:**218

terapéutica **13:**163
bulbo **3:**102
especias **6:**8
láudano **8:**197
azalea 2:194
Azamenhof, Ludwik Lazar **8:**220
azande **13:**66
Azaña Díaz, Manuel 2:194
Alcalá Zamora Aniceto **1:**144
Quijote, don **11:**257
Azapa **13:**118
Azara, Félix de 2:194
Azarías **11:**289
Azarías H. Pallais **8:**282
Azatlán **2:**203
Azcala **7:**259
Azcapotzalco **1:**42; **9:**131
Azcona Hoyo, José **7:**219
Azcuénaga, Miguel de 2:195
Azeglio, Máximo Taparelli 2:195
Azemmury, puerto **9:**106
Azerbaiján 2:195
— bandera de **2:** 239
Rusia **12:**146
Transcaucásia **13:**243, 96
Irán o Persia **8:**35
Azerbaiján Persa 2:195
Azerbaiján ruso **2:**195
azerbaijano **13:**288
azerbaijanos **6:**317
Azevedo, Aluisi **3:**76
Azevedo, P. de **12:**224
Azincourt **5:**265
Azincourt, batalla de **6:**222
Azizya **13:**154
Azkúnaga, Agustín de, fray **5:**202
Aznar, José María **5:**318
Aznavour, Charles **12:**331
Azocar, Rubén 2:195
ázoe **10:**106
Azof, Mar de 2:195
Don, rio **5:**163
Paz, tratado de **11:**19
Rusia **12:**138
Ucrania **13:**299
Azogues 2:195
azoica, era 2:195
geología **6:**307
Azolla pinnata **10:**107
azonales **13:**72
Azopardo, Juan Bautista 2:195
azor 2:196
Azores 2:196
—, islas **5:**265
océano y oceanografía **10:**182
Portugal **11:**173
Azorín 2:196
Valle inclán, Ramón María del **14:**20
ensayo **5:**266
generación del 98 **6:**299
literatura hispanoamericana **8:**280
azotes **13:**224
azotobacter **10:**106
aztecas 2:196
—, cultura **3:**164
Azteca, dominación **10:**170
Bases económicas **2:**200
Cultura **2:**201
entrada en el valle **2:**197
escultura **5:**295
gran Teocalli **2:**203
Huitziloopochtli **7:**245
Latinoamérica **8:** 195
Los aztecas **2:**201
maíz **9:**35
mapa **9:**67
México-Tenochtitlan **9:**208
Moctezuma II **9:**258
Organización del imperio **2:**199
Pachuca, de Soto **10:**282
peregrinación **2:**196
pirámides de México y América Central **11:**106
religión **12:**11; **2:**202
Tenoch **13:**159
tierra prometida **2:**197
Xochimilco **14:**158
Aztlán 2:203
aztecas **2:**196
*aztlanteca 2:*203
Azua 2:203
Azuaga, España **2:**213
Azuay 2:203
Ecuador **5:**198
indios americanos **7:**311
azúcar 2:203
alimentación **1:**191
árbol del pan o artocarpo **1:**348
carbohidrato **3:**233
fermentación **6:**133
Fisher, Emily **6:**163
Iowa **8:**32
azúcar de remolacha **9:**92
semilla **12:**273
azucena 2:204
Azucenas **2:**205
jazmín **8:**92
azucenita **6:**330
Azuda o Alcazaba, fortaleza de la **8:**231
Azuela, Mariano 2:205
Latinoamérica **8:**189
México **9:**202
azufre 2:205
azufre **1:**310
pólvora y polvorín **11:**163
azufre **14:**85
fungicidas **6:**253
vidrio **8:**174
azul 2:206
Baeyer, Adolph von **2:**214
garza **6:**287,
índigo **7:**307
Nicaragua **10:**95
Uruguay **13:**329
azul de metileno 2:206
metileno **9:**188
azul de ultramar **2:**206
azul, color primario **2:**206
Azul, Monte **1:**308
Azul, río 2:206
Yang tse kiang **14:**160
azulejos y baldosas 2:206
Azules, montañas **6:**31
Azules, montes **1:**229
azumbre **9:**191
Azurduy, Juana **10:**282
Azzo Ubaldini, Juan de **11:**250
Azzolino, Catalina **12:**61
Azzuz At-Talhi **8:**248

B

B 2:207
B'Nai B'Rith 3:9
Baal, Bel o Belus 2:207
Elías **5:**246
Fenicia **6:**129; 296; **10:**295
Moloch **2:**207
Sacro Imperio Romano Germánico **12:**160
Baade, Walter **10:**82
Baalath **6:**129
Bab-el-Mandeb, estrecho de **12:***96*
BAATH, partido **2:**104
Baba, Asia menor **2:**83
Babahoyo 2:207
— río **5:**198
Ecuador **2:**207
Los Ríos, Provincia **2:**207
Babangida, Ibrahim **10:**101
Babbage, Charles **4:**179
Babbitt, Irving **6:**43
Babbitt, Isaac 2:207
Babel, torre de 2:207
Babel-Mandeb, estrecho de **5:**148
Babelthuap **10:**289
Babenberg **2:**167
Baber **2:**98, 276
Babeuf, François Noel 2:207
Babiagora **11:**157
Babieca **3:**133; **4:**70
Babilonia 2:207
arquitectura **2:**55
Asiria **2:**101
Asurbanipal **2:**131
Bel-Marduk **2:**207
Código de Hammurabi **2:**207
Eufrates, río **6:**73
Hadad o Adad **7:**116
imperio babilónico-caldeo **2:**207
Israel **8:**58
jardinería **8:**87
Jerjes, I **8:**95
Mesopotamia **9:**178
mitología y mitos **9:**248
Nabopolasar **2:**207
Nabucodonosor **2:**207
Nemrod **2:**207
Nínive **10:**103
Píramo y Tisbe **11:**106
Babilonia, jardines colgantes de **7:**329
babilónica **13:**84; **13:**108
babilónicos **1:**168
babilonio, calendario **3:**163
babirusa 2:208
Burú **2:**208
islas Célebes **2:**208
jabalí **2:**208
babor 2:208,
navegación a vela **10:**55
babosa 2:208
gasterópodo **2:**208
Babrak Karmal **1:**91
Baca, Judy **7:**189
Bacabal **9:**85
bacairi **7:**310
bacalao 2:208
abadejo **1:**18
aceite **2:**45
ártica, región **2:**70
Gaspar de Corte Real **2:**208
pez gádido **2:**208
Bacall, Lauren **3:**17
bacanales 2:209
dios Baco **2:**209
Magna Grecia **2:**209
Bacatá **4:**31
Baccarat **4:**289; **8:**121
Baccheli, Riccardo 2:209
bacía **9:**323
bacilo 2:209
— de Eberth **13:**193
— de Hansen **8:**230
— de Klebs-Loeffler **5:**118
— de Koch **4:**238; **11:**53, **13:**279
— de la tuberculosis **4:**238; **8:**145
— de Nicolaier **13:**177
bacteria y bacteriología **2:**210
Eberth, Karl Joseph **5:**184
bacitracina 2:209
Backbone **10:**194
Backbone, monte **9:**116
Backer **9:**74
Baco 2:209
Aria **2:**29
Atenas **2:**133
Dionisos **5:**135, 136
fiesta **6:**149
higuera **7:**177
juramento **8:**128
marzo **9:**118
Midas **9:**218
náydes **10:**59
noviembre **10:**142
Baco, teatro de **2:**133
Bacon, Francis 2:209
alma **1:**192
ensayo **5:**266
jardineria **8:**88
Bacon, Roger 2:209
alquimia **1:**203
Averroes **2:**18
Duns Scotus, John **5:**179
Edad media **5:**209
geografía **6:**305
globo aerostático **6:**333
pólvora y polvorín **11:**163
Baconao, río **12:**220
bacteria y bacteriología 2:210
— anaerobias **2:**211
— desnitrificantes **10:**106
— patógenas, estómago **6:**133
— saprofitas **2:**211
bacilos **2:**210
cocos **2:**210
disentería basilar **2:**211
enfermedad **5:**260, 261
esquizomicetos **2:**327
estreptococos **6:**63
Fleming, sir Alexander **6:**176
hongos **7:**222
bacteriología 2:211
anilina **1:**292
Calmette, Albert **3:**170
Ferran y Clúa, Jaime **6:**136
higiene **7:**175
Koch, Robert **8:**145
medicina **9:**150
microbiología **9:**215
microscopio **9:**218
terapeútica **13:**163
bacteriólogo **5:**184, 230
Bacteriostática **6:**319
Bactriana **2:**97; **14:**187, 188
baculitas **1:**252
báculo **2:**79, **14:**72; **10:**173
Bach, familia 2:211
Carl Philipp Emmanuel **10:**14
Enrique **2:**211
Hans **2:**211
Juan Ambrosio **2:**211
Juan Cristian **2:**211

Juan Cristóbal Federico **2**:211
Juan Miguel **2**:211
Juan Sebastián **2**:211; **4**:196; **12**:250
La pasión según San Mateo **2**:212
baches **8**:291
Bachianas brasileñas **14**:93
bachiller **13**:316
bachiller o *bachillería* *2:212*
bachillerato **2**:212
educación **5**:217
escuela secundaria **5**:292
vocación **14**:121
Bachmann, Carlos J **2**:212
Bachue **2**:212
Bad Nauheim **10**:49
Badajoz **1**:213
Andalucía **1**:264
Extremadura **6**:106; **9**:174
Badalona, Barcelona **2**:253
badana **6**:244
Baden **2**:213; **12**:161
Baden-Baden **12**:270
Baden-Powell, sir Robert **2**:213
boy scout **3**:64
Baden-Württemberg **2**:213
Alemania **1**:163
Mannheim **9**:59
Württemberg **14**:156
Badi, Aquiles **2**:213
Badía, Conchita **3**:129
Badía, Domingo **2**:214
descubrimientos y exploraciones geográficos **5**:75
badián **2**:214
Badiano, Juan **9**:201
Badigan, K. S. **5**:79
Badii, Libero **2**:214
Badillo, Hermán **2**:214
Puerto Rico **11**:231
badminton **2**:214
Badoglio, Pietro
Addis Abeba **2**:21
Italia **8**:64
Badon, monte **2**:78
Baedeker, Karl **13**:291
Baekeland **2**:249
Baekeland, Leo H. **11**:126
Baena, Juan Alfonso de **1**:315; **5**:319
Baer, Carlos Ernesto von **2**:214
Baer, Max **3**:63
Baeyer **2**:251
Baeyer, Adolf von **2**:214
Baeyer, Johann von **11**:262
Báez, Buenaventura **2**:214
República Dominicana **5**:160
Báez, Cecilio **2**:215
Paraguay **10**:322
Baez, Joan **2**:215
Baeza **2**:215
Fernando III, *el Santo* **6**:135
Baeza, Ricardo **2**:215; **13**:239
Baffin **14**:114
Baffin, bahía de **2**:70; **8**:154; **11**:8
Baffin, Guillermo, navegante **2**:215; **11**:8
Baffin, Mar de **2**:215; **6**:95; **12**:115
Baffin, tierra de **2**:215
América **1**:232
Frobisher, Martin **6**:239
Labrador, península y corriente del **8**:154
Baffin, William **5**:78
Bagaría **3**:247
Bagdad **2**:216
árabes **1**:332
Arabia Saudita **1**:336
arquelogía **2**:52
Asia **2**:97
Basora **2**:261
Beirut **2**:307
biblioteca **2**:310, 312, 313
calidoscopio **3**:165
educación **5**:215
Haifa **7**:120
Irak **8**:41, 42
imperio mongol **9**:276
Mesopotamia **9**:178
Tigris **13**:195
Bagistán, monte **4**:329
bagre **2**:216
baguíos **14**:89
Bahadur Deuba, Sher **10**:74
Bahamas o Lucayas, islas **2**:216; **1**:232, 308
Bahamas, bandera de **2**:239
Eduardo VIII **5**:213
imperio británico **7**:275
latinoamérica **8**:182, 183
esponja **6**:20
baharitas **9**:48
Bahía **2**:217
agricultura **1**:107
América del Sur **1**:242
Espíritu Santo **6**:18
Bahía Blanca **2**:217
Buenos Aires **3**:98
Zum Felde, Alberto **14**:191
bahías de Kasbah, Tánger, Marruecos **13**:111, 112
Bahoruco **2**:217
República Dominicana **2**:250
Neiba **2**:217
Bahra **8**:151
Bahrain **2**:239
Bahram I **9**:58
Bahrein **2**:217
— bandera de **2**:239
Arabia **1**:334
Bahrein, archipiélago de **11**:57
Bahr-el-Jebel **10**:102
Bahuhaus **11**:98
Baikal **2**:218
— lago **2**:218; **5**:7; **12**:137; **13**:123
arqueología **2**:53
Asia **2**:85, 87
Baikonur, cosmódromo de **2**:113
Bailable tradicional yugoslavo **14**:167
bailarina **1**:19
Bailarina en el templo de Mahabalipuram, India *7:180*
bailarina samosir, Sumatra **13**:*83*
baile **2**:218
— boogie-boogie **5**:15
— conga **5**:14
— charleston **5**:15
— danzón **5**:14
— flamenco **5**:*304*
— fox-trot **5**:15
— joropo **5**:14
— jota **5**:13
— la bamba **5**:14
— la cumbia **5**:14
— la marinera **5**:14
— la rumba **5**:14
— la titundia **5**:14
— lanceros **5**:14
— mambo **5**:14
— merengue **5**:162
— muñeira **5**:13
— one-step **5**:15
— pasodoble **5**:14
— pericón **5**:14
— polca **5**:14
— two-step **5**:15
— vals **5**:14
baile de san vito **2**:218
bailecito **2**:218
Bailén, batalla de **2**:218
San Martín, José de **12**:195
Bailén, ciudad, España **2**:218
Bailén, duque de **3**:277
bailes autóctonos **5**:14
— de la Edad Media **5**:13
— españoles **5**:16
— gimnásticos **5**:15
— religiosos **5**:15
— rústicos **11**:10
Bailey, Donovan **2**:140
Bailondu **1**:287
Bainbridge **2**:52
Baines Johnson, Lyndon **6**:42
Baird, John Logie **2**:218
Gran Bretaña **7**:44
televisón **13**:149
Bairika **6**:324
Baja California **2**:218
— historia **2**:218
agricultura **1**:108
California, Golfo de **3**:167
Ensenada **5**:266
México **9**:193
Baja California Sur **2**:220
Baja California, México **9**:205
Baja Edad Media **5**:205, 209
baja Mesopotamia **2**:102
Baja Normandía **6**:216
Baja Sajonia **1**:163; **7**:127, 131
Baja Saboya **12**:156
Baja Silesia **13**:67
Baja Verapaz **2**:220
bajamar **9**:89
bajas **13**:66
bajel **6**:264
Bajer, Fredrik **2**:220
Bajío, el **2**:220
bajista **3**:33
bajo **2**:254; **3**:221; **10**:257; **13**:270
bajo bretón **6**:218
Bajo Egipto **5**:227
bajo lizo **13**:116
Bajo Nilo **12**:168
Bajo Rin **6**:59; **7**:206
Bajo Vístula **1**:161
bajo, voz de **2**:220
bajorrelieve **2**:220
armadura **2**:43
arquitectura **2**:58
bajorrelieve **2**:101; **8**:49
Bajorrelieve con la figura de una deidad, Shrisuaji, Mandore, India **7**:299
Bajorrelieve griego en Delfos, Grecia **7**:62
bajorrelieve, La Anunciación a los pastores **12**:116
Bajorrelieve maya en Copán, Honduras **7**:219
bajos **8**:195
Bajos Pirineos **2**:307; **6**:289
Bajos Tatras, cordillera de los **5**:297
Bakau **6**:274
bakelita **11**:126
Baker Eddy, Mary **9**:326
Baker, Etta **3**:9
Baker, Josephine **2**:220
Baker, río **4**:37
Baker, Samuel **5**:76
Bakili Muzuli **9**:42
Bakin Tamenaga **8**:84
Bakony, selva de **7**:250
Bakr, Abu **3**:165
Baks **2**:195
Bakst, Leon Nicolaievich **2**:220
Bakú **2**:220
Azerbaijan **2**:195
Georgia **6**:316
petroleo **11**:71
Tabriz **13**:96
Transcaucacia **13**:243
Bakule, Frantisek **2**:221
Bakunin, Mijail **2**:221
anarquía **1**:260
bala **2**:221
atletismo **2**:139
lanzamiento de bala **8**:173
Bala Hissar, fortaleza de **8**:131
Balaam **2**:221
Balabat **14**:176
balada **2**:221
— líricas **14**:154
Baladas y romances **10**:75
Balaguer, Carlos **12**:184
Balaguer, Escrivá de **10**:228
Balaguer, Joaquín **2**:221
Bosch, Juan **3**:51
Dominicana, República **5**:161
Balaguer, Víctor **2**:221
Balakirev, Mily Alexeievich **2**:221
Borodin, Alejandro **3**:50
cinco, grupo de los **4**:82
música **10**:15
balalaika o balalaica **2**:222
balalika **8**:11
Balam-Acab **11**:254
Balam-Quitzá **11**:254
balance **2**:222
— de comprobación **4**:224
— general **4**:224
balancín **11**:104
balancines **9**:306
balandra **2**:222
navegación a vela **10**:57
balandrán **14**:68
balanogloso **14**:185
balanza **6**:246; **8**:248; **9**:190
balanza comercial **2**:222
exportación e importación **4**:167
Balanza con mecanismo de pesas en equilibrio **2**:222
balanza de torsión **2**:222
balanza hidrostática **2**:54; **6**:267
balanza y báscula **2**:222
Balard **3**:84
Balart, Federico **2**:222
balas **1**:182
balas **13**:180
Balasore, puerto de **7**:295
balasto **6**:139
Balatón **7**:251
Balatón, lago **6**:76, **7**:250, 251
Balazote, bicha de **7**:259
Balbi, Giovani **5**:111
Balbiani, Edouard-Gérard **4**:97
Balbo, Italo **1**:87

Balboa 2:222
Balboa, Núñez de
Balboa, Vasco Nuñez de 2:223
Benlliure, Mariano **2:**294
Fernández de Enciso, Martín **6:**134
Pacífico, Océano **10:**280
Panamá **10:**301
Balbos **5:**313
balbuceos **7:**321
Balbuena, Bernando de 2:223
literatura hispanoamericana **8:**280
balbusardo **2:**181
Balcanes (Mapa) **7:**63
Balcanes 2:223
Adriático **1:**75
Guerra Mundial, I **7:**92
lengua **8:**217
vivienda **14:**117
Balcanes, montes **12:**129
Balcanes, península de los **5:**18; **12:**293; **14:**166
Balcánicas, Guerras **9:**7; **14:**150
Balcarce, Juan Ramón **2:**23
baldaquines **1:**206
Baldeón, Agustín **5:**201
Balderas, Alberto **13:**127
Balderos, Juan **14:**160
Baldini **7:**28
Baldomir, Alfredo **13:**170
Baldorioty de Castro, Ramón **9:**334; **11:**231
baldosas **8:**161
Balduino I 2:224
Leopoldo III **8:**229
Balduino II **10:**236; **13:**155
Balduino III **5:**179
Baldwin, James 2:224
Baldwin, Stanley **4:**17, 18; **7:**42
balear, archipiélago **10:**294
Baleares 2:224
— provincia de **9:**44
Ibiza **7:**259
Islas Baleares **5:**316
Europa **6:**76
Franco Bahamonde, Ramón **6:**232
Mediterráneo, mar **9:**154
Menorca **9:**169
Palma de Mallorca **10:**294
Pedro Claver, san **11:**26
vivienda **14:**118
Baleárico, Mar **9:**153
balero 2:224
Balfour, Declaración **14:**145
Balí 2:225
Bali, Indonesia **1:**102, 105
República de Indonesia **7:**315
Java **8:**92
balística 2:225
balística **4:**284
balística Trayectorias de un proyectil **2:**226
balística: Sitema lanza misiles tipo M **2:**220, 226
balístidos **11:**75
balizamiento 2:227
Balizamiento: avión F-14 Tomcat **2:**227
balizas **2:**227
Balkach 2:228
—, lago **12:**138
Asia **2:**87
Balkaria **8:**131
Balkasch, lago **13:**184
Ballagas, Emilio **4:**316
Balma Margineda **1:**271
Balmaceda, José Manuel 2:228
Chile **4:**42
Délano, Luis Enrique **5:**39
Balmat, Jacques **9:**284, 285; **13:**289
Balmat, Santiago **12:**244
Balmes, Jaime Luciano 2:228
España **5:**318
Balmis, Francisco Javier N 2:228
Jenner, Eduard **8:**94
balneario 2:228
agua mineral **1:**112
Balneario público en la ciudad de Benarés **2:**289
Balnerario Neva **13:**309
balnearios **13:**165, 336
balompie 2:229
futbol **6:**255
balón 2:229
baloncesto 2:229
balones **11:**33
balsa 2:229
balsa, árbol **2:**229
balsamea **1:**28
balsamina 2:229
bálsamo 2:229
Balsamo, Giuseppe o conde de Cagliostro **1:**70; **3:**153
Bálsamo, José 2:229
bálsamos **11:**49
Balsas, río **9:**194, 214
Balseiro Dávila, Rafael 2:229
Balseiro, José Agustín 2:229
Balta, José 2:229
Parma, Ricardo **10:**293
Baltasar 2:230
Baltasar Carlos, Príncipe **12:**35
Labyneto **2:**229
Daniel **5:**10
Baltasar Gavilán **11:**63
Baltasar, Rey, Babilonia **2:**230
Baltea, Dora **11:**143
balti **2:**94
báltica **8:**218
Báltico, Mar 2:230
Báltico, Mar **12:**199
Botnia, golfo de **3:**59
Danzig **5:**17
Dinamarca **5:**122
Escandinava, península **5:**278
Estocolmo **6:**55
Estonia **6:**57
esturión **6:**66
Europa **6:**75, 76, 82
Finlandia **6:**159
germanos **6:**318
Kiel **8:**140
Laponia **8:**175
lino **8:**268
Norte, mar del **10:**131
Pedro I, *El Grande* **11:**25
vístula **14:**106
bálticoeslavas **8:**217
Baltimore 2:230; **9:**116
Escobar, Luis Antonio **5:**281
Estados Undos **6:**33
ferrocarril **6:**140
Maryland **4:**184
Poe, Edgar Allan **11:**146
puerto **11:**229
Sinclair, Upton **12:**331
Baltimore, David 2:230
Temin, Howard Martin **13:**154
baltoeslavo **7:**315
baltos, los **1:**135
Balvina, Granda **7:**134
Balzac **2:**177; **14:**192
Balzac, Honoré de 2:231
Baroja, Pío **2:**255
Dostoievski, Fedor M. **5:**166
Francia **6:**227
literatura **8:**279
Nadar, Seudónimo de Gaspard Félix Tournachon **10:**29
Naturalismo **10:**48
turismo **13:**289
Ball, Hugo **3:**138
Balla, Giacomo **6:**258
Ballagas, Emilio 2:231
Ballah **13:**74
Ballantyne, Robert Michel 2:231
Ballard, condado de **8:**139
Ballena 2:231
aceite **1:**45
arpón **2:**49
ártica, región **2:**70
esquimales **6:**26
lubricante **8:**314
mar **9:**81
piscis **11:**110
Balleny, islas **1:**302
ballesta 2:234
arco, tiro de **1:**351
ejército **5:**233
flecha **6:**175
suspensión **13:**87
ballestilla **10:**52
ballet **5:**16; **6:**10; **13:**133
Ballet folclórico **13:**300
Ballivián **2:**287
Ballivián, Adolfo 2:234
Bolivia **3:**29
Ballivián, Hugo **3:**30; **11:**21
Ballivián, José 2:234
Ballivián, Manuel Vicente 2:234
Ballon de Guebviller **6:**212
Bally, Charles **6:**52; **7:**287; **12:**244
Bamako **9:**43; **10:**100, 329
Bamako en Mali, África **1:**92
Bambamarca **3:**156
bambaras **9:**55
Bambi **5:**143; **12:**178
bambú 2:234
Laos **8:**173
bambúceas **2:**16
bambuco 2:234
Bambusa **2:**234
bambúes **4:**12
banana 2:234
Guyana **7:**111
bananero **3:**72
banano **1:**17
banatos **5:**297
Banca **10:**64
bancarrota **11:**255
Bancila **12:**132
banco 2:235
giro **6:**327
factoraje **6:**110
ficha y fichero **6:**146
banco de arena 2:236
banco de liquidación 2:237
banco de sal **12:**170
banco de trabajo 2:237
Banco Interamericano de Desarrollo **1:**184; **2:**17; **7:**218; **8:**10
Banco Mundial **4:**295; **13:**81, 86, 99, 114; **14:**140
Banchs, Enrique 2:237
Band **2:**245
banda **14:**180
banda ancha **1:**253
banda de concierto **2:**237
Banda de los Cuatro **7:**234
Banda de Möebius **9:**257
banda de música 2:237
banda estrecha **1:**253
banda oriental 2:237
banda oriental **12:**197
Artigas, José Guervacio **2:**72
Uruguay **13:**329
banda sonora **6:**191
Banda, Hastings K. **9:**42
Banda, isla **9:**270
bandadas **8:**309
Bandana **4:**266
Bandar Seri Begawan **3:**90
Bandar Shahpur **13:**138
Bandeira, Manuel **1:**284; **3:**76
bandeirantes 2:237
Bandello Matteo, **12:**304
bandeiras **2:**238; **8:**183
Bandello, Mateo **8:**65
bandera 2:238
— de la marina de guerra **2:**244
— de la marina mercante **2:**244
— de los estados cristianos **2:**243
— militares o de guerra **2:**244
— oficiales y del Estado **2:**244
bandidaje 2:244
Bandjarmasin **3:**49
Bandone, Giotto di **11:**96
bandoneón 2:245
Bandrowski **11:**161
bandum 2:238
Bandung **8:**91
bandurria **2:**246
Banff **7:**37
Banff, Parque **10:**331
Banfield 2:245
Bang, grutas de **7:**302
Bangalore **7:**298
Bangkok 2:245
Bangkok **13:**102
Asia **2:**93
Bangkok **12:**310
Krung-Thep **8:**149
Tailandia **13:**101
Bangladesh 2:245
— bandera de **2:** 239
arroz **2:**62
Bengala **2:**292
imperio británico **7:**275
Myanmar **10:**19
Pakistán **10:**286
Bangui **3:**324
Banharn Silapa Archa **13:**103
Banhit, Vietnam. **14:**91
banhúes **8:**138
Baní (Santo Domingo) **7:**18
Banija **4:**296
banjo 2:246
Banjul **6:**273
Bank, Jodrell **11:**288
Banks Rhine, Joseph **9:**185
Banks, isla de **5:**78
Banks, J. **5:**75
Banks, Tierra de **11:**8
Bannavem **11:**14
banquillo **9:**252
Bansai, acantilado **4:**265
Bantam, lago **4:**211

Banting, sir Frederick Grant 2:246
diabetes 5:99
Gran Bretaña 7:44
perro 11:56
bantu
Bantú 2:246
Angola 1:284
Chad, República del 4:17
Congo, República del 4:207
Comores (República Islámica Federal de las Comores) 4:172
Fernando Poo 6:136
lingua franca 8:266
Swazilandia 13:90
Togo 13:210
Uganda 13:301
Unión sudafricana 13:313
bantúes 2:246; 3:186; 12:120; 14:116
bantustanes 1:322; 13:314
Banville, Théodore de 6:227, 9:262
banyamulengues 12:121
Banzer Suárez, Hugo 2:247
Bolivia 3:30
Paz Estenssoro, Víctor 11:21
Perede Asbun, Juan 11:44
baño 2:247
higiene 7:175
infancia 7:320
baño de sol 2:248
baño público 13:165
Baño romano, Italia 2:246
baño turco 2:248
baños de asiento 7:168
Bao Dai 2:248
Ho Chi Minh 7:196
baobab 2:248
árbol 1:347
baos 3:108
Baptista de Figuereido, João 3:76
Baptista van Helmont, Johanes 11:261
Baptista, Mariano 2:249
baptistas 2:249
Baptiste Bagaza, Jean 3:123
Baptiste Kléber, Jean 10:36
Baptiste Lamarck, Jean 14:59
Baptiste Molière, Jean 7:14
Baquedano, Manuel 2:249
baquelita 2:249
barniz 2:255
Baquerizo Moreno, Alfredo 2:249
Bar Harbor 9:33
baraba 13:288
Baracoa 7:75, 4:260, 313
Barada, río 5:9
Baradero 2:19
Barahona 2:249
baraja de juego 10:32
Barakaldo 14:28
Baralt, Rafael María 14:46
Baralt, Rafael María 2:250
Baran, P.A. 6:90; 13:60
Baranda, Joaquín 2:250
Bárány, Robert 2:250
Austria 2:168
Barat, Irian 10:158
Barat, Magdalena Sofía 12:163
Barataria, bahía de 11:107
Baraya, Antonio 12:217
Barb 13:61
barba 2:250
vestido 14:67
Barba Azul 2:250
Folklore o folclor 6:190
Barba Jacob, Porfirio 2:251
Barbacoa, bahía de 4:137
Barba, Alonso 11:132
Barbados 2:250
Barbados, bandera de 2: 239
Barbados, isla de 1:307
imperio británico 7:275
Comunidad y Mercado Común del Caribe (CARICOM) 4:190
latinoamérica 8:182
Barbagelata, Hugo 2:251
Bárbara, santa 2:251
Chihuahua 4:34
Barbarella 4:170
Barbarelli, Giorgio 2:251
Bellini, Giovanni 2:288
Giorgione Zorzi de Castelfranco 6:326
Barbareta 8:54
barbarie 5:215; 6:70, 130
Barbarismo 2:251
barbarización 5:205
bárbaros 2:251
Asia 2:100
cristianismo 4:291
ejército 5:232
Barbarroja 2:251
Alemania 1:159;
Edad Media 5:207
Saladino I 12:171
barbechera 1:339
Barbera 2:272
Barberán, Mariano 1:87
Barberini, cardenal
Barberini, Francesco, cardenal 4:301; 11:181; *12:105*
Barbey d'Aurevilly, Jules 2:251
Barbet 12:62
barbicelos 2:178
Barbie 9:333
Barbieri 14:175
Barbieri, Antonio 3:241
barbituratos 6:66
barbitúricos 2:251
drogadicción 5:174
sedativo 12:257
Barbizon 9:224
Barbizon, escuela de 7:287
barbo 2:251
Barbo, cardenal 12:100
Barbosa, Ruy 2:251
Barbuda 8:182
Bárbula, batalla de 6:327
bárbulas 2:178
Barbuñales, Provincia de Huesca, España 2:194
Barbusse, Henri 2:252
Francia 6:227
Mariátegui, José Carlos 9:95
Barca, Amílcar 2:252; 5:313; 7:100
Barca, río 6:68
Barce, Ramón 5:319
Barcelona 2:252
— Berenguer IV, Ramón, conde de 11:144
— catedral de 10:201; 12:5
— conde de 6:5; 11:295; 13:121
— Diario de 9:85
— escuela de Bellas Artes de 1:199
— Gran Teatro Liceo de 1:281
— Salón de las Crónicas del Ayuntamiento 12:292
— Semana Trágica de 9:134
Albeñiz, Isaac 1:139
Almanzor, Abu'Amir Muhammad 1:194
Azaña Diaz, Manuel 2:194
Barcelona 5:308, 316; 6:293; 13:205
De los Ángeles, Victoria 5:45
Edad media 5:208
Feria 6:132
Mataró 9:125
Menédez y Pelayo, Marcelino 9:166
Mestres, Apel-les 9:179
Milá y Fontanais, Manuel 9:222
Nonell y Monturiol, Isidro 10:129
Núñez de Arce Gaspar 10:164
Obregón, Alejandro 10:175
Olegario, san 10:201
Ors, Eugenio d' 10:258
Ossorio y Gallardo, Ángel 10:267
Picasso, Pablo 11:79
Pinzón, Martín Alonso Yáñez 11:100
Puerta de Oro 11:229
Barcelonette 12:57
Barcena, Catalina 2:253
Barcia y Trelles, Augusto 2:253
Barcia, Roque 2:253
barco 2:253;
— alumbrado 1:*210*
— atunero 1:*193*
— contenedor 9:97
— de vapor 6:249; 9:98
— HMS Victory 1:264
— movidos por electricidad 3:112
— MV Mikhail Smolokhov 1:211
— Natchez 8:311
— portacontenedores 3:78
— vikingo 14:92
barco 3:116, 117, 118; 4:258, 266; 8:333; 12:297
pontón 11:167
Barco Centenera, Martín del 2:253
Barco Vargas, Virgilio 2:254
Bardeen, John 2:254
Schrieffer, John Robert 12:249
Shockley, William Bradford 12:310
Bardem, Juan Antonio 6:128
Bardi Donatello, Donato di Betto 6:181, 321
bardos 3:317
Bardot, Brigitte 2:254
Malle, Louis 9:44
Barea, Arturo 2:254
Barea, Ilsa 2:254
Barents, Guillermo 10:159
Barents, Willem 5:78
Barentz, mar de 2:70, 8:175; 12:136, 138
Bargatello 2:48
Bargone, Frédéric Charles 6:120
Bari 12:210; 13:323
baricentro 13:260
Bariloche, San Carlos de 2:254
Barillas, Manuel Lisandro 2:254
Barinas 2:254
América del Sur 1:241
Baring 4:288
Baring, Mauricio 2:254
Gran Bretaña 7:44
bario 2:254
bariones 11:246
elemento químico 5:244
lente 8:223
Barisan, cordillera 13:83
barisfera 13:192
baritina 2:254
barítono 2:254
bajo 2:254
canto 3:221
Dietrich Fischer-Dieskau 2:254
orquesta 10:257
Ramón Vinay 2:254
tenor 2:254
Tito Gobbi 2:254
baritosis 10:77
barkanas 2:6
Barkla, Charles Glover 2:254
Barkley, lago 8:139
Barletta, Leónidas 2:255
Barletta, Nicolás Ardito 10:302
barlovento 4:310; 10:56, 14:47
Barlovento, islas de 2:255
Antillas 1:308
Dominica 5:156
Polinesia Francesa 11:153
Tahití 13:100
Barlow, Pedro 2:255
geoelectricidad 6:302
Barnard, Christiann Neethling 2:255
Barnard, Edward Emerson 8:127
Barnardo, Tomás J 2:255
Barnes Nicholson, Seth 8:127
Barnet, José A. 4:314
barniz 2:255
algodón 1:182
barniz 4:264
Barnum, Phineas Taylor 2:255
Baro, río 6:67
Barobudur, templo de 9:54
Barocci, Federico 4:11
barógrafo 2:255
Baroja 14:20
Baroja, Pío 2:255
Azuela , Mariano 2:205
Benavente, Jacinto 2:290
España 5:320
Barolo 2:272
barómetro 2:256
— aneroide 1:207; 9:284
— de cuadrante 7:223
altura 1:209
atmósfera 2:141
clima 4:112
estación meteorológica 6:29
Fitzroy, Robert 6:171
Gay-Lussac, Joseph-louis 6:295
globo aerostático 6:334
instrumento 8:12
mercurio (azogue) 9:173
naturaleza, estudio de la 10:47
Tierra 13:191
vacío 13:336
viento 14:89
barón 13:207
Barón de Münchausen 6:189
Bárquidas 7:279
barquilla 4:252
Barquisimeto 2:256
Portuguesa 11:178
barra 1:264

barra de dirección **9**:315
barra de hierro **13**:224
barra de la hélice **9**:315
Barra, Eduardo de la 2:256
Barra, León de la **9**:16
Barrabás **8**:100, **11**:6, **13**:71
Barracas, Tratado de **8**:200
barracuda 2:256
esfirénidos **2**:256
espetón **6**:15
Barradas **8**:307
Barragán, Luis **9**:205, 206
Barranca, río **4**:267
Barrancas, San Rafael de **10**:251
Barranqueras **12**:29
Barranquilla 2:256
Atlántico **2**:135
Bocas de Ceniza **2**:256
Colombia **4**:137
Puerto Liévano **2**:256
Obregón, Alejandro **10**:175
puerto **11**:229; **4**:140
Barranquitas **2**:269
Barraquer, Ignacio **3**:290
Barrault, Jean Louis **9**:86, 226
Barré, Ibrahim **10**:100
Barre, Raymond **6**:225
Barreda, Enrique Domingo 2:257
Barreda, Gabino 2:257
México **9**:201
positivismo **11**:179
Barreiro, Miguel 2:257
barrena y barreno 2:257
Barrenechea y Albis, fray Juan de **8**:281
barreno **3**:258
Barreno metálico manual **2**:257
barrera **2**:59, 76
barrera de encajonamiento **2**:76
barrera de Ross **1**:302
barrera permanente **2**:76
barrera volante **2**:76
Barrera, Juan de la **10**:103
Barrera, Vicente **13**:127
Barrés, Maurice 2:257
Francia **6**:227
Barret Browning, Elizabeth **9**:327
Barreto, Jay **11**:240
Barrett, Rafael 2:257
barrido electrónico **13**:149
barrido horizontal **13**:150
barrido interlineado **13**:149
barrido vertical **13**:150
Barrie, James M. **8**:285
Barrientos, René **3**:30
Barrier, Canyon **1**:261
barril y tonel 2:257
barriles **10**:153
Barriles, cultura de **10**:303
barrios **13**:167
barrios bajos **3**:269
Barrios, Arturo **2**:140
Barrios, Eduardo 2:258
Chile **4**:44
Barrios, Gerardo 2:258
Barrios, Justo Rufino 2:258
Barillas, Manuel Lisandro **2**:254
barro **13**:110
barro, lluvias de **14**:126
barroca, literatura **8**:283
barrocas **11**:53
Barroco 2:258
— centroamericano **7**:78
— estilo **6**:54
Churriguera, José **4**:64
ebanistería **5**:183
Ecuador **5**:202
escultura **5**:294
España **5**:317
Francia **6**:228
hispanocolonial **7**:191
Italia **8**:65
Lezama Lima, José **8**:239
São Paulo **12**:224
Sarduy, Severo **12**:229
Barrón, Tomás **3**:28
Barros Arana, Diego 2:258
Chile **4**:44
historia **7**:193
Barros Grez, Daniel 2:259
Barros, Jaime de **3**:241
Barros, Joâo Rideiro de **1**:87
Barros, Juan de **11**:177
Barros, Luco Ramón **4**:42
Barrow, estrecho de **10**:332
Barrow, John **5**:75
Barry, Marie Jeanne Bécu, duquesa de **8**:318
Barrymore 2:259
Bart, Jan **5**:179
Barth, Karl **4**:293
Barth, Heinrich **11**:312
Barthelot, Marcellin **6**:230
Barthes, Roland **6**:64
Bartholdi **5**:230, 294
Bartholdi, Fréderic August 2:259
Libertad, estatua de la **8**:247
Bartholinus, Erasmus **12**:92
Bartholomé, Paul-Albert **6**:229
Bartholomew **2**:138
Bartillon, Alphonse **6**:230
Bartillon, Jacques **6**:230
Bartok, Bela 2:259
Rumania **12**:133
Bartolito **9**:250
Bartolomé de Las Casas, fray **1**:329; **5**:319; **6**:271; **8**:280
Bartolomé Díaz **1**:95
Bartolome Esteban Murillo **6**:54
Bartolomé, Día de, San **3**:287
Bartolomé, san 2:259
Arabia **1**:334
Bartolomeo, lo Baccio della Porta 2:259
Barton, Clara **9**:325
Barton, Rush y Clara **4**:331
Bartsch **10**:185
Bartz **4**:117
Barú, río **4**:267
Baruc **2**:309
Baruch, Colegio **9**:103
Baruch, Testamento de **1**:325
Barva, volcán **4**:267
Barye **5**:294; **10**:71
Barye, Antoine Louis 2:259
Francia **6**:229
Rodin, Auguste **12**:90
basa, columna **4**:157
Basarabas **12**:132
basal **9**:179
Basaldúa, Héctor 2:259
basálticas **6**:311
basalto 2:259
geología **6**:313
lava **8**:199
vulcanismo **14**:136
basamento **10**:6
Basamentos mayas en Lamanai, Belice **2**:287
Basan, rey **6**:323
básculas **8**:13; **9**:191
báscula automática, primera **9**:74
bas-de-jupe **14**:68
base 2:260
— de la colección **6**:153
— de Tsing-Tao **13**:203
— imponible **7**:288
— naval británica **9**:45
— Vostok **1**:302
álcali **1**:144
logarítmo **8**:299
triángulo **13**:260
base de datos 2: 261
base de datos **5**:22
datos, procesamiento de **5**:23
información, ciencia de la **7**:327
baseball 2:260
Basedow, enfermedad de **3**:15; **5**:261
Basedow, Johann **5**:221
Bases económicas 2:200
Bashenov **12**:143
bashkir **13**:288
Basho **7**:120; **8**:84
Bashyo **8**:84
basicidad **11**:77
basilar **5**:270
Basilea 2:260
— Concilio de **9**:20
— paz de **5**:250
Holbein, Hans **7**:210
Nietzche, Friedrich **10**:99
Suiza **13**:80
nobleza **13**:125
universidad **13**:317
Zuinglio, Ulrico **14**:190
basílica 2:260
— de Guadalupe, México **7**:72; **11**:294
— de Notre Dame **3**:202
— de Rávena **9**:253
— de San Pedro **11**:17, *26*
— de San Vicente **2**:189
— de Santa Leocadia, España **13**:212
— de Wilten, Austria **2**:166
— del Pilar **11**:89
— del Sagrado Corazón, Francia **6**:218
— paleocristiana **2**:154
— romanas **1**:36
ábside **1**:36
basílica de Guadalupe, México **7**:72; **9**:197
Basilio el Grande, san 2:260
homilía **7**:214
hospital **7**:232
libro **8**:252
orden religiosa **10**:234
Basilio I **12**:105
Basilio II **2**:333
basilisco 2:260; *14:181*
Basin, Juan **4**:150
Baskerville, John **7**:285
basketball 2:261
Basler Zeitung **13**:80
basófilos **6**:335; **8**:235
basomatósforos **11**:242
Basora 2:261
Asia **2**:90
Iraq **8**:41
Mesopotamia **9**:178
Basov, Nicolaj Gennadievich 2:261
Projorov, Aleksandr M. **11**:211
básquetbol 2:261
basquiñas **14**:68
Basra **9**:31
Bass, estrecho de **13**:124
Bassano 2:262
Basset Hound **11**:55
Basseterre **7**:306; **12**:166
Basse-Terre **7**:72
Basseterre Bassetto, Corno di **12**:308
Bassham, James A. **3**:174
Bassi, Mateo de **10**:238
Bassora **11**:57
Bast o Pasht, diosa **6**:292
bastetanos **7**:257
Basti **2**:270
Bastia, Córcega **4**:239
Bastidas, Rodrigo de 2:262
América del Sur **1**:244
descubrimientos y exploraciones geográficas **5**:73
España **5**:317
Magdalena, río **9**:24
Núñez de Balboa, Vasco **10**:164
Panamá **10**:301
bastidor **10**:314; **13**:140
bastidor o chasis **8**:297
Bastilla 2:262
—, plaza de la **10**:327
—, prisión de la **6**:222
—, toma de la **5**:11, 90; **12**:49
Lafayette, Marie Joseph Motier, marqués de **8**:162
Palissy, Bernard **10**:293
París **10**:328
pena **11**:35
Revolución Francesa **12**:47
Rohán **12**:94
Sade, Donatien Alphonse François, marques de **12**:16
Bastle, Roger de la **4**:290
bastón 2:263
— de estoque **14**:72
bástulo **1**:171; **7**:257
basurero **4**:*226*
basutolandia 2:263
basutos **8**:231
Bat, Irurak **13**:330
bata **7**:106; **14**:70
Bataille, Henri 2:263
batalla 2:263
— Aljubarrota **11**:44
— de Ayacucho **2**:192
— de Ingaví **2**:234
— de los tres emperadores **2**:264
— de Ranchacabuco **2**:335
— de Tremecén **2**:251
— de Tucumán y Salta **2**:285
— del Campo de la Alianza (Tacna) **2**:249
— naval **2**:263
ejército **5**:231
naumaquia **10**:49
batallón 2:265
— Sagrad **11**:32
Batán, Panínsula de **9**:5
batata 2:265
Bátava **11**:20
Batavia **7**:206, 304; **8**:91, 214; **11**:19
Bátavos, isla de los **7**:208
bateador, receptor y árbitro (beisbol) **2**:278

bateas **6:**140
bateau-lavoir, Le 2:265
batería **4:**90; **6:**174; **11:**89; *10:11*
batería de cocina **8:**200
batería eléctrica 2:265, *266*
Bates, Henry Walter 2:266
Bateson, Gregory **9:**145
Bateson, William **6:**301; **9:**163
Bath, marinos de **9:**34
Bati, Somalia **4:**303
Batile y Ordónez, José **2:**266, 267
batimétricos **9:**71
batisfera 2:266
Batista, Fulgencio 2:266
Cuba **4:**314
comunismo **4:**191
Dorticos Torrado, Oswaldo **5:**166
Gómez Arias, Miguel Mariano **7:**18
Granma **7:**50
Revolución cubana **12:**42
Batista, Isaías **11:**241
Batista, Tomás L. **11:**237
Batley **12:**234
Batlle y Ordóñez, José 2:266
jardinería **8:**88
Batlle, Lorenzo **14:**32
batllismo **10:**333
Batman **4:**170
batolitos **6:**312
Baton Rouge **6:**34
Batopilas, mina **4:**35; **11:**132
Batoun Rouge **8:**311
batracio **1:**278; **3:**68; **11:**297
Batres **11:**46; **12:**184
Batres Jáuregui, Antonio 2:267
Batres y Montúfar, José 2:267
Salvador, el **12:**184
Battenberg, Alicia de **9:**315
Battenberg, Victoria Eugenia de **1:**176
Battista della Porta, Giovanni **9:**75
Battista Pergolese, Giovanni **8:**66
Battista Vico, Giovanni **8:**219, 266
Batuel **11:**313
Batum, puerto **2:**220; **3:**79; **6:**316, 317; **10:**68
batuque 2:267
batuta **10:**257
Batuta, Ibn **5:**71
Baudelaire, Charles 2:267
Ahmet, Hashim **1:**119
Casal, Julián del **3:**270
esteticismo **6:**51
Fracia **6:**227
literatura **8:**279
Sartre, Jean-Paul **12:**231
Baudin, Eugenio **9:**275
Bauhaus 2:267
— escuela del **1:**166
— Weimar **7:**68
constructivismo **4:**220
Itten, Johannes **8:**67
Klee, Paul **8:**144
Latinoamérica **8:**194
baúl **8:**292
Baum, Lyman Frank 2:267
El mago de Oz **2:**267
Baum, Vicki 2:267
Baumann, Eugen **13:**202
Baumann, Oscar **3:**123
Baumeister, Willi **1:**167
Baumgarten, Alexander **6:**51
Baund **13:**82
baure **7:**309
Baus **5:**320
Bausher, Fuerte del pueblo **10:**209
Bautismal, pila **10:**283
bautismo 2:267
sacramento **12:**158
Bautista Alberti, León **8:**65
Bautista Daniel **2:**140
Bautista Juan, san **10:**59
Bautista Matto, Juan **10:**322
Bautista Sacasa, Juan **10:**94
Bautista Vico, Juan **9:**181
Bautista, Aurora 2:268
Bautista, Daniel **10:**205
Bautista, Juan **2:**262; **14:**47
Bautista, Julián 2:268
danza **5:**17
bautistas **1:**78; **2:**268; **6:**316
Baux (Bocas del Ródano) **2:**268
bauxita 2:268
América del Sur **1:**243
Arkansas **2:**36
Asia **2:**92
Gujarat **7:**108
Guyana **7:**111
Baux (Bocas del Ródano) **2:**268
Bauzá, Francisco 2:268
Bauzá, Mario **11:**240
Bávara, meseta **1:**163
Bavaria **5:**5, *32;* **9:**175
bávaro **2:**166; **7:**197
bávaro-wurtemburguesa, unión **14:**180
Baviera 2:268
—, duques de **5:**68; **12:**185
—, Judith de **8:**316
—, Luis de **4:**196
—, Luis II, rey de **2:**270
—, Maximiliano de **8:**257
Alemania **1:**159
Baden-Württemberg **2:**213
Francia **6:**221
Oberammergau **10:**172
palatinado **10:**289
Pío XII **11:**102
Reforma **11:**325
Sacro Imperio Romano Germánico **12:**161
Württemberg **14:**155
baxea **14:**64
baya **3:**186; **6:**240; **14:**175
baya globulosa, fruto de **14:**75
Bayaceto I 2:269
bayaderas **5:**15
Bayamo **4:**11, 313; **7:**50
Bayamón 2:269
Belaval, Emilio S. **2:**280
Oller y Cesteros, Francisco **10:**208
Puerto Rico **11:**230
Bayano **10:**300
Bayar, Celal 2:269
Turquía **13:**297
Bayardo, Nelson **13:**328
Bayardo, Pedro de Terrail, señor de 2:269
Bayéu, Francisco **7:**25
Bayéu, Josefa **7:**26
Bayeu, Subías Francisco 2:270
Bayley, Edgar **1:**117
Bayo, Alberto **12:**42
Bayo, Ciro 2:270
Bayona **2:**307; **6:**136; **9:**159; **10:**288; **11:**100; **14:**28
Bayona, Junta de **14:**176
bayoneta **2:**43; **5:**233; **6:**254; **8:**172
Bayonne **10:**90
Bayreuth 2:270
Wagner, Wilhelm Richard **14:**137
Baz, Gustavo **9:**201
Baza 2:270
Bazaine, Aquiles **9:**206
Bazaine, Jean **6:**228
Bazán, Alvaro de 2:270
Bazcroft, George **6:**43
Bazille, Jean Frederich **7:**286
Bazin **5:**44
bazo 2:270
hematopoyesis **7:**143
kala-azar **8:**131
páncreas **10:**307
bazuca 2:270
cohete **4:**129
BBC 2:271
Paso, Fernando del **11:**7
BBC de Londres **11:**51
Priestley, John Boynton **11:**196
BCS, teoría **4:**231
Beacon Hill **12:**151
Beach, Edward L. **5:**73
Beadle, G. W. **8:**208
Beagle **11:**55
Beagle Canal de **2:**13; **13:**192, 330
Bean, Alan **2:**119; **8:**324
Beancaire, Monsieur **13:**121
Bear **13:**332
Bear, lago **7:**262
Beardmore, glaciar **1:**303; **6:**329
Beas, río 296
beatificación y canonización 2:271
Beatles 2:271
Lennon, John **8:**222
beatos **6:**305
Beatriz, reina **5:**10; **7:**207; **11:**176
Beatriz, reina **11:**249
Beatrón **4:**69
Beauchamp **9:**60
Beaufort, duque **2:**214
Beaufort, escala de **14:**88
Beaufort, macizo de **6:**213
Beaufort, Mar de **9:**10
Beauharnais, Hortensia de **10:**38
Beauharnais, Josefina de **10:**35
Beaumarchais, Pierre Augustin Caron de 2:271
comedia **4:**163
Fígaro **6:**150
Francia **6:**226
Rossini, Giacchino **12:**116
Beaumont, Guillermo 2:271
Beauvais, Vicente de **5:**252; **14:**186
Beauvoir, Simone de 2:271
feminismo **6:**129
Francia **6:**227
Beba **12:**57
bebé 2:271
Bebel, August 2:271
bebidas 2:272, *273*
— alcoholicas **1:**150; **8:**255
—, Sambuca **1:**149
alcoholismo **1:**150
beca 2:273
becada 2:273
chocha **4:**62
Beccaria, Cesare, marqués de Bonesana 2:273
pena de muerte **11:**35
prisión **11**:202
Becerra, Alonso **2:**273
Becerra, Francisco 2:273
Perú **11:**63
Becerra, Gustavo **4:**44
Becker, Gary Stanley 2:274
Becket, santo Tomás 2:274
Enrique II de Inglaterra **5:**265
Beckett, Samuel 2:274
Francia **6:**227
Fuentes, Carlos **6:**245
Beckmann, Max **1:**166
Becky Sharp **13:**181
Becque, Henri Francois **6:**227
Bécquer, Gustavo Adolfo 2:274
almafuerte **1:**193
España **5:**320
estrofa **6:**64
cuento **4**:320
romanticismo **12:**106
semita **12:**275
Becquerel 2:274
átomo **2:**145
beta, radiación **2:**306
Curie, Pierre y Marie **4:**333
Francia **6:**230
invenciones y descubrimientos **8:**25
radio **11:** 277
rayos beta **11:**306
Becri **10:**263
Bechuana **8:**289
Bechuanalandia 2:275
África **1:**95
Botswana **3:**59
Kalahari, desierto de **8:**131
Beda, el Venerable 2:275
Beddgelert, mina **4:***121*
Bedloe, isla de **8:**247
Bednorz, Johannes Georg 2:275
Müller, K. Alexander **9:**328
Bedón, Pedro **4:**141, 142; **5:**202
Bedoya, Manuel A. **11:**62
beduínos 2:275
beduinos **3:**186; **13:**66
Arabia **1:**334
Egipto **5:**226
Iraq **8:**41
Jeque **8:**94
sherzo **12:**246
vivienda **14:**11
Beebe, William **2:**266
Beecham, sir Thomas 2:275
Beecher Stowe, Harriet 2:275
Estados Unidos **6:**43
mujer **9:**327
Beecher, Lyman **2:**276
Beerbohm, Teniel y Max **3:**246
Beery, Wallace 2:276
Beethoven, Ludwig van 2:276
Alemania **1:**165
andante **1:**266
armonía y acorde **2:**46
Austria **2:**167
Bach, familia **2:**212
Bruckner, Anton **3:**88
folklore o folclor **6:**190
fuga **6:**248
Hoffmann, Ernst Theodor Wilhelm **7:**197
lied **8:**256
Menuhin, Yehudi **9:**171
metrónomo **9:**192
minué **9:**235
música **10:**14
obertura **10:**172
ópera **10:**216

orquesta **10:**257
pastoral **11:**10
Wagner, Wilhelm Richard **14:**137
Begin, Menaheim 2:277
Israel **8:**57
begonia 2:277
Behaim, Martín o Martín de Bohemia 2:277
behaviorismo o conductismo **11:**224
Behistún **2:**52; **4:**329
Behrens, Peter **7:**68
Behring **5:**118
Behring, Emilio A. 2:277
Alemania **1:**167
Fibiger, Johannes **6:**145
Kitasato, Shibasaburo **8:**143
Roux, Pierre Paul Emilie **12:**120
Beijing **4:**46, 51; **5:**49, 71; **6:**19
Beijing **2:**94; **11:**29
Beira **5:**176; **11:**173
Beirut **2:**305; **5:**75; **6:**42; **8:**240
béisbol o baseball 2:277, *278*
Beisquert, Próspero **4:**43
Beja, distrito de **11:**174
Beja, Fernando de **4:**147
Béjaia **2:**11
Béjar **12:**172
Béjar, sierras de **6:**105; **12:**171
Bekaa, valle de **8:**240
Bekker, Jacques **4:**85
bel canto **8:**62
bel, oído **10:**196
Béla Bartók **6:**190
Bela Kun, Albert Cohen 2:279
Belalcázar, Sebastián de 2:279
—, estatua de Sebastián de, **11:**168
Ampudia, Juan de **1:**253
Colombia **4:**143
descubrimientos y exploraciones geográficas **5:**73
Dorado, El **5:**165
Robledo, Jorge **12:**84
Rumiñahui **12:**133
Belarús 2:279
Comunidad de Estados Independientes **4:**189
comunismo **4:**192
Europa **6:**84
Belasco, David **10:**220; **11:**226
Belaunde Terry, Fernando 2:279
Perú **11:**63, 65
Ulloa Elías, Manuel **13:**301
Velasco Alvarado, Juan **14:**37
Belaúnde, Víctor Andrés 2:280
Belaval, Emilio S. 2:280
Latinoamérica **8:**190
Puerto Rico **11:**237
Belcebú **1:**280
Belcher, J. **7:**45
belcho **5:**223
Beldevere **11:**159
Belejep-Tzi 2:280
Belem **1:**241; **10:**318
Belem do Pará 2:280
Belem, portadas **11:**177
Belén o Bethlehem 2:280
—, monasterio de **9:**63
—, Santa María de **14:**53
adoración de los Reyes Magos **1:**73
Biblia **2:**309
Herodes **7:**155
Jesucristo **8:**98
José, san **8:**110
Raquel **11:**300
Reyes Magos **12:**57
beleño 2:280
Beleño, Joaquín **10:**303
Belep, islas de **10:**155
Belerofonte **11:** 27, 258
Belevic, A. **12:**150
Belfast 2:280; *10:23*
Gran Bretaña **7:**38
Kelvin, William Thomson, lord **8:**137
Belfegor **12:**30
Bélgica 2:281; *3:88, 91*
—, agricultura **2:**282
—, aspecto físico **2:**281
—, Balduino I, rey de **2:**284; **6:**107
—, bandera de **2:** *239*
—, educación y religión **2:**283
—, gobierno **2:**283
—, historia **2:**283
—, industrias **2:**282
—, Leopoldo III, rey de **2:**284
—, patrimonio cultural **2:**284
—, población **2:**283
—, principales ciudades **2:**282
—, recursos económicos **2:**281
—, reina de **2:**106
—, transportes **2:**282
— y la Guerra Mundial **11:**108
academia **1:**41
Aquisgrán **1:**331
Bruselas **3:**91
Burundi **3:**123
Escalda **5:**277
Euratom **6:**73
Gante **6:**281
Guerra Mundial, Primera **7:**90
Legislativo, poder **8:**212
mármol **9:**104
Mobutu, Sese Seko **9:**257
Navidad **10:**59
paracaídas **10:**319
perro **11:**56
Reforma **11:**325
Revolución Francesa **12:**49
Schwann, Teodoro **12:**250
Schacht, Horace Gree Hjalmr **12:**246
Belgioioso, Baltasar de **5:**16
Belgrades **9:**33
Belgrado 2:284
Europa **6:**81
Guerra Mundial, Primera **7:**90
Servia **12:**294
Belgrano Tristán **2:**264
Belgrano, Eduardo **9:**104
Belgrano, Manuel 2: 285
Álvarez de Arenales, Juan Antonio **1:**214
Argentina, República **2:**20, 25
Artigas, José Gervasio **2:**72
Dorrego, Manuel **5:**166
Paz, José María **11:**20
Salta, batalla y defensa de **12:**177
Warnes, Ignacio **14:**140
Belial **5:**136
bélica, agresión **10:**60
Belice 2:285
— bandera de **2:**239
— clima **2:**286
— economía **2:**286
— gobierno **2:**286
— hidrografía **2:**286
— población **2:**286
— relieve **2:**286
— río **2:**286
América Central **1:**234
imperio británico **7:**275
Latinoamérica **8:**182
mayas **9:**136
Mesoamérica **9:**177
Price, George Cadle **11:**196
Belice, río **12:**314
belier **4:**202
beligerantes **8:**170
Belin, Édouard **6:**230
Belinda **14:**156
Belinskij **11:**169
Belisario **8:**62; **10:**269
Beliut Balassa **7:**253
Bel-Marduk **2:**207
Belmonte Bermúdez, Luis de **8:**280
Belmonte, Juan **13:**127
Belos, templo de **10:**176
Beltrán, Luis 2:286, 287
Beltrán, Manuela 2:287
comuneros **4:**181
Beltraneja **5:**264; **8:**49
beluches **2:**94; **8:**37
beluchi **8:**37
Beluchistán 2: 287
Asia **2:**85
descubrimientos y exploraciones geográficas **5:**75
Pakistán **10:**286
beluga **6:**66
Beluha **1:**204
Belvedere **9:**62; **14:**87
Belvedere, Palacio de **11:**183; **12:**100
Bely, Andrei **12:**141
Belyayev, Pavel **2:**113
Belzoni, Giovanni Battista **12:***297*
Belzú, Manuel Isidoro 2:287
Bell Atlantic **13:**142
Bell South **13:**142
Bell Telephone Company **1:**267; **13:**143; **14:**151
Bell, Alexander Graham 2:287
comunicaciones **4:**184
gramófono **7:**32
oído **10:**196
Bell, Patricio **8:**157
Bell, Vanesa **7:**45
belladona 2:288
atropina **2:**154
droga **5:**173
plantas venenosa **11:**125
Bellamar, cuevas de **9:**125
Bellamy, Eduardo **13:**333
Bellán, José Pedro 2:288
Bellas Artes, Academia de, de Viena **9:**179
Bellas Artes, Escuela de, de Quito **9:**218
Bellas Artes, Museo de, Lieja **12:**321
Bellas Artes, Palacio de, México **8:**194; **9:**203, 206
Bellas Artes, Palacio de, México **8:**11
Bellay, Jean du **6:**226
Bellay, Joachim Du **6:**226
Belle Fourche, río **14:**156
Belle Isle **8:**154, 312; **13:**170
Bellerofonte **10:**38
Bellevue **10:**61
belleza 2:288
Bellingshausen, Fabian Gottlieb von **1:**303; **5:**79
Bellingshausen, mar de **1:**302
Bellini, Benvenuto **6:**230
Bellini, G.B. **11:**97, 285
Bellini, Gentile **3:**256
Bellini, Giovanni 2:288
Carpaccio, Vittore Scarpaza, llamado **3:**256
Giorgione Zorzi da Castelfranco **6:**326
Palma, Iacopo d'Antonio Nigretti **10:**294
Tiziano Vecellio **13:**207
Bellini, Vincenzo 2:288
Italia **8:**66
música **10:**15
ópera **10:**216
Bellman, Carl Michael **13:**71
Bello, Amandhu **10:**100
Bello, Andrés 2:288
academia **1:**41
Bolívar, Simón **3:**23
Cuervo, Rugino José **4:**325
educación **5:**216
Independencia **7:**294
Latinoamérica **8:**188
oda **10:**184
Quesada, Cristobal de **11:**251
universidad **13:**319
Venezuela **14:**46
Bello Horizonte 2:289
Belloc, Hilario 2:289
Belloni, José Leoncio 2:289
Uruguay **13:**328
bellota 2:289
Bellow, Saul 2:289
Bellver, castillo de **8:**111
Belly, río **9:**282
Bema, África **1:***94*
Ben Attov **7:**33
Ben Bella, Ahmed 2:290
Ben Eialson **6:**97
Ben Gurion **11:**44
Ben Hope **7:**33
Ben Hur **7:**161; **14:**139
Ben More **7:**33
Ben Shahn **9:**335
bena **13:**114
Benabarre **12:**60
Benacerraf, Baruj 2:289
Benaflah, Chéber **1:**333
Benalcázar, Sebastián de **1:**244; **5:**200; **7:**82; **9:**9; **11:**270
Benarés, 2:289
Asia **2:**96
Ganges, río **6:**279
Benaque (Málaga) **12:**126
Benasque **1:**339
Benavente, condesa-duquesa de **4:**305
Benavente, Jacinto 2:290
comedia **4:**163
drama **5:**171
España **5:**320
generación del 98 **6:**299
Linares Rivas, Manuel **8:**262
Membrives, Lola **9:**160
Benavente, Toribio de, o Motolinía 2:290
historia **7:**193
indios americanos **7:**312
Benavides, Óscar Raimundo 2:290

Perú **11**:65
Benavides, Venancio **2**:72, 81
bencénica **7**:165
benceno o benzol 2:290
aromáticos, compuestos **2**:48, *291*
petroquímica **11**:74
queroseno **11**:251
química **11**:260
Benci, Ginebra de **14**:96
bencilcelulosa **11**:127
bencina 2:291
— a presión, lámpara de **11**:139
Benda, Julien **6**:228
Bendjedid, Chadli **2**:11
Benedetti, Mario 2:291
Uruguay **13**:329
Benedetto Croce **6**:52
Benedict, Ruth **9**:145
Benedictina, Orden **4**:118
benedictinas de Lisieux **13**:165
benedictino **7**:64; **8**:255
benedictinos de Cluny **13**:132
Benedicto **6**:321
Benedicto de Majano **8**:65
Benedicto III **10**:96, 312
Benedicto XII **4**:251
Benedicto XIII (Pedro de Luna) 2:291; ***10**:311*
Francisco Solano, san **6**:231
Juan Bautista de la Salle, san **8**:113
Orsini, familia **10**:259
Vicente de Paul, san XIII **14**:75
Benedicto XIV 2:291
Pedro Claver, san **11**:26
Pío VI **11**:101
Benedicto XV 2:291
Juan XXIII **8**:113
Pereira, Beato Nuno Álveres **11**:44
Pío XI **11**:102
Rafael, san **11**:289
Benedicto XVI **7**:26
Benedito, Manuel 2:292
España **5**:318
beneficencia **11**:15
beneficio **5**:146, 191, 194
Benelux 2:292
—, Unión Aduanera del **6**:84
Benelli, Sem 2:292
Benenson, Peter **1**:251
Benes, Eduardo 2:292
Checa, República **4**:27
Benevento **1**:251
Benevento, batalla de **11**:109
Bengala 2:292
—, bahía **2**:245; **8**:122
—, golfo de **1**:266; **2**:87, 88, 245, 292; **6**:279; **7**:296; **9**:39; **10**:96
— Occidental **2**:292; **7**:299
— Oriental **2**:292
Asia **2**:95
Calcuta **3**:160
Hastings, Warren **7**:131
India **7**:297
lémur **8**:215
Bengasi **4**:92; **8**:248
Benguela **1**:285, 287; **13**:312
Ben-Gurion, David 2:289
Israel **8**:57
Benhabiles, Abedimalik **2**:12
Beni 2:292
—, río **9**:12, 43
Pando **10**:308
Paz, La **11**:21
Beniarjó **9**:86
benimerines **9**:108
Benin 2:293
—, bandera de **2**:239
África **1**:97
Benítez, Fernando 2:293
Benito, san 2:293
Edad Media **5**:205
ermitaño **5**:275
noviciado **10**:142
orden religiosa **10**:234
Benjamín 2:293
Raquel **11**:300
Benjamin Disraeli **11**:27
Benjamín Netanyahu **11**:44
Benjamín Palacios, Pedro **1**:193
Benjamín, Arthur **2**:164
benjaminitas **2**:293
Benjedid, Chadly **2**:290
Benjumea y Burin, Rafael 2:293
Benlliure, Mariano 2:293
escultura **5**:295
España **5**:318
Bennet, Enoch Arnold 2:294
Gran Bretaña **7**:44
Bennet, Floyd **1**:87
Bennet, James Gordon 2:294
polo **11**:156
Bennett, Richard B. **3**:204
Benois, Alexander **12**:143
Benoit, Pierre 2:294
Benoni **2**:293
Benot, Eduardo 2:294
Benso, Camilo **8**:63
Benson Bassham, Calvin **3**:174
Benston, Margaret **6**:129
benteveo 2:294
ave **2**:180
Bentham, Jeremias 2:294
Alberdi, Juan Bautista **1**:140
utilitarismo **13**:333
Benton, Richard **2**:164
bentonita **9**:282
Bentsen, I. **5**:127
Benué **10**:100
Benz, Carl **2**:171
benzol **1**:149; **2**:214, 229; **6**:253; **7**:165
Beocia **7**:58; **11**: 49, 251
beocios **13**:134
Beor **2**:221
Beowulf 2:294
dragón **5**:168
Béranger, Pierre Jean du 2:294
Beras Rojas, Octavio A. **3**:241
Berbeo, Juan Francisco **4**:181
berberecho 2:294
berberiscos 2:295
Felipe III **6**:127
ganadería **6**:277
marina mercante **9**:98
Berceo, Gonzalo de 2:295
arveja **2**:79
España **5**:319
mester **9**:179
Berdiaeff, Nicolás 2:295
bereberes **1**:197; **2**:10, 139, 295; **8**:248; **9**:107
Beregovoi, Georgi **2**:113
Berenguela de Castilla 2:295
Berenguer de Entenza **9**:331
Berenguer Ramón I **11**:296
Berenguer Ramón II **11**:295
Berenguer IV, Ramón **3**:289; **13**:121
Berenguer, Dámaso 2:295
Berenguer, Ramón **3**:289
berenjena 2:295
Berent **11**:161
Beresford, William Carr, vizconde de 2:295
Argentina, República **2**:19
Reconquista de Buenos Aires **11**:316
Beretta, Milo **13**:329
Berettini, Pietro 4:262
Berg, Alban
Berg, Alban 2:296
expresionismo **6**:102
música **10**:16
Schönber, Arnold **12**:248
Berg, Federico Guillermo Carlos 2:296
Berg, Paul **6**:323
Bergadá, Guillermo de **13**:273
Bergama **11**:49
Bergerdorf **12**:247
Bergamasa, raza **6**:278
Bérgamo **5**:163
bergantín 2:296
bergantín **3**:107
Navegación a vela **10**:57
Bergen 2:296
—, Museo de **10**:34
—, teatro de **7**:259
comercio **4**:165
Noruega **10**:134
Berger, Hans **3**:333
Bergeron **8**:294
Bergius, Friedrich Carl Rudolph 2:296
Bosch, Carl **3**:50
Bergman, Erick **6**:161
Bergman, Ingmar 2:296
Bergman, Ingrid 2:297
Bogart, Humphrey de Forest **3**:17
Ferrer, José **6**:137
Bergson, Henri 2:297
Francia **6**:228
humorismo **7**:249
neoplatonismo **10**:72
técnica y tecnología **13**:135
Bergum, laguna de **7**:205
beriberi 2:297
Eijkman, Christiaan **5**:230
berilio 2:297
Wöhler, Friederich **14**:154
beriliosis **10**:77
Berilo
berilo 2:297
aguamarina **1**:113
piedras preciosas **11**:84
Bering, Estrecho de **4**:41; **8**:174; **6**:74; **12**:137
Bering, Mar de 2:298
Bering, mar de **1**:136
Aleutianas **1**:170
Kamchatka **8**:132
Pribilof, islas **11**:196
Rusia **12**:136
Siberia **12**:311
Bering, Vitus 2:298
Alaska **1**:136
exploraciones polares **6**:97
Bériot **2**:284; **6**:283
Berisha, Sali **1**:139
Berito **6**:129
Berjart, Magdalena **9**:268
Berkeley, George 2:298
emprisimo **5**:250
idealismo **7**:264
metafísica **9**:180
nominalismo **10**:128
berkelio 2:298
Seaborg, Glenn Theodore **12**:251
Berkshire, condado de **14**:152
Berkshire, raza **6**:278
Berlanga, Tomás de **6**:263
Berlín, 2: 298
Berlín, Alemania **8**:211; **12**:81, 204,
—, Conferencia de **14**:170
—, Muro de **1**:162; **4**:293; **12**:310
—, Universidad de **9**:156; **11**:117
— Roma, Eje **10**:281
Alemania **1**:158
derecho internacional **5**:61
Einstein, Albert **5**:230
Europa **6**:81
ferrocarril subterráneo **6**:142
Guerra Mundial, segunda **7**:96
Haendel, Geoge Friedrich **7**:119
Hitler, Adolfo **7**:195
Humboldt, Alexander Von, Barón de **7**:247
Luxemburg, Rosa **8**:328
Montenegro **9**:287
Wundt, Guillermo **14**:155
Berlin, Irving 2:300
Berliner, Emile **5**:142
Berliner, Emilio **7**:32
Berliner, Hans **6**:334
Berlioz, Louis Héctor 2:300
Berlioz, Louis Héctor **12**:106
Fausto **6**:122
Francia **6**:229
intermedio **8**:19
Ópera **10**:216
orquesta **10**:257
Schuman, Robert **12**:249
Weber, Karl María Friedrich Von **14**:144
berlitz 2:301
—, sistema de enseñanza **2**:301
Berlitz, Maximiliano **2**:301
Berlusconi, Silvio **8**:64
Bermejo, río **4**:16; **6**:196 **13**:209
bermellón 2:301
lacre **8**:159
Mercurio (azogue) **9**:173
Bermeo **1**:260
Bermudas, islas 2:301
Bermudas, islas **2**: 239; **4**:287
alga **1**:178
dirigible **5**:140
Imperio Británico **7**:275
mar **9**:81
Sargazos, mar de los **12**:229
Bermúdez, Ceán **12**:5
Bermúdez, Enrique **10**:95
Bermúdez, Francisco **11**:79
Bermúdez, general **3**:24
Bermúdez, Juan **2**:301
Berna 2:302
—, Congreso de **4**:255
biblioteca **2**:315
Ducommun, Élie **5**:176
Fernán, Caballero **6**:133
Lenin, Vladimir Ilich Ulianov **8**:221

Bernabé, san 2:302
Bernadette Devlin **6**:129
Bernadotte, conde Folke 2:302
Bernadotte, dinastía **5**:129
Bernadotte, Folke, conde **3**:105; **12**:336
Bernadotte, Juan B 2:302
Suecia **13**:70
Bernaert, Auguste 2:276
Bernal Díaz del Castillo **5**:*108*
Bernal Jiménez, Miguel **5**:265
Bernal, Claudio **6**:332
Bernal, Emilia 2:302
Bernáldez, Andrés **4**:148
Bernaldo de Quirós, Cesáreo 2:302
Bernanos, Georges **9**:134
Bernard, Claude 2:302
bioquímica **2**:328
diabetes **5**:99
fisiología **6**:170
Francia **6**:230
homeostásis **7**:213
terapéutica **13**:163
Bernard, estrella **2**:130
Bernard, Jean Jacques **5**:172
Bernard, Tristán 2:302
Bernárdez, Francisco Luis 2:302
Bernardin, Jacques Henri **8**:48
Bernardino, san **14**:66
Bernardita de Lourdes, santa 2:302, 303
Bernardo Bitti **11**:63
Bernardo de Torres **11**:62
Bernardo Tasso **10**:184
Bernardo, hospicios de San 2:303
Bernardo, san
Bernardo, san 2:303
Abelardo, Pierre **1**:26
Kempis, Tomás de **8**:137
orden religiosa **10**:235
Bernardone, Francisco **10**:236
Bernardoni, Giovanni **6**: **6**:230
Bernasconi, Antonio **7**:79 **10**:298
Berneses, Alpes **6**:75
Bernhard, Thomas **2**:168
Bernhardt, Sara 2:303
Dumas, Alejandro (hijo) **5**:178
Legión de Honor **8**:211
mujer **9**:326
Berni, Antonio 2:303
Berni, Antonio **2**:304
Bernina, macizo de **13**:77
Bernina, Pico **13**:76
Bernini, Juan Lorenzo 2:304
Bernini **5**:25
escultura **5**:294
estilo **6**:54
Italia **8**:66
San Pedro de Roma **12**:198
Vaticano, ciudad del **14**:29
Velázquez, Diego Rodriguez de Silva y **14**:37
vestido **14**:67
Bernkastel Kues, Alemania. **1**:*164*
Bernouilli o Bernoulli 2:304
—, Jacobo **2**:304
—. Juan **2**:304; **3**:159; **13**:82
—, Nicolás **2**:304
—, Daniel **2**:304 **1**:80; **6**:29
—, teorema de **14**:51
Berounka, río **4**:25
Bernstein, Edward **8**:135; **8**:328
Bernstein, Enrique León Gustavo 2:304
Bernstein, Leonard 2:304
hispanoamericanos **7**:189
Berón de Astrada, Genaro **13**:325
Berquel, Louis van **5**:103
Berr, henri **7**:193
Berreta, Tomás 2:304
berro 2:304
Berro **2**:304; **10**:44
mastuerzo **9**:125
Berro, Bernardo Prudencio 2:305
Berrouaghia **2**:10
Berruecos **1**:348
Berruecos, montaña de **13**:66
Berruguete, Pedro y Alonso González de 2:305
Berruguete, Pedro **5**:155
escultura **5**:294
España **5**:317
Málaga **9**:40
Simancas, archivo de **12**:326
Berry **6**:216
Berson, Solomon A. **14**:159
Berstrom, S.K. **14**:23
Bert Sakmann **10**:69
Berthe Morisot **7**:286
Berthelot, Claude-Louis **11**:262
Berthelot, Marcelin 2:305
Sabatier, Paul **12**:155
termoquímica **13**:169
Berthier, Louis **11**:101
Berthollet, Claude Louis **2**:336; **6**:295
Bertillon, Alphonse **1**:318; **5**:5
Bertín, Juan **10**:304
Bertoldo **9**:220
Bertolucci, Bernardo 2:305
Berutti, Antonio Luis 2:305
Berwick **12**:62
Berzelius, Juan Jacobo 2:305
cerio **3**:335
química **11**:262
selenio **12**:268
torio **13**:223
Besant, Annie 2:305
Fabiana, Sociedad **6**:107
Besanzón **2**:312
Besarabia 2:305
langosta **8**:171
Moldavia **9**:266
Rumania **12**:131
Beshara el-Khuri 2:305
Beskides **11**:157; **14**:106
Besós, río **2**:253
Bessemer, sir Henry 2:306 **12**:316
Bessemer, sir Henry **12**:316
acero **1**:48
Gran Bretaña **7**:36
hierro **7**:174
Revolución Industrial **12**:51
Bessmertnova, Natalia **3**:34
Besso **1**:156
Besson, Jacobo **3**:41; **13**:291
Best, Charles Herbert **2**:246; **5**:99; **11**:56
Besteiro, Julián 2:306
bestia acuática **8**:236
besugo 2:306
Beta Centauri, estrella **4**:302; **6**:61; **8**:226
beta, radiación 2:306
átomo **2**:145
rayos gamma **11**:307
betaglucósidas **8**:161
Betamax **14**:83
Betances, Ramón E 2:306
Betancourt Cuartas, Belisario **4**:144
Betancourt, Rómulo **5**:161; **11**:47; **13**:276
Betania **8**:202; **11**:6
Betanzos **4**:263
betapartícula 2:306
beta-talasemias **13**:104
betatrón 2:306; **11**:306
betel 2:306
Betelgeuse, estrella **6**:61; **10**:251
Bethe, ciclo de **3**:39
Bethe, Hans **3**:39
Bethel **2**:255
Bethencourt, Jean de **5**:72
Bethulia **8**:119
Béthune, Margarita de **12**:*94*
Bética **4**:241; **7**:72, 258;
Bética **12**:298
betilos **1**:334
Betis **5**:305
betoi **7**:310
Betsaida **2**:302; **8**:100; **11**:26
Betsiboka **9**:10
Bettelheim **6**:91
Bettembourg **5**:76
Betto Bardi Donatello, Donato di **8**:66
Betty Boop **5**:*110*
betuláceas **1**:21, 192; **2**:183
Betulia **6**:267
betún 2:82, 306
betún de Judea **7**:142, 282; **9**:271
Beufort, mar de **2**:70
Beurré d'Anjou **11**:42
Bevan, Aneurin 2:306
Bevatrón **6**:331; **12**:331
Beveridge, sir William Henry 2:306
Beverly Hills **1**:281
Bevin, Ernest 2:307
laborismo **8**:154
Beyle, Henri, llamado Stendhal **2**:255, 257 **6**:326
Beyruth **6**:129
Bhadgaón **10**:73
Bhagavad-Gita **3**:65
Bhamo **10**:20
Bharaboudhti **5**:169
Bharata **9**:30
Bhasaka **7**:303
Bhavabhuts **7**:303
Bhilsa **7**:302
Bhöpal 2:307
Bhubaneswar **7**:303
Bhumibol **13**:103
Bhután **2**:239
Bhutto, Benazir 2:307
Pakistán **10**:287
Biafra 2:307
Nigeria **10**:101
Bialik, Chaim Nachman 2:307
Bialystok (Polonia). **6**:13
Bianchi, Alfredo A 2:307
Argentina, República **2**:26,
Guiusti, Roberto F **6**:328
Biarritz 2:307
balneario **2**:228
playa **11**:136
Bías 2:307
Biayenda, Emile **4**:207
bibasis **5**:13
bibelots **10**:330
Biblia 2:308
— luterana **8**:252 **11**:324
— políglota **8**:103 **10**:62 **11**:125
Abel y Caín **1**:26
anticristo **1**:305
Asiria **2**:102
Babilonia **2**:207
Canaán, la tierra prometida **3**:200
catolicismo **3**:294
Guttemberg, Johan **7**:110
homilía **7**:214
Oseas **10**:263
Talmud **13**:108
tartesio **13**:123
Vulgata **14**:136
Bíblica, Comisión **14**:136
Biblina, río **4**:25
bibliografía 2:309
bibliología **2**:309
bibliopolé **8**:250
Biblioteca **1**:155
biblioteca 2:310
—, medieval **2**:312
—, catalogación **2**:314
—, la clasificación decimal **2**:314
—, las principales colecciones
—, especializadas **2**:315
—, infantiles **2**:316
—, circulantes **2**:316
—, al aire libre **2**:316
—, de barrio **2**:316
—, cómo se forma una **2**:316
—, en latinoamérica **2**:316
— Ambrosina de Milán **1**:226; **9**:222
— Bodleiana de la Universidad de Oxford **8**:197
— de Alejandría **2**:313; **8**:251
— de Boston **11**:244
— de El Escorial **7**:154
— de Florencia **2**:315
— de New York **2**:314
— de Newberry **7**:270
— de Pérgamo **2**:311
— de San Marcos, en Venecia **8**:252
— del Congreso de Washington **2**:310
— del Duque de Gloucester **2**:312
— del museo Británico de Londres **2**:315
— histórica de Puerto Rico **13**:115
— Imperial **11**:29; **13**:211
— Laurentina de Miguel Ángel **9**:58
— Lenin **9**:309
— Nacional de Buenos Aires **9**:104; **13**:139
— Nacional de Madrid **11**:46; **11**:251
— Nacional de París **11**:264
— Nacional de Quito **1**:214
— Nacional José Martí **4**:313
— Nova **2**:314
— Piccolomini, Siena **11**:99
— Vaticana de Roma **2**:312; **9**:201
Biblioteca Central, UNAM, México **9**:198
Biblioteca John F. Kennedy **9**:123
Biblioteca Nacional de Madrid, frontón
Biblioteca pública en Boston

2:310
Biblioteca pública en Pennsylvania, 2:311
biblioteconomía 7:327
Biblos 6:129
bicameral 9:283
bicarbonato 2:317
extintor 6:104
lágrima 8:165
Bicci, Giovanni di 9:148
bicicleta 2:317
bicuadrado 9:329
bicho colorado 2:317
bicho de canasto 2: 317
Bidasoa, río 5:305; 10:51; 13:330
Bidault, Georges 2:320
Francia 6:225
biela 2:126; 2:171; 4:169
Bielas 8:300 6:139
Bielefield 12:269
Bielorrusia 2:239; 5:149; 6:81; 10:98
Bienal de Venecia 2:318
Maccio, Rómulo 9:6
Bienal Interamericana 7:13
bienal, planta 10:21
Bienaventuradas, islas 5:70
bienes 2:319
—, aspecto jurídico 2:320
—, aspecto económico 2:320
— de consumo 2:319; 7:325; 11:208
— de fecundidad simple 2:321
— muebles, valores mobiliarios 14:16
economía 5:190
hipoteca 7:186
parafernales 10:320
producto social 11:208
Bienne 13:77
bienparado 3:21
Bierstadt 8:132
Bierut, Boleslav 2:321
Polonia 11:160
Bievre, río 6:336
Big bang, teoría 2:324
creación 4:277
gran unificación, teorías de la 7:50
Penzias, Arnold A 11:41
Sarduy, Severo 12:229
Big Ben 4:64; 8:303
Big Spring, manantial 9:243
Big Stone, lago 9:228
Big Sur 9:224
Big Wood, río 7:262
bigamia 2:321
matrimonio 9:132
bígaro 4:194
bígaro marmóreo 4:195
Bigatti, Alfredo 2:321
Bignone, Reynaldo 2:24
bignoniácea 3:287; 8:72
Bigordi, Domingo 2:321
Bigot, Marie 2:276
Bigot, E. 12:223
Bigoyo 11:168
biguá 2:321
biguá, cormorán 4:249
Bihar(Patna) 7:299
Bihe 1:287; 5:76
Biisk 5:75
bija 2:321
bijamantras 9:62
Bijapur 7:299
Bikelas, Minoide Minas 7:62
bikini 2:321
—, experimentos atómicos de 13:153
hidrógeno, bomba de 7:167
Marshall, islas 9:110
bilabial 13:335
Bilac, Olavo 2:321
Brazil 3:76
Bilal 4:170
Biland-Ghaana, Guinea 5:71
bilateralismo 8:249
Bilbao 2:321
Guridi, Jesús 7:108
puerto 11:229
Unamuno y Jugo, Miguel de 13:303
Vasco, país 14:28
Bilbao, Esteban 2:321
Bilbao, Francisco 2:321
Bilbao, Gonzalo 2:322
Bilbao, Manuel 2:322
bilbos de Geissler y Crookes 12:126
Bilbilis 8:110
bilboquet 3:21
Bildt, Carl 13:71
Bilgís 12:154
bilharziasis 13:258
biliares, ácidos 6:51; 14:149
bilingüe 1:244
bilirrubina y biliverdina 2:322
bilis 2:322
colesterína o colesterol 4:133
digestión 5:119
glándula 6:330
grasa 7:51
hierro 7:175
lecitina 8:202
vesícula biliar 14:60
Bill William 1:150
Bill, Buffalo 10:60
Billancourt 10:328; 12:19
billar 2: 322
juego 8:120
billete mexicano 5:130
billetes 5:131
billetes y monedas chinos. 5:130
Billiken 9:333
Billings Kellogg, Frank 4:228; 9:282; 13:97
bimetalismo 2:324
metales 9:182
bina 7:199
BINAC 9:77
binarios 13:128
binary digit 7:328
Binet y Simon, escala 2:324
Binet, Alfredo 2:324; 7:30
Bing Crosby, Laboratorios 14:82
Bingham, Hiram 2:324
Machu Pichu 9:9
Binibeca, Menorca 9:168
Binnig, Gerd 2:324
Ruska, Ernst 12:150
binomio 1:179
Bío-Bío 2:324
Ángeles, Los 1:280
Lota 8:309
Bíobío, río 2:324; 4:193
Bíobío, región del 1:343; 2:324; 9:44
biodegradación 4:226
Biodiversidad 2:16
bioelectricidad 2:324
bioenergética 9:246
bioética 12:220
biofeedback 9:152
biogénicas 6:313
biografía 2:325
biografías de santos 8:238
bioingeniería 2:325
Bioko 6:136; 7:106
Bioko Norte 6:136
Bioko Sur 6:136
biología 2:326
Biologa investigadora 2:326
antroplogía 1:318
educación física 5:220
función 6:250
histología 7:191
Marañón, Gregorio 9:85
nictemeran (nictémero) 10:97
teratología 13:163
zoología 14:181
biología molecular 8:145
Biological Laboratory de Woods Hole 13:92
biológico 10:182
Biológicos, factores 10:48
biólogo 7:157, 160
bioluminiscencia 2:327
fosforecencia 6:199
luminiscencia 8:320
bioma 2:327
Biomberg, Héctor Pedro 3:7
biombos 7:202; 13:229
biónica 2:327
biopsia 2:328
enfermedades de la piel 5:262
biopsias ováricas 8:174
biópsico 8:230
bioquímica 2:328
ADN y ARN 1:71
Euler-Chelpin, Hans Karl August von 6:73
química 11:262
Waksman, Selman Abraham 14:138
mátodos 2:328
contenido y alcance 2:328
bioquímico 1:275; 7:210
biosfera 2:328, 329
Biosíntesis de los andrógenos 1:274
biotecnología 2:329
Biotina 14:108
Biotina, vitamina 14108
biotita 2:329
bióxido 5:301
bióxido de carbono 1:347; 5:48; 9:79
Bioy Casares, Adolfo 2:329
Bip 9:226
bípedos 9:278
biplánico 12:244
Bir Bikram, Mahendra 10:73
BIRD 1:184
Bird, Lester 1:306
Bird, Vere C. 1:306
Birdseye, Clarence 4:214
Biredjik 6:72
Birendra 10:73
Birger Jarl 6:55
Birkbeck, George 14:122
Birkigt, Marco 2:329
Birmania 2:329
ambar 1:223
Myanmar 10:19
plomo 11:140
zoogeografía 14:180
descubrimientos y exploraciones geográficos 5:75
Indochina 7:313
Kublai Kan 8:149
Malaca 9:39
Birmania, campaña naval de 9:109
Birmania, Lawrence de 14:152
birmanos 2:95; 13:125
Birmingham 2:329
Elgar, Edward William 5:245
Europa 6:81
Haworth, Walter Norman 7:133
Birmingham, Universidad de 10:205
birreme 2:38; 9:97
birrete 3:241; 14:67
birrus 14:64
Bisbee 13:*284*
bisbitas 11:5
Biscayne, bahía de 9:211
Biscoe, islas 1:302
Biscoe, John 5:79
bisellium 9:253
Bishkek 8:143
Bishop, J.M.
Bishop, John Michael 2:330
Varmus, Harold Elliot 14:27
Bishop, Maurice 7:46
bisiesto 9:191
Biskra 2:10
Bismarck, North Dakota 10:132
Bismarck, acorazado 7:95
Bismarck, Francisco José I 6:230
Bismarck, archipiélago de 2:330
Melanesia 9:157
Bismarck, Otto von 2:330
Alemania 1:161
Berlín, Tratado de 2:300
kulturkampf 8:150
guerra franco prusiana 7:89
Mommsen, Teodoro 9:272
Namibia 10:3
Thier, Louis Adolphe 13:182
Virchow, Rudolf Ludwig Karl 14:99
bismuto 2:331
América del Sur 1:243
droga 5:173
tabes dorsal 13:95
bisón 1:204
bisonte 2:331
– lanudo 6:309
carabao 3:229
Iowa 8:32
toro almizclado 13:225
bisonte, Altamira, España 12:135
bisoños 14:72
Bissau 7:105
Bissen 5:126
bisulfito de sodio 2:336
bisulfitos 13:82
bisulfuro de carbono 13:82
bisulfuro de molibdeno 1:69
bisurcos 1:339
bisutería 2:332
joyería 8:112
bit 2:332
información, teoría de la 7:328
bitácora 2:332
bitartrato de potasa 14:96
Bitlis 8:150
bits 3:306; 5:141
bitter 8:255
Bitterroot 7:262
Bitti, Bernardo 8:192

Bitula **9:**7
bivalvas **4:**194
Biwa de cinco cuerdas **8:**79
bixáceas **2:**321
Biya **10:**173
Bizancio, imperio de 2:332
religión y arte **2:**333
arquitectura **2:**57
derecho **5:**59
Giotto di Bondone **6:**327
hipódromo **7:**183
Justiniano I **8:**130
manuscritos **9:**64
ornamentación **10:**253
Raguza **11:**290
vestido **14:**64
Bizancio, Aristófanes de **9:**163
bizantina **2:**69; **8:**62; **9:**17; **10:**138; **14:**65
bizantino **1:**17; **2:**57; **7:**274; **8:**217
bizantino, arquitectura **2:**333
bizantino, estilo **2:**135; **5:**205
bizantino, imperio **6:**45; **8:**130; **14:**40
bizantinos **1:**335; **2:**11; **5:**314; **8:**248; **10:**96
bizantinos, griegos **10:**39
bizco 2:334
Bizerta **8:**113
Bizet, Jorge 2:334
Francia **6:**229
Mérimée, Prosper **9:**175
ópera **10:**216
saxofón **12:**245
biznaga 2:334
droga **5:**173
bizquera **6:**58
Bjadulja, Zmitrok **12:**149
Bjarne **10:**130
Bjoernson, Bjoernstjerne 2:334
Grieg, Edvard **7:**65
drama **5:**171
Black Dome **1:**229; **6:**31
Black Hawk, guerra de **7:**271
Black Mills **6:**31
Black, J. W. **5:**246
Black, Joseph 2:334
globo aerostático **6:**333
Black, sir James Whyte 2:334
Blackett, Patrick **14:**168
Blackfoot, río **7:**262
Blackfriars **8:**303
Blackpool **1:**59
Blackstone, río **9:**122; **12:**58
Blache, Vidal de la **13:**266
Blaine, Jaime G. **4:**203
Blair, Tony **7:**43
Blaize, Herbert **7:**46
Blake, William 2:334
Thomas, Dylan Mareais **13:**183
Blanc, Louis 2:334
Blanca de Castilla 2:335
Luis IX, san **8:**317
Blanca, bahía **2:**14
Blanca, isla **6:**96
Blancamano, Humberto, conde de Maurienne **12:**156
Blancanieves **9:**334
Blancanieves **5:**111
Blancas, montañas **6:**31
blanco 2:335
arsénico **2:**63
caballo **3:**133
fósforo **6:**200
precipitado **11:**184
blanco de titanio **13:**204
Blanco, Cabo **12:**165
Blanco Cuartín, Manuel **4:**44
Blanco Encalada, Manuel 2:335
Blanco Fombona, Rufino 2:335
Venezuela **14:**46
Blanco Galindo, general **3:**29
Blanco Géigel, Tomás 2:335
Blanco o Bieluja, monte **10:**173
Blanco y azul **11:**239
Blanco y Erenas, Ramón, marqués de Peña Plata 2:335
Blanco, Andrés Eloy 2:335
Venezuela **14:**46
Blanco, Benjamín 2:335
Blanco, Cabo **4:**256; **5:**265
Blanco, Eduardo 2:335; **14:**46
Blanco, Juan Carlos 2:335
Blanco, Mar 2:335
Europa **6:**76
ladoga **8:**160
Onega, lago **10:**212
San Petesburgo **12:**199
blanco, monte 2:335
Blanco, Pedro **3:**29
Blanco, pico **1:**230; **4:**267
Blanco, Salvador Jorge **3:**51; **5:**162
Blanco, Tomás **11:**237
blancos anatolios **11:**310
Blanchard **10:**318
Blanchard Spring, cavernas de **2:**37
Blanche, Alleé **9:**285
Blanche, Vidal de **6:**306
Blanchet, Emilio **4:**315
Blandengues **2:**72
blandos **13:**126
Blanes Viale, Pedro 2:336
Blanes, Juan Luis **13:**328
Blanes, Juan Manuel 2:336
Uruguay **13:**329
Blanes, Nicanor 2:336
Uruguay **13:**328
blanqueador **2:***336*
blanqueo 2:336
Blanqui, Andrés **4:**241
Blanqui, Louis Auguste **12:**50
blaps 2:336
blápsidos **2:**336
Blas, Camilo 2:336
Blasco Ibáñez, Vicente 3:5
España **5:**320
naturalismo **10:**48
Blasco, Eusebio 2:336
blasen, sonar la trompeta **7:**149
blasfemia 3:5
Blasis, Carlo **5:**16
blasón 3:5
escudo **5:**285
heráldica **7:**149
blasón del emperador **7:**150
blastema 3:5
—, de regeneración **3:**5
—, embrionario **3:**5
—, mesonefrítico **3:**5
blastocélico **3:**6
blastócero 3:6
blastocisto 3:6
blastodermo 3:6
desarrollo **5:**67
—, primigenio **10:**213
blastómero **5:**248
blastoporo 3:6
blástula 3:6
desarrollo **5:**67
ontogenia **10:**213
blátidos **4:**317; **10:**261
Blau, Eugen **10:**252
Blavatsky, Elena Petrovna 3:6
teosofía **13:**162
Blavatsky, Helen P. **6:**18
Blay, Miguel 3:6
escultura **5:**295
Julio Antonio (Julio Antonio Rodríguez Hernández **8:**125
Blay, Nellie **13:**253
Bled, lago **5:**300
Bleda **2:**135
blefaritis 3:6
Blegen, Carl **13:**274
blenda 3:6
blenda, cinc **2:**205; **4:**82
Blenkinsop, John **6:**138
Blérancourt **12:**166
Blériot, Louis 3:6
aeroplano **1:**87
Blest Gana, Guillermo y Alberto 3:6
Chile **4:**44
bliaud **14:**65
Blick **13:**80
Blida **2:**11
Bligh, William **3:**61
blindados **3:**7
blindaje 3:7
Guerra Mundial, Segunda **7:**93
Bliss **13:**82
blitzkrieg 3:7
Blitzpogrom **7:**211
Blizet, Jorge, Autor de ópera **2:**334
blizzards **1:**231
blobulina **6:**334
blocaos **8:**172
Bloch, Ernest 3:7
Bloch, Felix **11:**243
Bloch, K. E. **8:**336
Bloch, Marc **6:**227
Bloch, Pedro **3:**76
Bloembergen, Nicolaas 3:7
Schawlow, Arthur L. **12:**246
Bloemfontein **13:**314
Bloemfontein, Convención de **10:**231
Blois, Esteban de **5:**265
Blomberg, Héctor Pedro 3:7
Blomfield, R. **7:**45
Blomstrand, Christian **10:**104
Blondel, Louis **11:**285
Bloom, J. **4:**108
Bloomfield, Leonard **6:**53
Bloomington **9:**228
bloque continental 3:7
Política **3:**7
bloque ibérico 3:7
bloque latino 3:8
bloque socialista **13:**164
bloqueo 3:8
—, auriculoventricular **3:**8
—, económico internacional **3:**8
Blucher **10:** 38, 317
Blücher, Gebhard **14:**143
Blue Montains **11:**38
Blue Ridge, montañas **14:**146
Blue Ridge, montañas **6:**315; **9:**116; **10:**131
Bluefields **14:**176
Bluefields 3:8
blues 3:8
Blues clásico **3:**8
Blues eléctrico **3:**9
Blues rural *(country blues)* **3:**8
forma del *blues* **3:**8
Bluff **3:**8
Blum, Léon 3:9
frente popular **6:**235
Blumberg, Baruch Samuel 3:9
Blumenbach, Johann Friedrich 3:9
antropometría **1:**318
razas humanas **11:**309
Blythe, Herbert **2:**259
BMW en Munich, Alemania **9:**331
Bo **12:**318
boa constrictor 3:9
Arizona **2:**35
Boabdil 3:10
abencerrajes **1:**26
Boabdil **9:**327
Boabdil el Chico **1:**183; **7:**47; **8:**49
Boaco 3:10
Boanerges **1:**329; **12:**218
Boari, Adamo **8:**194
Boas, Franz 3:10
Bob Hope, fotografía de Roloff Beny **7:**223
Bobadilla, Emilio 3:10
Cuba **4:**316
Bobadilla, Francisco 3:10
Bobadilla, Francisco de **2:**262
Cristóbal Colón **4:**150
Bobadilla, Francisco de **5:**159; **10:**251
Bobastro (Málaga) **10:**209
bobina 3:11
—, de inducción **3:**176; **7:**317
automóvil **2:**172
transformador **13:**244
Bobko, Karol **13:**243
Bobonanza río **11:**8
Bobsled, competencias de **10:**205
boca 3:11
insecto **8:**6
mucosa, membrana **9:**320
voluntad **14:**131
Boca de Atajo **10:**323
Boca de Humaitá **10:**323
Boca de Sagua **12:**164
boca del riachuelo **11:**264
Boca del Río **9:**85
Bocaccio, Giovanni **11:**313
Bocachica, castillo de (Cartagena) **10:**41
bocamangas **14:**67
Bocas de Ceniza **2:**256
bocas de fuego **2:**74
Bocas del Ganfes **7:**295
Bocas del Ródano **9:**109
Bocas del Toro 3:12
Bocayuva, Quintín 3:12
Boccaccio, Giovanni 3:12; **10:**140
biblioteca **2:**312
Edad Media **5:**209
Florencia **6:**181
humorismo **7:**250
Vaticano, Ciudad del **14:**30
Boccioni, Umberto **6:**258
Boccherini, Luis 3:13
boceto 3:12
Bochum **12:**126
bocio 3:14
cretinismo **4:**282
glándula **6:**331
Bock, Fedor von 3:15
Bocklin, Arnold 3:15

Suiza **13**:82
Bocquillon **10**:243
Boch, Hieronymus **1**:167
bochas 3:14
Bocherini **14**:175
Bochica 3:14
chibcha **4**:31
Tequendama, salto de **13**:162
bochín **3**:14
Bochnia, minas de **11**:158
boda 3:15
—, hindú **3**:15
—, *japonesa 3:14*
Epifanía **5**:270
Bode **7**:131 **7**:
bodega 3:15
bodega de almacenamiento **3**:*15*
bodega de textiles **3**:*16*
Bodleiana **2**:312
Bodley, Tomás **2**:313
Bodoni, Giovanni Battista **7**:285
Boecio, Severino 3:16
Boeckl, Hebert **2**:168
Boedo, grupo de **2**:37
Boehm, Karl **13**:161
Boeing **1**:87
Boeing 737 **1**:84
Boen **12**:*104*
Boero, Felipe 3:16
Argentina, República **2**:27
bóers 3:16
apartheid **1**:322
Baden-Powell, sir Robert **2**:213
concentración, campos de **4**:192
Holanda **7**:208
Oranga, Estado libre de **10**:230
Pretorius, Martín Wessels **11**:195
bóers, guerra de los **8**:142
Boex, Henry **12**:*115*
Boex, Seraphin Julien **12**:115
Boffrand, Germain **6**:228
Bofuthaswana **13**:314
boga 3:17
vestido **14**:71
bogada **12**:16
Bogart, Humphrey De Forest 3:17
bogavante 3:17
bogavante de aguas frías **3**:17
Bogdanovic, Maksim **12**:149
Boggiani, Guido **5**:74
Boggio, Emilio **14**:46
bogomilitas 3:17
Bogosian, Eric **11**:48
Bogotá 3:18
— altiplanicies de **7**:311
— Basílica Primada de **10**:41
— Conservatorio de Música de **14**:14
— historia **3**:18
— meseta de **4**:31
— Real Audiencia de **6**:262
— Sabana de **10**:69
— Santa fe de **6**:17
Bogotá, Colombia **3**:18
Herrera, Tomás **7**:158
Latinoamérica **8**:192
Macaulay, Alejandro **9**:6
museo de Bogotá **10**:243
Taquendama, salto de **13**:162
Vidales, Luis **14**:81
Bogotá, Conferencia de 3:18
bogotazo **6**:262
bogurodzica canto **11**:161
Bogusevic, F. **12**:149
Bohan, Marc **5**:135
bohane **7**:310
Bohechio **5**:159
Bohemia 3:18
— historia **3**:18
— Selva de **4**:24; **10**:289
— Montañas Gigantes de **5**:235
— sublevación de **7**:253
arcilla **1**:350
bebidas **2**:272
defenestración **5**:35
Europa **6**:75
Habsburgo, casa de **7**:116
pecblenda **11**:23
Sudetes, montañas **13**:67
vidrio **14**:85
Bohemia-Moravia **12**:323
bohemio **8**:218; **2**:97
bohío 3:19
taíno **13**:103
Bohl de Faber, Cecilia 3:19
Bohlen y Halbach, Gustavo de **8**:149
Böhme, Jakob **12**:158
Böhmerwald **1**:163
Bohr, Aage **11**:290
Bohr, Christian **8**:148
Bohr, Niels 3:19
átomo **2**:147
ciencia **4**:76
complementariedad, principio de **4**:174
nuclear, física **10**:147
Bohr, Niels Aage **9**:315
Bohr, Niels H. **5**: 127, 241; **2**:147
Bohuslav, Forster Josef **2**:276
bohutí **5**:159
Boiardo, Matteo María **8**:65
boicot 3:19
boideos **3**:10
Boileau Despreaux, Nicolás 3:19
Neoclasicismo **10**:70
Boileau, Esteban **4**:124
Boileau, Nicolás **6**:226; **10**:320; **11**:272
bois brulés **3**:203
Boisbaudran, Lecoq de **6**:268; **12**:185
Boise **7**:262, 263
Boishevis, Isaac **6**:44
Boisrobert **12**:95
Boito, Arrigo 3:19
boj 3:19
madera **9**:13
Bojador, Cabo 3:19
Bokassa, Jean-Bedel 3:19
Bolaños Cacho, Miguel 3:20
bolas (o canicas), juego de 3:20
— de piedra **8**:176
lotería **8**:310
bolchevique 3:20
— gobierno **6**:83, 302
— Partido **9**:269
— régimen **14**:131
Lenin, Vladimir Ilch Uljanov **8**:221
Mannerheim, Carl Gustaf Emil **9**:59
opinión pública **10**:225
boldo 3:21
boleadoras 3:21
gaucho **6**:293
honda **7**:217
Bolena, Ana 3:21
Cranmer, Thomas **4**:276
Enrique VIII, de Inglaterra **5**:265
bolero 3:21
— puertorriqueño **11**:240
danza **5**:13
Ravel, Maurice **11**:303
Boleslao II **6**:46
Bolestas o Boleslao **11**:159
Boletín de Santo Domingo **11**:51
boletos **10**:335
boliche (o balero) 3:21
bólido 3:22
Bólido en el espacio **3**:22
Bólido entrando a la atmósfera terrestre **3**:22
aerolito **1**:79
Bolingbroke **1**:255
Bolinia, Juan de **6**:229
Bolívar (Colombia) **3**:22
Cartagena **3**:265
Bolívar (Venezuela) **3**:22
Bolívar (Ecuador) **3**:22
Bolívar y Ponte, Juan Vicente **3**:22
Bolívar y Urrutia, Ignacio 3:25
Bolívar, pico **9**:174, **14**:42
Bolívar, Simón 3:22
abolicionismo **1**:30
Avendaño, Francisco **2**:184
Ecuador **5**:200
Girardot, Atanasio **6**:327
Junín **8**:126
Monteagudo, Bernardo **9**:285
Puerto Cabello **11**:229
Venezuela **14**:46
Bolívar, Simón **3**:23
Bolivia 3:25
—, bandera de **2**: 239
— división territorial **3**:26
— ciudades y turismo **3**:28
—, Chaco **3**:29
— comunicaciones y transportes **3**:27
— geología **3**:26
— gobierno, religión, educación **3**:28
— historia **3**:28
— hidrografía **3**:26
— independencia de **10**:6
— literatura, música y artes **3**:31
— orografía **3**:25
— recursos naturales y economía **3**:26
Argentina, República de **2**:19
Bolivia **3**:28
Bolivianos, Andes **3**:25
Boliviana, artesanía **3**:29
Melgarejo, Mariano **9**:158
yaraví **14**:160
zoología **6**:309
bolo alimenticio **3**:12
Bolognesi, Francisco 3:31
bolómetro 3:31
astrofísica **2**:107
juego y sus consecuencias **6**:243
infrarrojos, rayos **7**:329
radiómetro **11**:281
termómetro **13**:168
Bolonia 3:32
— Bosque de **7**:184
Achillinni, Alessandro **1**:51
derecho **5**:60
Italia **8**:62
Quercia, Iacobo di Pietro d´Agnolo **11**:250
vestido **14**:66
Bolonia, Juan de 3:32
bolos 3:32
Bolos **3**:32
Bolsa **2**:236; **10**:64
Bolsa de Santiago **13**:60
bolsa de valores 3:33
Bolsa de Valores **5**:192
Bolshoi, ballet 3:34
Bolshoi, Teatro **3**:34
bolsillo **14**:67
Bolsón de Mapimí **1**:231; **5**:180
Boltenstern, Erich **2**:168
Boltonia **9**:64
Boltzmann, Ludwig 3:34
Böll, Heinrich 3:31
Bolleau, Remy **11**:54
Bollinger, Otto 3:31
Boma, Congo **4**:208
bomba 3:35
— de trasegar **3**:35
— V-2 **3**:77
— voladora **4**:129
— A **7**:166
— H **7**:166
— de agua **7**:201
— de fisión **8**:295
— molecular **9**:76
— neumática **9**:76
— de vacío **9**:76
— rotativa de mercurio **9**:76
bomba de petróleo en Iraq **3**:35
bomba de agua para animales **3**:35
bomba nuclear, corte esquemático **3**:38
bomba de refuerzo **7**:167
bomba de tritio **7**:167
bomba de deuterio **7**:167
bomba de fisión-fusión-fisión **7**:167
bomba nuclear, explosión de una **10**:151
fuente **6**:244
Latinoamérica **8**:195
bomba atómica 3:36
— historia **3**:37
— hiroshima:el primer objetivo bélico **3**:37
— vuelo trágico **3**:37
— las Repercuciones Internacionales **3**:37
átomo **2**:149
Guerra Mundial, Segunda **7**:94
invenciones y descubrimientos **8**:24
plutonio **11**:142
uranio **13**:320
bomba de hidrógeno 3:36
— todo pasa como en el sol **3**:39
— el mecanismo termonuclear **3**:39
bomba V 3:40
bombacáceas **2**:248, 229; **3**:312
bombacáceo **5**:182
Bombal, María Luisa **4**:44
bombarda **2**:43
bombardeo **11**:306
bombardero estadounidense **1**:88
bombardero Lancaster **2**:263
bombardero militar RAF **1**:82
bombardino 3:40
bombas **14**:126
bombas, Parque de las **11**:165
Bombay 3:41
—, Galería Nacional de Arte

3:40
Aga Khan III, sir Mohammed Shah, Sultán **1**:98
Asia **2**:93
India **7**:295
parsis **10**:332
puerto **11**:229
universidad **13**:317
Bombelli, Raffaela **12**:327
bomberos, cuerpos de 3:41
bomberos, cuerpos de **3**:42
bombero frente al fuego **6**:243
bomberos, camión de **4**:225
fuego y sus consecuencias **6**:242
bombícidos **13**:180
bombilla 3:42
bombilla **1**:212
fonofotografía **6**:191
bombo 3:43
lotería **8**:310
bombón 3:43
Bombyx morí **7**:108; **12**:255
Bomi Hills **8**:242
Bomu, río **13**:299
Bonaggiunta **8**:64
Bonaire **1**:309; **7**:208
Bonampak 3:43
Bonampak, ruinas mayas de **9**:196
arqueología **2**:52
chibcha **4**:31
mayas **9**:140
Bonao **14**:33
Bonaparte 3:44
— Carlos María **11**:295
— Jerónimo **2**:277
— José **6**:136; **7**:294; **9**:158, 199
— Louis-Lucien **14**:28
— Luciano **1**:341; **2**:294
— Lucien **11**:313
— Luis **10**:38
— Luis Napoleón **6**:223
— Napoleón **2**:218, 276; **6**:223; **8**:23, 210; **9**:222; **14**:129
Bonaparte au Pont d'Arcole **10**:35
Bonaparte, Napoleón **10**:36
Bonar Law **8**:293
Bonci **13**:160
bondad **5**:213
bondadoso **5**:276
Bondi, H. **7**:44
Bondone, Giotto di **5**:209; **12**:*99*
Bondu **10**:329
Bonesana, César **2**:273
Bonet, Juan Pablo 3:44
bonete **14**:65
bongo 3:44
— río **4**:267
— Albert **6**:260
Bonheur, Rosa 3:44
Bonhoeffer, Dietrich **4**:293
boniato 3:44
Bonifacio 3:44
Bonifacio **4**:238
misiones y misioneros **9**:242
Pipino el Breve **11**:104
Bonifacio III **1**:321
Bonifacio IV, Papa **10**:308; **13**:210
Bonifacio VIII 3:44
Bonifaz Nuño, Rubén 3:44
Bonifaz, Ramón **1**:197
Bonificación 3:44
Bonilla san Martín, Adolfo 3:45
Bonilla, Alonso de **4**:194
Bonilla, Vicente **11**:240
Bonington, R.P. **7**:45
bonito 3:45
Bonn 3:45
Adenauer, Konrad **1**:68
Beethoven, Ludwig Van **2**:276
Escobar, Luis Antonio **5**:281
Bonnard, Pierre; **4**:90; **14**:78
Bonne **9**:69
Bonnelly, Rafael F. **2**:221; **5**:161
bonnet rouge, vestido **14**:69
Bonnet, Charles **9**:131
bono 3:45
bonote **6**:146
Bonpland, Aimé Goujaud 3:45
bonsai 3:45
Bonsignori, de Siena **4**:222
boogie-woogie **8**:92
Boole, álgebra de **9**:128
Boole, George 3:45
Boortes **8**:253
Booth, William 3:45
Bootheel **9**:245
Boothia, Golfo de **12**:115
Boothia, península de **5**:78
Booz **2**:280
Bophuthatswana 3:46
Unión Sudafricana **13**:311
Bopp, Franz **8**:266
boquerón 3:46
— combates de **6**:52
Paraguay **10**:321
Boquet **5**:280
boquilla **8**:172
boquitas pintadas **11**:241
Bora Bora, isla **10**:178, 179
Bora Bora, Tahiti **13**:100
Boras **13**:69
bórax 3:46
Las Vegas **8**:180
Borbón 3:46
— Antonio de **3**:46; **5**:264
— Carlos de **6**:118
— casa de **4**:198; **8**:237
— dinastía de **5**:129; **6**:127
— duque de **4**:198; **8**:158
— Isabel de **6**:127
— Juan Carlos I de **5**:318
— Luis Enrique de **4**:198
— Luisa de **8**:318
— María Cristina **11**:329
— palacio **10**:328
— y Borbón, Juan Carlos de **6**:232
Fouché, Joseph, duque de Otranto **6**:205
Guerra de los Treinta años **7**:87
Mazarino o Mazarín, Giulio o Jules **9**:145
vestido **14**:68
Borc, Ole **5**:126
borceguíes **14**:65
Borchgrevink, Carsten Egeberg **5**:79; **6**:97
borda **14**:118
Borda, Arturo **3**:31
Borda, José de la **13**:127
Bordaberry, Juan M. **10**:333
Bordaberry, Juan María **13**:330
bordado 3:46
bordado aplicación del **3**:46
Bordalo Pinheiro, Columbano 3:47
Bordeaux, Henri 3:47
Bordet, Jules 3:47
Bordi Donatello **6**:181
Bordighera **4**:170; **12**:*81*
Bordö **6**:136
bordón **14**:72
Boreal **1**:303; **2**:69; **7**:144; **8**:196
Boreales, Llanuras **14**:169
Borel, Émile **6**:230
Borelli, Giovanni Alfonso **14**:79
Borge, Tomás **10**:94
Borges, Carlos **14**:46
Borges, Jorge Luis 3:47
Borges, Max **4**:316
Borghese, Scipione **10**:331
Borgia 3:47
— César **9**:71; **11**:7, 167; **14**:96
— departamentos de los **14**:29
— familia **2**:63
Borgia, Códice 3:47
Borgia, Rodrigo **3**:47
Borglum, Gutzon **5**:295
Borglum, John Gutzon 3:47
Borgo, Luca del **4**:223
Borgoña 3:47
— Carlos *el Temerario*, duque de **13**:80
— casa de **13**:84
— casa ducal de **6**:172
— ducado de **6**:222
— duques de **2**:284; **6**:129; **8**:317
— Enrique de **11**:176
— Felipe *el Bueno*, duque de **13**:211
— María de **7**:208
— Raimundo de **6**:266
Borgoña **3**:48
Dunkerque **5**:179
Lyón **8**:336
borgoñones **3**:48
Bori, Lucrecia 3:48
bórico, ácido 3:48
conjuntivitis **4**:210
Borinage **8**:69
Boriquén o Borinquen **11**:230
Boriquén, isla de (Puerto Rico) **11**:166
Boris Chain, Ernest **6**:176, 181
Boris Godunov **11**:244
Boris III 3:48
Boris Karloff **6**:232
Boris Karloff interpretando a Frankenstein **6**:232
Borja, Arturo 3:49
Borjigin, clan **6**:301
Borkenes, Villa de **8**:*299*
borla **14**:71
Börlin, Jan **5**:17
Borman, Frank **2**:113
Born, Max 3:49,59
Börne, Ludwig **1**:166
Borneo 3:49
— isla de **3**:90; **7**:208; **8**:92; **9**:41
Borneo **5**:279
Borneo, Malasia **3**:49
Elba, río **5**:235
Indonesia, República de **7**:315
bornes **14**:176
Bornholm, Isla 3:49
Borno, Louis Eustache Antoine François Joseph 3:49
boro 3:50
elemento químico **5**:244
Gay-Lussac, Joseph-Louis **6**:295
Borobodur **7**:315
Borodin **2**:222; **7**:196
Borodin, Alejandro 3:50
Borodino **10**:37
Borón, Roberto de **7**:65
boronatrocalcita **2**:13
bororó **7**:310
Boroughs **7**:39
Borque Nacional de Ozark **2**:37
Bórquez Solar, Antonio 3:50
borragináceas **10**:296; **7**:143
borraja 3:50
Borrás, Enrique 3:50
Borrassà, Lluís **5**:317
Borrell II **11**:296
Borrelli **10**:187
Borrero y Cortázar, Antonio 3:50
Borries, B. van **12**:150
borriquero **3**:242
Borromini **12**:87, 100
Borrow, George 3:50
Borscevskij, Jan **12**:149
Borthagaray, Juan M. **13**:328
Borussi o prusianos **11**:222
boryitas **9**:48
Borzage, Frank **4**:84
Bos, género **14**:6
Bosa, batalla de **7**:146
Bosanquet, Bernard **12**:150
Bosboom **7**:209
Boscá de Almogáver, Joan **3**:50
Boscán, Juan 3:50, 282
Bosch Gimpera, Pedro 3:51
Bosch, Carl 3:50
Bosch, Jerónimo 3:50
Bosch, Juan 3:51
Bose, Satyendra Nath **3**:52
Bosencheve, Parque **10**:331
Bósforo **2**:216, 332; **6**:45, 60, 74; **7**:140; **9**:153; **14**:64
Bósforo o canal de Constantinopla 3:51
Bosnia y Herzegovina 3:51
Austria **2**:167
bogomilitas **3**:18, *51*
Bosnia **3**:51
Croasia **4**:296
eslavos **5**:297
Balcanes **2**:224
Europa **6**:81
mina **9**:227
vivienda **14**:117
bosón 3:51
bosque 3:52
— de abedules **1**:21
— de abetos **1**:27
— de alcornoques **1**:151
— de alerces **1**:168
— de alisos **1**:192
— de arces **10**:99
— de coníferas **1**:69; **8**:175
— de coníferas en Canadá **1**:344
— de Manabí **8**:104
— de Spruce, Canadá **6**:195
— del Himalaya **6**:113
— Europa **6**:79
— mitología **3**:53
— nevado **11**:17
— utilidad de los **3**:52
ahuehuete **1**:120
Arizona **2**:35
bosque **3**:53, 189
Europa **6**:79
haya **7**:133
preservación **11**:191

Yucatán **14**:166
bosque petrificado 3:53
— en Arizona **6**:35
bosquejo 3:13, 54
Bosques **1**:164
bosquimanos 3:54
— África **7**:198
Angola **1**:285
Kalahari, desierto de **8**:131
negro **10**:67
razas humanas **11**:310
vivienda **14**:116
Bossuet, Jacobo Benigno 3:54
bostezo 3:54
Boston 3:55
— bahía de **9**:109
Boston Museum of Fine Arts **9**:123
Boston School of Fine Arts **10**:175
Boston, Massachusetts **9**:121
Estados Unidos **6**:34
Massachusetts **9**:121
Poe, Edgar Allan **11**:146
Washington, George **14**:142
Bosustow, Stephen **5**:111
Boswell, James 3:55
Bosworth **5**:265; **12**:62
botador **3**:58
botadura 3:55
Botafoc **2**:224
botánica 3:56
— clasificación del reino vegetal **3**:56
— nuevas técnicas **3**:56
— regiones botánicas **3**:56
— descriptiva **3**:56
— estela **6**:48
ave del paraíso **2**:182
geografía **6**:303
jardinería **8**:87
planta **11**:124
talasemia **13**:104
Vries, Hugo de **14**:135
botas 3:57
bote 3:57
— diferentes tipo de botes **3**:57
— propulsión **3**:57
bote de pintura **1**:89
Bote en el río Perfumes, Hue, Vietnam **7**:314
botes **3**:58
botella 3:58
Botero, Fernando 3:58
Botero, Giovanni 3:58
Botha **9**:42
Botha y Smuts **13**:314
Botha, Louis **13**:314
Botha, Pieter Willen **8**:144; **13**:314
Bothe, Walter 3:49, 59
Böthezat **7**:142
Bothwel, conde de **9**:95
Bothwell, Reece B. **4**:302
Boticelli, Sandro **9**:149; **11**:94, 289
Botnia, Golfo de 3:59
Báltico, Mar **2**:230
Escandinava, Península **5**:278
Finlandia **6**:159
Laponia **8**:175
Suecia **13**:68
botocudo **7**:310
botón 3:59
— de oro **11**:300
vestido **14**:72
botones **11**:128
botones, dedal y aguja **1**:117
botonadura **14**:72
botriocéfalo 3:59
Botswana 3:59
Botswana danza ritual en Mahalapye **3**:59
Botswana bandera de **2**:239
Imperio británico **7**:275
Namibia **10**:33
Unión Sudafricana **13**:312
Botta **2**:102
Bottger, Juan Federico **11**:170
Botticelli, Sandro 3:59
Botticelli, El nacimiento de Venus **3**:60
grabado **7**:28
Lippi, Fra Filippo y Filippino **8**:269
botulismo 3:60
Botvinnik, Miguel 3:60
botzan **14**:66
bou o trawler **11**:320
Bouchard, Hipólito 3:60
Bouchardon, Edme **6**:229
Boucher de Crèvecoeur de Perthes, Jacobo 3:60
Boucher, Francisco 3:60
Louvre **8**:313
Bouches-du-Rhone, delta **12**:*89*
Bougainville, Louis Antoine de **12**:186
Bougainville, Ejército Republicano de **10**:318
Bougainville, isla de 3:60
Bougainville, Luis Antonio de 3:60
descubrimientos y exploraciones geográficos **5**:77
Oceanía **10**:179
Bouger **8**:115
Bouges **8**:114
Bouguer, Pierre **5**:202; **12**:327; **8**:265
Bouillon, Godofredo de **1**:250, 316; **8**:97; **13**:125
Boulanger, Nadia 3:60
Boulez, Pierre **6**:229
Boulogne **3**:207; **6**:217
Boulogne, Bois de, Parque **10**:331
Boulogne, bosques de **10**:328
Boulogne, Jean **5**:294
Boulton **9**:75
Boulton, Mateo **14**:143
Bountry buque **11**:112
Bounty, Rebelión de la 3:60
Bourdelle, Emilio Antonio 3:61
Francia **6**:229
Boû-Regrè, río **11**:271
Bourgeois, Léon Victor Auguste 3:61
Bourget, Paul 3:61
Francia **6**:227
Bourne, Una, pianista **2**:164
bourrée **5**:13
Boussard **4**:184
Boussard, M. **12**:115
Bouterse **13**:86
Bouterse, D. **13**:86, 87
Bouton **5**:135
Boutros Ghali
Véase Butros Ghali
Bouts, Dierick 3:61
Bouzies, túnel en **13**:283
bóveda 3:61
— celeste **6**:162
— de crucería **7**:25
ábside **1**:36
arquitectura **2**:56
Boves, José Tomás 3:61
Bovesin della Riva **8**:64
bóvido 3:61
Bovillon, Godofredo de **9**:46
bovinotecnia **14**:187
Bow **5**:210
Bow fabrica **11**:170
bóvidos, diversas especies **3**:62
bovinos, categorías de **14**:9
Bowdoin **9**:34
Bowers, H. **12**:250
boxeo 3:62, 63
asalto **2**:79
Dempsey, Jack **5**:48
boxers, sublevación de los 3:63
boy scout 3:64
boya 3:63
Boyacá 3:24, 64
— (Tunjo) **4**:140
— batalla del puente de **4**:144
— Colombia **4**:199
América del Sur **1**:245
batalla *2*:264
guabina **7**:71
Latinoamérica **8**:186
Boyacá, Batalla de 3:64
Boyardo **2**:30
boyas **3**:63; **7**:168
Boyce, W.D. **3**:64
Boyd, Arthur **2**:164
Boyer, Charles 3:64
Boyer, Jean Pierre 3:64
Boyle, Robert 3:64
átomo **2**:144
gas **6**:287
química **11**:261
Boyle-Mariotte, ley de **4**:179; **5**:196
bozal **10**:68; **13**:256
Boz-Dagh **8**:40
Bozeman **9**:283
Brabante **2**:283
Bracco **5**:171
bracero 3:65
otomí **10**:270
Brachiosaurus **3**:69
Bracque, Georges **6**:228; **9**:263
Bracho **5**:295
Braddock, James J. **3**:63; **8**:105
bradicardia **2**:60
Bradley, Charles **10**:107
Bradley, Francis Herbert **12**:150
Bradley, James **1**:27
Braga, Joaquín Teófilo 3:65
Bragelonne, el vizconde de **5**:177
Bragg, Sir William Henry 3:65
Bragi **5**:210
bragueta **14**:67
Brah Rama **13**:103
brahamanes **2**:95
brahamánica, civilización **2**:30
brahamanismo **8**:75, 135
Brahamaputra **6**:280
Brahamaputra, llanura **2**:245
Brahe, Tycho 3:65
Brahma y brahmanismo 3:65
— santuario de **7**:302
Dios **5**:135
música **10**:11
vedas **14**:32
brahmán **3**:65; **6**:18; **14**:7
Brahmaputra 3:65
— delsa **2**:292
— delta del **5**:45
— río **2**:85, 87; **10**:29
— valle de **10**:29
Himalaya **7**:179
Nãgã Pradesh **10**:29
Brahma-Visnú **7**:317
Brahms, Johannes 3:65, 260
Alemania **1**:165
Austria **2**:167
música **10**:15
vals **14**:18
brahui **5**:172
Braid, Jaime **7**:183
Brailowsky, Alejandro 3:66
Braille, Luis 3:66,311
comunicaciones **4**:184
Francia **6**:230
Braithwaite, Nicholas **7**:46
Bramah, Joseph **11**:189
Bramante, Donato d'Agnolo 3:66
Milán **9**:222
San Pedro de Roma **12**:198
Branco **10**:69
Branco, Cabo **1**:228, 237, 238; **10**:323
Brancovan, Constantino **12**:132
Brancusi, Constantino 3:66
escultura **5**:295
Branchisostoma lanceolatum **1**:279
Brand, Vance **2**:113; **13**:243
Brandao Vilela, Avelar **3**:241
Brandao, Pereira **11**:177
Brandberg **10**:33
Brandenburgo 3:67
— Alberto de **1**:160
— puerta de **1**:166
Alemania **1**:160
Federico Guillermo, el Gran Elector **6**:125
Hohenzollern **7**:202
Polonia **11**:160
Brandeis, Louis **3**:242
Brandemburgo, Alberto de **11**:180, 222
Brandenstein, Daniel **13**:243
Brandes, George Morris **2**:154
Brandes, Jorge 3:67
Brandsen, Federico 3:67
Brandt, Federico 3:67
Brandt, Georg **4**:119
Brandt, Hennig **6**:199
Brandt, Willy 3:67
Brandywine, ríos **5**:40
branle **13**:75
Branly, cohesor de **3**:68
Branly, Eduardo 3:68
Francia **6**:230
radiotelefonía y radiotelegrafía **11**:283
Branon, Carmen **12**:184
Braque, George **4**:317
branquia 3:68
— foliácea **6**:154
pez **11**:74
tiburón **13**:186
zoología **14**:184
branquiosaurio **1**:323
Bransfield, Estrecho de **12**:309
Branshaw, montañas **2**:34
Branta, ganzo **6**:281
Branting, Karl Hjalmar 3:68
Brañas, César 3:68
Braque, Jorge 3:68
braquicéfalo 3:68
indios americanos **7**:311

braquiópodos 3:68
tentáculo **13:**160
braquiosaurio 3:69
Braschi, Juan Ángel **11:**101
Brasidas **13:**280
Brasil 3:69
— agricultura, industria y comercio **3:**71
— arte y música **3:**76
— clima, flora y fauna **3:**70
— gobierno y división territorial **3:**73
— hidrografía **3:**70
— historia **3:**74
— imperio de **2:**23
— Independencia de **14:**165
— información **3:**74
— montañas de **1:**238
— museo Antropológico de Belo Horizonte en **10:**98
— orografía y costas **3:**69
— parnasianismo en **10:**206
— población **3:**74
— vías de comunicación **3:**73
Brasil **3:**74
Ouro Preto, Brasil **3:**70
Río de Janeiro **3:**72
Tiradentes, Brasil **3:**69
Brasilia 3:77
Brasonelli, José **10:**322
Brasov 3:77
Brasstown Bald **6:**315
Bratislava 3:77
Brattain, Walter **12:**310
Bardeen, John **2:**254
Bratislava, Eslovaquia **5:**299
Brau, Salvador 3:77
Braudel, Fernand **6:**227
Braum, Lucien **6:**153
Braun **13:**71
Braun, Eva **7:**196
Braun, F. **9:**88
Braun, Karl Ferdinand 3:77
Braun, Wernher von 3:77
Braunau, Austria **7:**195
Brava **1:**63
Bravante **7:**207
Bravard, Auguste 3:78
Bravo o Grande del Norte, río 3:78
altiplanicie mexicana **1:**208
Estados Unidos **6:**32
México **9:**194
Bravo, Francisco **9:**201
Bravo, Guillermina 3:78
Bravo, José J. 3:78
Bravo, Juan **3:**248; **10:**282; **12:**258
Bravo, Nicolás 3:78
Bravo, Valle de **6:**30; **9:**207
Bray, Thomas **6:**35
Braye, cardenal De **10:**262
Braz Pereyra Gómez, Wenceslao **3:**75
brazal **14:**71
brazaletes **14:**64
Brazauskas, Algirdas **8:**288
Brazino **9:**58
Brazos, río **6:**32
Brazza, islas **5:**8
Brazzaville-Pointe-Noire **4:**207
brea 3:78
abedúl **1:**21
impermeabilización **7:**282
Breal **12:**244
Bréal, Michel **12:**271
Breasted, James E. 3:78
Brecheret, Victor **3:**77
Brecht, Berthold **5:**169, 172; **6:**161
Breckenridge **4:**156
Breda 3:78
— tratado de **7:**208
Brege, río **5:**11
Bréguet, Abraham Louis **3:**78
Breguet, Charles **12:**14
Bréguet, Louis Francois 3:78
Brema o Bremen 3:79
— puerto de **1:**164; **11:**229
Alemania **1:**163, 165
Bremer, Federica **13:**71
Brenes Jarquín, Carlos **10:**94
Brenes Mesén, Roberto 3:79
Brenner o Brennero 3:79
Brenner, paso de **13:**202
Brenno **7:**277
breno 3:79
Brenta **14:**39
Brenta, río **5:**154
Brentano 3:79
— Clemente **3:**79
— Clemens **8:**256
— Francisco **3:**79
— Bettina **2:**276
Bresci, Cayetano **7:**247
Brescia **11:**17; **13:**122
Bresciani, Carlos **4:**43
Breslau **7:**115; **10:**185
Brest **6:**212
Brest Litovsk, Paz de 3:79
Guerra Mundial, Primera **7:**92
Lenin, Vladimir Ilch Uljanov **8:**221
paz, tratado de **11:**19
Rusia **12:**145
Bretaña **4:**217; **13:**96; **14:**117
Bretaña, Arturo de **6:**127
Bretaña, Francia 3:79
Europa **6:**76
Bretch, Bertolt **1:**166
Bretigny, tratado de **6:**222
Bretón de los Herreros, Manuel 3:80
Acuña de Figueroa Francisco **1:**63
Álvarez Quintero, Serafín y Joaquín **1:**215
España **5:**320
Gómez de Avellaneda, Gertrudis **7:**19
sainete **12:**166
Breton, André 3:80
Francia **6:**227
Lam, Wilfredo **8:**166
Modernismo y arte Moderno **9:**263
surrealismo **13:**87
Bretón, cabo **1:**263; **10:**329
Bretón, Tomás 3:80
bretones **6:**220
Brett, Watkins **3:**141
Bretton Woods 3:81
Breuer, José **11:**222
breva **7:**177
Breve Pontificio **3:**102
Breve suma **11:**7
Breve, Pipino el **6:**221
Brewster, David **6:**185; **7:**44
Brezhnev, Leonid I. 3:81
Israel **8:**57
Tadjikistán **13:**99
brezo 3:81
Brezo, la Sierra del **10:**290
Briand, Aristide 3:81
Briani, Cristóbal **4:**290
Briareo **6:**189
Briceño Méndez, Pedro 3:81
Brickner, Anton **3:**88
bridge **14:**148
Bridgeport **2:**255
Bridges Creek (Virginia) **14:**141
Bridges, Robert 3:81
Masefield, John **9:**120
Bridgetwon, Barbados **2:** 250
Bridgman, Percy Williams 3:82
Bridgton **9:**33
Brie, queso **6:**216; **11:**252
Brienz **13:**77
Briey **6:**216
Briga **12:**329
Brigach, río **5:**11
brigada 3:82
– internacionales **3:**82
regimiento **11:**330
Briggs, Henri **8:**300; **10:**35
Brighton, Inglaterra **1:**59
Brighton, Inglaterra **3:**212
Brígida, santa 3:82
Suecia **13:**71
Brikama **6:**273
brillante **7:**204
Brillas, Salvio **11:**241
Brillat-Savarin Anselmo 3:82
brillo estereoscópico **6:**50
Brindis de Salas, Claudio 3:82
Brindisi **1:**76
Brinsley Sheridan, Richard **8:**46
briófita, planta **10:**10
briofitas **3:**56; **11:**121
brioso, movimiento **10:**13
brisas **14:**88
Brisbane 3:82
Australia **2:**162
Queensland **11:**247
Brisbane, río **11:**247
Brisbane, Sir Thomas Makdougall 3:82
Briseida **1:**99
brisfera **6:**311
Brisgovia, Friburgo de **12:**64
brissotinos **6:**327
Bristol 3:82
– canal de **3:**82
porcelana **11:**170
Gran Bretaña **7:**38
Rhode Island **12:**59
Bristol, Universidad de **8:**222; **11:**181
Britania **4:**109; **5:**175; **13:**325
Británica, corona **14:**142
británica, familia real **14:**152
Británica, Real Fuerza Aérea, *(Royal Air Force)* **11:**289
Británicas islas **1:**284; **2:**136; **5:**176; **6:**136, 331; **8:**128; **14:**117
Británico **1:**110
Británico, Museo **9:**252, 333
Britannia **1:**142; **7:**40
Britannia, metal **2:**207
British Museum, Londres **12:**13
Britten, Benjamin 3:83
Brix, Herman **13:**123
Brizan, George **7:**46
Brno **3:**18
Broadway 3:83
Hephum, Audrey **7:**149
Manhattan, isla de **9:**57
New York **10:**90
Taylor Elizabeth **13:**128
broca **3:**83
Broca, Paul 3:83
Francia **6:**230
Brocken, monte **14:**138
Brockhouse, Bertram Neville 3:83
Shull, Clifford G. **12:**310
Brochadas **13:**209
broche **14:**71
Brodowski **11:**172
Brodsky, Joseph 3:83
Brodzinski, Jozef 3:84
Broglie Louis, de 3:84
fotón **6:**204
microscopio electrónico **9:**218
Thomson, George Paget **13:**183
broma 3:84
bromeliáceas **1:**259; **4:**109
Bromfield, Louis 3:84
bromhidrato **13:**139
Bromma **13:**69
bromo 3:84
Arkansas **2:**36
halógenos **7:**125
mar **9:**82
bromuro 3:84
droga **5:**173
bronce 3:84
armadura **2:**43
estaño **6:**47
joyeria **8:**11
Bronce, Edad del 3:85
bronceada **2:**189
Broncer **13:**206
Broncic, Gabriel **4:**44
bronconeumonía **10:**77; **13:**232
broncoscopio 3:85
endoscopio **5:**256
Bronguiart **5:**178
Bronhill, June, cantante **2:**164
Bronislava Nijinskaia **8:**257
Bronislaw Malinowski **6:**70
bronquial **2:**102
bronquios 3:85
bronquitis 3:86
enfermedad **5:**260
fiebre de malta **6:**149
Bronsted, Johannes Nicolaus **1:**52
Brontë, hermanas 3:86
— Charlotte **3:**86
mujer **9:**327
brontosaurio 3:86
apatosaurio **1:**323
geología **6:**309
dinosaurio **5:**133
Bronx **10:**89
Bronzino, El 3:86
Brooke, James, sir **12:**227
Brookhaven National Laboratory (BNL) **2:**150; **4:**299; **8:**209; **12:**331; **13:**197
Brooklyn 3:86
— puente de **4:**219
New York **10:**89
Broom, Robert **2:**165
Broqua, Alfonso **13:**328
brote 3:86
Broteas **13:**113
Broughton, río **5:**77
Brouwer, Leo **4:**316
Brovka, P. **12:**150
Brown Palmer, Nataniel **6:**98
Brown, Arthur **1:**87

Brown, Braun **7**:45
Brown, Charles B. **6**:43
Brown, Guillermo **6**:234; **8**:177; **11**:258
Brown, Herbert Charles 3:87
Wittig, Georg **14**:154
Brown, Joe **10**:259
Brown, Juan 3:87
Brown, Michael S. 3:87
Goldstein, Joseph Leonard **7**:14
Brown, Robert **3**:87; **4**:97
Brown University **4**:231
Brown, William 3:87
browniano, movimiento 3:87
Browning, Elizabelh Barret 3:88
Browning, Robert 3:88
Flautista de Hamelin, el **6**:175
Gran Bretaña **7**:44
Broz, Josip 3:88
Nasser, Gamal Abdel **10**:44
Yugoslavia **14**:167
Brozas **12**:202
Bruce Elgin, Thomas **10**:332
Bruce, David **6**:149; **7**:285
Bruce, Robert 3:88
Bruce, Thomas **1**:56
Bruce, W. S. **5**:80
brucela **6**:149
brucelosis **2**:160; **6**:149
Brücke **6**:191
Bruckner, Anton 3:88
Austria **2**:167
musica **10**:16
Bruch, Max 3:88
Respighi, Ottorino **12**:30
Brueghel 3:88
Ícaro **7**:260
Brueghel, Pieter **5**:290; **11**:97
Brugmann, Carlos **8**:266
Brujas 3:88
Bélgica **2**:283
Flandes **6**:172
tapiz **13**:116
Brujas, Juan de **1**:315
Brujas, Ruggiero de **14**:22
Brujas, San Jaime, iglesia de **14**:22
brujería 3:88
brujería y ciencias **3**:89
brujos y hechiceros **9**:333
brújula 3:89
Asia **2**:98
electricidad **5**:238
excursionismo **6**:92
invenciones y descubrimientos **8**:28
magnetismo **9**:27
navegación **10**:53
teodolito **13**:160
brújula de agrimensor 3:90
brújula giroscópica **3**:90; **6**:328
Brum, Baltasar 3:90
Brumario golpe de estado **10**:36
Brumberg, R. **9**:263
Brummell, George Bryan 3:90
Brun , Charles Le **8**:313
Brunche, Ralph Johnson **3**:105; **12**:336
Brunei 3:90
Asia **2**:100
imperio británico **7**:275
Brunelleschi, Felipe 3:90
Brunelleschi, Filippo **6**:181; **8**:65; **9**:148; **11**:110
Brunet **2**:314
Brunhes **6**:306
Brunhilda **13**:71
Brunilda 3:91
Niágara **10**:92
Brüning, canciller Heinrich **10**:316
Brünn **4**:26
Bruno, Giordano 3:91
Barroco **2**:258
Bruno, san 3:91, 268
orden religiosa **10**:235
Brunsbuttel **8**:141
Brunswick, Karl Wilhelm Ferdinad, duque de **6**:294
Brunswijk, Ronnie **13**:86
Bruselas 3:91
Alba, tercer duque de **1**:137
Benelux **2**:292
Dumas, Alejandro **5**:177
Federación Sindical Internacional (FSI) **6**:124
Herrera y Gutiérrez de la Vega, Juan de **7**:158
Meunier, Constantino **9**:193
Napoleón I, Bonaparte **10**:38
refugiado **11**:328
Waterloo, batalla de **14**:143
Bruselas, Observatorio Astronómico de **11**:252
Bruselas, Universidad de **11**:108
Brush, vizconde del **11**:197
Brut, Roman de **13**:96
Bruto, Marco Junio 3:92
asesinato **2**:81
hora **7**:224
Marco Antonio **9**:87
Bruton, John **8**:46
Bryan, John Neely **5**:8
Bryant, William Cullen 3:92
Estados Unidos **6**:43
Bryll, E. **11**:161
Bryullov **12**:143
Buache, Felipe **6**:305
Buala **12**:177
búbalo **1**:307
Bubian **11**:57
Bucaco, Palacio de **10**:287
bucanero 3:92
Bucaram Ortiz, Abdalá **5**:201
Bucaramanga 3:92
Santander **12**:217
Uribe Uribe, Rafael **13**:324
Bucareli y Ursúa, Antonio Ma. 3:92
virreinatos **14**:103
Bucareli, tratados de **10**:175
Bucarest 3:92
— tratado de **4**:217
Europa **6**:81
Bucarest **12**:129
Bucéfalo **1**:156; **3**:133
Bucentauro **1**:292
buceo **6**:20
bucero 3:92
bucerótida **3**:158
Buck, Pearl S. 3:92
Buck Rogers **4**:170
Buckingham, George Villiers, Duque de 3:93
Revolución Inglesa **12**:53
Buckingham, Palacio de **10**:287
Bucólica, poesía **13**:160
bucólico 3:93
Bucovina del Norte **12**:131
Buchanan, James 3:92
Estados Unidos **6**:41
Buchanan, James McGill 3:92
Bucharuddin Jusuf Habibie **7**:316
Buchenwald **4**:193; **7**:211
Buchir **11**:57
Buchli, James **13**:243
Büchner, Edouard **9**:131
Buchner, Gary S. 3:92
Büchner, Georg **1**:166
bucho, paloma de **10**:296
Buda **2**:96; **4**:59
Buda 3:93
– el budismo **3**:94
India **7**:302
jainismo **8**:75
religión **12**:11
Buda yacente de Rangoon, Myanmar **11**:299
Budapest 3:94
biblioteca **2**:313
Europa **6**:81
Hungria **7**:252
Moinar, Ferenc **9**:269
Budapest, Universidad Politécnica de **10**:200
Bud-Azun, barrio de **2**:11
Buddenbrooks **9**:59
Budenny, Semyon Mihailovich 3:94
Budge, Don 3:95
búdico **7**:303
budismo **2**:96; **3**:94; **6**:18; **8**:136; **9**:242; **13**:185; **14**:90
budismo mayayana **4**:247
budismo del lama **9**:52
budismo tántrico **5**:7; **9**:54
budista **2**:96; **7**:120; **13**:101
budista, templo **10**:72
budistas **9**:52; **14**:34
Budnyj, S. **12**:149
Bueger **13**:216
Buen Retiro **1**:341
Buen Vecino, política del **6**:42
Buen, Odón de 3:95
Buena Esperanza, Cabo de 3:95
Africa **1**:92
Elcano, Juan Sebastián **5**:235
Herschel **7**:160
Unión Sudafricana **13**:312
Buena Esperanza, fuerte de **9**:165
Buena Muerte **2**:192
Buena Nueva **6**:85
Buena Vista **13**:129
buenaventura 3:95
Buenaventura 3:96
Dominicana, República **5**:159
Medellín **9**:148
Buenaventura, puerto **4**:137; **11**:168; **14**:20
Buenaventura, Enrique 3:96
Buenaventura, san 3:96
Buenavista **4**:267
Bueno, Manuel **6**:299
Buenos Aires 3:96
— fuerte de **11**:316
— historia **3**:97
— importancia de la ciudad **3**:97
— provincia de **9**:84
— teatro Colón de **10**:308
— transportes **3**:97
— universidad de **8**:214; **10**:175
Argentina **2**:14
Echeverría, Esteban **5**:185
Fariña Nuñez, Juan **6**:117
langosta **8**:171
Buenosaires, Adán **9**:90
Buero Vallejo, Antonio 3:99
España **5**:320
buey 3:99
— Apis **2**:238; **13**:100
— salvaje **2**:71
buey **1**:138
ganadería **6**:275
Laos **8**:173
toro **13**:225
Bufa, cerro de La **14**:169
búfalo 3:99
— cafre **3**:99
Laos **8**:173
Asia **2**:92
bufetillos **9**:254
Buffalo 3:99
exposición **6**:101
Grandes Lagos **7**:48
Buffalo Bill 3:99
Wyoming **14**:156
Buffet **1**:54
buffets **9**:255
Buffon, Georges Louis Leclerc, conde de 3:100
ciencia **4**:76
Diderot, Denis **5**:114
estilo **6**:53
legión de Honor **8**:211
museo **10**:9
transformismo **13**:245
bufón 3:100
Juglar **8**:122
bufonería **9**:226
bufones **9**:226
bufónidos **12**:225
Buga **14**:20
bugambilia 3:100
Buganda **13**:301
Buglia, James J. **9**:173
bugre **7**:310
buharro 3:100
Bühler, Karl **13**:176
búho 3:100
— la lechuza **3**:101
ave **2**:181
búho **6**:63
Buillier, F. **3**:267
Buisson, Ferdinand **11**:255
Buisson, Fernand 3:101
Buitenzorg **8**:91
buitre 3:101
— condoresco **6**:309
ave **2**:180
Bujarin, Nicolaj Ivanovich 3:101
bujía 3:101
— de Hefuer **3**:102
— de motor de explosión **3**:102
— eléctrica **3**:102
— tipo **6**:204
automóvil **2**:171
bujía **9**:313
luz eléctrica **8**:334
bujíametro **8**:333
Bujumbura **3**:123
Buka **10**:317; **12**:176
Bukk, macvizo de **7**:250
bula 3:102
Ferrer Bassa, Jaime **6**:137
Lutero, Martín **8**:327
monte de piedad **9**:287
Bula de Oro **12**:161
Bulak, Museo de **9**:121
Bulaq **3**:155
bulas alejandrinas **13**:222
bulbo 3:102

— escamoso **3:**102
— raquídeo **1:**44; **3:**333
— sólido **3:**102
— tunicado **3:**102
jardinería **8:**89
pelo **11:**31
tallo **13:**107
bulbosas **1:**218
Bülent Ecevit **13:**297
Büler, Karl **1:**57
Bulgakov, Sergei **12:**141
Bulganin **11:**160
Bulganin, Nicolás A. 3:102
Unión de Repúblicas Socialistas Soviéticas **13:**308
Bulganin, Nikolaj Aleksandrovich **8:**149
Bulgar Dagh **13:**126
Bulgaria 3:102
— aspecto físico **3:**102
— ciudades principales **3:**103
— educación **3:**104
— el gobierno **3:**104
— el pueblo **3:**103
— recursos naturales e industrias **3:**103
— transportes y comercio **3:**103
Alemania **1:**161
Balcanes **2:**223
Europa **6:**81
Lausana, tratado de **8:**198
mongol, imperio **9:**276
Negro, Mar **10:**68
paz, tratado de **11:**19
Varsovia, pacto de **14:**27
búlgaro **8:**218
búlgaros **1:**75; **13:**174
bulimia 3:104
Bulnes, fuerte **11:**243
Bulnes, Gonzalo **4:**44
Bulnes, Manuel 3:105
Loncomilla **8:**302
Yungay, batalla de **14:**168
Bulwer-Lytton, Edward George 3:105
Pompeya **11:**164
Bull, John **10:**22; **12:**327
bulla **3:**102
Bullant, Jena **6:**228
bulldozer o buldózer 3:105
automóvil **2:**170
bullom **12:**319
Bullrich, Rafael A. 3:105
Bullrich, Silvina 3:105
Argentina, República **2:**27
Bultmann **4:**293
Bumbsen **2:**52
Bumedien, Huari **2:**290
bumerang 3:105
Buna **3:**301
Bunche, Ralph Johnson 3:105
Bund **1:**313
bunde **4:**143
Bundestag **1:**163; **3:**67; **4:**293; **11:**334
Bunge, Carlos Octavio 3:105
Bunge, Mario 3:106
Bunin, Iván Alekseeric 3:106
Bunsen, Robert W. 3:106
fotómetro **6:**204
Kirchhoff, Gustav Robert **8:**143
Tyndall, John **13:**298
Bunyan, John 3:106
Gran Bretaña **7:**43
Buñuel, Luis 3:106
Félix, María **6:**128
surrealismo **13:**87
Buonaparte, Carlo María de **10:**35
Buonarroti, Miguel Ángel **8:**227; **12:**198
Buoninsegna, Duccio de **5:**289
Buontalenti, Ammanati Ligorio **9:**58
buque 3:107
— barcos movidos por electricidad **3:**110
— calculos para la construcción de un buque **3:**113
— capitales **2:**39
— clasificación y registro del buque **3:**116
— construcción del buque **3:**114
— de guerra **10:**56
— diferentes clases de buques **3:**112
— diferentes clases de máquinas **3:**109
— división interior del casco **3:**108
— donde se construyen los buques **3:**113
— el buque y la legislación marítima **3:**116
— el calado del buque **3:**115
— el timón **3:**111
— el vapor aplicado a la navegación **3:**108
— Gran Bretaña y la construcción de buques **3:**117
— importancia del buque en el comercio internacional **3:**118
— inspección y arqueo **3:**115
— la botadura **3:**114
— la construcción naval en España **3:**118
— la construcción naval en Estados Unidos **3:**118
— la hélice **3:**111
— la marca de Plimsoll **3:**115
— las motonaves **3:**110
— las pruebas finales **3:**116
— los equipos y dispositivos de seguridad **3:**114
— los trasatlánticos **3:**112
— marina de guerra **3:**113
— mercantes **2:**39; **10:**56
— minadores **9:**227
— navegación **3:**111
— otros centros de construcción naval en Europa **3:**117
— partes **3:**108
— respaldo del Estado a la marina mercante **3:**116
— tanques de experimentación **3:**114
— turbinas de vapor **3:**109
agua de mar, purificación del **1:**112
buque de guerra chileno **10:**193
buque petrolero **4:**227; **11:**57
espolón **6:**20
Guerra Mundial, Segunda **7:**93
Lloyd's **8:**293
Marina, mercante **9:**96
portaaviones **11:**171
buque fantasma 3:118
buques, construcción de 3:114
Buraimi, oasis de **1:**39; **5:**249
Bürbach **12:**231
Burbank, Luther 3:119, 149
burbujas de nitrógeno **7:**181
Burckhardt, Jacob **13:**82
Burchard, Pablo **4:**43
burdégano **2:**103; **9:**328
Burdeos 3:119
Atlántico, océano **2:**137
Francia **6:**217
Golfo, Corriente del **7:**15
universidad **13:**316
Burdeso **6:**212
Burdingala **6:**220
Bure, Idelette de **3:**174
Bu-Regreg **9:**105
Burem **10:**100
buretá hidrotimétrica **7:**169
Burgas, puerto de **10:**68
Burgdorf **5:**216
Burgenland **2:**166
Burgeois, León Victor Auguste **3:**61
Burgers, Thomas F. **8:**149
Burgess, Anthony 3:119
burghers **4:**192
Burgkmair, Hans **1:**166
burgomaestre 3:119
Guericke, Otto von **7:**83
Burgos 3:119
Alvarado, Alonso de **1:**213
Duero, río **5:**176
gótico **7:**25
Vega Carpio, Félix Lope de **14:**33
Burgos, archivos de **9:**191
Burgos, E. **9:**163
Burgos, Jilia de **11:**237
Burgos, José 3:120
Burgos, Julia de 3:120
Burgoyne **14:**142
burguesía 3:120
civilización y cultura **4:**105
economía **5:**192
feudalismo **6:**144
Scribe, Agustín Eugène **12:**251
Burgum, Lucili **8:**328
Burgundia **6:**124
burgundios **3:**48; **6:**218
buriatos **2:**94, 95
Buridán, Jean 3:121
Burke, Edmund 3:121
prensa (información) **11:**190
Burkholder **4:**117
Burkina Faso 3:121
bandera **2:**239
burla **13:**240
Burle Marx, Roberto **3:**76
Burlington **4:**231
Burma **2:**239
Burmeister, Karl Hermann 3:122
descubrimientos y exploraciones geográficos **5:**74
Burne-Jones, sir Edward 3:122
Gran Bretaña **7:**45
Burnet, Macfarlane, sir **2:**164
Burnham Tavern **9:**34
Burnham Thorpe (Norfolk) **10:**69
Burnham, Forbes **7:**112
Burnham, James **5:**138
Burnham, S. W. **10:**336
Burnlay-Campbell, general **13:**253
Burns, puerto **7:**306
Burns, Robert 3:122
Gran Bretaña **7:**44
Romanticismo **12:**106
Burns, Tommy **3:**63
burocracia 3:122
burócratas **6:**250
Buron **12:**257
Burr, Aarón **14:**76
Burr, Margaret **6:**261
burriciegos **13:**126
Burro, Afranio **10:**75
Burroughs Wellcome **7:**195
Burroughs, Edgard Rice 3:122
Burroughs, John **6:**162
Burroughs, William Seward 3:122
Estados Unidos **6:**43
bursátil, pizarra **3:***34*
Burset, Joaquín **11:**239
Burton, Francis **1:**95
Burton, sir Richard Francis 3:123
descubrimientos y exploraciones geográficos **5:**76
Gran Bretaña **7:**45
mil y una noches, Las **9:**226
Nilo, Río **10:**102
Tanganica, lago **13:**111
Buru **2:**83; **9:**270
Burundi 3:123
bandera **2:**239
Ruanda **12:**120
Tanzania **13:**115
burundianos **13:**115
Bury, Ricardo de **2:**309, 312
Busch y Becerra **13:**139
Busch, Germán **3:**30; **13:**225
Busch, Wilhelm **3:**246
Bush Jonhston, Sara **8:**263
Bush, George 3:123
Francia **6:**226
Gorbachov, Mihail **7:**22
Japón **8:**84
nuclear, estrategia **10:**146
Puerto Rico **11:**232
Unión de Repúblicas Socialistas Soviéticas **13:**310
Bussa **10:**329
Bussaco, sierra de **11:**173
Busseto **14:**55
Busshe Shelley, Percy **8:**278
Bustamante Rivero, José Luis 3:124
Peru **11:**65
Bustamante, Anastasio 3:124
Bustamante, Carlos María de 3:124
Apatzingán, constitución de **1:**323
México **9:**202
Bustamante, José Luis **7:**134
Bustamante, Pedro 3:124
Bustamante, sir William Alexander 3:124
Bustillo Oro, Juan **9:**24
busto de Artigas **2:**289
Bústos de Lemoine, Teresa 3:124
Bután o Bhután 3:124
butano 3:126
hidrocarburo **7:**165
Butare **12:**120
Butenandt, Adolf 3:126
Ruzicka, Leopold **12:**152
Buti, Lucrezia **8:**269
butias **2:**94
Butilcaucho **3:**301
butiscafo Trieste **2:**266
butivas **2:**94
Butler, Samuel **4:**77
Butler Yeats, William **7:**135
Butler, Nicholas Murray 3:126
Butler, Samuel 3:126

Gran Bretaña **7**:43
utopía **13**:333
Butros Gali, Butros 3:126
Butros Boutros-Ghali de Egipto **6**:320
Butte **9**:283
Butterick **9**:260
buxáceo **3**:19
Bu-Xedra, río **7**:266
Buxtehude, Dietrich **1**:165; **14**:26
Buyidas **8**:38
buyo **2**:306
Buyoya, Pierre **3**:123
buzamiento **6**:157
buzo y buceo 3:127
helio **7**:142
buzón **4**:253
Bwiti, sociedad secreta **6**:259
Bykovsky, Valery F. 3:128
astronáutica **2**:111
Tereschkova, Valentina Vladimirovna **13**:165
Bylot, Roberto **11**:8
Byrd, María **1**:302
Byrd, Richard Evelyn 3:128
descubrimientos y exploraciones geográficos **5**:78
exploraciones polares **6**:96
Byrne, Bonifacio 3:128
Byrnes, James Francis 3:128
Byron, George Gordon, **Lord 3**:128
Gómez de Avellaneda, Gertrudis **7**:19
puente **11**:228
Shelley, Percy Bysshe **12**:308
bytes **5**:141
Bytown **10**:271

C

C. 3:129
C, vitamina **6**:240
Ca'd'Oro **14**:40
caá **9**:126
Caaba, Kaaba o Ka'ba 3:129
Caacupé **10**:321
Caaguazú 3:129, **10**:321 **11**:20
Caaguazú **12**:197
Caamaño, Francisco **5**:161
Caarumbé **2**:73
Caazapá 3:129
Ciuda de Paraguay **3**:129
Departamento de Paraguay **3**:129; **10**:321
cábala 3:129
quiromancia **11**:269
mágia **9**:25
ocultismo **10**:184
cabalgaduras **8**:169
cabalgar **7**:182
Cabalgata **10**:276
caballa 3:129
Caballé, Montserrat 3:129
biografía **3**:129
caballeresca **10**:138
caballería 3:129
alférez **1**:172
Asiria **2**:101
ejército **5**:232
infantería **7**:323
lancero **8**:169
legión **8**:210
caballería, órdenes de caballería 3:130, 132
— Británica **3**:130
— de la Unión **3**:131
— montada real de Inglaterra **3**:130
caballerías **13**:165
caballero **3**:131; **7**:222
Caballero Calderón, Eduardo 3:132
bibliografía **3**:132
Caballero de Gracia 3:132
Véase Trenci, Jacobo
Caballero de Santiago **11**:115
caballero inglés **5**:233
Caballero y Góngora, Antonio 3:132
biografía **3**:132
Caballero, Bernardino 3:132
biografía **3**:132
Caballero, Fernán 3:132
bibliografía **3**:132
refrán y refranero **11**:326
sainete **12**:166
Caballeros de la Mesa Redonda **9**:45, 175; **13**:95
caballeros **2**:43; **6**:144; **8**:129
— de Rodas **9**:46
— de San Juan **9**:46
— Templarios **6**:30
— Teutónicos, orden de los **1**:160
Caballeros, Santiago de los **1**:213
Caballito criollo **13**:301
caballito de San Pedro **3**:132
caballito del diablo 3:132
caballo 3:133
— árabe **3**:132, 134
— del oeste **6**:309
— en el Nuevo Mundo **3**:135
— palomino **3**:135
— salvaje **3**:134
aceite **1**:45
agricultura **1**:104
Argelia **2**:10
caballo **3**:119, 135
hipismo **7**:182
lazo **8**:202
prehistoria **11**:187
caballo de fuerza 3:135
energía hidráulica **5**:258
HP **7**:234
caballo de Troya 3:136
caballo de Troya **13**:274
caballo marino 3:137
cabaña 3:137
cabaña **6**:242
Cabañas 3:137
San Miguel **12**:197
Cabañas, Hospicio **10**:256
cabardinos **2**:94
cabaret o cabaré 3:137
Cabarrús, Francisco, conde de 3:138
biografía **3**:138
cabecita negra 3:138
Cabellera de Berenice 3:138
cabello 3:138
Cabello de Carbonera, Mercedes **11**:62
Cabello y Mesa, Francisco Antonio 3:139
bibliografía **3**:139
Cabello, Puerto **10**:283; **14**:42
cabeza 3:139
— de Apolo **13**:199
— de serpiente **2**:200
imprenta **7**:283
insecto **8**:5
cabeza de Manzaneda **6**:266
cabeza de negro (ñame) **10**:167
Cabeza de Vaca 3:139
Véase Núñez, Cabeza de Vaca
América **1**:233
Niza, fray Marcos de **10**:108
cabezas colosales **8**:201; **13**:260
cabezas de puente **7**:324
Cabezas Hierro, cima **9**:20
cabezas rapadas **10**:71
Cabezón o Cabeçon, Antonio de 3:139
obra **3**:139
variación **14**:26
cabezuela **7**:327
cabila **8**:218
cábilas **2**:275
cabildo 3:139
— abiertos **3**:140
— americanos **3**:140
antecedentes españoles **3**:139
Iturrigaray y Aróstegui, José Joaquín de **8**:68
Latinoamérica **8**:184
metrología **9**:191
organización **3**:140
cabina **2**:80
— de control **1**:84
— de un aeroplano Spitfire **1**:84
Cabinda **1**:284, 285, 288
Cabiros **12**:187
cable 3:140
— cable de telecomunicaciones **3**:141
— cable marino **3**:140
— coaxiales **13**:151
— de fibra óptica **3**:141
— submarinos **3**:141
— telegráfico **11**:35
cabo **10**:131
cabo 3:142
— Adare **6**:97
— Cañaveral **2**:118
— Cañaveral **6**:98, 332; **8**:138
— Carvoeiro **11**:173
— Catoche **7**:155
— Cerbére **6**:212
— Cod **2**:7
— Comorín **2**:88
— Corrientes **2**:14
— Cheliuskin **2**:83, 88
— Chidley **8**:154
— de Buena Esperanza **6**:95; **7**:233
— de Hornos **8**:174
— de la Nao **11**:37
— de la Vela **6**:125
— de Land's End **7**:35
— de las Tormentas **3**:95
— de Roca **6**:75; **11**:173
— de Santa María **11**:173
— de Sines **11**:173
— de Vela (Venezuela) **2**:223
— Espichel **11**:173
— Fair **7**:34
— Frío **7**:105
— Hangklip **13**:312
— Hatters **6**:32; **7**:15
— Kennedy **13**:87
— Matapán **6**:76; **7**:94; **11**:32
— North Carolina **10**:131
— Nun **2**:138
— Oriental, Estrecho de Bering **2**:83
— San Antonio **2**:14; **11**:133
— San Pío **2**:14
— San Roque **6**:136
— San Vicente del Alto San Francisco **2**:238
— Skyli **11**:32
— Verde **2**:136; **7**:105; **11**:175; **13**:67
Cabo Verde, isla **5**:70, 265
Cabo Verde, República de 3:142
bandera **2**: 239
Dakar **5**:6
Cabo Castillo, Península del **13**:312
Cabo, El **1**:95
Caboet **1**:271
Caboet, Arnaldeta de **1**:271
cabos de Gallo **11**:32
cabos Meleo **11**:32
Cabot, John (Giovanni Caboto) 3:142
biografía **3**:142
Canada **3**:204
descubrimientos y exploraciones geográficas **5**:74
pasos del noroeste y del noreste **11**:7
Rojas, Diego de **12**:95
Terranova **13**:171
Cabot, Sebastián 3:143
América **1**:232
Argentina , República **2**:18
biografía **3**:143
Labrador, península y corrinete del **8**:154
mapa **9**:67
Nueva Escocia **10**:156
Paraná **10**:325
pasos del noroeste y del noreste
Plata, Río de la **11**:133
cabotaje 3:143
cabra 3:143, *144*
— de Angora **6**:145
— de la isla de Arran **3**:145
— de las montañas **3**:143
— de las rocallosas **3**:143
— pigmea **3**:144
Asia **2**:91
ganadería **6**:278
lana **8**:168
Cabrakan 3:145
Cabral, Gonçalo Velho **2**:196; **5**:72
Cabral, José María **5**:161
Cabral, Manuel del 3:145
bibliografía **3**:145
Dominicana, República **5**:162
Cabral, Pedro Álvares 3:145
biografía **3**:145
Latinoamérica **8**:183
Cabras, puerto de **10**:294
Cabred, Domingo 3:146
biografía **3**:146
Cabrer, Carlos **11**:240
Cabrera Infante, Guillermo 3:146
bibliografía **3**:146
Cabrera **2**:224
Cabrera Pajarito, Juan **5**:10
Cabrera, Ángel 3:146
bibliografía **3**:146
Cabrera, Delfo **2**:140; **10**:205
Cabrera, Francisco 3:146
biografía **3**:146
Cabrera, Germán **13**:328

Cabrera, Giraldo de **13:**273
Cabrera, Jerónimo Luis de 3:146
biografía **3:**146
Cabrera, José **5:**161
Cabrera, Juan de **10:**69
Cabrera, Miguel 3:146
obra **3:**146
México **9:**206
cabrestante **6:**253; **9:**73
cabrestante de vapor **1:**264
cabria 3:146
Cabriel, río **14:**12
cabrilla 3:146
cabrilleo **12:**228
cabriolés **14:**68
caburé 3:146
cacá o kakana **5:**101
Cacahuamilpa, grutas de 3:146
estalactitas y estalagmitas **6:**44
cacahuate 3:146
Cacamatzin **8:**69
cacao 3:147
agricultura **1:**107
árbol **1:**346
Brasil **3:**72
Haití **7:**121
Heredia **7:**152
labranza **8:**157
Lempira **8:**215
Vichada **14:**78
cacatúas **8:**309
Cacaxtla 3:147
Caccini, Giulio **5:**16; **10:**215
Cáceres 3:147
Badajoz **2:**213
Extremadura **6:**106
Sánchez de las Brozas, Francisco **12:**202
Tajo **13:**104
Yuste **14:**168
Cáceres Díaz de Arismendi, Luisa 3:147
biografía **3:**147
Cáceres Lara, Víctor **7:**219
Cáceres y Badajoz **6:**105
Cáceres, Andrés **11:**65
Cáceres, Esther de **13:**329
Cáceres, Ramón **5:**161
Cáceres, región de Extremadura, España **2:**213
cacería del zorro **13:**270
cacerote 3:148
cacique **1:**343
Cacique Dorado **2:**279
cacique Hatuey **3:**271
caciques **7:**290
cackiqueles **11:**254
caco 3:148
cacofonía 3:148
Caconda **1:**287
Cacot, Jan **12:**149
cactácea, planta **10:**129
cactáceas **3:**148
cacto 3:148
— de tronco de barril **2:**35
— gigante **2:**35
cacto **3:**149
cactus **5:**89
cachalote 3:149
lubricante **8:**314
Cachapoal **10:**193
Cachapoal, provincia de **11:**299
cachaza **2:**272
Cache **13:**332
Cachemira **7:**312; **10:**69, 297
Cachemira y Jammu 3:149
Cachemira, chales de **10:**309
cachiporra **2:**42
cachiporras de madera **2:**43
cachiyuyo 3:150
cachorros **8:**295
cachuchí **3:**299
cachucho 3:150
Cadagua **14:**119
Cadalso, José 3:150
bibliografía **3:**150
España **5:**320
Cadamosto, Alvise **3:**142
cadáver 3:150
caddie **7:**15
CADE **1:**57
Cadeguala 3:150
cadena 3:150
cadena de la polimerasa (método PCR) **9:**328
cadenas de montañas **6:**31
— Catalana **13:**122
— Costera **1:**230; **6:**31
— de Kjolen **10:**133
— de los Apalaches **6:**308
— de los Balcanes **6:**75
— Isabelia **10:**92
cadena normal **7:**165
cadena ramificada **7:**165
cadenas de radiodifusión **11:**279
cadencia **14:**59
Cadereyta **5:**107
cadete 3:150
cadí Muley-Tared **8:**110
Cadí, sierra **2:**253
Cadibona, cerros de **1:**199
cadíes **1:**20
cadihueo **7:**310
Cadilla de Martínez, María 3:151
bibliografía **3:**151
Cadilla, Carmen Alicia **11:**237
Cadillac **5:**95
Cádiz 3:151
— cortes de **2:**28; **9:**156; **10:**208; **12:**86
— golfo de **11:** 136
— Nueva **14:**47
Algeciras **1:**180
Andalcía **1:**264
Azopardo, Juan Bautista **2:**195
Cádiz **5:**306
Elcano, Juan Sebastián **5:**235
Falla, Manuel de **6:**114
Fenicia **6:**130
Fernando III, el Santo **6:**135
Jerez de la Frontera **8:**94
Línea, La **8:**265
Mutis y Bosio, José Celestino **10:**18
playa **11:**136
Primo de Rivera y Orbaneja, Miguel, segundo marqués de Estella **11:**201
provincia **3:**151
Quesade, José María **11:**251
Riego y Núñez Rafael del **12:**67
Sanlúcar de Barrameda **12:**208
Santa Alianza **12:**209
Santos Vega **12:**223
Cadmea **11:**32; **13:**133
cadmio 3:151
química **11:**260
Cadmo 3:152
Europa **6:**84
Cadmos **13:**133
Cadmos, dragón de **2:**28
cadoana **7:**309
Cadogan, Sir Alexander 3:152
biografía **3:**152
Cadore, Pieve di **13:**207
caducas **7:**203
caduceo 3:152
— dorado **3:**152
Caelia, colina **12:**100
Caen **10:**130
Caetano, Marcelo **11:**176
Cafarnaum **6:**267; **8:**99; **11:**26; **12:**218
café 3:152
Adén **1:**67
agricultura **1:**107
bebidas **2:**272
Brasil **3:**72
cafeína **3:**153
Guzmán Blanco, Antonio **7:**112
Heredia **7:**152
Honduras **7:**218
Laos **8:**173
Lempira **8:**215
Puerto Rico **11:**230
Café Filho, João 3:153
biografía **3:**153
Brasil **3:**75
Café Guerbois **7:**286
cafeína 3:153
droga **5:**173
estimulante **6:**54
cafeto **3:**152
Cafferata **5:**295
Caffieri, Jean Jacques **6:**229
cafres **14:**115
caftán 3:153
vestido **14:**62
cafuros **7:**311
Cagancha, Batalla de 3:153
Caggiano, Antonio **3:**241
Cagliari, Pablo **3:**15
Cagliero, Giovanni 3:153
biografía **3:**153
Cagliostro Alessandro, Conde de 3:153
biografía **3:**153
magia **9:**25
Cagney, James 3:154
biografía **3:**154
Cagua **1:**340
Caguana **11:**240
caguare 3:154
oso hormiguero **10:**267
Caguas 3:154
cahita **7:**309
Cahita, lengua **14:**160
cahita-tarahumara **7:**309
Cahokia Mounds **7:**270
cahuak **1:**53
cahuapana **7:**310
cahuillas **7:**309
Caibai **5:**159
Caibarién 3:154
Caicedo, Domingo 3:154
biografía **3:**154
Macaulay, Alejandro **9:**6
Caicos, islas **1:**309; **7:**275
Caíd **13:**183
caíd **9:**107
caídas **12:**261
Caifás **8:**100; **11:**6
caigua **7:**309
caihuesana **7:**310
Caillé (o Caillie) René 3:154
biografía **3:**154
Cailletet, Louis P. **6:**237; **8:**271
Caillot **1:**112
caimán y aligator 3:154
caimán y aligator **3:**155
Caimán, islas **1:**309; **7:**275
— bandera de **2:**239
caimito 3:154
Caín 3:154
Caine, Sir Thomas Henry 3:154
biografía **3:**154
caingang **7:**310
cainguá **7:**310
caiquetíos **14:**47
Cairo, El 3:155
— Observatorio de El **11:**241
Arabia **1:**333
árbol **1:**348
Cairo, El **5:**296
dique **5:**138
educación **5:**215
Egipto **5:**225
Faruk I **6:**120
Roosevelt, Franklin Delano **12:**110
Caius Sallustius Crispus **14:**168
Caixal **1:**271
caja 3:156
caja de ahorros 3:156
caja de Pandora **6:**13
caja registradora **9:**77
caja sonora **8:**197
caja tipográfica **13:**200
Cajal, Instituto **11:**296
Cajal, Ramón y **7:**16
Cajamarca 3:156
Andes **1:**269
Atahualpa **2:**132
Lambayeque **8:**166
Perú **11:**63
Piura **11:**114
Cajamarquilla, muros **11:**188
Cajar José, Luis **10:**304
Cajeme **14:**160
cajetines **7:**283
Cajigal Monserrate, Juan Manuel 3:156
biografía **3:**156
Cajigal, Juan Manuel 3:154
bibliografía **3:**154
Venezuela **14:**45
cajista **7:**283
Cajun **8:**312
Cajutepec, San Salvador **2:**258
Cakchiquel 3:156
Guatemala **7:**78
cakra **7:**290
cal 3:157
arena **2:**5
caliza **3:**170
huerta y horticultura **7:**239
jade **8:**73
cal hidráulica **7:**228
cala 3:157
calabaza 3:157
Arizona **2:**35
calabaza o calabacín **9:**126
— semillas de **12:**275
calabrés **8:**67
Calabria 3:157
Jónico, mar **8:**107
maremoto **9:**90
Calabrias **6:**134
Caladaire, abismos de **6:**13

caladio 3:157
calado **10:**56; **11:**229
caladura **5:**183
calafate 3:157
Calafquen 3:157
biografía **3:**157
Calagurris (Calahorra) **11:**266
Calahorra **2:**295
Calais 3:157
Canal de la Mancha **3:**207
Calais, Paso de **6:**76; 172
Calamajué **2:**219
calamar 3:157
calamar **3:**158
calamares **1:**29
calambre 3:158
Calame **13:**82
Calamis **7:**63
Calamites **6:**308
cálamo **11:**140
cálamo aromático 3:158
Calancha, Fray Antonio de la 3:158
bibliografía **3:**158
calandria 3:158
calandrias **11:**131
cálao 3:158
Calapatá, cueva de (Teruel) **12:**134
Calaruega **5:**155
Calas **14:**129
Calasanz **12:**60
Calatayud 3:158
Empecinado, Juan Martín Diaz, el **5:**250
Pérez, Antonio **11:**45
Santander, Francisco de Paula **12:**217
Calatrava, orden **10:**236
Calauria, isla de **5:**48
calaveras **11:**178
Calcaño, Eduardo 3:158
bibliografía **3:**158
Calcas **7:**266
calcedonia 3:159
ágata **1:**100
calceus **14:**64
Calcídida **2:**135
calciforme **7:**109
calcinación **9:**26
calcinaciones **13:**247
calcinado **14:**163
calcio 3:159
abono **1:**31
biología **2:**326
droga **5:**173
luz eléctrica **8:**333
tierra **13:**192
vida **14:**80
Calcio, fosfato de **14:**85
calciocianamida **1:**31
Calcis **2:**32
calcita 3:159
minerología **9:**230
calcocito **9:**230
calcomanía 3:159
Calcula **2:**93; **13:**181
calculadora electrónica **9:**77
calculi **1:**17
cálculo 3:159
— de probabilidades **6:**132; **11:**204
— diferencial **8:**165; **9:**127
— gráfico **10:**128
— infinitesimal **6:**132; **10:**89
— integral **6:**314; **9:**127
fórmula **6:**197
cálculos urinarios **13:**324
Calcuta 3:160
puerto **11:**229
Calcuta, *zamindari de* **7:**300
calchaquíes 3:160
Ambrosetti, Juan B. **1:**226
diaguitas **5:**101
Indios americanos **7:**309
vivienda **14:**115
caldarium **13:**166
Caldas (Colombia) **9:**58
Caldas 3:160
Caldas, Francisco José de 3:160
bibliografía **3:**160
Acosta, Joaquín **1:**54
Popayán **11:**168
Caldea 3:161
Araham **1:**33
arqueología **2:**52
escuela **5:**287
ferias **6:**131
imperio **7:**274
ladrillo **8:**160
Mesopotamia **9:**178
sacerdote **12:**157
caldeado **8:**28
Caldeira, F. **10:**318
Caldeirao **11:**173
caldeobabilónico **7:**274; **10:**22
caldeos **2:** 207; **8:**40; **9:**97; **12:**275; **13:**221
caldeos armenios **8:**174
caldeos, templos **7:**192
Calder, Alexander 3:161
obra **3:**161
Minimal, arte **9:**233
Villanueva, Carlos Raúl **14:**94
caldera 3:161
átomo **2:**152
ferrocarril **6:**140
máquina de vapor **9:**75
Caldera Rodríguez, Rafael 3:161
biografía **3:**161
caldera, esquema de una **3:**161
Caldera, Rafael **14:**48
Calderón de la Barca, Fanny 3:162
bibliografía **3:**162
Calderón de la Barca, Pedro 3:162
bibliografía **3:**162
Edad de Oro **5:**204
Fernández de Moratín, Nicolás **6:**135
Hugo, Víctor **7:**243
literatura **8:**278
María, Virgen **9:**94
poesía **11:**147
Schlegel, August Wilhelm von **12:**247
teatro **13:**133
zarzuela **14:**175
Calderón Guardia, Rafael Ángel 3:162
biografía **3:**162
Figueres Ferrer, José **6:**150
Calderón Sol, Armando **12:**184
Calderón, Abdón 3:161
biografía **3:**161
Calderón, batalla de puente de **7:**295
Calderón, don Rodrigo **6:**127
Calderón, Fernando **7:**198
Calderona, cerro **1:**308
calderos **8:**197
caldeso **11:**269
caldfea **2:**50
caldo bordelés **6:**253; **9:**223
Caldwel, Robert **5:**172
Cale-Calle, río **14:**11
Caledonia, Nueva **14:**89
Calef, Noel **9:**44
calefacción 3:162
ingeniería **7:**331
refrigeración **11:**328
calefacciones **13:**169
calendario 3:163
— albano **9:**144
— Azteca **2:**202; **3:**163
— azteca **5:**295; **8:**228
— egipcio **3:**163
— gregoriano **1:**321; **8:**125
— juliano **1:**321; **3:**164
— romano **8:**126
astronomía **2:**123
fastos **6:**120
latinoamérica **8:**182
Monte Albán **9:**286
calendarium **3:**163
caléndula 3:164
maravilla **9:**86
caléndulas **3:***164*
Calepino **5:**112
Calera de las Huérfanas **2:**72
Calesita 3:164
tiovivo **13:**199
Caléxico **9:**193
Calgary **13:***261*
Cali 3:164
Popayán **11:**168
Valle del Cauca **14:**20
Cali y Popayán **2:**279
Cali, Conservatorio de **14:**14
Cali, Escuela de Bellas Artes de **10:**65
Caliari Veronese, Pablo **8:**66
Caliari, Paolo llamado *il Veronés* **13:**116
calibración y calibres 3:164
calibre **1:**248
calicantina **14:**154
Cálices vacíos **13:**329
caliciformes **8:**270
Calícrates **1:**56; **10:**332
Calicut **1:**273
Calida Fornax **2:**219
calidoscopio 3:165
caliente **8:**167
califa **3:**165
— Abdala **1:**26
— Alí **1:**332
— de Bagdad **7:**131
— Omán **8:**252
— Omar **1:**155
— ortodoxo **1:**336
califas **2:**97; **5:**315; **13:**160
califato
califato
califato 3:165
Arabia Saudita **1:**336
España **5:**314
hispanoárabe, literatura **7:**190
islam e islmismo **8:**51
sarracenos **12:**230
Califato de Córdoba **2:**212
califatos **7:**274
calificación 3:165
California 3:165
— Gran Valle de **6:**31, 32
— Instituto de Tecnología de **11:**17
— Instituto Tecnológico de **10:**177, 263
— México **2:**219
— Pomona College de **10:**256
— Universidad de **8:**302; **10:**201; **11:**335; **9:**103
anexión **1:**277
avestruz **2:**185
Earhart, Amelia **5:**183
fiebre del oro **6:**148
hispanoamericanos **7:**188
Long Beach **8:**305
Nevada **10:**82
platos voladores **11:**135
Serra, Fray Junipero **12:***292*
Yosemite **14:**164
California, Alta **12:***292*
California, Golfo de 3:167
Baja California Sur **2:**220
Estados Unidos **6:**31
Manzanillo **9:**64
perla **11:**53
californio **5:**244; **12:**25
caliga **14:**64
cáligas **10:**173
caligrafía 3:168
— de estilo inglés **3:**168
escritura **5:**284
Caligramas **1:**328
Calígula Cayo Julio César, llamado 3:168
Agripina, Julio **1:**110
biografía **3:**168
Herodes **7:**182
Nerón, Claudio César **10:**74
Roma **12:**98
Tácito, Cayo Cornelio **13:**97
Calímaco **1:**328; **7:**62; **9:**223
Calímaco, Cirene de **2:**310
Calímaro **5:**244
calina **7:**310
Calíope **10:**7
Calipso **10:**185
Calirroe, ninfa **6:**280
Calístrato **2:**31
Calixtlahuaca 3:169
Calixto 3:169
Júpiter **8:**127
Calixto I, san **3:**169
Calixto II **3:**169; **8:**29
Calixto III **3:**169; **13:**222; **14:**76
Calixto, luna **11:**103
cáliz 3:169
— y pétalos **11:**121
flor **6:**177
Grial o Graal **7:**65
lobelia **8:**295
Cáliz de oro del siglo XVIII **10:**254
Cáliz Eucaristía **3:**169
caliza 3:169
arena **2:**5
geología **6:**313
ladrillo **8:**160
caliza numulítica **9:**82
Calla, Corazón **12:**232
Callaghan, James **7:**43
Callaham, Leonard James 3:176
biografía **3:**176
Callan, Nicholas 3:176
obra **3:**176
Callandreau, Pierre-Jean-Octave 3:176
obra **3:**176
Callao 3:176

Callao, El 3:176
Callao, puerto de **9:**164
Callaría 3:176
Callas, María 3:177
biografía **3:**177
calle 3:177
— céntrica de Génova, Italia **6:**301
— de Darling **13:**312
Callegos, río **2:**16
Calleja del Rey, Félix María 3:178
biografía **3:**178
Callejas, Rafel Leonardo **7:**219
callejón **11:**63
Callejón de Huaylas 3:178
Calles, Plutarco Elías 3:178
biografía **3:**178
México **9:**200
Obregón, Álvaro **10:**175
Portes Gil, Emilio **11:**172
calli **13:**160
callo 3:178
Callot, Jacques 3:178
biografía **3:**178
calmantes **7:**172
Calmécac **2:**199; **9:**200
Calmette, Albert 3:170
biografía **3:**170
Calmette, Joseph **6:**230
Calmucos 3:170
Asia **2:**94
calmucos dzungaros, imperio de los **12:**335
calnadillo **5:**223
Calobéboras, río **10:**300
Calomarde, Francisco Tadeo 3:170
biografía **3:**170
calomel 3:170
purgante **11:**244
calomelano **3:**170; **9:**173
Calón **7:**63
Caloocan **6:**155
calor 3:170
— cómo se produce el **3:**171
— diferencias y clases de **3:**171
— específico **3:**171
— fuentes productoras de **3:**171
— latente **3:**171
— sensible **3:**171
electricidad **5:**237
fuego y sus concecuencias **6:**242
liofilización **8:**269
termodinámica **13:**167
caloría 3:172
metabolismo **9:**179
caloría gramo **3:**172
caloríficas **11:**323
calorimetría 3:173
Lavoisier, Antoine-Laurent **8:**201
termología **13:**168
calorímetro 3:173
— de agua, esquema de un **3:**173
calostro **7:**320
calotipos **6:**203
Calpe **6:**322
Calpulalpam **13:**208
calpulli **2:**200; **9:**208
calumet **11:**104
Calumet, región **7:**306
calumnia 3:173
difamación **5:**117
Calvario 3:173
Dolores, Nuestra Señora de los **5:**154
Judío Errante **8:**119
Pasión de Cristo **11:**6
vía crucis **14:**73
Calvario, monte **5:**245; **8:**100
Calvario, monte **3:**173
Calvet, casa **6:**293
Calvetti, Olimpio **3:**320
calvicie 3:173
Calvin, Ciclo de 3:174
Calvin, Melvin 3:174
bibliografía **3:**174
calvinistas **6:** 126
Calvino **7:**244; **11:** 185; **12:**293
Calvino, Italo 3:174
bibliografía **3:**174
Francia **6:**226
neorealismo **10:**72
Calvino, Jean Cauvin o Caulvin 3:174
obra **3:**174
Reforma **11:**324
Suiza **13:**81
Calvo Sotelo, José 3:174
biografía **3:**174
Calvo Sotelo, Leopoldo **5:**318
Calvo y Revilla, Rafael y Ricardo 3:174
obra **3:**174
Calvo, Bartolomé 3:174
biografía **3:**174
Calvo, Carlos 3:174
bibliografía **3:**174
Francia **6:**221
Calvo, José Joaquín 3:174
biografía **3:**174
Calvo, Rafael **14:**76
Calza, sierra de **3:**26
Calzada de los Muertos **13:**162
calzado 3:175
— historia de **3:**175
— fabricación **3:**175
calzas **9:**148; **14:**67
calzón (culotte) **14:**69
calzones **14:**67
Cam **11:**309
cama 3:178
camacán **7:**310
Camacuá **11:**20
Camacho, Luis F. **12:**202
cama-diván **9:**256
camafeo 3:179
glíptica **6:**333
ónice **10:**212
Rueda, salvador **12:**126
Camagüey 3:179
Agramonte, Ignacio **1:**101
Ballagas, Emilio **2:**231
Revolución cubana **12:**42
Camaldulenses **5:**275
camaleón 3:180
camaleóntidos **3:**180
camalote 3:180
cámara 3:180
— cinematográficas **13:**137
— de explosión **9:**313
— de video **8:**174
— fotográficas **8:**13
— portátil **6:**203
— Schmidt **2:**130; **13:**148
— submarinas **3:**181
fotografía **6:**200
hiperbárica, cámara **7:**181
televisión **13:**149
cámara de burbujas 3:182
Glaser, Donald Arthur **6:**331
Cámara de los Comunes **5:**213; **6:**330; **7:**39; **8:**212
Cámara de los Lores **3:**211; **7:**131; **8:**212
cámara de niebla 3:182
camarera de avión 3:182
Camargo Guarnieri, Mozart **3:**77; **8:**196
Camargo, María **5:**16
Camargue, Arenales de **6:**213
Camargue, isla de la **12:**89
Camarillo de Pereyra, María Enriqueta 3:182
bibliografía **3:**182
México **9:**202
Camarlengo, cardenal **10:**311
camarón 3:182
Camarones, quebrada de **10:**298
Camasco **2:**214
Camaxtle **13:**181
Camba, Julio 3:182
bibliografía **3:**182
Cambaceres, Antonio **14:**8
Cambaceres, Eugenio **2:**25
Cambacérès, Jean Jacques Régis de 3:182
biografía **3:**182
Cambaluc **8:**149; **9:**276
Cambambe **1:**286
Cambay **7:**108
Cambaya, Golfo de **1:**119; **7:**295
Camberra **5:**153
Cambert, Robert **6:**229
cambiadores automáticos **7:**32
cambio 3:183
valor **14:**15
cambio de plano **2:**109
cambio o transición **12:**40
Cambio, Arnolfo de **8:**65
Cambises **1:**325; **8:**38; **11:**56
cámbium 3:183
injerto **7:**334
liber **8:**241
Cambó y Batle, Francisco 3:183
biografía **3:**183
Cambodia **2:**239; **7:**312
Cambodia, bandera de **2:** 239
Camboya 3:183
Angkor **1:**283
Camboya **10:**234
Ginebra **6:**325
historia **3:**183
Laos **8:**173
Mekong **9:**156
Tailandia **13:**101
Vietnam **14:**90
Cambray **5:**277
Cambria **6:**308
cámbrico, periodo 3:184
branquiópodos **3:**68
Devoniano **5:**97
extención **6:**104
geología **6:**308
Cambridge 3:184
— Trinity College de **10:**205; **12:**150
— Universidad de **9:**103; **10:**130
deporte **5:**55
Estados Unidos **6:**35
graffiti **7:**29
Oxford **10:**275
Cambrón **13:**212
Cambronne, Pierre Jacques **14:**143
Camden **1:**267; **9:**33
camelia 3:184
camélidos **1:**199; **2:**17; **3:**185; **7:**74; **14:**78
camello 3:185
camello **1:**66; **2:**9; **6:**309; **10:**127
fibra **6:**145
jirafa **8:**104
Camembert **11:**252
Cameron, Verney Lovett **1:**95
Camerún 3:186
— Golfo de **2:**307
— montes **1:**92
Alemania **1:**161
Bantú **2:**246
Camerún **13:**170
Fernando Poo **6:**136
Guinea **7:**105
historia **3:**186
negro **10:**67
Camet **11:**136
Cametá **10:**318
Camilo, hermano **2:**253
Caminha, Alvaro **12:**222
camino 3:187
Camino rural **3:**187
camioneta Monstruo **8:**290
camión 3:187
Camiri **12:***211*
camisa 3:189
camisas de culebra **9:**320
camisas negras **3:**189; **6:**120
camisas pardas **3:**189
camisas rojas **3:**189
camisas verdes **3:**189
camita **7:**257
camitas **1:**93; **8:**138; **14:**116
camítica **8:**218
Cammembèrt, queso **6:**216
camoati 3:189
avispa **2:**190
Camões, Luís Vaz de 3:189
bibliografía **3:**189
epopeya **5:**271
Gama, Vasco da **6:**273
hispanoamérica **7:**187
Portugal **11:**177
Camón Aznar, José 3:189
bibliografía **3:**189
camorra 3:189
Camorra napolitana **9:**22
camote 3:189
camote y boniato **2:**265
camouflage **7:**93
Camp, Walter **6:**257
campa **7:**310
campamento 3:189
— de vacaciones **11:**318
— el problema del fuego **3:**190
— el agua y la higiene **3:**190
— elección del lugar **3:**189
campana 3:191
— de buzo **7:**168
— del rey Monje **7:**241
campanario 3:191
— en Alkmaar, Holanda **7:**206
Campanella, Tommaso 3:192
bibliografía **3:**192
Italia **8:**65
campanero 3:192
Campania **10:**39; **13:**184
campanile **11:**110
campanilla **9:**86

campanilla blanca 3:192
amarilis **1:**218
campanini **3:**208
campánula 3:192
campanuláceas **3:**192; **6:**178
campaña **13:**306
— de Argel **2:**194
— de la Sierra **8:**200
— del Alto Perú **8:**166
— del Desierto **2:**182
— del Gran Capitán **8:**63
— del Tonkín **8:**105
Campbell, Jeanette **10:**205
Campeche 3:192
árbol **1:**346
Hernández de Córdoba, Francisco **7:**155
itzá **8:**68
México, Golfo de **9:**207
palo de Campeche **10:**296
Quintana Roo **11:**265
Yucatán **14:**166
Campeche Jordan, José 3:192
obra **3:**192
Camper, Petrus **1:**318
Campero, general **3:**29
campesinado 3:193
— Amish belgas **3:**194
— cubanos **7:**73
— chinos **3:**193
— venezolanos **7:**73
campesina **1:**94
campesinos **3:**16
campestres **11:**10
Campichuelo **2:**285
Campín, Robert **6:**176; **14:**22
Campinas 3:194
camping **13:**290
campiña en Toscana, Francia **6:**228
campiña puertorriqueña **11:**230
campo 3:194
— cultivados de papas **7:**264
— de algodón **1:**182
— de árboles de olivo **7:**239
— de arroz **11:**191
— de avena **2:**183
— de caña de azúcar **2:**204
— de cebada **3:**307
— de cultivo **1:**106; **7:**264
— de excitación **9:**314
— de floricultura **6:**37
— de Marte **5:**230
— de trigo **3:**197; **13:**263
— del electromagneto **1:**133
— eléctrico **3:**194; **7:**103
— electromagnético **6:**91; **13:**244
— Grande **9:**132
— gravitacional **7:**54
— jurídico **7:**84
— magnético **1:**47; **3:**90
— magnético **6:**99; **7:**331; **9:**216
— magnético permanente **9:**29
— Morado **7:**101
— no válido (*foul field*) **2:**278
— obscuro, método del **13:**302
— perceptivo **2:**134
— plantado con maíz **1:**108
— traviesa **10:**165
campo **8:**156
Campo Formio, tratado de **10:**35
Campo Vía, combates de **6:**52
campo y vida de campo 3:194
— cooperativas y granjas colectivas **3:**196
— edificios y equipos **3:**198
— educación rural **3:**198
— la vida rural en América Latina **3:**198
— ranchos y estancias **3:**196
— rural **3:**197
— un día en el campo **3:**196
Campo Yuande **7:**106
Campo, Ángel del **9:**202
Campo, Conrado del 3:194
obra **3:**194
Campo, Estanislao del 3:194
bibliografía **3:**194
Campo, Nicolás del **14:**104
Campoalegre **7:**245
Campoamor, Ramón de 3:198
bibliografía **3:**198
estrofa **6:**64
Campoaré, Blaise **3:**121
Campodónico, Luis R. **13:**328
Campoformio, tratado de **14:**40
campo-iónico **9:**218
Campomanes, José de **5:**317
Camponótidos **7:**225
Cámpora **11:**54
Cámpora, Héctor **2:**24
Campos Cataláunicos **2:**135; **9:**175
Campos de concentración **6:**320; **7:**176
Campos Cervera, Herib **10:**322
campos de fuerza **3:**194
campos de urnas 3:199
Campos Elíseos 3:199
Arco del Triufo **1:**351
Campos Elíseos **13:**291
Denis, Mauirice **5:**50
Campos Parsi, Héctor **11:**239
Campos, Luis María 3:199
biografía **3:**199
Campra, André **6:**229
Camprodón **2:**60
Campus Stellas **12:**218
Camú, río **14:**33
camuatí **2:**190
camuflaje 3:199
camuflaje **13:**97
Camus, Albert 3:200
bibliografía **3:**200
Francia **6:**227
Camus, M. **5:**44
Camuy, río **1:**113
Can Can **12:**20
Can Mayor **2:**125; **10:**251
Can, E. Vázquez **10:**205
Caná **1:**273; **6:**267
Cana **2:**193; **7:**310
Caná, bodas de **8:**99
Canaán **1:**33; **8:**117; **12:**225; **13:**95
Canaan, Banana **14:**178
Canaán, la Tierra Prometida 3:200
Israel **8:**56
canaanitas **6:**129
canabinácea **8:**325
Canacos **7:**63
Canadá 3:200
— agricultura y ganadería **3:**202
— ciudades **3:**203
— clima **3:**201
— comercio **3:**203
— costas **3:**201
— fauna **3:**202
— geología y orografía **3:**200
— hidrografía **3:**201
— historia **3:**204
— industria **3:**202
— lengua **3:**204
— literatura y artes **3:**205
— minería **3:**202
— organización política **3:**204
— recursos naturales **3:**202
— religión **3:**204
— transportes **3:**203
América **1:**229
armiño **2:**46
Canadá **8:**204; **13:**226
dólar **5:**153
Estados Unidos **6:**31
Klondike **8:**144
montañas **9:**285
Ottawa **10:**270
Quebec **11:**246
Seatle **12:**251
Vancouver **14:**21
Canadian, río **10:**200
Canadiense, Confederación **10:**156
Canadiense, cordillera **12:**88
canal 3:205
— Caledoniano **7:**33
— de Amsterdam **7:**207
— de Bristol **3:**82; **7:**34
— de Chicago **7:**48
— de comunicación **7:**328
— de la Florida **7:**15
— de la Mona **11:**229
— de Midi **6:**75
— de Otranto **6:**76; **8:**107
— de Panamá **2:**222; **3:**206; **6:**42; **7:**329; **8:**232
— de Sicilia **6:**76
— de Suez **2:**89; **3:**206; **6:**247; **7:**329; **8:**232; **11:**171
— en el istmo de Corinto **3:**206
— Imperial **2:**93, 98
— Midi **6:**217
— Welton-Mohawk **8:**47
torrente **13:**228
Canal de Kiel 8:140
Canal de la Mancha 3:207
Europa **6:**76
gobio **7:**10
Portsmouth **11:**173
Canal, Giovanni Antonio **3:**207
Canale D'Agordo **8:**114
Canalejas Méndez, José 3:207
biografía **3:**207
canales principales, tabla de **3:**207
canales semicirculares del oído **9:**90
Canales, Nemesio **11:**237
canalete **3:**58
Canaletto 3:207
obra **3:**207
Canalizo **7:**158
Canals Frau, María **1:**53
cananea antigua **8:**218
cananeíticas **2:**95
cananeos **12:**275
canard **13:**196
Canarias 3:207
Atlántico, Océano **2:**136
Canarias **3:**207; **13:**156
España **5:**305
Franco Bahamonde, Francisco **6:**232
Haeckl, Ernst Heinrich **7:**118
langosta **8:**218
montañas **9:**285
Palmas, las **10:**294
canario 3:208
canasta (juego) 3:208
Canasta de manzanas, Cézanne, Paul **11:**95
Canberra 3:209
Canberra **10:**24
Sydney **13:**92
Cancale **6:**216
Cancela, Arturo 3:210
bibliografía **3:**210
cancelario escolástico **13:**316
cáncer 3:210
— cutáneo **11:**85
— de Villejuif **8:**335
— hepático **7:**147
astronomía **2:**125
Down, sindrome **5:**167
enfermedad **3:**210; **6:**254
sarcoma **12:**227
zodiaco **3:**210 **14:**179
Cáncer, trópico de **10:**324
cancerbero 3:211
cancerosas **14:**140
canciller 3:211
audiencia **2:**157
Hitler, Adolfo **7:**196
legión de honor **8:**211
Cancillería de Atenas **2:**135
Cancillerías **14:**87
canción 3:211
— agrias **2:**255
— escolares **11:**239
— tradicionales **10:**230
guajira **7:**73
vidalita **14:**81
Cancionero de Antioquia **12:**32
Cancionero de romances **12:**104
Cancionero musical popular español **11:**25
canciones infantiles 3:212
Canciones sin palabras **10:**15
CanCun, Quintana Roo **2:**6; **9:**196
Cancha Rayada, batalla de **10:**63
Cancha Rayada, campo de **12:**196
Canchi **2:**193
Candanedo, C. **10:**303
Candaya, reino de **11:**257
Candela Outeriño, Félix 3:214
obra **3:**214
Candela, Félix **9:**205
Candelabra **10:**319
Candelaria **11:**115
Candelaria, Nuestra Señora de la **9:**93
candelero **1:**211
candelilla 3:214
Candi Sewu, templo de **7:**315
Candía **7:**56; **13:**182
Candia Ovando, Alfredo **11:**21
candidatos **14:**134
candidiasis **14:**42
candil **8:**167
Candilis **6:**228
candiota **5:**13
Candolle, Augustin Pyramus de 3:214
bibliografía **3:**214
candombé **8:**195
Cané, Miguel (hijo) **2:**26
Cané, Miguel 3:215
bibliografía **3:**215
Canel, Urbano **2:**231
canela 3:215
especias **6:**8
láudano **8:**197
canelero **1:**346

Canelo **3:***214*
Canelones 3:215
Asencio, Grito de **2:**81
Uruguay **13:**327
canella **7:**310
Canella, Fermín **6:**103
Canendiyú **10:**321
Canessa, Archille **11:**241
Canetti, Elias 3:215
bibliografía **3:**215
caney **13:**103
caneyes o bohíos **11:**230
canfores **13:**170
Cangas de Onís **11:**29
cangilones **5:**259
cangreja **10:**56; **14:**35
cangrejo 3:215
— cacerola **8:**262
— rojo **3:**215
— anatomía interna de un **3:**215
Arenque **2:**7
Washington, Estado de **14:**141
Cangrejo, isla de **10:**251
canguro 3:216
— albino **1:**141
caníbal 3:216
maorí **9:**65
canibalismo **7:**199
canica 3:217
canichana **7:**309
cánidos **8:**295; **11:**54; **14:**182
Canigó **11:**108
canilla 3:217
canilleras **2:**42
Canillo **1:**272
caninos **5:**50
Canis familiaris **14:**182
canis latrans **14:**182
Canis lupus **14:**182
Canisio o Kanys, Pieter **13:**126
Canjura, Noé **12:**184
Cannabis sativa **9:**95
Cannas **1:**291
Cannas **2:**264
Cannebiere **9:**109
Cannes, Francia **2:**296; **10:**38; **12:**81
Canning, George 3:217
biografía **3:**217
Monroe, James **9:**280
Santa Alianza **12:**210
Cannis **11:**54
Cannon, Walter B.
Cano, Alonso 3:217
obra **3:**217
escultura **5:**294
Mena, Pedro de **9:**163
Cano, fray Melchor 3:217
biografía **3:**217
canoa 3:217
canoa **1:**222
canon 3:217
— *de medicina* **2:**188
— de Policteto **8:**272
cánones 3:218
canónigo 3:218
Urbano II **13:**322
Canope **5:**136; **12:**94
Canossa **5:**264
canotié **14:**70
Canova **5:**294; **10:**71
Canova, Antonio 3:218
obra **3:**218
Italia **8:**66
Thorvansen, Bertel **13:**183
Cánovas **11:**46
Cánovas del Castillo, Antonio 3:218
biografía **3:**218
España **5:**318
Ramiro II **11:**294
canquén 3:218
Canso, estrecho de **10:**156
Cantabria **6:**5; **12:**216
Cantabria, Favila, duque de **11:**29
Cantábrica, cordillera **5:**304
cantábrica, costa **5:**305
Cantábrico, Mar 3:218
Asturias **2:**130
España **5:**303
Europa **6:**76
Leguado **8:**218
Cantábricos, Montes **10:**290; **11:**316
Cántabro Astúricos, montes **2:**130
cántabros **1:**110; **7:**257
Cantante **8:**222
cantante de blues **3:**8
cantar de gesta **6:**149
Cantar de los cantares 3:218
León, fray Luis de **8:**227
María, Virgen **9:**93
Cantar de Mio Cid **6:**5; **11:**147
cántara **9:**191
cantares **10:**42
cantárida 3:218
cantata 3:219
— de cámara **3:**219
cante jondo **1:**266
Cantemir, Dimitrie **12:**132
Canter **7:**209
cantera y cantería 3:219
Canterac, general **3:**24
canteras de granito **1:**27
Canterbury 3:220
anglicanismo **1:**284
Becket, santo Tomás **2:**274
Eduardo, el Príncipe Negro **5:**213
gótico **7:**25
Canterbury College **12:**152
Canterbury, arzobispo de **2:**79
Canth, Minna **6:**161
Cántico y Ardor **7:**104
cantidad 3:220
Cantilo, José Luis **2:**25
Cantinflas 3:220
Cantino, Alberto **9:**67
canto 3:220
— coral **1:**226
— gregoriano **5:**206; **10:**13; **11:**101
escuela **5:**288
yaraví **14:**160
Canto, Ernesto **2:**140
Canto, Francisco del **7:**285
Cantón o Kwangchow 3:221
Asia **2:**87
descubrimientos y exploraciones geográficos **5:**75
factoría **6:**111
Ho Chi Minh **7:**196
Sun Yat-Sen **13:**84
cantón diestro de la punta **7:**150
cantón diestro del jefe **7:**150
cantón siniestro de la punta **7:**150
cantón siniestro del jefe **7:**150
cantón Tesino **8:**221
Cantón, Wilberto 3:221
obra **3:**221
cantones **14:**160
Cantor, Georg 3:221
bibliografía **3:**221
símbolos matemáticos **12:**327
cantores **10:**243
Cantos, Fuente de **14:**191
Cantú, Cesare 3:221
bibliografía **3:**221
Canudas, R. **12:**150
Canuleia, ley **11:**14
Canuto II el Grande 3:221
biografía **3:**221
Dinamarca **5:**125
canutos **8:**171
caña 3:222
ancla **1:**264
planta **11:**122
remo **12:**16
caña de azúcar 3:222
azúcar **2:**204
Heredia **7:**152
Laos **8:**173
Puerto Rico **11:**230
Vichado **14:**78
caña de pescar **11:**67
caña, campo de **14:**170
Cañada de la Cruz **6:**234; **8:**306
Cañadas **13:**138
cañamelar **3:**222
cañamiel **3:**222
cáñamo 3:222
Asia **2:**91
fibra **6:**146
hilandería e hilados **7:**177
marihuana **9:**95
papel **10:**314
cañamón **3:**222
Cañar 3:223
Azogues **2:**195
Cañas y Villacorta, José Simeón 3:223
biografía **3:**223
Cañas, Carlos **12:**184
Cañas, Juan José **12:**184
cañerías **1:**145; **7:**169; **8:**197; **11:**138
Cañete, García Hurtado de Mendoza, marqués de **9:**105; **11:**46
cañigua 3:223
Cañón 3:223
— Berta **8:**149
— colonial **1:**309
— de Bryce **6:**35
Cañón de Paul Bunyon **3:**169
Cañón del Colorado 3:223
Estados Unidos **6:**31
Cañón del Chaco **11:**226; **2:**52
Cañón Glen **2:**36
Cañón Madera **2:**35
cañonero 3:224
— Huáscar **7:**51
Cão, Diego **5:**72
caoba 3:224
árbol **1:**346
Haití **7:**121
madera **9:**12
caolín 3:224
arcilla **1:**350
porcelana **11:**169
caolina **10:**77
Caonabo **1:**256; **5:**159; **10:**197
Caonillas, lago **1:**352
Caos **5:**274
capa 3:224
— de abscisión **1:**36
— de plasma **9:**29
— entérica **11:**89
— fotosensible **7:**142
— iónica E **2:**142
— metálica **6:**272
— moldava **14:**69
Capablanca, José Raúl 3:224
ajedrez **1:**128
biografía **3:**224
Lasker, Emanuel **8:**179
Alekhine, Aleksandr Alehin, llamado **1:**157
Cápac **1:**121
Capac Yupanqui **7:**289
capacidad 3:224
— calorífica **6:**168
— de adaptación **1:***66*
— de eficiencia **1:**330
— de producción **7:**318
— medidas practicas **3:**224
luz **8:**332
Capacitación Electrónica para Discos (CED) **14:**83
capacitancia 3:224
Cápac-Urcu **5:**196
Capadocia **2:**260; **7:**281; **9:**251
Capadocia, Jorge, caballero de **8:**108
Capanaparo, río **14:**43
caparazón **8:**171; **10:**163; **11:**248; **14:**185
caparidáceas **1:**145
Caparra, ruinas de **2:**269
Capas antirreflejantes 8:18
Capdevila, Arturo 3:225
bibliografía **3:**225
Argentina, República **2:**26
capea **10:**56
Capek, Karel **12:**85
capelo 3:225
Capella, estrella **6:**61
capellán 3:225
Capellín, Juan **9:**201
Capello **1:**287
Caperucita Roja 3:225
Caperucita Roja **8:**283
Capeto, Hugo **6:**221; **14:**15
Capetos, dinastía de los **5:**207; **6:**218; **10:**328
Caphtor, isla de **6:**156
capibara 3:225
capicúa 3:225
capilar **7:**145
capilares sanguíneos **12:**30
capilaridad 3:225
savia **12:**245
capilla armenia **2:**45
capilla Brancacci **8:**269
capilla de Cristo **11:**240
capilla de Enrique VII **7:**44
capilla de Hazrat Fatimeh **8:**36
capilla de la Almudena **13:**129
capilla de la Compañía **2:**192
capilla de las Rosas **7:**72
capilla de los Ermitaños **9:**61
capilla de los Reyes **7:**47
capilla de Nicolás V **1:**282
capilla de San Fernando **9:**321
capilla de San Pablo **13:**121
capilla del Cerrito **7:**72
capilla del Pocito **7:**72
capilla Real **14:**190
capilla Sixtina **5:**289; **8:**125; **9:**220; **11:**65; **14:**29
Capilla, Joaquín **10:**205

capirote **7:**123
Capíscara **3:**275
capital 3:226
agricultura **1:**104
economía **5:**190
finanzas **6:**159
Capital, Bucaramanga **12:**216
capitales **9:**144
capitales invertidos **10:**64
capitalismo 3:226
— producción **6:**100
marxismo **9:**116
populismo **11:**169
capitalistas **13:**307
capitán 3:226
— de corbeta **2:**40
— de fragata **2:**40
— de navío **2:** 40
— general **6:**300
Capitán Prat **1:**124
Capitanes intrépidos **13:**239
Capitanía General 3:227
— de Chile **7:**187
— de Cuba **7:**187
— de Florida **7:**187
— de Guatemala **7:**187
— de Venezuela **7:**187
capitel 3:227
— foliáceo **2:**56
abaco **1:**17
arquitectura **2:**56
capiteles **1:**42; **2:**59; **8:**310
Capitol City **8:**92
capitolio 3:227
Capitolio, monte **9:**250
capitulaciones de Santa Fe **8:**50
capítulo **7:**150
Capman, A. Roy **5:**75
Capo di Monte **11:**170
Capodimonte **8:**62
Caporetto **7:**92; **10:**252
Capote, Truman 3:227
bibliografía **3:**227
Capotillo, río **5:**156
Cappeche, historia de **3:**192
Cappel, batalla de **14:**190
Capra, Frank 3:227
obra **3:**227
Caprese (Toscana) **9:**220
Capri 3:227
Tiberio **13:**184
Capri isla **10:**39
Capri, batalla naval de **12:***93*
capricornio 3:228
astronomía **2:**125
zodiaco **14:**179
Capricornio, trópico de **10:**321, 324
caprifoliáceas **9:**18; **14:**75
caprimúlgidos **5:**165
caprinos **6:**274
caps de case **1:**271
Capsicum **11:**91
capsida **1:**68
capsómeros **1:**68
cápsula espacial 3:228
— Mercurio **9:**173
cápsula espacial **1:**326
Vostok, programa espacial **14:**131
cápsulas **10:**310
cápsulas del tiempo **9:**169
captación, sistema de **11:**287
captura k **1:**214
Capua **1:**291; **6:**8
Capua, Anfiteatro de **10:**49
Capuchinas **7:**72
Capuchinos **10:**238
Capuchinos, iglesia de los **14:**87
capullo 3:228
insecto **8:**8
mariposa **9:**101
oruga **10:**261
Caquetá 3:228
caquetío **7:**310
cara pecosa **11:**23
Carabaño, Francisco 3:229
biografía **3:**229
carabao 3:229
carabela 3:229
Palos de la Frontera **10:**297
carabina **2:**43
carabina **6:**254
carabineros **3:**130
Carabobo 3:229
Carabobo **2:**264
América del Sur **1:**245
llanos, los **8:**290
Valencia **14:**13
Carabobo, Batallas de 3:229
Páez, José Antonio **10:**283
Ramírez, Antonio **11:**294
Ribas, José Félix **12:**61
Carabobo, estado **11:**229
caraboideo **5:**279
carabú **2:**71
Caraca **7:**71
caracalpacos **2:**94
Caracalla, Marco Aurelio Atonine llamado 3:229
abracadabra **1:**33
biografía **3:**229
España **5:**313
Papiniano, Emilio **10:**316
Caracalla, reforma de **6:**220
caracará 3:229
Caracas 3:229
Aragua **1:**340
audiencia **2:**157
Fájardo, Francisco **6:**113
latinoamérica **8:**185
Venezuela **14:**42
caracol 3:230
caracol marino 3:230
caracol o cóclea, oído **10:**195
Caracol, Observatorio del **9:**142
caracola **3:**230
caracoles **14:**188
carácter 3:230
caracteres cuneiformes **7:**195
caracteres físicos **7:**322
caracteres hereditarios **7:**153
caracteres psíquicos **7:**322
caracteres somáticos **7:**152
caracul 3:231
Carafa, Juan Pedro **10:**238; **13:**131
Caragana **1:**40
Caragiale, Ion Luca **12:**132
Caraguatatuba **11:**12
caramba, istrumento musical **7:**219
carambola **2:**323
caramelo 3:231
— la industria dulcera **3:**231
caramelos **3:**231
Caramullo **11:**173
Carán, shiris de **11:**270
Caranda **12:**211
carandaí 3:232
Caranga **2:**193
Carangas **10:**187
Carapé, Sierra de **9:**43
carare **7:**310
caratiu **13:**118
caraucahua **7:**309
Caravaggio, Michelangelo Merisi o Amerigi llamado 3:232
estilo **6:**54
Italia **8:**66
obra **3:**232
pintura **11:**97
Reni, Guido **12:**19
caravana 3:232
desierto **5:**88
transportes **13:**249
carayá **7:**310
Carazo 3:232
Carazo Odio, Rodrigo 3:232
biografía **3:**232
Carbajal, Dionisio **13:**329
Carbajal, Garci Manuel de **2:**8
Carballido, Emilio 3:233
bibliografía **3:**233
Carbia, Rómulo D. 3:233
bibliografía **3:**233
leyenda negra **8:**238
carbohemoglobina **7:**143
carbohidrato 3:233
— función y distribución **3:**233
— metabolismo **3:**233
— química de los **3:**233
— sólido **6:**335
animal **1:**295
dextrina **5:**99
fructosa **6:**239
Haworth, Walter Norman **7:**133
carbón 3:234
— África y Australia **3:**236
— Alemania **3:**236
— aplicaciones **3:**238
— Bélgica y Francia **3:**236
— bituminoso **13:**199
— China, Manchuria, La India y Japón **3:**236
— de Cardiff **7:**35
— de polvo **7:**249
— el carbón y el hombre **3:**236
— en América Latina **3:**236
— Estados Unidos de América **3:**236
— estructura **3:**235
— Europa occidental **3:**236
— extracción **3:**237
— Gran Bretaña **3:**236
— la antracita **3:**236
— la hulla **3:**235
— la turba **3:**235
— la vida en las minas **3:**237
— los lignitos **3:**235
— origen, del **3:**234
— problemas de la industria **3:**238
— producción mundial **3:**236
— Rusia y Ucrania **3:**236
— selección y transporte **3:**237
— vegetales y animales **3:**238
átomo **2:**144
España **5:**309
Mongolia **9:**276
pólvora y polvorín **11:**163
yodoformo **14:**164
carbonarios **9:**145
carbonatos 3:238
— báricos **2:**254
— cálcicos **1:**350
— de calcio **8:**159; **14:**84
— de potasio **11:**179
— de sodio **1:**252
magnecio **9:**27
Carbonell y Rivero, José Manuel 3:239
bibliografía **3:**239
carboneros **11:**5
carbónico, ácido **2:**214
carbónico, anhídrido 3:239
carbonífero 3:239
— periodo **5:**97; **6:**308
geología **6:**311
carbonilla **8:**297
Carbonnieres, Ramond de **13:**289
carbono 3:239
acero **1:**47
azúcar **2:**204
diamante **5:**103
freón **6:**235
hidrocarburo **7:**165
insulina **8:**14
mineralogía **9:**229
plásticos **11:**126
vidrio **14:**85
carbono 14 3:239
arqueología **2:**51
carbono radiactivo **2:**153
carbonosos **1:**33
carborundo **1:**33
carboxihemoglobina **7:**143
carboxilo **13:**112
carbunco 3:239
carburador 3:239
— esquema de un **3:**240
motor de explosión **9:**313
carburo 3:240
carcaj **6:**175; **11:**86
cárcamo **5:**259
Cárcano, Ramón José 3:240
biografía **3:**240
Carcarañá **2:**18; **10:**324
Carcasona, recinto amurallado de **14:**99
Carcass **10:**69
Carcassonne **6:**221
cárcel **8:**328; **11:**202
carcinoma hepatocelular **7:**147
carcinoma prostático **7:**243
carcinomas **3:**210; **6:**175
Carco, François 3:240
obra **3:**240
Carcopino-Tusoli **3:**240
Carchemish **2:**52
Carchi 3:240
carda **13:**180
cardado **13:**180
Cardamom, montañas de **7:**297
cardamomo 3:240
Cardamon, monte **7:**296
Cardan, Jérome **3:**240
Cardano, Gerolamo 3:240
álgebra **1:**180
biografía **3:**240
cardar **8:**169
cardenal 3:240
legado **8:**209
cardenal 3:241
ave **2:**180
cardenal Albergati **1:**140
cardenal Bembo **3:**50
cardenal Caro **10:**193
cardenal de Albornoz **3:**32
cardenal don Enrique **6:**127
Cardenal primado Taschereau **11:**197

cardenal Wiseman **6**:107
Cardenal, Ernesto 3:241
bibliografía **3**:241
Nicaragua **10**:95
Cárdenas 3:242
Cárdenas Solórzano, Cuauhtémoc 3:242
Cárdenas, Francisco de **2**:192
Cárdenas, Guty **9**:203
Cárdenas, Lázaro 3:242
América del sur **1**:246
Avila Camacho, Manuel **2**:190
biografía **3**:242
Portes Gil, Emilio **11**:172
Ruiz Cortines, Adolfo **12**:128
Velázquez, Fidel **14**:38
cardenillo 3:242
cardíaca **2**:102
cardiaco, músculo **10**:7
Cardiff 3:242
Gran Bretaña **7**:38
cardiógrafo **9**:90
cardiólogo **9**:235
cardo 3:242
cardo, semillas de **12**:273
Cardona **12**:170
Cardonal, el Chico **7**:163
Cardoner, río **9**:60
Cardoso **1**:287
Cardoso, Ciriaco **11**:178
Cardoza y Aragón, Luis 3:242
bibliografía **3**:242
Guatemala **7**:80
Cardozo, Benjamin Nathan 3:242
biografía **3**:242
Cardozo, Efraím 3:242
bibliografía **3**:242
Cardozo, Ramón Indalecio 3:242
bibliografía **3**:242
Carducci, Giosuè 3:243
Annunzio, Gabriele D' **1**:300
bibliografía **3**:243
Italia **8**:65
Carducho, Vicente **12**:81
cardúmen **11**:28; **9**:80
Carelia 3:243
Europa **6**:75
Guerra Ruso-Filandesa **7**:98
carelio **6**:81
Carenleufú, río **2**:16
Cáreta **10**:164
careta antigás 3:243
carey 3:243
tortuga **13**:231
Carey, George L. **7**:43
carga **6**:140; **8**:31
carga de profundidad 3:243
armada **2**:39
carga del electrón **9**:224
carga eléctrica 3:244
— estáticas **5**:237
— negativa **5**:241
— positiva **2**:147
dipolo **5**:137
geoelectricidad **6**:302
mesón **9**:178
valencia **14**:14
carga explosiva **9**:226
cargador o portapelícula **6**:201
cargamento **10**:319
cargas de Balaklava **3**:130
cargo de la armada **1**:197
Caria, Mausolo, rey de **9**:135
Carías Andino, Tiburcio 3:244
biografía **3**:244
cariátide 3:244
Cariátide en el museo de la Acrópolis **7**:60
Caribat, Marie Jean **13**:256
Caribdis **9**:177; **10**:186
Caribe, Mar 3:244
América **1**:232
Belice **2**:285
Caribe, mar **12**:215
Dominicana, República **5**:157
Falcón **6**:113
indios americanos **7**:309
Latinoamérica **8**:186
México **9**:193
Nicaragua **10**:92
Pinar del Río **11**:91
Venezuela **14**:42
caribe, cultura **14**:47
Caribe, islas **1**:307
caribe, música del **7**:189
caribes **1**:32; **14**:115
caribes, indios 3:244
— costumbres **3**:245
— historia **3**:244
caribú 3:245
esquimales **6**:26
Carica papaya **10**:314
caricatura 3:245
Caricatura del Pato Pirata **3**:246
CARICOM **1**:306; **5**:156; **7**:46; **12**:214; **13**:86
caridad 3:247
caries 3:247
odontología **10**:187
Carilao **8**:255
carillón 3:247
Carintia **1**:160; **2**:166; **5**:301; **7**:271
cariofiláceas **6**:179
cariópside **13**:263
Carioth **8**:119
cariotipo 3:247
caripuna **7**:310
Carl Bosch **2**:296
Carl F. W. Ludwig **11**:17
Carl Wilhelm Scheele **11**:261
Carl Zeiss, Institución **14**:176
Carl, Andre **9**:233
Carl, Jacob Ludwig **7**:66
Carl, Wilhelm **7**:66
Carleton, James H. **9**:57
carlismo 3:247
Carlista, guerra **8**:237; **9**:175; **10**:42; **14**:147
Carlomagno, Carlos I llamado 3:248
— Imperio de **10**:130; **14**:55
Alemania **1**:159
biografía **3**:248
Dinamarca **5**:125
Florencia **6**:181
Holanda **7**:208
lombardos **8**:301
Milán **9**:222
Occidente, Imperio de **10**:178
Pontificios, Estados **11**:167
universidad **13**:315
vid **14**:79
Carlomán **3**:249
Carlos Alberto, rey **7**:247; **12**:54
Carlos Antonio **8**:306
Carlos Augusto Salaverry **11**:62
Carlos Baca-Flor **11**:64
Carlos Borromeo, san **10**:238
Carlos de Austria **2**:252
Carlos de Dinamarca, príncipe **10**:136
Carlos Eduardo Zavaleta **11**:62
Carlos *el Calvo* **3**:255; **9**:253; **11**:27
Carlos *el Prudente* **10**:328
Carlos *el Temerario* **3**:48; **8**:49; **14**:22
Carlos Felipe Arturo **9**:315
Carlos Fuentes **8**:190
Carlos García García **11**:65
Carlos Goldoni **8**:65
Carlos Gomes, Antonio **3**:77
Carlos I **2**:29
Carlos I **5**:204
Carlos I **6**:281
Carlos I **7**:116
Carlos I **10**:233
Carlos I **11**:244
Carlos I **12**:53
Carlos I **14**:168
Carlos I de España y V de Alemania 3:248
biografía **3**:248
Enrique VIII de Inglaterra **5**:265
Felipe II **6**:126
Jiménez de Cisneros, Francisco **8**:102
Sacro Imperio Romano Germánico **12**:161
Tordesillas, Tratado de **13**:222
Carlos I de Inglaterra 3:249; **6**:65
biografía 3:249
Carlos I, emperador de Austria-Hungría **1**:20
Carlos II **5**:317
Carlos II **6**:322
Carlos II **7**:196
Carlos II **8**:304
Carlos II **10**:156
Carlos II **11**:38
Carlos II **11**:89
Carlos II **12**:53
Carlos II **14**:35
Carlos II de Rumania **1**:315
Carlos II *el Calvo* **5**:233
Carlos II *el Gordo* **6**:221
Carlos III **2**:19
Carlos III 3:249
biografía 3:249
Carlos III **5**:317
Carlos III **6**:118
Carlos III **7**:26
Carlos III **8**:185
Carlos III **9**:169
Carlos III **11**:182
Carlos III **12**:160
Carlos III **14**:174
Carlos III, Cruz de la Orden de **10**:208
Carlos III, de España **1**:341
Carlos III, príncipe **9**:272
Carlos III, rey **6**:184; **8**:111; **10**:322
Carlos IV **5**:295
Carlos IV **6**:136
Carlos IV **7**:26
Carlos IV **8**:328
Carlos IV **11**:241
Carlos IV **12**:161
Carlos IV de Alemania, emperador **11**:70
Carlos IV de España **1**:20
Carlos IX **10**:136
Carlos IX **6**:222
Carlos IX **7**:245
Carlos IX de Suecia **13**:70
Carlos Luis II **7**:209
Carlos Lleras Restrepo **11**:10
Carlos Martel 3:249
biografía 3:249
Carlos Raquel Rivera **11**:2441
Carlos rey de Sicilia **8**:317
Carlos V de España **2**:251; **5**:176; **6**:83; **10**:252
Carlos V de Francia **5**:177; **6**:181
Carlos V, de la Alhambra **14**:188
Carlos VI **7**:40
Carlos VI **8**:256
Carlos VI **9**:95
Carlos VI **10**:252
Carlos VI Gustavo, de Suecia **13**:71
Carlos VII **6**:222
Carlos VII **8**:317
Carlos VIII **6**:222
Carlos VIII **8**:257
Carlos VIII **12**:245
Carlos VIII de Francia **2**:75
Carlos X **3**:46
Carlos X **6**:223
Carlos X **8**:318
Carlos X **12**:53
Carlos X **13**:182
Carlos X de Francia **1**:20
Carlos XII **11**:159
Carlos XII de Suecia 3:249
biografía 3:249
Carlos XIV **2**:302
Carlos XIV de Suecia **13**:70
Carlos XVI Gustavo, de Suecia **13**:70
Carlos, Academia de San **10**:256
Carlos, archiduque **5**:317
Carlos, delfín **6**:222
Carlos, príncipe de gales **11**:202
Carlos, príncipe don **10**:164
Carlos, rey **10**:206
Carlostadio **8**:327
Carlota Amalia 3:249
biografía 3:249
Maximiliano **9**:135
Carlota, estrecho de la Reina **14**:21
Carlota, princesa **11**:290
Carlota, reina **6**:261
Carlowitz **11**:19
Carlsbad **6**:44
Carlsbad, cavernas **10**:88
Carlson, Chester F. **9**:226
Carlson, Rick **9**:152
Carlsson, Ingvar **13**:70
Carlyle, Thomas 3:249
bibliografía **3**:249
carmagnole **14**:69
Carmelita
Carmelitas **10**:237; **13**:165
Carmelitas Calzados **3**:250
Carmelitas Descalzos **3**:250; **8**:269; **10**:237
Carmelo, monte **5**:246; **6**:129
Carmelo, Nuestra Señora del **9**:93
Carmen 3:250
Véase Ópera
Carmen de Oporto, iglesia de **11**:177
Carmen, Nuestra Señora del 3:250
Carmichael, Stokely 3:250
bibliografía **3**:250
carmín **8**:158
Carmona 3:250
Carmona, António Óscar de Fragoso 3:250
biografía **3**:250

Carmona, Salvador **14**:47
Carnac 3:250
Carnap **7**:328; **14**:56
Carnap, Rudolf **12**:151
Carnarvon **7**:37
Carnarvon, George Edward, conde de 3:251
arqueología **2**:52
bibliografía **3**:251
carnaúba **1**:222
carnaval 3:251
— de invierno **11**:11
— de Río de Janeiro, Brasil **3**:250
— de Venecia, Italia **3**:250
carne 3:251
— de res **1**:*187*
— productores de **6**:276
Carneaux **2**:189
Carnegie **2**:273
Carnegie Hall **5**:45; **13**:129
Carnegie, Andrew 3:252
biografía **3**:252
Carnelivari, Mateo **10**:292
Carner, José **5**:320
Carnera, Primo **3**:63; **8**:105
carnero **2**:30; **3**:251; **8**:168; **10**:272
carnero azul **10**:273
Carnero Blanco **8**:39
carnero de Marco Polo o kulja **10**:273
Carnero Negro **8**:39
carnes frías **3**:*251*
Carnicero, Alejandro **14**:47
Carniola **1**:160; **7**:271; **12**:91
carnívoras, plantas 3:253
carnívoro 3:253
Carnot, Nicolás Léonard Sadi 3:253
bibliografía **3**:253
carnotita **9**:230; **13**:320; **14**:21
Caro de Boesi, José Antonio **14**:47
Caro, José Eusebio 3:254
bibliografía **3**:254
Caro, José M. **3**:241
Caro, Miguel Antonio 3:254
bibliografía **3**:254
Caro, Rodrigo 3:254
bibliografía **3**:254
Carol I **12**:130
Carol II de Rumania 3:254
biografía **3**:254
Carol Moseley Braun **7**:271
Carola Lorenzini **9**:325
Carolín **2**:189
Carolina 3:254
Carolina Augusta **9**:8
Carolina del Norte **6**:32; **12**:89
Carolina del Sur **2**:154; **6**:32; **7**:89
Carolina Lucrecia Herschel **7**:159
Carolina Luisa Margarita **11**:290
Carolina, La 3:254
Carolinas, archipiélago de las **9**:216; **10**:289
Carolinas, Islas 3:254
Estados Unidos **6**:31
Micronesia (Estados Federados de Micronesia) **9**:217
Oceanía **10**:179
carolingia, dinastía **6**:221
carolingio **7**:274
carolingio, imperio **6**:5
Carolingios 3:248
Edad media **5**:207
merovingios **9**:175
carolino **5**:284
Caron de Beaumarchais, Pierre Agustin 3:255
Véase Beaumarchais, Pierre Agustin Caron de
Caron, Leslie **2**:105
Caroní, río **14**:43
Caronte 3:255
caroteno 3:255
vitaminas **14**:107
Carothers, Wallace H. **10**:30
carótida 3:255
carpa 3:255
carpa dorada 3:255
Carpaccio **13**:325
Carpaccio, Vittore Scarpaza, llamado 3:256
obra **3**:256
Carpathia **13**:204
Cárpatos **1**:268; **2**:305; **5**:297; **7**:250; **12**:134; **13**:67; **14**:87
Cárpatos, isla **6**:76
Cárpatos, Montes 3:256
— cadena de los **11**:157
— cordilleras de los **6**:75
— de Galitzia **12**:129
— Meridionales **12**:129
— Orientales **12**:129
— sistemas orográficos **12**:293
Dniester, río **5**:150
Silesia **12**:323
Carpe **9**:14
Carpeaux, Juan Bautista 3:256
obra **3**:256
carpelos **6**:177, 178, 179, 239
Carpenter, M Scott *2*:113
Carpentier, Alejo 3:256
bibliografía **3**:256
Carpentier, Georges **5**:48
carpetanos **7**:257
Carpi, Hugo de **14**:157
carpincho 3:257
carpintería 3:257
— carpintería **3**:258
— de armar **3**:257
— de banco **3**:257
— de taller **3**:257
— mecánica **3**:257
Carpio, Bernardo del **2**:223
Carpio, Miguel del, don **14**:32
carpo **6**:23
Carpo **7**:224
Carr, Gerald Paul **2**:122
Carrá, Carlo **6**:258
carraca **9**:98
Carracci, Annibale **5**:154
Carracioli **10**:70
Carranza, Adolfo P. 3:259
biografía **3**:259
Carranza, Emiliano **5**:246
Carranza, Jerónimo de **5**:296
Carranza, Venustiano 3:259
biografía **3**:259
Carrara **9**: 104
Carrasco Núñez del Prado, Jorge **3**:31
Carrasco, Bárbara **7**:189
Carrasco, Bartolomé **2**:212
Carrasco, Sansón **2**:212; **11**:257
Carrasquilla, Rafael María **3**:18
Carrasquilla, Tomás 3:259
bibliografía **3**:259
Carré **7**:170
Carrel, Alexis 3:259
bibliografía **3**:259
Carreño, Puerto **14**:78
Carreño, Teresa 3:260
obra **3**:260
carrera 3:260
— automóviles **3**:261
— con medios mecánicos **3**:261
— de automóviles de la fórmula Indy **3**:260
— de caballos **3**:260
— de galgos **3**:260
— de galgos **6**:265
— de personas **3**:260
— embarcaciones a vela **3**:261
— en bicicleta **3**:261
— motocicletas **3**:261
— natación **3**:261
— pedestre **9**:86
— profesional de motocicletas **3**:260
— simple **7**:182
Carrera Andrade, Jorge 3:262
bibliografía **3**:262
carrera de obstáculos 3:262
Carrera Verdugo, hermanos 3:262
biografía **3**:262
Carrera, José Rafael 3:262
biografía **3**:262
Carrera, Luis **9**:9
Carrera, Rafael **7**:80
Carreras, huasos de los **14**:25
Carreras, José 3:263
biografía **3**:263
Carreras, Josep **13**:183
Carrere, Emilio **3**:7
carrete de Ruhmkorff 3:263
Carretera Andina o de Bolívar 3:263
Carretera de Alaska 3:263
Alaska **1**:136
Carretera Panamericana 3:263
Esquipulas **6**:26
Ibarra **7**:255
Loja **8**:300
Carreto, Hilaria del, tumba **11**:250
carretones **8**:298
Carriacou **7**:45
carrick **14**:69
Carriego, Evaristo 3:263
bibliografía **3**:263
Carriere, Eugene **14**:78
carril o tubo **8**:172
Carril, Salvador María del 3:263
biografía **3**:263
Carrillo de Mendoza Pimentel, Diego 3:264
biografía **3**:264
Carrillo Puerto, Felipe 3:264
biografía **3**:264
Carrillo, Braulio **1**:116
Carrillo, Julián 3:264
obra **3**:264
Carrión de los Condes **12**:220
Carrión, Alcides **10**:256
Carrión, Alejandro **5**:201
Carrión, Benjamín 3:264
bibliografía **3**:264
Carrión, enfermedad de **10**:256
Carrión, Jerónimo **6**:17; **12**:85
Carrión, río **10**:290
carrizo 3:264
Carro Mayor **6**:62
carro y carreta 3:264
Carro, constelación de **10**:262
Carroll, Lewis 3:264
bibliografía **3**:264
carroña **9**:222
carrousel **10**:328
carroza 3:265
— Real **3**:265
carruaje **1**:144
Carruthers Gould, Francis **8**:106
Carson City **10**:82
Carson, Cristopher **3**:265
Carson, Kit 3:265
biografía **3**:265
Carstensz, Jan **5**:77
Carstensz-Toppen **10**:157
carta 3:265
Carta Autonómica de Puerto Rico **9**:335
Carta Colonial **14**:170
carta de crédito 3:265
Carta de Derechos Británica **5**:62
Carta de Derechos en la Constitución estadounidense **5**:62
Carta de las Naciones Unidas **8**:258
Carta de los derechos del enfermo **6**:85
Carta de Punta del Este **1**:184
Carta de San Francisco **1**:172
carta del Atlántico 3:265
Carta Magna 3:265
— de Inglaterra **7**:115
Revolución Francesa **12**:47
Cartagena 3:265
— de Indias **2**:262; **8**:239; **12**:60
— Colombia **2**:257
Cartago 3:266
Cartago, Ciudad antigua 3:266
Cartailhac **6**:230
cártamo 3:266
cartas **8**:205
cartas marinas **9**:67
cartas meteorológicas **8**:54
Cartas Pueblas **2**:176
cartel 3:267
Cartellier, Pierre **12**:124
cárter **2**:171
Carter, H **2**:52
Carter, Howard 3:267
biografía **3**:267
Carter, James Earl, Jr. 3:267
biografía **3**:267
Carter, Jimmy **10**:301
Carteret, Felipe **10**:157; **11**:112
Carteri, James **13**:267
cartesianismo 3:267
— difuso **3**:267
Carthago Nova **3**:266
cartíbula **9**:254
Cartier, Jacobo **11**:8
Cartier, Jacques 3:267
biografía **3**:267
cartigrafía **6**:302
cartilaginosos **14**:186
cartílago 3:267
— de Weitbrecht **3**:267
cartografía 3:268
— aeronáutica **13**:252
Cartolomé de las Casas **7**:307
cartomancia **1**:70
cartuja 3:268
— de Sevilla
— de Thomar **11**:177
— de Valldemosa **9**:45
— monasterio la **10**:237
Cartujos, orden de los **10**:237

Cartwright, Edmund 3:268
obra **3:**268
Carúpano **12:**61
Caruso, Enrico **1:**299; **7:**32; **11:**279; **13:**160
Caruso, Enrique 3:268
biografía **3:**268
Carvajal, Luis de **9:**288
Carvalho, Sebastião José de **8:**272
Carver, George Washington 3:269
biografía **3:**269
Carver, Raymon **6:**43
casa 3:269
— de arquitectura holandesa **7:**207
— de familias burguesas **3:**120
— de muñecas **8:**123
— esquimal **2:**69
— tipo Mid Sepik **10:**157
Casa Alcaldía **11:**165
Casa Blanca 3:269
— en Washington D.C. **6:**42
Casa de Acuñación de Moneda **9:**274
Casa de Austria **1:**147; **6:**83
Casa de bolsa de *Wall Street* **3:**33
Casa de Borgoña **11:**176
Casa de Contratación de las Indias 3:269
Casa de Contratación de Sevilla **6:**305; **7:**159
Casa de Expósitos **2:**25
Casa de la Comedia **2:**25
Casa de la Ópera, París **2:**29
Casa de la Ópera, Sidney **1:**64; **2:**163; **13:**91
Casa de la Torre Cuadrada **9:**176
Casa de los Azulejos **9:**204
Casa de los Botines, casa de los **6:**293
Casa de los Mascarones **9:**204
casa de moneda 3:269
Casa de Monet, Francia **6:**215
casa de Navarra **1:**271
Casa de Saboya **9:**222
Casa de Saint Cyr **9:**34
casa de Sajonia-Coburgo **6:**135
casa de vecindad 3:269
Casa del Abeto **9:**176
Casa del Alfeñique **9:**204
Casa del Balcón **9:**176
Casa del Conquistador Montejo **9:**174
casa del Greco **13:**212
casa del Profeta **8:**41
casa del Puebo (*Lok Sabha*) **7:**299
casa ducal de Lorena **7:**107
casa flotante 3:269
Casa Fuerte, Acuña, Juan de, marqués de **9:**199
Casa Loma **13:**226
casa matriz y sucursales 3:270
Casa Milta **5:**308
Casa Minangkabau, Sumatra **13:**83
casa mínima **9:**256
casa para los difuntos **9:**124
Casa Real **13:**116
Casa Riera, Gonzalo de Mora, marqués de **6:**107
Casa Rosada 3:270
Casa Wadsworth-Longfellow **9:**34
casabe 3:270
Casablanca 3:270
casaca o chamberga **14:**68
Casaccia, Gabriel **10:**322
Casal Chapí, Enrique **5:**163
Casal, Julián del 3:270
bibliografía **3:**270
Casale Plasencia **11:**142
Casals, Pablo **2:**335; **11:**239; **14:**98
Casals, Pau 3:271
obra **3:**271
casamenteros **1:**316
Casandra 3:271
biografía **3:**271
Casanova **14:**192
Casanova de Seingalt, Giacomo Girolamo 3:271
biografía **3:**271
Casanova, Lola **12:***95*
Casanova, Sofía **6:**128
Casanovas, Juan **1:**272
Casanovas, Oscar **10:**205
Casares María **3:**271
Casares Quiroga, Santiago 3:271
biografía **3:**271
Casares, Julio 3:271
bibliografía **3:**271
Casares, María 3:271
biografía **3:**271
Casariego, Mario **3:**241
Casas Carbó, Ramón 3:272
obra **3:**272
Casas Reales **5:***158*
casas reinantes, de Augsburgo **6:**83
Casas, Bartolomé de Las 3:271
bibliografía **3:**271
Casas, fray Bartolomé de Las **13:**335
Casas, Francisco de las **10:**202
Casas, José Joaquín 3:272
bibliografía **3:**272
Casas, Ramón **5:**318
Casbah **2:**12; **9:**105
Cascada, Cordillera de la **14:**141
cascada 3:272
— Cumberland **8:**139
— de Bío-Bío en Chile **2:**324
— del acantilado **3:**223
— del río Treur, Sudáfrica **6:**305
— Hacha, Venezuela **14:**42
— tropicales **13:**272
Cascade Range **6:**31
Cascades **6:**31
Cascaes **11:**175
Cascanueces **5:**16; **13:**129
cáscara sagrada 3:273
purgante **11:**244
casco 3:273
casco de un buque de vela, corte esquemático **3:**111
cascos **13:**319
cascos azules **6:**247
Case Institute of Technology **11:**335
Case Western Reserve University de Cleveland **6:**324
caseína 3:273
— vegetal **3:**273
caseosa **6:**280
Casequiare, río **10:**69
Casero, Antonio **12:**166
Caseros **13:**325
Caseros, batalla de **6:**181; **9:**250; **11:**304
Casey, Lincoln **2:**313
cashibo **7:**310
cashinahua **7:**310
Casilda **12:**214
casimires de Escocia **8:**169
Casimiro el Grande **11:**159
casino 3:274
casino **10:**82
Casio **2:**159
Casiodoro **13:**160
Casiopea 3:274
Casma, valle de **9:**258
Caso, Alfonso 3:274
bibliografía **3:**274
Caso, Antonio 3:274
bibliografía **3:**274
Casona, Alejandro 3:274
bibliografía **3:**274
casos gramaticales 3:275
caspa 3:275
Caspe, Compromiso de **14:**75
Caspícara 3:275
Caspio, Mar 3:276
casquete **10:**319
casquete esférico **12:**34
Cassange **1:**287
Cassano **13:**89
Cassat, Mary **9:**327
Cassava **12:**66
cassette **14:**82
Cassim Mansur, Abul **6:**162
Cassin, René 3:276
bibliografía **3:**276
Cassinga **1:**285
Cassini, Cesar Francois **2:**138
Cassini, Gian Domenico **6:**230; **13:**221
Cassini, René **8:**211
Cassino, Monte **5:**205
casta 3:276
— americana **3:**276
— de los constructores **14:**112
— de los intocables **7:**299
— real **13:**166
Castagno, Andrea del 3:276
obra **3:**276
Castalia, manantial de **10:**330
castaña **13:**127
castaña del Pará **8:**130
Castañeda Castro, Salvador **12:**183
Castañeda, Francisco **12:**184
Castañeda, Francisco de Paula 3:276
biografía **3:**276
Castañeda, Gonzalo **9:**201
Castañeda, Gregorio **11:**46
Castañeda, Pedro de **11:**227
castaño 3:277
castaño de indias 3:277
castaños **1:**346
Castaños y Aragoni, Francisco Javier 3:277
biografía **3:**277
castañuela 3:277
Castegnaro, Alvise **6:**191
Castel Franco, Giorgione **11:**102
Castelao, Alfonso Daniel Rodríguez 3:277
bibliografía **3:**277
Castelao, Alionso R. **6:**266
Castelar Ripoll, Emilio 3:277, 285
biografía **3:**277
Castelar, Emilio **1:**193; **11:**82
Castelfranco **6:**326
Castelgandolfo **1:**137; **14:**29
Castelo Branco **11:**175
Castelo Branco, Camilo 3:277
bibliografía **3:**277
Castellamare, batalla naval de **12:**93
Castellamare, golfos de **12:**314
Castellanos, Aarón 3:278
biografía **3:**278
Castellanos, Gonzalo **14:**47
Castellanos, Joaquín 3:278
bibliografía **3:**278
Castellanos, Juan de **14:**46
Castellanos, Rosario **9:**202
Castellar de Santiesteban **12:**224
Castellbo, Arnau de **1:**271
Castellet de Perpiñan **1:**214
Castelli, Francesco **12:**87; **13:**82
Castelli, Juan José 3:278
biografía **3:**278
Castellón 3:278
España **5:**311
vivienda **14:**118
Castellón de la Plana 3:278
Castells **9:**77
castellum **1:**60
Castellví, guillén **6:**318
casticismo **6:**197
Castilnovo **12:**259
Castilla 3:278
— Alfonso VIII, rey de **2:**335
— Alfonso X el Sabio, rey de **11:**177
— Blanca de **6:**221; **11:**329
— Canal de **10:**290; **14:**19
— Consejo de **6:**184; **10:**297
— del Oro **2:**223
— economía **3:**280
— Edad Media **2:**189
— Enrique III, rey de **2:**99
— historia **3:**280
— Isabel de **5:**209
— población **3:**280
— Reina de **9:**94
— reino de 316
Castilla la Nueva 3:280
Badajoz **2:**213
Extremadura **6:**105
Madrid **9:**20
Castilla la Vieja 3:280
Ávila **2:**189
Extremadura **6:**105
Castilla Marquesado, Ramón **5:**246
Castilla Pedro López de Ayala **11:**45
Castilla y León 3:280
— Corona de **14:**101
— economía **3:**281
— historia **3:**282
— meseta de **14:**118
— población **3:**281
— reyes de **1:**264
— vegetación **3:**281
Castilla, Ramón 3:282
biografía **3:**282
Castilla-La Mancha 3:279
— economía **3:**280
— historia **3:**280
— población **3:**280
Mancha, La **9:**51
Saramago, José **12:**226
Toledo **13:**212
Castilla-León **12:**259
Castillejo, Cristóbal de 3:282
biografía **3:**282
Castillejos, márques de los **11:**197
Castillete, Punta de **14:**42
castillo 3:282
— Bodian en Kent, Inglaterra **3:**282
— de Albrechtsberg **11:**170
— de Burgos **1:**175
— de Clos-Chatel **1:**300
— de Dover, representación

esquemática del **3**:283
— de Edimburgo, Gran Bretaña **7**:36
— de El Morro, San Juan de Puerto Rico **11**:237
— de Frías **5**:309
— de Herstmonceaux, en Sussex **7**:64
— de Kussnacht **13**:153
— de la Alcazaba en Almería, España **1**:195
— de la Edad Media, Polonia **11**:160
— de Laeken **2**:284
— de Leira, Portugal **11**:174
— de Loevnstein **7**:67
— de Monsalvat **7**:65
— de Montilla **6**:134
— de Montjuich **1**:214
— de Neuschwansteinen Bayern, Alemania **1**:162
— de Pilatos **13**:121
— de Praga **11**:183
— de Predjama Gora **5**:300
— de Qaitbay **1**:154
— de Rocca-Secca **13**:216
— de Rock **5**:210
— de Santangelo **7**:64
— de Toompea **13**:107
— de Versalles **1**:161
— de Winchester **13**:96
— del Tirol **1**:201
— Eastnor en Ledbury, Inglaterra **3**:282
— estilo gótico-mudejar, España **3**:278
— Hearst en San Simeon, California **3**:165
— Whittington en Inglaterra **3**:283
Castillo Andraca y Tamayo, Francisco del 3:283
obra **3**:283
Castillo Armas, Carlos 3:283
biografía **3**:283
Castillo y Guevara, Madre Francisca Josefa **8**:281
Castillo, Antonio del **14**:11
Castillo, Florencio del 3:283
biografía **3**:283
Castillo, Jesús **7**:79
Castillo, Juan del **10**:6
Castillo, Mayora **12**:184
Castillo, Otto René 3:284
bibliografía **3**:284
Castillo, Pedro del **7**:253; **9**:165
Castillo, Ramón 3:284
biografía **3**:284
Castillo, Teófilo **11**:64
castor 3:284
— aceite de **12**:64
Cástor y Pólux 3:284
juramento **8**:128
Rameau, Jean Philippe **11**:293
castóreo **11**:48
Castra Regina **11**:303
Castries **7**:306; **12**:214
Castriota, Jorge **1**:138
Castro Alves, Antonio 3:285
bibliografía **3**:285
Castro Ruz, Fidel 3:285
biografía **3**:285
Castro, Américo 3:284
bibliografía **3**:284
Castro, Ángeles de **5**:44
Castro, casa de los **7**:318
Castro, Cipriano 3:284
biografía **3**:284
Castro, Eugenio de 3:284
bibliografía **3**:284
Castro, Guillén de 3:285
bibliografía **3**:285
Castro, Herbert de **10**:304
Castro, José María 3:285
biografía **3**:285
Castro, Juan José 3:285
obra **3**:285
Castro, Ramón **5**:200
Castro, Ricardo **9**:203
Castro, Rosalía de 3:285
bibliografía **3**:285
Castro, Santos **12**:223
Castro, Vasco de **11**:115
castros **7**:257
Castroviejo, Ramón 3:285
obra **3**:285
casuárida **3**:285
casuario 3:285
casulla 3:286
catabolismo **1**:185; **9**:179
catacumbas 3:286
catáfilas **7**:204
Catai **5**:209
Catalá, Víctor **1**:140
Catalana, Mancomunidad **10**:258
catalepsia 3:286
muerte **9**:322
trance **13**:241
Catalina de Aragón 3:287
biografía **3**:287
Catalina de Bearn **11**:45
Catalina de Médici 3:287
biografía **3**:287
Catalina de Rusia **10**:9
Catalina de Siena, santa 3:287
biografía **3**:287
Catalina II la Grande 3:287
biografía **3**:287
Catalina, convento de Santa **10**:260
Catalina, Santa **10**:292; **12**:163
catálisis 3:287
Cátalo **10**:74
catálogo 3:287
catalpa 3:287
Cataluña 3:288
— capitán general de **11**:201
— condado de **11**:316
— España **1**:48; **2**:206
— Estatuto de **9**:9
— principado de **6**:319; **8**:231
— sublevación de **6**:127
catamarán 3:57, 289
Catamarca 3:289
Rojas, Diego de **12**:94
Catanei, Vanezza **1**:157
Catania **12**:313; **14**:55
Catania, Italia **2**:288
Catania, puerto de **12**:314
Catanissetta **12**:314
cataplasmas **10**:300
catapulta 3:289
— de despegue **11**:171
catarata 3: 272, 290
— de Iguazú **1**:237; **3**:75; **7**:268
— del Niágara **6**:35
catarina **9**:102
catarinas **8**:7; **14**:181
cátaros (los puros) **3**:18
catarral **6**:290; **7**:262
catarro 3:290
— crónico **3**:290
— epidémico **7**:67
catastro 3:291
— tributario **7**:288
catástrofe **13**:240
catastrofismo **6**:104
Catatumbo, río **10**:131
Catavi, Mina **11**:12
Catawa, río **10**:132
Cateau-Cambresis, tratado de **6**:126
catecismo 3:291
catecolaminas **2**:192; **5**:164
catedral 3:291
— de Amberes **2**:131
— de Ávila **2**:305
— de Canterbury **2**:274; **7**:44
— de Cao Dai, Tay Ninh, Vietnam **14**:90
— de Chartres, Francia **3**:293
— de Coimbra, púlpito **11**:177
— de Copenhague **13**:183
— de Cuzco, Perú **3**:293; **7**:187
— de Duomo, Italia **3**:*291*
— de estilo gótico en Antwerpe, Belgica **2**:284
— de Estrasburgo **1**:204
— de Évora, pórtico **11**:177
— de Exeter, Inglaterra **13**:*134*
— de Florencia **11**:110
— de Granada **1**:283
— de la Sagrada Familia, España **6**:293
— de Mainz en Alemania **1**:160
— de Málaga y Sevilla 102
— de Managua **10**:94
— de México **8**:192; **13**:214
— de Milán **2**:58
— de Milán **8**:301
— de Notre Dame **1**:250; **6**:219
— de París **7**:25
— de Ponce **11**:240
— de Puebla **13**:214
— de Reims **13**:322
— de Reims, Francia **11**:334
— de San Finbar en Cork **8**:45
— de San Francisco **1**:228
— de San Francisco **11**:20
— de San Francisco, Bolivia **3**:30
— de San Juan **11**:159
— de San Julio **8**:214
— de San Luis **8**:312
— de San Macario **1**:27
— de San Marcos en Venecia **8**:66
— de San Pablo en Londres, Inglaterra **8**:304
— de San Patricio **11**:14
— de San Pedro y San Pablo **13**:306
— de San Pedro y San Pablo, Rusia **3**:292
— de Santa María la Blanca, España **13**:212
— de Santo Domingo **8**:192
— de Sevilla **1**:317
— de Toledo **13**:182
— de Tortosa **11**:25
— de Ulm **1**:209
— de Utrecht **5**:273
— de Valladolid **7**:159
— de Verona **2**:315
— de Zacatecas **8**:191
— en la plaza del Duomo, Milán **9**:222
— gótica de Burgos, España **3**:119
— Real de Granada **8**:49
categoría 3:293
caterético **3**:302
Caterina Benincosa **3**:287
Caterna, Santa María de la **10**:292
Caterwood, Frederick **11**:267
catéter 3:293
cateterismo cardiovascular **6**:198
catetos **10**:318; **13**:260
Cathay **6**:95
Cather, Willa **6**:43
Catherwood, Frederick **5**:74; **8**:194
Catilina, Conspiración de **12**:112
Catilina, Lucio Sergio 3:293
bibliografía **3**:293
Catilinaria **3**:293
cationes **5**:144; **8**:32
catirrinos **9**:278
Cato, F. Milton **12**:200
Catoche **1**:116
catódicos, rayos 3:294
cátodo 3:293
católica romana **6**:81
Católica, Congregación de Educación **10**:311
Católica, Iglesia **10**:142, 163; **14**:73, 74
catolicismo 3:294
— el culto **3**:297
— el dogma **3**:294
— la moral **3**:296
Catón 3:297
— de Utica o el Joven **3**:298; **8**:314; **13**:333
— el Censor o el Viejo **1**:30; **3**:297; **7**:280; **8**:181
biografía **3**:297
Catón, Marco Porcio **3**:297
catóptrica **10**:227
Catorce puntos 3:298
Catriel **1**:204
Catro, Lonor de **6**:231
Catskill, montañas **5**:98
Cattegat **13**:68
Catulo, Cayo Valerio 3:298
bibliografía **3**:298
catuquinarú **7**:310
cauba 3:298
Cauca 3:298
Cauca de Pastos **12**:162
Cauca, departamento de **11**:168
Cauca, Río 3:298
Cauca, Valle del **10**:295
Caucam, río **13**:193
Caucasia 3:298
caucásicos, dialectos **8**:216
Cáucaso Central **8**:131
Cáucaso occidental **14**:78
Cáucaso, cordillera del 3:299
— montañas del **13**:148
— monte **1**:202
— montes **2**:84; **13**:243
Caucongo **8**:306
caucheros **8**:34
cauchi **7**:310
caucho 3:299
— aprovechamiento **3**:301
— mineral **3**:301
— multiples usos **3**:302
— propiedades **3**:300
— sintético **1**:150; **3**:301; **10**:108
— soportes de **14**:75

— vulcanización **3:**300
Cauchy **3:**159
Caudium **7:**278
Caumont A. de **12:**105
Caupolicán 3:302
biografía **3:**302
Caura, río **14:**43
Caus, Isaac de **12:**126
Causeway **8:**44
causses, mesetas calizas **6:**212
cáustico 3:302
cauterización 3:303
Cautín 3:303
Cautín, provincia de **9:**44
Cavado **11:**173
Cavalcanti, Alberto **3:**77
Cavalcanti, Emiliano di **3:**76
Cavalcanti, Guido **8:**64
Cavalier de La Salle, Robert **5:**74; **8:**311
Cavalleria Rusticana 3:303
Cavalli, Francesco **10:**215
Cavanagh, edificio **11:**156
cavea **13:**131
Cavelier, Robert **7:**306
Cavell, Edith 3:303
biografía **3:**303
Cavendish, Henry 3:303
biografía **3:**303
Cavendish, laboratorio **10:**205; **14:**138
Cavénnes **6:**212
Caventou, Joseph **11:**264
caverna 3:303
— de Carlsbad, en New Mexico **6:**35
— *Hellhole* **14:**146
espeleología **6:**13
troglodita **13:**270
caviar 3:303
Cavite, estación naval de **9:**58
Cavley **2:**187
Cavour, Camilio Benso, conde de 3:304
biografía **3:**304
Cawnpore, o Kanpur 3:304
Caxias **9:**85
Caxton, William **1:**128
Cayambe **5:**196
cayapa **5:**199; **7:**310
cayapó **7:**310
Cayena 3:304
Cayena, obispo de **13:**111
Cayetano, san **13:**131
cayeté **7:**309
Cayey **6:**210
Cayley, George, sir **11:**118
cayo 3:304
Cayo Duilio **7:**279
Cayo Graco **7:**280
Cayo Mario **2:**238
Cayo, ciudad, Belice **2:**286
Cayo, Plinio Cecilio II **6:**304
cayubaba **7:**309
cayuga **11:**13
caza 3:304
— del león **8:**226
— menor **3:**305
cazatorpederos **2:**39
cazón 3:305
CBS **13:**150; **14:**82
CD Foto **3:**307; **5:**140
CD-4, células 3:305
CD-ROM 3:306
CD-ROM **2:**157
disco compacto **5:**141
video **14:**83
Ceará 3:307
Ceausescu **12:**131
cebada 3:307
cebadilla 3:307
Ceballos, Pedro Antonio **8:**266
cebar mate **9:**125
cebo **13:**241
cebolla 3:307
cebolleta **3:**308
cebollino **3:**308
Ceboruco, volcan **10:**59
cebra 3:308
Cebrián y Agustín, Pedro 3:308
biografía **3:**308
cebú 3:308
Cecchetti, Enrico **5:**16
ceceo, tartamudez y balbuceo 3:309
Cecil of Chelwood, Edgar, primer vizconde de 3:309
biografía **3:**309
Cecil, William **8:**48
Cecilia, santa 3:309
biografía **3:**309
CECLA (Comisión Especial de Coordinación para América Latina) **1:**184
Cécrope **2:**133
Cech, Thomas Robert 3:309
obra **3:**309
Cedar, montañas **13:**312
Cederborgh **13:**71
Cedre, El **1:**271
cedro 3:309
— del Líbano **1:**347
cedrón 3:310
Cedrón **6:**320
Cedrón, valle de **8:**108
cédula 3:310
cédula de identidad 3:310
Cédulas Reales **13:**333
Cedvet Sunay **13:**297
CEE **5:**156, 318
cefalalgia o cefalea 3:310
reposo **12:**24
cefalocordado **1:**279
Cefalocordios **14:**185
Cefalonia **6:**134; **9:**154
cefalópodo 3:157, 311
cefalorraquídeo **3:**332; **6:**16
cefalotórax **1:**338; **5:**283; **13:**267; **14:**184
Cefas **11:**26
cefeidas **2:**127
Cefeo **1:**275; **11:**57; **14:**73
céfiro **6:**181; **13:**191
Cefiso, río **10:**40
Cega, río **12:**259
Cegama **14:**191
ceguera 3:311
— nocturna **14:**107
ceguera por la nieve 3:312
Ceiba 3:312
ceiba 3:312
ceibo 3:312
Ceilán 3:312
— isla **14:**180
Cejador Frauca, Julio 3:312
bibliografía **3:**312
Cejador, Julio **3:**313; **12:**128
cejas de sierra **11:**59
Cela, Camilo José 3:312
bibliografía **3:**312
celacanto 3:312
Celal Bayar **7:**336
celastráceas **3:**313
celastro 3:313
Celaya **10:**175
Celaya, Gabriel 3:313
bibliografía **3:**313
Celebes, isla 3:313
Asia **2:**84
Indonesia, República de **7:**315
ramio **11:**294
celemín **9:**191
Celena **11:**138
Celendín **3:**156
Celeno **2:**49
celenterados **3:**6; **14:**183
celentéreo 3:313
medusa **9:**155
zoología **14:**183
celesta 3:313
celeste **12:**11
Celeste, Juno **5:**114
Celestina, La 3:313
Celestino I, san 3:314
biografía **3:**314
Celestino III 3:314
biografía **3:**314
Celestino V, san 3:314
biografía **3:**314
Celestinos **5:**275
celestita **13:**82
Celio Símaco **14:**29
Celje **5:**300
Cellini, Benvenuto 3:314
obra **3:**314
celoblástula **3:**6
celofán 3:314
celoma **1:**276; **10:**213
celosías **1:**129
Celsio o Celsius, Anders 3:315
obra **3:**315
Celso **10:**186
Celta, cultura 3:315
— arte **3:**316
— civilización celta cristiana **3:**316
— cristiana, civilización **3:**316
— el renacimiento celta **3:**316
— expansión **3:**315
— historia **3:**315
— la sociedad celta pre-romana **3:**315
— los celtas bajo el dominio romano **3:**316
— registro arqueológico **3:**315
celtas 3:317
— pueblos **10:**59
— vindelicios **2:**269
Celtiberia **7:**307
celtíbero **1:**32; **7:**257; **13:**212
celtismo **7:**187
célula 3:317
— animal, esquema de una **3:**317
— blancas **8:**234
— cerebrales **9:**322
— ciliadas **10:**201
— de apoyo **10:**79
— del cuerpo **12:**30
— hepáticas **7:**174
— investigaciones **14:**135
— nerviosas de los ganglios **7:**143
— somáticas **2:**81
— telelocitas **5:**67
humor **7:**249
célula fotoconductora **3:**318
célula fotoeléctrica 3:318
célula fotoemisiva **3:**318
celuloide 3:318
celuloide **3:**319
— lámina de **11:**31
dibujos animados **5:**110
Eastman, George **5:**183
linterna de proyección **8:**269
celulosa 3:318
celulosa **3:**319
cella **1:**69
cementarios **1:**347
cementerio 3:319
— de San Marx de Viena **9:**320
— militar, Verdún **14:**55
cemento 3:319
— portland **2:**5
cemento **3:**320
Cemí **11:**230
cemís **5:**159; **11:**241
Cempoala **10:**42; **14:**128
Cempoala, batalla de **12:**203
Cempoaltépetl, cima del **10:**171
Cempoaltépetl, macizo del **9:**17; **10:**170
cena, La última **1:**330
Cenáculo **12:**168
cencerbero, el **11:**142
Cenci, Beatrice 3:320
biografía **3:**320
Cenci, Francesco **3:**320
Cendrars, Blaise 3:320
bibliografía **3:**320
cenetes, tribu de los **1:**20
Cenicienta, La 3:320
Cenis, Monte **6:**213
cenit 3:320
Cenobitas, orden de los **1:**316
cenobítica **10:**234
cenobium **10:**234
cenotes **9:**138; **11:**265; **13:**334; **14:**165
cenozoica, era 3:320
censo 3:320
— historia **3:**320
— funcionamiento **3:**320
censura 3:321
centauro 3:322
— Quirón **3:**322
astronomía **2:**125
distancia **5:**145
Hércules **7:**152
centelleante **6:**296
Centenera, Martín del Barco **1:**20
centeno 3:322
Centeno de Osma, Gabriel **11:**255
Centéotl **9:**38
centígrada **13:**154
centolla 3:323
Central 3:323
Central Business District (CBD) **13:**321
Central de Bayamón, universidad **11:**236
Central de Frutos **2:**182
Central de Venezuela, Universidad **11:**47
central eléctrica y telefónica 3:323
central eléctrica **5:**237
central hidroeléctrica **5:**268; **11:**17
Central Lowlands **6:**31
Central Norte, Valencia **14:**13
central nuclear **2:**149

Central Park, en New York **10:**90, 141
Central Park **10:**331
Central, meseta **1:**163
Central, Universidad **10:**172
centrales términcas **7:**169
Centre Européen pour la Recherche Nucléaire (Centro Europeo para la investigación nuclear) **3:**335
Centre National de la Recherche Scientifique **2:**289; **7:**104
Centre Sauk **9:**229
centrifugación 3:323
centrifugación **3:**324
Centro América **8:**191
centro bélico, naval **14:**35
centro comercial **11:**60
centro comercial **7:**82
centro compuesto de un átomo **2:**151
centro cultural **7:**82
Centro de Arte Reina Sofía, Madrid **13:**109
Centro de arte, Melbourne **2:**163
centro de Asia **1:**134
Centro de Ciencias de la Salud de la Uniersidad de Texas **7:**14
centro de Rouen, Francia **6:**222
centro del Acelerador Lineal de Stanford **12:**63
centro del equilibrio **14:**60
centro emisior **13:**150
Centro Espacial de Florida **6:**183
Centro Espacial Guianan **7:**82
Centro Espacial Kennedy **6:**182; **8:**138
centro Estado de Illinois, Chicago **7:**269
centro geométrico **7:**52
centro histórico de Williamsburg, en Virginia **14:**100
Centro Intercultural de Documentación **7:**269
Centro Internacional de Computación **13:**304
Centro Internacional de Física Teórica de Trieste **12:**171
centro islámico **9:**107
centro médico Rothschild-Hadassah **8:**97
Centro Nacional de música country **13:**158
centro Norte o Medio Oeste **6:**33
Centro Nuclear **11:**236
Centro Nuclear de México **7:**29
centro óptico **8:**223
centro Radiológico de Heidelberg **8:**215
centro religioso de Kazimiya **2:**216
Centroafricana, República 3:324
— bandera de **2:**239
Centroamérica 3:325
— faro de **12:**182
— independencia de **14:**20
Centroamérica **1:**228; **8:**158
Centroamericana, planta **10:**93
centroamericanismo 3:325
centroamericanos **7:**189
centrolecito **3:**6
Centurión **5:**295
Centurión, Carlos R. **10:**322
Centurión, Emilio 3:325
obra **3:**325
Centurión, Manuel **9:**205
ceñidor **14:**71
Ceo **13:**204
cepas **1:**339
Cepeda, batalla de **2:**22; **12:**91
Cepeda, victoria de **2:**73
Cephas **1:**329
cepilladora 3:325
máquina herramienta **9:**76
fresadora **6:**236
cepillo 3:258, 325
— de carpintería **3:**326
Cepión, cónsul **14:**100
cepo **11:**82
cera 3:326
Ceram **9:**270
cerámica 3:326, 327
— artesanal **3:**326
— hopi **1:**261
— ibérica **7:**258
cerbatana 3:328
Cerbero **7:**151
Cercano Oriente **2:**155; **6:**145; **7:**216, 265; **8:**216, 221; **11:**187; **13:**116
cerceta 3:328
cerco 3:328
Cerda Sandoval, Gaspar de la 3:328
biografía **3:**328
Cerdeña 3:328
— arzobispado de **11:**102
— bahía de **3:**329
— Geografía de **3:**329
— Historia de **3:**329
— reino de **12:**156
cerdo 3:329
cerdo **3:**330
cerdo hormiguero 3:330
cereales 3:330
— los elevadores de granos **3:**331
— silos subterráneos **3:**331
cerebelo **3:**333; **5:**252; **11:**296
cerebro 3:332
– electrónico **2:**34; **13:**137
cerebro **5:**270; **10:**79
ceremonia fúnebre, Indonesia **7:**315
ceremonias religiosas **10:**11
cerempnia del fuego, Fiji **6:**244
Cerenkov, Pavel Alekseevic 3:333
obra **3:**333
Ceres 3:333
Ceres, astro **13:**266
Ceret **8:**94
cereza 3:334
Cerezo, Salvador **12:**184
Cerigo, islas de **5:**223
cerilla **1:**289
cerillos 3:334
Ceriñola **6:**134
cerio 3:335 **2:**305
Cerletti, Ugo **5:**239
Cermenike, región de **1:**137
CERN 3:335
CERN **1:**47
Cerna, Hernando de la **10:**301
Cernan, Eugene A **2:**115
cernícalo 3:336
cernícalo (*Falco tinnunculus*) **7:**123
cernícalos **2:**181
cernir **7:**130
Cernuda, Luis **5:**320; **6:**299; **11:**21
Cernysevskij **12:**149
cero 3:336
Cerón, José D. **5:**163
cerosia **3:**222
cerradas **6:**209
cerrados **8:**164
cerradura 3:336
— de cilindro o molinillo **3:**336
llave **8:**292
cerrajería 3:336
cerretanos **7:**257
Cerrito, batalla del **2:**73
Cerrito, isla del **10:**323
Cerro de Pasco 3:336
Cerro largo 3:336
Cerrojillo 3:336
Cerrón Grande **12:**182
Cerruto, Oscar **3:**31
cers **6:**214
ceruleína **2:**214
cerumen, oído **10:**195
cerval o cervo **6:**291
Cervantes de Salazar, Francisco 4:8, 10
bibliografía **4:**8
Cervantes Saavedra, Miguel de 4:5
— fámulo de Monseñor **4:**5
— soldado de Italia **4:**5
— la mas alta ocasión **4:**5
— el cutiverio **4:**6
— primeros frutos **4:**6
— encarcelado **4:**7
— lo que escribe un preso manco **4:**7
— primera parte del quijote **4:**7
— mas obra ejemplar **4:**8
— los últimos trabajos y la muerte **4:**8
Alcalá de Henares **1:**143
Amadís de Gaula **1:**217
bibliografía **4:**5
Caballería, ordenes de **3:**132
Cervantes Saavedra, Miguel de **12:**202
cuento **4:**319
España **5:**317
Lepanto, batalla de **8:**229
literatura **8:**277
Madrid **9:**20
Mancha, la **9:**51
picaresca **11:**79
poesía **11:**147
Valladolid **14:**19
Cervera Baviera, J. **5:**76
Cervera, España **2:**228
Cervera, Pascual **6:**283
cerveza 4:8
alcohol **1:**150
bebidas **2:**272
cerveza **4:**9
jenjibre **8:**93
Maastricht **9:**5
malta **9:**45
cervical superior **6:**280
cervicales **6:**22
cérvidos **1:**147; **2:**76; **3:**6; **4:**79; **6:**274
Cervini, Marcelo **13:**259
Cervino, monte **13:**76
Cerviño, Pedro Antonio 4:9, 11
biografía **4:**9
cérvix **10:**334; **13:**332
Cervus chilensis **7:**237
Cesalpini **7:**44
Césanne, Paul **6:**228
Cesar, Cayo Julio 4:9
Baco **2:**209
bilbioteca **2:**311
biografía **4:**9
César, Julio **4:**10 **12:**103, 296
Cicerón, Marco Tulio **4:**68
Enero **5:**313
Grecia **7:**62
Julio **8:**125
leyes agrarias **8:**238
sacerdote **12:**157
tribuno **13:**262
triunvirato **13:**270
Varron, Marco Terencio **14:**27
Cesárea, escuela de **10:**250
Cesáreo de Arlés, san **12:**57
Cesáreo Guillermo **5:**161
Cesarión **4:**111; **7:**281
Cesi, Federico **1:**40
cesio
cesio 4:10
astronáutica **2:**110
Kirchoff, Gustav Robert **8:**143
césped 4:10
Céspedes Borges, Carlos Manuel de 4:11
biografía **4:**11
Céspedes y (de) Quesada, Carlos Manuel de 4:11
biografía **4:**11
Céspedes, Angel María 4:10, 14
bibliografía **4:**10
Cespedes, Augusto 4:11
bibliografía **4:**11
Bolivia **3:**31
Céspedes, Francisco Javier 4:11
biografía **4:**11
Céspedes, Pablo de 4:11
bibliografía **4:**11
cesta **4:**11
cestería 4: 11
cestería **4:**12
hogar **7:**199
Cestero, Manuel Florentino 4:12, 16
bibliografía **4:**12
Cestero, Tulio Manuel 4:12, 16
bibliografía **4:**12
Cesteros, Tulio Manuel **5:**162
cestodos 4:12
tenia **13:**156
cetáceo 4:12
ballena **2:**231
cetáceos **4:**13
delfín **5:**42
foca **6:**187
mamífero **9:**49
Cetigné **9:**287
Cetina, Gutierre de 4:13
bibliografía **4:**13
Ceto **7:**22
cetonas 4:13
cetonias **1:**25
Cetrángolo, Antonio 4:13
bibliografía **4:**13
cetrería 4:13
ave **2:**181
cetro **14:**72
Ceuta 4:13
descubrimientos y exploraciones geográficas **5:**69
España **5:**303
Legión extranjera **8:**211
Marruecos **9:**108

Sardá, José **12**:227
Ceuta, ciudad de **9**:106
Cevallos, Pedro de 4:14
biografía **4**:14
O´gorman, Miguel **10**:191
virreinatos **14**:104
Cevennes, montes **10**:102
cevitámico **14**:108
Cézanne, Paul 4:14
autorretrato **2**:177
impresionismo **7**:286
Maillol, Arístides **9**:32
obra **4**:14
Oller y Cesteros, Francisco **10**:208
Picasso, Pablo **11**:79
chabacano **8**:161
Chablis **2**:272
Chabrier, Alejandro 4:15
obra **4**:15
Chabuco, batalla de **2**:305
Chac-mool **13**:282
Chac Mool, México **9**:139
Chacabuco, batalla de 4:15
aire libre **1**:124
O´Higgins, Bernardo **10**:192
Chacabuco **2**:264
comunicaciones **4**:181
Chacabuco, batalla de **2**:287; **6**:234; **8**:179; **10**:63
chacal 4:16
— africano **3**:252
Chacaltaya, batalla en **10**:6
Chacao, Escuela del **14**:47
chacarera 4:16
Chaco, El 4:17
— Gran **1**:240
— guerra del **6**:52; **8**:176; **10**:322
— paraguayo **10**:320
— provincia del **12**:29
— región **4**:16
— río **10**:320
— selva de **11**:133, 268
Chacog guerra del **4**:11, 16, 204
Chacón, José María **4**:316
chachalaca 4:17
chad 4:17
Chad, República del 4:17
Alexander, Boyd **1**:170
Francia **6**:225
Sahara **12**:164
chaddar **14**:63
Chadwick, sir James 4:17
átomo **2**:148
biografía **4**:17
Gran Bretaña **7**:44
neutrón **10**:82
Chafarinas **5**:303
Chafee, Roger **2**:116
Chaffee, Roger B. **1**:327
Chagall, Marc **6**:228 **12**:144
Chagas, Carlos 4:17
biografía **4**:17
Chagres, río **10**:300, 306
Chagres, valles del **10**:301
Chaguaramas, Tratado de **4**:190
Chaillu **1**:95
chaima **7**:310; **14**:47
Chain, Ernst Boris 4:17
biografía **4**:17
chainse **14**:65
Chaise-Dieu **12**:94
Chajul, río **11**:254
Chaka **10**:67
chakes **9**:138
Chalatenango 4:17
chalcas **9**:131; **10**:30
Chalco **6**:30; **9**:207
Chalchicomula **5**:108
Chalchihuites, río **14**:169
Chalchuapa, El Salvador **2**:258
chales **14**:63
Chaliapin, Fedor Ivanovich 4:17
bajo, voz de **2**:220
biografía **4**:17
Chalon-sur-Marne **11**:313
Chalood Nim-Samer **13**:103
chalupita **9**:37
Challenger 4:17
astronáutica **2**:122
Challenger **13**:243
mujer **9**:326
océano y oceanografía **10**:182
Chama, río **9**:85, 174
chamacosos **4**:22
chamal **1**:343
Chamalecón, río **12**:199
chaman **1**:322
chamanismo **1**:322; **2**:96; **4**:243
chamariz 4:17, 18
Chambal, río **7**:296
Chamberlain Owen, **12**:259
Chamberlain, Arthur Neville
Chamberlain, Arturo Neville 4:17
biografía **4**:17
Churchill, Winston Leonard Spencer **4**:64
Gran Bretaña **7**:42
Chamberlain, Owen **1**:299
Chamberlain, sir Austen 4:18
biografía **4**:18
Chamberlain, Thomas Chrowder **6**:310
Chamberlainn Neville **4**:18
Chambers, Arthur **11**:247
Chambiges, Martin **6**:228
Chambiges, Pierre **6**:228
Chambo **4**:45
Chamelecón, río **7**:218
Chamisso, Adalberto de 4:18
biografía **4**:18
Chamizo, Luis 4:18
bibliografía **4**:18
Chamo, desierto de **2**:86
Chamonix **1**:201
Chamorro, Pedro Joaquín **4**:18; **10**:95
Chamorro, Violeta Barrios de 4:18
biografía **4**:18
Chamoun, Camille **8**:240
Champagnat, José Benito Marcelino 4:18
biografía **4**:18
Champagne, Phillip de 4:18
obra **4**:18
pintura **11**:94
champaña 4:19
vino **14**:98
Champaña, comarca **4**:19; **11**:334
Champaquí, cerros **4**:242
Champeaux, Guillermo de **1**:301
Champerico **12**:*33*
Champlain **10**:271
Champlain, Samuel de 4:19
biografía **4**:19
Champlain, Samuel **4**:19
descubrimientos y exploraciones geográficas **5**:74
Quebec **11**:247
Champollion, Juan Francisco 4:19
arqueología **2**:52
bibliografía **4**:19
Francia **6**:230
Chan Doohwan **4**:247
Chan, Julius **10**:318
chaná **7**:309
chanca **7**:289, 310
Chancay **4**:325; **11**:188
chancleta **14**:70
chancro blando **14**:42
chan-chan 4:19
Latinoamérica **8**:191
Perú **11**:64
chanchito 4:20
Chandegarh **11**:38
Chandernagor **7**:304
Chandigarh **7**:299
Chandler **8**:122
Chandrasekhar, Subrahmanyan 4:19
bibliografía **4**:19
chané **7**:309
Chaney, Lon 4:19
biografía **4**:19
Chang Chun 4:19
Changchun, Manchuria **9**:53
Chang Myon **4**:247
chango **7**:310
Changsha **4**:52
Changuinola, río **10**:300
Channel Islands **7**:33
chanquete 4:19
chantaje 4:19
Chantecler **12**:116
Chantilly Vincennes **7**:184
chantres **11**:238
Chantung, región de **4**:51
Chanupiec, Bárbara Apolonia **10**:65
chañabal **13**:211
chañar 4:19
Chañaral, provincia de **2**:132
Chañaral, puerto **4**:37
Chao Chung Ting, Samuel **12**:63
Chao Wu Chi **4**:59
Chao-Yro **13**:179
chapadas **3**:69
Chapala 4:20
Lerma-Santiago **8**:231
México **9**:194
Chapalangarra **10**:279
chaparrones **8**:294
Chapdelaine, María **3**:205
Chapek, Karel 4:20
bibliografía **4**:20
Chapí, Ruperto 4:20
obra **4**:20
sainete **12**:166
Chaplin, Charles Spencer 4:20
bibliografía **4**:20
humorismo **7**:250
mímica y pantomima **9**:226
oro **10**:255
Chapman **8**:222
chapó **2**:323
Chaponnière **13**:82
Chappe, Claude **4**:184; **13**:145
Chaptal, Jean Antoine **6**:230
Chapultepec 4:20
— bosque de **9**:206
— castillo de **9**:206
— cerro de **4**:20
— conferencias de **11**:137
— defensa del castillo de **10**:103
aztecas **2**:197
Chapultepec **4**:21; **8**:182
jardinería **8**:88
nahuas **10**:30
Chapultepec, acta de 4:21
chaque 4:23
lache **8**:160
chaqueña, cultura 4:21
chaquete 4:22
Char Minar **7**:120
charada **8**:120
Charalá, ciudad **12**:217
charanga **2**:237
charango 4:22
Charca **2**:193; **7**:309
Charcas **2**:157; **12**:193; **13**:65
Charcas, Audiencia de **13**:97
Charcot, Juan Martín 4:22
biografía **4**:22
Chardin, Jean-Baptiste, Siméon 4:22
obra **4**:22
Chardin, Teilhard de **6**:230
Chardonnet, Hilaire, conde de **11**:305; **14**:70
Charente Marítimo **12**:86
Charente, río **6**:214
Chargaff, Erwin **5**:151; **10**:155
Charleroi **2**:282
Charles, André **9**:255
Charles, Edouard Jeanneret Le Corbusier, **8**:195
Charles, Ezzard **3**:63
Charles, Mary Eugenia **5**:156
Charleston **4**:15; **6**:416; **12**:44
Charlot, Juan 4:22
obra **4**:22
Charlottenborg **4**:233
charme **12**:63
charnela **1**:342; **6**:313
Charnock, Job **3**:160
Charodäika **13**:130
charol **4**:323
Charolaise, raza **6**:276
Charpak, Georges 4:22
biografía **4**:22
Charpentier, Charlotte **12**:250
Charpentier, Gustave **6**:229
Charpy, péndulo de **12**:28
charque **13**:124
charqui **13**:124
charrería **4**:22
charreteras **14**:71
charro 4:22
lazo **8**:202
vaquero **14**:25
charrúas 4:22
Argentina, República **2**:17
vivienda **14**:115
chartreuse **8**:255
Chascomús **14**:60
Chase, Anson **12**:54
chasis **4**:23; **8**:269
chasis o bastidor **8**:298
chasquis o mensajeros **7**:292
Chasseral **13**:76
Chasseriau, Teodoro 4:23
Dominicana, República **5**:162
obra **4**:23
Chasseron **13**:76
Chatalov, Vladimir **2**:113
Chatam, Pitt, William, conde de **11**:113
Chateau D´Angers, Francia **6**:223
Chateau de Tanlay, Francia **3**:48

Chateau Frontenac, Quebec **11**:246
Chateaubriand, Francisco Renato, Vizconde de 4:23
bibliografía **4**:23
Chateaubriand, François René de **6**:135, 227; **8**:48; **11**:313, 321; **12**:106, 209; **13**:289
Hugo, Victor **7**:243
Pérez de Hita, Ginés **11**:46
Châteauneuf-Randon **5**:177
Château-Thierry **8**:162
Chat-el-Arab o río de los árabes **2**:87
Chatham, archipiélago de **10**:158
Chatham, conde de **11**:114
Chatham, lord **12**:45
Chatichai Choonhavan **13**:103
Chatillon-les-Dombes **14**:75
chatrias o guerreros **2**:96; **3**:276
Chatterton, T. **7**:43
Chau Siang-wang **4**:55
Chaucer **7**:333; **10**:140
Chaucer, don Juan Manuel de **5**:209
Chaucer, Geoffrey **5**:265; **7**:43; **11**:313; **12**:19
Chaucer, Godofredo 4:23
bibliografía **4**:23
chaucha 4:23
alubia **1**:210
Chauliac, Guy de **4**:94
chaulmogra o chaulmugra 4:23
Chaullabamba **5**:202
Chauvet, cueva de **9**:335
Chauvin, Jean **11**:324
Chavannes, Pedro Cecilio Puvis de 4:23
obra **4**:23
chavante **7**:310
Chavero, Alfredo **9**:202
Chaves, Nufrio de 4:24
biografía **4**:24
Chávez, Carlos 4:24
folcklore o folclor **6**:190
Latinoamérica **8**:196
Moncayo, José Pablo **9**:274
obra **4**:24
Chávez, Federico **10**:323
Chávez, Jorge **1**:87
Chavier Arévalo, Arístides 4:24
obra **4**:24
chavín 4:24
preincaico, arte **11**:187
Chaworth, Mary Anne **3**:128
chayote 4:24
Chazov, Evgeni **2**:103
checa 4:24
Checa, Feliciano 4:24
biografía **4**:24
Checa República 4:24
— ciudades **4**:26
— cultura **4**:27
— economía **4**:25
— historia y gobierno **4**:26
Austria **2**:166
Checa, República **4**:25, 26, 27, 28, 29; **10**:15
Elba, río **5**:235
Europa **6**:81
Praga **11**:183
checos **13**:69
Checoslovaquia **1**:138; **2**:80; **3**:77; **4**:246; **5**:63, 176; **7**:93, 196; **11**:183; **12**:61, 323; **14**:27
chechehet **7**:309
Chechenia 4:24
Cheddar **11**:252
Chejov, Anton Pavlovich 4:28
bibliografía **4**:28
Eichelbaum, Samuel **5**:230
Gorki, Maksim **7**:23
Rusia **12**:141
Chela **1**:284
Chelif **2**:10
chelín tanzano **13**:114
chelines **4**:251; **8**:249
Chelsea **11**:170; **13**:116
Chelyabinsk, ciudad **12**:140, 313
Chelyuskin, S. **5**:78
Chelles **6**:219
Chemnitz **1**:165
Chemnitz, Sajonia **4**:190
Chenab, río **7**:296
cheng **1**:54
Chengdu **4**:51
Chengdu, Sichuan, China **4**:191
Chénier, André Marie de 4:29
biografía **4**:29
elegía **5**:244
música **10**:16
Talma, François-Joseph **13**:108
Cheops 4:29
arquitectura **2**:54
Chepauk, palacio **9**:17
Chepauk, Palacio, Madrás, India **9**:16
cheque 4:29
— caja de ahorros **2**:236
— cuenta corriente **4**:29
— de viajero **13**:291
— libranza de **4**:29
— sin fondos **4**:29
economía **5**:192
Cher Ami, paloma **10**:296
Cherburgo **3**:207; **6**:217; **11**:229
Cherbury, Herbert de, lord **5**:39
Cherenko, radiación de **6**:232
Cherenkov, Pavel Alekseyevich **6**:232
cherente **7**:310
Cheresvychainaya Kommissiya **4**:24
cherkeses **2**:94
Chernenko **13**:309
cherno 4:29
Chernobil 4:29
nuclear, reactor **10**:150
Rusia **12**:139
Cherokee, indios **6**:316; **7**:310; **12**:253
Cherrapundji **2**:89
Cherski, montes **12**:311
Cherskiy, cordillera de **12**:137
Chersonesus Aureus **9**:39
Cherubini, Luigi 4:30
obra **4**:30
requiem **12**:27
Chesapeake, bahía **1**:229; **2**:230; **5**:40; **9**:81, 117
Cheshire **12**:51, 170
Chesire **8**:105
Chester **4**:299
Chesterton, Gilbert Keith 4:30
bibliografía **4**:30
Gran Bretaña **7**:44
chetniks **9**:220
Chetumal **11**:265
Chevalier **12**:126
Chevalier, Maurice 4:30
biografía **4**:30
Cheviot **6**:278; **10**:274
Chevreul **6**:48; **8**:72; **9**:91
Chevreul, Michel **12**:321
Cheyenne **10**:61
Cheyenne, río **6**:32
cheyennes **7**:309, 310
Chi Huand Ti **9**:336
chía **9**:177
Chiabrera **8**:65
Chiang Ching **4**:57
Chiang Chingkuo **6**:197
Chiang Kai-Shek 4:30
biografía **4**:30
Formosa (Taiwan) **6**:197
kuomintang **8**:150
Mao Tse-tung (Mao Zedoing) **9**:66
Chiang Mai **13**:101
Chiang Mal **7**:313
Chianti **2**:272
Chiapa de Corzo **4**:30
Chiapas 4:30
— historia **4**:31
Echeverría Álvarez, Luis **5**:185
lacandón **8**:158
mayas **9**:136
yaxchilán **14**:161
Chiapas **4**:31
Chiaramonti, Bernabé **11**:101
Chiaramonti, Galería **14**:30
Chiari, Roberto Francisco **10**:302
chiastolita **11**:114
chibalete **7**:283
chibcha 4:31
— lengua **14**:47
India **7**:309
Panamá **10**:301
plata martillada **11**:133
Chibchacum **3**:14; **13**:162
chibchas **1**:32; **2**:52; **3**:328; **7**:322; **13**:162; **14**:115
Chicago 4:32
— Illinois, Estados Unidos **2**:267
— sinfónica de **7**:270
— Soldiers Field de **6**:29
— Stadium **7**:270
— Universidad de **6**:298; **8**:209, 314; **9**:103; **10**:176; **14**:162
alumbrado **1**:211
autódromo **2**:169
Chicago **1**:230
Earhart, Amelia **5**:183
Estados Unidos **6**:34
Illinois **7**:269
jazz **8**:92
máquinaria agrícola **9**:76
Ohm, Georg Simon **10**:194
rascacielos **11**:301
Schipa, Tito **12**:247
Chiclana, Feliciano Antonio 4:33
biografía **4**:33
triunvirato **13**:270
Chiclayo, ciudad de **8**:167
chicle 4:33
árbol de la goma **1**:348
chicle **4**:34
Chico **4**:235
Chico, Río **12**:211
Chicoana (Salta) **12**:95
Chicomóztoc **10**:30
Chicoria, isla **14**:31
Chicot **2**:36
chicozapote **1**:348; **4**:34; **7**:17
Chicuelo **9**:60
Chicxulub **6**:104
chicha 4:34
bebidas **2**:272
jíbaros **8**:101
maíz **9**:38
pimiento **11**:91
chícharo, semillas de **12**:272
Chicharro, Eduardo **5**:318
Chichas, distrito minero **6**:47
Chichén Itzá 4:33
arqueología **2**:52
Chichén Itza **2**:49
escultura **5**:295
Itzá **8**:68
mayas **9**:137
pelota **11**:33
Uxmal **13**:334
Chichester, Francis **14**:36
Chichicastenango Chichicastenango **9**:139; **11**:254
Chichigalpa **10**:92
chichillones **14**:119
Chichimeca, imperio **4**:34
Chichimecapan **10**:270
chichimecas 4:34
arqueología **2**:52
Enríquez de Almansa Martín **5**:266
Michacán **9**:214
Querétaro **11**:250
Tlatelolco **13**:208
Chichimecatlalli **4**:34
Chichón, conde de **11**:264
Chiengmai **13**:101
Chiesa, Giácomo della **2**:291
Chíete **13**:131
chiffonnier **9**:255
Chigir, Mijail **12**:149
chigre **4**:34
Chihuahua 4:34
— historia **4**:35
Durango **5**:179
Juárez **8**:115
Núñez Cabeza de Vaca, Alvar **10**:164
puente **11**:227
tarahumara **13**:117
chiítas **7**:254; **8**:41, 51
Chi-Izmachí **11**:254
Chijov o Negro, río **11**:254
chilanes **9**:138
Chilapa de Álvarez **7**:101
Childerico **6**:221
Childerico II **9**:175
Childerico III **11**:104
Chile 4:35
— Aurora de **4**:41
— Capitanía General de **4**:335; **14**:169
— clima **4**:38
— costas **4**:37
— cultura **4**:43
— dependencias de **11**:153
— división Política **4**:36
— división territorial y ciudades **4**:36
— educación **4**:40
— extensión y población **4**:36
— geología **4**:37
— gobierno **4**:40
— guerra de **14**:78
— hidrografía **4**:37

— historia **4**:41
— independencia de **7**:295
— orografía **4**:36
— proclamación de la independencia de **10**:192
— recursos naturales y economía **4**:38
— topografía, raza y carácter **4**:36
— transportes y comunicaciones **4**:39
— turismo **4**:40
Arauco **1**:344
Atacama **2**:131
Brasil **3**:75
escultura **5**:295
Freire y Serrano, Ramón **6**:234
independencia **7**:294
intendencia **8**:15
Montes, Ismael **9**:288
O'Higgins, Ambrosio **10**:191
saúco **12**:243
Zañartu, Miguel José de **14**:172
Chile **1**:239; **4**:36, 37, 38, 39, 40, 42, 43
chile 4:44
chilena **12**:19
chilenos **3**:7
Chili, Manuel 4:44
Caspícara **3**:275
Chiloé 4:44
Nahuel Huapí **10**:30
vivienda **14**:115
Chilpancingo **5**:281
Chilpancingo de los Bravos **4**:45; **7**:101
Chilpancingo, Congreso de 4:45
Verduzco, José Sixto **14**:55
Chillán **4**:45; **10**:168, 201
Chillán, Nevados de **10**:168
Chillida, Eduardo **5**:319
Chima **11**:217
Chimaca **9**:258
Chimacuana **7**:308
chimalpanecas **11**:264
Chimalpopoca **2**:198; **8**:69
Chimaltenango 4:45
Acatenango **1**:43
chimango 4:45
chimarico **7**:309
chimbo de higuera **10**:314
Chimborazo 4:45
América **1**:230
Bolívar **3**:22
Ecuador **5**:196
montaña **9**:285
chimenea 4:45
— de vidrio **8**:167
furnívoro **6**:250
ladrillo **8**:161
máquina de vapor **9**:75
paracaídas **10**:319
chimeneas **4**:226
chimila **7**:310
Chimkent **8**:136
Chimoré, río **4**:122
chimpancé 4:46
chimpance **11**:198
Chimú **11**:64
chimú, cerámica **11**:188
Chimu, reinado **8**:183
Chimula **7**:77
China (Hong Kong) 4:46
— arquitectura **4**:58
— artesanías **4**:50
— Cantón, ciudad de **12**:322
— Central **7**:127
— ciudades **4**:51
— Clima **4**:47
— comercio y moneda **4**:51
— comunista **7**:196
— costa de **7**:220
— cultura **4**:57
— dinastía Ching **4**:58, 59
— dinastía Chou **4**:59
— dinastía Chow **4**:55
— dinastía de Minos **4**:282
— dinastía Han **4**:58, 59
— dinastía Koryo **4**:244
— dinastía Ming **4**:58, 59
— dinastía Shang **4**:59
— dinastía Sung **4**:58
— dinastía Tang **4**:58, 59
— dinastía Tsing **4**:56
— dinastía Yi **4**:247
— educación **4**:53
— escultura **4**:59
— gobierno y administración **4**:52
— Gran Muralla **4**:47
— guerra contra **10**:19
— hidrografía **4**:48
— historia **4**:54
— lengua **4**:53
— literatura **4**:57; **8**:275
— origen de su nombre **4**:46
— pintura **4**:58
— Popular **1**:138; **6**:225
— premier de **7**:234
— pueblo **4**:52
— Recursos naturales e industria **4**:49
— religión **4**:52
— República Popular **8**:143; **9**:66
— río de **1**:218
— topografía **4**:46
— transportes **4**:50
— vestido **14**:62
adormidera **1**:74
beriberi **2**:297
boxers, sublevación de los **3**:63
China (Hong Kong) **1**:58; **4**:47, 48, 49, 50, 51, 52, 53, 55, 63; **5**:293; **10**:56; **11**:29, **12**:42
escultura **5**:295
ferias **6**:132
Guerra Mundial, Primera **7**:92
junco **8**:125
magia **9**:25
pagoda **10**:284
petróleo **11**:71
Revolución Industrial **12**:50
zoogeografía **14**:180
China, mar de 4:59
— Meridional **9**:5, 156; **14**:90, 160
Formosa (Taiwan) **6**:196
Kublai Kan **8**:149
Ryukyu, islas **12**:152
tifón **13**:193
viento **14**:89
Chinameca **12**:181; **14**:173
chinampa 4:59
chinampa **8**:89
Mesoamérica **9**:177
Tenochtitlán **13**:159
Xochimilco **14**:158
Chinandega 4:59
chinanteca **7**:309; **9**:178
chincaboa **1**:322
Chincha, valle del **7**:292
Chinchama **11**:115
Chinchas **10**:281; **11**:5
Chinchas, islas **4**:203
Chinchasuyo **7**:291; **13**:101
chinche 4:59
hemípteros **7**:144
chinchilla **2**:17; **4**:59
chinchines **7**:79
Chinchipe **3**:156; **14**:172
Chinchón **6**:134
chinchona **6**:134
Chindasvinto **11**:313
chinela **14**:68, 70
Ching, dinastía **11**:170
Chingo, volcán **8**:130
Chinon **8**:115
Chinosoviético, tratado **9**:52
Chinotibetano **2**:96; **8**:216
Chinuk **7**:308
Chioggia **14**:39
chip **4**:90, 179; **9**:215
Chippendale, estilo **9**:255
Chippewa- Flambeau, río **14**:153
chippewas **7**:309
Chipre Septentrional 4:61
Chipre, República de 4:60
Chipre, República de **4**:61
— Historia **4**:60
exilio **6**:93
imperio británico **7**:275
Mediterraneo, Mar **9**:154
Plaza Lasso, Galo **11**:137
Tolomeo I **13**:213
Chipre, isla de **2**:38; **5**:145; **6**:130; **10**:96
chiquero (Falco chiquera) **7**:123
Chiquimula 4:61
Chiquinquirá 4:61
Boyacá **3**:64
chiquito **7**:309
Chira **4**:266
Chira, río **11**:59, 114
Chirac, August **6**:225
Chirac, Jacques **6**:225
Chirchik, río **13**:124
Chiriboga **6**:284
chiricahuas **1**:322
Chirico, Jorge de 4:61
Dalí, Salvador **5**:7
Magritte, René **9**:30
obra **4**:61
Chiriguaná, región **4**:138
chiriguano **7**:309
Chirimay **13**:326
Chirino, Martín **5**:319
Chiriquí 4:61
— Viejo, río **10**:300
— golfo de **10**:300
— laguna de **10**:300
Panamá **10**:304
Chirripo, río **4**:267
chispa **5**:209
chita **13**:141
chitimacha **7**:309
chitón diplois, vestido **14**:63
chitón dórico, vestido **14**:63
Chivacal **7**:77
Chivilcoy 4:61
Chixoy **13**:331
chizia (impuesto personal) **9**:318
chmidt **8**:216
Choapa **4**:37, 235
Chocano, José Santos 4:62
bibliografía **4**:62
Díaz Mirón, Salvador **5**:108
Choco **10**:301
Chocó, bahía del **4**:137
Chocó 4:62
Quibdó **11**:254
chocolate 4:62, 205
bebidas **2**:272
chocolate **4**:205; **2**:272
Chocrón, Isaac **14**:46
choctaws **11**:85
chocha 4:62
becada **2**:273
chochín **2**:179
chochines **11**:5
Choele Choel Chica **10**:69
Choele Choel Grande **10**:69
chofer 4:62
Choi yu Hah **4**:247
Choiseul **12**:176
Choisy, François Auguste **4**:218
Cholchol, río **4**:37
cholos **7**:311
Cholula **3**:47; **4**:260; **11**:106
Choluteca 4:62
— río **6**:192; **13**:138
Honduras **7**:218
cholla **2**:35
Chomo-Lungma (Diosa Madre de los tibetanos) **6**:86; **7**:179
Chomsky, Noam **6**:44
chona **2**:246
Chonchi **4**:44
chone 4:62
— río **5**:196
Chong Ruiz, E. A. **10**:303
Chongjin **4**:245
Chongquing **4**:51; **9**:53
chono **7**:310
Chonos, archipiélago de **4**:37
Chontaleña, cordillera **10**:92
Chontales 4:62
chontal **7**:309
Chopin, Frédéric 4:62
Bach, familia **2**:212
Cortot, Alfredo **4**:262
Delacroix, Ferdinand Victor Eugène **5**:39
mazura **9**:145
música **10**:15
obra **4**:62
Polonia **11**:161
scherzo **12**:246
vals **14**:18
choque insulínico **5**:239
choque traumático **11**:249
Choque-Choque **9**:96
chorlito 4:63
ártica, región **2**:71
choro 4:63
Chorolque **1**:268
Choros **14**:93
chorotega **4**:269; **7**:309
chorotega, cultura **10**:95
Chorrera **5**:202
chorretes, indios **11**:107
Chorrillos **7**:88; **11**:59
Chorrillos, escuela militar de **10**:187
chorti **7**:218
choshu **8**:67
Choshuenco **4**:37
Choson, estado de **4**:244
Chota **3**:156

Chota Nagpur, meseta de **7**:296
chotacabras 4:63
Chotek, Sofía **12**:225
chotts **2**:10
Chou En-Lai 4:63
biografía **4**:63
Hua Kuo-Feng **7**:234
Chou Shujen **4**:58
chovinismo **6**:70
choza 4:63
vivienda **14**:111
Chrétien de Troyes **6**:226
Chrétien, Henri **4**:82
Chrétien, Jean **3**:205
Christ's College **10**:275; **13**:209
Christensen **6**:97
Christensen, Lars **1**:302
Christensen, Leonard **1**:303
Christie, Agatha 4:63
bibliografía **4**:63
Christkindl **10**:58
Christmas **2**:163; **7**:275; **9**:42
Christmas, isla de **3**:39
Christoff, Boris **2**:220
Christopher Marlowe **6**:122
christos **9**:176
Chrysler **1**:209; **10**:90; **11**:301
Chu, río **4**:49
chuana **2**:246
Chuang-tzu o Zhuang Zhou 4:63
bibliografía **4**:63
chubasco **8**:294
Chubut **2**:14; **4**:171; **12**:211
Chubut, río **2**:16; **4**:63; **11**:304
Chucao, Canal de **4**:37, 38
chucokamchadélica **2**:96
Chucuito, lago de **13**:205
Chucunaque, río **10**:300
Chueca, Federico 4:63
obra **4**:63
sainete **12**:166
Chuez **10**:303
chufa 4:64
chukches **2**:94; **7**:310
chukkers **11**:156
Chulalongkorn (Rama V) **13**:101
Chumacero, Ali 4:64
bibliografía **4**:64
chumash **7**:309
Chungmu, Muelle, Corea **9**:321
chupa **14**:68
Chuquet **12**:327
Chuquicamata 4:64
cobre **4**:121
Chuquisaca 4:64
republiquetas, Las**12**:27
Sucre **13**:65
Chuquitanta **11**:187
Churchill, puerto de **7**:236
Churchill, Winston Leonard Spencer 4:64
Attlee, Clement Richard **2**:155
bibliografía **4**:64
carta del Atlántico **3**:265
Chamberlain, Arturo Neville **4**:18
Edén, Anthony **5**:210
Gran Bretaña **7**:43
laborismo **8**:154
Marlborough, John Churchill, duque de **9**:103
Potsdam **11**:181
Teherán, conferencia de **13**:138
Yalta, conferencia de **14**:159
churrasco **6**:203
Churriguera **6**:54
Churriguera, José 4:64
biografía **4**:64
Latinoamérica **8**:193
churrigueresco **8**:193
churrigueresco, estilo **2**:58; **4**:64; **5**:317; **6**:54
Churruca, Cosme Damián de 4:65
biografía **4**:65
Trafalgar **13**:240
chusinja **1**:307
Chuspe, río **6**:113
Chutixtiox **9**:138
Chuuk (Truk), isla **9**:216
chuvashe **13**:288
Chuvíscar
chuzo **14**:65
CIA 4:65
Ciampi, C. A. **8**:64
cianamida **9**:156
cianamida cálcica **1**:31
cianhídrico 4:65
cianita **9**:230
Ciano, conde Galeazzo 4:65
biografía **4**:65
cianógeno **6**:295
cianosis 4:66
desmayo **5**:90
insuficiencia **8**:13
cianuración **10**:255
cianuro 4:66
ciática 4:66
Ciaxares **2**:97, 101
Cibalis **14**:14
Cibao, sierra de 4:66
Cuba **4**:311
Duarte **5**:175
Ojeda, Alonso de **10**:197
cibeles 4:66
Cibeles, fuente de las **5**:310; **4**:66; **12**:91
dioses paganos **5**:136
marzo **9**:118
cibelinas **2**:91
ciberespacio 4:67
cibernética 4:67
biónica **2**:327
información, teoría de la **7**:327
máquinas de calcular **9**:77
Cíbola 4:68
descubrimientos y exploraciones geográficas **5**:73
Misa, Fray Marcos de **10**:108
ciboneyes **5**:158
Cibourne **11**:303
cicadales **11**:153
cicádidos **4**:80
Ciccone, Maddona Louise **9**:16
cícero **13**:200
Cicerón, Marco Tulio 4:68
Apeles **1**:323
Arte **2**:63
Catilina, Lucio Sergio **3**:293
César, Cayo Julio **4**:9
biografía **4**:68
diálogo **5**:103
foro **6**:198
historia **7**:193
latina, litertura **8**:181
Nepote, Cornelio **10**:74
Petrarca, Francesco **11**:70
taquigrafía **13**:117
Cícladas, Archipiélago de la **9**:224
Cícladas, islas **2**:224; **8**:107
ciclamor 4:68
cíclicos o aromáticos **7**:165
ciclismo 4:68
turismo **13**:290
ciclo 4:69
ciclo ATP-ADP **1**:68
ciclo cardiaco **4**:236
ciclo carolingio **8**:253
ciclo de erosión **6**:306
ciclo de Hampson y Lïnde **1**:*123*
ciclo de Krebs o del ácido cítrico 4:69
ciclo vital **1**:293; **14**:80
ciclón 4:69
viento **14**:89
ciclónicas **8**:294
ciclopentanoperhidrofenantreno **1**:273
cíclopes 4:69
Micenas **9**:212
Odisea **10**:185
Polifemo **11**:151
Teratología **13**:163
ciclos lunares **8**:321
ciclóstomos **14**:59, 185
ciclotrón 4:69
acelerador de partículas **1**:47
átomo **2**:150
Dunning, John Rey **5**:179
instrumento **8**:13
radiactividad **11**:275
cicluro **8**:163
ciconiformes **10**:253
cicuta
cicuta 4:69
plantas venenosas **11**:125
Cid, Rodrigo Díaz de Vivar, el 4:69
Alofonso VI, el bravo **1**:175
balada **2**:221
biografía **4**:69
caballo **3**:133
epopeya **5**:271
Ramón Berenguer III, el grande **11**:295
Valencia **14**:13
Cid, Tizona del **5**:303
Cidra **4**:98
Ciego de Ávila 4:70
Cielo **4**:264; **7**:224; **8**:331
ciempiés 4:71
Ciempozuelos (Madrid) **12**:91
Cien Años, guerra de los **6**:221
Ciénaga 4:71
Ciénaga, bahía de **4**:137
ciencia 4:71
— clasificación **4**:76
— el método científico **4**:73
— Historia de la **4**:74
— y técnica **4**:76
ciencia **4**:72, 73, 74, 75, 76
educación **5**:213
Filosofía **6**:157
historia **7**:191
mayas **9**:139
ciencia cristiana 4:77
ciencias
— administrativas **4**:221
— biológicas **7**:152, 153
— exactas **13**:318
— experimentales **7**:150
— físicas **13**:247, 317
— matemáticas **8**:21
— médicas **11**:224
— naturales **13**:317
— políticas **11**:156 **13**:318
ciencias sociales 4:77
estructuralismo **6**:64
pedagogía **11**:24
transmisión **13**:247
Cienfuegos 4:78
Cuba **4**:311
Palmira **10**:295
Cienfuegos, Camilo **12**:42
cierre relámpago o de cremallera 4:78
Cierva, Juan de la 4:79
Véase La Cierva, Juan de
aeroplano **1**:87
aviación **2**:186
Ciervo 4:78
— cola blanca **4**:79
ciervo volante 4:79
Cieza 4:79
Cieza de León, Pedro 4:79
bibliografía **4**:79
quipo **11**:266
CIF 4:79
cifosis **6**:16
cifra **4**:286
cifrar **2**:34
cifras **7**:96
cigala 4:79
cigarra 4:79
cigarro y cigarrillo 4:80
cigarrillo **1**:203
Ciges Aparicio, Manuel 4:80
bibliografía **4**:80
cigofiláceas **1**:35
cigoto **5**:66; **10**:335; **11**:123
ciguayo **5**:158
cigüeña 4:80
cigüeña **6**:309; **10**:97
jabirú **8**:71
marabú **9**:84
Cigüeñal 4:80
automóvil **2**:171
motor de explosión **9**:313
cihuacóatl **2**:199; **4**:119
cilantro 4:80
ciliadas **13**:255
Cilicia **4**:9; **6**:124; **10**:75; **12**:328; **13**:255
cilindro 4:80
automóvil **2**:172
motor de explosión **9**:313
tamiz **13**:110
Cilindro de colores **4**:154
cilindrocónico **12**:235
Cilindros 8:299
cilióforos **11**:219
cilios **11**:219; **14**:182
Cilón **1**:148; **11**:112
cima piramidal **1**:344
Cimabue 4:81
Arnolfo di Cambio **2**:48
Edad Media **5**:209
obra **4**:81
Pintura **11**:96
Cimarosa, Domingo 4:81
obra **4**:81
cimarrón **9**:126
Cimarron, río **10**:200
címbalo 4:81
cimbrios **7**:335; **9**:100; **13**:178
cimiento 4:81
cimitarra **14**:65
Cimón **2**:134; **7**:59; **10**:269; **11**:49
Cimone, monte **1**:324
Cimoszewicz, Wlodzimierz **11**:160
cinabrio **2**: 205; **9**:173

cinamomo 4:81
cinasas **10:**80
cinc 4:81
América del sur **1:**243
Argelia **2:**10
Asia **2:**92
Austria **2:**164
clavo **4:**110
Ecuador **5:**198
España **5:**309
Laos **8:**173
latón **8:**196
luz eléctrica **8:**335
Cincinato, Lucio Quintio 4:82
biografía **4:**82
Cincinnati 4:82
Estados Unidos **6:**34
cinco mosqueteros **1:**170
cinco, grupo de los 4:82
cinconina **11:**264
cinconisa **4:**81
cinctus o cinturón **14:**64
cincha **14:**71
Cine **4:**83; **9:**281; **12:**144
cine mudo **8:**136
cine negro **11:**188
cine sonoro **5:**230
cineclub 4:83
cinemascope 4:82
video **14:**84
cinemática 4:83
física **6:**165
mecánica **9:**146
cinematografía 4:83
cómic **4:**169
De Forest, Lee **5:**37
Edisson, Tomas Alva **5:**211
Eisenstein, Sergei Mihailovich **5:**231
Figueroa, Gabriel **6:**150
espectáculos **6:**9
Hilton, James **7:**179
invenciones y descubrimientos **8:**27
película **11:**31
Cinerama **4:**87; **14:**84
cinescopio **13:**149
cinestesia **8:**189
cinética **5:**295; **9:**146
cinética de los fluidos, teoría **14:**22
cinética de los gases, teoría de la **3:**35; **14:**137
cingaleses **2:**95; **9:**43
cingiberácea **8:**93
Cinna, Lucio Cornelio **4:**9
cinnamon **3:**208
Cinocéfalos **11:**32, 91
Cinta cinematográfica **4:**87
cinta fotográfica **3:**319
cinta magnética 4:87
cinta magnetofónica, grabadora de 4:87
audiovisual, educación **2:**157
estereofonía **6:**49
cinta métrica **4:**272
cinta transportadora 4:88
Cintalapa **4:**30
Cinto **4:**239
Cintra, Palacio Real de **11:**177
Cintra, Pedro de **12:**318
cinturón **14:**65
cinturón de asteroides **11:**103
cinturón de Hipólita **7:**151
cinturones de radiación de van Allen **6:**99; **9:**29
Cione, Otto Miguel 4:88
biografía **4:**88
Cioran, Emil Michel **12:**132
Ciorbea, Victor **12:**132
Cipango **4:**146; **6:**95
cipayos 4:88
Asia **2:**99
ciprés 4:88
árbol **1:**346
carpintería **3:**258
ciprés **4:**261
madera **9:**12
ciprínido **3:**255
circadiano **10:**97
circasiano **8:**216
Circe 4:88
Escila y Caribdis **5:**280
Odisea **10:**186
circo 4:89
acrobacia **1:**55
Barnum, Phineas Taylor **2:**255
Tarquino *el viejo* o Prisco, Lucio **13:**121
circón **2:**5; **11:**84
circonio 4:90
Hafnio **7:**119
Sao Paolo **12:**224
titanio **13:**204
circuito 4:90
generador **6:**300
inducción **7:**317
microelectónica **9:**215
Zener, diodo **14:**176
circuito cerrado 4:90
circuito impreso 4:90
circuito integrado 4:90
circuito monetario 4:90
circuitos de excitación **9:**314
circuitos electrónicos **13:**246
circuitos telefónicos **11:**283
circulación 4:90
circulación atmosférica general, esquema **4:**113
circulación sanguínea **2:**113
circulares **7:**203; **11:**332
Círculo Polar Antártico **1:**301 **6:**97
Círculo Polar Ártico **1:**235; **2:**84; **6:**95; **7:**67; **9:**21; **13:**68
círculo y circunferencia 4:93
Circumpacífico, Sistema **14:**127
circumpolares del norte o septentrionales **2:**125
circuncentro **13:**260
circuncisión 4:92
Circuncisión del Señor **6:**150
circunferencia 4:92
geometría **6:**314
lanzamiento de bala **8:**172
circunflejo **1:**47
circunstancial **4:**174
circunvolución de Broca **3:**83
Circus aeruginosus **2:**48
Cirenaica
Cirenaica 4:92
biblia **8:**247
Tolomeno I **13:**213
Cirene **4:**92
Cirera, Ricardo 4:92
bibliografía **4:**92
Ciriaco De Mita **8:**64
Ciriego **10:**172
cirílico, alfabeto 4:92
Cirilo de Alejandría **11:**15
Cirilo y Metodio, Santos 4:92
biografía **4:**92
Ciro Alegría **8:**283; **11:**62
Ciro el grande 4:92
Asia menor **2:**100
biografía **4:**92
correo **4:**253
Irán o Persia **8:**38
Mesopotamia **9:**178
Ciro el joven, o el persa 4:93
biografía **4:**93
Ciro el Joven **12:**33
Daniel **5:**10
Francia **6:**220
Grecia **7:**59
gueras Médicas **7:**100
Jenofonte **8:**94
Judaísmo **8:**118
cirros 4:93
nubes **10:**144
cirrosis **7:**147
ciruela 4:93
ciruelo **9:**14
cirugía 4:93
cirugía **4:**94
enfermero **5:**263
Hipócrates **7:**183
cirugía plástica o estética 4:95
cirujano **8:**231, 305
Cisalpina, República **6:**271; **9:**222; **11:**20
Císcar, Gabriel de 4:96
biografía **4:**96
Ciscaucasia **3:**298
Cisjordania **6:**295; **8:**58; **10:**293; **11:**272
cisma 4:96
—Anglicano **4:**111
— de Occidente **2:**291; **4:**96; **13:**323
— de Oriente **4:**96; **10:**96
cisne 4:96
plumaje **11:**141
Cisne, constelación del **2:**129; **14:**73
Cisneros Betancourt, Salvador 4:96
biografía **4:**96
Cuba **4:**314
Cisneros, Baltasar Hidalgo de 4:96
biografía **4:**96
Cisneros, cardenal Francisco **2:**309 **5:**317 **10:**61, **10:**259
Cisneros, Diego **9:**201
Cisneros, Henry **7:**189
Cisneros, Jiménez de 4:96
Véase Jiménez de Cisneros, Francesco
Cisneros, Luis Benjamín 4:96
bibliografía **4:**96
Cisneros, Sandra **7:**189
Císter, orden del **11:**144
cistercienses 4:96
Cístico, conducto **14:**60
cistignátidos **11:**298
cistina **4:**131
cistoscopio **5:**256
cita 4:97
cítara 4:97
Cité, isla de **10:**327, 328
Cîteaux **4:**96
Citera, isla **6:**76
Citlaltépetl, cerro de la estrella **10:**252; **14:**36
citología 4:97
botánica **3:**56
citomegalovirus **14:**145
citoplasma
citoplasma 4:97, 98
ADN Y ARN **1:**72
espermatogénesis **6:**13
protozoarios **11:**219
zoología **14:**182
citosina **12:**61
citrato **13:**139
cítrico, ácido 4:98
bebidas **2:**273
cítricos 4:98
Arizona **2:**35
Citroen autotoorugas **2:**99
Citroën, André 4:98
biografía **4:**98
ciudad 4:98
Ciudad Bolívar 4:101
Orinoco, río **10:**251
Venezuela **14:**42
Ciudad del Cabo 4:101
Barnard, Christian Neethling **2:**255
Cormack, Allan Mcleod **4:**249
puerto **11:**229
Ciudad del Vaticano 4:102
Pontificios, estados **11:**167
Ciudad Guayana o San Félix de Guayana 4:102
Ciudad Juárez 4:102
Chihuahua **4:**34
Paso, El **11:**7
Juárez Benito **8:**116
Ciudad Madero 4:102
Tamaulipas **13:**108
Ciudad Real 4:102
Andalucia **1:**264
Mancha, la **9:**51
Tomelloso **13:**217
Ciudad Santa **8:**96; **11:**6; **13:**111
Ciudad Trujillo 4:103
ciudad universitaria 4:103
Ciudad Victoria 4:103
Tamaulipas **13:**108
ciudadanía 4:100
naturalización **10:**48
Ciudadela **7:**238; **9:**169; **13:**162
Ciudades 4:30, 51, 143
ciudades-estado (polis) **7:**5; **7:**59; **11:**155
Ciudad-Rodrigo 4:102
civeta **9:**57
civismo 4:105
cizaña 4:106
plantas venenosas **11:**125
Clair, René 4:106
obra **4:**106
cinematografía **4:**84
Clairvaux, San Bernardo de **4:**96
clamadores **2:**180
clámide **14:**63
clamidia 4:106
clan 4:106
clanes totémicos **7:**199
Claparède, Edouard 4:106
bibliografía **4:**106
metapsíquica **9:**185
Clapperton **5:**75
Clapton, Eric **3:**9
Clará, José 4:106
escultura **5:**295
España **5:**318
obra **4:**106
Clara, Santa **4:**312; **14:**93
Clarasó, Enric **12:**150
Claraval, abadía **2:**303; **10:**235

Claraval, san Bernardo de **1**:26
Clarck Hoover, Herbert **3**:242
Clarín 4:106
corneta **4**:250
Clarín
Véase Alas, Leopoldo
Clarín, Leopoldo Alas Ureña **1**:135
clarinete 4:106
Claris, Casademunt, Pau 4:106
biografía **4**:106
Clarisas, orden de las **10**:237
clarividencia **9**:185
Clark Fork, río **9**:282
Clark, Barney B. **4**:239
Clark, Colin **12**:254
Clark, Lygia **3**:77
Clark, William **5**:74
Clarkson, Stanley **2**:164
Clarkson, Thomas **5**:281
Claro, río **4**:267
claroscuro **2**:141; **4**:253; **11**:289; **12**:15
clase 4:107
— criolla **8**:185
— media **14**:165
— mercantil **9**:324
— social **4**:187
clases económicas 4:107
clasicismo 4:107, **4**:247
acrópolis **1**:56
Arfe **2**:9
Clasicismo y romanticismo 2:215
Francia **6**:226
literatura **8**:275
Menéndez Valdez, Juan **9**:158
música **10**:15
vestido **14**:70
clasificación 4:107
— aristotélica **7**:9
— de las hojas **7**:203
— de los aborígenes americanos **7**:308
— de los animales, zoología **14**:181
— de los frutos **6**:239
— de los gobiernos **7**:7
— de los impuestos **7**:288
— jurídica y contable **8**:254
Clauberg **10**:213
Claude, Albert 4:108
biografía **4**:108
Claude, Georges **6**:230
Claude, Jean **5**:182
Claude, Jorge 4:108
biografía **4**:108
Claudel, Paul 4:108
bibliografía **4**:108
Francia **6**:227
literatura **8**:275
Milhaud, Darius **9**:223
Claudia, La joven **14**:192
Claudio **4**:109
Agripina, Julia **1**:110
biografía **4**:109
Imperio Romano **7**:282
Naumaquia **10**:49
Pedro, san **11**:26
Suetonio Tranquilo, Cayo **13**:73
Claudio Nerón, cónsul **2**:81 **13**:184
Claus **10**:253
Clausell, Joaquín 4:109
México **9**:206
obra **4**:109
Clausewitz, Carlos von 4:109
biografía **4**:109
Clausius, Rudolf **13**:167
claustro 4:109
claustrofobia **6**:185
clave, estímulos **6**:71
Clavé, José Anselmo
Clavé, José Anselmo 4:109
obra **4**:109
orfeón **10**:243
Clavé, Pelegrín **4**:240
clavel 4:109
claves **8**:195; **10**:12
Clavicimbalista **4**:273; **8**:170
clavicordio 4:109
dulcémede **5**:177
Haendel, Georg Friedrich **7**:118
clavícula 4:109
Clavijero, Francisco Javier 4:109
bibliografía **4**:109
México **9**:202
Clavius **8**:321
clavo 4:110
especias **6**:8
Claxton, Timoteo **14**:122
Clay, Henry 4:110
biografía **4**:110
literatura **8**:263
Clayton Urey, Harold **1**:112
Clayton, leyes **13**:278
Cleantes **6**:55
clearing house 4:110
Clearwater, río **7**:262
clemátide 4:110
Clemenceau, Jorge 4:110
biografía **4**:110
Lloyd George, Henrri **8**:293
nación **10**:24
París, tratados de **10**:329
Clemencín, Diego 4:110
bibliografía **4**:110
Clemens, Samuel Langhorne 4:110
bibliografía **4**:110
Clément **5**:112
Clemente de Alejandría 4:111
bibliografía **4**:111
Clemente III **5**:264; **7**:64
Clemente IV **4**:197; **13**:216
Clemente V **6**:128; **8**:320; **13**:155; **14**:92
Clemente VI **11**:17; **12**:67; **12**:105; **13**:323
Clemente VII 4:111
Anglicanismo **1**:283
biografía **4**:111
Benedicto XIV **2**:291
Pio VI **11**:101
Clemente VIII **11**:290; **13**:125
Clemente X **12**:163; **6**:135; **6**:231
Clemente XII **2**:291; **14**:75
Clemente XIII **1**:116; **11**:101; **12**:163
Clemente XIV, Papa **10**:239; **11**:101
Clementi, Muzio 4:111
obra **4**:111
Clementina **14**:175
Clements, Alan **2**:160
Clenkerwell **8**:303
Cleómenes **1**:149; **13**:266
Cleón **2**:32; **11**:33
Cleopatra 4:111
Agripa, Marco Vipsanio **1**:110
áspid **2**:104
augusto, Cayo Jlio César **2**:159
biografía **4**:111
Cleopatra **4**:111
Egipto **5**:227
Imperio Romano **7**:281
Marco Antonio **9**:87
Octavia **10**:183
Clephance, J. **9**:173
clepsidra **4**:111; **12**:12
cleptomania 4:111
Cleremont **6**:229
clérigo **1**:44, 52
Clerk Maxwell, James **8**:24, 331
Clermont **9**:99; **13**:323
Clermont, concilio de **4**:306
Clermont-Ferrand 4:112
clero **5**:208; **6**:30, 143, 144; **8**:212
Clero, Constitución Civil del **13**:106
Clero, La Congregación del **10**:311
cleveíta **11**:297
Cleveland 4:112
Estados Unidos **6**:34
grandes lagos **7**:48
Cleveland, Grover 4:112
biografía **4**:112
Cleves, Ana de **4**:276; **5**:265
Clias **5**:220
clichés **7**:142
clientela **7**:257
cliff-dwellings **14**:114
Clifton, Inglaterra **4**:168
Clima 4:112 39, 140, 158, 211, 270
— artificial **14**:50
— mediterráneo **2**:10
— monzónico **8**:157
climaterio **9**:167
clímax y anticlímax 4:114
Clímene **6**:112
Clinton, Joseph davidson **8**:17
Clinton, William Jefferson 4:114
biografía **4**:114
Clío **10**:7
clipper 4:114 **10**:57
clippers **3**:107
clisé **10**:188
clisé 4:114
clisés **13**:263
clisés tipográficos **6**:204
clisímetro **10**:107
Clístenes **2**:133; **7**:59; **10**:269; **11**:49
Clitemnestra **1**:99; **3**:271; **5**:236; **7**:266
Clive, Roberto 4:114
Asia **2**:99
biografía **4**:114
Gran Bretaña **7**:41
cloaca **5**:172
cloacas **1**:145
Clodoveo I 4:114
biografía **4**:114
Edad Media **5**:206
Ley Sálica **8**:237
Merovingios **9**:175
Remigio, san **12**:15
teodorico **13**:160
cloe 4:114
cloisters (claustros) **9**:192
clonación 4:114
— Forma reproductiva básica **4**:114
— Forma reproductiva en los tejidos **4**:114
— Forma reproductiva suplementaria **4**:114
— Técnicas artificiales **4**:114
clónica **4**:228; **13**:122
cloramfenicol **13**:139
cloranfenicol 4:115
clorato **7**:125
clorhídrico, ácido 4:115
fermentación **6**:133
Cloris **6**:181
clorítica **11**:114
Cloriz **9**:85
cloro 4:116
biología **2**:326
freón **6**:235
molécula **9**:266
veneno **14**:41
clorobenceno **11**:127
clorofíceas **1**:178
clorofila 4:116
árbol **1**:347
Fischer, Hans **6**:163
luz **8**:329
mar **9**:79
planta **11**:121
savia **12**:245
vegetal **14**:34
cloroformo 4:116
extracción **6**:105
cloromicetina 4:117
antibiótico **1**:305
tifoidea **13**:193
cloroplasto 4:117
cloroplasto **6**:204
cloropreno **11**:74
cloruro cálcico **7**:169
cloruro de calcio **4**:117
cloruro de hidrógeno **4**:115
cloruro de sodio **2**:144 **4**:116 **5**:242 **8**:165 **9**:82
cloruros 4:117
Clostridium **10**:106
Clostridium **2**:211
Clotilde
Clotilde, santa **4**:114; **6**:221
Cloto **10**:326
Clouet, François **5**:289 **8**:313
Clouet, Jean 4:117
Francia **6**:228
pintura **11**:97
obra **4**:117
xilografía **14**:157
Cloux, castillo de **14**:95
Clouzot, Henri-Georges 4:117
obra **4**:117
Clovio, Giulio 4:117
obra **4**:117
clown 4:117
club 4:118
Cluck **7**:266
clueca **7**:293
Cluj Napoca **13**:246
Cluny, Cister **4**:292
Cluny, Monasterio de 4:118
orden religiosa **10**:235
Cluny, Museo de **9**:254, 333
clupeidos **2**:7
Cluzeau Mortet, Luis **13**:328
Clyde **7**:34
Clyde, río **6**:331
Cneo Escipión **7**:279
Cneo Pampeyo **6**:8
Cnosos o Knosos 4:118
— palacio de **4**:282; **11**:95; **14**:62
Creta o Cambia **4**:282
Europa **6**:82
Grecia **7**:58
laberinto **8**:153

Coa **9:**177; **11:**173; **13:**211
coagulación 4:118
coagular **8:**204
coágulos **4:**238
Coahuayana, río **9:**214
Coahuila 4:118
— Historia **4:**118
Durango **5:**179
México **9:**195
coalición 4:119
Coanacochtzin **8:**69
Coaquí **11:**115
Coase, Ronald H 4:119
bibliografía **4:**119
coaso 4:119, 263
Coatepec **14:**52
Coatepeque **12:**181
coatí 4:119, 310
Coatlicue 4:119
Coatlicue **2:**202
dioses paganos **5:**136
Huitzilopochtli **7:**245
México **9:**205
Coatzacoalcos **9:**207; **14:**52
Coaxamalucan **13:**126
coaxial **13:**142
cobalto 4:119
Cobán 4:119
alta Verapáz **1:**206
Cobaón **4:**120
cobayo 4:120
Cobb, Ty **2:**279
Cobden **5:**216
cobertura económica 4:120
cobeua **7:**310
cobla **12:**228
cobol 4:120
cobra 4:120
Asia **2:**91
Laos **8:**173
cobre 4:121
cobre **4:**200
— el cobre sudamericano **4:**121
— extracción y usos **4:**121
— Producción mundial **4:**121
alambre **1:**132
bronce **3:**85
joyería **8:**112
Mongolia **9:**276
coca y cocaína 4:122
alcaloide **1:**144
droga **5:**173
estupefacientes **6:**66
narcótico **10:**40
Coca, río **5:**196
coccidios **5:**261
cocción 4:122
Coccobacilus acridiorum **8:**171
Coccus lacca **8:**158
Cochabamba 4:122
— batalla de **1:**116
— sierra de **1:**221, 268
Arze, Esteban **2:**79
intendencia **8:**15
Paz, La **11:**21
republiquetas, las **12:**27
coche 4:122
Coche, isla **10:**156
Cochialini **3:**37
Cochin **7:**295, 298
Cochinchina **14:**90
Cochinchina 4:122
haba de San Ignacio **7:**113
cochinilla 4:122
artrópodo **2:**78
hemípteros **7:**144
nopal **10:**129
quermes **11:**250
cochino **3:**329
Cochinos, bahía de **4:**65
Cochise **9:**57
Cochrane, lord Thomas 4:122
Álvarez Jonte, Antonio **1:**215
biografía **4:**122
Cochrane, Thomas **12:**197
Marryat, Fredrick **9:**109
O'Higgins, Bernardo **10:**192
cociente
cociente **5:**146; **6:**207; **11:**332
Cocina 4:123
Cockburn Town **1:**309
Cockcroft, John Douglas 4:124
acelerador de partículas **1:**46
biografía **4:**124
Gran Bretaña **7:**44
Cockerell, Cristopher **7:**45
cocktail 4:124
Coclé 4:124
coclé del norte 4:124
coclearia 4:124
coco 4:124
Coco, río **7:**218; **10:**92; **9:**20
cocodrilo 4:125
Asia **2:**91
Laos **8:**173
Cocorí **4:**269
Cocos Keeling, islas de **2:**163
cocoteros **2:**91; **10:**295
cocotzin 4:125
Cocteau, Jean 4:125
bateau-lavoir, le **2:**265
bibliografía **4:**125
Francia **6:**227
cocuyo 4:126
Cod, Cabo **1:**229; **9:**121
codaste **3:**108
Codazzi, Agustín 4:126
biografía **4:**126
codeína **10:**40
codeína **5:**174
Codesido, Julia 4:126
obra **4:**126
códice 4:126
códice **5:**59, 214
— Badiano **9:**201
— Bodleiano **4:**126
— Borbónico **4:**126
— Borgia **8:**197
— de Aristófanes **2:**315
— de Dresde **4:**126; **9:**205
— Florentino **4:**126
— Mendocino **4:**126
— Nuttal **4:**126
— Ramírez **10:**30
— Tonalámatl de Aubin **4:**126
— Vaticano **6:**85; **4:**126
códices mexicanos 4:126
codificación 4:126
código 4:126
— de Dracón **7:**59
— de Hammurabi **2:**208; **6:**110; **8:**40; **13:**160
— de Justiniano **13:**261
— de las Siete Partidas **10:**333
— de Solón **2:**133
— genético **7:**210; **8:**140; **10:**104
Codina, Genaro 4:126
obra **4:**126
Codina, José 4:126
biografía **4:**126
Codo **9:**85
codominancia 4:126
codorniz 4:127
Codro, rey **2:**133
Cody, Guillermo Federico 4:127
Véase Buffalo, Bill **3:**99
circo **4:**89
coeducación 4:127
coeficiente 4:127
— de corrosión **4:**127
— de descarga **4:**127
— de elasticidad **4:**127
— de fricción **4:**127
— de permeabilidad **4:**127
Coelho de Meirelles, José **9:**84
Coelho Netto, Henrique Maximiano de Fonseca 4:127
bibliografía **4:**127
Coello Ramos, rafel **7:**219
Coello, Claudio 4:127
obra **4:**127
Coello, río **13:**213
coenzima 4:128
Coeur d'Alene, lago **7:**262
cofas **6:**210
Coffea arabica **3:**152
cofia **14:**66
cofradía **4:**252; **5:**208; **10:**19
Cogedes 4:128
Cognac, Liga de **11:**167
cogujada 4:128
Cogul, cueva de (Lérida) **11:**95; **12:**134
Cogulla **2:**312
Cohen, Hermann **7:**223
Cohen, Stanley 4:128
biografía **4:**128
cohesión 4:128
cohesión molecular **8:**270
cohesor **11:**283
cohete 4:128
balística **2:**226
cohete Apolo **2:**113 **2:**117
cohete X-15 **10:**43
cohete, futuro 4:130
cohetes **2:**108, 225; **7:**102
Cohl, Émile **5:**110
Cohn, Edwin Joseph 4:130
biografía **4:**130
Cohn, Ferdinand Julius 4:130
biografía **4:**130
cohombro 4:130
pepino **11:**41
cohomología, teoría de **9:**10
cohorrtes
cohorte **2:**238; **9:**100; **11:**195
Coiba, isla **10:**300
coibal **13:**288
Coihaique **1:**124
coihués **2:**16
Coile, Río **12:**211
Coimbra 4:130
Almanzor, Abu'Amir Muhammad **1:**194
Inés de Castro **7:**318
Portugal **11:**173
Coín **9:**40
Coiter **5:**248
coito **4:**259; **6:**93
cojinete 4:130
Cojutepeque **4:**335
col 4:131
cola 4:131
cola de caballo **6:**308
Cola di Rienzi **13:**262
Cola, Elio Antonio Martínez de **10:**61
colaboracionismo 4:131
colación **10:**58
colada **1:**49
colado, hierro **7:**173
colágeno 4:131
colagogos **8:**75
colapto 4:131
colargol **10:**105
colatijera **11:**272
Colatino **7:**276
Colbert, Jean Baptiste 4:131
biografía **4:**131
Francia **6:**222
Indias, compañías de **7:**304
Luis XIV **8:**318
mercantilismo **9:**171
Perrault, Charles **11:**54
Colby **9:**34
colcha 4:131
colchagua 4:132
Colchester, Gilbert de **5:**236
coleccionismo 4:132, 196
colectivización del campo **3:**197
colector o conmutador **1:**207
colédoco **14:**60
colegio 4:132
— de Cuzco **8:**192
— de Heraldos **7:**149
— de Jesuitas de Carrión de los Condes **11:**45
— de jesuitas de San Francisco Javier **7:**163
— de la Propaganda **13:**323
— de la Unión del Sur **2:**25
— de Medicina de Hong-Kong **13:**84
— de México **4:**263
— de Minería, México **8:**193
— de Monserrat **7:**285
— de San Bartolomé de Bogotá **8:**296
— de San Carlos **2:**24; **7:**157
— de San Ignacio **11:**250
— de San Nicolás **7:**163; **11:**269
— de Santa María **2:**182
— de Santo Tomás de Aquino **7:**78
— de Tarragona **7:**28
— Francés del Lejano oriente **7:**313
— Imperial de Madrid **4:**8
— Lombardo de Roma **11:**102
— Loreto de Calcuta **13:**164
— Máximo de los Jesuitas **4:**241
— Mayor de Nuestra Señora del Rosario **13:**229
— Mayor de San Felipe **13:**319
— Pío Latinoamericano de Roma **4:**233
— Superiro de Alejandría **2:**53
colémbolos **8:**9
coleóptero **2:**122, 191
coleóptero 4:132
abeja **1:**25
bosque **3:**52
escarabajo **5:**279
girino **6:**327
insecto **8:**6
luciérnaga **8:**316
mariquita **9:**102
cólera 4:133

armas **2**:43
Desmaisieres, Michael **5**:90
Ferrán y Clúa, Jaime **6**:136
cólera de las gallinas **4**:133
Coleridge, Samuel Taylor **4**:133
arte **2**:64
bibliografía **4**:133
Dequincey, Thomas **5**:56
Gran Bretaña **7**:44
Wordsworth, William **14**:154
colesterina o colesterol **4**:133
colesterol **1**:150
esteroide **6**:51
Goldstein, Joseph Leonard **7**:14
Colet, John **10**:72
coleta **13**:127
coletos **14**:68
Colette, Gabrielle Sidonie **4**:133
bibliografía **4**:133
Francia **6**:227
colgantes **11**:227
colhuas **10**:59
colibrí **4**:134
arte plumario **2**:66
colibrí **2**:178; **11**:154
Hutzilopochtli **7**:245
cólico **4**:134
cólido **7**:169
coliflor **4**:134
Coligny, Gaspar de **4**:134
biografía **4**:134
Coligny, Gaspar de **12**:87
Florida **6**:184
Colima **4**:134
— historia **4**:135
Jalisco **8**:76
Revillagigedo **12**:38
Volcánico transversal, eje **14**:128
colimador **4**:135
colimbo **4**:135
coliseo Medas **4**:90, 135
Coliseo **2**:55; **7**:278
Naumaquia **10**:49
Roma **12**:99
Tito, Flavius Sabinus Vespacianus **13**:206
título **13**:258
colitis **4**:135
diarrea **5**:105
elmintiásis **7**:143
Coll y Toste, Cayetano **4**:136
bibliografía **4**:136
Collacocha **11**:62
Collado de los Jardínes **7**:258
Collado de Velia **4**:135
collages **5**:6; **8**:194
Collagua **2**:193
Collahuaya **2**:193
collar **4**:136
Collar, Joaquín **1**:87
collares **11**:139; **14**:64
Collasuyo **7**:291; **13**:101
Collbató (Barcelona) **14**:110
Collegia apparitorum **4**:132
Collegia opificum **4**:132
Collegia templorum **4**:132
Collier, Marie **2**:164
Collins, Anthony **5**:39; **8**:250
Collins, Michael **4**:136
astronáutica **2**:115
biografía **4**:136
Irlanda (Eire) **8**:45
Luna la **8**:324
Collins, William Wilkie **4**:136
bibliografía **4**:136
Collip **5**:99
Colliure **9**:7
Collivadino, Pío **4**:136
obra **4**:136
Collodi, Carlos **4**:136
Véase Lorenzini, Carlos
literatura infantil **8**:285
Collor de Mello, Fernando **3**:76; **12**:230
Colman, George **6**:287
colmena **4**:136
colmena **1**:22; **2**:191
miel **9**:219
Colocolo **5**:274
colodión **6**:203
colofonia **13**:164
coloidal **11**:259
coloides **4**:136
Coloma, Juan **4**:147; **12**:217
Coloma, Luis **4**:137
biografía **4**:137
Colombia **4**: 137
— arquitectura **4**:141
— educación **4**:140
— escultura **4**:142
— flora y fauna **4**:138Colombia, pintura **4**:142
— geología **4**:138
— historia **4**:143
— literatura **4**:140
— música **4**:143
— orografía, hidrografía y costas **4**:137
— pintura **4**:142
— población y gobierno **4**:140Colombia, Puerto **4**:137
— recursos naturales y economía **4**:139
— transporte y comunicaciones **4**:139
Amazonas, río **1**: 222
arte plumario **2**:67
Colombia **1**:18; **4**:139; **4**:138; **4**:144; **10**:243
Colombison **13**:328
Colombo **4**:145
Aguascalientes **1**:113
Asia **2**:93
colombofilia **4**:145
Colombres, José Eusebio **13**:280
Colón **4**:145
Colón Delgado, Óscar **11**:241
Colón, Bartolomé **4**:145
biografía **4**:145
Dominicana, República **5**:159
Colón, Cristóbal **4**:145
— Cuarto viaje de **4**:150
— el nombre de América **4**:151
— en el viaje del descubrimiento
— en España **4**:147
— en Portugal **4**:147
— inluencia y consecuencias del descubrimiento **4**:151
— la gran idea y los propósitos **4**:147
— las capitulaciones de Santa Fé **4**:147
— las líneas de demarcación de las zonas de influencia **4**:147
— los últimos días de **4**:150
— niñez y juventud de **4**:146
— Segundo viaje de **4**:150
— Tercer viaje de **4**:150
biografía **4**:145
descubrimientos y exploraciones geográficos **5**:72
especias **6**:9
hispanoamérica **7**:187
Pinzón, Vicente Yáñez **11**:100
Colón, Diego **2**:223 **4**:313 **5**:159 **8**:77 **12**:221 **14**:37
Colón, Willie **11**:240
Colonaria **1**:227
Colonia **4**:151
Bethoven, ludwig Van **2**:276
Colonia, catedral de **4**:151
gótico **7**:25
juegos florales **8**:122
tasajo **13**:124
colonia penal **4**:151
Colonia, Departamento **4**:151
Colonia, Franco de **2**:62
Colonia, la **9**:153
colonial, periodo **4**:151
colonización **4**:153
América del Sur **1**:244
Hispanoamérica **7**:187
reducción **11**:321
colonizar **7**:190
Colonna, Marco Antonio **4**:5
Colonna, Vittoria **8**:65; **9**:324
color **4**:153
coloración **9**:226
Colorado **4**:155
— actividad económica **4**:156
— clima **4**:155
— hidrografía **4**:155
— meseta del **1**:230; **2**:34; **4**:155; **10**:87
— territorio y recursos **4**:155
— turismo **4**:156
— vida vegetal y animal **4**:155
Colorado **5**:88
Estados Unidos **6**:32
Colorado, gran cañón del **4**:156
Colorado, río **4**:156
geología **6**:311
Mexicali **9**:193
Nevada **10**:83
colorantes **1**:346; **6**:45; **10**:105; **13**:199
colores, teoría de los **10**:89; **14**:51
colorista **12**:57
Colosio, Luis Donaldo **9**:200
Coloso de Rodas **12**:89, 321
colosos de Memnón **1**:227; **5**:293
Colossachelys atlas **7**:297
cólquico **11**:125
Cólquida **2**:27
Colson, Jaime **5**:162
Colt, Samuel **11**:111; **12**:54
colúbridos **12**:290
Coluccini, Juan Bautista **4**:141
Columba, san **8**:296
Columbia **4**:156
Columbia Británica **4**:157
Canadá **3**:202
Columbia Británica 1:210, 236
Montana **9**:282
Rocosas, Montañas **12**:88
Vancouver **14**:21
Columbia, río **4**:157; **6**:31; **7**:262; **14**:141
colúmbidas **10**:296; **13**:231
columbiformes **10**:253
columbita **13**:113
Columbus **6**:316; **7**:305; **10**:193
Columbus Circle **10**:90
Columela, Lucio Junio Moderato **4**:157
agricultura **1**:105
bibliografía **4**:157
España **5**:313
veterinario **14**:73
columna **4**:157
arquitectura **2**:56
capitel **3**:227
columna **4**:158; **7**:274; **7**:280
Latinoamérica **8**:192
columna vertebral **4**:158
espina dorsal **6**:16
vértebra **14**:59
zoología **14**:185
columnas de Hércules **4**:158
comercio **4**:165
ruta comercial **12**:151
Colunge, Gil **10**:303
Colvin, Marta **4**:158
biografía **4**:158
Chile **4**:43
escultura **5**:295
colza **4**:158
coma **4**:158
astronomía **2**:125
ergotina **5**:274
Comacalco **13**:95
comadreja **4**:159
armiño **2**:46
comadreja **6**:309
zarigüeya **14**:175
zoología **14**:181
Comagre **10**:164
Comala **4**:134
Comallonga, José **4**:159
bibliografía **4**:159
comanches **11**:24, 86
comandita **4**:172
comando **4**:159
Comas y Solá, José **4**:159
biografía **4**:159
comatula **4**:284
Comayagua, Departamento **4**:159
Honduras **7**:218
Paz, La **11**:21
Combarbalá **10**:191
combate **4**:159
— aéreo **4**:159
— atómico **4**:159
— naval **8**:229
— singular **4**:159
Combeima, río **7**:255
combés **9**:98
combinación **4**:159
combinatoria **4**:160
combustible **4**:162
astronomía **2**:128
combustible **8**:31
deforestación **5**:37
fuel oil **6**:244
locomotora **8**:297
motor de explosión **9**:313
combustión interna **6**:99; **11**:112
combustión interna **1**:69
combustión y combustible **4**:161
átomo **2**:146
calor **3**:172
energía **5**:257
humo **7**:249
combustóleo **6**:244
COMECON **3**:7; **12**:124
comechingones **7**:309; **14**:115

comedia 4:163
Bernhardt, Sara **2:**303
drama **5:**169
Moliere **9:**268
Vicente, Gil **14:**75
Comediógrafo **8:**162; **14:**139
comején 4:163
Comenio, Johann Amós Komenski, llamado 4:164
bibliografía **4:**164
educación de los padres **5:**220
comercio 4:164,
— de esclavos **1:**30
— elementos básicos **4:**164
— exterior **7:**57
— hispanoamericano **4:**165
— historia del **4:**165
— internacional **13:**119 **6:**74, 100
— libertad de **10:**81
— multilateral **8:**249
Enrique IV de Francia **5:**265
escaparate **5:**278
Estados Unidos **6:**36
foro **6:**197
hogar **7:**198
librecambio **8:**249
cometa 4:167
geoelectricidad **6:**302
magneto **9:**29
cometas **2:**107; **7:**159
cómic 4:169
comicio centuriata **7:**276
comicio curiata **7:**276
comicios 4:171
comillas **11:**243
Cominetto, islote de **9:**46
cominform 4:171
comino 4:171
Comino, islote de **9:**46
comintern 4:171
comisario 4:171
comisión 4:171, 253
Comité de Desarme de la ONU **7:**167
Comité de la Cruz Roja Internacional **4:**304
Comité de la Junta del Congreso para la Energía Atómica **7:**166
Comité General de la Comisión de Energía Atómica **7:**166
Comité Intergubernamental de Migración Europea **11:**328
Comité Internacional de Pesas y Medidas **11:**258
Comité Olímpico Internacional (COI) **4:**273; **8:**122
comizahual 4:171
Commenos **9:**264
Commonwealth 4:171
— bandera del **2:**243
Gran Bretaña **7:**42
imperio británico **7:**274
Malta **9:**46
Nauru, República de **10:**50
Santa Lucía **12:**214
Comneno, Alejo **2:**333
Como, lago **6:**75
Cómodo, Lucio Ceionio **1:**316
Comodoro Rivadavia 4:171
Comoé **4:**266
Comonfort, Ignacio 4:171
Ancona, Eligio **1:**264
Ayutla, plan de **2:**193
biografía **4:**171
Juárez, Benito **8:**116
Comoras **2:**239
Comores (República Islámica Federal de las Comores) 4:172
Comores, isla **5:**75
Comorín, Cabo **1:**338; **2:**292; **7:**295
Compaginación **7:**283
Companys, Luis 4:172
biografía **4:**172
compañia 4:172
Compañía Británica del África del Sur **12:**60
Compañía de Jesús 4:173
apostolado **1:**329
Francisco Javier, san **6:**231
Pío VII **11:**101
compás 4:173
— giroscópico **3:**111; **10:**53; **13:**226
— girósino **6:**328
— magnético **11:**216
compás **10:**53, 249
instrumento **8:**13
metrónomo **9:**192
Compayré, Gabriel 4:173
bibliografía **4:**173
compensación 4:173
compensación, cámara de 4:173
compensador 4:173
competencia **2:**138
competencia y monopolio **13:**277
compilación 4:173
complejo 4:173
complementariedad, principio de 4:173
complemento 4:174
— circunstancial **7:**325; **10:**228
— directo **7:**325; **10:**228
— indirecto **7:**325; **10:**228
Complutum **1:**143; **9:**20
Componentes Alimenticios **1:**189
comportamiento animal 4:174
— fisiológico **2:**113
— motivado **10:**63
comportamiento animal **4:**175
composición y redacción 4:175, 220
Compostela, Santiago de **6:**266; **10:**59
Compound, sistema **9:**75, 315
comprador y arte de comprar 4:176
compraventa 4:178
compresión y compresor 4:178
refrigeración **11:**327
compromiso, anillo de **9:**133
Compton, Arthur Holly **4:**179
compton, efecto 4:179
Compton, Hermanos 4:179
biografía **4:**179
compulsión 4:179
exhibicionismo **6:**93
CompuServe **7:**327
computación **7:**327
computadora 4:179
audiovisual, educación **2:**158
computadora **1:**128; **5:**270; **8:**27
ferrocarril **6:**141
hardware (voz inglesa) **7:**129
programa (computación) **11:**209
Schwartz, Melvin **12:**250
Comsat **13:**145
Comstock, Anthony **11:**171
Comte de Buffon, George **6:**86
Comte, Auguste 4:180
altruismo **1:**209
bibliografía **4:**180
ciencia **4:**76
Francia **6:**227
evolucionismo **6:**90
historia **7:**193
Littré, Maximilien-Paul-Emile **8:**287
positivismo **11:**178
Comua, la **11:**315
comuna 4:180
comuneros 4:180
— Revolución de los **4:**180
comunes, cámara de los 4:181
Parnell, Carlos Stewart **10:**330
Walpole, sir Robert, conde de Oxford **14:**138
comunicación animal 4:181
comunicaciones 4:181
— diarios y revistas **4:**185
— el cinematógrafo **4:**186
— el correo **4:**186
— el libro **4:**185
— historia de las **4:**182
— instrumentos de las **4:**185
— la escritura y el alfabeto **4:**182
— la imprenta y el papel **4:**183
— la radiofonía **4:**186
— la transmisión inalámbrica **4:**183
— los diferentes recursos **4:**185
— los satélites de comunicación **4:**186
— orígenes del lenguaje **4:**182
— signos y señales **4:**182
— subacuáticas **11:**275
— surge la electricidad **4:**183
— telégrafo y teléfono **4:**186
— treinta fechas decisivas **4:**184
— valor de las comunicaciónes **4:**187
Comunicaciones y transportes 2:18
comunicación medios de **4:**187
Comunidad (Británica) De Naciones 4:188
comunidad 4:188
Comunidad de Estados Independientes 4:189
algodón **1:**182
Belarús **2:**279
Europa **6:**84
Kazajstán **8:**135
Ucrania **13:**301
Comunidad de Gente de Paz 4:189
Comunidad del Caribe (CARICOM) 4:167, 190
Comunidad Económica Europea (CEE) 4:189
Alemania **1:**162
España **5:**318
Europa **6:**78
Holanda **7:**209
Comunidad Europea 4:189
— bandera de **2:**243
Andorra **1:**270
Euratom **6:**73
Suiza **13:**81
Comunidad Europea de la Energía Atómica EURATOM 4: 190
Comunión **14:**74; **5:**207
Comunión Anglicana **1:**283
Comunión de los Apóstoles **12:**61
comunismo 4:190
Auden, Wystan Hugh **2:**156
encíclica **5:**252
gobierno **7:**7
Hitler, Adolfo **7:**195
kuomintang **8:**150
Pío XII **11:**102
totalitarismo **13:**233
Conan Doyle, sir Arthur 4:192
bibliografía **4:**192
Conan Doyle, sir Arthur **10:**138
literatura infantil **8:**285
concentración económica 4:193
concentración, campos de 4:192
Concepción 4:193
Concepción del Uruguay 4:193
concepción virginal 4:193
conceptismo 4:193
culteranismo **4:**328
concepto 4:194
abstracción **1:**38
entendimiento **5:**267
instrumentación **8:**10
concertina 4:194
Concesio **11:**17
conciencia 4:196
educación **5:**216
juicio **8:**124
psicoanálisis **11:**223
concierto 4:195
conciliares, teorías 4:196
concilio 4:196
— de Basilea **11:**167
— de Calcedonia **2:**46
— de Constanza **7:**253
— de Letrán **5:**176; **7:**336; **11:**57
— de Nicea **1:**280; **2:**132; **11:**15
— de Pisa **2:**291
— de Sardes **2:**132
— de Trento **2:**29 **5:**152; **6:**118 **7:**253; **11:**244
cónclave 4:196
cardenal **3:**241
concolorcorvo 4:197
concordancia 4:197
concordato 4:197
Concorde **7:**38; **5:**249; **6:**217; **10:**85
Concordia 4:197
— Pacto de **4:269**
— plaza de la **10:**327; **13:**133
— templo de la **1:**109
Tegucigalpa **13:**138
concreto 4:197
concurso 4:197
concha 4:194
filibranquio **6:**154
foraminífero **6:**192
Concha Córdoba, Luis **3:**241
Concha, José Vicente 4:195
bibliografía **4:**195
Concha, San Sebastián **11:**136
conchales **7:**310
Conchos, río **1:**208; **4:**35
Condamine, Charles M. de La **1:**223; **5:**202
Conde, Carmen 4:198
bibliografía **4:**198
Condé, familia 4:198
biografía **4:**198

Condebamba, río **3**:156
condecoración 4:198
— órdenes de la **4**:198
condensación 4:199
eyección **6**:106
lluvia **8**:294
nieve **10**:99
tiempo **13**:189
condensador 4:199
destilación **5**:93
flash **6**:173
linterna de proyección **8**:269
voltímetro **14**:130
condicional, estímulo **6**:54
Condillac, Étienne Bonnot de 4:200
biografía **4**:200
condón **4**:229
cóndor 4:200
América del Sur **1**:240
ave **2**:178
Condorcanqui, José Gabriel **7**:294; **11**:64; **13**:286
Condorcet, Marie Jean Antoine Nicolas de Caritat 4:200
biografía **4**:200
Lavoisier, Antoine-Laurent **8**:201
condotieros **5**:209; **9**:42
condritos **1**:79
cóndrulos **1**:79
conducta 4:201
conductismo **9**:180
conductividad 4:201
calor **3**:172
conductor 4:201
física **6**:169
helio **7**:142
conejillo de indias 4:201
conejito 4:201
conejo 4:201
Conesa **10**:69
Coney Island **10**:89
Confederación 4:202
— Antiesclavista de Bruselas **5**:61
— bóer **13**:313
— Centroamericana **4**:202
— de Algeciras **1**:181; **6**:114; **13**:112
— de Bretton **6**:191; **8**:242
— de Delos **2**:31, 134
— de La Haya **2**:105, 252; **5**:61, 168; **9**:148
— de países centroamericanos **7**:80
— de Postdam **5**:96; **11**:181; **13**:308
— de Trabajadores de México (CTM) **8**:301
— del Peloponeso **11**:50
— del Rin **1**:160; **4**:202; **13**:107
— germánica **1**:161; **2**:268; **6**:232; **8**:256
— Helvética **4**:164, 202; **6**:325; **13**:80
— Internacional de Sindicatos Libres **6**:124
— Peruano–Boliviana **4**:203; **8**:162; **11**:45
Conferencia de San Francisco 4:203
Dumbarton Oaks **5**:178
Molotov, Viacheslav **9**:269
conferencias panamericanas 4:203
— el centroamericanismo **4**:203
— el latinoamericanismo **4**:203
— el panamericanismo **4**:203
Iglesias Patín, Santiago **7**:266
López de Meza, Luis **8**:306
Unión Panamericana **13**:310
confesión 4:204
confirmación 4:204
sacramento **12**:158
verificación **14**:56
confiscación **6**:102
confitería 4:204
almendra **1**:195
confort 4:205
confucianismo **2**:96; **4**:205; **13**:115; **14**:90
Confucio 4:205
— templo de **1**:299; **11**:29
Asia **2**:96
biografía **4**:205
Indochina **7**:313
libro **8**:250
mah jong **9**:30
refrán y refranero **11**:326
religión **12**:11
taoísmo **13**:115
Congaree, río
congelación 4:205
agua de mar, purificación del **1**:111
frío **6**:238
helados **7**:139
conglomerado 4:206
Congo, República del 4:207
— agricultura y ganadería **4**:207
— bandera de **2**:239
— clima y vegetación **4**:207
— historia **4**:207
— minería e industria **4**:207
— población y religión **4**:207
— transportes **4**:207
África **1**:95
descubrimientos y exploraciones geográficas **5**:72
fuerzas de paz de las Naciones Unidas **6**:247
Hammarskjöld, Dag **7**:126
lengua **8**:217
negro **10**:66
Zaire, República del **14**:171
Congo, República Democrática del 4:207
Congo Belga **2**:283; **11**:23; **13**:320
Congo, río 4:207
descubrimientos y exploraciones geográficas **5**:76
Zaire, República del **14**:170
Congo-Ubangui, sistema **4**:207
congregación 4:208
congreso 4:208
— de Chilpancingo **1**:323; **7**:102
— de los Sindicatos Obreros o *Trade Unions* **8**:153
— de los Soviets **13**:306
— de Organizaciones Industriales **6**:124
— de Oriente **2**:73
— de Tucumán **8**:175; **11**:7, 241
— Eucarístico Internacional de 1934 **11**:102
— Internacional de Nueva Educación **2**:221
— Internacional de Trabajadores **11**:199
— Nórdico **6**:161
— Panamericano **5**:168
— Panindio **7**:301
— Postal Universal **13**:311
Congreso de Viena 4:209
Alemania **1**:161
Austria **2**:166
derecho internacional **5**:61
Europa **6**:83
Pío VII **11**:101
Talleyran, Périgord **13**:107
congrio 4:209
conibo **7**:310
coníferas 4:209
alerce **1**:168
ámbar **1**:223
cedro **3**:309
pino **11**:93
Washington, estado de **14**:141
coniína **8**:160
Conillera **2**:224
conjugación 4:210
verbo **14**:54
conjunción 4:210
conjuntiva **4**:210; **10**:197
conjuntivitis 4:210
catarro **3**:290
oftalmía **10**:190
tracoma **13**:238
Connard, F. **7**:45
Conneaut, lago **11**:39
Connecticut 4:210
— actividad económica **4**:211
— clima **4**:211
— hidrografía **4**:210
— río **4**:210; **9**:121; **10**:85
— tierra y recursos **4**:210
— turismo **4**:211
— vida vegetal y animal **4**:211
Connecticut **12**:43 **13**:227
Connelly, Marc **6**:43
Conner, Denis **14**:36
cono 4:211
conocimiento, teoría del 4:212
Conococha, laguna de **10**:298
conoide **4**:212
Conopus, estrella **6**:61
conquiliología **4**:195
conquiolina **10**:22
Conrad Celtis **2**:167
Conrad Roentgen, Wilhelm **11**:307
Conrad, Charles **2**:114; **8**:324
Conrad, Joseph 4:212
bibliografía **4**:212
Gran Bretaña **7**:44
Conrado II el Sálico, de Germania **1**:159
Conrado III de Alemania **4**:306
Conrado III de Suavia **1**:159
Conrado V **12**:91
conscripción 4:212
consejeros indígenas **11**:321
consejo 4:212
Consejo de Europa 4:213
Lituania **8**:288
Consejo de indias 4:212
Anglería, Pedro Mártir de **1**:283
Enríquez de Rivera, Payo **5**:266
virreinatos de América **14**:101
Consejo de Seguridad de las Naciones Unidas 4:203
Auriol, Vincent **2**:160
Iraq **8**:42
veto **14**:73
Consejo Económico y Social 4:203
López Mateos, Adolfo **8**:307
Naciones Unidas **10**:28
conservación de la energía, ley de la 4:213
física **6**:167
conservador 4:213
conservas 4:213
conservatorio 4:215
Bernhardt, Sara **2**:303
Gómez, Antonio Carlos **7**:17
Mocayo, José Pablo **9**:274
Prokofiev, Sergeievich **11**:211
Tchaikovski, Piotr Ilich **13**:129
consistorio 4:215
Reforma **11**:325
Constable, John 4:216
obra **4**:216
escuela artística **5**:290
Gran Bretaña **7**:45
pintura **11**:97
Constancio I 4:216
biografía **4**:216
Constancio II, papa **8**:125
Constant de Rebecque, Benjamín Henri 4:216
bibliografía **4**:216
constante 4:216
Constantino I 4:217, 301
biografía **4**:217
Constantino I Cayo Flavio Valerio, el grande 4:217
Adrianópolis **1**:75
biografía **4**:217
Catedral **3**:292
Elena, santa **5**:245
Estambul **6**:45
imperio romano **7**:282
Juliano Flavio Claudio, *el Apóstata* **8**:125
Troya **13**:274
Constantino II **7**:61
Constantino VII **12**:105
Constantino XI Paleólogo **13**:296
Constantinopla 4:217
Alarico I **1**:135
biblioteca **2**:313
Constantinopla **12**:210, 299
dardanelos **5**:18
Estambul **6**:44
Grecia **7**:57
Lausana, tratado de **8**:198
Mohamed II **9**:264
Paz, tratado de **11**:19
Sacro Imperio Romano Germánico **12**:160
Constanza **2**:291; **8**:114; **13**:77; **14**:33
Constanza, lago **2**:213
constelación 4:217
— de Andrómeda **1**:274
— de Escorpión **1**:301
— de Orfeo **6**:62
— del Águila **1**:204
— del Cisne **6**:61
— zodiacal **14**:100
constitución 4:218
Argüelles, Agustín de **2**:28
Constitución Política **5**:179
Constituciones de Clarendon **2**:274
directorio **5**:139
Gómez Farías, Valentín **7**:19
Laos **8**:173
Penn, William **11**:38
Vaticano, ciudad del **14**:30

Construcción 4:218
Construcción **1:**48, 212; **4:**197, 219; **7:**201; **8:**160
construcción gramatical 4:219
constructivismo 4:220
escultura **5:**295
op art **10:**215
Consuegra, España **13:**213
cónsul 4:220
consulado 4:220
Consultoría **4:**224
consumo 4:220
economía **5:**193
forestal, explotación **6:**195
consustanciación 4:221
contabilidad 4:221
economía **5:**195
educación **5:**219
ganancias y pérdidas **6:**278
contacto óhmico **13:**246
contador 4:225
contador de corpúsculos **6:**296
Contadora, grupo 4:226
contagio 4:227
contaminación ambiental 4:226
aire **1:**123
desperdicios **5:**92
hiperactividad **7:**181
Contenido y alcance 2:328
Conterras, Jesús, F. **9:**205
Conti, Haroldo 4:227
bibliografía **4:**227
continente 4:227
continente **10:**290
Lemuria **8:**215
Océano y oceanografía **10:**182
polos **11:**162
continuum espacio-tiempo **7:**53
Contisuyo **13:**101
contrabajo 4:227
contrabando 4:228
fraude **6:**234
contracción 4:228
astronomía **2:**129
figuras del lenguaje **6:**151
contracepción 4:228
contráctil, proceso **10:**7
contraespionaje **12:**296
contralto 4:228
trombón **13:**270
contramaestre 4:228
contrapunto **6:**248; **10:**13
contrarreforma 4:228
Bélgica **2:**283
Edad Moderna **5:**210
Europa **6:**83
orden religiosa **10:**238
Pío V, santo **11:**101
Contras **10:**95
contrato 4:228
— colectivo de trabajo **13:**237
— consensual **9:**55
— de trabajo **4:**229
— social **8:**297
escritura **5:**284
estatuto **6:**47
minuta **9:**235
préstamo **11:**194
transacción **13:**241
Contreras, Francisco 4:229
bibliografía **4:**229
Contreras, José **5:**161
Contreras, Ramón **7:**163
Contreras, Raúl **12:**184
Contreras, Rodrigo de **4:**269; **10:**93
control 4:229
— automático **4:**229
— de calidad **4:**229
— de cambios **4:**229; **8:**249
— de existencias **6:**93
— remoto **11:**278
control de la natalidad 4:229
controlador de tráfico aéreo. **8:**23
Contucci, Andrés **12:**209
contusa **7:**154
contusión **5:**271
convención 4:229
— Americana de Derechos Humanos **5:**62
— de Ginebra **5:**61
— de los Estrechos **5:**18; **7:**42
— de Mudanya **1:**75
— Europea de Derechos Humanos y Libertad **5:**62
— francoespañola **13:**112
— Universal de Propiedad Intelectual **13:**304
convenio de Aranjuez **1:**341
Convenio de la Liga de las Naciones **8:**258
Convenio de los Estrechos **6:**60
Convenio de paz de Cambray **5:**136
convenio de Vergara **6:**8
Convenio francotunecino **13:**284
Convenio Postal Universal **4:**255
convento 4:229
Alcedo, José Bernardo **1:**148
Guadalupe Hidalgo **7:**72
madre **9:**17
Récamier, madame Geanne Françoise Julie Adelaide Bernard **11:**313
Tirso de Molina **13:**203
conversión 4:230
convolvuláceas **2:**265; **5:**264; **8:**75
convoy 4:230
armada **2:**39
ferrocarril **6:**137
locomotora **8:**298
convulsión 4:230
convulvuláceas **6:**179
coñac 4:192
Cook, James 4:231
Antártida **1:**303
biografía **4:**231
Cook, islas **2:** 120
descubrimientos y exploraciones geográficos **5:**77
exploraciones polares **6:**97
Oceanía **10:**179
Tahití **13:**101
cooli **2:**93
Coolidge, Calvin 4:231
biografía **4:**231
Estados Unidos **6:**42
Nicaragua **10:**94
Cooper, James Fenimore 4:231
bibliografía **4:**231
mohicanos **9:**264
turismo **13:**289
Cooper, Gary 4:231
biografía **4:**231
Cooper, Leon N 4:231
obra **4:**231
Schrieffer, John Robert **12:**249
Cooper, Leroy Gordon 4:231
biografía **4:**231
cooperación **13:**98
Cooperación Económica Europea, Organización para la **6:**84
cooperativa 4:231, 232
— funcionamiento **4:**232
— historia **4:**231
— rurales **3:**197
— situación actual **4:**232
— ventajas y obstáculos **4:**232
— y granja colectiva **3:**196
Cooperstown New York **13:**183
coordenadas 4:232
— cartesianas **1:**36
— geográficas **8:**196
abscisa, ordenada y cota **1:**36
geometría **6:**314
mapa **9:**68
coordinación **7:**321
coordinación entre la mente y el cuerpo **1:**121
coordinación neuromuscular **7:**321
Cooum, río **9:**16
Cop, Nicolás **3:**174
Copa América **6:**257
Copa Davis **3:**95; **13:**157
Copa de Europa **2:**262
Copa Latina de Baloncesto Juvenil **2:**262
Copa Libertadores de América **6:**257
Copa Mundial de la FIFA **6:**257
Copacabana, Brasil **2:**228; **11:**136
copaiba **4:**233
copal **11:**253
Copán 4:233
arqueología **2:**52
juego de pelota **8:**122
mayas **9:**140
pirámides de méxico y América Central **11:**106
Copán, Santa Rosa de **4:**233
copas **4:**289
Copataza **11:**8
copayero 4:233
Copeau, Jacques **6:**227; **9:**226
copehana **7:**308
Copello, Santiago Luis 4:233
biografía **4:**233
cardenal **3:**241
Copenhague 4:233
— Escuela Politécnica de **10:**187
— puerto **2:**230
— Universidad de **4:**233; **10:**194; **11:**301
Andersen, Hans Christian **1:**267
Dinamarca **5:**125
Europa **6:**81
Partenón **10:**332
Saussure, Ferdinand de **12:**244
universidad **13:**316
Copenhague **5:**122, 123
— museo de **2:**50
Copérnico, Nicolás 4:233
— teoría de **4:**234
astrología **2:**108
biografía **4:**233
Barahe, Tycho **3:**65
Copérnico **2:**124
Fracastoro, Girolamo **6:**205
Joachim von Laucher, George **8:**104
mapa **9:**67
planeta **11:**119
Tolomeo, Claudio **13:**214
copiado electrónico **8:**20
copiador **8:**254
copiadora xerográfica **9:**226
Copiapó **4:**37
Copiapó, capital **2:**132
Copiapó, provincia de **2:**132
Copiapó, río **4:**37
Copiapó, valle de **4:**37; **14:**11
copistas **8:**252
copla 4:234
Latinoamérica **8:**195
Copland, Aaron 4:234
Galindo, Blas **6:**268
hispanoamericanos **7:**189
obra **4:**234
Copolco **10:**270
Coppée, François 4:234
bibliografía **4:**234
Francia **6:**227
Modernismo y arte moderno **9:**262
Coppelia, Silvia **5:**44
Copperfield, David **5:**113
copra 4:125, 234
— aceite de **4:**234
copta monofisita **4:**234
copto **8:**218
copto-cristianos **5:**226
coptos 4:92, 234
Egipto **5:**226
copulación **4:**259
copyright **8:**253
coque 4:234
— de hulla **7:**173
carbono **3:**239
química **11:**259
coqueluche **13:**232
Coqueta **13:**91
coquetoire **9:**254
Coquimatlán **4:**134
Coquimbo 4:37, 235
— puerto **4:**37
O'Higgins, Bernardo **10:**193
coquina 4:235
coraceros **2:**43; **3:**130
coral 4:235, 236, 250
— moluscos **2:**5
Asia **2:**92
biología **6:**311
Carolinas, islas **3:**255
coral **4:**234
madrépora **9:**18
Réaumur, René Antoine Ferchault de **11:**313
vestido **14:**67
Coral, Mar del 4:235
Melanesia **9:**157
coralífero **10:**179
coralígenas **2:**5, 59
coralinos **2:**59
Corán 4:236
Alá **1:**130
Avicena Abú'Ali Husayn b Sína **2:**188
circunsición **4:**92
Gabriel, san **6:**260
hispanoárabe, literatura **7:**190
Irán o Persia **8:**37
Mahoma **9:**32
prostitución **11:**217
símbolo **12:**327
Tailandia **13:**103
coras **10:**59
Corax de Siracusa **12:**34
coraza 4:236
— revestidas **2:**43

armadura **2**:43
caballería, ordenes de caballería **3**:131
ejército **5**:231
zoología **14**:184
corazón **4**:237
— enfermedades del corazón **4**:237
aorta **1**:321
arteria **2**:67
electricidad **5**:237
instrumentos **8**:13
miocardio y miocardítis **9**:235
Ramón y Cajal, Santiago **11**:296
corazón artificial **4**:239
Corazón de León, Ricardo **6**:127; **10**:275
corbata **14**:68
corbata de San Fernando **2**:243
corbata, paloma de **10**:296
Corbera (Cataluña) **6**:136
corbeta **4**:239
navegación a vela **10**:57
Corbett, James J. **3**:63
Corbieres **11**:108
Corbin **8**:139
Corbusier, Charles Le **10**:98
Córcega **4**:239
— isla de **6**:76, 212
— liberación de la isla de **10**:76
— montaña de **10**:273
— y Cerdeña, islas de **13**:203
alcornoque **1**:151
Córcega **10**:38
Francia **6**:215
maquis **9**:78
piratería **11**:107
Corcovado **4**:37
Corcovado, cerro del **12**:74
Corcovado, Golfo del **1**:238
Corcovado, río **4**:267
corcho **4**:239, 262
alcornoque **1**:151
linóleo **8**:268
Cordados **4**:240
— inferiores o procordados **14**:185
hombre **7**:212
vertebrados **14**:59
cordaje **8**:291
Corday, Carlota **4**:240
biografía **4**:240
Marat, Jean-Paul **9**:85
cordel **4**:321; **8**:171
cordelería **13**:181
cordero **3**:251; **8**:168
Cordero, Luis **4**:240
biografía **4**:240
Cordero místico **11**:96
Cordero, Juan **4**:240
México **9**:206
obra **4**:240
Cordero, Roque **10**:304
Córdoba, (Argentina) **4**:240
— historia **4**:241
— iglesia jesuita **2**:17
Argentina, República **2**:17
Figueroa Alcorta, José **6**:151
Santa Fe **12**:214
universidad **13**:319
Córdoba, califato de **1**:265, 333; **9**:18; **10**:210
Córdoba, catedral de **4**:11
Cordoba, (Colombia) **4**:140, 241
Córdoba, cuero de **9**:254
Córdoba, (España) **4**:240, 241, 242, 323, 328
Abderramán I **1**:20
Badía, Domingo **2**:214
Córdoba, España **4**:323, 328
cuero **9**:32
educación **5**:215
Europa **6**:83
Góngora y Argote, Luis de **7**:19
libro **8**:252
Reconquista **11**:316
Córdoba, Jorge general **3**:29
Córdoba, José María **4**:242
biografía **4**:242
Córdoba, Manuel J. **12**:183
Cordoba, (México) **4**:241
O'Donojú, Juan **10**:186
cordobán **4**:323; **12**:233
Córdobu **4**:241
cordón **14**:71
Cordon Bleu **4**:124
Córdona, A. **3**:68
Córdova y Válor, Fernando de **1**:26
Córdova, Arturo de **4**:242
biografía **4**:242
México **9**:203
Córdova, Gonzalo **4**:242
biografía **4**:242
Espada **5**:303
Pinurria, Mateo **8**:22
Navarro, Pedro **10**:52
Corea **4**:242
— clima, flora y fauna **4**:243
— corea del Norte **4**:245
— Corea del Sur **4**:246
— cultura del pueblo coreano **4**:247
— economía **4**:245
— educación **4**:245
— Estrecho de **4**:243, 246
— gobierno y ciudades **4**:245
— guerra de **4**:245
— historia **4**:244
— historia reciente **4**:245
— orografía costas e hidrografía **4**:243
— Península de **4**:243; **9**:52; **12**:298
— población, religión **4**:243
— religión y educación **4**:247
Corea **1**: 19, 177, 263; **14**:157
descubrimientos y exploraciones geográficos **5**:75
Guerra Ruso-Japonesa **7**:98
Kublai Kan **8**:149
paz, tratado de **11**:20
coreguaje **7**:310
Corelli, Arcangelo **4**:247
obra **4**:247
coreógrafo **5**:16
Corey, Elias James **4**:247
biografía **4**:247
Corfú
Corfú Trumbich **4**:295; **9**:154; **10**:203
Cori, Carl Ferdinand **4**:247
biografía **4**:247
Cori, ciclo de **4**:248
coríacos **2**:94; **7**:310; **12**:226; **14**:112
Coricancha **4**:336; **7**:292
Coridón **1**:33
corifénidos **5**:164
corimbos **4**:287; **7**:327; **11**:83; **12**:245
corimbos **7**:327
Coríncuaro **13**:119
corindón **4**:248
— cristalizado **14**:170
— Gemas **1**:219
mineralogía **9**:230
Corintia **11**:32
Corinto, Grecia **4**:248
— ágora de **4**:248
— golfo de **4**:248
— istmo de **4**:248
— Liga de **6**:156
— puerto de **4**:59; **9**:50
Coriolano **2**:221; **12**:304
Coriolis, efecto **4**:249
Coriolis, Gaspar **4**:249
corion **4**:249
desarrollo **5**:68
Corisco **7**:106
Corisco, isla **6**:136
coriza **12**:226
Cork (Irlanda) **12**:255
Cork **8**:45
Cork, Club Náutico de **14**:35
Cormack, Allan McLeod **4**:249
biografía **4**:249
cormorán **4**:249
Corn Belt **9**:35
cornalina **1**:290
córnea **1**:304, **2**:105; **3**:6; **5**:270; **8**:43, 223; **10**:197; **11**:77; **13**:319
córneas (queroplastia) **3**:285
Corneille, Pierre **4**:249
bibliografía **4**:249
corneja **4**:250
Cornejo, Mariano H **4**:250
biografía **4**:250
Cornelia **4**:9; **7**:28
Cornelio Agripa, Jan Baptista van **13**:161
Cornelio Nepote **12**:103
Cornelio Saturnino **9**:253
Cornelio Tácito **8**:181
Cornelis Schouten, Willem **10**:179
Cornelius, Peter von **4**:250
obra **4**:250
Cornell **13**:125, 316; **5**:218
Cornell, Universidad de Stanford **10**:263; **11**:288; **14**:91
corner **13**:278
corneta **4**:250
cornezuelo del centeno **5**:274
Cornforth, John Warcup **4**:250
biografía **4**:250
córnico **7**:39
cornisa **2**:56; **5**:267; **6**:238, 239
corno de los Alpes, Suiza **13**:79
Corno, monte **1**:324
cornos suizos **13**:80
Cornualles **6**:75, 82; **7**:36
Cornualles, Ricardo de **4**:307
cornuda **14**:74
Cornwall, Marcos de **13**:269
Cornyj, K. **12**:150
Coro (Venezuela) **4**:250
— catedral de **14**:46
Venezuela **14**:47
coro **4**:250
Corocoro **4**:121
Coroes Anoquivar **8**:38
coroides **10**:197
corola **6**:177, 178, 179; **11**:7, 123
Coromandel **2**:99
Coromines I Muntanya, Pere **4**:250
bibliografía **4**:250
Coromoto, virgen de **4**:250
Corona **4**:251
— británica **2**:163
— de Castilla **6**:134
comercio **4**:166
Corona 8:256; 13:330
eclipse **5**:186
coronación **4**:251
— Golfo de la **2**:71
— coronación de Alfonso VII **1**:176
— o cresta **10**:6
Coronado Chávez, J 4:251
biografía **4**:251
Coronado, bahía de **4**:267
Coronado, Martín **4**:251
Argentina, República **2**:26
obra **4**:251
coronarias **2**:67; **4**:238
coronel **6**:300
Coronel Oviedo **10**:321
Coronel Urtecho, José **4**:252
bibliografía **4**:252
Nicaragua **10**:95
Pasos, Joaquín **11**:7
Coronel y Arana, María **1**:101
Coronel, Pedro **4**:252
obra **4**:252
coronógrafo **13**:148
coros **13**:131
Corot, Camille **7**:286
Corot, Jean Baptiste Camille **4**:252
Francia **6**:228
obra **4**:252
corótidas **2**:67
Corozal, Belice **2**:286
corporación **4**:252
— Británica de Radiodifusión **2**:271
— de Fomento de la Producción (CORFO) **1**:117
— de Ingenieros de Estados Unidos **13**:158
— Financiera Internacional (CFI) **10**:28
— policiaca 10:32
— religiosa **7**:149
patronato **11**:15
Corpus Christi **4**:335; **6**:150; **8**:122; **9**:165; **11**:239; **12**:163
Corpus Juris Canonici **3**:218
Corpus, cascadas y rápidos de **10**:324
corpuscular, teoría **10**:89
corpúsculos **8**:330; **11**:276
Corral, Juan Bautista del **4**:252
biografía **4**:252
Corral, puerto de **4**:37; **14**:11
correa **14**:71
Correa Morales, Lucio **4**:252
escultura **5**:295
obra **4**:252
Correa, Emilio **10**:205
Correa, Félix **2**:192
Correa, guerra de **2**:43
Correa, Juan, llamado el viejo **4**:252
obra **4**:252
Correa, Manuel **13**:329
Correa, Villa del Capitán **1**:352
corrección **4**:252
corredera **4**:252, 253

correderas electrónicas **4:**253
corredizo **10:**155
corredor **2:**279
corredor 4:253
Correggio, Antonio Allegri, el 4:253
cupido **4:**331
obra 3
corregidor **11:**321
Correia, Antonio **11:**177
Correia, Raimundo **3:**76
correlativos **11:**212
Correns **9:**163
correo 4:253
— congresos y tratados **4:**255
— unión Postal Universal **4:**255
— electrónico **8:**19
— Español **6:**16
correo del comercio de Buenos Aires **2:**25; **6:**295
correspondencia 4:255
— requisitos para escribir bien **4:**256
— partes de una carta **4:**256
— clases de correspondencia **4:**256
— escuelas por correspondencia **4:**256
corresponsales de guerra **12:***37*
Corretjer, Juan Antonio 4:256
bibliografía **4:**256
Puerto Rico **11:**237
corrida **13:**126
corrido 4:256
Corriedale
Corriedale **10:**274
corriente **6:**173; **14:**176
corriente alterna **9:**314; **11:**21, 319; **12:**13
corriente cálida del Kuro-Sivo **1:**136
corriente continua **9:**314
corriente de aire **10:**143
corriente de Benguela **1:**284
corriente de electrones **6:**169
corriente de Humboldt 4:256
corriente del Golfo **1:**231, 238; **8:**154; **9:**81
corriente del Golfo o Gulf Stream **2:**136
corriente Ecuatorial del Norte **8:**150
corriente eléctrica **1:**252; **2:**146; **5:**66; **6:**131; **7:**273; **9:**216
corriente neoclásica **7:**79
Corrientes 4:257
corrientes de aire **13:**284
corrientes de convección **9:**62
corrientes eléctricas **1:**133; **8:**31; **12:**21
corrientes marinas 4:257
corrientes parásitas **6:**205
Corrientes y Rosario **7:**155
Corrientes, Cabo **9:**84
Corrientes, ciudad de (Argentina) **10:**324
Corrientes, provincia de **4:**254
Corrientes, río **10:**324
Corrigan, Mairead 4:258
biografía **4:**258
Williams, Betty **14:**151
Corripio Ahumada, Ernesto **3:**241
corrosión 4:258
hierro **7:**174
corsage **14:**68
corsario **4:**6, 300
corsarios árabes **7:**60
corsé **14:**69
Corso, Gregory **6:**43
Cortadillo **11:**79
Cortázar, Daniel 4:258
biografía **4:**258
Cortázar, Julio 4:259
Argentina, República **2:**27
bibliografía **4:**259
corte 4:259
— de Anhalt-Köthen **2:**211
corte de León en la Alhambra, España **1:**183
Corte Internacional de Justicia 4: 203
Corte Internacional de Justicia en La Haya. **7:**134
Corte Permanente del Arbitraje Internacional **1:**345
Corte Real, Gaspar de **2:**209; **5:**74, 78
cortejo 4:259
Corterrea, Miguel **11:**7
Corterreal, familia 4:259
biografía **4:**259
Corterreal, Gaspar de **8:**154; **11:**7
cortes 4:260
Cortés 4:260
Cortés Castro, León 4:261
biografía **4:**261
Cortes de Amadeo de Saboya **11:**44
Cortes de Cádiz 4:260, 313
España **5:**318
cortes de Tarazona **6:**127
cortes de Tomar **6:**127
Cortés Madariaga, José **10:**191
Cortés, casa de **4:**274
Cortés, Donoso **2:**250; **8:**249; **11:**82
Cortés, Fernando **12:**62
Cortés, Hernán **8:**69, 280, 306
Cortés, Hernán 4:260
biografía **4:**260
Cortés, Mar de **9:**193
Cortés, Martín **4:**260
Cortés, Palacio de **9:**204
Cortés, Puerto **4:**259
cortesanía **13:**321
corteza 4:261, 262
— cerebral **1:**277
— de pan **14:**126
— suprarrenal **1:**273; **6:**51
— terrestre **2:**5; **4:**265, 326; **5:**276; **6:**156, 308; **9:**231
árbol **1:**345
corteza de un cedro **3:**310; **10:**290
Cortezo, Carlos María 4:262
biografía **4:**262
cortical **13:**86
corticoesteroides **6:**51
Cortijo, Rafael **11:**240
cortinas **8:**194
Cortines, Ruiz **10:**306
cortisona 4:210, 262
ACTH **1:**57
artrítis **2:**77
droga **5:**173
esteroide **6:**51
Kendall, Edward Calvin **8:**137
cortocircuitos **6:**254
cortometrajes **10:**137
Cortona, Pietro da 4:262
obra **4:**262
cortos y aplastados **13:**156
Cortot, Alfredo 4:262
obra **4:**262
Corumbá **9:**287
corundum **8:**320
Coruña, La 4:262
Alcedo y Bejarano, Antonio de **1:**148
Ferrol, El **6:**142
corvée **13:**288
córvido **7:**30
corvina 4:263
Corvino, Matías **7:**252
Corvo, al noreste **2:**196
corzo 4:263
corzuelas **2:**17
Cos Sicilia, isla de **13:**160
Cos, José María **1:**323
Cosa, Juan de la 4:263
obra **4:**263
cosacos 4:263
Cosalá **6:**245
Cosamaloapan **14:**52
cosecha 4:263
— de algodón **1:**106, 181
coselete **2:**43; **8:**316
coseno **13:**266
coser, máquina de **14:**70
Coseriu, E. **12:**244
cosetanos **7:**257
Cosic, D. **4:**296
Cosiguina, volcán **10:**92
Cosimo, Piero de **2:**259; **5:**289; **12:**231
cosinófilos **6:**335
Cosío Villegas, Daniel 4:263
bibliografía **4:**263
Cosmas Indicopleustes **6:**305
cosméticos
cosméticos 4:263
algodón **1:**182
lentes de contacto **8:**223
cósmico **4:**265
cosmobiología **4:**265
cosmocracia **4:**265
cosmognosis **4:**265
cosmogonía 4:264
cosmografía **2:**138; **4:**265
cosmógrafos **7:**159
cosmología 4:264
cosmológicas, teorías **4:**277
cosmometría **4:**265
Cosmonauta Yuri Gagarin con Cyrus Eaton **6:**261
cosmonáutica 4:264
astronáutica **2:**108
Cosmópolis **13:**321
cosmos 4:264
cosmoteísmo **4:**265
cosmotrón **2:**150; **6:**331
Cossiga, Francesco **8:**64
Cossío del Pomar, Felipe 4:265
obra **4:**265
Cossío, Manuel Bartolomé 4:265
bibliografía **4:**265
Pijuan, José **11:**88
costa 4:265
Costa Ataíde, Manuel da **3:**76
Costa Azul 4:265
Costa Brava 4:265
Costa de Marfil 4:266
bandera de **2:**239
Gunea, República de **7:**105
Liberia **8:**242
Costa de Oro 4:266
Ghana **6:**320
Lagos **8:**164
Negro **10:**67
Costa du Rels, Adolfo **8:**283; **13:**239
Costa e Silva, Arthur da **3:**76
Costa Rica 4:267
— clima **4:**267
— comunicaciones **4:**268
— costas **4:**267
— descubrimiento y Conquista **4:**269
— economía **4:**267
— educación **4:**268
— flora y Fauna **4:**267
— gobierno **4:**268
— hidrografía **4:**267
— historia **4:**268
— independencia y República **4:**269
— población **4:**268
— relieve **4:**266
Costa Rica **1:**347, 228, 233; **4:**119, 270, 317
Educación **5:**218
Figueres Ferrer, Josér **6:**150
Golfito **7:**15
Irazú **8:**42
Mesoamérica **9:**177
Costa, cordillera de la **4:**37
Costa, Jerónimo **11:**177
Costa, Joaquín 4:265
bibliografía **4:**265
Costa, Lucio **3:**76; **8:**195; **10:**98
Costas 2:88
costas **2:**136; **11:**30
costas, torre de las **6:**118
Costello, J. A. **8:**45
costero **2:**59
costilla 4:271
Costillares **13:**126, 127
Costin, Miron **12:**132
costumbrismo 4:271
costura 4:271
cota **1:**36; **5:**231
Cotagaita **11:**180
Cotapos, Acario **4:**43
Cote Blanche **8:**312
Côte d'Azur **12:***81*
Côte Saint André **2:**300
Cotentin, península de **10:**130
cotiledón 4:272
Cotizaciones **14:**17
Coto, río **4:**267
Cotonou **2:**293
Cotopaxi 4:272
Latacunga **8:**180
cotorra **8:**309
Cotswold, montes de **13:**109
cottage **14:**117
Cotto, Marianito **11:**240
Coty, Rene 4:273
biografía **4:**273
Coubertin **1:**219
Coubertin, Pierre de 4:273
biografía **4:**273
Coulanges, Fustel de **7:**192
Coulomb, Charles Augustín de 4:273
obra **4:**273
coulombio **4:**273
Coullaut Valera, Lorenzo 4:273
biografía **4:**273
Country Music Hall of Fame **13:**158
Couperin, François 4:273
obra **4:**273

Courantyne **13:**86
Courbet, Gustave 4:273
obra **4:**273
Courcelle Seneuil, Juan Gustavo **4:**44
Cournand, André 4:273
biografía **4:**273
Cournot, Antoine Augustin **10:**202
Courseulles **6:**216
Courtois, Bernardo 4:273
biografía **4:**273
Courtrai **2:**282
Cousas **12:***92*
Cousin **14:**157
Cousteau, Jacques-Yves 4:273
obra **4:**273
Coustou, Guillaume **6:**229
Coutaud, Lucién **13:**117
Coutinho, Gago **1:**87
Coutois **11:**262
Couture, Guillaume Martin **6:**228
Couture, Thomas **10:**208
Covadonga 4:274
covalencia 4:274
Covarrubias, Miguel 4:274
obra **4:**273
Covent Garden de Londres **13:**89
Coventry **7:**36
Coward, Noel 4:274
bibliografía **4:**274
cowboy **8:**202; **14:**25
Coxcatlán **13:**138
coxcojilla
coxcojilla, avión o pata coja 4:274
coyagua **7:**310
Coyle, río **2:**16
Coyoacán 4:274
Coyolxauhqui 4:119
coyote 4:275
Coyoxhantlc **2:**202
Cozumel 4:260
Cozumel **1:**235; **2:**59
CPU 4: 179,276
Crabbe, Buster **13:**124
Cracovia 4:275
Craig, Edward **12:***303*
Craig, Gordon **5:**280
Cram, Donald James 4:275
biografía **4:**275
crampón **9:**284
cran **13:**200
Cranach, Lucas 4:275
obra **4:**275
cráneo **2:**72; **6:**22; **9:**278; **14:**59
cráneo humano **3:**139
Cranmer, Thomas 4:276
biografía **4:**276
Craso, Marco Licinio 4:276
biografía **4:**276
cráteres lunares **8:**321
Crates el Cínico **14:**177
Crato, don Antonio, prior de **11:**176
Cravo, Mario **3:**77
Cravotto, Oscar **13:**328
Crawford, Joan 4:276
biografía **4:**276
Cray, Robert **3:**9
creación 4:276, 277, 293
— creación *ex nihilo* **4:**277
— deidad creadora **4:**276
— del mundo **7:**194
— el buzo de la tierra **4:**277
— el huevo cósmico **4:**277
— enfoques científicos **4:**277
— los padres del mundo **4:**277
— mitos acerca de la creación **4:**276
— surgimiento a partir de la tierra **4:**276
Creación ex nihilo 4:277
creacionismo 4:277
Creanga, Ion **12:**132
Creas, cabos de **11:**108
creatividad 4:278
Crebillon **10:**71
crecer **14:**80
crecimiento y desarrollo 4:278
Crécy **1:**351; **5:**209
Crécy **2:**264
Credi, Lorenzo de **14:**58
crédito 4:279
— cartas de **5:**192
— hipotecario **4:**279
— inmobiliario **2:**236
— instrumento de **10:**284
— prendario **4:**279
— público **4:**279
credo 4:279, 280
Creek, indios **6:**316
cremación 4:280
cremallera 4:280, 281
Cremer, sir William Randal 4:280
biografía **4:**280
cremería 4:280
Cremona **1:**219; **11:**142
Créneo **3:**333
creole **8:**266
creoles **4:**281; **7:**82, 121
Creón **1:**305; **5:**211
creosota 4:215, 281
Crepax, Guido **4:**170
Crepín **14:**21
crepúsculo 4:281
cresa 4:281
Crescas **8:**118
crescendo, movimiento **10:**13
Cresilao **1:**220
Creso 4:281
biografía **4:**281
Crespo, Joaquín 4:281
biografía **4:**281
Cresson, Edith **6:**226
crestas de onda **5:**164
Creswicke Rawlinson, Henry **4:**330
Creta o Candia 4:282
— civilización cretense **4:**282
— cultura **2:**52
— vestido **14:**62
— Laberinto de **4:**118
Creta **1:**263 **4:**282
cretáceo 4:282, 311
cretenses
cretenses **5:**313; **10:**52
cretinismo
cretinismo 4:282
cretino **8:**14
Crevaux, Jules 4:282
biografía **4:**282
Crevecoeur (Francia) **2:**189
Crevel, René **13:**87
Creveld, Ellis Van **5:**145
crías **3:**208 **14:**187
crianza 4:282
criba de eratóstenes 4:283
cric **6:**167
Cricio **7:**63
Crick, Francis Harry 4:283
bibliografía **4:**283
cricoides **14:**135
criks **7:**310
Crimea 4:283
— guerra de **2:**103; **4:**199; **6:**223; **10:**39; **12:**54
Crimea **10:**68
criminología 4:284
crin 4:284
crinoideo 4:284
crinolina **14:**69
criogenia 4:285
— antecedentes **4:**285
— aplicaciones **4:**285
criohidratos **7:**164
criolita **2:**268; **6:**185
Criolla **1:**40
criollo 4:285
crióstatos **4:**285
criotrón 4:285
Crippen, Robert **13:**243
Cripps, Richard Stafford 4:285
biografía **4:**285
cripta 4:285
criptas amigdalinas **1:**250
criptestesia 4:286
criptodiros **11:**248
criptógamas 4:286
criptografía 4:286,161
— sistemas criptográficos **4:**286
— desciframiento **4:**286
— historia **4:**286
— desciframiento **4:**286
criptón 4:287
criptozoica **6:**307
criquet 4:287
Crisa **12:**163
crisálida 4:287
crisantemo 4:287
crisantemo **6:**180
Criseida **7:**268
criselefantinas **7:**63
Crisipo **6:**55
crisis 4:288
— causas y efectos **4:**288
Crisoberilo **11:**84
crisol 4:289
crisólito **2:**79
crisomélidos **5:**165
crisopa 4:289
crisoprasa **1:**290
Crisóstomo, san Juan 4:289
biografía **4:**289
cristal 4:289
— de cuarzo **9:**230
Cristal, Montes de **4:**208; **14:**170
cristalería 4:289
cristalización y cristalografía 4:290
— sistemas cristalinos **4:**290
— una experiencia práctica **4:**290
cristalografía **3:**65
cristero 4:290
Cristeros, rebelión de los **3:**178
Cristi, Monte **5:**6
Cristian I **5:**125
Cristian II **5:**125
Cristián IV **8:**107; **13:**195; **14:**139
Cristián IX 4:290
biografía **4:**290
Cristián X 4:290
biografía **4:**290
Cristiani, Alfredo **7:**219; **12:**184
cristianismo 4:290
— orígenes del cristianismo **4:**291
— evolución del cristianismo **4:**291
— situación actual del cristianismo **4:**292
— espíritu del cristianismo **4:**293
cristiano democrata, unión 4:293
Cristina de Suecia
Cristina de Suecia 4:293
biografía **4:**293
Cristo 4:293
Cristo **8:**70; **5:**203; **11:**6; **12:**56
Cristóbal, san 4:293; **8:**192
cristología **9:**100
crítica 4:293
criticismo
criticismo 4: 212
Critón **11:**135 **14:**117
Croacia 4:294
— economía **4:**294
— historia **4:**295
— de la Federación yugoslava a la independencia **4:**295
Croce, Benedetto 4:297
biografía **4:**297
Croce, Julius Cesare **11:**86
crochet 4:297
Croix, Carlos Francisco de 4:297
biografía **4:**297
Croix, Teodoro de 4:297
biografía **4:**297
Cro-Magnon **6:**220; **11:**186
cromatina 4:297
cromatismo **11:**149
cromatografía 4:297
Crombet, Flor **9:**7
Crommelynck, Fernand 4:297
obra **4:**297
cromo 4:297
cromodinámica cuántica **7:**118
cromóforos **13:**199
cromósfera 4:298
cromosoma 4:297
cromosomas **6:**124
Crompton, Samuel **12:**51
Crompton **13:**180
Cromwell, Oliver 4:298
biografía **4:**298
Cronin, Archibald Joseph 4:299
bibliografía **4:**299
Cronin, James Watson 4:299
obra **4:**299
cronología 4:299
cronómetro 4:299
cronos 4:299
cronotopas **2:**60
Cronstadt, bahía de **10:**82
Crookes, William 4:299
obra **4:**299
crookesita **13:**105
croquet 4:299, 300
croquis **5:**110
Crosby, Bing Harry 4:300
biografía **4:**300
crotalinos **12:***291*
crótalo 4:300
crótalo **12:***291*
crotón **8:**158
Crotona **11:**112; **12:**310
Croydon **1:**89; **8:**159
crucero 4:300
Crucero **1:**308; **3:**109; **4:**300; **7:**42; **10:**102
Cruces, río **4:**37; **14:**11
cruceta **10:**56
crucíferas **1:**183; **2:**304; **4:**124;

6:179; 9:311
crucifixión 4:300
crucifixión 8:99
crucigrama 4:301
crueldad 4:301
Cruilles, Montserrat y Cruilles, Joaquín de, marqués de 6:272
Crumb, Robert 4:170
Crusenstolpe 13:71
crustáceos 4:301
— abisales 1:28
Crutzen, Paul 4:302
biografía 4:302
cruz del sur 4:218, 302
Cruz Laureada de San Fernando 6:232; 11:201
Cruz Monclova, Lidio 4:302
bibliografía 4:302
Cruz Roja Internacional 4:302
— funcionamiento actual 4:304
— hacia la organización permanente 4:303
— la convención de Ginebra 4:303
— la iniciativa 4:302
— la iniciativa formal 4:303
— un balance alagador 4:304
— un recuerdo de Solferino 4:303
Cruz Tapia, Juan de la 3:31
Cruz Vélez, Danilo 4:141
Cruz, Manuel de la 4:315; 9:201
Cruz, Osvaldo
Cruz, Oswaldo 4:305
biografía 4:305
Cruz, Ramón de la 4:305
bibliografía 4:305
Cruz, san Juan de la 4:304
bibliografía 4:304
Cruz, sor Juana Inés de la 4:305
bibliografía 4:305
cruzadas 4:305
Cruzadas 12:295
— consecuencias de las cruzadas 4:307
— cruzada de los niños 4:307
— cuarta cruzada 4:306
— primera cruzada 4:306
— quinta cruzada 4:307
— segunda cruzada 4:306
— tercera cruzada 4:306
— últimas cruzadas 4:307
cruzados 1:75; 2:100; 11:194
cruzeiro 4:307
Cruzen 6:98
Csokonai Vitéz, Mihály 4:307
biografía 4:307
Cuadra, José Antonio 4:307
bibliografía 4:307
cuadrado 4:307
cuadrante 4:307
cuadratín 13:200
cuadratura del círculo 4:307
cuadrilátero 4:308
cuadrirreme 2:38
Cuadrivio 11:21
cuadrumano 4:308
cuaga 4:308
cuaiquer 7:310
cuajo 6:133; 8:204
cuántica, teoría 6:169
cuantos, teoría de los 4:308
cuáqueros 4:308
cuarcífero 11:170
cuarcita 1:268; 4:310; 6:313; 12:86
Cuareim, río 2:72; 13:326
cuarentena 4:308
Cuaresma
cuaresma 4:308
cuarta dimensión 4:308
cuarta Internacional 8:19
cuarteto 4:309
cuarto creciente 8:322
cuarto menguante 8:323
cuarto poder 11:51
cuarzo 4:309
— utilidad del 4:309
cuarzo 1:291
Cuasares, pulsares y hoyos negros 2:127
cuasi-átomo 1:292
cuaternario 4:310
cuatí 4:310
Cuatrecasas, Juan 4:310
biografía 4:310
cuatro 4:310
cuatro jinetes del Apocalipsis 4:310
Cuauhnáhuac 10:30; 12:55
Cuauhtémoc 4:310
biografía 4:310
Cuautla 14:161
Cuba 4:310
Cuba 4:311, 313; 12:39, 89
— geología 4:311
— gobierno y educación 4:312
— hidrografía 4:311
— historia 4:313
— orografía 4:311
— patrimonio cultural 4:315
— recursos naturales y economía 4:311
— superficie y litoral 4:310
— transporte y comunicaciones 4:312
Cubagua, isla 10:156
Cubana de Aviación 4:312
cubicación 4:316
cubiertos 4:316
cubil 8:225
Cubilas 4:311
cubismo 4:317
cúbito 4:317
cubo 4:317
cucaracha 4:317
cuclillo o cuco 4:317
cucurbitáceas 4:318
Cúcuta 4:318
cuchara 4:316, 317
cuchillo 4:316; 10:50; 11:140; 14:35
Cuchumatanes 7:76; 7:237
cuchumbí 11:264
Cudskoje, Lagos 6:57
Cudworth, Ralph 5:39
cueca 4:318
cuello 14:168
Cuenca 4:318
Cuenca, España 13:104
Cuenca, obispo de 11:268
Cuenca, Seminario de 4:240
Cuenca, serranía de 4:318
cuento 4:319
— algunos cuentistas famosos 4:319
— de hadas 6:189; 8:284
— de hadas de los hermanos Grimm 7:66
cuentos infantiles 4:320
Cuepopan 13:159
cuerda 4:320, 321
cuerdas vocales 4:321; 8:176; 14:135
Cuernavaca 4:321
cuerno 4:321
cuerno de la abundancia o cornucopia 1:217
Cuerno de Oro (Estuario) 4:322
cuero 4:322
cuero cabelludo 4:323
cuero cabelludo 11:85
Cuero, José 4:323
biografía 4:323
cuerpo 4:323, 325
Cuerpo de Hombre, río 12:172
cuerpo humano 4:323
cuerpo humano 4:205, 279
cuerpo simple 4:325
cuerpos celestes 8:140
cuerpos cetónicos 1:187
cuerpos extraños 11:200, 202
cuerpos flotantes 2:54
cuerpos fosforados 8:202
cuerpos químicos 7:142
cuerpos, propiedades de los 6:164
cuervo 2:59, 181
cuervo 4:325
cuervo marino 4:325
Cuervo, Rafael 4:325
biografía 4:325
Cuervo, Rufino José 4:325
bibliografía 4:325
Cuestas, Juan Lindolfo 4:325
biografía 4:325
cuestor 4:325
Cueto, Germán 5:295; 9:205
Cuetzamala 9:207
cueva y caverna 4:326
Cueva, Beltrán de la 4:325
biografía 4:325
Cuevas, Jorge, marqués de 4:326
obra 4:326
Cuevas, José Luis 4:326
obra 4:326
Cuevas, Mariano 9:202
Cugnot, José 2:170; 8:297
Cui, César 4:327
obra 4:327
Cuiabá 9:32
cuibos 8:290
Cuicuilco 9:198; 11:106
Cuilapan 7:102
cuiltura india 2:98
Cuismancu, reino 11:188
Cuitláhuac 4:327
biografía 4:327
cuitlatecos 9:178
Cuitzeo, lago 9:194, 214
Cukor, George 7:50
Culata 9:174
Cul-de-Sac 12:214
culebra 4:327
Culebra de cascabel 4: 327
Culebra, bahía 4:267
Culebra, corte de la 10:306
Culebra, sierra de 10:301
Culhuacán 8:70; 10:30
culhuas 2:197
Culiacán 4:328
culícidos 9:310
culíes 13:254
culombio 4:328
culpa 4:328
Culteranismo 4:328
cultivadora 9:76
Cultivo 2:61
cultivo 4:328
— alternado 7:240
— de bacterias 8:204
— de perlas 11:53
— forestal 11:93
— semimigratorio 8:160
cultivos 1:32; 2:211
cultivo intensivo 4:328
culto 4:329
cultura 4:329
Culufú, arroyo 2:206
Cullen, William 11:327
Culloden, batalla de 7:175
Cumaná 4:329
Cumanacoa 4:329
cumanagoto 7:310
Cumas 1:70
Cumberland, lago 8:139
Cumberland, meseta 6:315; 14:100
Cumberland, río 13:158
cumbia 4:329
cumbiamba 4:329
cuminol 4:171
Cumplimiento 13:257
cúmulonimbos 13:223
cúmulos 10:144
cúmulus 1:82; 8:294; 13:167
Cuna, grupos 10:301
Cunard Steamship Company 4:329
Cunard, sir Samuel 4:329
biografía 9
Cunaxa, batalla de 2:63; 4:93; 12:33
cundiamor, venezolanos 2:229
Cundinamarca, Colombia 4:329
Cunduncán
cuneiforme 4:329, 330
Cunene 1:284
Cúneo, José 13:329
Cunha Barbosa, Januario da 4:330
biografía 4:330
Cunha, Euclides da 4:330
biografía 4:330
Cunningham Boycott, Carlos 3:19
Cunningham, Walter 2:117
Cunninghame Graham, Robert Bontine 4:330
bibliografía 4:330
Cuntisuyo 7:291
cuña 4:330
cupido 4:330
Cupisnique 11:187
cupleidos 12:228
cupón 4:331
cupresáceas 4:210
cuproamonio, sistema del 11:305
cuprotitanio 13:204
cúpula 4:331
cupulíferas 1:151; 3:277; 5:253; 11:248
cupuliforme 13:193
Cuquinga 1:213
cura 4:331
cura de sol 4:332
Cura, Villa de 1:340
curación por el trabajo 4:331
Curaco de Vélez 4:44
curador 6:147
curare 4:332
curazao 4:332
curbata 14:47
curcubitáceas 3:157
Curel 5:171
cureña 8:172

curia 4: 229, 332
Curicó 4:332
Curie, Pierre y Marie 4:332
átomo **2:**145
Francia **6:**230
Invenciones y descubrimientos **8:**25
mujer **9:**326
obra **4:**332
Curitiba 4:333
Curl, Robert F. Jr 4:333
obra **4:**333
Curlandia **3:**79
curling 4:333
Curros Enríquez, Manuel 4:333
bibliografía **4:**333
currulao **4:**143
cursiva **8:**67
curso 4:334
cursor **11:**332
curtido 4:334
Curtin, John **5:**153
Curtis, Instituto de música **11:**39
Curtiss, Clenn Hammond 4:334
biografía **4:**334
Curtius **10:**203, 204
Curuguaty **2:**74
curujey 4:334
Curuzú-Cuatía **4:**257
curva 4:334
curvilíneo **6:**165; **9:**316; **13:**260
Curwood, James Oliver 4:335
bibliografía **4:**335
Curzola, islas **5:**8
Cusa, Nicolás de **1:**167
Cuscatlán (o Cuzootián) 4:335
cuscuta 4:335
Cushing, Harvey William 4:335
bibliografía **4:**335
cushita **1:**93; **8:**218
Cusi-Coyllur **10:**208
Cusihuiriáchic **4:**35
custodia 4:335
Custozza, batalla de **1:**249
cutánea **7:**282
cutícula **4:**261
Cutlandia, bahía de **10:**98
Cutzamala, río **6:**30; **9:**214
Cuvier, George 4:335
bibliografía **4:**335
Cuyaguateje o Guane, río **4:**311
Cuyo, Argentina 4:335, 336
Cuyo, nuestra señora de 4:335
Cuyutlán, laguna de **4:**134
Cuza, Alejandro Juan **12:**130
Cuzcatlán **12:**183
Cuzco 4:336
Aguilar, José Gabriel **1:**115
Atahualpa **2:**132
Cuzco **6:**189; **7:**290; **11:**63
García Pumacahua, Mateo **6:**284
hispanocolonial **7:**191
Junín **8:**126
Machu Picchu **9:**9
Ollantaytambo **10:**208
Valverde, Vicente **14:**18
cuzcuz **9:**107
Cygnus **2:**127
Cynon **7:**38
Cyrano de Bergerac Savinién 4:336
Cyrano de Bergerac **11:**117
obra **4:**336

D

D. 5:5
D´Anthés, barón **11:**244
d´Aubigné, Agrippa **6:**226
d´Estaing, Valéry Giscard **6:**225
D´Étioles, Lenormand **11:**163
D´Indy, Vincent **11:**178
D'Acosta Gómez, Alfredo 5:5
biografía **5:**5
D'Alembert, Jean 5:7
D'Alembert, Jean **5:**253
Enciclopedia **5:**252
Francia **6:**222, 230, 227
Véase Alembert Jean de **5:**7
Dacca **2:**245
Dacia **12:**102, 130
Dacko, David **3:**20, 325
D'Angers **10:**71;**5:**294
D'Annunzio **2:**215, 292; **7:**84
Duarte, José Napoleón **5:**175
D'Auville **13:**221
D'Entrecasteau **10:**156
Daguestán **2:**195
Dahlem, distrito **2:**300
D'Halmar, Augusto 5:99
bibliografía **5:**99
Chile **4:**44
D'Hastrel, Adolfo **13:**329
Turina, Joaquín, **13:**289
Uribe Holguín, Guillermo **13:**324
Usandizaga, José María de **13:**330
Valencia, Antonio María **14:**14
D'Israeli, Isaac **5:**145
d'Ocagne, Maurice **10:**128
D'Oliphan **7:**44
D'Organyá, Homilies **5:**319
D'Ors, Eugenio **5:**320
d'Urban, Benjamin, sir **5:**181
d'Urville, D. **1:**67
D'zeglio y Guerrazi **8:**65
da Vinci, Leonardo **6:**181
dabaibe **7:**310
Daboia **14:**74
Dacia **13:**240
dacita 5:5
dacrón 5:5,
dactilografía 5:5,
dictáfono **5:**113
dactiloscopia 5:5
— historia **5:**5
Dachau 5:5
Concentración, campos de **4:**193
dadaísmo 5:6
Francia **6:**229
Picasso, Pablo **11:**79
Dade, condado de **9:**211
dados 5:6
Dadra y nagar Haveli (Silvassa) **7:**299
daevas **1:**120
Dafne 5:6
biografía **5:**6
Metamorfosis **9:**184
Opera **10:**215
Dafnis y Cloe 5:6
Dafydd ap Gwilym 5:6
bibliografía **5:**6
Dag Hammarskjöld **10:**28
Daga **1:***263*
dagga **9:**95
Dagoberto **9:**175
Dagón **5:**136
Daguerre, Louis 5:6
biografía **5:**6
Comunicaciones **4:**184
Niepce, Joseph-Nicéphore **10:**99
Diorama, **5:**135,
Draper, John William **5:**172
Daguerrotipo **6:**203; 205
Dahlgren **13:**71
Dahlstierna, Gunnar **13:**71
Dahomey **7:**105; **8:**105; **10:**67
Dahran **1:***337*
Dai Jin (Tai Chin) 5:10
daimios **8:**315
Daimler, Gottlier Wilhelm 5:6
biografía **5:**6
Dairén **9:**53
Dajabón 5:6
restauración **12:**31
Dakar 5:6
Guinea **7:**105
Mar **9:**81
Togo **13:**210
Dakota
Estados Unidos **6:**32
Daladier, Edouard 5:7
biografía **5:**7
Munich **9:**331
dalai lama 5:7
Asia **2:**96
lama **8:**166,
Lhasa **8:**239
Teocracia**13:**160,
dalasi **6:**274
Dalcahue **4:**44
Dale Gardner **13:**243
Dale, sir Henry Hallet 5:7
biografía **5:**7
Dalén, Gustaf 5:7
biografía **5:**7
Suecia **13:**72
Dalí, Salvador 5:7
bibliografía **5:**7
España **5:**319
Surrealismo **13:***87*
dalia 5:7
Dalila 5:7
biografía **5:**8
sanscrito **12:**209
Dalin, Olof von **13:**71
Dalmacia 5:8,
Bosnia Herzegovina **3:**51
Croacia **4:**294
Mediterráneo **9:**154
Raguza **11:**290
Yugoslavia **14:**167
Dálmata **11:***55*
dalmática 5:8
Dalton, John 5:8
biografía **5:**8
Fabiana, sociedad **6:**107
química **11:**262
daltonismo 5:8
Dallas 5:8
Estados Unidos **6:**34
Kennedy, centro espacial **8:**138
Texas **13:***179*
Dallas, George Mifflin **5:**8
Dalval, Denise **2:**255
Dam, Henrik 5:8
biografía **5:**8
Dama de Elche **7:**259
Damas, juego 5:8
Damasco 5:9
califato de **10:**210
Alejandro III **1:**156,
Árabes **1:** 335
Córdoba **4:**241,
Cruzadas **4:**306
Omar II **10:**209,
Pablo, san **10:**279
Saladino I **12:**171
Dámaso Alonso **6:**52
Dámaso, papa **8:**96
Dámaso, san **5:**314
damasquinado 5:9
Damian **1:**54
Damien de Veuster, Jozef 5:9
biografía **5:**9
Damirón, Rafael 5:9
bibliografía **5:**9
Dammam **1:**334; **2:**93
Damocles 5:9
biografía **5:**9
Dampier, William 5:9
biografía **5:**9
Damuda **7:**297
Damují, río **10:**295
Dan **9:**265
Dana, Richard Henry 5:9
bibliografía **5:**9
Danae **11:**57
Danaide 5:10
danakiles **6:**68
Danao **5:**10
Danao rey de Argos **5:**10
Dandridge, Martha **14:**142
Danicán **6:**154
Daniel 5:10,
biografía **5:**10
Baltasar **2:**230
Biblia **2:**309
Isaías **8:**50
Danilin **1:**87
Danke, Jacobo 5:10
bibliografía **5:**10
Danlí **7:**218
Danly **9:**53
Danmark **5:**125
Danneker **10:**71
Danney, Frederic **5:**247
danta **1:**147;**13:**115
Dante Alighieri 5:10
bibliografía **5:**10
Alfonso X, el sabio **1:**176,
Alferi, Vittorio, conde **1:**172,
arpías **2:**49
Edad Media **5:**209,
Epopeya **5:**271,
Imperial, Francisco **7:**274
Italia **8:**64,
Italiano, idioma **8:**66
Liszt, Franz **8:**273
Manzoni, Alessandro **9:**65
Montale,Eugenio **9:**281
Padua **10:**283
paraíso **10:**323
poética **11:**147
Portinari, Beatríz **11:**172
Toscana **13:**233
Vaticano **14:**30
Dantés, Edmundo **9:**286
Danton, Georges-Jacques 5:11
biografía **5:**11
Robespierre, Maximilien María Isidore de **12:**83
Saint Just, Luis Antonio de **12:**166
Jacobinos **8:**73
Dantzig **12:**64

Danubio, río 5:11
Alemania **1:**159
Baden-Wüttemberg **2:**213
Balcanes **2:**224
Babiera **2:**268
Belgrado **2:**284
eslavos **5:**297
Europa **6:**75
germanos **6:**318
Hungría **7:**250
Jardinería **8:**88
Macedonia 9:7,
Mediterráneo, Mar **9:**153
Munich 9:330
París, Tratados de **10**:329
Ratisbona o Regenburg **11**:303
selva negra **12:**270
Suiza **13:**77
Viena **14:**87
Wuttemberg **14:**155
Danvila, Alfonso 5:12
bibliografía **5:**12
danza 5:12
— bailes de ayer y de hoy **5:**14
— bailes españoles **5:**13
— bailes gimnásticos **5:**13
— bailes religiosos **5:**12
— contemporánea **5:**17
— del abanico, México **9:**203
— del dragón **6:**188
— del kimono **5:**15
— edad media y moderna **5:**13
— Egipto y Creta **5:**12
— el ballet **5:**16
— esquimal del tambor. **5:**31
— Grecia y Roma **5:**12
— guerrera **5:**17
— hispanoamérica **5:**14
— India **7:**303
— la danza **5:**15
— la danza contemporánea **5:**17
— la danza moderna **5:**15
— la danza oriental **5:**15
— la danza teatral **5:**17
— macabra **14:**157
— Minué **9:**235
— moderna **8:**262
— oriental **5:**15
— orígen del baile **5:**12
— orígen y desarrollo del ballet **5:**16
— prehistoria **5:**12
— teatral **5:**17
— términos usuales **5:**17
— tibetana **5:**14 *danza tradicional 6:190*
danzante, Monte Albán **9:**286
Danzantes de hula en Honolulú, Hawai **7:**222
Danzantes maorís, Nueva Zelanda **9:**66
musa de la danza **10:**7
Danzig 5:17
biblioteca **2:**313
Invasíon de Danzig **5:**18,
Guerra Mundial, primera **7:**92
Schopenhauer, Arthur **12:**248
daño **7:**228
Daoíz y Velarde 5:18
Daoíz, Luis **5:**18
DAPC **7:**145
Dapsang (K2) **9:**285
Daramyzhsky, Alexander **12:**142
Darby, Abraham **12:**51
Dar es Salaam 5:18
Dardanelos 5:18,
Mar Egeo **5:**223
Estrechos **6:**60
Europa **6:**74
Marmará, mar de **9:**104
Mediterráneo, mar **9:**153,
Samotracia **12:**187
Dar-el-Salaam Tanzania **13:**114
Darham, raza **6:**276
Darién 5:19
— golfo de Darién **5:**19
Arias Dávila, pedro (Pedrarias) **2:**29
Fernando de Oviedo y valdés, Gonzalo **6:**135,
Manchukuo **9:**52
Nuñez de Balboa, Vasco **10:**164
Ojeda, Alonso de **10:**197
Panamá **10:**300
Darién, Golfo de 5:19
América del sur **1:**238, 244
Dariense **10:**92
Darío I 5:19,
biografía **5:**19
Artagerjes I **2:**63
Asia **2:**97
batalla **2:**264
India **7:**300
Milcíades **9:**223
Vestido **14:**62
Darío II **8:**95
Darío III 5:19
biografía **5:**19
Alejandro III **1:**156
Darío, rey **9:**85
Darío, Rubén 5:19,
bibliografía **5:**20
ajenjo **1:**129
Alonso, Amado **1:**199
Español, idioma **6:**7
García Lorca, Federico **6:**284
Generación del 98 **6:**299
Ghiraldo, Alberto **6:**321
Gómez Carrillo, Enrique **7:**18
Jerjes II **8:**189
León, Nicaragua **8:**224
literatura **8:**279, 282
Modernismo y arte moderno **9:**262
Nicaragua **10:**95
Perez de Ayala, Ramón **11:**45
Salvador, el **12:**184
Silva, José Asunción **12:**325
Unamuno y Jugo, Miguel de **13:**303
Uruguay **13:**329
Valera y Alcalá-Galiano, Juan **14:**14
Valle Inclán, Ramón María de **14:**20
Vargas Llosa, Mario **14:**26
Verlaine, Paul **14:**57
Darlan, Jean **8:**200
Darling Murray, río **11:**247
Darnley, Henry **9:**94
Darrieux, Danielle 5:20
biografía **5:**20
Darro, río **1:**182
darvinismo 5:20
— social **5:**20
Darwin, Charles Robert 5:20
ave **2:**180
bibliografía **5:**20
biología **2:**327
botánica **3:**56
selección natural **12:**268
Evolución, teoría de la **6:**86
Fabre, Jean Henrri **6:**107
Fiske, John **6:**170
Fitzroy, Robert **6:**171
Galápagos, islas **6:**263
Gran Bretaña **7:**44
Herencia bilógica **7:**153
langosta **8:**171
Lubbock, John **8:**313
Lyell, sir Charles **8:**335
mar **9:**80
materialismo **9:**131
Muñiz, Francisco Javier **9:**334
Plantas carnívoras **11:**124
vida **14:**81
Vries, Hugo de **14:**135
Wallace, Alfred Russell **14:**139
zoogeografía **14:**180
zoología **14:**187
Darwin, George Howard **8:**323
Dase, Eleanora **1:**300
dasipróctidos **10:**279
datación 5:21
dátil 5:21
Datis **9:**85
datos **11:**205
datos, base de 5:21
— atributos **5:**22
— estructura de los datos **5:**22
— historia y desarrollo **5:**23
— perspectiva **5:**23
— usos **5:**23
datos, procesamiento de 5:23
Daudet, Alphonse 5:24
bibliografía **5:**24
Francia **6:**227
naturalismo **10:**48
Tartarín de Tarascón **13:**123
Daugavpils o Dvinsk **8:**233
Daule 5:24
Daule, río **5:**198
Daumier, Honoré
Daumier, Honoré 5:24
obra **5:**24
Baudelaire, Charles **2:**267
caricatura **3:**246
Francia **6:**228
pintura **11:**98
Daurat, Jean **6:**226
Dausset, Jean 5:24
biografía **5:**24
Davalaguiri, pico **7:**179
Dávalos y Figueroa, Diego **8:**280; **11:**62
Dávalos, Juan Carlos 5:24
bibliografía **5:**24
Dávalos, Marcelino **9:**203
David Bushnell **13:**60
David D'Angers, Pierre-Jean 5:25
obra **5:**25
David I **1:**224
David, iglesia de **10:**304
David, Jacques-Louis 5:24
bibliografía **5:**24
David, rey 5:24
biografía **5:**24
Davidovich Bronstein, Lev **13:**273
Dávila Andrade, César 5:25
bibliografía **5:**25
Dávila Espinoza, Carlos Guillermo 5:25
biografía **5:**25
Dávila, Alonso **7:**66
Dávila, Gil González **2:**189 **10:**93, 202
Dávila, Pedro **11:**240
Davis, A. J. **6:**18
Davis, Bette 5:25
biografía **5:**25
Davis, D.M. **6:**306
Davis, Dwight F. **13:**157
Davis, Jefferson 5:25
biografía **5:**26
Virginia **14:**100
Davis, John 5:26
biografía **5:**26
Davis, McCollum **14:**107
Davis, mount **11:**38, 39
Davis, Stuart **9:**335
Davisson, Clinton Joseph 5:26
biografía **5:**26
Thomson, Geroge Paget **13:**183
Davos **1:**201,
Davy, sir Humphry 5:26
biografía **5:**26
Faraday, Michael **6:**117
Gran Bretaña **7:**44
lámpara de seguridad **8:**168
litio **8:**286
óxido de nitrógeno **10:**277
potasio **11:**179
química **11:**262
Dawa, lago **6:**67
Dawda Kairaba Jawara, sir **6:**
Dawes, Charles G. 5:26
biografía **5:**26
Dawson **8:**144
Day Hershey, Alfred **8:**325
reparaciones de guerra **12:**22
Dayan, Moshé 5:26
biografía **5:**26
Daymán **13:**326
Daytona **11:**24
DDT 5:26
De Broglie, Louis 5:27
biografía **5:**27
De Forest, Lee 5:37
biografía **5:**37
radiodifusión **11:**279
De Gásperi, Alcide 5:38
biografía **5:**38
De Gennes, Pierre-Gilles 5:38
biografía **5:**38
De Kruif, Paul **8:**286
De la Madrid Hurtado, Miguel 5:39
biografía **5:**39
De la Mare, Walter 5:39
bibliografía **5:**39
De la Roche, Mazo 5:39
bibliografía **5:**39
De los Ángeles, Victoria 5:45
biografía **5:**45
De Mille, Cecil B. 5:46
biografía **5:**46
De Musset, Alfred **6:**227
De Niro, Robert 5:50
biografía **5:**50
De Quincey, Thomas 5:56
bibliografía **5:**54
De Seversky, Alexander Procofiev 5:87
biografía **5:**87
De Sica, Vittorio 5:87
biografía **5:**87
De Valera, Eamon 5:97
biografía **5:**97
Dean, James 5:26
biografía **5:**26

Dearbon **6:**193
Debain, Alexander **2:**46
debate y discusión 5:26
debe y haber 5:27
debenture 5:27
Debierne, André **1:**57
Débora 5:27
himno **7:**180
Debray **9:**267
Debré, Michel 5:27
biografía **5:**27
Francia **6:**225
Malraux, André **9:**45
Pompidou, Gerorges Jean Raymund **11:**165
Debreczen **7:**252
Debreu, Gerard 5:27
Deburau, Jean Gaspar **9:**226
Debussy, Achille-Claude 5:27
obra **5:**27
Debussy, Achille-Claude **12:**116
Balseiro, Dávila Rafael **2:**229
Falla, Manuel de **6:**114
Francia **6:**229
impresionismo **7:**287
Ives, Charles Edwuard **8:**69
jazz **8:**92
Mallarmé, Estéphane **9:**44
música **10:**15
Ravel, Maurice **11:**303
seis, grupo de los **12:** 268
Debye, Peter 5:28
biografía **5:**28
Debye, Peter **12:**204
Onsager, Lars **10:**212
década **14:**91
decadencia 5:28
— de las ferias **6:**132
— del patriciado **7:**278
decadentismo
estilo **6:**52
decágono 5:28
decalaje 5:28
Decálogo 5:28
catolicismo **3:**297
judaísmo **8:**118
libro **8:**251
mandamientos **9:**54
Moisés **9:**265
Decamerón **10:**140
decámetro cuadrado **13:**85
Decán, meseta de **7:**296
decano 5:28
decápodos **14:**185
decatlón 5:28
Decébalo, rey **13:**240
Decena Trágica **9:**16
decenviros **9:**274
decibel o decibelio (dB) 5:28
décima **8:**195
décima espinela **11:**240
décima musa,**8:**188; **8:**280; **9:**202
decimales 5:29
— operaciones elementales **5:**29
decímetro cuadrado **13:**85
Décimo Bruto **6:**329
Decio **10:**250
decisiones, teoría de las 5:30
declamación 5:30
Declaración de Derechos (Bill of Rights) **7:**39
Declaración 5:30
— de guerra **5:**30
— de herederos **5:**30
Declaración de los Derechos del Hombre y el Ciudadano 5:31, 62
Lafayette, marqués de **8:**162
declaratoria de herederos 5:31
declinación 5:31
declinación magnética 5:31
magnetismo terrestre **9:**28
decodificación 5:31
decolorante **7:**125
decoración de interiores 5:32
— geométrica y caligráfica **10:**253
— negativa **14:**104
— elección de colores y diseños **5:**33
— arreglo de habitaciones **5:**33
Decroly, Ovide 5:34
obra **5:**34
pedagogía **11:**24
Decroux, Étienne **9:**226
Déchelette, Joseph **6:**230
dedal **1:**117
dédalo 5:34
Ariadna **2:**29
Ícaro **7:**260
laberinto **8:**153
Minos y minotauro **9:**235
Dedekin, Julius W.R. **9:**128
Dedos **6:**23; **9:**59
deducción 5:35
lógica **8:**300
Deerfield, río **9:**122
defenestración 5:35
— de Praga **5:**35
defensa (antiaérea, pasiva y química) 5:35
— antiaérea **7:**93
— pasiva **5:**35
— Estratégica, Iniciativa para la **10:**146
defensor 5:36
déficit 5:36
— del Tesoro **5:**37
— exterior **5:**37
— presupuestario **5:**37
urbana, economía **13:**320
déficit y superávit 5:37
Defilippis Novoa, Francisco 5:37
obra **5:**37
deflación 5:37
deflagración **11:**163
deflectores **14:**50
Defoe, Daniel 5:37
bibliografía **5:**37
Defoe, Daniel **12:**83
Gran Bretaña **7:**43
Juan Fernández, archipiélago **8:**114
Picota y cepo **11:**82
Celkirk, Alexander **12:** 269
deforestación. 5:37
Degas, Edgard 5:38
Francia **6:**228
impresionismo **7:**286
música **10:**14
obra **5:**38
degel **9:**320
degeneración 5:38
Lombroso, Cesare **8:**302
deglución 5:38
degradación térmica 5:38
degú 5:38
dehiscentes **6:**239
Dehmelt, Hans G. 5:38
biografía **5:**38
deidades cósmicas **9:**54
deidades mitológicas **8:**90
Deimos 5:39
Marte **9:**111
Deir ez Zor **6:**72
Deir-el-Bahri **9:**120
Deisenhofer, Johann **7:**236; **9:**212
deísmo 5:39
Déjeuner sur l'herbe **7:**286
Dekán **2:**98, 99
Del Monte y Aponte, Domingo 5:45
Delacroix, Ferdinand Victor Eugène 5:39
obra **5:**39
Delacroix, Eugene **12:**47, 106
Baudelaire, Charles **2:**267
Francia **6:**228
Lira, pedro **8:**271,
Louvre **8:**313
Monet, Claude **9:**275
Nadar, seudónimo de Gaspard-Félix Tournachon **10:**29
pintura **11:**98
Delaine **10:**274
Delalande, Michel Richard **6:**229
Délano, Federico Jorge 5:39
biografía **5:**39
Delano, Jack **11:**239
Délano, Luis Enrique 5:39
bibliografía **5:**39
Delaunay, Robert **10:**244
Delaunay, Sonia **2:**63
Delaware 5:40
— actividad económica **5:**41
— clima **5:**40
— educación **5:**41
— gobierno **5:**41
— historia **5:**41
— instituciones culturales **5:**41
— población **5:**40
— recursos naturales **5:**40
— ríos y lagos **5:**40
— sitios históricos y de recreación **5:**41
— tierra y recursos **5:**40
— tribus **11:**39
— vegetación y vida animal **5:**40
América **1:**229
Estados Unidos **6:**33
Pieles rojas **11:**85
Delaware, río **5:**40; **10:**85; **11:**38; **14:**142
Delay, J. **13:**241
Delayrac **6:**229
Delbrück, Max 5:42
biografía **5:**42
Delbrück, Max **5:**42
Luria, Salvador Edwuard **8:**325
Deledda, Grazia 5:42
bibliografía **5:**42
delegación 5:42
deletrear 5:42
delfín 5:42
mar **9:**81
Delfinado, Alpes del **6:**213
delfínidos **5:**42
Delfos 5:42,
Adivinación **1:**70
Delfos **7:**59
estadios **6:**29
grecia **7:**151
Licurgo **8:**255
parnaso **10:**330
pitonisa **11:**113
Plutarco **11:**141
Simónides de Ceos **12:**329
Delft **6:**123; **7:**207
Delgadillo, Luis Abraham 5:43
obra **5:**43
Delgado y Guerra, José **7:**178
Delgado, José Matías 5:43
biografía **5:**43
Delgado, Rafael 5:43
bibliografía **5:**43
México **9:**202
Delgado, Ricardo **10:**205
Delgado, Washington 5:43
bibliografía **5:**43
Delhi 5:43
Asia **2:**98
India **7:**300
Nueva Dehli **10:**156
Tamerlán **13:**109,
UNESCO **13:**304
Delibes, Léo 5:44
obra **5:**44
Ópera **10:**219
Delibes, Miguel 5:44
bibliografía **5:**44
Torrente Ballester, Gonzalo **13:**228
Deligne, Gastón F. 5:44
bibliografía **5:**44
delincuencia juvenil 5:44
reformatorio **11:**325
delirio 5:44,
delirium tremens 5:44
Delisle **6:**305
delito **5:**146; **6:**162
Delitos contra la libertad. 8:248
Delius, Frederick 5:45
obra **5:**45
música **10:**16
Delmarva, Península **9:**116
Delorme, Philibert 5:45
biografía **5:**45
música **6:**228
Delorme, José **12:**168
delta 5:5, 45
Delta Amacuro 5:45
delusión 5:45
Delvalle, Eric Arturo **10:**302
Della Porta, Giovanni Giacomo **13:**82, **14:**29
demagogia 5:46
gobierno **7:**6
Demangeon, Albert **6:**306
demencia 5: 46
— senil **5:**46
exhibicionismo **6:**93
Demerara, río **6:**315
Déméter **5:**136; **9:**17; **14:**177
Demetrio Poliorcetes **14:**77
Demian **7:**161
Demicheli, Alberto **13:**330
democracia 5:46,
— cristiana **7:**158
— económica **5:**193
— multirracial **9:**55
— popular **8:**73
— representativa **7:**8
elección **5:** 236
Imperio Romano**7:**276
laborismo **8:**154
legislativo, poder **8:**211
literatura **8:**275
McDonald, James Ramsey **9:**7
monarquía **9:**273

referéndum **11**:322
totalitarismo **13**:233
democratizatsiya **13**:309
Demócrito 5:47
biografía **5**:47
determinismo **5**:95
epicuro **5**:269
Lucrecio Caro, Tito **8**:316
Maeterling, Mauricio **9**:22
Demografía 5:47
población **11**:143
demógrafos **7**:188
demonio de tasmania **13**:*124*
Demonios y diablos 5:47
Demóstenes 5:47
Alejandro III **1**:157
Esquines **6**:26
Filipo de Macedonia **6**:156
Grecia **7**:62, 66
materialismo **9**:131
Plutarco **11**:141
propaganda **11**:213
trigo **13**:266
Wolf, Friederich August **14**:154
demostración **8**:300
Demócrito **2**:143
demótica **5**:284
Demours **10**:190
Dempsey, Jack 5:48
biografía **5**:48
boxeo **3**:63
Den Vondel, Justo van **7**:209
denarios **9**:274
dendritas
dendritas 5:48
neurobiología **10**:79
dendrocronología 5:48
— los anillos de los árboles **5**:48
— métodos **5**:49
Dendur, templo de **9**:192
Deng Xiaoping 5:49
biografía **5**:49
Hua Kuo-Feng **7**:234
dengue 5:49
— hemorrágico **5**:49
Denham **5**:75
Deniker, Joseph **11**:309
Denis Molina, Carlos **13**:329
Denis, Amelia **10**:303
Denis, de Montpellier **13**:245
Denis, Maurice 5:50
obra **5**:50
Deno, isla de **11**:112
denominación **10**:316
densidad 5:50
elemento químico **5**:244
dentadura 5:50
— cuidados de la **5**:51
— dentaduras en el reino animal **5**:51
— enfermedades de la **5**:51
— fórmulas dentáreas **5**:51
— primera dentición **5**:50
— reino animal **5**:51
— segunda dentición **5**:51
dentición **6**:185
dentición, primera **5**:51
dentición, segunda **5**:51
dentífrico **5**:51
dentina 5:51
odontogénesis **10**:186
Denver **6**:34
dependencia 5:52
dependientes **13**:60
deportación 5:52
deporte **10**:45
deporte **11**:11
deporte 5:52
— clases de **5**:53
— esencia del **5**:52
— historia del **5**:54
educación física **5**:220
esgrima **5**:296
futbol **6**:255
galgo **6**:265
handball **7**:127
hipódromo **7**:183
juego **8**:120
levantamiento de pesas **8**:236
vela **14**:36
depósitos frigoríficos **11**:328, 331
depotasio **6**:199
depresión 5:56
— causas **5**:56
— tratamiento **5**:56
anfetamina **1**:278
crisis **4**:288
eyección **6**:106
Farrel, James Tomas **6**:120
depresión **7**: 326
Deprez D´Arsonval **6**:271
Derain, André 5:57
obra **5**:57
Derby 5:57
hipódromo **7**:184
porcelana **11**:170
Victoria, I **14**:77
Derbyshire **7**:36
Derecho
derecho 5:58
— codificación moderna **5**:59
— comercial **5**:58
— de Asilo **10**:288
— de exclusividad **9**:86
— de gentes **5**:61
— de propiedad **11**:214
— derecho canónico **5**:59
— derecho romano **5**:59
— financiero **6**:163
— fiscal **6**:163
— historia del **5**:61
— mercantil **4**:172, 178; **11**:54
— natural **5**:57 **8**:244
— objetivo **5**:57
— penal **1**:248; **5**:58; **8**:237
— positivo **5**:57
— público **5**:57
— ramas del derecho prinado **5**:58
— ramas del derecho privado **5**:58
— ramas del derecho público **5**:58
— real **13**:331
— social **14**:109
— subjetivo **5**:57
— tributario **6**:163
ajedrez **1**:126
Doce tablas **5**:151
Edad media **5**:205
gobierno **7**:10
Guerra Paraguayo-Boliviana **7**:98
justicia **8**:129
libertad **8**:244
proceso **11**:206
Universidad **13**:318
derecho canónico 5:61
absolución **1**:36
anexión **1**:277
derecho canónico **5**:58
Letrano **8**:234
primado **11**:197
reincidencia **11**:335
derecho indiano 5:60
derecho internacional 5:60
— la paz y la guerra **5**:61
confederación **4**:202
Grocio, Hugo **7**:67
rehén **11**:334
derecho romano 5:61
literatura **8**:277
nación **10**:25
reincidencia **11**:335
Uti possidetis, principio del **13**:332
derechos humanos 5:61
— antecedentes **5**:61
— Cartera Americana de **5**:62
— Comisión de **10**:27
— Comisión Europea de **5**:62
— Comisión Interamericana de **5**:62
— ley internacional de **5**:62
— leyes internacionales **5**:62
— los derechos humanos hoy **5**:63
— movimientos de derechos humanos **5**:62
— Oficina de Tutela Legal de **5**:62
deriva 5:63
derivada y diferencial 5:63
derivados **10**:128
dermápteros **8**:9
dermatitis 5:64
— alérgica **5**:64
— atípica **5**:64
— estática **5**:64
— fotoquímica **5**:64
— primaria irritante **5**:64
dermatoesqueleto 5:64
dermatología 5:65
medicina **9**:150
dermatomicosis **6**:253
dermis **4**:323; **5**:270; **11**:84
dermográfico **8**:175
dermótomo 5:65
derogación 5:65
Derqui, Santiago 5:65
biografía **5**:65
Provincias Unidas del Río de la Plata **11**:221
Urquiza, Justo José de **13**:325
Derrida, Jaques 6:65
derviche 5:65
Derwentwater **7**:34
Derzelez, Alija **1**:273
Des Moines, río **6**:31
Des Plaines, río **7**:269
Desaguadero, río **9**:165; **10**:262; **11**:60; **13**:206
desagüe **1**:145; **5**:172; **11**:139, 142
desajuste social **7**:81
desalinación 5:65
— proceso de destilación **5**:66
— proceso de membrana **5**:66
— proceso de destilación **5**:66
desarboladuras **10**:49
desarrollo 5:66
— artístico **7**:220
— de las sociedades humanas **7**:191
— estadios posteriores **5**:67
— fertilización **5**:66
— forestal **6**:196
— intelectual **6**:43 **7**:219
— segmentación **5**:67
alimentación **1**:185
américa del sur **1**:243
desarrollo **8**:120
educación **5**:213
Formosa (Taiwan) **6**:197
Hidrógeno, bomba de **7**:166
pirotecnia **11**:106
desarticulación **1**:253
Desasau, Paul **1**:165
Desbarres **9**:68
Descalzi **10**:69
descargo **13**:177
Descartes, René 5:68
Álgebra **1**:180
bibliografía **5**:68
coordenadas **4**:233
Cristina de Suecia **4**:293
Francia **6**:226, 230
geometria **6**:314
Hobbes, Thomas **7**:196
Huygens, Christian **7**:254
Lenguaje artificial **8**:219
Locke, John **8**:296
matemáticas **9**:128
metafísica **9**:180
Newton, sir Isaac **10**:89
racionalismo **11**:272
Vico, Juan Francisco **14**:76
Desceliers **9**:67
descendencia **7**:152
Descendimiento de la cruz **9**:192
descomposición 5:68
— de la luz **6**:169
geología **6**:312
putrefacción **11**:244
descomposición factorial 5:68
descripción 5:68
descubrimientos **4**:105
descubrimientos y exploraciones geográficos 5:68
— descubrimiento y exploración de África **5**:75
— edad antigua **5**:69
— el Indico y los monzones **5**:71
— el Pacífico **5**:71
— el primer viaje de circunavegación **5**:72
— exploración moderna de Asia **5**:74
— la exploración y colonización de América **5**:73
— las costas de África **5**:72
— los grandes descubrimientos **5**:72
— los viajes de los árabes **5**:71
— Oceanía **5**:76
— penetración en masa **5**:71
— Polo Norte **5**:78
— Polo Sur **5**:79
Colón, Cristóbal **4**: 150
descuento 5:86
Deschutes-Umatilla, meseta de **10**:241
desdentado **9**:49
desdentados 5:86
desdoblamiento **7**:167
Deseado, río **1**:242
desecación **5**:172; **6**:240; **7**:205; **8**:160
desechos militares **10**:152
desechos tóxicos **7**:145

desechos transuránicos **10:**153
desempleo **5:**91
deserción 5:87
desesperación trágica **13:**240
desestalinización **13:**308
desfibradora 5:87
desfibrilador 5:87
desfiladero 5:87
desfile de la Quinta Avenida, New York **11:**15
desfiles **11:**15
desheredación 5:87
  sucesión **13:**64
deshidratación 5:87
  conservas **4:**214
  petróleo **11:**72
  vacío **13:**336
deshidratantes **1:**291
deshidrogenación **11:**74
deshielo **9:**82
Desi Bouterse **13:**86
Desiderio Erasmo **7:**210
Desiderio, abad **9:**286
desierto 5:88
desierto **1:**198; **3:**58; **10:**33
desimpregnación bacteriológica **5:**36
desimpregnación química **5:**36
desinencia 5:89
desinfección **7:**175
desinfectante **6:**196, 319; **7:**125
desinfectantes 5:89
desintegración 5:89
  gasolina **6:**289
  geología **6:**312
Deslandres, Henri 5:89
  biografía **5:**89
deslizamiento **8:**297
deslizarse **11:**11
desmagnetización adiabática **6:**237
Desmaisieres, Micaela 5:89
  biografía **5:**89
desmán 5:90
desmayo 5:90
desmembración **5:**205
Desmoulins, Camille 5:90
  biografía **5:**90
  Razas humanas **11:**309
desnacionalización **11:**203
Desnatadora 5:90
  Leche y lechería **8:**204
  Manteca y mantequilla **9:**60
Desnitrificación **10:**106
Desnos, Robert **13:**87
desnudez **14:**64
desnutrición **4:**215
Desobediencia civil **13:**183
desocupación 5:90
desodorantes 5:92
desorden hiperactivo de déficit de atención o ADHD **7:**181
desorejado **6:**291
desovar **6:**237
desoxicorticosterona **11:**334
desoxidación **7:**204
despectivos **10:**128
despepitar **1:**181
Desperdicios 5:92
  excreción **6:**92
Despiau, Charles **5:**294
desplazamiento 5:92
despolarización **5:**48
despolarizadores **11:**88
desposorio **10:**173
despostismo ilustrado **11:**176
despotismo 5:92,
despotismo ilustrado **5:**209,**7:**273
Dessalines, Jean Jacques 5:93
  biografía **5:**93
  Dominicana, República **5:**160
Dessau **5:**235
Dessie **6:**68
destacamentos navales **7:**324
destierro 5:93
destilación 5:93
  — agua destilada **5:**93
  — bebidas destiladas **5:**94
  — del alcohol **5:**93
  — destilación del alcohol **5:**93
  — proceso de **5:**66
  gasolina **6:**289
  jarabe **8:**86
  jenjibre**8:**93
  petróleo **11:**72
destilaciones **13:**247
destilada, agua **5:**93
destiladas, bebidas **5:**94
destilería Bushmills **1:**132
destinatario del impuesto **7:**288
destino 5:94
  fatalismo **6:**120
destitución 5:94
Destouches **8:**42
destructor 5:94
  destructor **5:**94
Desvalières **4:**301
desvaríos **7:**272
detective 5:94
detector 5:94
detector de mentiras 5:94
detectores **11:**284, 287
detectores de metano **8:**168
detenedor **6:**203
Deterding, Henri 5:95
  biografía **5:**95
detergente 5:95
determinativos **1:**70
determinismo 5:95
  — científico **6:**120; **8:**249
  geografía **6:**306
detonador **9:**226
detonante **6:**99
detrimento **1:**246
detritus **6:**133
Detroit 5:95
  — estrecho de **9:**213
  — río **6:**32
  Detroit **5:**96
  Edison, Tomás Alva **5:**211
  Estados Unidos **6:**34, 41
  Grandes lagos **7:**48
  Hagenbeck, carl **7:**119
  hierro **7:**173
  Michigan **9:**213
Deucalión **13:**174
deuda pública **4:**230
deuda pública 5:96
deudas de guerra 5:96
deudor y acreedor 5:96
deustchemark **9:**87
Deustúa, Alejandro **11:**62
Deutch, John **4:**65
deuterio 5:97;
  agua pesada **1:**112
  hidrógeno **7:**166
  isótopos **8:**55
Deuteronomio **8:**251
deuterostomas **4:**240; **11:**40
Deutschland **1:**158
devaluación 5:97
devaluador **5:**97
devanadora **4:**272
devantal **14:**68
devenir **10:**72; **13:**88
Devereux, Robert **8:**48
devoción **14:**75
devocionarios **1:**58
devociones **13:**132
Devolución, guerra de la **8:**318
Devon, raza **6:**276
Devoniano 5:97
  — paleotectonica y geografía **5:**97
  — vida **5:**97
  — fauna del **5:**97
  — periodo **6:**104
devónico, periodo **6:**308
Devonport **7:**37
Devonshire **5:**97, 169; **6:**308
DeVries ,William C. **4:**238
Dewar, James **4:**2856**:**237
Deward, Bob **4:**172
Dewey, George **1:**197; **6:**155
Dewey, John 5:98
  bibliografía **5:**98
  educación 217
  escuela **5:**288
  pragmatismo **11:**183
  Puerto Rico **11:**236
Dewey, Melvil 5:99
  biografía **5:**99
  fibra **6:**146
Dewey, Thomas E. **5:**177
dextrina 5:99,
  — animal **6:**332
  enzimas **5:**268
dextroanfetamina **7:**181
dextrosa 5:99
Deyanira **1:**330; **7:**152
deyección, cono de **13:**228
Dezhnev, Semeon **5:**75
Dhalamini **13:**90
Dharma-Sastra **9:**62
Dharmsala **5:**7
Dhmun, mito de **1:**251
Dhows egipcios **5:**70
Di Beto Donato **11:**147
Di Bondone Giotoo **9:**118; **11:**110
di Cione, Andrea **6:**181
día 5:99
  — de la madre **9:**17
  — de Todos los Santos **7:**124
  — del Juicio **8:**119
  luz **8:**330
diabasa **6:**313
diabetes 5:99,
  — insípida **5:**100
  — mellitus **5:**100
  diuresis **5:**146,
  droga 5:173,
  enfermedad **5:**261
  gangrena **6:**280
  glándula **6:**331
  insuficiencia **8:**14
  lecitina **8:**202
  Novoa Santos, Roberto **10:**143
  Pancreatina **10:**307
Diablo **5:**47
Diablo, Isla del **5:**173
Diablo, Torre del **14:**156
Diablos Danzantes de Yare, Venezuela **14:**47
diábolo 5:100
diácono **6:**231
Diáconos, cardenales **10:**311
diadocos **7:**60
Diadúmeno **11:***151*
diáfano **5:**209
diáfisis **7:**241
diafragma 5:100,
  corazón **4:**236
  discos **5:**142;
  fotografía **6:**201;
  hipo **7:**183
  iris **8:**43
  tórax **13:**222;
Diaghilev, Serge 5:101
  biografía **5:**101
  Danza **5:**16
  Gris, Juan **7:**67
  Lifar, Serge **8:**257
diagnóstico 5:101,
  enfermedad **5:**260
  enfermedades de la infancia **5:**262
  fractura **6:**209
  higiene mental **7:**176
  laparoscopía **8:**174
  Noguchi, Hideyo **10:**127
Diagonal, Gran **1:**222
diagonales **4:**308
diagrama 5:101
diagramas de flujo **1:**182
diaguitas 5:101
  indios americanos **7:**309
  vivienda **14:**115
  Chile **4:**41
Diahot **10:**156
Dialeah **9:**211
dialéctica 5:102
  Edad Media **5:**209;
  Marx, Carlos **9:**116
  Universidad **13:**317
dialectismos **6:**7
dialecto 5:102
  — khasi **10:**96
  — céltico **7:**333
  lengua **8:**215
Diales **11:**9
diálisis 5:102
  — ambulatoria peritoneal continua **7:**145
  gel **6:**297
  hemodiálisis **7:**145
  Pregl, Fritz **11:**185
diálogo 5:103, 169, **13:**304
diamante 5:103, ,
  Angola **1:**285
  coridón **4:**248
  cristalería **4:**290
  diamante **5:**104
  dureza **5:**182
  Guyana **7:**111
  Mineralogía **9:**229
  tabla de peso específico **11:**68
  Unión sudafricana **13:**312
  piedras preciosas **11:**83
  vidrio **14:**85
Diamante, río **9:**165
Diamantina
diámetro 5:105
  escopeta **5:**282
  esfera **5:**295
  geología **6:**310, 314
  lanzamiento de bala **8:**172
  viento **14:**89
Diamond, David **8:**144
Diana 5:105
  Apolo **1:**325
  Dioses paganos **5:**136

lunes **8**:324
ninfas **10**:103
noviembre **10**:142
Quirón **11**:269
Timoteo, san **13**:197
Diana Cazadora **5**:105
Dianda, Hilda 5:105
obra **5**:105
diapasón 5:105
diapositiva 5:105
diario 5:105, 212
— de navegación o bitácora **5**:107
diario, libro 5:105
diarios y revistas **11**:225
diarrea 5:105
enteritis **5**:267
diarrea blanca **5**:261
diarreas disépticas **5**:262
Dias o Díaz, Antonio Gonçalves 5:106
bibliografía **5**:106
Dias o Díaz, Bartolomeu 5:106
biografía **5**:106
Descubrimientos y exploraciones geográficos **5**:72
Índico, océano **7**:307
Unión Sudafricana **13**:314
Dias, Diego **5**:72
diáspora 5:106
cristianismo **4**:291
diastasa 5:106
cerveza **4**:9
diástole **4**:237
diastrofia 5:106
diastrofismo 5:106
diatermia 5:106
— médica **5**:106
— quirúrgica **5**:106
diatomea 5:106
ártica, región **2**:70
diatónica **5**:277; **9**:266; **10**:12
Diatónica, serie **10**:183
Díaz Casanueva, Humberto **4**:44
Díaz de Armendáriz, Lope 5:107
biografía **5**:107
Díaz de Guzman, Ruy 5:107
biografía **5**:107
Díaz de Mendoza, Fernando 5:108
biografía **5**:108
Díaz de Solís, Juan 5:108
América **1**:233
América del sur **1**:242
biografía **5**:108
Paraguay **10**:322
Pinzón, Vicente Yáñez **11**:100
Díaz de Tejada, Vicente **4**:320
Díaz de Villanueva, Pedro **14**:191
Díaz de Vivar, Rodrigo **4**:320; **5**:315, 319
Díaz del Castillo, Bernal 5:107
bibliografía **5**:107
Historia **7**:193
latinoamérica **8**:188
literatura hispanoamericana **8**:280
México **9**:202
Xochimilco **14**:158
Díaz Eloísa **4**:40
Díaz Gamarra, Juan Benito **9**:202
Díaz Guzmán, Ruy **10**:322
Díaz Mirón, Salvador 5:108
bibliografía **5**:107
literatura **8**:279
México **9**:202
Díaz Moreno, Alonso **14**:13, 47
Díaz Ordaz, Gustavo 5:108
biografía **5**:108
Echeverría Álvarez, Luis **5**:185
México **9**:200
Díaz Ordóñez **6**:103
Díaz Rodríguez, Manuel 5:108
bibliografía **5**:108
Díaz Solís, Juan **5**:73
Díaz Valcárcel, Emilio **11**:238
Díaz Yepes, Eduardo **13**:328
Díaz Zelaya, Francisco R. **7**:219
Díaz, Adolfo **10**:94
Díaz, César 5:106
biografía **5**:106
Díaz, Diego **9**:11
Díaz, Horacio **11**:240
Díaz, Jimena **4**:70
Díaz, Jorge **4**:44
Díaz, Leopoldo 5:107
bibliografía **5**:107
Díaz, Porfirio 5:107
biografía **5**:107
Díaz, Porfirio **9**:199
Flores Magón, Ricardo **6**:181
González, Manuel **7**:20
Huerta, Victoriano **7**:238
Juárez **8**:116
latinoamérica **8**:187
Lerdo de Tejada, Sebastian **8**:231
Madero, Francisco I. **9**:16
Oaxaca **10**:170
Porfiriato **11**:170
Villa Francisco **14**:92
Yaqui **14**:160
Zapata, Emiliano **14**:172
Dibang **7**:296
dibujo 5:108
— artístico **5**:109
— técnico **5**:109
comunicaciones **4**:181
educación **5**:219
estilización **6**:53
dibujo industrial 5:110
dibujos animados 5:110
— el dibujo como medio de comunicación **5**:111
— figura de **1**:325
dicasterio 5:111
dicción 5:111
diccionario 5:111
— historia **5**:112
— diccionarios especiales
— alemán **7**:66
— de Autoridades de la Lengua **6**:134
— de Bayle **5**:112
— de Construcción **8**:10
— de voces españolas antiguas **10**:43
— geográfico **11**:21
— Moreri **5**:112
— técnico de la música **11**:25
Enciclopedia **5**:252
lectura **8**:208
vocabulario **14**:119
Dicearco **9**:67
Dicenta, Joaquín 5:112
bibliografía **5**:112
drama **5**:171
diciembre 5:112
Dickens, Charles 5:112
bibliografía **5**:112
Dickens, Charles **5**:112
Elliot, John **5**:246
Gran Bretaña **7**:44
humorismo **7**:250
literatura **8**:279
literatura infantil **8**:285
Marryat, Frederick **9**:109
Poor laws o leyes de los pobres **11**:168
Swinnerton, Frank Arthur **13**:91
turismo **13**:289
Zweig, Stefan **14**:192
Dickinson Woodruff, Richards **6**:198
Dickinson, Emily 5:113
bibliografía **5**:113
Aguirre, Raúl Gustavo **1**:117
Montale, Eugenio **9**:282
Dickmann, Max 5:113
bibliografía **5**:113
Dickson, Leonard 5:113
biografía **5**:113
Dickson, Mounds **7**:270
Dicle Nehri **13**:195
diclorodifeniltricloroetano (DDT) **8**:5; **9**:328
dicotiledóneas 5:113
árbol **1**:347
caléndula **3**:164
monocotiledóneas **9**:279
tallo **13**:107
dictador 5:113
dictador **7**:276
dictáfono 5:113
Dicuil **6**:95
dichos **10**:230
didáctica 5:114
didáctica **11**:147
Diday **13**:82
didélfidos **14**:175
Diderot, Denis 5:114
bibliografía **5**:114
Drama **5**:171
Diderot, Denis **5**:114
Enciclopedia **5**:252
Francia **6**:222
Garrick, David **6**:286
Holbach, Paul Henrry Thiry, barón de **7**:209
materialismo **9**:131
poética **11**:147
Pompadour, Jeanne Antoinette **11**:163
Poisson, marquesa de **14**:24
Didier, san **6**:220
Dídimo de Alejandría **1**:329; **8**:252; **13**:216
dido 5:114
Dido 5:114
biografía **5**:114
Pigmalión **11**:87
Dido y Argia **14**:26
Didot, Fermín **7**:284
Didring **13**:71
Diederichs, Nicolaas **13**:314
Diefenbaker, John G. **11**:22
Diego I **1**:286
Diego Ramírez, islas **4**:35
Diego y Palés **10**:292
Diego, Gerardo **5**:320
Diego, José de 5:114
biografía **5**:114
Puerto Rico **11**:237
dieléctrica **4**:309
dieléctrico 5:114
— constante dieléctrica **5**:114
— rigidez dieléctrica **5**:114
condensador **4**:199
Diels, Otto 5:115
Alder, Kurt **1**:152
biografía **1**:152
Dien Bien Phu **7**:314; **14**:90
diente **5**:50
diente de león 5:115
diepalismo **10**:292
Dieppe **5**:177
diéresis **6**:259; **7**:31; **11**:243
Diesel, motor 5:115
Diesel, Rudolf 5:116
Alemania **1**:167
biografía **5**:116
Dieste, Eladio **13**:328
diestearina **6**:48
dieta 5:116
Dietrich, Marlene 5:116
biografía **5**:116
Diez Años, guerra de los **14**:160
Díez Barroso, Víctor M. **9**:203
Diez Canedo, Enrique 5:116
bibliografía **5**:116
Díez Canseco, José 5:117
bibliografía **5**:117
Perú **11**:62
Díez de Medina, Clemente 5:117
biografía **5**:117
Díez de Montalvo, Alfonso **8**:49
diezmo 5:117
difamación 5:117
difenilhidantoína sódica **5**:270
diferenciación **8**:8
diferencial 5:117
diferencias culturales **1**:318
Diferidos, cargos **4**:224
Diffie, V. **8**:238
difracción 5:118; **13**:183
difteria 5:118
amigdala y amigdalitis **1**:250
enfermedad **5**:260
helio **7**:142
miocardio y miocarditis **9**:235
difusión 5:118
digestión 5:119
— proceso digestivo **5**:119
animal **1**:295
curpo humano **4**:324
digestión **1**:186
enzimas **5**:269
estómago **6**:56
insecto **8**:6
jarabe **8**:86
jugos **8**:122
Digestivo, aparato **14**:80
Digestivo, proceso **11**:218
digital 5:6, 120, 173
digital, tecnología 5:120
digitalina **5**:120; **6**:54
digitalización **14**:83
dígito **9**:190
digresiones **4**:175
Dihang **7**:296
Dijon **5**:230, 294
dik-dik 5:121
antílope **1**:307
Diktonius, Elmer **6**:161
Dilata **7**:142
dilatación 5:121
contracción **4**:228
parto **10**:334
diletante 5:121
Dili, obispo de **13**:197

diligencia 5:121
Dilthey, Wilhelm 5:121
bibliografía **5:**121
Diluviano, periodo **6:**89
diluvio 5:121
— Universal **1:**342; **6:**310; **9:**62
Dillon Perrine, Charles **8:**127
DiMaggio, Joe **9:**281
dimensión **5:**302; **6:**315
dimensiones 5:121
dimetrodón **6:**308
diminutivo 5:121
diminutivos **10:**128
Dimitri Mendeleiev **4:**107
Dimitrov, Georgi **13:**210
dimorfismo 5:122
Dinamarca, **5:**122
— agricultura y ganadería **5:**123
— Alejandra, princesa de **5:**213
— arquitectura **5:**126
— artes plásticas **5:**126
— clima **5:**123
— comercio **5:**124
— extensión, situación y límites **5:**213
— fauna y flora **5:**123
— geología **5:**122
— hidrografía **5:**122
— historia **5:**125
— industria **5:**124
— islas de **6:**114
— literatura **5:**126
— litoral **5:**122
— música **5:**127
— organización política **5:**124
— orografía **5:**122
— posesiones **5:**125
— transportes **5:**124
academia **1:**41
Alemania **1:**158, 161
anglosajones **1:**284
comunidad económica europea **4:**189
cooperativa **4:**232
Corona **4:**251
Cristian IX **4:**290
Dinamarca **1:**267
Edad Media **5:**206
Escandinava, península **5:**278
Euratom **6:**73
Europa **6:**75
Feröe, Islas **6:**136
Groenlandia **7:**67
Guerra Mundial, segunda **7:**94
Gustavo II **7:**109
Indias, compañías de **7:**304
Normandos **10:**130
Noruega **10:**135
ombudsman **10:**210
Pedro el grande **11:**25
pornografía **11:**171
Reforma **11:**325
dinámica 5:127,
disociación **5:**144
Física **6:**165
fuerza **6:**245
dinamismo cromático **9:**275
dinamita 5:127
filantropía **6:**152
dínamo 5:127
generador **6:**300
dinamómetro 5:129
fuerza **6:**246
dínamos eléctricos **7:**331
Dinarco **7:**62
Dináricos, Alpes **6:**75
dinastía 5:129
— Barca **1:**250
— carolingia **11:**104
— Chou **8:**86
— de los Atálidas **11:**49
— de los Han **8:**87
— de los Omeyas **1:**333
— egipcia **1:**227
— grecoegipcia **13:**213
— Hohenzollern **6:**83
— manchú **13:**185
— merovingia **11:**104
— Ming **10:**34; **11:**28
— sajona **1:**177
Dindings **9:**42
Dine, S. S. van 5:130
bibliografía **5:**130
dinero, **5:**130
— de plástico **13:**120
— el dinero en el mundo **5:**132
— moneda metálica y de papel **5:**131
crédito **4:**279
deflación **5:**37
dinero **1:**120
ecología **5:**188
economía **5:**194
Edad Media **5:**208
Expansión económica **6:**94
impùesto **7:**287
papel moneda **10:**316
Diners **13:**120
dingo 5:132
Dini, Lamberto **8:**64
dinitrógeno **5:***144*
Diniz da Cruz, Antonio **11:**177
dinkas **13:**66
Dinmont **11:***55*
dinofíceas **11:**109
Dinómaque **1:**149
dinosaurio 5:132
— clasificación **5:**133
apatosaurio **1:**323
dinosaurio **11:**185
geología **6:**309
paleontología **10:**291
dintel **11:**228
Dinuzulu **14:**191
Diocleciano, Cayo Aurelio Valerio 5:134
biografía **5:**134
Romano, Imperio**7:**282
Jorge, san **8:**108
persecución **11:**57
Quirinal **11:**267
termas **13:**166
tetrarquía **13:**178
diodo 5:134
Esaqui, Leo **5:**277
Radiotelefonía y radiotelegrafía **11:**284
Diodoros **8:**94
Diofanto de Alejandría **1:**180; **9:**127
Diógenes 5:134
bibliografía **5:**134
Diógenes Laercio 5:134
bibliografía **5:**134
dioicas **1:**282
dioicos **10:**70
Diolefinas **11:**74
diolén **5:**5
Diomedes **7:**151; **9:**111
Dión Casio **7:**62
Dione **13:**113
Dione, satélite **11:**103
Dionis de Portugal **5:**319
Dionisa Mayor **5:**135
Dionisa Menor **5:**135
dionisíacas **6:**149
Dionisio de Halicarnaso 5:134
bibliografía **5:**134
Grecia **7:**62
Dionisio el Joven **11:**135
Dionisio *el Viejo*,de Siracusa 5:134
biografía **5:**134
Dámocles **5:**9
ejército **5:**233
Platón **11:**135
Dionisios o Baco, dios **14:**72 **5:**13
Dionisos 5:134,
fiesta **6:**149
teatro **13:**131
tragedia **13:**240
dioptría 5:135
anteojos **1:**304
Dior, Christian 5:135
biografía **5:**135
vestido **14:**70
diorama 5:135
Diori, Hamani **10:**100
diorita **6:**313
Dios: 5: 135
— egipcio Horus **1:**74
— Harmadis **5:**295
— Jano **1:**321
— Pan **1:**349; **6:**122
— panteísta **9:**180
— Siva **7:**181
— Thor **5:**260
Aarón **1:**17
Angeles **1:**279
conversión **4:**230
Corán **4:**236
Cosmogonía **4:**264
Creación **4:**276
crucifixión **4:**301
culto **4:**329
deísmo **5:**39
Durero, Alberto **5:**181
Fé **6:**123
Filón de Alejandría **6:**157
Gedeón **6:**296
Hare Krishna **7:**129
Hermes Trismegistro **7:**154
historia **7:**193
Iglesia **7:**266
infierno **7:**325
Islam e islamismo **8:**51
Jehová **8:**93
Lutero, Martín **8:**326
majestad **9:**38
maná **9:**50
monoteísmo **9:**280
diosa Tiamat **5:**168
diosas madres **9:**17
dioscoreácea **10:**167
Dióscuro **4:**234
Diosdado Macapagal **6:**155; **9:**88
dioses paganos 5:135
dióxido de carbono **6:**99
dioxinas 5:136
diperiantea **6:**177
dipirámide tetragonal **4:**290
diplodáctilo **8:**163
Diplodocus 5:133
diploma **5:**136
diplomacia 5:136
dipnoos o pulmonados **8:**230; **14:**186
dipódidos **8:**94
dipolis **1:**253
dipolo 5:137
díptero 5:137,
diptongo y triptongo 5:137
Diputación 5:137
diputado 5:137
dique 5:137
— historia **5:**137
— clases **5:**138
diques **13:**228; **7:**168
— diques principales **5:**138
Dirac, Paul Adien Maurice 5:138
biografía **5:**138
Dirchester **14:**142
dirección 5:138
agricultura **1:**104
Física **6:**165, 169
fuerza **6:**246
trabajo **13:**236
directamente **10:**173
directivas **1:**304
Directorio 5:139
Babeuf, Francoise Noel **2:**207
Francia **6:**223
directos **7:**288
directriz **10:**318
directriz **4:**211, 212
Diredawa **6:**68
dirigible 5:139
aeronáutica **1:** 79
exploraciones polares **6:**96
Zeppelin, Fernando, conde de **14:**177
Dirks, Rodolfo **7:**194
Dirtiyya **1:**336
Disa **13:**71
disacaridos **7:**164
disbetes **6:**254
discapacitados 5:140
disciplina 5:140
discípulo 5:140
discípulos **9:**277
disco compacto 5:141
disco de Ifito **10:**203
disco de Nipkow **13:**149
disco gramofónico **7:**32
disco magnético **6:**202
disco receptor **13:**149
disco, lanzamiento del 5:141
díscolo **5:**166
discordancia **6:**313
discos 5:142
— Compactos Interactivos (CDI) **14:**83
Discoverer 5:142
Discovery, transbordador espacial **2:**111, 115; **5:**77
discriminación 5:142
— étnica **5:**143
— homofóbica **5:**143
— laboral **5:**143
— racial **5:**143; **7:**188; **8:**142
— sexual **5:**143
discurso 5:143
disección 5:143
corazón **4:**238
fisiología **6:**170
zoología **14:**181
diseconomías **13:**321
diseminación selectiva de la información (SDI) **7:**327
disentería 5: 143
— amibiana **14:**182
— bacilar **2:**211

encefalitis letárgica **5:**251
enfermedades parasitárias **5:**262
ipecacuana **8:**34
disfraz 5:143
disfunciones **7:**145
disgregación **8:**160
diskette **11:**129
dislexia 5:143
dislocación 5:143
Disney, Walt 5:143
Dibujos animados **5:**110
historietas **7:**195
Lorenzini, Carlos **8:**308
muñeca **9:**334
obra **5:**143
disociación (psicología) 5:144
disociación 5:144
— cromática **7:**287
disolución 5:144
disolvente **8:**32
disolventes **6:**105
disonancia 5:144
dispareunia **9:**168
dispensarios **7:**176
dispensarios psiquiátricos **7:**176
dispepsia 5:119, 144, 274
dispersión 5:144
— de Rayleigh **13:**302
displasia 5:145
dispositivo **5:**168
dispositivo médico **7:**181
dispositivos intrauterinos (DIU), **4:**228
dispositivos térmicos **1:**135
dispositivos termostáticos **11:**327
disprosio 5:145
disputa **14:**77
Disraeli, Benjamin 5:145
bibliografía **5:**145
Gran Bretaña **7:**42
Victoria I **14:**77
Disraeli, Benjamin **5:**145
distancia 5:145
física **6:**166
teléletro **13:**147
tiro **13:**201
distemia **5:**56
distintivos heráldicos **2:**242
distensión **13:**222
dístico **9:**188
distomatosis hepática **6:**120
Distomum **13:**258
distribución 5:145,
Distrito Nacional 5:146
disturbios políticos **7:**190
disulfuro de tetraetiltiuramio **1:**301
ditribución del agua pura **7:**175
Diu **6:**336; **7:**304
Diu, isla de **7:**295
diuca 5:146
diuresis 5:146
diurético **5:**146; **8:**159
divanes **9:**252
divergentes **6:**169
diversión 5:146
dividendo 5:146
álgebra **1:**179
fraccionarios, números **6:**205
valores mobiliarios **14:**16
dividir un número entero por un mixto **6:**209
dividir un número entero por una fracción **6:**208
dividir un número entero por una unidad fraccionaria **6:**208
dividir un número mixto por otro número mixto **6:**209
dividir un número mixto por un entero **6:**209
dividir una fracción por otra fracción **6:**209
dividir una fracción por un número entero **6:**208
divieso **6:**254
divihet **7:**309
***Divina comedia* 5:** 146
alegoría **1:**153
Alfonso X, el sabio **1:**176
Cornelius, Peter Von **4:**250
poesía **11:**147
Portinari, Beatriz **11:**172
Divina, ley **6:**56
divinidad **13:**160
Divinidad egipcia **1:**325
divisa 5:146, *190*
divisibilidad 5:146
división **1:**179; **8:**300; **11:**330
división algebraica **5:**148
división de fracciones **5:**147
división de números racionales **5:**148
división del trabajo 5:148
industria **7:**317
trabajo **13:**236
división, aritmética 5:146
división, armada 5:146
Divisionista, escuela **4:**155
divisionista, técnica **11:**111
divisor **1:**179; **5:**146; **6:**205
divorcio 5:148
divulgación 5:148
publicidad **11:**226
Dix, Otto **1:**166
Dixieland **8:**312
Djagilev, Sergej **10:**101
djebba **14:**66
djermashongai **10:**100
djes o ges **14:**115
Djibouti, República de 5:148
Djohar, Said Mohamed **4:**172
Dlamini, Obed **13:**90
Dnepropetrovsk 5:149
Ucrania **13:**300
Dnieper, meseta del **13:**299
Dnieper, río 5:149
Europa **6:**75
Ostrogodo **10:**269
Ucrania **13:**299
Dniester, río 5:150
Moldavia **9:**266
Odessa **10:**185
Dobereiner, Johann Wolfgang **6:**254
doberman 5:150
Dobermann, Louis **5:**150
Dobiñi Daubigny **7:**287
doble Algol, estrella **6:**62
doble estrella 5:150
— tipos **5:**150
— importancia astronómica **5:**151
— transferencia de masa **5:**151
doble hélice 5:151
doble hélice **1:**71
doblete **10:**184
Dobraczynski **11:**161
Dobrica Cosic **14:**168
Dobrizhoffer, Martín **4:**21
Dobrovsky, Josef **4:**28
doca 5:151
Doccia **11:**170
Doce Pares de Francia **8:**253
doce profetas **7:**113
doce signos del zodiaco **14:**179
Doce Tablas 5:151
Doce Tablas, ley de las **5:**59
Doce, río **6:**18; **9:**227
docimasta 5:152
Doctor **5:**152
doctor Abel **8:**14
Doctor Angélico **13:**216
doctor escolástico **1:**301
doctor honoris causa **1:**226; **13:**234, 303
doctor Lazear **6:**148
Doctores de la Iglesia 5:152
Teresa de Jesus, santa **13:**165
doctrina 5: 152
— Drago **5:**168
— Estrada **6:**59
— filosófica **10:**48
— luterana **7:**254
— política **8:**221, 242
— teológica **11:**185
— criminológica **8:**302
— cristiana **5:**252
— de derecho internacional **13:**209
— América del sur **1:**246
derogación **5:**65
herejía **7:**152
laicismo **8:**165
racismo **11:**273
reforma **11:**324
doctrina de Monroe 5:152
América del sur **1:**246
Roosvelt, Theodore **12:**111
doctrinas **8:**326
doctrinas pangermanistas **1:**161
documental, cine 5:152
documento **1:**247, 350
documento histórico **11:**264
documentos **7:**191
documentos legales **8:**238
Dodecaneso 5:152
Dodge City **8:**133
Dodgson, Charles Lutwidge 5:153
Alicia en el país de las maravillas **1:**185
bibliografía **5:**153
Cuentos infantiles **4:**320
dodo 5:153
Dodoma **13:**114
Dodona **7:**59
Dodu, Juliette **8:**211
Doe, Samuel K. **8:**243
Doeblin, Alfred **6:**102
Doerfel, Monte **8:**322
Doering, E. von **14:**154
Doesburg, Theo van **4:**197, 220
Dogget, Thomas **14:**35
dogma
concilio **4:**196
dogmatismo **5:**153
exégesis **6:**92
infalibilidad **7:**319
inmaculada concepción **7:**334
Lutero, Martín **8:**326
dogma católico **1:**36
Dogma de la Inmaculada Concepción de María **7:**334
dogmatismo 5:153
Dogon **4:**277
Doha **11:**145
Doherty, P. **14:**179
Doherty, Peter C. 5:153
biografía **5:**153
Doído e a morte **13:**139
Doisy, Eward Adelbert 5:153
biografía **5:**153
Doland, Frederick **4:**24
dólar 5:153
— canadiense **6:**74
— de Hong Kong **7:**221
dinero **5:**132
Estados Unidos **6:**34
Eurobono **6:**74
Dolci, Carlos 5:154
obra **5:**154
Italia **8:**66
Dolgarrog **7:**37
Dolgoruki **9:**309
dolicocéfalos **2:**95; **3:**68; **7:**311; **8:**37
Dolicoderinos 7: 225
Dolíricos **7:**225
dolmen 5:154
dolomita **9:**27, 230
Dolomitas o Alpes Dolomíticos 5:154
dolor 5:154
anestesia **1:**277
Dolores, Misión de **1:**319
Dolores, Nuestra Señora de los 5:154
Dolores, pueblo de **9:**199
Dolz, Ricardo 5:154
biografía **5:**154
Dollfuss, Engelbert 5:154
Austria **2:**167
biografía **5:**154
Schuschningg, Kurt von **12:**250
Domagk, Gerhard 5:154
biografía **5:**154
sulfamidas **13:**82
Domenech, Ignacio **4:**124
Domenico, Silvio **4:**317
Domenichino, Domenico Zampieri 5:154
obra **5:**154
Doménikos Theokópoulos llamado el Greco **8:**313
Domergue, Urbano **10:**261
domesticación **14:**6, 81
domesticación **1:**66
Domeyco, cordillera **1:**314
Domeyko, Ignacio 5:154
biografía **5:**154
Chile **4:**44
Domiciano 5:155
Agrícola, Cneo julio **1:**102
biografía **5:**155
Epicteto **5:**269
Odeón **10:**184
Suetonio Tranquilo, Cayo **13:**73
Tácito, Cayo Cornelio **13:**97
vestido **14:**64
domicilio **7:**198
Domicio Enobarbo, Lucio **10:**75
dominación **5:**160
dominación visigoda **11:**316
dominaciones **1:**280
dominante **7:**153
domingo 5:155
Domingo de Guzmán, santo 5:155
biografía **5:**155
Domingo de Ramos 5:155
Coptos **4:**234
Pasión de Cristo **11:**5

Domingo de Resurrección **4**:308; **11**:5
Domingo Faustino Sarmiento **6**:53
Domingo, Marcelino **5**:155
biografía **5**:155
Domingo, Plácido **5**:155
biografía **5**:155
Domingo, santo **1**:70; **10**:190, 212
Domínguez Errázuriz, Francisco **4**:43
Domínguez, don Miguel **10**:260
Domínguez, Franklin **5**:162
Domínguez, Lorenzo **4**:43; **5**:295
Domínguez, Miguel **5**:155
biografía **5**:155
Dominica **5**:155
Cristobal Colón **4**:149
Comunidad y mercado común del Caribe (CARICOM) **4**:189
Guyana **7**:112
Imperio Británico **7**:275
Indias occidentales, estados asociados de las **7**:306
Dominicana, República **5**:156
— orografía y geología **5**:156
— hidrografía **5**:157
— clima **5**:157
— recursos naturales **5**:157
— economía **5**:157
— comunicaciones **5**:158
— población **5**:158
— gobierno **5**:158
— educación **5**:158
— historia **5**:158
— literatura, ciencia, artes plásticas y música **5**:162
Cibao, sierra de **4**:66
Cortés, Hernán **4**:260
Dajabón **5**:6
Distrito Nacional **5**:146
Dominicana, República **5**:162
Dorte, Juan Pablo **5**:176
eduación **5**:218
Elías, Piña **5**:246
Escudo **5**:285
la vega **8**:201
latinoamérica **8**:186, 195
Monroe , James **9**:281
dominico **11**:107; **9**:113
dominicos **7**:336; **8**:192; **10**:236
dominio **5**:163
dominó **5**:163
Domitila **5**:155
domo **5**:200
Domoni **4**:172
Domremy **8**:115
Don Juan **5**:163
música **10**:14
don Juan de Austria **6**:126,
don Juan II **8**:48
Don Quijote de La Mancha
Cervantes Saavedra, Miguel de **4**:5
España **5**:320
esperanto **6**:13
Fragonard, Jean Honoré **6**:210
Don Segundo Sombra **7**:107
Don, cosacos del **11**:311
Don, río **5**:163
donación, aceptación de **1**:47
donador **5**:163
Donald **5**:110, 143
***Donatello*, Donato Betto del Bardo** **5**:163
anunciación **1**:319
cultura **5**:294
Mantegna, Andrea **9**:61
Masaccio, Tomás Guidi, el **9**:118
Médici **9**:148
obra **5**:163
Verrocchio, Andrés Cioni, llamado el **14**:58
Donati, Giuseppe **10**:178
Donatien, vizconde de Rochambeau **5**:93
donatistas **11**:57
Doncel **9**:254
Donders, Frans **7**:209
dondiego **5**:163
Donetz, río **5**:163; **13**:299
Dönges **13**:314
Dongo **1**:286
Dongo, reino africano de **1**:286
Dongola **10**:144
Dönitz, Karl **11**:289
Donizetti, Gaetano **5**:163
Música **10**:15
obra **5**:163
ópera **10**:216
Sutherland, Joan **13**:89
Donnall Thomas, E. **10**:7
Donne, John **7**:43; **13**:183
Donner, Henrik Otto **6**:161
Donoso Cortés, Juan **5**:318
Donoso, Armando **5**:163
bibliografía **5**:163
literatura hispanoamericana **8**:283
Donoso, José **5**:163
bibliografía **5**:163
Chile **4**:44
latinoamérica **8**:190
Donoso, Ricardo **4**:44
Donostia-San Sebastián **14**:28
Donskoi, Dimitri **9**:309
doña Isabel **8**:49
doña Juana **8**:49
dopamina **5**:164
neurobiología **10**:80
doping **5**:53
Doppler, Christian Johann **5**:164
biografía **5**:164
Doppler, efecto **5**:150
Doppler, principio de **6**:239
Doppler-Fizeau, efecto **5**:164
dorado **5**:164
Dorado, El **5**:165
Aguirre, Lope de **1**:117
Alfinger, Alfonso **1**:173
Amazonas, río **1**:222
Doradus, constelación **9**:24
Dordoña **8**:178
Doré, Paul Gustav **5**:165
Francia **6**:228
Mallorca **9**:45
obra **5**:165
Quijote, don **11**:257
Dorgeles **14**:192
Doria Luisa Pierrich **6**:177
Doria, Andrea **5**:165
biografía **5**:165
dórico, estilo
ábaco **1**:17
contrucción **4**:219
friso **6**:238
Grecia **7**:58
lengua **8**:217
Doride **10**:74; **13**:178
dorífora **5**:165
Dorilea **4**:306
dorios **8**:22, 107
Doris, Humphrey **8**:262
dormilón **5**:165
Dormitor, monte **9**:287
dormitorio **5**:165
Dornier, Claude **5**:165
biografía **5**:165
Dörpfeld, Wilhelm **13**:274
Dorrego, coronel **11**:268
Dorrego, Manuel **5**:165
biografía **5**:165
French, Domingo **6**:234
Lavalle, Juan Galo**8**:200
dorsales **6**:22
Dorset Horn, raza **6**:278
Dorticós Torrado, Osvaldo **5**:166
biografía **5**:166
Dortmund **5**:166
Alemania **1**:165
Dos Bocas, lago **1**:352
Dos Passos, John **5**:166
bibliografía **5**:166
Estados Unidos **6**:43
generación perdida **6**:299
naturalismo **10**:48
Dos Passos, John **5**:166
Dos Ríos, batalla de **4**:314
Dos Rosas, guerra de las **8**:169, 304
Dos Santos **1**:288
Dos Santos y Savimbi **1**:288
Dos Santos, José Eduardo **1**:288
Dos Sicilias, reino de la (Sicilia y Nápoles) **10**:292
dosificación **10**:64
dosímetro **5**:166
Dostoievski, Fedor M. **5**:166
bibliografía **5**:166
Eichelbaum, Samuel **5**:230
Gorky, Maksim **7**:23
literatura **8**:279
Nekrásov, Nicolai Alkseevic **10**:69
usura **13**:331
Suij, Estafan **14**:192
dote **5**:167
matrimonio **9**:133
Dou o Douw, Gerrit **5**:167
obra **5**:167
Douarnenez, Finisterra, Francia **6**:218
Douglas Fairbanks **6**:112
Douglas, Andrew Ellicott **5**:48
Douglas, Guillermo R. **10**:205
Douglass North **6**:187
douglassi **1**:28
Douro Litoral **10**:227
dovelas **1**:350
Dover, canal de **10**:131
Down, John Langdon **5**:167
Down, síndrome **5**:167
Downs, Goonhilly **13**:144
Doyle, Conan sir Arthur **7**:44 **11**:146
Dracaenadraco **5**:168
Dracia, Jean **1**:121
Dracón **5**:167
draconiana **5**:167
Drachmann, H. **5**:126
Drag nach Osten **1**:159
draga circular **5**:168
dragado **5**:167
dragaminas o barreminas **5**:168
dragas **5**:167 **10**:255
drago **5**:168
Drago, Luis María **5**:168
biografía **5**:168
dragón **5**:168
— Apofis **5**:168
— de Komodo **5**:168
— árbol del **1**:347
— boca de **4**:201
constelación **4**:218
dragón **6**:189; **8**:108; **14**:158
folklore **6**:189
leviatán **8**:236
dragoncillo **6**:59
Dragún, Osvaldo **5**:169
biografía **5**:169
drakar vikingo **5**:72
Drake, Francis **5**:169
acueducto **1**:60
biografía **5**:169
descubrimientos y exploraciones geográficas **5**:74
Drake, Francis **5**:73
Frobisher, Martin **6**:239
Gran Bretaña **7**:41
Hansa **7**:128
Isabel I **8**:48
piratería **11**:107
Pita, María **11**:112
Puerto Rico **11**:231
Drake, Edwin L. **11**:71
Drake, Walter **8**:48
Drakensberg, montes (Basutolandia) **10**:231 **1**:92 **8**:231
drama **5**:169
— occidental **5**:170
— oriental **5**:169
— origen del **5**:169
— tragedia **5**:169 comedia **4**:163 teatro **13**:131
dramamina **9**:90
dramático **13**:159
Drammen **10**:133
Dranensberg **13**:312
drapeado **9**:259
Draper, John William **5**:172
bibliografía **5**:172
drástica **11**:243
Drava, río **5**:11, 299; **7**:250
drávidas **2**:98; **7**:300; **8**:37
dravidiano, lenguaje **5**:172
dravídico **8**:216
Draza Mihailovich **13**:206
Drebbel, Cornelio van **13**:60
Dreiser, Theodore **5**:172
bibliografía **5**:172
Estados Unidos **6**:43
Naturalismo **10**:48
drenaje **5**:172
minería **9**:231
drenaje **1**:145
Drenthe **7**:207
Dresde (en alemán Dresden) **5**:172
— batalla de **5**:173
cristalería **4**:289
Elba, río **5**:235
ghetto **6**:321
Napoleón I, Bonaparte **10**:37
Dreux **6**:154
Dreyden, J. **7**:43
Dreyfus, Alfred **5**:173
biografía **5**:173
Clemenceau, Jorge **4**:110
Fallières, Clèment-Armand **6**:114
Zolá, Emille **14**:180

dríadas **10:**103
Driesch, Hans **9:**185
Drieu La Rochelle **9:**44
Driftless **7:**269
Drin, río **1:**137
Drnovsek, Janez **5:**300, 301
droga 5:173
delirium tremens **5:**44
diurésis **5:**146
ergotina **5:**274
naloxona **10:**33
toxicomanía **13:**235
drogadicción 5:174
alcoholismo **1:**151
drogas alucinógenas **8:**313
drogas blandas **10:**41
drogas duras **10:**41
drogas tricíclicas **5:**56
Droguett, Carlos **4:**44
Drome **8:**221
dromeo 5:175
dromos **10:**204
dronabinol **9:**96
Drosines, Y. **7:**62
Drosofila melanogaster **9:**328
Drosophila **7:**153; **8:**236
druidas 5:175
año nuevo **1:**321
Francia **6:**220
hoz **7:**234
Lindow, hombre de **8:**264
Drummond de Andrade , Carlos **8:**190
Drummund, lago **14:**100
drupa **1:**45; **13:**134
Druso **8:**289
drusos 5:175
Israel **8:**56
Drutwin **10:**44
Dryden Flight Research Center **10:**43
Dryden, John 5:175
bibliografía **5:**175
Drygalski, Eric von **5:**79
DSN **10:**43
DTH (Direct to Home Television) **14:**83
Du Bellay, cardenal **11:**271
Du Guesclin, Bertrand 5:177
biografía **5:**177
Francia **6:**222
Du Maurier 5:178
Du Pont de Nemours **6:**39; **10:**30
du Pont, Éleuthère Irénée **5:**41
du Pont, Pierre **5:**41
dualismo 5:175
maniqueo o manés **9:**58
metafísica **9:**180
monísmo **9:**277
Duaré, isla **14:**31
Duarte 5:175
Duarte I **11:**178
Duarte, Eva **11:**54
Duarte, José Napoleón 5:175
biografía **5:**175
Duarte, Juan Pablo 5:175
biografía **5:**175
Duarte, pico 4:66
Dubai **5:**249
Dubarry, madame **9:**94
Dubcek, Alexander 5:176
biografía **5:**176
Checa, república **4:**27
Eslovaquia **5:**299
Dublín 5:176
—, Universidad de **14:**138
Haendl, George Frederic **7:**119
Irlanda **8:**44
Kelvin, william Thomson, lord **8:**137
O´Lleary, Daniel Florencio **10:**201
Patricio, San **11:**14
Wiseman, Nicholas Patrick **14:**150
Yeats, William Butler **14:**161
Dubois, A. **6:**228
Dubois, Eugene **7:**214; **8:**92
Dubos, Rene **9:**152; **13:**202
Dubosc **11:**148
Dubrovnik **4:**294; **11:**290
Ducasse, Isidore Lucien **8:**279, 199
ducatus **11:**167
Duccio **11:**96
Ducie, isla de **11:**112
Ducommun, Élie 5:176
biografía **5:**176
Gobat, Charles Albert **6:**336
Ducos du Hauron **6:**230
dúctil **10:**254
dúctiles **6:**164
ductilidad 5:176
hojalata **7:**204
malebilidad **9:**43
Duchamp, Marcel
dadaísmo **5:**6
Francia **6:**229
modernismo y arte moderno **9:**263
Paz Lozano, Octavio **11:**21
Dudevant, Aurora **4:**63
duelo 5:176
duendecillos **7:**116
Dueño Colón, Braulio **11:**239
Duero, río 5:176
España **5:**305
Europa **6:**75
Numancia **10:**161
Valladolid **14:**19
Zamora **14:**172
Duero, valle del **11:**174
Dufour **9:**285
Dufour, Pico **13:**76
Dufy, Raoul 5:176
obra **5:**176
Francia **6:**228
Dugan, James **4:**274
Duggan, Bernardo **1:**87; **11:**156
dugongo 5:176
Duhamel, Georges 5:177
bibliografía **5:**177
Francia **6:**227
Duhart, Emilio **4:**43
Duhesme, Guillarme-Philibert **1:**214
Duisburg 5:177
Duisburgo **1:**165
dujos **11:**241
Dukas, Paul 5:177
Falla, Manuel de **6:**114
obra **5:**177
Posada Amador, Carlos **11:**178
Urrutia, Jorge **13:**325
Duke, Universidad de **9:**185
Dulbecco, Renato 5:177
biografía **5:**177
dulcamara 5:177
dulcamarina **5:**177
dulce **1:**195; **10:**40; **6:**135; **7:**109
dulce, hierro **7:**173
Dulce, mar **1:**221, 242; **11:**133
dulcémele 5:177
dulces **4:**204, 205
Dulcinea, doña **9:**324; **11:**257; **13:**209
Duluth **7:**48; **9:**228
Duluth, puerto de **7:**172
dulzaina 5:177
Dulles, Allen Welsh **4:**65
Dulles, John Foster 5:177
biografía **5:**177
Dullin, C. **9:**86
Duma **13:**306
Dumas, Alejandro (hijo) 5:178
bibliografía **5:**178
Francia **6:**227
Dumas, Alejandro 5:177
bibliografía **5:**178
Don Juan **5:**163
Drama **5:**171
folletín **6:**191
Francia **6:**227
literatura infantil **8:**286
Montecristo, conde de **9:**286
mosquete y mosquetero **9:**310
Nueva Zelanda **10:**159
turismo **13:**289
Xirgu, Margarita **14:**158
Dumas, Frédéric **4:**273
Dumas, Jean-Baptiste-André 5:178
biografía **5:**178
metileno **9:**188
Dumas, María Cessette **5:**177
Dumbarton Oaks 5:178
Dumbier, monte **5:***298*
Dumdstier **6:**228
Dumézil, Georges **4:**276
Dumfries **7:**36
Dumont D'Urville, Jules-Sébastien-César 5:178
antártida **1:**303
biografía **5:**178
descubrimientos y exploraciones geográficos **5:**79
exploraciones polares **6:**98
Dumont, Alberto Santos 5:178
dumping 5:178
librecambio **8:**249
trust **13:**278
Dümrek **13:**273
Dumur, L. **13:**81
duna 5:178
Dunant, Jean Henri 5:178
biografía **5:**178
Cruz roja internacioanl **4:**303
paz **11:**19
dunas **10:**169
<u>Dunas en las islas Galápagos</u> **6:**263
Dunbar, Bonnie **13:**243
Dunbar, Paul Laurence **6:**43
Duncan I **9:**6
Duncan, Isadora 5:178
biografía **5:**178
Dundee 5:178
Dunedin **10:**159
Dungeness, punta **9:**22
Dunkerque 5:179
Francia **6:**212
Guerra Mundial, Segunda **7:**94
metro y sistema métrico **9:**189
<u>Dunluce, Castillo</u> **8:**46
Dunning, John Ray 5:179
biografía **5:**179
Duns Escoto **11:**185
Duns Scotus, John 5:179
biografía **5:**179
Dunstan, san 5:179
dúo 5:179
duodenal **13:**301
<u>duodeno</u> **1:**262
duodeno **6:**56; **8:**21; **10:**307
Duomo de Florencia **6:**327
Duomo, plaza del **9:**222
duopolio **9:**280
Duperrey, L. I. **5:**77
Dupin, Amandine Aurore Lucie 5:179
Dupin, Augusto **11:**146
Dupin, Aurore **10:**17
Dupleix **7:**300
Duplessis, Lucile **5:**90
Duplessis, María **5:**178
dúplex **13:**146
Duprain Triel **6:**305
Dupuit **6:**90
Dupuytren, Guillaume **4:**94; **10:**190
Dupuytren, museo de Anatomía Patológica de **10:**244
Duquesne, Universidad de **11:**114
duración **7:**184
duraluminio 5:179
aluminio **1:**213
duramadre **9:**167
duramen **9:**12
Durán Ballén, Sixto **5:**201
Durán, Diego **1:**117
Durán, Gustavo **5:**17
Durán, Sixto M. **5:**202
Durand **4:**215
Durand-Ruel **7:**287
Durango 5:179,
— historia **5:**180
<u>Durango</u> **5:**180
intendencia **8:**15
México **9:**197
plata **11:**132
Zarco, Francisco **14:**174
Zumárraga, Juan de **14:**191
Durango, Victoria de 5:180
duraznillo negro 5:180
durazno 5:180
Durazno 5:181
Durazzo, Ladislao de **1:**137 **4:**295
Durban 5:181
Natal **10:**46
Durban, puerto de **13:**312
Durero, Alberto 5:181
Alemania **1:**166
apocalipsis **1:**325
Cranach, Lucas **4:**275
Cuatro jinetes del apocalipsis **4:**310
<u>Durero, Alberto</u> **5:**109, 181
Escuela artística **5:**289
Fortuna **6:**199
grabado **7:**28
lucha **8:**315
Metsys, Quentin **9:**192
muerte **9:**323
Nuremberg **10:**165
obra **5:**181
perspectiva **11:**58
pintura **11:**97
Raymondi, Marco Antonio **11:**290
Xilografía **14:**157
Durey **7:**220
dureza 5:182
física **6:**164
d'Urgell, la Seu **1:**270, 272

Durham **7**:35 **10**:85
durio 5:182
durite **11**:127
Durkheim, Emile **4**:77 **9**:131, 249
durmientes **6**:139
Duroc Jersey, raza **6**:278
Durón, Rómulo E. **7**:219
Durrel **9**:224
Duse, Eleonora 5:182
  biografía **5**:182
  Grammatica, Emma **7**:31
  mujer **9**:326
Düsseldorf 5:182
  Duisburg **5**:177
  Alemania **1**:165
  prehistoria **11**:186
Dutch Harbor **1**:170
Duvalier, François 5:182
  biografía **5**:182
Duvalier, Jean Claude 5:182
  biografía **5**:182
Duve, Christian René de 5:182
  biografía **5**:182
Duvivier, Julien 5:182
  biografía **5**:182
dux 5:182
  — veneciano **1**:292
  — Palacio de los **11**:228
Duyfken **5**:77
DVD **5**:142
Dvina del Norte **6**:75
Dvina del Sur **6**:75
Dvina, río **10**:212
Dvorak, Antonin 5:182
  checa, república **4**:28
  música **10**:16
  obra **5**:182
Dwight David Eisenhower **6**:42, 224
Dylan, Bob **2**:2
dynamo, teoría **9**:28
dynel **10**:32
Dzibilchaltún **9**:137, 198
Dzungaria **6**:49
Dzungaria, depresion de **4**:47
Dzungaria, montañas de **4**:47

E

e 5:183
Ea, isla de **4**:89
Eaco **7**:258; **11**:142
Eagle, módulo lunar **2**:118
eagnoliáceo, árbol **9**:30
Eagro **10**:243
Eanes, Gil **5**:72, 265
Earhart, Amelia 5:183
  biografía **5**:183
  aeroplano **1**:87
  mujer **9**:325
Early **14**:139
Early Bird **4**:187; **8**:16; **13**:145
East Chicago **7**:306
East Indian Company **10**:226
East London **13**:313
East Saint Louis **7**:270
East-Bridgepor **2**:255
Eastman, George 5:183
  bibliografía **5**:183
  comunicaciones **4**:184
  ortografía **6**:203
  película **11**:31
Eastport **9**:33
ebanistas **2**:69
ebanistería 5:183
  acebo **1**:45
  carpintería **3**:257
  taracea **13**:117
ébano 5:183
  madera **9**:12, 14
Eberly Gross, Samuel **11**:117
Ebert, Friedrich 5:183
  biografía **5**:183
  Hindenburg, Paul **7**:180
Eberth, Karl Joseph 5:184
  biografía **5**:184
Éboli, Ana Mendoza, princesa de 5:184
  Véase Mendoza y de la cerda, Ana.
Éboli, príncipes de **9**:166
Ebro, delta del **5**:306
Ebro, Observatorio del **11**:241; **12**:89
Ebro, río 5:184,
  Aragón **1**:339
  España **5**:304
  Navarra **10**:51
  Pirineos **11**:108
  Vasco, país **14**:28
  Zaragoza **14**:173
ebullición 5: 184
  desinfectantes **5**:89
  géiser **6**:296
Eça de Queiroz, José María 5:184
  bibliografía **5**:184
  Portugal **11**:177
Ecatepec **6**:30; **9**:207
eccema 5:184
  pelagra **11**:29
Eccles, sir John Carew 5:184
  biografía **5**:184
  Australia **2**:164
  Huxley, sir Andrew Fielding **7**:254
ecclesia **8**:211
Ecclesiam Suam **11**:17
Écija 5:185
  Vélez de Guevara, Luis **14**:38
Eck, Johann **8**:326
Eckener, Hugo 5:185
  biografía **5**:185
  transportes **13**:252
  Zeppelin, Fernando, conde de **14**:177
Eckermann, Johann **7**:13
Eckert **9**:77
Eckhart, Heinrich **1**:165
eclampsia **4**:230
eclampsia infantil **5**:262
ecléctica **12**:217
eclecticismo 5:185
Eclesiastés **12**:176
eclesiástica **8**:181
Eclesiástico **8**:163,170
Eclesiásticos Nobles, Academia de **11**:102
eclesiología **4**:196
eclímetro **10**:107
eclipsante **5**:151
eclipse 5:186
  — de Sol **2**:119
  — lunar **2**:122
  — estelar **12**:158
  — solar **2**:126 ; **5**:186
  — solar 6:203
  astronáutica **2**:116
  latitud y longitud **8**:196
eclíptica 5:186
  cometa **4**:169
  zodiaco **14**:179
eclíptico **5**:273
eclosión **8**:93
ecneidos **4**:19
Ecnomo **7**:100
eco 5:186
Eco, Umberto 5:187
  bibliografía **5**:187
ecocírculo **6**:238
ecología 5:187
ecología **5**:188
  — aplicada **5**:188
  animal **1**:295
  fitoecología **6**:171
  mutualismo **10**:19
ecolución **2**:51
econometría **6**:238; **8**:134
Econometric Society **13**:209
economía 5:188
  — capitalista **5**:193; **6**:54
  — capitalistas libres **5**:191
  — de guerra **9**:223
  — de paz **9**:223
  — del input-ouput **8**:228
  — estímulo **6**:54
  — humana **6**:303
  — política**,** principios de **1**:38
  — socialista **6**:54; **11**:208
  bienes y servicios **5**:189
  distribución **5**:191
  el problema del valor **5**:190
  factores de la producción **5**:190
  producción **5**:188
  producción anual **5**:189
  sistemas económicos **5**:191
  teorías económicas actuales **5**:193
economía doméstica 5:194
  educación rural **5**:223
económico-financieros, fenómenos **7**:325
economistas **14**:15
ecosistema **4**:226; **5**:187; **6**:171
ectoblasto **3**:6
ectodérmico **13**:86
ectodermo **5**:67, 248; **10**:213
ectoplasma 5:195
ecuación 5:196
  — química **8**:201; **11**:261
  — diferenciales **10**:285
  — diferenciales hiperbólicas **12**:67
  álgebra **1**:180
  cuadratura del círculo **4**:308
  física **6**:167
Ecuador 5:196, *197*
  — bandera de **2**:240
  — capital y ciudades principales **5**:198
  — clima **5**:196
  — economía y recursos naturales **5**:197
  — educación **5**:199
  — escudo nacional de **5**:286
  — geografía física **5**:196
  — geología **5**:196
  — gobierno **5**:199
  — patrimonio cultural **5**:201
  — sierra de **7**:311
  — transportes fluviales, aéreos y terrestres **5**:198
  — visitas científicas **5**:202
  azufre **2**:205
  Bantú **2**:246
  Bolívar **3**:22
  Carche **3**:240
  Esmeraldas **5**:302
  Febres Cordero, León **6**:123
  García Moreno, Gabriel **6**:284
  Hispanoemérica **7**:187
  indios americanos **7**:310
  Manabí **9**:50
  Milagro **9**:221
  Napo **10**:39
  Oro, El **10**:256
  Portoviejo **11**:173
  Quito **11**:270
  Sacro Colegio Romano **12**:160
  Sierra **12**:318
  vicuña **14**:78
ecuador celeste **8**:248
ecuador galáctico **8**:265
ecuador magnético **8**:265; **9**:28
ecuador solar **8**:335
ecuador terrestre **8**:265
ecuménico, movimiento **11**:218
Ecuménicos, Concilios **14**:30
ecumenismo **4**:293
ecuos **7**:277
eczema **1**:169; **5**:262
Echagüe, Juan Pablo 5:184
  bibliografía **5**:18
Echagüe, Pascual **13**:325
Echandi Jiménez, Mario **4**:270
Echave *el Viejo* **5**:185
Echave Orio, Baltasar 5:184
  obra **5**:184
  Latinoamérica **8**:193
  México **9**:206
Echave Rioja, Baltasar 5:185
  biografía **5**:185
Echegaray Eizaguirre, José 5:185
  bibliografía **5**:185
  drama **5**:171
  España **5**:320
  Vega, Ricardo de la **14**:33
  Vico, Antonio **14**:76
Echenique, José Rufino 5:185
  biografía **5**:185
  Elías, Domingo **5**:246
  Prado, Mariano Ignacio **11**:182
Echenique, Juan **4**:43
Echereis **12**:17
Echeverría Álvarez, Luis 5:185
  biografía **5**:185
Echeverría, Esteban 5:185
  bibliografía **5**:185
edad **6**:307
Edad Antigua 5:202
  Edad Antigua **5**:203
  antigüedad clásica **5**:202
  antigüedad oriental **5**:202
  esclavitud **5**:281
  Francia **6**:220
  patriotismo **11**:15
edad Carbonífera **5**:97; **7**:140
Edad Contemporánea 5:203
  bandera **2**:244
  mobiliario y mueble **9**:256
edad cuaternaria **1**:227
edad de Bronce **3**:85; **7**:157, 255; **11**:187; **12**:233
edad de Cobre **7**:135
edad de Hielo **7**:169
edad de Hierro **11**:187; **13**:123
edad de Piedra **4**:165
edad de los metales 9:182
edad de oro 5:204

Atenas **2**:134
Cnosos o Knosos **4**:118
Dalí, Salvador **5**:7
España **5**:319, 320
hebreo **7**:135
edad de piedra 5:205
arqueología **2**:52
cremación **4**:280
Europa **6**:81
lino **8**:268
minería **9**:231
Suecia**13**:70
zoología **14**:186
edad de plata **7**:135
Edad del Bronce **8**:157
Edad del Hierro **1**:271; **2**:246; **7**:172
Edad Media 5:205
alta Edad Media 5:205; **9**:331
feudalismo 5:207
baja Edad Media 5:208
Adriano, Publio Elio **1**:75
Amalfi **1**:217
asilo **2**:100
biblioteca **2**:312
bucólico **3**:93
Carlomagno, Carlos I, llamado **3**:248
cuero **4**:323
diplomacia **5**:136
esgrima **5**:296
Francia **6**:218
gobierno **7**:7
herramienta **7**:157
legado **8**:209
máscara **9**:119
Nicosia **10**:96
servicio secreto **12**:296
Virgilio **14**:99
vivienda **14**:118
edad mínima **14**:133
Edad Moderna 5:209
astillero **2**:106
bandera **2**:241
división del trabajo **5**:148
exploraciones polares **6**:95
federalismo **6**:124
gremios **7**:64
hispanoárabe, literatura **7**:190
literatura **8**:277
mobiliario y mueble **9**:254
negocio **10**:65
opinión pública **10**:225
patriotismo **11**:15
psicología **11**:224
edad Neolítica **13**:179
edad preescolar **7**:321
edad Silúrica **5**:97
edad Terciaria **1**:227
edades 5:205
edades geológicas **9**:79
edafología 5:210
suelo **13**:72
edafosauro **6**:308
Edam **11**:252
Edda Nueva **5**:210
Eddas 5:210
Islandia **8**:53
literatura **8**:277
saga **12**:162
Eddington, Arthur Stanley 5:210
bibliografía **5**:210
Gran Bretaña **7**:44
Eddy, Mary Baker 5:210
bibliografía **5**:210
Eddy, William A. **4**:168
Edelinck **1**:224
Edelman, Gerald 5:210
biografía **5**:210
Edelman, Maurice **11**:172
edelweiss 5:210
estrella de los alpes **6**:62
Edem Kodjo **13**:211
edema **8**:13
edema pulmonar **2**:103
Edén 5:210
Eden, Anthony 5:210
biografía **5**:210
Eden, Ashley **3**:125
edentados **5**:86
Edgeworth **10**:202
edición **5**:254; **14**:124
edición informática **11**:190
edicto **11**:195
edicto de Milán **3**:292
edicto de Nantes **6**:192; **7**:244; **9**:34
edicto de Restitución **7**:87
edicto de Worms **6**:17
edicto Perpetuo **1**:75
edificaciones romanas **1**:279
edificio **1**:266; **4**:260
edil 5:210
Edimburgo 5:210
— castillo de **7**:36
— monumento a Nelson **10**:70
— Universidad de **4**:192; **9**:246
Aberdeen **1**:27
Constant de Rebecque, Benjamín Henri **4**:216
Dundee **5**:178
Edimburgo
Eduardo VII **5**:213
Hume, David **7**:248
Ricardo III **12**:62
Simpson, sir James Young **12**:329
Edimburgo, duque de 5:211
Véase Mountbatten, Felipe de Isabel II **8**:48
Edipo 5:211
— complejo de **11**:223
Antígona **1**:305
biografía **5**:211
esfinge **5**:296
Tebas **13**:134
Edirne 5:211
Adrianópolis **1**:75
Edison, efecto 5:211
radiotelefonía y radiotelegrafía **11**:284
Edison, Thomas Alva 5:211
obra **5**:211
Edison-Lalande, pila de **11**:89
editor y editorial 5:212
clases de editoriales **5**:212
círculos literarios **5**:212
editorial de diarios **5**:212
editoriales de textos escolares **5**:212
editoriales subvencionadas **5**:212
Editorial Católica **7**:158
editorialista 5:212
Edmond-Louis **6**:227
Edmonton 5:212
Edmund Cartwright **13**:140, 142
Edmund Husserl **6**:131
Edom **5**:277
edomitas **5**:277
Eduardo Antonio Ricardo **9**:315
Eduardo *el Confesor* 5:213
biografía **5**:213
Londres **8**:304
Westminster, abadía de **14**:147
Gran Bretaña **7**:40
Eduardo I 5:213
biografía **5**:213
Gran Bretaña **7**:40
príncipe de Gales **11**:202
Eduardo II **5**:213; **9**:305
Eduardo III 5:213
biografía **5**:213
batalla **2**:264
Chaucer, Godofredo **4**:23
Francia **6**:221
Gran Bretaña **7**:40
jarretera, orden de la **8**:90
Mortimer, Roger de **9**:305
Wycliffe, John **14**:156
York, casa de **14**:164
Eduardo IV **12**:62
Eduardo V **12**:62; **13**:228
Eduardo VI **2**:313; **4**:276; **7**:40; **8**:48, 144; **11**:244
Eduardo VII 5:79, 213
biografía **5**:213
Antártida **1**:302
condecoración **4**:199
diamante **5**:104
Gran Bretaña **7**:42
Haakón VII, rey de Noruega **7**:113
Jorge V **8**:108
Unión Sudafricana **13**:314
Victoria I **14**:77
Eduardo VIII 5:213
biografía **5**:213
abdicación **1**:20
Gran Bretaña **7**:42
Eduardo, *el Príncipe Negro* 5:213
biografía **5**:213
Eduardo, lago 5:213
educación 5:213
— física **5**:219
— fundamental **13**:304
— general **7**:246
— historia de la **5**:215
— moral **5**:220, 222
— necesidad de la **5**:213
— popular **8**:154
— pública **8**:10
— visual **2**:158
Bello, Andrés **5**:216
Decroly, Ovide **5**:216
Dewey, John **5**:217
educación **5**:214, 216, 217, 219
enseñanza especial **5**:218
escuelas por correspondencia **5**:219
Froebel, Friedrich **5**:216
instrucción pública **5**:217
jardines de infantes **5**:217
Montessori, María **5**:216
Pestalozzi, Johann Henrich **5**:216
Rousseau, Jean Jaques **5**:216
Sarmiento, Domingo Faustino **5**:216
universidades **5**:218
educación de los padres 5:220
educación física 5:220, *222*
deporte **5**:52
gimnasia **6**:324
educación religiosa 5:222
educación rural 5:222
fines e importancia **5**:222
ortganización **5**:222
planes de estudio **5**:222
educación sexual 5:223
Edward Chamberlin y Moulton, Charles **4**:264
Edward Pusey **10**:86
Edward Sokoine **13**:115
Edward, George **3**:267; **13**:298
Edwards Bello, Joaquín 5:223
bibliografía **5**:223
Edwards, Alberto **4**:44
Edwards, familia **7**:322
Edwards, Jorge **4**:44
Eetes, rey **2**:28
Efate, isla **14**:24
efedra 5:223
efedrina **2**:103; **5**:173, 223
efemérides 5:223
Efesia **5**:302
Éfeso 5: 223
Éfeso, Concilio de **9**:100
Diana **5**:105
Esquines **6**:26
Heráclito **7**:149
Timoteo, san **13**:197
Efesto **14**:177
Efialtes **11**:49
Efialto **8**:228
efigies **13**:273
efímera **13**:196
efod **14**:62
éforos **7**:59
Efraín **1**:35; **8**:109
EFTA **13**:81
Egades, islas **1**:324
Egaña, Juan 5:223
bibliografía **5**:223
Egas, Camilo **5**:202
Egberto, rey 5:223
biografía **5**:223
Egede, Hans **7**:67
Egeida **5**:223
Egeo, mar 5:223
Alcibíades **1**:148
Balcanes **2**:224
Creta o Candia **4**:282
Corinto **4**:248
Dodecaneso **5**:152
Elytis, Odysséus **5**:247
Europa **6**:75
jonios **8**:107
laconia**8**:159
Mármara, Mar de **9**:104
Milo **9**:224
Rodas **12**:89
Samotracia **12**:187
Egeo, rey **9**:148; **13**:174
Eger, río **3**:18
Egeria **10**:161
Egerton, Daniel **8**:194
egestión **1**:295
Egica **7**:11
Egidiano, Juan Bautista **11**:63
Egina **2**:51; **4**:248; **11**:135
Egipto 5:224
— ciudades **5**:225
— clima **5**:224
— economía y comercio **5**:225
— educación **5**:226
— estelas de **6**:48
— faraónico **13**:133
— geografía física **5**:224
— gobierno **5**:226
— Gran Pirámide de **1**:209
— historia **5**:226

— Medio **1**:251
— mitología **10**:264
— pirámides de **4**:219; **7**:329
— población **5**:226
— recursos naturales, productos e industrias **5**:224
— religión **5**:226
— República Árabe de **5**:229
— Superior **13**:133
— transportes **5**:225
— y Creta **5**:14
– y Siria **12**:27
acueducto **1**:59
arquitectura **2**:54
Cairo, El **3**:155
correo **4**:253
Egipto **4**:104; **5**:296; **8**:96; **10**:236; **12**:115, 320
Europa **6**:82
gitano **6**:328
gobierno **7**:5
hipódromo **7**:183
lengua **8**:218
magia **9**:25
mobiliario y mueble **9**:252
Nasser, Gamal Abdel **10**:44
paz, tratado de **11**:19
piratería **11**:107
sicómoro **12**:314
vestido **14**:61
Zogú I **14**:179
égira 5:230
Egisto **1**:99; **3**:271; **5**:236; **10**:242
égloga 5:230
ego o yo **11**:223
egoísmo **1**:209
egolatría **10**:40
Egospótamos **11**:33
Egregios **13**:316
Eguren, José María **11**:62
Ehécatl-Quetzalcóatl **13**:159
Ehipple, George **9**:235
Ehrensvärd **13**:71
Ehrlich, Paul 5:230
obra **5**:230
Eibar (Vizcaya) **14**:190
Eicke, Theodor **4**:193
Eichelbaum, Samuel 5:230
bibliografía **5**:230
Eiffel, Alexandre Gustave **1**:163; **5**:230; **8**:247
Eiffel, torre 5:230
Eiffel, torre **10**:327
Eigen, Manfred 5:230
biografía **5**:230
Eijkman, Crhistiaan 5:230
obra **5**:230
Eilenberg **9**:10
Eilenreide, Parque **10**:331
Eimer, Herbert **1**:165
Einar Englund **6**:161
Einaudi, Luigi 5:230
biografía **5**:230
Eindhoven **7**:207
Eino Leino **6**:161
Einsiedein, Suiza **1**:18
Einstein, Albert 5:230
obra **5**:230
einstenio 5:231
Einthoven, Willem 5:231, 239
biografía **5**:231
Eire, República del **5**:176; **6**:261
Eireann, Seanad **8**:44
Eisenach, Alemania **2**:211
Eisenach, Alemania **8**:326, 327
Eisenhower, Dwight David 5:231
biografía **5**:231
Eisenstein, Sergei Mijailovich 5:231
bibliografía **5**:231
Eisleben **8**:326; **11**:324
eje 5:231
— de las abscisas **1**:36
— de las cotas **1**:36
— de las ordenadas **1**:36
— de las x **1**:36
— de las y **1**:36
— giratorio **7**:140
— óptico **1**:27
Eje Berlín-Roma-Tokio **8**:84
Eje Volcánico Transversal **9**:17, 193; **11**:168, 226
ejercicio bélico **9**:223
ejército 5:231
— bávaro **7**:195
— británico **7**:175
— Confederado de Virgnia **11**:40
— de Francia **8**:211
— de la Unión **6**:316; **11**:40
— de las Tres Garantías **8**:68
— de Liberación de Surinam (ELS) **13**:86
— de los Andes **2**:22, 287; **8**:175, 200
— de Napoleón **1**:342
— de Perú **8**:166
— del Norte **2**:21
— del Sur **11**:197
— Español **8**:166, 306
— estadounidense **2**:43
— formación del **5**:234
— germano **7**:94
— moderno **5**:234
— Nacional Democrático Griego (EDES) **7**:61
— profesional **5**:233
— regimientos de caballería **8**:172
— Republicano **2**:159
— Rojo **6**:239; **13**:273 306
— romano **5**:*232*
— soviético **2**:195; **8**:172
— zulú de Chaka **13**:90
aviación **5**:234
Edad Media **5**:232
Grecia y Roma **5**:232
los bárbaros **5**:232
Napoleón **5**:233
primeros tiempos **5**:231
ejército de Salvación 5:235
ejes coordenados **1**:36
ejes de simetría cristalina **12**:328
ejido **8**:238
ekaboro **5**:278
Ekaterinenburgo **10**:96
Ekaterinoslav **11**:244
Ekeberg, Gustav **13**:113
Ekenas **6**:159
Ekhnatón 5:235
biografía **5**:235
Nefertiti **10**:64
Ekstrom, Phil **5**:38
el 5:235
El anillo de los Nibelungos **10**:92
El aprendiz de brujo **5**:177
El barbero de Sevilla **10**:15
El beso de la mujer araña **11**:241
El burlador de Sevilla **5**:163; **13**:203
El caballero Destouches (Le chevalier Des Touches) **2**:251
El Cantar de los Cantares **2**:309; **13**:67
El Capital **4**:190; **9**:116
El David de Bernini **2**:303
El Decámeron **9**:56
El doctor Zhivago **11**:8
El Escorial **2**:313; **8**:114
El francotirador **10**:15
El gato con botas **11**:54
El ingenioso hidalgo don Quijote de la Mancha **11**:256
El ladrón de bicicletas **10**:72
El lago de los cisnes **5**:16
El libro de Arturo **13**:96
El lobo estepario **7**:161
El mago de Oz **2**:267
El monólogo de la locura **5**:9
El origen de la vida en la Tierra **10**:215
El pájaro de fuego **12**:142
El paraíso perdido **9**:225
El paraíso reconquistado **10**:323
El perro andaluz **5**:7
El planeta de los simios **7**:161
El príncipe **8**:65; **9**:71
El principito **8**:285; **12**:166
El puente sobre el río Kwai **7**:107
El rapto de las sabinas **11**:181
El rey Lear **5**:170; **12**:304
El Romancero Español **2**:221
El sombrero de tres picos **5**:17
El sueño de una noche de verano **12**:109
El tambor de hojalata **7**:51
El último mohicano **9**:264
Elam **1**:130; **2**:131
elamita **4**:329
Ela-Nguema **7**:106
elápidos **2**:104
Elas, Raúl **12**:184
elasticidad 5:235
Elba, cuenca **1**:163
Elba, estuario del **8**:141
Elba, isla de 5:235
Elba, río 5:235
Elbasan **1**:137
Elbeuf (Normandía) **9**:134
Elbruz **2**:85; **9**:285; **12**:136, 137; **13**:138
Elcano, Juan Sebastián 5:235
biografía **5**:235
Elche **1**:185; **7**:259; **10**:295
Elche, Dama de 5:268
Elchibei **2**:195
Elchingen **10**:91
Elea **10**:330
Eleática, Escuela **10**:330
eléboro **13**:279
elección 5:236
eleclectrones **9**:28,130
Electra 5:236
biografía **5**:236
arpías **2**:49
Micenas **9**:212
Orestes **10**:242
Pléyades **11**:138
eléctrica, carga **10**:325
eléctrica, corriente **4**: 90,225
eléctrica, densidad **10**:325
eléctrica, energía **4**:213
eléctrica, energía **4**:162
eléctricamente neutro **2**:147
eléctricas, señales **10**:79
electricidad 5:236
— atmosférica **6**:233, 244
— corriente eléctrica **5**:238
— electromagnetismo **5**:238
— estática y cinética **5**:238
— medidas eléctricas **5**:238
— por contacto **14**:129
— terminología **5**:238
— terrestre **6**:302
— transmisión eléctrica **5**:239
— usos de **5**:236
electricista **1**:133
eléctricos, motores **12**:297
electrificación **5**:198
electro **5**:132
electrocardiografía 5:239
electrocardiógrafo **5**:52, 237; **8**:13
electrocardiograma **4**:237; **7**:325; **10**:263
electrocauterios **3**:303
electrocauterización **14**:58
electrochoque 5:239
electrodébil **6**:332
electrodiálisis **5**:66, 102
electrodinámica **1**:339; **8**:308
electrodo 5:239
electroencefalografía 5:239
electroencefalógrafo **5**:239; **8**:13
electroencefalograma **10**:263
electrofónico, efecto **10**:196
electroforesis **13**:204
electróforo **14**:129
electroimán **9**:28; **6**:91; **13**:145, 196
electrólisis 5:239
electrolítico, hierro **7**:173
electrolito 5:240
electrología **5**:241
electrología médica **9**:150
electroluminiscencia **8**:320
electromagnetismo 5:240
electrómetro **4**:168; **14**:129
electromotrices **6**:245
electromotriz, fuerza 5:240
electrón 5:240
— beta **2**:146
— positivos **1**:299
— antipartícula del **1**:*311*
— Teoría y práctica de la difracción del **13**:183
electrónica 5:241
— cuántica **11**:211
— teoría **8**:308
excitación magnética **6**:91
electrónicos, medios **14**:82
electrón-positrón **1**:299
electropositivo **7**:169
electroquímica 5:242
— leyes de **6**:117
química **11**:260
electroscopio 5:242
— portátil **2**:153
radioactividad **11**:276
electrostática **4**:199, 273; **5**:*238*
electrostático, campo **10**:325; **12**:6
electrotecnia **11**:53
electroterapéuticos **9**:157
electroterapia **6**:234; **10**:327
electrotipia 5:242
imprenta **7**:284
El-Edrisi **5**:71
elefante 5:242
elefante **1**:59, 65; **2**:90; **4**:89, 283; **5**:243
mamut **9**:49
Laos **8**:173

elefantiasis o elefancía 5:244
filariosis **6**:152
lepra **8**:230
elegía 5:244
elektron **1**:223; **5**:236
elemento meteorológico **7**:29
elemento químico 5:244
— existentes **5**:245
— y la teoría nuclear **5**:244
nombre y símbolos **5**:244
transmutación de los elementos **5**:245
elementos del Universo **2**:146
elementos, transmutación de los **5**:246
Elena de Troya 5:245
biografía **5**:245
Elena, santa 5:245
biografía **5**:245
eleocarpáceas **2**:33
Elephanta, cavernas de **7**:298
Eléspuru, Juan Norberto 5:245
biografía **5**:245
Eléuteros, río **6**:129
elevada **2**:183
elevador **7**:102; **13**:244
elevadores **8**:193
elevadores de granos **3**:331; **7**:49
Elflein, Ada M. 5:245
bibliografía **5**:245
elfos **6**:188; **7**:116
Elgar, Edward William 5:245
bibliografía **5**:245
Elgon, montaña **13**:301
Elguero Iturbide, Francisco 5:245
bibliografía **5**:245
Elhúyar, Fausto 5:246
bibliografía **5**:246
Eliade, Mircea **12**:132
Elías 5:246
biografía **5**:246
Elías Calles, Plutarco 5:246
biografía **5**:246
Elías Piña 5:246
Elías, Antón y Baltasar 5:246
bibliografía **5**:246
Elías, Baltasar **5**:246
Elías, Domingo 5:246
biografía **5**:246
Elías, monte **12**:88
Élida **1**:349; **10**:203; **11**:32
Elida **8**:94
Eliecer Gaitán, Jorge **4**:144
Eliézer **11**:313
Elifaz **8**:105
eligere **8**:236
Elío, Francisco Javier 5:246
biografía **5**:246
Elion, Gertrude Belle 5:246
biografía **5**:246
Eliot, George 5:246
bibliografía **5**:246
Eliot, Thomas Stearns 5:246
bibliografía **5**:246
Seferis, Giorgios **12**:258
elipse 5:247
— de Hohmann **2**:114
elipsis 5:247
elípticas **7**:203; **10**:229; **13**:193
Elisa Rachel **9**:326
élitros **7**:66; **6**:327; **8**:6; **13**:195
Eliu **8**:105
Elizabeth Taylor **13**:128
Elizalde, Antonio 5:247
biografía **5**:247
Elizondo, José 5:247
bibliografía **5**:247
Elizondo, Salvador 5:247
bibliografía **5**:247
El-Kantara, oasis **10**:169
Elmo, san **13**:153
Elobey 5:247
— Chico **7**:106
— Grande **7**:106
— isla **6**:136
Elohim **5**:135
elópido **13**:121
elotada **9**:37
Eloy, san **5**:179
Elpis **6**:13
Elqui **4**:37, 235
Elqui, río **4**:37
Elster, Julio **3**:318
Eluard, Paul **6**:227; **13**:87
elurófolos **6**:292
eluviales **10**:255
Elvas **2**:212
Elveskud **13**:71
Elvis Presley **13**:158
Elvis Presley, Tumba de, Memphis **9**:162
elxida **14**:118
Ely, Eugenio **11**:172
Elytis, Odysséus 5:247
bibliografía **5**:247
Ellero, Pietro **6**:137
Ellery Queen 5:247
obra **5**:247
Ellice **11**:153
Elliot, T.S. **7**:273
Ellis, Jimmy **3**:63
Ellora **2**:55; **7**:298
Ellsworth, expediciones de **14**:150
Ellsworth, James W. **1**:302
Ellsworth, Lincoln **5**:78; **6**:96, 98
emá (ñandu) **10**:167
e-mail **8**:19
emanantismo brahamánico **11**:155
emancipación **8**:176
embajador 5:247
embalaje 5:247
embalsamamiento 5:247
muerte **9**:322
cosméticos **4**:263
formol **6**:196
embalse 5:247
embarazo **6**:105
embarazo ectópico **6**:105
embarcaciones a vela **3**:261; **10**:56; **11**:329
embarcaciones de motor **11**:329
embarcaciones de remos **11**:329
embarcadero, Estocolmo, Suecia 13:68
embargo 5:247
embaucadores **6**:131
Embden **2**:189
embiópteros **8**:9
emblemas **1**:292
embocadura **13**:271
embolia **4**:230, 238; **14**:27
émbolo **2**:171; **4**:179,238; **8**:298; **9**:75, 313; **11**:112
embrague **2**:171, 172
embrague de fricción **2**:172
embrague hidráulico **2**:172, 173
embriología experimental **14**:149
embriología y embrión 5:248
embrión 4:249
desarrollo **5**:67
embrionario, periodo **6**:89
embriónico, desarrollo **10**:272
fecundación **6**:124
metamorfosis **9**:184
embutido 5:249
Emden **9**:85
Emecé, editorial **9**:44
Emeric E. Vidal **13**:329
emerillón **7**:310
emerodromos **4**:253
Emerson, Ralph Waldo 5:249
obra **5**:249
Emery, Walter **12**:168
eméticas **8**:34
emetropía **10**:190
emidosaurios **3**:154; **14**:186
emigración 5:143, 249
emigraciones **9**:219
Emilianense **6**:335
Emiliano, Escipión **5**:313
Emilio, Paulo **1**:291
Eminescu, Mihail **12**:132
Emiratos Árabes Unidos 5:249
Emiratos Árabes Unidos **1**:332
Abu Dhabi **1**:39
Guerra del Golfo Pérsico **7**:88
petróleo **11**:71
emisión radiofónica **8**:305
emisión secreta **14**:133
emisiones postales y publicaciones **6**:154
emisor **11**:283
emisoras **14**:124
emoción 5:249
emociones **8**:219
empapelado 5:250
Emparán, Vicente **8**:307; **12**:60; **14**:47
***Empecinado*, Juan Martín Díaz, *el* 5**:250
biografía **5**:250
Empédocles 5:250
Agrigento **1**:109
metafísica **9**:180
emperador 5:250
— Constantino **12**:160
— del sacro imperio romano **12**:258
— romano Trajano **13**:240
— Yi Taijo **12**:298
Emperador, fuerte del **2**:11
Empire State **1**:209; **4**:185, 219; **9**:57; **10**:90; **11**:301
Empíreo **10**:308
empírica **2**:33
empirismo 5:250
— escéptico **9**:180
empiristas **4**:212
emplasto adherente **6**:7
Emporion **6**:187
empresario **5**:194
empresas cinematográficas **11**:225
empresas ferroviarias **14**:22
empresas industriales **9**:232
empresas, capital de **14**:16
empuñadura de sable **2**:43
Ems, Canal del **5**:166
Ems, río **7**:205
Emscher **5**:166
emulsión 5:251
fotografía **6**:201
gelatina **6**:297
ena 5:251
antílope **1**:307
enaguas **14**:69
enajenado **13**:236
enálage 5:251
figuras del lenguaje **6**:151
enano 5:251
nibelungos **10**:92
Tor **13**:221
enantiotropo, sistema **11**:152
enargita **6**:114
encaje 5:251
Encalada, Blanco **10**:192
encaleno **5**:5
Encamp **1**:272
encargo **8**:209
encáustica **11**:94
encausto **9**:335
encefalitis letárgica 5:251
sarampión **12**:226
encéfalo 5:252
Cushing, Harvey William **4**:335
médula **9**:154
encíclica 5:252
— León XIII **5**:252
— Pío X **5**:252
— Pío XI **5**:252
— Pío XII **5**:252
— Juan XXIII **5**:252; **8**:113
— Pablo VI **5**:252
— Juan Pablo II **5**:252
Mater et magistra **9**:130
enciclopedia 5:252
— movimiento de la **10**:225
Alembert, Jean Le Rond D´ **1**:168
comunicaciones **4**:184
Europa **6**:83
enciclopedismo **11**:117
enciclopedistas **4**:201
encina 5:253
Encina, Francisco Antonio 5:253
obra **5**:253
Encina, Juan de la 5:253
obra **5**:253
Enciso batalla de, **12**:56
Enciso, Fernández de **10**:164
Encke, Johann Franz 5:253
biografía **5**:253
encomenderos **5**:253
encomienda de indios 5:253
encuadernación 5:254
— a mano **5**:254
— a máquina **5**:254
Endara, Dr. Guillermo **10**:303
endecasílabos **9**:188
endemia **5**:269
endémica **13**:202
Enderbury **7**:275
Enders, John F. 5:256
biografía **5**:256
endoblasto **3**:6
endocardio **4**:238
endocarditis diftérica **5**:184
endocarpio **6**:239
endocarpo **11**:49
endócrinas **6**:330; **12**:253
endocrinología 5:256
endodermo o piel interior **5**:67, 248; **10**:213; **14**:183
endoesqueleto **1**:294
endogamia **9**:132
endógenas **10**:256
endolinfa, oído **10**:195
endometrio **9**:169; **13**:332
endoplasma **5**:195
endorfinas **5**:154
endoscopio 5:256

cirugía **4**:95
luz eléctrica **8**:334
endósmosis **10**:265
endoso **6**:327
endospermo **9**:37
endoteliales **3**:225
endotérmica **11**:311; **13**:169
endotoxinas **13**:235
Endovelico **7**:258
endrino 5:256
endymata **14**:63
Eneas 5:257
Alba Longa **1**:137
cancerbero **3**:211
Cesar, Cayo Julio **4**:9
Eneida **5**:257
imperio romano **7**:275
Padua **10**:283
Troya **13**:273
Virgilio **14**:99
Eneas, Silvio **6**:305
enebro 5:257
árbol **1**:346
cedro **3**:310
ginebra **6**:326
Eneida 5:257
enema **13**:259
eneolítico **1**:271
energéticos **2**:164
energía 5:257
— acumulada **8**:330
— atómica **2**:150; **5**:179, 258; **8**:30, 106; **11**:88
Atómica, Comisión de **10**:169
cinética **2**:30, 43; **5**:257; **13**:286
de microondas **9**:29
de presión **2**:30
— eléctrica **5**:241; **6**:169, 174; **8**:151, 157; **10**:147; **14**:57
eléctrica, sistema polifásico de transmisión de **13**:175
eléctrica, transmisión de **5**:211
hidroeléctrica y energía termoeléctrica **5**: 184, 309, 260
hipermecánicas **14**:79
libre **6**:321
luminosa **6**:204
mecánica **5**:257; **6**:169, 234
motriz **6**:140
nuclear **2**:110, *145*; *5:258*; **6**:133; **7**:29; **12**:262
— nuclear débil **6**:332
— potencial **5**:257; **8**:222
— química **6**:204
térmica **10**:147
energía **5**:258; **8**:28
fábrica **6**:108
instrumento **8**:12
energía hidráulica 5:258
— como fuente de energía eléctrica **5**:259
— condiciones para la instalación de una planta eléctrica **5**:259
— energía hidroeléctrica y energía termoeléctrica **5**:259
— historia **5**:259
— medida de la **5**:258
— turbina hidráulica **5**:259
hierro **7**:174
energía solar, aprovechamiento de la 5:260
energía solar **8**:330
Energy Research and Development Administration **6**:36
enero 5:260
Enesco, Jorge **12**:133
enfermedad 5:260
— cancerosas 27
— clases de **5**:260
— de la mancha **10**:310
— de los animales **5**:260
— de los vegetales **5**:260
— de Merniére **2**:250
— enfermedad de **5**:145
— epidémicas **6**:262
— estómago **6**:57
— infecciosas **6**:262; **14**:41
— neurológicas **6**:262
— sexualmente transmitibles **11**:217
enfermedades contagiosas 5:261
lazareto **8**:201
enfermedades de la infancia 5:261
enfermedades de la piel 5:262
enfermedades mentales 5:262
enfermedades parasitarias 5:262
enfermedades profesionales 5:262
enfermera en un hospital **7**:231
enfermero 5:262
enfisema 5:263
enfloraje **8**:92
enfriadora de cortina **8**:204
enfumado **1**:24
Engadina **12**:167; **13**:77
engaste **2**:66
Engels, Friedrich 5:263
biografía **5**:263
comunismo **4**:190
evolucionismo **6**:90
Marx, Carlos **9**:116
populismo **11**:169
England, Anthony **13**:243
Engler, Adolf **4**:108
Engolasters **1**:270
engranaje 5:263
engrudo **5**:250
enigmas **9**:276
Eniwetok **7**:167; **9**:110
enjambrar **1**:23
enjulios **13**:140
enlace químico 5:264
enlucido 5:264, 279
Enna **12**:314
Ennio **2**:8
Enobarbo, Cneo Domicio **10**:74
Enoch **5**:284
enología 5:264
enredadera 5:264
enriaje **8**:268
Enrique *el León* **6**:124
Enrique *el Navegante* 5:265
Enrique *el Pajarero* **1**:159
Enrique I **7**:40
Enrique I **10**:276
Enrique I **14**:152, 161
Enrique II **1**:204
Enrique II **4**:198
Enrique II **7**:183, 244
Enrique II **8**:45, 115, 128, 129, 306
Enrique II **9**:320
Enrique II **12**:61, 160
Enrique II **14**:15
Enrique II de Castilla 5:264
biografía **5**:264
Enrique II de Francia 5:264; **6**:126, 127, 222; **12**:200
biografía **5**:264
Enrique II de Inglaterra 2:274; **5**:265
biografía **5**:274
Enrique II *el santo* **12**:160
Enrique II Plantagenet **7**:40
Enrique III **14**:95, 147, 152
Enrique III de Castilla **2**:99; **5**:72; **14**:66
Enrique III de Francia 5:264
biografía **5**:264
Enrique III de Inglaterra **2**:335
Enrique III *el Doliente* **11**:45, 202
Enrique III, *el Negro* **5**:264; **12**:160
Enrique IV de Alemania 5:264; **13**:323
biografía **5**:264
Enrique IV de Castilla 5:264; **6**:127, 135, 322, 336
biografía **5**:264
Enrique IV de Francia 1:271; **5**:176, 264; **8**:29, 48, 49, 50, 65, 169, 210, 328
biografía **5**:264
Enrique IV de Inglaterra 5:265
biografía **5**:265
Enrique V **6**:222
Enrique V **8**:29, 169
Enrique V de Inglaterra 5:265
biografía **5**:265
Enrique VI **6**:222
Enrique VI **8**:169
Enrique VI de Alemania **4**:306
Enrique VII de Inglaterra 2:274; **3**:287; **5**:265
biografía **5**:264
Enrique VIII de Inglaterra 1:283; **3**:287; **5**:265; **12**:161; **14**:67
biografía **5**:264
Enríques, Martín, virrey **2**:273
Enriqueta de Francia **7**:41
Enriqueta María **12**:53
Enriqueta Rosina **2**:303
Enríquez de Almansa, Martín 5:266
biografía **5**:266
Enríquez de Rivera, Payo 5:266
biografía **5**:266
Enríquez Gallo, Alberto 5:266
biografía **5**:266
Enríquez Ureña, Pedro **5**:266
Enríquez, Alberto **5**:200
Enríquez, Alfonso **11**:176
Enríquez, Antonio **11**:45
Enríquez, Curro **5**:320; **6**:266
Enríquez, Juana **6**:135
Enríquez, Manuel 5:265
Enriquillo, caudillo **5**:159, 162
Enriquillo, lago **2**:217; **5**:157
enroque **1**:126
ensamblado **3**:258
ensayo 5:266
Enschede **7**:207
Ensenada 5:266
Ensenada, marqués de la 5:266
España **5**:317
enseñanza 5:266
— lancasteriana **10**:193
— primaria, sistema de **12**:232
Ensor, James **2**:284
ensueño 5:267
entablamento 5:267
entalle **6**:333
entäusserung **1**:185
entecos **1**:303
entendimiento 5:267
Entenza, Berenguer de 5:267
biografía **5**:264
enteritis 5:105, 267
Enterprise, portaaviones **2**:40
entibación **13**:283
entomología 5:267
Tristán, Fidel J. **13**:269
zoología **14**:181
entomólogos **7**:144; **9**:311
entonación **11**:212
Entralgo **10**:288
Entre Ríos 5:268
Entre Ríos, provincia **2**:18
Urquiza, Justo José de **13**:325
entrenamiento para un nadador **7**:319
Entresaco, península **4**:310
entretenimiento 5:268
entrevista **14**:120
entropía **6**:321
Enuma Elish **4**:277
envenenamiento **11**:200, 202; **12**:261
Environmental Protection Agency **6**:36
Enzensberger, Hans Magnus **1**:166
enzimas 5:268
Harden, sir Arthur **7**:129
Krebs, Edwin G. **8**:147
Northrop, John Howard **10**:133
Eo **6**:266
eoacantocéfalos **1**:42
Eoceno 5:269
artiodáctilos **2**:77
geología **6**:309
Eolia, isla **5**:269
eólico **7**:66; **8**:217
eólidos **13**:174
eolios **5**:302; **7**:58
eolípila **9**:75
Eolo 5:269
Ader, Clément **1**:68
Odisea **10**:185
eosina **2**:214
eosinófilos **8**:235
Epaminondas 5:269
Pelópidas **11**:32
Tebas **13**:134
epazote **1**:226
epeiras **1**:342
epeirogenia **5**:106
epéntesis 5:269
figuras del lenguaje **6**:151
Epheyre, Charles **12**:64
Epialtes **13**:169
épica 5:269
— heroica **10**:230
epicanto **11**:309
epicarpio **6**:239
epicarpo **11**:49
epicentro **13**:171; **14**:80
epiciclos, teoría de los **2**:124
épico, género **14**:10
Epicteto 5:269
Alejandro III **1**:157
Aurelio, Marco **2**:160
Estoicismo **6**:55
Grecia **7**:62
epicureísmo **2**:160; **5**:269
epicúreo **9**:281
Epicuro 5:269
Alejandro III **1**:157
bibliografía **5**:269

Estoicismo **6:**55
Grecia **7:**62
nominalismo **10:**128
Epidauro **7:**59
epidemia 5:269
Fracastoro, Girolama **6:**205
lazareto **8:**201
viruela **14:**104
epidemiología **5:**269; **6:**205
epidermis 5:270
cordados **4:**240
hoja **7:**202
lana **8:**169
piel **11:**84
Epifanía 5:270
coptos **4:**234
fiesta **6:**150
octava **10:**183
epífisis o pineal **6:**331; **7:**241
epífitas **10:**257
epifitos **1:**282
epigenosis **5:**248
epiglotis **8:**176; **10:**334
epigrafía 5:270
arqueología **2:**50
historia **7:**191
epigráfica **10:**290
epigrama 5:270
— griegos **13:**108
Teócrito **13:**160
epilepsia 5:270
alergia **1:**169
cerebro **3:**333
convulsión **4:**230
epílogo 5:271
Epiménides de Creta **12:**321
Epimeteo **10:**308
Épinal **4:**169
epinefrina **7:**185
Epiro **4:**10; **7:**54; **13:**174
Epiro, rey de **6:**156; **11:**109
Episcopal, Palacio **11:**181
episcopalianos **1:**283
epistaxis 5:271
epistilo **2:**59
epístola 5:271
Epístolas **7:**224; **10:**160, 279
Epístolas de San Pablo **2:**309
epitafio 5:270, 271
epitelial **7:**191; **13:**139
epitelimoas **3:**211
epitelio 5:271
— bucal **3:**11
epitelioma **11:**85
epítetos **11:**213
epizootiológicos **5:**153
epónimo **1:**352
epopeya 5:271
— española **9:**179
— hindú **9:**30
gesta, cantares de **6:**319
leyenda **8:**238
novela **10:**140
Épsilon **5:**183; **13:**320
Épsilon Auriga, estrella **6:**61
Epsom Downs **5:**57
Epsom,Derby de **3:**260
Epstein, Jacob 5:271
obra **5:**271
modernismo y arte moderno **9:**263
eptágono 5:271
equidad **8:**16
equidiferencia 5:271
equidno o equidna 5:272
cancerbero **3:**211
Gea **6:**296
équido **3:**133
equiláteros **13:**260
equilibrio 5:272
— de los planos **2:**53
— del terror **10:**144
estabilidad **6:**27
hidrostática **7:**168
equimosis 5:272
ventosa **14:**50
equinoccio 5:272
— de otoño **14:**53
estaciones del año **6:**28
Piscis **11:**111
equinodermo 5:272
acuario **1:**58
crinoideo **4:**284
estrella de mar **6:**62
regeneración **11:**329
equinos **2:**92; **6:**89, 275, 277
equinos, ganadería **6:**277
equipo de primeros auxilios **6:**92
equipo eléctrico **8:**193
equipos generadores **8:**157
equiprobabilismo **1:**176
equitación 5:272
hipismo **7:**182
era agnostozoica **6:**160
era arqueozoica **5:**273
era atómica **2:**143
era azoica **5:**273
era cenozoica **5:**273
era cristiana **4:**299; **5:**214; **8:**97
era cuaternaria **6:**160
era del aire **13:**251
era del ferrocarril **6:**138
era mahometana **5:**230
era mosozoica **5:**273; **8:**215; **11:**225
era neolítica **12:**233
era nuclear **10:**153
era paleozoica **3:**234; **5:**97, 273; **6:**182; **8:**9
era primaria (herciniano) **6:**212
era proterozoica **5:**273
era terciaria (alpino) **6:**212; **2:**84
era victoriana **8:**304
Erabus, volcán **6:**98
Erard, Sebastien **2:**48
eras 5:273
Erasmo, Desiderio 5:273
Erasmo **5:**181; **7:**246, 247; **14:**11, 110
Erasmo de Rotterdam, por Hans Holbein el Joven **7:**246
obra **5:**273
Erato 5:273
Murray, Joseph E. **10:**7
Eratóstenes 5:273
biografía **5:**273
criba de Eratóstenes **4:**283
geografía **6:**304
Grecia **7:**62
mapa **9:**67
Tolomeo I **13:**213
Erauso, Catalina de 5:273
biografía **5:**273
Erben, Karel Jaromir **4:**28
erbio **13:**163
Ercilla y Zúñiga, Alonso de 5:274
bibliografía **5:**274
Chile **4:**44
epopeya **5:**271
Erckmann, Émile **5:**274
Erckmann-Chatrian 5:274
bibliografía **5:**274
Pérez Galdós, Benito **11:**46
Erdödy, condesa **2:**276
Érebo o Erebo 5:274
Erebus **1:**303
Erebus, volcán **12:**303
Erecteón 5:274
— o templo de Juno **2:**56, 134
Grecia **7:**63
Eregli, puerto de **10:**68
eremítica **10:**234
Eresma, río **12:**258, 259
eretizóntidos **11:**228
eretra **14:**35
ereutofobia **6:**185
Ereván **13:**243
Erfurt **1:**165; **2:**313
Erfurt, Universidad de **8:**326
erg **2:**6, 10
ergiosegundo **11:**246
ergoterapia **4:**332
ergotina 5:173, 274
Erhard, Ludwing **1:**162
Eric el Rojo **1:**232; **7:**67; **10:**130
ericáceas **2:**194; **6:**178
ericínidos **9:**102
Ericsson, John **10:**108; **13:**27, 71, 251
Erictonio **6:**296
Erídano, río **6:**112
Erie, Irlanda **7:**48;**8:**164
Erie, lago **5:**74; **6:**32; **7:**305; **11:**38
Erifilo **7:**62
Erik el Rojo 5:274
biografía **5:**274
Canadá **3:**204
exploraciones polares **6:**95
Erik *el vikingo* **12:**109
Erik XIV **13:**70
Eriksen **4:**233
Erikson, Leif **5:**274
erináceo **5:**275
Erinias **6:**254, 295
Eris **2:**8
erisifáceos, hongos **10:**195
erisipela 5:274
cuero cabelludo **4:**323
flemón **6:**177
eritema 5:274
— posprandial **5:**274
Eritrea 5:274
— Frente Popular de Liberación de **5:**274
— provincia de **6:**68
Etiopía **6:**68
Italia **8:**63
Rojo, Mar **12:**96
Eritreo **9:**265
eritrina **2:**178
eritrocitos **6:**335
eritronio **14:**21
Eriván **2:**46
erizo 5:275
insectívoro **8:**5
erizo de mar 5:275
erke 5:275
erkencho 5:275
Erlanger, Joseph 5:275
biografía **5:**275
Erlich **9:**85
Ermenonville, castillo de **12:**119
Ermitage **12:**200
Ermitage, de Leningrado **10:**9
ermitaño 5:275
anacoreta **1:**257
Ermitaño**,** san Pablo el **1:**316
Ermitaños, orden de los **6:**231
Ern, Henry **11:**239
Ernesti, Johann August **2:**51
Ernst, duque de **2:**211
Ernst, Max **1:**166; **5:**6; **6:**228; **9:**263; **13:**87
Ernst, Richard 5:275
bibliografía **5:**275
Eroles, barón de **11:**330
Eros 5:276
Cupido **4:**331
psicoanálisis **11:**223
erosión 5:276
— acción **14:**19
— glaciar **8:**164
erosión **5:**89
Erotócritos de Cornaros **7:**62
Errázuriz, Crescente 5:276
bibliografía **5:**276
Errázuriz, Federico **4:**42
Errázuriz, Fernando **10:**193
Erro, Luis Enrique **9:**202
Erskine, John 5:276
biografía **5:**276
erupción 5:277
Erzgebirge **1:**163; **4:**24; **7:**204; **12:**168; **13:**67
ESA (*European Space Agency*) **2:**123
Esaías Tegnér **13:**71
Esaki, Leo 5:277
biografía **5:**277
Esaú 5:277
escabel **9:**253
escafandra 5:277
escafópodos **9:**270
escala 5:277
— de un voltímetro **14:**130
escala musical 5:277
escalas termométricas **6:**255; **13:**168
Escalda 5:277
— Occidental **5:**277
— Oriental **5:**277
— estuario **7:**205
— río **2:**281; **6:**172, 214, 281; **7:**206
Escaldes, Les **1:**270, 271
escaldo 5:277
escalenos **13:**260
escalera 5:277
escaleras mecánicas **2:**80
Escalona **13:**213
escama 5:277
escamas epiteliales **13:**319
escamangium **14:**64
Escandinava, cordillera 5:278
Escandinava, Península 5:278
Escandinavia 5:122, 278
escandinavo 5:278
Escandinavos, Alpes **6:**75
escandio 5:278
Escandón, José **13:**108
escaneo **6:**123
escáner **4:**249
escaparate 5:278
escape 5:278
motor de explosión **9:**314
escapulario 5:279
escarabajo 5:279
coleóptero **4:**133
escarabajo **8:**9
escarabajo tigre **8:**5
escarapela 5:279

escaras **11**:249
escarcha 5:279
— de hielo **7**:169
Escardó, Florencio 5:279
bibliografía **5**:279
escarificación **13**:125
escarlatina 5:279
amígdala y amigdalitis **1**:250
corazón **4**:238
miocardio y miocarditis **9**:235
escarola 5:279
escaróticos **3**:302
Escartín **4**:331
escatológica **4**:291
escayola 5:279
escelania **7**:309
escena 5:279
escenografía **5**:279
escepticismo 5:153, 251, 280
Escévola, Mucio **12**:*103*
Escila **9**:177; **10**:186
Escila y Caribdis 5:280
Escipión 5:280
Escipiones **13**:121
Escipión *el Africano* **2**:311; **3**:130,266; **7**:100, 280
Escipión Emiliano **2**:81; **7**:280; **11**:150
Escipión, Cneo Cornelio **1**:253
Escipión, general **10**:161
Escipión, Publio Cornelio **1**:253; **3**:297
escipios **2**:81
Esciros, isla de **13**:174
escítalos **4**:286
escitas 5:280
Escitia **9**:223
Escitia, Anacarsis de **12**:321
esclavistas **7**:89, 225, 227
esclavitud 5:210, 280
— abolición de la **1**:30; **12**:32
Estados Unidos **6**:37
islam e islamismo **8**:52
mujer **9**:324
esclavo **5**:281; **12**:7; **9**:48; **14**:140
Esclavonia **5**:297
esclavos mecánicos **1**:106
Esclavos, río de los **12**:215
escleroblastos **6**:15
esclerocio **2**:80
esclerómetro **5**:182; **9**:229
esclerosis **5**:260
esclerótica **10**:197
esclusa 5:281
Escobar **10**:251
Escobar Galindo, David **12**:184
Escobar Velado, Oswaldo **12**:184
Escobar, Luis Antonio 5:281
obra **5**:281
Escobar, Marisol 5:281
obra **5**:281
Escobar, Pedro de **12**:222
Escobar, Roberto **4**:44
Escobedo, Juan de **9**:166
Escobedo, Mariano 5:281
biografía **5**:281
escobillas **1**:206; **9**:314
Escocia 5:281
— septentrional **1**:27
— y de Francia, Reina de **9**:94
— alta **7**:175
— Estuardo María de **11**:101
— Jacobo VI, rey de **9**:94
— macizos de **6**:75
Escodra **7**:271
escofina **3**:258
escofión **14**:66
Escolapios, Colegio de los **14**:27
escolar **7**:176
Escolástica, doctrina **4**:196; **1**:38; **5**:209, 281; **10**:213
escolasticismo 5:281
escolásticos **2**:184, 187; **11**:312
escólex **14**:183
escoliosis **6**:16, 324
escolopendra 5:282
escollera 5:282
escollos y rompientes 5:282
escómbridos **2**:155; **3**:45, 129
Escomel, Edmundo 5:282
biografía **5**:281
Escondida, lagunas **6**:48
Escopas 5:282
escultura **5**:294
Grecia **7**:63
escopeta 5:282
— alemana **5**:*282*
— semiautomática **5**:*282*
escoplo **3**:258
escoplos **13**:106
escopolamina **10**:8
escorbuto 5:261, 282
Escorial, El 5:282
escorias **9**:184
Escorna, Joana **9**:86
Escorpio **4**:218; **14**:73, 179
escorpión 5:283
escorpiónidos **1**:131
escorzo **4**:253
escotadura **9**:222
Escoto **5**:208
Escoto Erígena, Juan **10**:72
Escoto, Duns **5**:281; **10**:178
escriba 5:283
escribano 5:283
notario **10**:137
informes **11**:5
escribiente **12**:254
Escribonio **10**:186
Escribonio Largo **10**:186
escritura 5:284
— cuneiforme **2**:52, 55, 96, 101
— demótica **8**:95
— hierática **8**:95, 96
— hitita **5**:*284*
— ideográfica **8**:96
— jeroglífica **8**:95
— *maya* **9**:*140*
— sánscrita **7**:316
— vulgar **8**:95
comunicaciones **4**:181
cuneiforme **4**:330
escritura aérea 5:284
Escrituras **5**:210
escrituras linear B **6**:82
escrofulariáceas **4**:201; **5**:120; **6**:178
escrofulismo 5:284
escuadra de agrimensor **1**:109
escualo 5:285
escudanza **2**:161
escudero **3**:131
escudo 5:285
— Argentina **5**:285
— azul **10**:190
— Bolivia **5**:285
— Brazil **5**:285
— Canadá **5**:285
— Chile **5**:285
— Colombia **5**:285
— Costa Rica **5**:285
— Cuba **5**:285
— de armas **5**:287; **6**:299; **7**:149
— Dominicana, República **5**:285
— Escudo nacional **5**:285
— heráldicos **2**:43
— Laurentino **3**:200
— Ecuador **5**:285
— El Salvador **5**:286
— Estados Unidos de América **5**:286
— Guatemala **5**:286
— Haití **5**:286
— Honduras **5**:286
— México **5**:286
— Nicaragua **5**:286
— Panamá **5**:286
— Paraguay **5**:286
— Perú **5**:286
— Uruguay **5**:287
— Venezuela **5**:287
— Cruz Roja Internacional **5**:287
— España **5**:287
— Francia **5**:287
— Gran Bretaña **5**:287
— Grecia **5**:287
— Holanda **5**:287
— Italia **5**:287
— Japón **5**:287
— Portugal **5**:287
— Turquía **5**:287
escuela 5:287
— andaluza **7**:154
— castellana **7**:154
— castellana de pintura **2**:305
— clásica **7**:45; **8**:249
— criollista **8**:197
— de Atenas **2**:134
— de Chicago **8**:242
— de Cos **7**:183
— de grabado en Alemania **7**:28
— de los neogramáticos **8**:266
— de los sofistas **11**:217
— española **9**:144
— estructuralista **13**:60
— filosófica escocesa **11**:313
— fisiocrática **11**:252
— flamenca **8**:107
— florentina **13**:199
— holandesa de pintura **7**:125
— keynesiana **7**:113
— librecambista **5**:185
— marginalista **5**:190
— mexicana de pintura **8**:117
— naturalista **3**:232
— neoclásica **8**:242
— neoliberal **5**:193
— palatina **5**:288
— parisina **8**:194
— peripatética **13**:161
— polifónica **2**:62
— salmantina **5**:320
— sevillana **13**:126
— socrática **8**:46
— veneciana **13**:199
escuela artística 5:289
escuela de párvulos 5:290
escuela dominical 5:290
escuela elemental 5:290
escuela jardín 5:290
escuela maternal 5:291
escuela nocturna 5:291
escuela secundaria 5:291
escuela secundaria **5**:217
escuerzos **1**:278
Escuinapa **12**:330
Escuintla 5:292
Guatemala **7**:78
Esculapio 5:292
escultórico, movimiento **7**:286
escultura 5:293
escultura **3**:67; **4**:270; **8**:82; **13**:208; **14**:178
— contemporánea **5**:294
— de hielo **7**:*170*
— Atomium, Bruselas **2**:*146*
— ibérica **7**: *257*; 259
— moderna en Berlín **2**:*300*
— de santos **8**:191
— Partenón **8**:303
Escútari **2**: 216
Escutia, Juan **10**:103
Eschenbach, Wolfram von **1**:165
Eschenmoser, A. **14**:154
Escherichia coli **13**:125
Esdraelón **13**:96
Esdras **2**:309; **9**:41; **12**:175
esencia 5:295
— de melisa **13**:226
esencialista **8**:239
Esenios, secta de los **4**:291
eserina o policarpina **6**:322
esfenoides **6**:22
Esfeoridal, componente (halo) **14**:73
esfera 5:295
— de metal **8**:172
— de plasma **9**:29
esfericidad de la Tierra **11**:112
esferográfica 5:295
esfigmógrafo **9**:90; **11**:242
esfigmomanómetro 5:295
esfigmomanómetros **13**:160
esfinge 5:295
Esfinge **5**:226
esfíngidos **5**:296
esfirénidos **2**:256; **6**:15
esfuerzos **7**:84
esfumado de las escenas **7**:66
esgrima **2**:79; **5**:296, 297
esguince **2**:72; **13**:222
Eskidje-Fotcha **6**:187
Eslava y Elizondo, Hilarión 5:297
obra **5**:297
Gayarre, Julián Sebastián **6**:295
Eslava, Sebastián de 5:297
biografía **5**:297
Eslavas, tribus **4**:295
Eslavonia occidental **4**:296
eslavos 5:297
eslora 5:297
Eslovaca **3**:256
Eslovaca, República **2**: 151 166
Eslovaquia 5:297
— clima **5**:297
— cultura **5**:298
— educación y salud **5**:298
— gobierno **5**:298
— historia **5**:299
— orografía **5**:297
— población **5**:297
— recursos naturales **5**:297
— religión **5**:298
— vegetación y suelo **5**:297
Eslovenia 5:299
— agricultura **5**:300
— economía **5**:300
— educación y salud **5**:300

— gobierno **5**:300
— habitantes **5**:300
— historia **5**:300
— independencia **5**:301
— industria y comercio **5**:300
— orografía y clima **5**:299
— periodo Yugoslavo **5**:301
— recursos naturales **5**:300
— turismo y comunicaciones **5**:300
— vegetación y suelo **5**:299
Esmalcalda, Liga de **5**:301
esmalte **5**:301
Esmaltes **7**:149, 150
Esmat Abdel Meguid **8**:257
esmeralda **5**:302
Esmeralda, fragata **11**:183
Esmeralda, isla de Formosa **8**:216
Esmeraldas **5**:302
Esmeraldas, río **5**:196, 302
esmerejón (Falco columbarius) **7**:123
esmeril **5**:302
esmeriladora **9**:76
esmilacoideas **14**:175
Esmirna **5**:302
esófago **5**:38, 119, 302
Esoinel, Vicente **11**:240
Esón **9**:148
Esón, rey **8**:90
esonancia magnética nuclear **5**:275
Esopo **5**:302
escolasitcismo **5**:281
esotérico **5**:302
esoterismo **11**:269
espacio **5**:302
— bidimensional **9**:315
— exterior **8**:165
— sideral **6**:261
— hiperespacio **14**:51
— *vacíos* o de silencio **11**:284
Espacio Económico Europeo **13**:81
espada **5**: 303
espada de Damocles **5**:9
Espada, Martín **7**:189
espadaña **5**: 303
espádice **7**:327
Espaillat **5**:303
Espaillat, Ulises F. **5**:160
espaldar **2**:43
España **5**:303
— agricultura **5**:307
— árabe **5**:314
— Bellas Artes **5**:318
— Carlos I de **2**:284; **9**:135
— Carlos III de **9**:167
— Carlos V, Emperador de **2**:251
— Casa de **4**:263
— Citerior **13**:121
— ciudades **5**:311
— clima **5**:306
— cocina **10**:283
— comercio **5**:310
— comunicaciones **5**:310
— de la Reconquista **6**:266
— Decadencia **5**:317
— del Renacimiento **7**:147
— divisiones naturales y administrativas **5**:312
— Dominación visigoda **5**:314
— España árabe **5**:314
— España romana **5**:313
— España, gran potencia **5**:317
— estepas **6**:49
— etnografía **5**:311
— fauna **5**:307
— Felipe II de **6**:222; **9**:287
— flora **5**:306
— ganadería **5**:308
— geografía humana **5**:311
— geología y morfología **5**:303
— goda **8**:51
— gran potencia **5**:317
— Granero de **14**:19
— guerra Civil **10**:17; **11**:21, 264
— Guerra de la Independencia **9**:156, 174
— Guerra de Sucesión de **9**:103, 169
— hidrografía **5**:305
— historia **5**:312
— industria **5**:309
— Instituto de **10**:258
— instrucción pública **5**:311
— José María **14**:47
— La reconquista **5**:315
— lagunas **5**:305
— las luchas fratricidas en **5**:12
— Literatura española **5**:319
— litoral **5**:305
— minería **5**:308
— Nueva **14**:100
— organización política **5**:312
— orografía **5**:304
— por Napoleón, invasión **2**:214
— pueblos colonizadores **5**:313
— Puerto **13**:268
— romana **5**:313
— Siglo XX **5**:318
— superficie **5**:303
— Tierra de la Independencia y siglo XIX **5**:318
— turismo **5**:311
— visigoda **2**:60
— y Portugal, Rey de **6**:126, 127
Museo de Arte de Barcelona, España **10**:9
español, idioma **6**:5
Española **4**:260; **13**:93
Española, Academia **6**:16; **10**:164; **11**:46
Española, Ciudad **14**:19
Española, isla **4**:66
Española, La **6**:7
Españoleto **12**:61
esparadrapo **6**:7
Esparata, Estado de Nueva **14**:42
esparceta **7**:146
Esparciano, Elio **6**:7
bibliografía **5**:297
espáridos **2**:306; **10**:327; **12**:229
esparmatogénesis **6**:14
espárrago **6**:7
Esparta **6**:7
— Grecia **2**:238
— restos de **11**:32
Espartaco **6**:8
esparteína **10**:8
Espartel, Cabo **9**:106
Espartero, Baldomero Joaquín Fernández **6**:8
biografía **6**:8
Espartero, El **6**:8
biografía **6**:8
Espartero, general **10**:186
esparto **6**:8
Esparza Oteo, Alfonso **9**:203
espasmo **6**:8
espato **6**:8
— carmín **6**:8
— de Islandia **6**:8
— flúor **6**:8
— fusible **6**:8
— pesado **2**:254; **6**:8; **9**:229
— satinado **14**:163
espátula **6**:8
especias **6**:8
Especiería, islas de la **13**:323
especies en extinción **6**:9
espectógrafo de masas **2**:106
especie **6**:8
especies en extinción **6**:9
espectáculos **6**:9
espectro **6**:10,
— de emisión **8**:332
— molecular **6**:11
— solar **1**:218, 351; **6**:10
— visible **12**:*95*
— y espectroscopio 6:11
espectro **5**:164; interferencia **8**:18
espectrocopia **1**:289
espectrofotómetro **2**:107
espectrografía **5**:275
espectrografía por láser **8**:179
espectrógrafo **8**:333
espectroheliógrafo **5**:89
espectrometría **6**:169
espectrómetro **2**:119
espectroscopia **6**:268; **7**:160; **8**:166; **12**:63
espectroscopia de masas **8**:151
espectroscopia de resonancia magnética **11**:243
espectroscópico **5**:150, 186
espectroscopio **1**:258; **2**:107, 130; **8**:13, 333
especulación **6**:11
espejismo **6**:11
espejito **11**:50
espejo **6**:11
— convexo **6**:12
— cóncavo **10**:184
Espejo, Eugenio de Santa Cruz 6:12
Espejos, Galería de los **14**:58
espeleología 6:12
esperanto **6**:13
idioma internacional **7**:265
esperanza **6**:13
esperma **5**:167, 176; **12**:271
esperma de ballena 6:13
espermatogénesis **6**:13
espermatogénesis **6**:14
espermatozoide **6**:14
espermatozoides **6**:124
espermatozoo **5**:248; **12**:271
Esperón, Manuel **9**:203
esperpento **6**:15
espesor **13**:200
espetón **6**:15
espía celeste **12**:241
espícula **6**:15
espífisis **10**:16
espiga **13**:271
espigadora **8**:157; **13**:265
espigas **7**:327; **9**:221; **10**:317
espín **8**:230
Espina **8**:155
espina dorsal **4**:271; **6**:16
Espina Pérez, Mariano **12**:*95*
Espina, Concha **6**:16
Espina dorsal **6**:16
espinaca **6**:16
espinas **10**:296
Espinasse, Charles Marie **14**:129
Espinazo, Sierra del **9**:227
Espinel, Vicente **6**:16
Estébanez, Calderón Serafín **6**:48
picaresca **11**:79
Vega Carpio, Félix Lope de **14**:32
espineta **6**:17
espinillo **12**:220
espino **6**:17
Espino, Alfredo **12**:184
Espínola, Francisco **6**:17
bibliografía **6**:17
Espinosa de los Monteros, Juan **11**:63
Espinosa, Francisco Javier **6**:17
obra **6**:17
Espinosa, Pedro de **11**:253
Espinoza Medrano, Juan de **11**:62
Espinoza, Ricardo Arias **10**:302
espinterómetro **5**:106
Espinosa, Gaspar de **6**:17
biografía **6**:17
Espinosa, Jerónimo Jacinto **6**:17
obra **6**:17
Espinosa, José María **6**:17
obra **6**:17
Espinosa Medrano, Juan **6**:17
bibliografía **6**:17
Espinosa, cardenal **4**:5
Espinosa, Fermín *Armillita* **13**:127
espionaje **6**:17
Espira, Dieta de **6**:17
espiración **2**:83; **5**:101; **6**:58; **12**:30
espiral **6**:17
— de Arquímedes **6**:18
espirilos o espiroquetas **9**:215; **2**:210
espiritismo **6**:18
espiritistas **6**:10
espíritu **6**:18
espíritu maléfico **4**:22
Espíritu Santo (Espírito Santo) **6**:18
espiritualismo **6**:18
— dualista **6**:18
— monista **6**:18
— pluralista **6**:18
espíritus malignos (*sopay*) **7**:293
Espiro **7**:271
espirobacterios **13**:259
espirómetro **6**:18
espiroquetosis **6**:19
Esplá, Óscar **6**:19
obra **6**:17
esplenomegalia **6**:19
espliego **6**:19
espliego o alhucema **8**:200
Espoile, Raúl Hugo **6**:19
obra **6**:17
espoleta **6**:19
espoleta de proximidad **5**:35
espoletas mensajeras **5**:35
espolón **6**:19
Espondaburu, Horacio **13**:329
espondiloepifisial **5**:145
Espongiarios o Poríferos **6**:20; **14**:183
esponja **6**:20
esponjas **6**:21
esponsales **6**:21

espontaneidad **12:**249
espora 6:21
Espóradas **5:**224; **9:**154
Esporadas, islas **2:**224
esporangio 6:21
polinización **11:**154
esporas **2:**81, 210; **9:**264
esporos **11:**123
esporozoarios **11:**219
esporozoo 6:21
esporulación **2:**81; **8:**235; **12:**25
Espoz y Mina, Francisco Javier 6:21
bibliografía **6:**17
Espriella, Ricardo de la **10:**302
Espronceda y Delgado, José de 6:21
obra **6:**17
espuela de caballero 6:22
caballería, órdenes de caballería **3:**131
Espugla de Francolí **11:**144
espuma de mar 6:22
espuma de vidrio **14:**86
Espurio Casio **8:**238
esqueleto 6:22
esqueleto **4:**271; **4:**324
— de Dimetrodon **5:***133*
— de Homo erectus *7:214*
— humano **6:**23
esquema anatómico de la hormiga **7:**225
esquema de la estructura y funciones de la hipófisis **7:**184
esquema de la extracción **3:**235
esquema de la fabricación de tubos de hierro por fundición centrífuga **6:**251
esquema de la organización de un molusco primitivo **9:**270
esquema de las fuerzas que determinan el vuelo de un avión **14:**135
esquema de los procesos metabólicos de la glucosa en el organismo **6:**336
esquema de un alto horno **7:**230
esquema de un glaciar de montaña **6:**329
esquema de un hoyo **7:**15
esquema de un iconoscopio **7:**262
esquema de una planta portuaria de recepción de gas natural licuado **6:**288
esquema de una plantación de caucho **3:**300
esquema de una red capilar. **3:**225
esquema del funcionamiento de un contador de ionización geiger **6:**296
esquema del árbol bronquial **3:**85
esquema del fncionamiento de una máquina frigorífica de compresión **6:**238
esquema del funcionamiento de dos tipos de freno **6:** 235
esquema del funcionamiento de un bumerang **3:**105
esquema del proceso de hilatura en frío **7:**177
esquema del proceso de hilatura en seco **7:**177
esquema del proceso de hilatura por fusión **7:**177
esquema mental **8:**208
esquí 6:24
— a vela **7:**170
— alpino **1:**209
Esquidna **7:**164
esquila **8:**169; **10:**273
Esquilache **12:***93*
Esquilache, Carlos III, marqués de **9:**312
Esquilache, Motín de **9:**312
esquilado **8:**169
esquileo 6:24
Esquilina **7:**276
Esquilino, colina **12:***100*
Esquilino, monte **4:**135
Esquilo 6:24
— tragedias griegas de **10:**13
esquimales 6:25
— Groenlandia **7:**67
— del Labrador **8:**155,158
Esquinas, río **4:**267
Esquines 6:26
Esquipulas 6:26
— acuerdo de **4:**226
— santuario de, Guatemala **7:**191
esquisto 6:26
geología **6:**313,
Esquiú, Fray Mamerto 6:26
biografía **6:**26
Esquivel Ibarra, Ascensión 6:26
biografía **6:**26
Esquivel, Juan Antonio **1:**264
Esquivel-Román, Tratado **6:**26
Esquivias **4:**8
esquizofrenia 6:26
esquizomicetos **2:**210
esquizópodo 6:26
Essen 6:26
Krupp **8:**149
Essex **5:**223; **8:**302; **11:**38
Essex, conde de **8:**48
Essex, raza **6:**278
Essler, Fanny **5:**16
Essling, príncipe de **9:**124
Estabia **7:**150; **11:**138
estabilidad 6:26
— atmosférica **6:**27
estabilización pasiva **7:**103
estabilizador 6:27, 327
— automático **6:**27
estación Alpha **6:**28
Estación de Vuelos Supersónicos de la NASA **2:**47
estación del año **11:**198
estación espacial 6:28
estación meteorológica 6:28
estación MIR **6:**28
estación transmisora radiotelefónica **11:**285
estaciones del año 6:27
— del año **6:**28
— elementales **2:**110
Estaciones elementales 2:110
estaciones meteorológicas **9:**188; **14:**38
estaciones Salyut **6:**28
estadio 6:29
estadio Azteca **6:**29; **11:**294
estadio olímpico **6:**29
estadísta social252
estadística 6:29
— historia **6:**29
Estadísticas, Comisión de **10:**27
Estado 6:30
— argentino **2:**18
— asociado **9:**95
— azteca **8:**182
— de Israel **2:**289
— de la Confederación Australiana **11:**247
— Libre de Orange **3:**17; **11:**195
— Libre de Panamá **7:**158
— teoría del **4:**202
— unitario o centralizado **7:**10
— Árabes Unidos **14:**162
— Confederados de América **7:**89
— confederados del Sur **8:**209
— modernos **9:**331
estado consciente **7:**182
estado de guerra 6:30
Estado de México 6:30
— historia **6:**30
estado mental **7:**191
Estado Nova **8:**187
Estado Novo **11:**176
estados fóbicos **5:**174
estados generales 6:30
Estados Malayos Federados 6:30
Estados Malayos No Federados **9:**42
Estados Pontificios **2:**38
Estados Unidos 6:30
— Academia Nacional de Ciencias de **14:**138
— Agencias gubernamentales **6:**36
— armada de **8:**169
— Atlántico Central **6:**33
— Biblioteca de la Universidad del Sur de California **6:**31
— Centro Norte o Medio Oeste **6:**33
— Ciudades **6:**34
— Clima **6:**30
— Comercio **6:**36
— Cultura **6:**35
— dependencias de **11:**153
— Desarrollo intelectual **6:**43
— Extensión y costas **6:**30
— Geología **6:**32
— Gobierno **6:**36
— hidrografía 6:31
— Historia **6:**40
— indios de **11:**104
— laboratorios MCA de **14:**83
— Lengua, educación **6:**35
— Moneda, pesas y medidas **6:**34
— monte Elbert **12:**88
— New England **6:**33
— Oeste **6:**33
— orografía 6:31
— Población e inmigración **6:**34
— Recursos naturales y desarrollo económico **6:**37
— Religión **6:**36
— revolución **10:**86
— Servicio Geodésico y de Costas de **9:**82
— Suprema Corte de **14:**83
— Sur **6:**33
— Transportes y comunicaciones **6:**33
— Turismo **6:**35
azúcar **2:**204
descubrimientos y exploraciones geográficos **5:**71
Estados Unidos **1:**30; **4:**159
infatería de marina **7:**324
Internet **8:**19
Maine **9:**32
Paine, Thomas **10:**284
pistache **11:**111
revista **12:**39
Vietminh **14:**90
Estados Unidos de Europa 6:44
Estados Unidos Mexicanos **9:**193, 206
estados unitarios **11:**220
Estados unitarios y federales **7:**8
Estados, isla de los **2:**14
Estados, Pontificios 6:30
estafa 6:44
estafilococo 6:44
Estagira **2:**32
estalactitas y estalagmitas 6:44
estalactitas **13:**247
estambres **6:**177, 178
Estambul o Istambul 6:44
Estambul **1:**155; **4:**329; **5:**284
Estambul, Pera **6:**45
estameñas **8:**169
estaminodios **10:**63
estampación **7:**27
estampación fotográfica **9:**172
estampado 6:45
Estampas de Chile **13:**325
estampillas **6:**154
estancia 6:46
Estancias, sierra **11:**37
estándar 6:46
estandarización **11:**207
estandarización de productos 6:46
estandarte **1:**172
Estanislao II de Polonia **1:**20
Estanislao, san 6:46
biografía **6:**46
Estanys de Pessons **1:**270
estaño 6:47
— El estaño boliviano **6:**47
— Usos del estaño **6:**47
estañosis **10:**77
estátera **5:**131
estática, leyes de la **6:**246
estatificación **6:**85
estatismo **5:**294
estator **9:**314
estatua de Atlas en Portmeiron, Gwynedd **2:**138
estatua de Benjamin Franklin **6:**233
estatua de César Augusto, museo del Vaticano **2:**159
estatua de Champollion **2:**259
estatua de Diana cazadora, ciudad de México **9:**208
estatua de la Virgen María en Biarritz, Francia **2:**307
estatua de Palas Atenea **11:**50
estatua ecuestre de Alfonso XII **2:**294
estatua ecuestre de Carlos IV **13:**214
estatua Escriba sentado **5:**293
Estatuas de Buda **8:**173
estatúder **7:**104, 133
estatuto 6:47
Estatuto de Westminster **7:**39; **10:**159
Este, Isabel de **12:***105*
esteárico, ácido 6:48

Estearina 6:48
esteatita 6:48
Esteban **10**:163
Esteban el santo, San **7**:252
Esteban I **4**:295
Esteban II, papa **11**:104
Esteban IV **8**:316
Esteban, iglesia de San **10**:5
Esteban, San 6:48
biografía **6**:48
Estébanez Calderón, Serafín 6:48
bibliografía **6**:48
Estefanía María Isabel **11**:290
Esteiro **6**:143
estela 6:48
— maya, Copán, Honduras **7**:192
— monolítica **7**:127
Estelí 6:49
Estelí, río **6**:49
Estella, marqués de **11**:201
Esteno **7**:22
estenografía **11**:113
estenotipia 6:49
Estenssoro, Paz **2**:247
Estenssoro, Victor Paz **12**:323
estepa 6:49, 303
— rusa **2**:84
Estepona **9**:40
estequiometría 6:49
Ester 6:49
Ester, Libro de **6**:49
éster 6:49
— fosfórico **13**:182
esteras **10**:335
esterculiáceas **3**:147
Esterel, Monte **6**:212
estéreo **4**:316
estereofonía 6:49
estereofónico **7**:32
estereometría 6:49
estereopticón **8**:269
estereoquímica 6:50
Wittig, Georg **14**:154
estereoscopio 6:50
estereostática **6**:47
estereotaxia **10**:330
estereotipia 6:50
estereotomía 6:50
esterilidad 6:51
esterilización 6:51
esternales **4**:271
esternocleidomastoideo **13**:230
esternón **6**:22; **7**:143; **13**:222
Estero Real, río **6**:192
Estero, Santiago del **1**:116
esteroide 6:51
esteroles **14**:108
esteroquímica **14**:24
estesiómetro 6:51
Estete, Martín **4**:269
estética 6:51, 52, 157
esteticismo 6:51
estetizantes **6**:174
estetófono **6**:52
estetoscopio 6:52
esteuroblástula **3**:6
Esteves, Sandra María **11**:238
estiaje **5**:305
estibina **1**:310, 311
estiércol 6:52
Estigarribia, José Félix 6:52
biografía **6**:46
Estigia 6:52
estigma **6**:177; **11**:123
estigmas respiratorios **9**:101
estilete **9**:226
estilística 6:52
estilización 6:53
estilo 6:53, 74
— arquitectónicos **8**:161
— art nouveau **8**:194
— arte europeo **12**:105
— artístico precolombino **12**:16
— barroco **2**:168; **8**:191
— clásico **12**:5
— cubista **8**:195
— ecléctico **8**:193
— expresionista **8**:194
— gótico **1**:249; **2**:168
— gótico en el templo de La Sagrada Familia **2**:252
— gótico veneciano **8**:193
— kanaa negro **1**:261
— manierista **8**:192
— nazca **11**:188
— neoclásico **8**:193
— plateresco **12**:5, 60
— románico **2**:168
— topará **11**:188
estilomatósforo **11**:242
estilo o punzón **11**:140
estimación 6:54
Estimé, Dumarsais **5**:182; **9**:26
Estimula **7**:142
estimulante 6:54
estímulo 6:54
estípite 6:55
estípula 6:55
estireno **11**:74
Estiria **1**:160; **2**:166; **5**:301; **12**:91
estirpe **12**:257
estivales **14**:66
Estocolmo 6:55
— puerto **2**:230
— Universidad de **4**:302
Estocolmo **8**:108; **13**:70
Estoicismo 6:55
estola 6:56
estoma 6:56, 204
estómago 6:56, 290, 330
estomas **1**:347; **4**:262; **7**:202, 203; **11**:123
estomatitis **11**:29
Estonia 6:57
— historia **6**:57
— República de **12**:114
estonio **6**:81
Estopiñán **12**:60
estornino 6:58
estornudo 6:58
Estournelles, Paul Balluat, barón de Constant 6:58
biografía **6**:58
estrabismo 6:58
Estrabón 6:58, 304
Estrada Cabrera, Manuel **12**:223
Estrada Palma, Tomás **4**:11, 314
Estrada y Jove **6**:103
Estrada, Ángel de 6:59
bibliografía **6**:59
Estrada, Carlos **13**:328
Estrada, Emilio 6:59
biografía **6**:59
Estrada, Genaro 6:59
bibliografía **6**:59
Estrada, José Manuel 6:59
bibliografía **6**:59
Estrada, Joseph **6**:155
Estrada, Juan de, fray **9**:201
Estrade **1**:271
estragón 6:59
estramonio 6:59
estrangulación **8**:111
Estrasburgo 6:59, 212
— alzamiento de **10**:38
— arzobispo de **12**:94
— puerto de **6**:217
— Universidad de **8**:213; **11**:246
estrategia 6:59
— nuclear **8**:143
— nuclear, dilemas de la **10**:145
Estrategia y táctica de la armada 2:40
estratificación 6:59
estratigrafía 6:59
estratigrafía **6**:60
estratocúmulo 6:60
estratopausa **2**:142
estratos **1**:207; **6**:88; **10**:144
estratos ionizados **1**:330
estratosfera 6:60
estrecho 6:60
— de Bab-el-Mandeb **1**:338; **2**:89
— de Bering **1**:235, 237; **2**:70, 298
— de Corea **2**:88
— de Davis **2**:70; **11**:7
— de Gibraltar **1**:264; **11**:37
— de Kerch **2**:195
— de La Perouse **2**:88
— de Magallanes **1**:143, 228, 238; **11**:93, 243, 294
— de Mesina **1**:324
— de Ormuz **2**:89; **11**:57
— de Palk **2**:88
— de Yucatán **11**:91
— Tartaria **2**:88
— Kattegat **6**:76
— Lille Baelt **6**:76
estrella 6:60
estrella en el espacio **5**:303
— gemelas **7**:159
estrella de día **13**:229
estrella de los Alpes 6:62
estrella de mar 6:62
estrella de neutrones **2**:128
estrella de polar 6:62
estrella Vega **13**:191
Estrella, plaza de la **10**:327
Estrella, río **4**:267
estreñimiento o constipación 6:63
estreptococos 6:63
estreptomicina 6:63
estresípteros **8**:9
estrías **6**:311
estribo **2**:47; **5**:273; **13**:197
estribo, oído **10**:195
estribor 6:63
estricnina 6:63
estridentismo **9**:71
éstrido 6:63
estridosis **6**:63
estrígidas **3**:100; **9**:258
estrigiformes 6:63
estrobo **12**:16
estroboscopio 6:63
estrofa 6:64
Estrofadas, islas **2**:49
estrofanto 6:64
Estrofio **5**:236
estrógenos, hormonas femeninas 6:64
Estrómboli 6:64
— volcán **6**:76
estromboliano **14**:127
estrona **3**:126
estroncio 6:64
estructura atómica **8**:166
estructura de acero **1**:48
estructura atómica de una molécula de arginina **2**:143
estructura de columnas diseñada por Bernini **2**:304
estructura de categorías **7**:69
estructura de la Tierra 6:311
estructura de una flota de guerra 2:39
estructuralismo **6**:64, 70
estructuras moleculares **7**:181
Estuardo, Familia 6:65
— Ana **6**:65
— casa de **5**:211; **7**:175; **8**:108; **12**:31
— María **6**:65; **7**:40; **8**:145, 148
estuario de Forth **5**:210
estuco 6:65
estudio y estudiante 6:65
estufa 6:66
estufa Franklin **6**:233
estupefacientes 6:66
esturión **2**:91; **6**:66; **7**:251; **14**:141
estúrnido **6**:58
estúrnidos **7**:30
etairias **7**:64
etano 6:66
etanol **1**:149
etapas del desarrollo de un infarto **7**:324
Etbai, montes **5**:224
eteno **6**:67
Eteocles **1**:305; **5**:211
éter 6:66, 67, 105, 239
etérea **13**:199
éteres corona **11**:24
Ethel 2:259
Ethelredo II **5**:213
ética 6:67
eticelulosa **11**:127
Étienne Jodelle **6**:226
Ètienne, Jacques **6**:333; **8**:123, 211
etilenglicol **5**:5
etileno 6:67
etilo 6:67
etiltiobarbiturato de sodio **11**:41
etimología 6:67
— inglesa **13**:104
etiología **4**:308; **5**:260; **14**:145
Etiopía 6:67
— bandera de **2**: 240
— Ciudades **6**:68
— Clima y fauna **6**:68
— Economía **6**:68
— Geografía **6**:67
— Gobierno y educación **6**:69
— Historia **6**:69
— Lenguajes y costumbres **6**:68
— Población y religión **6**:68
Etiopía **1**:97; **6**:68
Etiópica, región **14**:180
etiqueta **13**:305
etmoides **6**:22
Etna 6:70
— cráter del **5**:250
— monte **9**:283
— volcán **1**:324; **6**:76; **8**:59; **12**:314
etnoastronomía **2**:49

etnocentrismo 6:70
etnografía **6:**70
etnología 6:70
Malinowski, Bronislaw **9:**44
etnos **10:**23
Etolia **7:**60
Etolia, Liga **6:**124
etología 6:70
— gaviota **6:**71
etología **4:**174
Eton **3:**81; **13:**91, 109
Etra **13:**174
Etrofio, rey **10:**242
Etruria **2:**56, 209; **6:**71; **12:***101*
Etruscos 6:71, 181, 329
— civilización **2:**52
— colonia **9:**62
— estelas **6:**48
— museo **14:**30
anfiteatro **1:**279
atrio **2:**154
Bolonia **3:**32
etruscos jarrón **6:**72
imperio romano **7:**275
lengua **8:**216
sarcófago **12:**227
Toscana **13:**233
Eubea **5:**224; **8:**107
Eubea, isla de **2:**32
eucalipto 6:72
árbol de alcanfor **9:**14
eucariotas **4:**298
eucaristía 6:72
— Sacramento de la **14:**74
Eucken, Rudolf Christoph 6:72
bibliografía **6:**72
Euclides de Alejandría 6:72
álgebra **1:**180
bibliografía **6:**72
biblioteca **2:**311
Grecia **7:**62
matemáticas **9:**126
óptica **10:**227
promedio **11:**212
Euclydes da Cunha **8:**189
Eudelico **14:**72
Eudes, conde **6:**221
eudiómetro **14:**129
Eudoxia **8:**113; **12:***105*; **14:**21
Eudoxio **2:**124
Eufemia **12:**126
eufemismo 6:72
eufiteusis **12:***35*
eufonía **6:**151
euforbiáceas **2:**183; **11:**125; **13:**285
euforbiáceo **9:**55
Euforion **6:**24
Éufrates, Río 6:72
Arábigo, Mar **1:**338
Irán o Persia **8:**40, 87
Tauro, montes **13:**126, 194
Eufrosina **7:**28
eugenesia 6:73, 84, 271
— movimiento de **10:**71
Eugenia María de Montijo, condesa de Teba 6:73
biografía **6:**73
Eugenia, emperatriz **14:**69, 138
Eugenio **13:**161
Eugenio III, papa **1:**301; **10:**235
Eugenio IV, papa **1:**282; **4:**196; **9:**20; **11:**167
Eugenio Luis **10:**39
Eugenio Montale **13:**304
Eugenio, san **13:**212
Eulalia, Santa **4:**35
Eulenspiegel, Till 6:73
biografía **6:**73
Euler **3:**159
Euler, círculo de **4:**92
Euler, Leonhard 6:73
obra **6:**73
Euler, Ulf Svante von 6:73
obra **6:**73
Euler-Chelpin, Hans Karl August von 6:73
obra **6:**73
Eulogio, san **1:**215; **9:**318, 319
Eume **6:**266
Euménides **2:**8; **11:**142
Eumono **8:**255
Eunectes murinus **1:**257
Eunice **12:**173
eunocoidismo **1:**274
Eunomia **7:**224
eunuquismo **1:**274
Eupalino **1:**59
Eupator *el Grande* **9:**251
Euphronios **9:**192
Euranasia **13:**113
Eurasia **2:**70, 83; **4:**227; **6:**74
Euratom 6:73
Euriale **7:**22
Euribia **6:**295
Eurico **5:**314; **7:**11
Eurídice 6:74
Eurimedonte **7:**99
Eurindia **12:**95
Eurinoma **7:**28
Eurípides 6:74
obra **6:**74
— tragedias griegas de **10:**13
euripóntidas **7:**59
Euristeo **3:**211; **7:**151
Euro-África **2:**136
euroasiático **8:**166
eurobono 6:74
Eurocard **13:**120
eurodólar 6:74
Europa 6:74
— agricultura **6:**78
— bosques **6:**79
— características ecónomicas **6:**78
— central **1:**349 **7:**250; **12:**61; **13:**67
— ciudades **6:**81
— clima **6:**76
— comunicaciones y transportes **6:**80
— consejo de **6:**84, 161; **13:**81
— del Norte **4:**293
— división política **6:**81
— geografía económica. Recursos naturales **6:**77
— geografía humana **6:**80
— hidrografía **6:**75
— industria **6:**80
— lenguas **6:**81
— mares y costas **6:**75
— mares y costas **6:**76
— medieval **14:**65
— meridional **8:**271
— minerales y energía **6:**79
— occidental **3:**236 **4:**213; **6:**78; **14:**131
— oriental **4:**213; **6:**75, 78; **13:**123
— orografía 6:75
— pesca **6:**79
— religiones **6:**81
— septentrional **4:**232
— síntesis histórica **6:**81
— y Asia **4:**227
adelfos **1:**67
Átlas **2:**139
Carelia **3:**243
cuero **4:**323
Danubio, río **5:**11
Europa **6:**75
Holanda **7:**204
Japón **8:**85
menta y mentol **9:**170
ollantay **10:**208
Pimiento **11:**91
reja **12:**5
thule **13:**184
yate **14:**161
Europa mitología 6:84
Europea, Unión **4:**190; **6:**78, 80, 84, 161, 217
European Southern Observatory **2:**107
Eurotas, río **6:**7; **11:**32
Eurotas, valle del **8:**159
éuscaro **8:**216; **14:**29
Eusebio, obispo de Cesárea **6:**85
euskara **14:**28
Eustacio **2:**310
Eustache Le Suer **6:**228
Eustaquio II de Boloña **7:**11
Eustaquio, Bartolomeo **1:**261
Eustaquio, islas de San **1:**309
Eustaquio, trompas de **6:**285; **10:**195
eustemia **5:**56
eutanasia 6:84
eutelegénesis **6:**73
Euterpe **10:**7
eutrofización **4:**226
Eutropio **8:**113
Euwe, Max **1:**128
euxenita **5:**278; **8:**67; **10:**104
Euxodo, sistema de **6:**205
Euzkadi **14:**29
euzkera **8:**216
EVA, *Extra Vehicular Activity* **1:**326
Eva 6:85
Eva **5:**205
evacuación 6:85
— intestinal **8:**201
Evangélicos 6:85, 160
Evangelios 6:85, 117
— apócrifos **8:**51
— de San Mateo **2:**309
— san Juan **2:**275
Evangelista Torricelli **6:**268
evangelistas protestantes **7:**188
Evangelización de las Naciones **10:**311
Evans, Arthur John **2:**52; **4:**282
Evans, Larry **1:**128
Evans, Luther H. **13:**304
Evans, Mary Anne **5:**246; **9:**327
Evans, Ronald **2:**120
Evansville **7:**305
evaporación 6:85
evaporadores **6:**86
evaporímetro **6:**29
Evaristo Zúñiga **4:**120
evasión de capitales 6:85
Evelyn Byrd, Richard **1:**87, 303
Everest, George, sir **6:**86; **7:**179
Everest, Monte 6:86
montañismo **9:**284
Nepal **10:**72
Evergetes, Tolomeo **3:**138; **5:**273
Evgen, Grigorij **12:**41
Evia, Jacinto de **8:**280
Evilmerodach **5:**10
evolución, ley de la **5:**202; **6:**89, 156; **13:**245; **14:**139
evolución biológica **7:**254; **10:**18
Evolución, Teoría de la 6:86
— las teorías de la evolución **6:**89
— presuntas evidencias de la evolución **6:**87
— problemas no solucionados para la evolución **6:**90
evolucionismo 6:90
— darwiniano **7:**118
Gran Bretaña **7:**44
Evora **11:**175
EVR o Sistema Electrónico de Videograbación **14:**83
ex libris 6:94
exalbuminadas **12:**272
examen 6:90
— prenupcial **9:**132
excavadora 6:90
excedente del consumidor 6:90
excedente económico 6:90
excedente, trabajo **6:**100
excisión **14:**27
excitabilidad **10:**8
excitación magnética 6:91
excomunión 6:91
Excrecencia **14:**58
excreción 6:92
excursionismo 6:92
— Accesorios **6:**92
— Equipo adicional del jefe **6:**92
exégesis 6:92
exención 6:93
exequias 6:93
Exeter **7:**33
exfoliación **5:**104
exhibicionismo 6:93
exhortativas **10:**229
exilio 6:93
existencia **5:**295
existencia 6:93
existencialismo 6:93, 227
Exmouth, Eduard Pellew, lord de **2:**11
exocétidos **11:**76
exocrinas **6:**220
Éxodo **8:**171; **9:**50; **10:**87; **13:**95, 105
Éxodo del pueblo oriental **2:**72
éxodo rural **1:**103; **7:**57
exodos **13:**132
exoesqueleto **1:**294; **14:**184
exoftalmia **3:**15
exogamia **9:**132
exógeno **5:**279
exomis **14:**63, 64
exorcismo **5:**260
Exosfera **2:**142
exósmosis **10:**265
exotéricos **2:**32
exotoxinas **13:**235
expansión 6:94
— del universo **13:**319
expansión económica 6:94
expansión romana **7:**277
expansividad de los gases **9:**267
expectorantes, propiedades **7:**169,

181
experimentación 6:94
experimento 6:94
experimentos de laboratorio **8:**238
Expert Systems **7:**327
Exploración y colonización 2:99
Exploraciones 2:71
exploraciones marítimas **7:**83
exploraciones polares 6:94
— La conquista de la Antártida **6:**97
— La conquista del Polo Norte **6:**95
— Principales exploraciones **6:**97
exploradores, satélites **6:**98
Explorer 6:98
cohete **4:**130
NASA **10:**43
explosión atómica, Hiroshima **2:**147
explosivos 6:99
— clases principales **6:**99
— historia **6:**100
conservación de los **13:**324
explotación 6:100
— cuenta de explotación **6:**100
— extensiva **8:**180
— intensiva **8:**180
— teoría de la **6:**100
— teoría de la explotación **6:**100
Expo 67 El Hombre y su mundo **6:**101
Expo 70 Progreso y armonía para la humanidad **6:**101
Expo 74 **6:**101
exportación e importación 6:100
exportación invisible **13:**290
Export-Import Bank **6:**36
exposición 6:100
— de Arte Ruso **2:**220
— de la Filosofía de Natorp **9:**22
— de París **11:**305
— Iberoamericana de Sevilla **11:**201
— Internacional de Arte Moderno **2:**318
— Internacional de Barcelona **7:**111; **11:**201
— Internacional de París **2:**213, 321
— Universal de Sevilla **11:**294
exposímetros **6:**203
expresión algebraica **6:**197
expresiones pictóricas **10:**12
expresionismo 6:102
— abstracto **7:**110; **10:**175; **13:**95
— europeo **9:**330
— indigenista **7:**82
— moderno **10:**285
— Retrato de un hombre joven **6:**102
Expreso de Oriente **6:**141
expreso I.C.E. en Alemania **1:**164
expropiación 6:102
éxtasis **9:**245
extasis, DOM **1:**278
extensa **13:**88
extensión **10:**128
extensión 6:103
extensión universitaria 6:103
extinción 6:103
— astronomía **6:**103
— causas posibles **6:**104
— dinosaurios **6:**103
— Extenciones importantes **6:**104
— masiva **6:**104
extinciones importantes **6:**104
extintor 6:104, 242
extirpación **8:**174
extirpación de tumores **8:**174
Extra **13:**301
Extra Vehicular Activity (EVA) **1:**326
extracción 6:105
— petrolera 5:194
— formas de **9:**231
minería **9:**231
extracto 6:105
extractores **14:**50
extradición 6:105
extrajudicial **13:**241
extranjerismos **2:**251
extrasistolias **2:**60
extraterritorialidad 6:105
extrauterino, embarazo 6:105
Extremadura 6:105
— de León **6:**105
— Nueva **14:**11
— y Pastrana, duques de **9:**166
extremaunción 6:106
Extremo Oriente **2:**98; **6:**113, 304; **7:**304; **8:**163
extrusión 6:106
— en caliente **6:**106
— en frío **6:**106
Exurge Domine **8:**226
exvotos **8:**194
Eyadema, Etienne **13:**210
Eyck, Jan van **1:**315; **5:**290; **14:**22
eyección 6:106
Eylau **1:**157
Eyre, Edward John **5:**77
Eyzaquirre, Agustín **10:**193
Ezcurra, María Josefa **9:**104
Ezeiza, Argentina **2:**177
Ezequías **8:**50
Ezequiel 6:106
Ezra **5:**283; **8:**118
Ezzard, Charles **8:**105

F

F 6:107
Faber **8:**174
Faber, Johann Nikolaus Böhl von **6:**133
Fabian, John **13:**243
Fabian Society **6:**107
Fabiana, Sociedad **14:**144,145
Fabiana, Sociedad 6:107
Fabini, Eduardo 6:107
obra **6:**107
Uruguay **13:**328
Fabiola (santa). 6:107
Fabiola **7:**232; **14:**153
Fabiola de Mora y Aragón 6:107
biografía **6:**107
Fabius Máximo Verrucoso **6:**107
fabliaux medievales **11:**313
Fabre, Jean Henri 6:107
bibliografía **6:**107
ciencia **4:**74
entomología **5:**268
naturaleza, estudio de la **10:**48
Fábrega, José Isaac **10:**303
Fábrega, Ricardo **10:**304
Fábregas, D. **10:**303
Fábregas, Virginia 6:107
biografía **6:**107
fábrica 6:107
energía **5:**257
— de acero **1:**48
— de vino Nueva Escocia, Canadá **14:**97
fábrica **1:**213; **6:** 108, 109
fabricación de armamento atómico **6:**74
fabricación de papel **7:**177
fabricación en cadena **11:**207
fábricas Krupp **6:**26
Fabricius **5:**35; **9:**51
fábula 6:109
cuentos infantiles **5:**302
fabulistas **7:**80
literatura infantil **8:**284
monstruo **9:**281
parábola **4:**320
Facatativá **4:**329
facies leonina **8:**230
Facio Hebecquer, Guillermo 6:109
obra **6:**109
facones **6:**293
facsímil 6:110
Factor Rh 6:110
factor de reproducción **11:**312
factores de la herencia **7:**153
factoraje 6:110
factores 6:110
átomo **2:**152
producción **11:**206
factor de progreso **7:**330
factor político **11:**324
factores de producción **5:**191
factores metereológicos **8:**295
factores primos **6:**110
factoría 6:111
factura 6:111
facultad 6:111
energía **5:**257
facultad de leyes **8:**237
Fadak **1:**336
Fader, Fernando 6:112
obra **6:**112
Fadila, Arria **1:**316
Fadrique de Aragón, rey de Sicilia **12:**93
Faenza **11:**303
Faetano **12:***194*
Faetón 6:112
Fagarasului, montes **12:**129
Faget, Maxime A. **9:**173
Fagnano, José 6:112
biografía **6:**112
fagocitosis 6:112
CD-4, células **3:**305
— teoría de la **9:**186
fagot 6:112
Fahd Ibn Abd al-'Aziz **1:**337
Fahlcranz **13:**71
Fahrenheit, Gabriel Daniel 6:112
biografía **6:**112
Danzig **5:**17
isoterma **8:**54
temperatura **13:**154, 168
Fair **4:**274
Fairbanks, Douglas 6:112
Alaska **1:**136
Ártica, región **2:**71
biografía **6:**112
Pickford, Mary **11:**81
Vélez, Lupe **14:**38
Fairbanks, Ricardo **4:**255
Faisal I **8:**42
Faisal, emir **8:**107
faisán 6:113
— dorados **2:**91
— plateados **2:**91
ave **2:**178
Hoatzín **7:**196
perdíz **11:**43
ornitología **10:**253
tragopán **13:**240
Faith 7 **2:**114
Fajardo **2:**280
Fajardo, Francisco 6:113
biografía **6:**113
falacia 6:113
falange 6:113
Falange Española 6:113
nacionalsindicalismo **10:**25
falansterios **4:**188; **6:**205
Falapio **8:**66
falcata **7:**258
Falco gyrfalco **7:**123
Falcon Scott, Robert **6:**97
Falcón, estado de **4:**250
Falcón, isla **9:**84
Falcón, Juan Crisóstomo 6:113
Avendaño, Francisco **2:**184
biografía **6:**113
Coro **4:**250
Guzmán Blanco, Antonio **7:**112
Falconet, Étienne-Maurice **6:**229
falcónidos **1:**114; **2:**181; **4:**45; **6:**294
falconiforme **2:**48; **4:**200; **10:**253
falda 6:114
— egipcia **9:**260
falda **7:**283
faldellín **14:**63
Faleiro **9:**23
falencia **11:**255
Falero **2:**133
Falkland, Estrecho de **9:**47
Falkner, Thomas 6:114
bibliografía **6:**114
falla 6:313
Falla, Manuel de 6:114
Andalucía **1:**266
bibliografía **6:**114
España **5:**319
espectro **6:**10
Halffter, Ernesto y rodolfo **7:**124
Mercé, Antonia, la argentina **9:**172
música **10:**16
Rubinstein, Arthur **12:**123
Turina, Joaquín **13:**289
Fällding, Thorbörn **13:**70
fallecimiento **12:**267
Fallières, Clèment-Armand 6:114
biografía **6:**114
Fallon, Diego 6:114
bibliografía **6:**114
Falloppio, Gabrielle 6:114
anatomía **1:**261
bibliografía **6:**114
Falopio, trompas de **6:**64; **10:**275; **14:**60
Falsíades **1:**97
falsificación 6:114
Falso testimonio **13:**177
Falstaff **10:**15; **14:**55
Falster, isla 6:114
Faltas **6:**256

faluchos **10**:57
fama 6:114
Famagusta **4**:61
Famaillá **13**:280
Famatina 6:114
Argentina, República **2**:14
famatinita 6:114
famatinos **14**:115
familia 6:114
— atapascana **1**:321
— con camello **13**:*295*
— de los Fabios **6**:107
— indígena **1**:*221*
— jefe de la **10**:282
— lingüística tibeto-birmana-indochina **10**:29
— medieval **7**:200
— Taqla **1**:120
— tarahumara **13**:*117*
— Welf **7**:83
familia **1**:220; **4**:315; **6**:115, 116
familia leguminosas **8**:213
guaraníes **7**:75
Mongolia **9**:276
otomí **10**:270
sucesión **13**:63
zoología **14**:182
fandango 6:116
danza **5**:13
fanega 6:116
metrología **9**:191
fanerógamas 6:116
angiospermas **1**:282
cucurbitáceas **4**:318
hoja **7**:202
monocotiledóneas **9**:279
planta **11**:122
reproducción **12**:25
fang **6**:259
Fangio, Juan Manuel **2**:169
Fanon, Franz **3**:250
fantasía 6:116
fantasma **8**:215
fantoches **13**:204
FAO 6:116
Faón **12**:162
faquir 6:117
hipnotismo **7**:182
magia **9**:25
Faraday, Michael 6:117
Ampére, André Marie **1**:252
benceno o benzol **2**:290
bibliografía **6**:117
ciencia **4**:77
dínamo **5**:127
Gran Bretaña **7**:44
invenciones y descubrimientos **8**:28
magnetoóptica **9**:28
Faraday **12**:316
Siemens, Charles William **13**:298
Farafenni **6**:274
Faraldo **6**:266
faraón 6:117
agricultura **1**:105
faraones posheréticos **1**:251
Ramsés II **11**:297
Ramsés II, faraón **5**:202
Sethi I **12**:297
Faraos, islas de **9**:166
farasia **14**:66
Farés, Abderramán **2**:11
Farfán **1**:264
Fargo **10**:132
Farigoule, Louis **12**:104
Farinelli, Arturo **13**:203
faringe 6:117
angina **1**:282
cordados **4**:240
esófago **5**:302
garganta **6**:285
laringe y laringitis **8**:176
paladar **10**:288
faringitis **1**:68
Fariña Nuñez, Eloy 6:117
bibliografía **6**:117
Paraguay **10**:322
Fario argentas **13**:275
Fario lemanus **13**:275
fariseos 6:117
cristianismo **4**:291
escritura **5**:283
Pasión de Cristo **11**:6
Farm Credit Administration **6**:36
farmacéutica **13**:154
Píldoras farmacéuticas **6**:118
farmacia y farmacología 6:117
universidad **13**:318
fármaco **5**:146
farmacodependencia **5**:174
farmacopea 6:118
glicerina **6**:332
infusión **7**:329
fármacos inhibidores **1**:56
Farman, Henri 6:118
biografía **6**:118
Farmington **9**:33
Farnaces **4**:10
Farnesio 6:118
— Alessandro **6**:118
— Isabel **6**:118
Alberoni, Giulio **1**:140
ejército **5**:233
Roma **12**:100
Theotokópoulos, Doménikos **13**:182
Vignola, Giacomo Barozzi **14**:91
faro 6:118
faro **4**:211; **6**:119; **9**:33, 84
farol 6:119
farolillo 6:119
Faros, isla de **13**:213
fárrago **13**:316
Farragut, David Glasgow 6:119
almirante **1**:197
biografía **6**:119
Saint-Gaudens, Augustus **12**:166
Farrel, Edelmiro J **2**:24
Farrel, James Thomas 6:120
bibliografía **6**:120
Farrère, Claude 6:120
bibliografía **6**:120
farsa 6:120
farsalia 6:120
arte **2**:264
Roma **12**:103
Faruk I 6:120
abdicación **1**:21
biografía **6**:120
Egipto **5**:228
Nasser, Gamal Abdel **10**:44
Fasci italiani di Combattimento **10**:17
fasciola 6:120
fascismo 6:120, 133, 137
antisemitismo **1**:313
corporación **4**:252
De Gásperi, Alcide **5**:38
gobierno **7**:7
Italia **8**:64
nacionalsocialismo **10**:25
Fascista, Partido, de Italia **9**:41
fasmoideo 6:120
Fasolino, Nicolás **3**:241
Fastenrath, Johann **8**:122
Fastnet's Race **14**:36
fastos 6:120
Fata Morgana **6**:11
Fatafehi Tu'ipelehake **13**:219
fatalismo 6:120
economía **5**:193
libertad **8**:244
fatiga deportiva **5**:52
Fátima, Nuestra Señora de 6:120
Cairo, El **3**:155
Mahoma **9**:31
Fatimita **2**:241
Fatimitas **1**:332
Fauchard, Pierre 6:121
bibliografía **6**:121
Faulkner, William 6:121
Anderson, Sherwood **1**:267
bibliografía **6**:120
Donoso, José **5**:163
Faulkner, William C. **6**:121
González, José Luis **7**:20
Latinoamérica **8**:190
Rulfo, Juan **12**:129
fauna 6:122,
geografía **6**:302
faunos 6:122
Faure, Edgar **6**:225
Faure, Elie **4**:94
Fauré, Gabriel 6:122
obra **6**:122
Faustina II **1**:316
Faustina, Annia Galeria **1**:316
Fausto 6:122
biografía **6**:122
literatura **8**:274
magia **9**:25
Murnau, Friedrich Wilhelm **10**:6
Faústulo **7**:275; **12**:97
Fautrier, Jean **6**:228
fauves **11**:98
fauvismo **4**:43; **6**:228; **11**:95
Favorelles (Francia) **2**:189
favorlan **2**:96
favosas **13**:199
fax 6:122
Faxa, bahía de **12**:57
Fayal, en el centro **2**:196
Fayal, isla, Azores **2**:196
Faya-Utong, rey **13**:101
fayenza 6:123
Fayetville **2**:37
Faylos de Crotona **5**:140
Faysal **1**:336; **12**:243
Fayum **5**:226
FBI 6:123
FDO **13**:86
Fe 6:123
— cristiana **7**:154
— luterana **2**:159
— religiosa **5**:*206*
cristianismo **4**:292
educación religiosa **5**:222
islam e islamismo **8**:52
Febe **2**:180; **11**:81; **13**:204
feble **5**:132
Febo **1**:325
febrero 6:123
Febres Cordero, León 6:123
biografía **6**:123
Ecuador **5**:201
Febres Cordero, Tulio 6:124
bibliografía **6**:124
Venezuela **14**:46
febrífugo **1**:129; **7**:171; **11**:264
fécula 6:124
digestión **5**:119
fecundación 6:124
contracepción **4**:228
embriología y embrión **5**:248
espermatogénesis **6**:14
herencia biológica **7**:153
fecundidad **7**:325
fedayin **8**:240
Fedayin al-jatah **1**:339
Feddersen, Berend Wilhelm **11**:282
Federación Aeronáutica Internacional **8**:159
Federación Americana del Trabajo (AFL). 6:124
Federación Australiana **2**:163
Federación Automovilística Internacional **3**:261
Federación de las Indias Occidentales **13**:268
Federación de Malasia **7**:312, 316
Federación de Malaya **9**:41
Federación de Malí **9**:43
Federación de Nigeria **8**:164
Federación de Repúblicas Yugoslavas **9**:7
Federación de Rusia **8**:160
Federación Internacional de Automovilismo (FIA) **2**:169
Federación Internacional de Clubes Motociclistas **3**:261
Federación Internacional de las Asociaciones de Futbol **6**:257
Federación Internacional de Lawn Tennis **13**:157
Federación Juasiana **2**:221
Federación Regional de Trabajadores de Puerto Rico **7**:266
Federación Sindical Internacional (FSI). 6:124
Federación Sindical Mundial **6**:124
Federal Bureau of Investigation **6**:123
Federal Emergency Relief Administration (FERA) **10**:84
Federal Reserve System **6**:36
Federal, Partido, de Puerto Rico **9**:335
federalismo 6:124
Federico, Ricci **12**:62
Federico, visigodo **13**:291
Federico Augusto II **11**:159
Federico, el grande
artillería **2**:75
Lagrange, Joseph Louis **8**:165
sevicio secreto **12**:296
Federico Enrique **7**:209
Federico Guillermo **5**:233; **8**:273; **11**:180
Federico Guillermo III **11**:222, 303
Federico Guillermo, el Gran Elector 6:125
biografía **6**:125
Federico I **5**:125
Federico I, Barbarroja 6:124

biografía **6:**124
Palatinado **10:**289
Sacro Imperio Romano Germánico **12:**160
Milán **9:**222
Federico II **1:**51; **5:**207; **10:**283; **12:***36*
Federico II de Alemania **4:**3078:98
Federico II de Prusia **12:**323
Federico II de Sicilia **8:**64
Federico II el Grande 6:125
Alemania **1:**160
biografía **6:**125
ejército **5:**233
Hoenzollern **7:**202
Federico III **2:**331; **4:**199
Federico IV **9:**59
Federico IX de Dinamarca 6:125
biografía **6:**125
Federico Ratzel **6:**306
Federico V **7:**87
Federico VII **4:**290
Federico VIII **4:**290
Federico**,** Wöhler **1:**213
Federico-Guillermo I **1:**160
Federmann, Nikolaus de 6:125
bibliografía **6:**125
Fedotov **12:**143
Fedra **9:**235; **13:**303
Fedro 6:125
animal **1:**296
biografía **6:**125
literatura **8:**284
Samaniego, félix María **12:**185
Fehmarn**,** isla de **1:**164
Feijó, Diego Antonio **8:**261
Feijoo y Montenegro, Benito Jerónimo 6:125
bibliografía **6:**120
España **5:**320
Feininger, Lyonel Charles Adrian **2:**267
Feke, Petra **2:**140
Feldberg **12:**270
feldespato 6:125
arena **2:**5
dacita **5:**5
granito **7:**49
mineralogía **9:**230
porcelana **11:**170
Felicia, río **10:**324
Feliciani, Lorenza **3:**154
Felicidad, María de la **6:**283
Felicitas, Julia **8:**272
Felidae **14:**182
felino 6:125
felino adulto **6:**126
ocelote **10:**182
Felipe **1:**329; **10:**252, 312
Felipe Augusto **6:**127, 128; **8:**115; **12:**171
Felipe de Borbón y Grecia **2:**130
Felipe *el Bueno* **8:**317
Felipe I **13:**212
Felipe I, el Hermoso 6:126
biografía **6:**126
conciliares, teorías **4:**196
Holanda **7:**208
Maximiliano I **9:**135
Felipe II 6:126, 127
Abén Humeya **1:**26
Alba, tercer duque de **1:**137
biografía **6:**126, 127
criptografía **4:**287
Ecuador **5:**200
Enrique II de Francia **5:**264
Hernández, francisco **7:**154
Isabel I **8:**48
Lepanto, batalla de **8:**229
Madrid **9:**18
Pantoja de la Cruz , Juan **10:**309
Pita, María **11:**112
Sacro Imperio Romano Germánico **12:**161
Tintoretto, Jacobo Robusti, llamado Il **13:**199
Vega Carpio, Félix Lope de **14:**32
Felipe III 6:127
biografía **6:**127
Cervantes Saavedra Miguel de **4:**7
España **5:**317
Guzmán y Pimentel, Gaspar de **7:**112
Moncada, Francisco de **9:**274
ochavo **10:**182
Pita, María **11:**112
Tolosa (Toulouse) **13:**214
Valladolid **14:**19
Felipe III, de Rusia **1:**115
Felipe IV 6:127
Agreda, sor María de Jesús de **1:**101
biografía **6:**127
España **5:**317
Guzmán y Pimentel, Gaspar de **7:**112
Melo, Francisco Manuel **9:**159
Nardi, Ángel **10:**41
Pizarro, Francisco **11:**115
Rivera, José de **12:**61
Teniers, David llamado el Joven **13:**157
Terborch, Gerardo **13:**163
Velázquez, Diego Rodriguez de Silva y **14:**37
vestido **14:**68
Felipe IV, el Hermoso 6: 127
biografía **6:**127
Gran Bretaña **7:**40
Paris **10:**328
templarios **13:**155
Felipe Pedrell **6:**114
Felipe San **14:**160
Felipe V 6:127
Alveroni, Giulio **1:**140
biografía **6:**127
correo **4:**254
España **5:**317
Luis XIV **8:**318
Mendoza, Juan Antonio de **9:**165
Orsini, familia **10:**259
Palermo **10:**292
Triple Alianza **13:**268
Zaragoza **14:**174
Felipe VI **6:**221, 222; **10:**252; **14:**15
Felipe, iglesia de San **10:**304
Felipe, san 6:128
Felipillo 6:128
biografía **6:**128
Feliu Cruz, Guillermo **4:**44
Feliu y Codina **5:**171
Félix Fernández, Manuel **14:**77
Félix III **7:**64
Felix Tisserand, François **3:**176
Félix, María 6:128
biografía **6:**128
México **9:**203
felpas **8:**169
Feltre, Vittorino da **5:**288
fellah **14:**66
fellahs **5:**226
Fellner **10:**203
femenino, voto **6:**128
feminalia **14:**64
feminismo 6:128
— francés **13:**269
feminismo 129
feministas, movimientos **4:**228
mujer **9:**324
fémur 6:129
arteria **2:**67
muslo **10:**16
fenacetina 6:129
fenelcina **5:**56
Fenelón, François de Salignac de la Mothe 6:129
bibliografía **6:**129
feniano 6:129
Fenicia 6:129
Alejandro III **1:**156
Asia **2:**97
Atlántico, océano **2:**136
construcción **4:**218
crucificción **4:**301
Edad Antigua **5:**202
España **5:**313
fenicio antiguo **1:**171
Istar **8:**58
Marruecos **9:**108
navegación **10:**52
semita **12:**275
fénico, Ácido 6:130
fenicóptera **6:**172
fenil-2-aminopropano **1:**277
fenilglicina **7:**308
Fenimore Cooper, James **6:**43
Fénix 6:130,
astronomía **2:**125
oftalmología **10:**190
Fénix de los Ingenios **14:**32
Fenland, Inglaterra **1:**145
Fenno, Meiji **10:**18
fenobarbital **2:**251; **5:**270
fenodiol **6:**130
fenol 6:130
anticéptico **1:**314
creosota **4:**281
Eijkman, Christiaan **5:**230
química **11:**260
fenolformaldehídos **1:**68
fenolftaleína 6:130
fenólicos **11:**127, 162
fenómeno 6:131
— astronómicos **11:**212
— atmosféricos **2:**142
— de adaptación **1:**225
— electromagnéticos **5:**230
— nucleares **9:**178
— psicológicos **11:**224
— sísmicos **9:**90
enzimas **5:**269
luz **8:**330
viento **14:**88
fenomenología **6:**131; **7:**154; **9:**178; **13:**255
fenomenológica, filosofía **10:**174
Fenoscandia **5:**278; **6:**159
Fenoscandia, escudo de **5:**278
fenotriol **6:**130
Feodorovna, Alejandra **10:**96
feofíceas **1:**178
Feoktistov, Konstantin **2:**111
Fer, N. de **5:**156
Ferdinand Marie **13:**74
Ferdusi **8:**39
Ferécides **11:**112, 151
Feres, Alejandro de **11:**32
Fergana **8:**143
Ferguson, Guillermo 6:131
biografía **6:**131
Feria Latina **6:**131
Feria Mundial 1982 **6:**102
Feria Mundial de New York **9:**169
Feria, América y Asia **6:**132
ferias 6:131
— decadencia de las **6:**131
— medievales **6:**132
— origen de las **6:**131
América y Asia **6:**131
Ferlet, René **1:**53
Ferlinghetti, Lawrence **6:**43
Fermat, Pedro de **10:**336
Fermat, Pierre 6:132
biografía **6:**132
Jacobi, Karl Gustav Jacob **8:**73
matemáticas **9:**127
fermentación 6:133
— tumultuosa **14:**97
destilación **5:**94
fermentario **13:**329
fermento o madre del vinagre **14:**95
láctico, ácido **8:**159
Szent-Gyögyi, Albert von **13:**92
vino **14:**97
Fermi, Enrico 6:133
átomo **2:**148
biografía **6:**133
Italia **8:**66
Segrè, Emilio **12:**259
técnica y tecnología **13:**136
Wigner, Eugene Paul **14:**150
Fernado *el Católico* **7:**47
Fernán Caballero 6:133
bibliografía **6:**133
Fernándes de Avellaneda, Alonso **4:**8
Fernández, Alejo **5:**317
Fernández, Álvaro **5:**72
Fernández, Antonio **5:**295
Fernández Arbós, Enrique 6:133
obra **6:**133
Fernández Ardavín, Luis 6:133
bibliografía **6:**133
Fernández, Carmelo **14:**46
Fernández de Agüero, Juan Manuel 6:133
bibliografía **6:**133
Fernández de Cabrera y Bobadilla, Luis Jerónimo 6:134
biografía **6:**134
Fernández de Córdoba, Diego (marqués de Guadalcáza) 6:134
biografía **6:**134
virreinatos **14:**103
Córdoba **4:**241
Fernández de Córdoba, Francisco 6:134
biografía **6:**134
Fernández de Córdoba, Gonzalo 6:134
biografía **6:**134
Córdoba **4:**241
España **5:**317
Isabel la Católica **8:**50

Pífano **11:**87
Fernando II *el católico* **6:**135
Fernández de Enciso, Martín 6:134
bibliografía **6:**134
Fernández de la Cueva, Francisco 6:134
biografía **6:**134
Fernández de León, Juan **7:**75
Fernández de Lizardi, José Joaquín 6:134
bibliografía **6:**134
literatura hispanoamericana **8:**280
México **9:**202
Fernández de Lugo, Alonso **3:**208
Fernández de Lugo, Pedro **4:**143; **8:**103
Fernández de Moratín, Leandro 6:134
bibliografía **6:**134
España **5:**320
Gorostiza, Manuel Eduardo de **7:**23
Fernández de Moratín, Nicolás 6:134
bibliografía **6:**134
Fernández de Oviedo y Valdés, Gonzalo 6:135
Amador de los Ríos, José **1:**217
bibliografía **6:**135
España **5:**319
historia **7:**193
México **9:**202
tabaco **13:**93
Fernández de Quirós, Pedro **5:**77; **13:**101, 278; **14:**9, 24
Fernández de Zerpa, Diego **4:**329
Fernández, Emilio 6:133
obra **6:**133
cinematografía **4:**84
Félix, María **6:**128
México **9:**203
Fernández, Enciso Martín de **2:**223; **6:**305
Fernández, Enrique y Carlos **13:**329
Fernández Flórez, Wenceslao 6:135
bibliografía **6:**135
Fernández, Juan **9:**242
Fernández, Juana **7:**255
Fernández, Justino **9:**204
Fernández, Lucas **5:**230
Fernández Madrid, José 6:135
bibliografía **6:**135
Colombia **4:**141
Fernández, Manuel **6:**191
Fernández, Miguel Ángel **10:**322
Fernández Moreno, Baldomero 6:135
bibliografía **6:**135
Fernández, Ramón **2:**81
Fernández Reyna, Leonel **5:**162
Fernández, Ruperto **8:**262
Fernández, Ruth **11:**240
Fernández Shaw, Carlos **8:**250
Fernández Travejos, Antonio **4:**316
Fernández, Vasco **11:**177
Fernández y González, Manuel 6:135
bibliografía **6:**135
Fernández, Próspero 6:133
biografía **6:**133
Fernando de Noronha 6:136
Fernando de Rojas **13:**212, 240
Fernando de San Maturín **9:**133
Fernando *el Santo* **12:**298
Fernando I 6:135
Alcalá Tenares **1:**143
Alfonso VI, *el Bravo* **1:**175
biografía **6:**135
Carol II de Rumania **3:**254
Doria, Andrea **5:**165
portugal **11:**176
Sacro Imperio Romano Germánico **12:**161
Fernando III el Santo 6:135
biografía **6:**135
Fernando II de Aragón **10:**62
Fernando II de Austria **8:**327
Fernando II, el católico 6:135
biografía **6:**135
Guerra de los treinta Años **7:**87
orden religiosa **10:**236
Revoluciones de 1848 **12:**54
Wallenstein, Albrech Eusebius Wenzel von **14:**139
Fernando IV de España **9:**94; **11:**329
Fernando Magallanes **9:**22
Fernando Poo 6:136
Atlántico, océano **2:**136
Fernando Poo, Río **7:**106
Fernando Richthofen **6:**305
Fernando V **1:**340; **4:**180
Fernando VII 6:136
Aguado, Alejandro María **1:**113
Argentina, República **2:**21
biografía **6:**136
condecoración **4:**199
España **5:**317
independencia **7:** 294
Jovellanos, Gaspar Melchor de **8:**111
Madrid **9:**19
Nariño, Antonio **10:**41
Pineda, Mariana **11:**91
Riego y Núñez, Rafael del **12:**67
Zumalacarregui, Tomás de **14:**191
Fernando, don **14:**175
Fernando, príncipe **3:**142
Fernando, San **8:**114
Ferney **14:**129
Fernkorn, Anton D **2:** 168
Feroé **2:**136
Feröe, islas 6:136
— bandera de **2:** 240
alga **1:**178
normandos **10:**130
Feroze Gandhi **6:**279
Ferrán y Clúa, Jaime 6:136
bibliografía **6:**136
Ferrant, Alejandro **14:**189
Ferrara (Italia) **1:**116; **6:**132; **13:**116
Ferrara, Alfonso, duque de **2:**30
Ferrara, Ciego de **13:**203
Ferrara, duque Alfonso de **13:**125
Ferrara, marqués **2:**190
Ferraras **1:**60
Ferrari, Juan M. 6:136
biografía **6:**136
Ferrari, Luvodico **1:**180
Ferrarin, Arturo **1:**87
Ferrater-Mora, José **5:**320
Ferrati, Juan Manuel **13:**328
Ferré, Luis A. **11:**231
Ferreé, Rosario 238
Ferreira Chaves **11:**177
Ferreira, Antonio **7:**318
Ferreira, Francisco **1:**63
Ferrelo, Bartolomé **3:**166
Ferrer Bassa, Jaime 6:137
bibliografía **6:**137
escuela artística **5:**290
Ferrer Otero, Montserrat **11:**239
Ferrer y Cardona, Luis **12:**6
Ferrer, Jaime **5:**72
Ferrer, José 6:137
biografía **6:**137
Cyrano de Bergerac Savinien **4:**336
Ferrer, Miguel **11:**240
Ferrer, Rafael **11:**241
Ferrero, Guglielmo 6:137
bibliografía **6:**137
Ferri, Enrico 6:137
bibliografía **6:**137
colonia penal **4:**151
férricas **8:**160
ferrocarril 6:137
— Central de New York **6:**138
— en el desierto del Gobi **6:**336
— convoy **6:**138
— ferrocarriles en el mundo **6:**141
— ferrocarriles notables **6:**141
— la vía férrea **6:**138
— las locomotoras **6:**139
— tráfico ferroviario **6:**140
— transandino **6:**141
— transiberiano **6:**141; **9:**53
Andes **1:**269
Convoy **6:**140
ferrocarril **6:**137, 138, 139,141, 142
Ferrocarriles en el mundo **6:**141
Ferrocarriles notables **6:**131
pullman, George Mortimer **11:**242
tráfico ferroviario **6:**140
transiberiano **13:**245
ferrocarril subterráneo 6:142
ferroceno **6:**163, **14:**151
ferrofix 6:142
Ferrol **4:**262
Ferrol, El 6:143
ferromolibdeno **9:**267
ferrotánicas **13:**198
ferrotitanio **13:**204
Ferrum **1:**347:172
ferryboat 6:143
Japón **8:**81
Fertig, Pablo **14:**31
fertilización in vitro **8:**174
fertilizante 6:143
— nitrogenados **10:**107
agricultura **1:**106
cultivo intensivo **4:**328
infertilidad **7:**325
Isis **8:**51
meiosis **9:**156
nitro **10:**105
parto **10:**334
potasio **11:**179
útero **13:**332
férula **5:**209
Fervor **13:**229
Fery, Harpers **14:**146
Festival **6:**189
Festival anual de las flores en plaza La Grande, Bruselas **2:**282
Festival de globos aerostáticos **6:**333
Festival de Venecia **7:**11
Festival Naadam, Mongolia **9:**276
festoneadas **7:**203
Festos **4:**282
fetiche 6:143
Costa de Marfil **4:**266
ídolo e idolatría **7:**265
Oceanía **10:**180
politeísmo **11:**155
Tanganica **13:**111
feto **10:**334
feto humano **7:**143
Feuchtwanger, Lion 6:143
bibliografía **6:**143
feudalismo 6:143
condecoración **4:**198
dinamarca **5:**125
encomienda de indios **10:**318
feudatarios **5:**253
Gran Bretaña **7:**40
hogar **7:**200
libros de caballerías **8:**253
patria **11:**13
relaciones de producción **12:**7
Feuerbach, Ludwig 6:144
bibliografía **6:**144
Eucken, Rudolf Christoph **6:**72
Frankfurt **6:**233
Feuillant, club **12:**48
Feuillet, T. Martín **10:**303
Feynman, Richard Phillips 6:144
biografía **6:**144
Schinger, Julian Seymour **12:**250
transbordador espacial **13:**243
Fez 6:144
Fez **6:**145
Fez, Marruecos **2:**214; **9:**107
Tánger **13:**111
Fezzán 6:145
descubrimientos y exploraciones geográficos **5:**75
Libia **8:**247
flagelos **11:**219
Fiallo, Fabio **5:**162
Fianarantsoa **9:**11
fianza 6:145
Fiat Lux **11:**249
fiberglass **11:**130
fibestos **11:**127
Fibich, Zdenek **4:**28
Fibiger, Johannes 6:145
biografía **6:**143
fibra 6:145
— artificiales o sintéticas **6:**146; **9:**260; **13:**181
— carnosas **10:**7
— de origen animal **6:**145; **7:**177
— de origen mineral **6:**146; **7:**177
— de origen vegetal **6:**145; **7:**177
— musculares **4:**324
— vegetal **8:**205
— vítrea **6:**146
asbesto **2:**79
fibras **1:**186
fibras o pelos **7:**177
fibras suaves **8:**168
fibras textiles **7:**178
fieltro **6:**149
hilandería e hilados **7:**177
lana **8:**169
nailon **10:**32

yute **14:**168
fibrina 6:146
fibrinógeno **6:**146; **8:**265; **11:**125
fibrinoplástica **8:**265
fibroblastos **8:**18
fibrocemento **13:**320
fibrocitos **4:**249
fibrogénicos **10:**77
fibromiositis **2:**77
fíbula **13:**210
Ficus elástica **7:**177
Ficus, género **7:**177
ficha y fichero 6:146
Ficher-Dieskau, Dietrich **2:**254
Fichte, Johann Gottlieb 6:146
bibliografía **6:**146
Schelling, Friedrich Wilhelm Joseph von **12:**246
fideicomiso 6:147
fideísmo **11:**272
Fidelio **14:**144
fideos 6:147
Fidias 6:147
arte **2:**64
Escopas **5:**282
Grecia **7:**63
Minerva **9:**233
Olímpia **10:**203
Pericles **11:**50
siete maravillas del mundo **12:**320
Zeus **14:**178
Fiji o Fidji, islas 6:151
exploraciones y descubrimientos geográficos **5:**77
Fidji, Islas **2:**6; **9:**157
Fiji **6:**152
Fiji, bandera de **2:**240
imperio británico **7:**275
negro **10:**66
Oceanía **10:**179
Samoa **12:**186
fido 6:147
fiduciaria **9:**275
fiebre amarilla 6:148
animal **1:**296
cuarentena **4:**308
epidemia **5:**269
livingstone, David **8:**289
mosquito **9:**311
Noguchi, Hideyo **10:**127
Reed, Walter **11:**322
Theiler, Max **13:**182
fiebre de las Montañas Rocosas **2:**160**6:**148
fiebre de malta 6:149
enfermedad **5:**261
fiebre del heno 6:148
alergia **1:**169
asma **2:**102
dermatitis **5:**64
fiebre del oro 6:148
fiebre del oro **2:**162
Idaho **7:**263
fiebre húngara **7:**251
fiebre paludismo **6:**148
fiebre purpúrea **6:**286
fiebre reumática **1:**57; **2:**77; **4:**238
fiebre tifoidea **5:**269; **6:**148; **11:**322
Fiedrich Hebbel **1:**166
Field, Cyrus W. **3:**141
Fielding, Henry 6:149
bibliografía **6:**149
Gran Bretaña **7:**43
jerga **8:**95
Fieles Difuntos, Día de los **6:**150
fieltro 6:149
Fierabrás 6:149
Fierlinger, Zdenek **4:**27
Fierro, Humberto **5:**201
Fierro, Martín **7:**154; **10:**205; **12:**173; **13:**329
fiesta 6:149
— actuales **6:**150
— *de los Tabernáculos* **13:**95
— de Purim **6:**49
— de San Juan **14:**47
— nacional **13:**126
— Negra **12:***97*
— panhelénicas **11:**91
— romanas **12:**30
— saturnales **9:**119
— vulcanales **14:**136
historia**6:**149
fiestas actuales **6:**131
Pamplonada **6:**150
FIFA **6:**257
Fife, Luisa Victoria, duquesa de **5:**213
Fígari, Pedro 6:150
biografía **6:**150
Fígaro 6:150
España **5:**320
Larra, Mariano José de **8:**177
figle 6:150
Figueiredo, M. de **11:**177
Figueras 6:150
Figueras y Moragas, Estanislao 6:150
biografía **6:**150
Martí, José **9:**112
Figueres Ferrer, José 6:150
biografía **6:**150
Calderón Guardia, Rafael Ángel **3:**162
Costa Rica **4:**271
Figueroa Alcorta, José 6:151
biografía **6:**151
Figueroa Iriarte, Jesús **11:**239
Figueroa Larrain, Emiliano **4:**42
Figueroa y Torres, Álvaro de 6:151
Romanones, conde de **12:**105
Figueroa, Baltasar **14:**29
Figueroa, Constanza de **4:**8
Figueroa, Gabriel 6:150
obra **6:**150
México **9:**203
Figueroa, Martínez **12:**184
Figueroa, Narciso **11:**239
Figura de terracota **13:**170
figura geométrica **11:**319
Figura maorí del dios Rotura Whakarewarewa **9:**66
figuras antropomorfas cultura azteca **2:**201
figuras de construcción **7:**31
figuras de dicción o metaplasmos **6:**151
figuras etruscas **6:**71
figuras de lenguaje 6:151
Figurativismo **4:**143
fijador 6:151
ámbar gris **1:**223
Filabres, sierra **11:**37
Filadelfia 6:152
— cuáqueros de **11:**202
Pensylvannia **11:**38
Filadelfo, Tolomeo **10:**102
Filadelfos **13:**213
filamento 6:152
luz eléctrica **8:**333
pelo **11:**31
válvula termoiónica **14:**18
filantropía 6:152
filántropo **4:**302, 303; **5:**183
filaria **5:**244; **8:**939; :311
filarias **6:**152; **7:**109; **10:**70
filariosis 6:152
filariosis o elefantiasis **9:**311
filatelia 6:152
— base de la colección **6:**153
— coleccionismo **6:**153
— emisiones postales y publicaciones **6:**154
catálogo **3:**287
correo **4:**255
filatelia **6:**153
Filemón y Baucis 6:154
Filetas **5:**244
filético **1:**283
filibranquio 6:154
filibusteros **12:**221
Filidor, François Andre 6:154
obra **6:**154
filigrana 6:154
Filiké Heteria **7:**61
Filipchenko, Anatoly V **2:**113
Filipepi, Alessandro **3:**59
Filípicas **5:**48
Filipinas, República de 6:154
— archipiélagos de las **8:**216
— islas **7:**89; **9:**42, 58; **10:**329; **14:**113
— Mar de **12:**152
— Universidad de **11:**267
— y China **7:**102
— historia **6:**154
ananás **1:**259
Elcano, Juan Sebastián **5:**235
Filipinas, República de **6:**155
generación del 98 **6:**299
haba de san Ignacio **7:**113
paloma **10:**297
Rizal, José **12:**81
Roosevelt, Theodore **12:**111
Váez de Torres, Luis **14:**9
Filipo de Crotona **7:**156
Filipo de Filippi **5:**75
Filipo de Macedonia 6:156
biografía **6:**156
sagradas, Guerras **12:**163
Tesalia **13:**173, 174
Filipo II **1:**155; **2:**32; **6:**156
Filipo II de Macedonia **1:**155; **10:**69
Filipo III **5:**47
Filipo V **7:**60
Filipo, Herodes **12:**176
Filipos, iglesia de **10:**279
Filippo **1:**172
Filira **11:**269
Filis y Belardo **14:**32
Filisola, Vicente, general **3:**174
Filisteo 6:156
Israel **8:**56
Sansón **12:**209
Filócrates **12:**49
Filogenética, ley **6:**156
filogenia 6:156
embriología y embrión **5:**248
zoología **14:**181
filología **6:**319; **8:**10, 266
Filomeno **12:**163
filón 6:156
Filón de Alejandría 6:157
biografía **6:**157
filosofía 6:157
— aristotélica **5:**215
— de la praxis **7:**32
— de las luces **4:**292
— del hijo **2:**251
— *elemental* **2:**228
— epicúrea **8:**316
— escolástica **1:**26; **5:**208
— española **6:**281
— estructuralista **3:**267
— existencia **6:**93
— *fundamental* **2:**228
— griega **6:**157
— kantiana **4:**293
— metafísica **10:**28
— moderna **13:**298
— platónica **1:**118
— popular **7:**273
— racionalista **13:**88
Abelardo, Pierre **1:**26
átomo **2:**143
categoría **3:**293
ciencia **4:**77
Edad Media **5:**209
Filosofía de la lengua española **2:**253
India **7:**303
literatura **8:**275
Montaigne, miguel Eyquem de **9:**281
necesidad **10:**63
persona **11:**57
universidad **13:**317
filosofía de la historia 6:158
Condorcet, Marie Jean Antoine Nicolas de caritat Marqués de **4:**200
Filósofos, crepúsculo de los **10:**316
filotaxia 6:158
filoxera 6:158
energía solar, aprovechamiento de la **5:**261
hemípteros **7:**144
filtración 6:159
energía hidráulica **5:**258
filtro 6:159
— coloreados (rojo, verde y azul) **13:**150
— de color **13:**137
fotografía **6:**202
fimbria **9:**169
finanzas 6:159
divisa **5:**146
factoraje **6:**110
finas, razas **6:**291
finca rural **7:**49
Findlay, Alexander **13:**170
Finé, Oronce **9:**67
Fini, Leonor **9:**327
Finiguerra **7:**28; **10:**243
Finisterre **7:**34
Finlandia 6:159
— clima **6:**160
— cultura **6:**160
— economía **6:**160
— geología **6:**160
— gobierno, instrucción pública y religión **6:**160
— golfo **2:**230; **6:**159, 160; **8:**160
— Gran Ducado de **6:**160
— hidrografía **6:**159
— historia **6:**160
— litoral **6:**159

— orografía **6:**159
— República de **7:**98
— Transportes y comunicaciones **6:**160
avena **2:**183
clima **6:**160
comunidad Europea **4:**190
cultura **6:**161
economía **6:**160
Escandinava, península **5:**278
Ladoga **8:**160
Malaparte Cursio **9:**41
ombudsman **10:**210
Ribbentrop, Joachin von **12:**61
San Petersburgo **12:**199
Yudenich, Nikolai Nikolaievich **14:**166
Finlay y de Barrés, Carlos Juan 6:161
biografía **6:**161
Cuba **4:**316
epidemia **5:**269
fiebre amarilla **6:**148
Gorgas, William Crawford **7:**22
mosquito **9:**311
Reed, Walter **11:**322
Finley, Karen **11:**48
Finn **10:**263; **14:**35
Finsch **5:**78
Finsen, Niels Ryberg 6:161
— lámpara de **6:**161
— terapia de **6:**161
biografía **6:**161
Finsteraarhorn **13:**76
Fionia **2:**302
Fionia, isla de **5:**122
Fioravanti, José 6:161
bibliografía **6:**161
fiordo 6:161
— de Ofot, península del **10:**43
escandinava, cordillera **5:**278
Laponia **8:**175
Noruega **10:**133
Suecia **13:**68
Fiorentino, castillos de **12:**194
Fiorenzuola **1:**140
fiote **2:**246
fique **12:**217
Firdausi, Firdusi o Firdawsí 6:162
bibliografía **6:**162
Firestone, Harvey Samuel 6:162
bibliografía **6:**162
firmamento 6:162
Firómaco **11:**49
Firpo, Luis Ángel **5:**48
First National Bank de EE.UU. **8:**16
Firth, sir Raymond William 6:162
bibliografía **6:**162
fiscal 6:162
— derecho **6:**163
— sistema **6:**163
Fischer, Bobby **1:**128; **8:**135
Fischer, Edmond H. 6:163
biografía **6:**163
Fischer, Emil 6:163
bibliografía **6:**163
Fischer, Ernest Otto 6:163
biografía **6:**163
Fischer, Hans 6:163
biografía **6:**163
clorofila **4:**116
Fischer, John **2:**251
Fish, arroyo **14:**146
Fisher, Bud **4:**169; **7:**194
Fisher, Ronald, sir **6:**94
Fisher, Sylvia, cantante **2:**164
Fisherton, Alberdi **12:**113
Fisher-Tropach, prceso **6:**289
física 6:163
— aceleración **6:**165
— acústica **6:**167
— atómica **2:**147; **4:**179; **6:**133
— cinemática **6:**165
— cuántica **6:**144
— descomposición de la luz **6:**169
— dinámica **6:**166
— división de la **6:**164
— energía **6:**167
— energía eléctrica **6:**167
— eólica **6:**166
— estática **6:**165
— físico trabajando en su laboratorio **6:**165
— fisión nuclear **6:**170
— hidrólica **6:**168
— Historia de la **10:**317
— luz **6:**166
— magnetismo **6:**169
— máquinas **6:**167
— mecánica **6:**165
— moderna **6:**267
— neutrón **6:**170
— nuclear **1:**170; **2:**147; **6:**205; **8:**151, 152, 230; **11:**246
— óptica **6:**168
— potencia **6:**167
— propiedades de la materia **6:**164
— propiedades de los cuerpos **6:**164
— refracción **6:**169
— teórica **7:**50; **8:**170
— termología **6:**167
— trabajo **6:**166
— velocidad **6:**165
— velocidad angular **6:**165
abstracción **1:**38
astronomía **2:**129
compresión y compresor **4:**179
electrónica **5:**242
físicas **13:**318
metalurgia **9:**183
neumática **10:**76, 183
termodinámica **13:**167
velocidad **14:**39
fisicoquímica **7:**131
fisiocracia **4:**107
fisiología 6:169
— del comportamiento **6:**71
— estímulo, **6:**54
— química **2:**328
antropología **1:**318
asimilación **2:**100
comportamiento animal **4:**174
higiene **7:**175
Lwoff, Andrè **8:**335
medicina **9:**150
neurología **10:**80
fisión 6:170
— velocidad de **10:**148
Alfa, partículas **1:**170
átomo **2:**145
fisiología **6:**169
hidrógeno, bomba de **7:**167
nuclear, reactor **10:**148
reactor **11:**311
fisioterapia 6:170
fisípedos **3:**253; **10:**18
Fiske, John 6:170
bibliografía **6:**170
fisonomía 6:170
fístula 6:170
Fitch, John **7:**140
Fitch, Val Logsdon 6:171
biografía **6:**170
Fitelberg, G. **11:**161
fitina 6:171
Fitipaldi, Emerson **2:**169
fitobiología 6:171
fitoecología 6:171
fitófago 6:171
dorífora **5:**165
fitogeografía 6:171
contaminación ambiental **4:**226
fitografía **3:**56
fitolacáceas **10:**209
fitopatología **11:**13; **14:**32
pesca **11:**66
fitotrón 6:171
Fitz Roy 6:171
Fitzgerald, Edward **10:**209
Fitzgerald, Francis Scott 6:171
bibliografía **6:**171
Minnesota **9:**229
naturalismo **10:**48
Fitzmaurice-Kelly, James **6:**125; **11:**257
Fitzroy, Robert 6:171
biografía **6:**171
Fitzsimmons, Bob **3:**63
Fiumara **13:**184
Fiume 6:171
Fiume, golfo de **7:**271
Fiumicino **12:**123; **13:**184
Fiyelivince **7:**106
Fizeau, Armand Hippolyte **6:**10
Fizeau, Hippolyte **5:**164
Fjordlik **14:**141
Flaco Quinto, Horacio **8:**42
flagelación 6:172
tormento y tortura **13:**224
flagellum **13:**224
Flagstaff, observatorio de, Arizona **11:**141
Flaherty, Robert **10:**6
Flamateed, John **7:**64
Flamel, Nicolas **6:**229
flamenco 6:172
flamencos en África **1:**92
flamencos en su hábitat **2:**178
Flamenco, Michel el **5:**126
Flaming Gorge **14:**156
Flaminio **1:**292; **13:**255
Flammarion, Camille 6:172
bibliografía **6:**172
espiritismo **6:**18
Marte **9:**111
Flamsteed, John **9:**69; **10:**52; **12:**92
Flandes 6:172
— batalla de **7:**92
— Bélgica **6:**173
— campaña de **12:**134
— condado **2:**284; **5:**179; **6:**127
— Enrique II de, Francia **5:**282
— guerra de **12:**317
— juntas de cosas **11:**268
— Oriental **2:**283; **6:**281
— provincia de **10:**268
— Roberto, conde de **4:**306
Alberto I **1:**141
Bélgica **2:**283
cubiertos **4:**317
Escalda **5:**277
Felipe III **6:**127
Gran Bretaña **7:**36
Jiménez de Cisneros, Francisco **8:**102
piratería **11:**107
tapiz **13:**116
vestido **14:**66
flash 6:173
flash fotográfico 6:173
— electrónico **6:**173
— lámpara de **6:**173
— múltiple **6:**174
Flash Gordon **4:**170
flashes **6:**203
Flaubert, Gustave 6:174
bibliografía **6:**174
Amílcar Barca **1:**250
Eça de Queiroz, José María **5:**184
estilo **6:**53
Maupassant, Guy de **9:**134
naturalismo **10:**48
Ruan (Ruen) **12:**120
flauta 6:174
flauta **1:**122
Latinoamérica **8:**195
órgano **10:**248
quena **11:**249
Flautista de Hamelin, El 6:174
Flavia **8:**74
Flaviana, dinastía **5:**155
flavinadenindinucleótido (FAD) **13:**209
Flavio Orsini, príncipe **13:**325
Flaxman, John 6:175
bibliografía **6:**175
Neoclasismo **10:**71
flebitis 6:175
fleco **14:**71
flecha 6:175
arco, tiro de **1:**352
Fleischer, Max **5:**110
Flemalla, Maestro de 6:176
obra **6:**176
Fleming, John Ambrose 6:176
bibliografía **6:**176
radiotelefonía y radiotelegrafía **11:**284
Fleming, sir Alexander 6:176
— ley de **5:**127
biografía **6:**176
Chain, Ernst Boris **4:**17
Florey, sir Howard Walter **6:**181
Gran Bretaña **7:**44
invenciones y descubrimientos **8:**25
moho **9:**265
penicilina **11:**37
Flemming, Walther **4:**97
flemón 6:176, 177
flemosa **6:**290
Flesinga **5:**277
Fleta, Miguel B 6:177
biografía **6:**177
tenor **13:**160
fletamento 6:177
Fletcher **5:**170
flete 6:177
Fletschhorn **12:**329
Flettner, Anton **3:**112
Fleury, André Hércule de 6:177
biblioteca **2:**312
biografía **6:**177
Flevo, lago **14:**190
flexibilidad 6:177
educación **5:**217

flexibilidad y rigidez **7**:8
flexión **5**:235; **9**:321; **10**:7
Flinders Petrie, William Matthew 6:177
arqueología **2**:50
bibliografía **6**:177
Coral, Mar del **4**:236
Flint **7**:36; **9**:36
Flint Hills **8**:133
Flint, Warren **9**:214
floculación **6**:297
floema **3**:183; **12**:245
flogística, teoría de la **1**:167
flor 6:177
— emblemas y símbolos florales **6**:180
— utilidad de las flores **6**:180
— de mayo **9**:323
— silvestre **2**:45
flor **1**:23, 25, 57; **6**: 178, 180; **8**:310, 335
flor de geranio rojo **6**:317
flor de vainilla **14**:10
flor de lis 6:180
Flor, Roger de 6:177
Almogabar **1**:197;
Tensa, Berenguer de **5**:267
flora 6:181
— parasitaria **7**:150
recursos naturales **11**:319
Flora, diosa **9**:144
Flora, Francisco **8**:65
floración **11**:9
Florence Nightingale **9**:326
Florencia 6:181
— Italia **8**:62
Arnolfo di Cambio **2**:48
Edad Media **5**:208
Florencia **1**:281, 319; **8**:59; **10**:74
Nardi, Ángel **10**:41
Pontificios, estados **11**:167
vestido **14**:67
Florencio de Lorenzo **11**:99
Florent **4**:239
Florentina del Mar **4**:198
florero **4**:289
Flores 6:181
flores **1**:218, 282; **2**:10, **7**:327, **14**:158
flores **1**:218, **2**:229, **9**:65
Flores Jijón, Antonio 6:181
bibliografía **6**:181
Flores Magón, Enrique **1**:260
Flores Magón, Ricardo 6:181
anarcosindicalismo **1**:260
biografía **6**:181
Flores, Gaspar **12**:112
Flores, Juan José 6:181
biografía **6**:181
Elizalde, Amtonio **5**:247
Marcos, Francisco **9**:88
Rocafuerte, Vicente **12**:86
Flores, Leónidas **6**:182
Flores, Rodrigo **1**:128
Flores, Venancio 6:181
biografía **6**:181
florete **5**:296
Florey, sir Howard Walter 6:181
Australia **2**:164
biografía **6**:181
Chain Ernst Boris **4**:17
Flemming, sir Alexander **6**:176
Flórez, Julio 6:182
bibliografía **6**:182
Flórez, Manuel Antonio **4**:181
Florián **12**:178
Florianópolis **12**:210
floricultura 6:182
floricultor **8**:89
floricultores **7**:162
margarita **9**:92
Florida 6:182
— actividad económica **6**:183
— Centro Espacial Kennedy en **8**:138; **10**:190
— clima **6**:182
— educación y actividad cultural **6**:183
— Estrecho de **4**:257; **7**:16; **9**:207
— historia **6**:184
— los cayos de **6**:183
— Península de **6**:32; **9**:211; **11**:166; **13**:121; **14**:74
— población **6**:183
— recreación **6**:183
— recursos minerales **6**:183
— ríos y lagos **6**:182
— tierra y recursos **6**:182
— universidad de **8**:209
— vegetación y vida animal **6**:183
alga **1**:178
astronáutica **2**:116
Cuba **4**:313
descubrimientos y exploraciones geográficos **5**:73
Estados Unidos **6**:40
Georgia **6**:316
Núñez Cabeza de Vaca, Alvar **10**:163
Salomón, islas **12**:176
Florida 6:182
Floridablanca, José Moñino y Redondo conde de 6:184
biografía **6**:184
España **5**:317
Godoy, Manuel **7**:11
Jovellanos, Gaspar Melchor de **8**:111
Samaniego, Félix María **12**:185
Florido, río **4**:35
florín surinamés **13**:86
Flornoy **5**:74
Flory, Paul John 6:184
biografía **6**:184
flota **2**:40, **7**:323
Flota naval de la OTAN en Gibraltar, España **6**:322
Flotow, Federico von **10**:220
Flou **1**:65, **7**:37
Flow **7**:37
flujo, diagrama de **10**:245
Flumen **7**:241
flúor 6:184
halógenos **7**:125
Moissan, Enrique **9**:266
fluorescencia 6:185
alumbrado **1**:211
aluminiscencia **8**:320
fluorhídrico, ácido 6:185
fluorita 6:185
minerología **9**:230
fluoroscopia 6:185
fluoruro **6**:185; **13**:163
fluoxetina **5**:56
Fluviá, río **6**:319
Fly, río **10**:157
Flying Cloud **10**:57
Flying Dutchman **14**:35
fllantropía 6:152
FMI **1**:286; **13**:81, 99, 114
FNLA **1**:288
Fo, Darío 6:185
bibliografía **6**:185
FOBAPROA **9**:200
fobia 6:185
abulia **1**:40
enfermedad **5**:260
foca 6:185
ártica, región **2**:70
focal, distancia **10**:184
Focauld, Jean-León **6**:239
Focea 6:187
Grecia **7**:59
Fócida **10**:330
fócidos **6**:185
Focio 6:187
biografía **6**:187
Nicolás I, san **10**:96
Focke-Achgelis (Alemania) **2**:186
foco 6:187
— común **10**:184
— del reflector **11**:323
— geométricos **7**:182; **10**:318
— tuberculoso **10**:78
Focos, V. **7**:63
Foch, Ferdinand 6:187
biografía **6**:187
foehn **13**:77
Fogata **6**:241
Fogazzaro, Antonio 6:187
bibliografía **6**:187
Italia **8**:65
Fogel, Robert William 6:187
bibliografía **6**:187
Fogg, Phileas **13**:253
fohen **14**:90
Fo-Hi, emperador **5**:283
foie gras 6:187
Foix, Catalina de 6:187
biografía **6**:187
Foix, Roger Bernat II de **1**:271
Fokine **5**:16, 101; **11**:17
Fokker, Anthony **1**:83
folclorismo **4**:330
Folgaroles **14**:54
fólico, ácido **14**:108
folidoto 6:188
desdentados **5**:86
folio 6:188
foliolo 6:188
árbol de la goma **1**:348
tacamaca **13**:96
Folke, Bernadotte **4**:304; **8**:57, 98
folklore o folclor 6:188
— ¿Qué es? **6**:190
— la música, **6**:190
— narraciones **6**:189
— y mitología **6**:188
Grim, hemanos **7**:66
nación **10**:23
Folks, Sara Jane **14**:156
Folsom 6:191
— puntas de **6**:191
folletín 6:191
Wallace, Edgar **14**:139
folleto 6:191
guía **7**:102
Folli, Francisco de **12**:208
Fomalhault, estrella **6**:61
Fonda, Jane **6**:129
Fondo Internacional de Desarrollo Agrícola (FIDA) **10**:28
fondo monetario internacional 6:191
Comores (República Islámica Federal de las Comores) **4**:172
Latinoamérica **8**:187
Micronesia **9**:217
Naciones Unidas **10**:28
Washington D.C. **14**:140
fonética 6:191
americanismo **1**:247
escritura **5**:283
pronunciación **11**:213
V, letra **13**:335
fonofotografía 6:191
fonovisión **13**:152
fonsadera **5**:231
Fonseca 6:192
Casa de Contratación de las Indias **3**:269
Fonseca Amador, Carlos **10**:94
Fonseca, bahía de **4**:59; **6**:336; **10**:92; **12**:182; **13**:138
Fonseca, Juan Rodríguez de **10**:197
Fonseca, Julio 6:191
obra **6**:191
Fonseca, río **10**:300
Fonst, Ramón **10**:205
Fontaine, Henri Marie La 6:192
biografía **6**:192
Fontaine, Jean de La **1**:296, **2**:231
Fontaine, Pierre Francius Léonard **6**:228
Fontainebleau 6:192
Fontainebleau **10**:39, **13**:199
Le Notre, André **8**:222
Pio VII **11**:101
Fontaines, Francia **2**:303
Fontana de Trevi **6**:244
Fontana, Domenico **13**:82
Fontana, Niccoló **1**:180; **13**:122
Fontanals **9**:166
Fonteio **4**:221
Fontelles, René **11**:119
Fontenoy **5**:277
Fonteyn, Margot **10**:165
Fontibre **5**:184
Fonvizin, Demís **12**:140
Fonz **12**:60
Food and Agriculture Organization (FAO) **6**:195
Foot, Michael **3**:176
foques **14**:35
Forain, Jean Louis **3**:246
Foraker, ley **11**:231, 266
foraminífero 6:192
numulita **10**:163
Forbes, Edward **14**:142
fórceps **10**:186
Forcis **7**:22
Forco **6**:295
Ford **5**:95
Ford Coppola, Francis **4**:84
Ford Motor Company **6**:193
Ford, Alexander **11**:161
Ford, Gerald Rudolph 6:192
biografía **6**:192
Carter, James Pearl, Jr. **3**:267
Estados Unidos **6**:42
Kissinger, Henri Alfred **8**:143
Ford, Germán Arciniegas **8**:283
Ford, Henry 6:193
bibliografía **6**:193
Edison, Thomas Alva **5**:211

Firestone, Harvey Samuel **6:**162
pasatiempo **10:**336
transportes **13:**250
Ford, Henry II **6:**193
Ford, John 6:193
cinematografía **4:**84
Kelly, Grace **8:**136
obra **6:**193
Foreman, George **3:**63
Forest, Fernand **6:**230
Forest, Jean-Claude **4:**170
forestal, explotación 6:196
Guatemala **7:**78
Forez **6:**212
forficúlidos **13:**195
Fori, Idola **13:**228
forja 6:196
— catalana **1:**48, **7:**174
forjadores **2:**69
Fork, río **14:**146
Forlani **9:**67
Forli **10:**17
Forli **12:**193
forma, trasposición de la **1:**259
formación de montañas **9:**284
Formación geológica en Butte, EE.UU. **6:**310
Formación geológica en la isla Flowerpot, Ontario, Canadá **6:**310
Formación rocosa **13:**156
Formaciones de roca basáltica **2:**259
Formaciones rocosas aprovechadas como vivienda, Bangladesh **2:**245
formaldehído 6:196
avena **2:**183
conservas **4:**215
polvo de moldeo **11:**162
formalidades **11:**218
formalismo 6:196
formalistas **9:**128
Forman, Milos **4:**28
formas **9:**180
formas aerodinámicas **9:**317
formas sociales **1:**225
Forment, Damián **11:**144
Forment, Daniel **5:**317
Formentera **2:**224; **12:**170
Formica rufa **7:**226
Formica sanguinea **7:**227
formicidos **8:**8
formícidos, familia de los **7:**225
Formicoxenus **7:**227
Formión **13:**164
formol 6:196
formón **3:**258
Formosa (Taiwan) 6:196
kuomigtang **8:**150
guerra Ruso-Japonesa **7:**98
Formosa 6:196
Argentina **2:**17
Chaco **4:**16
fórmula 6:197
— empírica de Geiger **1:**170
— químicas **14:**14
óxido de carbono **10:**276
química **11:**261
fornacinas **4:**271
fornaminíferos **6:**313
Fornarina **11:**102
Fornaris, José 6:197
bibliografía **6:**197
Cuba **4:**315
Forne, Marc **1:**272
Fornebu, aeródromo internacional **11:**174
Forner, Juan Pablo 6:197
bibliografía **6:**197
foro 6:197
— de Naciones del Pacífico **12:**187
— en Jerash, Jordania **6:**198
— Romano **6:**197; **13:**241
— Romano con el Monte Palatino **7:**276
arquitectura **2:**57
forraje 6:198
algodón **1:**182
forrajera **1:**172
mijo **9:**221
Forrest, John **5:**77
Forros **7:**150
Forsslund **13:**71
Forssmann, Werner 6:198
bibliografía **6:**198
Cournand, Andre **4:**273
Forst, Willy **10:**65
Forster, George **5:**75
Fort Caroline **6:**184
Fort Duquesne **14:**142
Fort Hall **7:**264
Fort Nassau **7:**208
Fort Rouillé **13:**226
Fort Smith **2:**37
Fort Wayne **7:**305, 306
Fort Western **9:**34
Fort Worth **5:**8
Fort, Paul **6:**227
Fortaleza 6:198
Fort-de-France **9:**115
Forth Worth **13:**253
fortificación 6:198
fortificaciones medievales **10:**165
Fortín **2:**256
Fortín de Zaragoza, cerro del **10:**171
fortissimo, movimiento **10:**13; **13:**195
Forton, Louis **4:**169
fortrel **5:**5
Fortún, Elena **8:**285
Fortuna 6:198
— diosa **6:**199
Fortune **4:**274
Fortuny y Carbó, Mariano José 6:199
agua fuerte **1:**112
escena **5:**280
obra **6:**199
Forum des Halles, París, Francia **6:**226
fosa amigdalina **1:**250
Fosa de la Sonda **7:**307
fosa de las Antillas **13:**192
fosa de las Marianas **11:**80
fosa tectónica **6:**313; **7:**33
Foscolo, Ugo **8:**65
fosfatos 6:199
fosfato de cal **6:**199
fosfato de sodio **11:**244
fosfato monoamónico **6:**104
fosfato monocálcico **13:**85
fosfato, grupo **12:**61
fosfoproteína **3:**273
fosforescencia 6:199
radio **11:**278
mar **9:**80
fosfórico, ácido 6:199
fosforilación de proteínas reversibles **6:**163
fosforilasa **8:**147
fosforismo **13:**71
fosforita 6:199
fósforo 6:199
— radiactivo **2:**153
abono **1:**31
biología **2:**326
hierro **7:**174
labranza **8:**156
plasma **11:**125
televisión **13:**150
vida **14:**80
fósil 6:200
— de plantas **1:**350
— de una ammonita **10:**291
— viviente **10:**50
adaptación **1:**66
Barnum, Phineas Taylor **2:**255
combustible **4:**162
paleontología **10:**290
prehistoria **11:**185
Foster, Harold **4:**170
Fotocartográficos, aparatos **9:**70
fotocopia 6:200
fotoelectricidad **12:**63
fotograbado 6:200
huecograbado **7:**237
Ives, Frederic Eugene **8:**69
Niepse, Claudio Félix Abel **10:**98
fotografía 6:200
— accesorios **6:**202
— aérea del cráter de un volcán **6:**203
— cámara **6:**201
— en el cine **6:**203
— historia **6:**203
— película **6:**200
— revelado e impresión **6:**203
— submarina **4:**273
Niepse, Claudio Félix Abel **10:**98
potasio **11:**179
telurio **13:**154
fotólisis de flash **10:**130
fotolitografía **8:**286
fotolitografía de circuitos integrados **8:**179
fotolitográficos **9:**216
fotolitos **10:**189
fotoluminiscencia **6:**232
fotómetro 6:204
astronomía **2:**130
fotometría **8:**333
fotón 6:204
átomo **2:**149
gran unificación, teorías de la **7:**50
fotoquímica 6:204
fotósfera **2:**127; **4:**298; **6:**15
fotosíntesis 6:204
animal **1:**295
clorofila **4:**116
hoja **7:**203
mar **9:**80
fototipia 6:204
fototropismo **11:**124; **13:**273
Foucauld, C. **5:**76
Foucault, físico **11:**37
Foucault, Jean Bernard Léon 6:205
biografía **6:**205
Foucault, Michel **3:**267; **6:**65
Fouché, Joseph, duque de Otranto 6:205
biografía **6:**205
Revolución Francesa **12:**49
Unión Sudafricana **13:**314
Fouchet, Christian **6:**225
Fouditi **10:**100
Foulché-Delbosc, Raymond **7:**19
Fouquet, Jean **5:**289; **12:**35
Fouquet, Nicolas **2:**262
Fourastié, Jean **12:**254
Fourdrinier, Henry **10:**315
Fourdrinier, Sealy **10:**315
Foureau, F. **5:**76
Fourier, Charles 6:205
bibliografía **6:**205
comunidad **4:**188
Oested, Hans Christian **10:**187
Fourneyron **13:**287
Fourvieres **8:**336
Fowler, William Alfred 6:205
biografía **6:**205
Fox, George **4:**308
Fox, hermanas **6:**18
Fox, río **7:**269
Fox, Robert **11:**216
Foxá, Francisco J. **5:**162
Foy, general **5:**177
Foyn, Sven **2:**232
Foynes, muelle, Irlanda **9:**321
Fra Angélico **1:**281; **7:**26; **12:**100
Fra Filippo Lippi **6:**181
Fra Giovanni da Fiésole **1:**281
Fra Mauro, montes de **2:**119
Frabcfort **7:**184
frac 6:205
vestido **14:**68
Fracastoro, Girolamo 6:205
bibliografía **6:**205
medicina **9:**150
fracción impropia **6:**208, 209
fraccionarios, números 6:205
— adición de fracciones **6:**206
— adición de números mixtos **6:**207
— dividir un número entero por un mixto **6:**209
— dividir un número entero por una fracción **6:**208
— dividir un número entero por una unidad fraccionaria **6:**208
— dividir un número mixto por otro número mixto **6:**209
— dividir un número mixto por un entero **6:**209
— dividir un número mixto por una fracción **6:**209
— dividir una fracción por otra fracción **6:**209
— dividir una fracción por un número entero **6:**208
— dividir una fracción por un número mixto **6:**209
— multiplicación de fracciones **6:**208
— multiplicación de una fracción por un número entero **6:**207
— multiplicar dos números mixtos **6:**208
— multiplicar más de dos fracciones **6:**208
— multiplicar un número entero por una fracción **6:**207

— multiplicar un número mixto por un entero **6:**208
— multiplicar una fracción por otra fracción **6:**207
— reducción de números mixtos a fraciones impropias **6:**208
— sustracción de fracciones **6:**207
— sustracción de números mixtos **6:**207
Fracciones **10:**129
fractal **9:**129
fractura 6:209
primeros auxilios **11:**200
Frade de León, Ramón 6:210
obra **6:**210
Puerto Rico **11:**241
Frag, Carolina **8:**211
Fraga, castillo de **14:**92
Fragaria **6:**235
fragata 6:210
— española María Isabel **10:**192
armada **2:**39
corbeta **4:**239
fragata Dar Malodziezy de la marina polaca **3:**107
La Pérouse, Jean Françoise de Galaud, conde de **8:**174
navegación a vela **10:**57
rabihorcado **11:**272
Fragonard, Jean Honoré 6:210
Louvre **8:**313
obra **6:**210
Rococó **12:**88
fragua **6:**196
Fraile 6:211
— dominico **1:**281
— Valverde **2:**132
frailecillo 6:211
ártica, región **2:**71
Fram **10:**34
Franca, Ana **4:**6
Francatelli **4:**124
Franççois Guerin, Alphonse **3:**170
France Telecom (Francia) **13:**142
France, Anatole 6:211
bibliografía **6:**211
Mariátegui, José Carlos **9:**95
francés, idioma 6:218
Francesa, Revolución **10:**9, 225, 285; **11:**24, 35, 101, 113, 189, 196
Francesa, Unión **4:**122; **6:**219
Francesca da Rimini **13:**129
Francesca, Piero della **12:**35, 322
Francesca, Piero della **5:**289; **11:**97, 289
Francesco, Guillare di Dio **12:**116
Franceville **6:**260
Francfort **1:**161, 165; **7:**12; **10:**185; **12:**54
Francfort del Mein **12:**118
Francia 6:212
— agricultura, ganadería y recursos forestales **6:**215
— arquitectura **6:**228
— aviación **6:**217
— ciencias **6:**229
— clima **6:**214
— comercio **6:**217
— comunicaciones **6:**217
— comunidad francesa **6:**219
— cultura y educación **6:**218
— división territorial **6:**219
— Edad Antigua **6:**220
— Edad Media **6:**220
— Edad Moderna **6:**222
— escultura **6:**228
— fauna **6:**215
— ferrocariles **6:**217
— flora **6:**215
— geología y relieve **6:**212
— hidrografía **6:**213
— historia **6:**219
— industria **6:**216
— lenguas **6:**218
— literatura, ciencias y artes **6:**226
— mares y costas **6:**214
— minería **6:**216
— música **6:**229
— organización política y administrativa **6:**219
— pesca **6:**216
— pintura **6:**228
— población **6:**217
— religiones **6:**218
— ríos navegables y canales **6:**217
— sierra de **6:**105; **12:**171
— Tour de **4:**69
— Unión de Sociedades Deportivas de **10:**204
átomo **2:**154
colonización **4:**153
Djibouti, República de **5:**148
grafito **7:**30
Juárez, Benito **8:** 116
mandato **9:** 55
mutualismo **10:**19
Pizarro, Camille **11:**111
Santos Dumont, Alberto **12:**223
viento **14:**90
Francia, Rodríguez de 6:230
franciscanos **5:**207; **6:**230; **7:**336; **8:**192 ;**10:**178; **13:**208
Francisco Carlos, archiduque **9:**135
Francisco de Asís, san 6:230
biografía **6:**230
Italia **8:**64
Todi, Jacapone da **13:**210
Francisco de Borja, san 6:231
biografía **6:**231
Francisco de Herrera El Mozo **7:**158
Francisco de la Montaña, templo de San **10:**304
Francisco de Paula, san 6:231
biografía **6:**231
Francisco de Sales, san 6:231
bibliografía **6:**231
Juan Bosco, san **8:**113
Francisco Fernando, archiduque de Austria **2:**81; **6:**230; **12:**225
Francisco I 6:230
biografía **6:**230
Francisco I **1:**201
Francisco I **5:**136
Francisco I **5:**45
Francisco I **7:**274
Francisco I de Austria **9:**94
Francisco I **10:**327
Francisco I **11:**17
Francisco I **12:**161
Francisco I **14:**58
Francisco I **14:**96
Francisco II **12:**161
Francisco II 6:230
biografía **6:**230
Francisco II **7:**244
Francisco II **9:**94
Francisco Javier, san 6:231
biografía **6:**231
Peman, José María **11:**35
misiones y misioneros **9:**242
Francisco José I 6:230
biografía **6:**230
Francisco José **12:**54
Francisco José II **8:**256
Francisco Martín **10:**297
Francisco Petrarca **2:**312
Francisco Solano, san 6:231
biografía **6:**231
Francisco Villa **14:**92
Franck, César Auguste 6:231
Bélgica **2:**284
Francia **6:**229
música **10:**15
obra **6:**231
Usandizaga, José María de **13:**330
Franck, James 6:231
biografía **6:**231
Francke, Hieronymus **1:**166
Franco Bahamonde, Francisco 6:232
biografía **6:**232
Borbón **3:**46
España **5:**318
Falange Española **6:**113
González Márquez, Felipe **7:**21
Juan Carlos I **8:**113
Franco Bahamonde, Ramón 6:232
biografía **6:**232
Franco Oppenheimer, Félix **11:**238
Franco, Juan **11:**176
Franco, Rafael **4:**142
François Jacob **8:**335; **9:**279
Francolí, río **13:**121
Francomarroquí, tratado, de Fez **9:**108
Franconia **1:**159
Franconia, Cascada **10:**84
Francoprusiana, guerra **4:**282; **6:**59; **7:**180; **9:**270; **14:**55, 58
francos 6:232
— ripuarios **6:**232
Carlo Magno **3:**248
Croacia **4:**295
Edad Media **5:**205
ley sálica **8:**237
Trieste **13:**263
Francovich, Guillermo **3:**31
Frangipane **12:**99
frangolo **9:**38
Frank Lloyd Wright **7:**270
Frank, Ilya Mikhailovich 6:232
biografía **6:**232
Frank, Leonard **6:**102
Frank, Waldo 6:232
bibliografía **6:**232
Frankenstein 6:232
Frankental **11:**170
Frankfurt 6:232
Kentucky **8:**139
Universidad **13:**316
Frankland, E. **6:**66
Franklin, John **6:**233
Franklin, Pierce **6:**41
Franklin, Aretha **12:**331
Franklin, Benjamín 6:233
ajedréz **1:**128
bibliografía **6:**233
calendario **3:**163
deísmo **5:**39
Fulton, Robert **6:**249
golfo, corriente del **7:**15
Lavoisier, Antoine-Laurent **8:**201
Mesmer, Franz Anton **9:**177
pararrayos **10:**325
rayo **11:**304
Franklin, John 6:233
bibliografía **6:**233
Franklin, Miles **2:**164
Franklin, Rosalind **5:**151
Franklin, Township **7:**304
franklinita **4:**82
franquicia 6:234
franquismo **7:**26
Franscini, Chiesa **13:**82
Franz Hess, Victor **13:**169
Franz Joseph Haydn **13:**122
Franz, Boas **9:**145
Fraortes, rey **10:**22
Frascati **10:**331
frascuelo 6:234
lagartijo **8:**162
Frasch, Herman **2:**2056**:**40
Fraser, río **4:**157
fraude 6:234
hipnotismo **7:**183
Fraunhofer, Joseph von **6:**10
Frazer **9:**44
Frazer, James George 6:234
bibliografía **6:**234
religión **12:**11
Frazier, Joe **3:**63
frecuencia 6:234
— cardiaca **1:**278
— de radio **2:**128
guerra **7:**84
longitud de onda **8:**305
neurobiología **10:**80
Fredegunda **3:**91
Fredeswinda, santa **10:**275
Freedom **6:**28
Freeport **1:**111
Freer **10:**336
Freetown 6:234
Sierra Leona **12:**318
Frege, Friedrich Gottlieb **12:**150
Frege, Gottlob **2:**192; **6:**93
Freí Montalva, Eduardo **4:**42
Freile, Ruperto **1:**53
Freire y Serrano, Ramón 6:234
biografía **6:**234
Chile **4:**42
O'Higgins, Bernardo **10:**193
Freischütz, Der **14:**144
Fréminet, Martin **6:**228
Frémiot de Chantal, Juana Francisca santa **6:**231
Fremont, pico **6:**31
French, Chester **5:**295
French, Domingo 6:234
biografía **6:**234
French, Paul **2:**100
frenicectomía **13:**279
Frenkel-Brunawik, Else **1:**74
freno 6:234
automóvil **2:**175
Frenología 6:235
frente popular 6:235
freón 6:235
refrigeración **11:**327
Frequens **4:**196
fresa 6:235

fresadora 6:236
máquina herramienta **9:**76
fresas **6:**240
fresco 6:321, 236
Frescobaldi, Girolamo 6:236
Italia **8:**66
música **10:**14
obra **6:**236
Tocata **13:**209
frescos **7:**63; **11:**94
frescos coloniales **8:**192
Fresne, valle de **12:**94
Fresnel, Augustin-Jean 6:237
biografía **6:**237
Fresnillo **14:**169
fresno 6:237
árbol **1:**346
madera **9:**12
Fretes, Juan Pablo **10:**191
Freud, Sigmund 6:237
Adler, Alfred **1:**71
arte **2:**64
bibliografía **6:**237
complejo **4:**173
Dalí, Salvador **5:**7
Freud, teoría de los instintos de **1:**226
Jung, Carl Gustav **8:**126
mitología y mitos **9:**250
neurósis **10:**81
psicoanálisis **11:**222
Zweig, Stefan **14:**192
Freudenthal, Hans **8:**220
Freula **2:**160
Freyre, Gilberto **3:**76
Freyre, Ricardo Jaimes **8:**279
freza 6:237
Fría, guerra 7:89
nuclear, estratégia **10:**144
propaganda **11:**214
Frías, castillo **8:**224
frías, estrellas **6:**61
Frías, Heriberto **9:**202
Frías, Tomás **3:**29
Friburgo **1:**68
Friburgo, Ciudad, Alemania **2:**213
fricativa; **7:**31; **13:**335
fricción 6:237
Frick **10:**336
Fridtjof Nansen **6:**96, 97; **13:**89
Fried, Alfred Hermann 6:237
bibliografía **6:**237
Friedan, Betty **6:**129
Friedel, Charles **8:**160
Friedland **1:**157
Friedman, Jerome Isaac 6:237
biografía **6:**237
Kendall, Henri W. **8:**137
Friedman, Milton 6:237
bibliografía **6:**237
liberalización económica **8:**242
Friedrich, Caspar David **1:**166
Friedrichshafen **14:**177
Friendship 7 **2:**113
Friga (Friday) **14:**90
Frigg **10:**185
Frigia **6:**154; **9:**218
Frigia, Tros, rey de **6:**280
frigidarium **13:**166
frigio **14:**65
frigoríficas de presión **11:**327
frigoríficas, cámaras **4:**214
fringílida **3:**208; **4:**17; **7:**24; **8:**101; **10:**326; **14:**55
frío 6:237
— clasificación **6:**238
conservas **4:**214
invernadero **8:**28
Frío, río **4:**267
Frisch, Karl von 6:238
abeja **1:**23
bibliografía **6:**238
etología **6:**71
Lorenz, Conrard Zacharias **8:**308
Timbergen, Nikolaas **13:**197
Frisch, Otto Robert **9:**156
Frisch, R. **13:**197
Frisch, Ragnar Anton Kittil 6:238
bibliografía **6:**238
Frish, Karl von **2:**168
Holanda **7:**205
Kempis, Tomás de **8:**137
Frisia, Golfo de **5:**235
frisias, islas 6:238
— Occidentales **7:**205
— Septentrionales **1:**164
frisio-holandés, ganado **6:**276
friso 6:238
arquitrabe **2:**59
emtablamento **5:**267
loto **8:**310
relieve **12:**10
Friul **4:**295
friuliano **12:**33
Frizeau, Armand-Hippolyte-Louis 6:238
biografía **6:**238
Fröbel, Friedrich 6:239
biografía **6:**239
Frobenius, Leo 6:239
bibliografía **6:**239
Frobisher, Martin 6:239
biografía **6:**239
descubrimientos y exploraciones geográficos **5:**78
exploraciones polares **6:**95
Gran Bretaña **7:**41
Pasión de Cristo **11:**8
Fröding, Gustaf **13:**71
Froebel, Federico **5:**217, 220, 288; **11:**24
Frogner, Parque **10:**136
Froissart, crónicas de **7:**192
Froissart, Jean **6:**226
Frondizi, Arturo 6:239
Aramburu, Pedro Eugenio **1:**340
Argentina, República **2:**24
bibliografía **6:**239
Onganía, Juan Carlos **10:**212
Frontera **13:**95, 172
frontis **11:**34
frontispicios **8:**161; **12:**10
Frontón 6:239
arquitectura **2:**56
pelota **11:**34
Frossmann, Werner **12:**62
Frost, Robert **6:**43
Froude, Hurrel **10:**86
Froward, Cabo **1:**227
Fructidor **1:**101
fructosa 6:239
frugívoro **3:**253
Frumencio, san **6:**69
Frunze, Mihail Vasil'evic 6:239
bibliografía **6:**239
frutilla 6:239, 240, 241
fruto 6:239
— clasificación de los frutos **6:**239
— comercialización de la fruta **6:**240
— mejoramiento de árboles frutales **6:**240
— valor alimenticio de la fruta **6:**240
agricultura **1:**109
fruticultores **7:**162
fruto **6:**240
fruto del árbol del mango **9:**57
fruto del paraíso **2:**234
frutos secos **1:**352
guayaba **7:**81
naranja **10:**39
piña **11:**100
Frutos, Juan Manuel **10:**323
Fry, E.M. **7:**45
Fry, Isabel 6:240
biografía **6:**240
Fuad Chehab **8:**240
Fuad I **5:**228; **6:**120; **11:**24
Fuad II **6:**120
fuadina **13:**269
Fuca, Juan de **14:**21
fucáceas **12:**229
Fúcar 6:240
Reforma **11:**324
Fucino, lago **10:**49
fucsia 6:241
Fuch, Vivian **6:**98
Fucheuwan, puerto **4:**51
Fuchs, Ernst **2:**168
Fuchs, Klaus **3:**38
Fuchs, Leonhart **1:**167; **6:**241
Fuchs, Vivian **1:**303
fuego blanco **2:**63
fuego de san Telmo **9:**187
fuego de santelmo 6:244
fuego fatuo 6:244
fuego y sus consecuencias 6:241
— ¿Cómo se vence? **6:**242
— en la religión **6:**243
— formas de encender fuego **6:**241
— naturaleza del fuego **6:**241
— prevención contra el fuego **6:**243
— productos del fuego **6:**242
— ¿Qué hacer cuando estalla un incendio? **6:**243
Fuego en el bosque **6:**242
fuego, mensajero del **1:**280
Fuego, Tierra del **6:**112
Fuego, volcán de **1:**234; **4:**45; **7:**81; **12:**157
fuegos artificiales 6:244
fueguinos, América del Sur **7:**198
fuel oil 6:244
fuelle 6:244
abeja **1:**24
fuelles de la gaita **10:**187
órgano **10:**247
Fuencisla, capilla de la **12:**6
Fuendetodos **7:**25
fuente 6:244
— sulfurosas **7:**76
fuente **2:**163
Fuentes, Carlos 6:245
bibliografía **6:**245
Fuentes, Fernando de **6:**150
Fuentes, monte de las **13:**312
Fuentevaqueros, España **6:**283
fueros 6:245
— españoles **11:**335
Fuerpronu **4:**296
Fuerte colonial; Campeche, México **9:**196
fuerte de Corpus Christi **2:**193
Fuerte de Jaiselmar, Rajastán, India **7:**302
Fuerte El 6:245
Fuerte Vanguardia **7:**97
Fuerte, río **9:**194; **12:**330
fuertes de la Asunción y Candelaria **2:**193
fuertes de Santa Teresa **13:**328
Fuerteventura, isla **10:**294
fuerza 6:245
— centrífuga **6:**139; **9:**60; **13:**97
— circular o rotativa **13:**230
— composición de las fuerzas **6:**246
— de adhesión **8:**270
— de atracción **2:**147
— de gravedad **2:**109; **5:**272; **6:**253
— de gravitación **2:**150
— de gravitación universal **7:**52
— de sustentación **1:**79
— de trabajo **6:**100
— electromotriz **6:**169
— expansiva del vapor **9:**75
— fundamentales de la naturaleza **7:**50
— hidráulica **5:**258
— medida de las fuerzas **6:**246
— motriz **5:**237, 258; **6:**139
— nucleares **2:**149
energía **5:**258, 272
presión **11:**193
viento **14:**88
Fuerza Interina de las Naciones Unidas en Líbano **6:**247
fuerzas centrífuga y centrípeta 6:246
fuerzas de cohesión **6:**168
Fuerzas de paz de las Naciones Unidas 6:247
— la ONU en las encrucijadas **6:**247
— operaciones para la seguridad y conservación de la paz realizadas entre 1945 y 1990 **6:**247
fuerzas de Valente **1:**75
Fuess **11:**148
fuga 6:248
música **10:**14
fugaces, estrellas **6:**60
fugger 6:248
Fugger o Fúcar **2:**235
Fugger, Johannes **6:**240
führer **7:**196; **10:**25
Fujairah **5:**249
Fuji Yama **8:**79
Fujiko **4:**171
Fujimori, Alberto Kenyo 6:248
biografía **6:**248
Fujio Akatsuka **4:**171
Fujita, Tsuguharu 6:249
bibliografía **6:**249
Fujiyama 6:249
Fukién **1:**252
Fukui, Kenichi 6:249
biografía **6:**249
fulahs **10:**100
fulbas **9:**55
fulbe **10:**100
Fulbert Youlu **4:**207
Fuld, William **10:**271

Fulda **11:**170
fúlica 6:249
fuliginosa **10:**29
fulminato de mercurio **9:**173
Fulton **9:**98
Fulton Benedict, Rut **9:**326
Fulton, Robert 6:249
biografía **6:**249
buque **3:**108
navegación **10:**53
transportes **13:**250
Fulvia **2:**260
Fulvius Boionius **1:**316
Fuller, Margaret **9:**326
fullerenos **4:**333; **8:**148
Fullerton, Gordon **13:**243
Fumarius rufus 7:229
fumigación 6:250
fumigadores **8:**89
fumívoro 6:250
función 6:250
— ácida **2:**48
— antitóxicas **7:**174
— asimilitavia **11:**258
— cetónica **2:**48
— clorofílica **6:**204
— creciente de la razón **7:**328
— de Bernouilli **2:**304
— de Gibbs **6:**259
— digestivas **7:**174
— fenólica **2:**48
— fisiológicas **7:**16
— gramatical **8:**180
— logarítmica **7:**328
— metabólicas **7:**174
— preventiva **7:**176
— psíquicas **7:**150
— trigonométricas **13:**266
funcionarios 6:250
Funchal 6:251
Portugal **11:**174
Madera, islas **9:**15
Fundación Carnegie para la Paz Internacional **10:**281
Fundación de una colonia **7:**226
Fundación Ford **6:**193
Fundación Guggenheim **5:**266; **6:**325; **7:**82
Fundación Johnson de Investigación Físico-médica **7:**130
Fundación Mayo **7:**146
Fundación Nobel **6:**55
Fundación Peabody **13:**138
Fundación Principado de Asturias **2:**130
Fundación Razón en California **11:**203
fundaciones Rockefeller **2:**273; **5:**198
Fundador de la Nacionalidad Oriental **2:**74
Fundamental, Carta **4:**213, 218
fundamentalismo islámico **7:**254
fundentes 6:251
fundición 6:251
fundiciones **12:**51
fundus **13:**332
funerales 6:252
Funes, Gregorio 6:252
Argentina, República **2:**25
bibliografía **6:**252
Córdoba **4:**241
Primera Junta **11:**199
fungicidas 6:253
enfermedad **5:**261
jardinería **8:**89
veneno **14:**41
fungiforme **7:**109
funicular 6:253
funículo **12:**274
Funk, Kazmierz o Casimir 6:254
biografía **6:**254
vitaminas **14:**107
Funsfuti **6:**324
Funza **4:**329
Funza, río **13:**162
Furens, río **12:**166
furfural **10:**32
furfuraldehído incoloro **6:**254
furfurol 6:254
furgones **6:**140
furias 6:254
furmívoro **6:**250
furnáridas **7:**229
Furness, abadía de **2:**56
Furphy, Joseph **2:**164
Furrer, Reinhard **13:**243
Furstenburg **11:**170
Furtwängler, Wilhelm 6:254
bibliografía **6:**254
furúnculo 6:254
Fusagasugá **4:**329; **13:**83
fusca **7:**164
Fushun **9:**53
fusibilidad 6:254
fusible 6:254
Joule, James Prescott **8:**111
fusil y rifle 6:254
armas **2:**43
fusión, punto de 6:255
aleación **1:**152
cristalización y cristalografía **4:**290
doble estrella **5:**151
fusión nuclear **10:**150
plastificación **11:**130
Füssli, Mateo **13:**82
Fust, Johan **7:**285
fuste 6:255
fusuma **14:**113
Futaleufú, río **2:**16
futbol 6:255
— arbitraje **6:**256
— faltas **6:**256
— historia **6:**256
— juego **6:**255
— reglas generales **6:**255
futbol americano 6:257
— reglas **6:**258
Futbol, Liga Nacional de **6:**258
Futuhiva **9:**105
Futuna **6:**219
Futura, isla **11:**153
futurismo 6:258
— italiano **11:**98
futurista **4:**220
futuristas del cosmos, teorías **6:**169
literatura **8:**280
Marinetti, Filippo Tommaso **9:**99
op art **10:**215
Fuzhou **4:**52

G

G 6:259
G-7 **7:**70
Gabaldón, Arnaldo **14:**45
Gabaon, valle de **8:**110
Gabes, Golfo **1:**92; **2:**138
Gabin, Jean 6:259
biografía **6:**259
gabinete 6:259
Gabinski, Marcos **13:**88
Gabirol, Ben Salomón **2:**187
Gable, Clark 6:259
biografía **6:**259
Gabón 6:259
Guinea **7:**105
Gabor, Dennis 6:260
bibliografía **6:**260
Gabriel y Galán, José Antonio **4:**18
Gabriel y Galán, José María 6:260
bibliografía **6:**260
Gabriel, arcángel **4:**236; **9:**93
Gabriel, Daniel **13:**168
Gabriel, san 6:260
biografía **6:**260
Coro **4:**250
gabrielinos **7:**309
Gabro, geología **6:**313
Gacela 6:260
gaceta **11:**51
Gadamer, Hans—Georg **7:**154
Gadano Donizetti **8:**66
Gadaqués, batalla naval de **12:**93
Gadara, Meleagro de **1:**315
gádidos **9:**175
gaditanos **3:**151
Gadjusek, Carleton **3:**9
Gadolinic, sulfato de **6:**237
gadolinita **5:**278; **8:**67; **13:**163
Gádor, sierra de **1:**202; **11:**37
Gadsden Purchase **7:**73
Gaede **9:**76
Gaélico 6:261
— idioma y literatura **6:**261; **10:**263
Gaeta **11:**101
Gafas 6:261
Gagarin, Yurij Alekssevic 6:261
astronáutica **2:**111
biografía **6:**261
descubrimientos y exploraciones geográficas **5:**73
satélite artificial **12:**238
Vostok **14:**132
Gagauzia **9:**266
Gagnan, Émile **4:**273
Gahd **6:**199
Gahtas **8:**39
Gaileys **8:**255
Gainsborough, Thomas 6:261
Granada **7:**45
obra **6:**261
Gainsborough, Turner **12:**308
Gainza, Martín de 6:261
biografía **6:**261
Gairy, Eric **7:**46
gaita 6:261
gaita zuliana **14:**47
Gaitán Durán, Jorge **5:**281
Gaitán, Jorge Eliecer 6:262
bibliografía **6:**262
gaitero **6:**262
Gaitskell, Hugh **6:**107
Gajdusek, Daniel Carleton 6:262
biografía **6:**262
Galaad **9:**265
Galacia **7:**281
Galacia, imperio de **8:**22
galactosa **8:**159
Galahad **7:**65
Galaica, cordillera **5:**306
Galaico-Duriense, macizo **5:**304
galaico-portugueses **13:**273
galaicos **7:**257
Galán, Fermín, y García Hernández, Ángel 6:262
bibliografía **6:**262
Galán, José Antonio 6:262
biografía **6:**262
Galange **1:**287
Galaor **13:**96
galápago **11:**248
Galápago 6:262
Galápagos, archipiélago de las **5:**196
Galápagos, islas 6:262
Ecuador **5:**200
Evolución, Teoría de la **6:**89
Galápagos, islas **1:**237; **5:**198; **8:**227
iguana **7:**268
paruques nacionales **10:**331
pingüino **11:**92
galas **14:**65
Gálata, suburbio **6:**45
gálatas **6:**265
Galatea, ninfa **11:**87, 151
galato **13:**197
Galaup Bhoughton, Jean François de **8:**85
galaxia 6:263
— elípticas **2:**129
— espirales de barra **2:**129
— irregulares **2:**129
— lenticular **2:**129
— NGC **1:**274
— normales **2:**129
Vía Láctea **14:**74
galaxia espiral, vista telescópica **2:**126
Galaz **8:**253
Galba **10:**75; **13:**73
Galbraith, J.K. **11:**145
Galdames, Luis **4:**44
Galdós, Pérez **10:**224
Gale, Zona **6:**43
galeazas **9:**98
Galeazo Bentivoglio, tumba de **11:**250
galeína **2:**214
galena 6:264
azufre **2:**205
Galeno, Claudio 6:264
bibliografía **6:**264
cirugía **4:**94
Galenstock, monte de **13:**76
galeón 6:264
armada **2:**39
Galeotti **10:**252
galera 6:265
— de Lepanto **2:**39
comercio **4:**165
marina mercante **9:**97
Galeras, volcán **11:**9
Galería de Arte Freer **13:**15
Galería de Arte Walker **8:**288
Galería de los Murmullos **7:**299
Galería de los Oficios en Florencia **9:**220
Galería de Tretakiov, Moscú **12:**143
Galería en la ciudad de Milán **8:**301
Galería Nacional de Arte **13:**15

Galería Nacional de Canadá **6:**100
Galería Nacional de Londres **11:**11
Galería Pitti **13:**24
Galería Tate **8:**303
galerías subterráneas **10:**254
Gales, país de 6:265
— príncipe de **11:**113
Cardiff **3:**242
Eduardo VIII **5:**213
hojalata **7:**204
Merlín **9:**175
galgo 6:265
Gali, Francisco **7:**13
Galia 6:265
— Céltica **6:**220
— Cisalpina **4:**9
— Lugdunense **6:**220
— meridional **5:**70
— Narbonense **4:**9; **6:**220; **13:**212
— Transalpina **13:**184
Graciano, Flavio **7:**28
merovingios **9:**175
Galias, campaña de las **4:**10
Galias, guerra de las **3:**264
galibí **7:**310
gálibos **3:**114
Galicia 6:265
— historia **6:**266
— reino de **11:**178, 316
— Rías Bajas de **5:**311
— Nueva **14:**31, 169
— himno regional **14:**34
románico **12:**105
galicismo 6:266
barbarísmo **2:**251
Galieno **14:**15
Galilea 6:266
Jesucristo **8:**99
María Magdalena **9:**95
Galilea, Mar de **6:**267; **8:**107; **11:**26; **12:**218
galileanos **8:**127
Galileo Galilei 6:267
— anteojo de **10:**176
academia **1:**40
Arquímides **2:**54
bibliografía **6:**267
ciencia **4:**74
Galileo Galilei **6:**268
gravedad **7:**52
Pisa **11:**110
júpiter **8:**127
manchas solares **9:**51
Revolución Industrial **12:**50
sol **13:**27
galincanismo **3:**54
Galindo, Blas 6:268
obra **6:**268
Galindo, Escobar **12:**184
Galindo, Francisco **12:**184
Galindo, río **11:**250
galio 6:268
Gall **13:**80
Gall, Franz Joseph 6:268
bibliografía **6:**268
Gallagher, James **1:**88; **5:**73
Galland, abad **9:**225
gallardete **2:**244
Gallardo, Ángel 6:268
bibliografía **6:**268
gallas **6:**68
Gallatin, río **9:**282
Galle, Juan **8:**236
Gallego, Juan Nicasio **3:**81
Gállego, río **14:**173
Gallegos Lara, Joaquín **5:**201; **6:**323
Gallegos, Fernando **5:**317
Gallegos, Rafael **4:**269
Gallegos, río **11:**11; **12:**211
Gallegos, Rómulo 6:269
bibliografía **6:**269
Latinoamérica **8:**189
Pérez Jiménez, Marcos **11:**47
Venezuela **14:**46
galli **3:**315
Galli Bibiena, Ferdinando y Giuseppe **5:**280
gallicicola 6:269
mosca y moscón **9:**308
gallina 6:269
— anatomía y fisiología **6:**269
— consumo **6:**270
— incubación, alimentación e higiene **6:**270
— razas y tipos **6:**270
— sistema de cría **6:**270
gallina de guinea 6:269
Gallina, Punta **4:**137
Gallinazo **11:**188; **14:**104
Gallino, Cayetano **13:**329
gallinocultura **6:**269
Gallio **10:**279
Gallípoli **2:**155; **5:**267; **8:**137
Gallípoli, península de **5:**18; **7:**140
Gallípoli, península de **5:**19
gallito de agua 6:270
Gallivare **8:**175
gallo de monte 6:270
gallo de pelea 6:271
Gallo, El 6:271
Gallo, isla del 6:271
gallopavo **11:**17
gallos **2:**188, 189
Galloway 6:271
Galloway, Joseph **12:**45
Galloway, raza **6:**276
Gallup, George Horace 6:271
biografía **6:**271
Galo Lavalle, Juan **8:**166; **12:**114
galón **4:**316
galorromanas **14:**65
galos cisalpinos **12:**103
galpón **8:**204
Galsuinda **3:**91
Galsworthy, John 6:271
bibliografía **6:**271
Galtieri, Leopoldo F. **2:**24
Galton, sir Francis 6:271
bibliografía **6:**271
Galván, Manuel de Jesús 6:271
bibliografía **6:**271
Galvani, Luigi 6:271
bibliografía **6:**271
galvanómetro 6:271
Galvanómetro Deprez D´Arsonval **6:**272
galvanoplastia 6:272
Galveston **9:**207
Gálvez, Bernardo conde de 6:272
biografía **6:**272
Gálvez, José de 6:272
biografía **6:**272
Gálvez, Juan Manuel **3:**244; **7:**219
Gálvez, Luis **1:**54
Gálvez, Manuel 6:272
bibliografía **6:**272
Gálvez, Mariano 6:272
biografía **6:**272
Gálvez, Vicente **7:**220
gama ultravioleta **2:**113
Gama, Vasco da 6:273
África **1:**95
Asia **2:**99
biografía **6:**273
Buena Esperanza, Cabo de **3:**95
Laquedivas, islas **8:**175
Manuel I **9:**63
ruta comercial **12:**151
Zambeze **14:**171
Gamal Abdel Nasser **13:**74
Gamaliel Bradford **6:**43
Gamaliel, rabino **10:**279
Gamarra, Agustín 6:273
biografía **6:**273
Gambetta, Léon 6:273
biografía **6:**273
Gambia 6:273
— río **5:**75; **6:**273
Comunidad (Británica) de Naciones **4:**189
Guinea **7:**105
gambitos **1:**128
Gamboa, Federico 6:274
bibliografía **6:**274
México **9:**202
Gamboa, Isaías **13:**239
Gamboa, José Joaquín **9:**203
gameto **10:**275
gametofita femenina y masculina **11:**123
gametófitos **1:**282
Gami, Fighani **8:**39
Gamio, Manuel **9:**204
Gamla-Stan, Estocolmo, Suecia **13:**68
gamma **2:**145; **12:**226
Gamma **4:**302
gammaglobulina **12:**208
gamo 6:274
Gamonal **8:**306
Gamow, George Anthony **14:**151
gamuza 6:274
cuero **4:**323
Gana, Federico **4:**44
ganadería 6:275
— asnal **6:**277
— bovinos **6:**276
— caprinos **6:**278
— equinos **6:**277
— ovinos **6:**277
— porcinos **6:**278
— productoras de carne **6:**276
— productoras de leche **6:**276
ganado bovino **9:**10
ganado Shorthorn **14:**6
ganado vacuno **3:**196
ganado, enfermedad del **1:**57
Ganale Dorya, lago **6:**67
ganancias y pérdidas 6:278
Gance, Abel 6:279
obra **6:**279
Gándara, C. **3:**68
Gander Exploits **13:**171
Gandhi, Indira 6:279
biografía **6:**279
Gandhi, Mohandas Karamchand 6:279
asesinato **2:**81
biografía **6:**279
India **7:**298
no violencia **10:**142
Gandhi, Rajiv 6:279
biografía **6:**279
Gandhinagar **1:**119; **7:**108
Gandia, duque de **6:**231
Gandía, Enrique de 6:279
bibliografía **6:**279
Gandolfi Herrero, Arístedes **14:**168
Ganges, delta **2:**292; **5:**45
Ganges, llanura **2:**245
Ganges, río 6:279
Benarés **2:**289
Ganges, río **7:**296
Ganges, valle del **2:**84; **7:**296
ganglio 6:280
ganglios linfáticos **7:**142; **8:**266
ganglios linfáticos **6:**280
gangrena 6:280
— gaseosa **2:**209
gángster **9:**22
Ganímedes 6:280
Ganivet, Ángel 6:280
bibliografía **6:**280
gannita **4:**82
ganoideo **6:**66
Gansale, río **6:**192
ganso 6:280,
ganso doméstico **6:**281
Gante, Abel **2:**63
Gante 6:281
— Universidad de **11:**107
Gante, Bélgica puerto **2:**281
Gante, Juan de **5:**265; **8:**169; **14:**156
Gante, Pedro de 6:281
biografía **6:**281
indios americanos **7:**312
México **9:**201
Ganu **8:**84
Gaona, Juan Bautista **11:**89
Gaona, Juan de **13:**318
Gaona, Rodolfo **13:**127
Gaos, José 6:281
bibliografía **6:**281
Garabato **13:**44
Garabito, Andrés **4:**269
Garamond, Claudio **7:**285
garantía 6:282
Garatti, Vittorio **4:**316
Garay (Vizcaya) **14:**190
Garay, Blas **10:**322
Garay, Blasco de **9:**75
Garay, Juan de 6:282
biografía **6:**282
lomas de zamora **8:**301
Santa Fe **12:**214
Garay, Narciso **10:**304
Garay, Nicolle **10:**303
garbanzo 6:282
Garbo, Greta 6:282
biografía **6:**282
Gárcamo, Diego **6:**134
garceta 6:282,
García *el Espartero*, Manuel **13:**127
García 6:283
— Manuel del Pópolo Vicente **6:**283
— Manuel Vicenta **6:**283
— María de la Felicidad **6:**283
— Paulina **6:**283
biografía **6:**283
García Calderón, Ventura 6:283
biografía **6:**283
García Carrasco, Fernando **2:**6
García Catarla, Alejandro **4:**316
García Caturia, Alejandro 6:283
obra **6:**283
García de Arriba, Agustín **4:**8
García de Farfán **9:**201

García de la Huerta, Vicente **1**:99
García de Loayza **6**:97; **13**:212
García de Moguer **5**:73
García de Palacios, Diego **4**:233
García de Quevedo, José Heriberto **1**:135
García de Tureno, Nuño **9**:67
García Diego **13**:301
García Godoy, Héctor **5**:161
García Gutiérrez **5**:171, 320
García Hurtado de Mendoza **5**:73
García Icazbalceta, Joaquín 6:283
bibliografía **6**:283
García Íñiguez, Calixto 6:283
biografía **6**:283
García Jofre de Loaisa **5**:76
García López de Cárdenas **7**:45
García Lorca, Federico 6:283
Andalucia **1**:266
bibliografía **6**:283
comedia **4**:163
García Márquez, Gabriel 6:284
bibliografía **6**:284
Colombia **4**:141
Latinoamérica **8**:190
García Menocal, Mario **4**:314; **7**:18
García Meza, Luis **3**:30
García Monge, Joaquín 6:284
bibliografía **6**:284
García Moreno, Gabriel 6:284
biografía **6**:284
Borrero y Cortázar, Antonio **3**:50
Montalvo, Juan **9**:282
García Pizarro **3**:28
García Pumacahua, Mateo 6:284
biografía **6**:284
García Ramis, Magali **11**:238
García Robles, Alfonso 6:284
biografía **6**:284
García Velloso, Enrique **2**:26
García, Alan **11**:65
García, Alejo **1**:240; **5**:73; **10**:322
García, Antonio **4**:141
García, Calixto **4**:314; **9**:112
García, Carlos P. **6**:155
García, Conrado **6**:295
García, Cristina **7**:189
García, Diego **1**:233; **11**:133
García, José G. **5**:162
García, Juan Agustín **2**:26
García, Juan Francisco 6:283
ogbra **6**:283
García, Lisardo 6:283
biografía **6**:283
García, Manuel José **12**:91
García, Martín **5**:108
García, Pablo Antonio **4**:143
García, Romero **14**:46
García, Sara **9**:203
García, Vicente **9**:7
Garci-Aguirre, Pedro **7**:79
Garcilaso de la Vega 6:284
bibliografía **6**:284
soneto **13**:37
Garcilaso de la Vega, El Inca 6:285
bibliografía **6**:285
Gard, departamento del **10**:102
Gard, Martin du **6**:227
Gardar **5**:71
Gardel, Carlos 6:285
biografía **6**:285
gardenia 6:285
Gardés, Charles **6**:285
Gardner Museum **9**:123
Gardoni **13**:160
garduña 6:285
Garellano, río **6**:134
Garfagnana **2**:30
Garfield, James A. **3**:206; **7**:233
Gargallo, Pablo **2**:265
garganta 6:285
Garganta del Diablo **7**:268
Garganta del Lago **9**:85
Gargantúa y Pantagruel 6:285
Rabelais François **11**:271
gárgola 6:285, 286
Garibaldi, Giuseppe 6:286
biografía **6**:286
Italia **8**:63
Sicilia **12**:314
Garibaldi, José **13**:175
Garibay, Ángel María **8**:228
Garibi Rivera, José 6:286
biografía **6**:286
cardenal **3**:241
Garín, fray Juan 6:286
biografía **6**:286
Garland, Benjamin J. **9**:173
Garlanda, Johannes de **2**:62
Garlande, L. de **11**:147
garlopa **3**:258
Garneau, Marc **13**:243
Garnerin, André **10**:319
Garnier, François **5**:75
Garnier, José **13**:277
Garnier, Tony **6**:228
Garo **7**:296
Garófalo **4**:151
Garona **9**:175; **10**:130
Garona, río **6**:75, 213, 289; **13**:214
Garona, valle del **6**:216
garrapata 6:286
Garrastazu Medici, Emilio 6:286
biografía **6**:286
Garray **10**:162
Garreta **12**:228
Garrick, David 6:286
biografía **6**:286
Garriot, Howen Kay **2**:121
garrocha o pértiga **2**:139
garrote (Big Stick), política del **6**:42
garrucha **11**:149; **13**:224
Garson, Greer 6:287
biografía **6**:287
garúa **11**:59, 60
garvedad terrestre **2**:119
Gary **7**:48, 305
garza 6:287
Garza, Lorenzo **13**:127
Garzón **7**:245
gas 6:287
— Blau **13**:41
— carbónico **6**:334
— de los pantanos **6**:288; **9**:184
— grisú **9**:184
— helio **1**:170
— hilarante **10**:277
— LP **2**:171
— mostaza **8**:34
— tritio **2**:148
gas asfixiante o ponzoñoso 6:287
gas de hulla 6:288
gas del alumbrado 6:287
gas lacrimógeno 6:288
gas natural 6:288
gas natural **8**:40
gas oil 6:289
gasa 6:289
Gasca, Mariano La **5**:318
gascón **2**:103
Gascuña 6:289
— Francia **2**:6
— golfo de **6**:76; **7**:15
gases asfixiantes **2**:43
gases combustibles **7**:166
gases inertes **7**:142
gases lacrimógenos **2**:43
gases nobles **2**:27
gases permanentes **1**:123
gases raros **2**:141
gases, compresión de los **11**:193
gasificación **11**:326
Gaskell, Elizabeth Cleghorn 6:289
bibliografía **6**:289
Gasna **7**:300
gasolina 6:289
— octánica **6**:289
— motores de **7**:331
acetileno **1**:51
gasolina de aviación (gasavión) 6:289
gasolina sintética 6:289, 290
gasómetros **6**:288; **7**:168
Gasparri, cardenal **8**:234
gassanies **1**:335, 336
Gasser, Herbert Spencer 6:290
bibliografía **6**:290
Gasset **13**:10
Gasta, Pedro de la **11**:20, 115
Gastaldo **9**:67
gasterópodo **3**:230; **4**:194; **11**:244; **14**:185
Gasthof zum Hirschen, zona de **14**:192
gástricos, jugos **10**:307
gastritis 6:290
gastroscopio 6:290
gástrula **3**:6; **5**:248; **10**:213
gastrulación **3**:6; **5**:66
Gasulla, cueva del barranco de **12**:134
Gata, sierra de **6**:105; **12**:171
Gates Occidentales **7**:296
Gates Orientales **7**:296
Gates, Horace **14**:142
Gates, Robert M. **4**:65
Gateway Arch **9**:244
Gathas **7**:303
gatillo **6**:255
Gatinais **6**:216
gato 6:290
— el afecto del hombre por los gatos **6**:291
— razas finas **6**:291
— salvajes **6**:291
— tigre **9**:92
gato balinese **6**:291
gato de bengala **6**:290
gato dientes de sable **6**:309
gato leonado **6**:309
gato ruso azul **6**:291
gato somalí **6**:292
gato de algalia 6:292
gato montés 6:292
GATT **1**:61
Gatti, Armand **6**:227
Gatún, lago artificial **10**:300, 306
Gaucha **13**:329
Gaucha, guerra **7**:83
gauchesco, género **2**:25
gaucho 6:292
gauchos de Güemes **14**:25
Gaudens, Saint **6**:216
Gaudí y Cornet, Antonio 6:293
obra **6**:293
Gaudí, Antonio **5**:316
Reus **12**:37
Gauguin, Paul 6:293
obra **6**:293
Gauguin, Paul **7**:287
Van Gogh, Vincent **14**:23
Gaulle, Charles de 6:294
bibliografía **6**:294
Centroafricana, República **3**:325
Mitterrand, François **9**:251
Gauno **13**:325
Gauss **9**:29
Gauss, Carl Friedrich 6:294
Alemania **1**:167
biografía **6**:294
símbolos matemáticos **12**:328
Gaussen **3**:57
Gautama, Siddharta **3**:93
Gautier Benítez, José 6:294
biografía **6**:294
Gautier de Coinci **6**:211
Gautier, Armand **13**:216
Gautier, Théophile 6:294
bibliografía **6**:294
Gauvain **13**:96
Gavaldón, Roberto **6**:128; **9**:203
Gavarni **3**:246
Gave, río **2**:302
Gaveau **9**:99
Gavidia, Francisco **12**:184
gavilán 6:294
Gavilgad, montes **7**:296
gaviota 6:294,
gaviotas **6**:295
Gaviria Trujillo, César **4**:144
gavota **5**:13; **6**:190; **13**:75
Gavrila **12**:140
gay **7**:216
Gay, Claudio **4**:44
Gay, Juan **8**:250
Gayane, ballet **12**:142
Gayangos, Pascual **13**:187
Gayarre, Julián Sebastián 6:295
biografía **6**:295
Gay-Lussac, Joseph-Louis 6:295
— ley de **6**:295
bibliografía **6**:295
Gaza **1**:339; **8**:108; **10**:292, 293; **12**:209
Gaza, franja de 6:295
gazapos **4**:202
Gazella dorcas **6**:260
Gazella granti **6**:260
Gazeta de Buenos Ayres 6:295
Gaztambide **14**:175
Gdansk, bahía de **11**:157
Gdynia 6:295
Gea 6:295
Geauga, condado de **10**:194
Géber (Djar al-Kufi) **11**:261
Geber **1**:203
Gebhardt, Enrique **4**:43
Gebirge, Fichtel **2**:270
Gebrselassie, Haile **2**:140
geco 6:296
lagarto **8**:163
Gedalge, André **14**:21
Gedeón 6:296
Gedhun Choekyi Nyima **13**:186
Geenzier, E. **10**:303
gefer **2**:34
Gegant, pico de **6**:319
Gehrig, Lou **2**:279

Géigel de Gandia, Luisa **11:**241
Geiger-Müller, contador 6:296
átomo **2:**153
pecblenda **11:**23
Geijer, Erik **13:**71
Geijerstam, Gustaf **13:**71
Geirrod **10:**185
Geisel, Ernesto **3:**76
géiser 6:296
géiser **6:**297
géiser Whakarewarewa Pohutu en Rotorua **10:**159
géiseres, Islandia **2:**27
geiserita **6:**296
Geisha **9:**333
Geisha danzando **5:**16
Geissier, tubo de **11:**306
Geissler, Johann Heinrich Wilhelm 6:297
biografía **6:**297
Geitel, Hans **3:**318
gel 6:297
Gelades **7:**63
gelatina 6:297
gelatina bicromada **6:**204
gelatinizantes **11:**24
gelatógrafo **9:**78
Geldelrhode **5:**172
Gell-Mann, Murray 6:298
biografía **6:**298
Gelly, Juan Andrés **10:**322
Gelmírez, obispo **6:**266
Gelnhausen, Conrad de **4:**196
Gelville **12:**105
gemación **8:**235; **12:**25
Gemarah **7:**136
Gemas **1:**113
Gemayel Bechir **8:**241
gemelo 6:298
parto **10:**335
Gemina Urbanorum **10:**269
Gemini **1:**152; **2:**47, 114
géminis 6:298
astronomía **2:**125
constelación **4:**218
mayo **9:**144
Vía Láctea **14:**73
gémula **12:**272
gen 6:298
— represor **10:**224
genciana 6:298
genciana **6:**299
terapéutica **13:**163
gencianina **6:**299
gene **13:**14
genealogía 6:299
generación del 27 6:299
Alberti, Rafael **1:**140
Generación del 30 **4:**302
Generación del 36 6:299
Generación del 40 **13:**44
Generación del 80 **2:**25
Generación del 98 6:299
Costa, Joaquín **4:**265
Unamuno y Jugo, Miguel de **13:**303
Valle Inclan, Ramón María del **14:**20
Generación del Ateneo de la Juventud **7:**21
generación espontánea 6:299
generación perdida 6:299
generación, teoría de la **5:**248
generaciones de computadoras 6:299
generacionismo **4:**278
generador 6:299
— de campos eléctricos **1:**46
— de electricidad **9:**28
— de van Graaf **1:**46; **2:**147
— eléctrico **2:**153
— magnético variable **1:**46
generador **3:**244; **6:**300; **9:**27
general 6:300
General Belgrano, crucero **2:**41
General de la Nación, Archivo **10:**257
General Electric **10:**210
general Martín, San **6:**234
General Motors Corporation **13:**55
General San Martín 6:300
General Victoriano Huerta **7:**238
General Victorica **10:**298
General Videla **14:**98
Generalife 6:300
— de Granada **12:**150
Generalife, jardines del **5:**314
Granada **7:**46
jardinería **8:**88
género 6:300, 301
— Abies **1:**27
— bucólico **5:**230
— chico **2:**47
— de hidroideos **7:**164
— dramático **7:**163
— folletinesco **7:**110
— gauchero **2:**79
— literario **10:**138
— popular **7:**110
— psicológico **9:**173
género gramatical 6:301
— formación del femenino **6:**301
géneros **11:**94, 336
géneros de punto **8:**169
genes **1:**293; **2:**327; **5:**167; **7:**153; **8:**73; **9:**279
genes delétreos **7:**124
genes operadores **8:**73
Genesaret, lago de **11:**26
Génesis **1:**26, 342; **2:**293, 308; **4:**92, 264;; **9:**265; **11:**40
Génesis **5:**58
Genet, Jean **6:**227; **12:**231
genete de los túmulos **7:**310
genética 6:70, 73, 301
— bacteriana **8:**208
— código **10:**155
— control **10:**165
— mecanismo **14:**27
Marfan, síndrome de **9:**90
sexo y educación sexual **12:**300
genetista **9:**37
Genezaret, lago de **8:**99
Genezareth **8:**107
Gengis Khan o Gengis Jãn 6:301
Asia **2:**97
biografía **6:**301
China **4:**55
Descubrimientos y exploraciones geográficos **5:**71
Kulai Kan **8:**149
Mongol, imperio **9:**275
Siberia **12:**312
Tamerián **13:**109
geniana **3:**11
geniecillos **7:**116
Genil **5:**307
Genil, río **5:**305; **7:**46
Genio Emprendedor y del Buen Gusto, Sociedad del **12:**56
genios 6:301
Gennadi Yanaev **12:**146; **13:**310
Gennadiyevich Basov, Nikolai **13:**235
Genni de Peppo **4:**81,242
genocidio 6:301
genoma **4:**298
Génova 6:301
— Conferencia de **6:**302
— Golfo de **1:**200, 324; **4:**239; **7:**15; **13:**48
Riviera **12:**81
Genovés, Juan **5:**319
Genoveva de Brabante 6:302
biografía **6:**302
Genoveva, iglesia de Santa **10:**308
Genroju **8:**84
gens **7:**276
Genserico **14:**21
Gente de Paz, Comunidad de **14:**151
gentil **2:**288
Gentile, Giovanni **13:**234
Gentiles, apóstol de los **10:**279
Gentilis, Valentino **13:**314
Genua **6:**301
geodesia 6:302
geodésica 6:302
geoelectricidad 6:302
geofísica **2:**107; **7:**52; **9:**232; **11:**216
geografía 6:302
— factores **14:**87
— historia **6:**304
Geografía física 5:197
Geografía humana 5:311
geolectricidad 6:302
geología 6:306
— ¿cómo se formó la Tierra? **6:**310
— arenisca **6:**313
— basaltos **6:**313
— calizas **6:**313
— cuarcita **6:**313
— diabasa **6:**313
— diorita **6:**313
— el tiempo geológico **6:**307
— gabro **6:**313
— gneis **6:**314
— granito **6:**313
— hulla **6:**313
— la era arqueozoica **6:**307
— la era cenozoica **6:**309
— la era mesozoica **6:**309
— la era paleozoica **6:**308
— la era proterozoica **6:**307
— las rocas y la corteza terrestre **6:**312
— mármol **6:**313
— movimientos geológicos **6:**311
— obsidiana **6:**313
— piedra pómez **6:**313
— pizarra **6:**314
— pudingas **6:**313
— sedimentos sueltos **6:**313
— sienita **6:**313
geometría 6:314
— algunos términos usados **6:**315
— analítica **1:**36; **6:**132; **9:**127; **13:**244
— cartesiana **6:**132
— de los números **9:**234
— del triángulo **13:**260
— diferencial **12:**67
— elementos **6:**315
— no euclideana **12:**67
— no euclidianas **9:**127
— proyectiva **9:**127
geometría sutil e intrépida **9:**262
geomorfia **6:**302
geomorfología **4:**265
geopolítica 6:315
Geoppert, M. Mayer **14:**150
geoquímica **2:**107; **11:**216
George Eliot **9:**327
George Rogers Clark **7:**270, 306
George, Henry **9:**85; **12:**62
George, Lloyd **5:**91; **7:**42
Georges Louis Leclerc Buffon **7:**209; **8:**211
Georgetown 6:315
— Guyana **4:**190
Madrás **9:**16
Georgetown, Universidad de **14:**140
Georgge, huracán **11:**233
Georgia 6:315
— actividad económica **6:**316
— clima **6:**315
— del Sur **6:**97; **11:**93
— dialecto **8:**216
— estrecho de **14:**21
— Federación transcaucásica **2:**195
— historia **6:**316
— islas **6:**97
— población **6:**316
— República Socialista de **6:**317
— turismo y recreación **6:**316
— vegetación y vida animal **6:**315
Georgia 6:316
Georgias, islas **2:**12
Geórgicas **2:**160
Geórgicas de Virgilio **11:**22
Georgius Agricola **6:**185
geosinclinal **6:**308; **9:**266
geosinclinal circunpacífico **13:**172
geotropismo 6:317
Gerais **9:**287
Gerald, Fitz **1:**53, 202
geraniáceas **6:**178
geranio 6:317
Gerard, Francois **8:**313, 318
Gerardo Diego **6:**299
gerasol **9:**328
Gerchunoff, Alberto 6:318
bibliografía **6:**318
gerencia y gerente 6:318
Gerez, sierra de **11:**173
Gerhard, Roberto **2:**52; **5:**319
Gerhardt, Charles Fréderic de **6:**130, 230; **13:**314
Gerhardus Mercator **6:**305
geriatría 6:318
Gericault, Théodore **8:**313; **11:**98
gerifalte 6:318
Gerión **3:**148
Gerlach **5:**297
Gerlache, Adrian de **5:**79
Germaine Necker, Anne Louise **13:**50
Germaine, baronesa de Staël-Holstein **12:**106
Germania **5:**207; **10:**270; **12:**56;

13:73, 240; 14:55
Germania, reino de 1:159
germanías 6:318
Germánico, Luis el 1:159; 6:211
Germanicus, Nero Claudio Caesar Augustus 10:74
germanio 6:318
germano antiguo 7:315
germanos 6:318
Germantown 14:142
germen 6:319
gérmenes patógenos 2:81
Germer, Lester H. 8:17
germicidas 6:319
germinación 6:319
Gerolf 7:208
Gerona o Girona 6:319
Gerona, río 2:253
gers 6:289
Gershwin, George 6:319
obra 6:319
Gerson, Juan Charlier de 8:137
Gerunda 6:319
gerundio 7:325; 9:264
gerusia 7:59
Gervasio Antonio de Posadas 1:215
Gervex, Henri 12:215
ges o tapuya 7:309
Gesell, Arnold 13:176
Gesner, Konrad 6:319
bibliografía 6:319
Gessler, Herman 13:153
Gessner, Conrado 2:314
Gessner, Salomon 13:82
gesta, cantares de 6:319
gestación 7:320; 10:334; 14:7, 189
Gestalt, el análisis 7:70
Gestapo 6:320
policía 11:150
Geste, Beau 14:155
Gestido, Óscar 13:330
gethsemaní 6:320
— huerto de 8:100
Pasión de Cristo 11:5
getos 12:276
Gettysburg 2:264; 7:89; 8:209
Getxo 14:28
Geyer, Ludwig 14:137
Ghali, Boutros Boutros 6:320
biografía 6:320
Ghana 6:320
— República de 4:266
Accra 1:44
Ghana 4:260
Guinea 7:105
Temple, Shirley 13:155
Ghannouchi, emir Rachid 13:285
Ghardaia 2:12
Ghardaia 10:169
Ghazi I 8:42
Ghazna, Sanai de 8:39
Gheorghiu, Virgil 12:132
Gheorghiu-Dej, Gheorghe 12:131
Gherardi 6:54
ghetto 6:321
Ghiberti, Lorenzo 6:321
biografía 6:321
Medici 9:148
Pisano, Nicolás 11:110
Ghil, René 6: 6:227
Ghiorso, A. 9:163
Ghiraldo, Alberto 6:321
bibliografía 6:321
Ghiriandajo, Rodolfo 6:321
Ghirlandajo o Ghirlandao, Domenico di Tommaso Bigo 6:321
biografía 6:321
Roma 12:100
Ghishlier, Antonio 8:257
Ghislain, François 9:30
Ghislieri, Miguel 11:101
Ghulam Ishaq Kham 10:287
Gia Long, dinastía de 7:314
Giacosa 5:171
Giaever, Ivar 6:321
biografía 6:321
Giaka 1:287
Gialong 1:299
Gianneo, Luis 2:27
Giardano 8:66
Giauque, William Francis 6:321
biografía 6:321
Gibara, puerto 7:210
Gibbon 7:192
Gibbon, Edward 6:322
bibliografía 6:321
Gibbon, John H. 4:238
Gibbons, James, cardenal 2:230
Gibbs, J.W. 3:34
gibelinos 6:181
gibón 6:322
Gibraltar 6:322
— Estrecho de 5:303; 6:76, 322; 9:153; 8:211
— Peñón de 9:278
— sitio de 8:265
Álvarez de Castro, Mariano 1:214
descubrimientos y exploraciones geográficos 5:69
Gibraltar, Estrecho de 4:257
Imperi Británico 7:275
mar 9:81
puerto 11:229
sitio 13:10
Gibson, Edward George 2:122
Gibson, Robert 13:243
Gibson, William 4:66
Gide, André 6:322
bibliografía 6:322
Gieg, Edvard 7:65
Gierek, Edward 11:160
Gierke 7:193
Gierlach, pico de 11:157
Gieseking, Walter 6:323
obra 6:323
Giessen 10:210
Giessen, Universidad de 9:178
Giffard 8:31
Giffard, Henry 5:139
giga 6:323
gigante 6:323
— de Yellowstone 6:296
— monte 1:51; 4:24
Gigantes 6:188, 189, 295
gigantes toltecas 9:204
Gigantes, Calzada de los 7:33
gigantismo 13:163
gigantomaquia 13:204
Gigantomaquila 6:296
Giges 2:100
Gigli, Beniamino 6:323
bibliografía 6:323
Gijón 6:323
Asturias 2:130
Jovellianos, Gaspar Melchor de 8:111
Gil de Castro, José 11:64
Gil de Taboada y Lemos, Francisco 6:323
bibliografía 6:323
Gil Fortoul, José 6:323
bibliografía 6:323
Gil Gilbert, Enrique 6:323
bibliografía 6:323
Gil Polo, Gaspar 6:323
bibliografía 6:323
Gil, Juan 4:6
Gil, Martín 6:323
bibliografía 6:323
Gila, río 4:156; 7:73; 10:88
Gilardi, Gilardo 2:27
Gilbert 5:77
Gilbert y Ellice, islas 6:324
Gilbert, Guillermo 8:250
Gilbert, Walter 6:323
biografía 6:323
Gilbert, William 6:324
bibliografía 6:324
Gilberto II 1:253
Gildas, crónicas de 2:78
Gilipo 11:33
Gilles Deleuze 6:65
Gillete, campo petrolero 14:156
Gillieron, Julio 8:266
Gillonnet-Merville 2:231
Gilman, Alfred Goodman 6:324
bibliografía 6:324
Giménez *Chicuelo*, Manuel 13:127
Giménez, Antonio 13:127
Giménez, Eusebio G. 9:172
gimnasia 6:324
— danesa 2:140
— de aparatos 2:140
— rítmica 8:85
— sueca 2:140
gimnasio 2:134
gimnasio de Atenas 8:255
gimnosperma 3:56; 4:210; 6:326; 9:12; 11:154; 13:107
gimnótidos 6:325
gimnoto 6:325
gin fizz 2:272
Ginastera, Alberto 6:325
Latinoamérica 8:196
Mújica Láinez, Manuel 9:327
obra 6:325
giñau 7:310
Ginebra 6:325
— armisticio de 7:197
— conferencia de 6:325
— Convenio de 11:203; 13:219
— escuela de 6:52
— lago de 6:75, 214, 352; 12:89, 156
— protocolo antibélico de 9:6
— Suiza 2:150, 315
— Universidad de 11:197
cristianismo 4:292
esclavitud 5:280
Henderson, Arthur 7:146
Laga de las Naciones 8:257
refugiado 11:328
ginebra 6:326
Ginebra, convención de 6:325
Cruz Roja 4:303
gineceo 6:177; 11:123, 154
ginecología 9:150
Giner de los Ríos, Francisco 6:326
bibliografía 6:326
Ginés, Pérez de Hita, 1:26, 202
gingival 3:11
Gingsberg, Allen 6:43
ginkgo 6:326
ginkgoales 11:153
Ginko 6:326
ginsen o ginseng 6:326
Giobbe 13:53
Gioberti, Vincenzo 13:288
giobertita 9:27
Giocondo 14:96
Giono, Jean 6:326
bibliografía 6:326
Giordano, Bruno 2:108; 8:316; 13:49
Giordano, Luca 6:326
biografía 6:326
Giordano, Luca 12:38
Giordano, Umberto 6:326
bibliografía 6:326
Giorgi, Bruno 3:77
Giorgio de Chirico 13:87
Giorgio Maggiore, San 14:40
Giorgione 2:288; 5:289
Giorgione Zorzi da Castelfranco 6:326
obra 6:326
Giotto 5:289; 8:105, 313
Giotto di Bondone 6:327
biografía 6:327
Giotto, sonda 2:123
Giottto, Torre del 6:327
Giovanni Bocaccio 8:66, 277
Giovanni, Benvenuto di 5:283
Giovanni, Tommaso di 1:281
Girad, Albert 12:327
Giralda, la 1:333
Girard, Jules Augustín 13:82
Girardon 5:294
Girardot 6:327
Girardot, Atanasio 6:327
biografía 6:327
Girardot, Colombia 4:329
girasol 6:327
girasol 6:180
girasol, semillas de 12:275
Giraud, Henri 3:270
Giraudoux, Jean 6:327
bibliografía 6:327
girino 6:327
girl guides 2:213
Girne 4:61
giro 6:327
Giro Postal 4:255
Giró, Juan Francisco 6:181
giroaltímetro 6:328
girocompás 3:90; 13:48
Girodet-Trioson, Louis 6:228
Girolamo Savonarola 6:181
Girón, Hernando 1:213
Girón, Pedro 10:282
Gironda 6:213
Gironda, departamento de la 6:327
girondinos 6:327
giropiloto 11:90
giros 2:236
giróscopo o giroscopio 6:327
instrumento 8:13
radiocontrol 11:278
Giscard D'Estaing 9:251
Giselle 13:48
Gitanas 10:129
Gitanjali 13:100
gitano 6:328
Giudecca 6:321; 14:40
Giusti, Roberto F. 6:328
bibliografía 6:328
Giza 5:226
Gizeh o Giza 2:52; 4:29; 11:105

Gizeh, desierto de **12**:320
Gizo **12**:177
Gjellerup, Karl Adolf **6**:328
bibliografía **6**:328
Gjoa **11**:8
glaciación pleistocena **6**:220
Glacial Antártica, Zona **14**:180
Glacial Antártico, océano **10**:180, 280; **12**:115
Glacial Ártica, Zona **14**:180
Glacial Ártico **2**:335
Glacial Ártico, océano **2**:298; **5**:278; **6**:74; **7**:185; **10**:133, 180; **12**:187
Glacial, océano **9**:9; **10**:173
glacial, periodo **7**:169
glaciar **6**:328
— antártico, océano **11**:161
— de Furka **13**:77
— de Malaspina **1**:135
— de Muir **1**:136
— Parque **10**:331
glaciar en Port Seward, Alaska **1**:135
Glacier, montañas **6**:35
Glacier, Parque Nacional de **6**:307
Glacier, Parque Nacional de **9**:227
Gladheim **14**:15
gladiadores **6**:329
— guerra de los **6**:8
gladiolo **6**:330
Gladstone **12**:319; **14**:77
Gladstone, Guillermo **12**:174
Gladstone, O'Neill Eugene **2**:215
Gladstone, William Ewart **6**:330
biografía **6**:330
Glåmma, río **10**:133
Glamorgan **7**:39
Gland **10**:197
glándula **6**:330
— lagrimal **8**:165
— tiroides **4**:278, 282; **5**:251
— de secreción interna **7**:229; **10**:173
— internas **7**:109
— reproductoras **11**:208
— sexuales **5**:256; **7**:185
— sudoríparas **11**:85; **13**:67
— suprarrenales **1**:74; **7**:185, 229
— pituitaria **1**:57; **4**:278; **6**:323
— salivales **3**:11
— endocrinas **5**:52
Glaris **13**:80, 81
Glaser, Donald Arthur **6**:331
biografía **6**:331
Glasgow **6**:331
— Universidad de **4**:299; **8**:272, 289
Belfast **2**:281
Edimburgo **5**:210
puerto **11**:229
universidad **13**:316
Glashow, S. **14**:144
Glashow, Sheldon Lee **6**:332
biografía **6**:332
Glasnost o apertura **1**:163; **4**:191; **6**:84; **7**:21; **8**:90; **13**:309
Glauber, Rocha **3**:77
Glaucea **9**:148
Glaucio **7**:281
Glauco **5**:280
glaucófana **11**:114
glaucoma **6**:332
marihuana **9**:96
glaucónidos **12**:290
glauconita **2**:5
Glavcos Clerides **4**:61
Glaz, abismos **6**:13
Glazunov, Aleksandr Konstantinovich **6**:332
obra **6**:332
Rusia **12**:142
glebarias **7**:228
Glebka, P. **12**:150
Gleditschia **1**:40
Gleen, John H. **12**:239
Glembourg **2**:312
Glenn Curtiss **13**:252
Glenn, John H. **2**:113
Glenn, John R **6**:332
biografía **6**:332
gleucocitos **8**:18
Gleyre **13**:82
Gleyre, Charles **7**:286; **12**:20; **13**:8
glicerina **6**:49, 332
glicerofosfatos **6**:332
glicerol **6**:332; **13**:324
glicina **4**:131
glicógeno **6**:332
glicolato **2**:322
Glicón **7**:152
glicoproteína **13**:201
glicósidos **6**:332
Glière, Reinhold **3**:34
glifo maya **13**:106
glifos **2**:49
Glimer, Guillermo **2**:238
Glinka, Mihail Ivanovich **6**:333
cinco, grupo de los **4**:82
obra **6**:333
ópera **10**:216
Rusia **12**:141
glíptica **6**:333
Gliptoteca **4**:233
glíridos **8**:271
Glisson, cápsula de **7**:175
glitoxina **14**:154
Glittertind **5**:278
Glittertind, monte **10**:133
globalización **4**:227
globo aerostático **6**:333
— historia **6**:333
— principios y aplicaciones **6**:334
globo aerostático **1**:79
globo climatológico **1**:303
globo histórico **4**:211
globo sonda **11**:282
globo sonda meteorológico **2**:142
globo terráqueo **2**:140, 141; **9**:68
globo terráqueo **13**:192
globo terráqueo de Nuremberg **2**:277
globo terrestre **13**:271
globo tripulado **2**:141
globo, pez **10**:231
globos de aire caliente **8**:23
globos radiosondas **6**:334
globulina **6**:334
sarampión **12**:226
glóbulo **6**:334
— rojos **1**:276; **4**:324; **6**:110, 335; **7**:142, 143; **8**:209; **10**:297
— blancos **2**:153; **4**:324; **6**:112, 335; **7**:143
— plaquetas **6**:335
glomerulitis **5**:146
glomerulonefritis **7**:145; **10**:64
glosario **6**:335
glosas Emilianense y Silense **6**:5
glosemática **14**:26
gloso-faríngeo **7**:109
glosopeda **6**:335
glossinas **13**:278
glotis **8**:176
glotón **6**:335
Gloucester, condado de **13**:109
glucagón **5**:182; **7**:185
glucinio **2**:297; **14**:154
Glück **5**:217; **10**:172, 215
Gluck, Alma **6**:335
biografía **6**:335
mujer **9**:326
Gluck, Christoph Willibald **6**:335
Alemania **1**:165
obra **6**:335
Rietschel, Ernst Friedrich **12**:67
glucocorticoides **6**:51
glucógeno **6**:335
glucoproteínas **5**:268; **8**:18
glucosa **6**:335
gluones **7**:50
glutamato **10**:80
gluten **6**:336
harina **7**:129
Gnaeo Naevio **8**:181
Gnavi Pedro **2**:24
gneis **6**:336
geología **6**:314
metamorfismo **9**:184
Gneis, Meseta de **7**:297
gnetácea **5**:223; **11**:153
Gnexendorf **2**:277
GNM **9**:24
gnomon **12**:12, 14; **13**:221, 233
gnomos **6**:188; **7**:116; **10**:92
gnosticismo **6**:336
Goa (Panaji) **7**:299
Goa **6**:336
Andrade, Simón de **1**:273
India **7**:295, 304
goajira (Colombia) **6**:336
goajiro **7**:310
Goascorán **6**:192, 336
Goascorán, río **7**:218
Goat, isla **10**:91
Gobat, Albert **5**:176
Gobat, Charles Albert **6**:336
biografía **6**:336
Gobbi, Tito **2**:254
Gobelin, Jacques **6**:336; **13**:116
Gobelin, Jean **6**:336
gobelinos **6**:336
Gobernador, Palacio del, Uxmal, México **9**:140
Gobernador, Palacio del, Uxmal, México **14**:30
Gobi, Desierto de **6**:336
China **4**:47
Mongolia **9**:276, 277
góbido **4**:19; **7**:10
gobierno (Majzén) **9**:107
gobierno **7**:5
— antiguo. Desarrollo e influencias sobre el moderno **7**:5
— civil, Tratado del **12**:46
— clasificación de los gobiernos **7**:7
— consideraciones finales **7**:10
— el parlamento ejecutivo **7**:8
— español **7**:89
— estados unitario y federales **7**:8
— flexibilidad y rigidez **7**:8
— Italia, Alemania y Rusia **7**:9
— la Constitución **7**:8
— monarquía y república **7**:7
— periodo medieval. Nacimiento de la Nación **7**:6
— popular **7**:10
— presidencial **7**:9
— primitivo **7**:5
— republicano **7**:8
— sistemas de gobierno **7**:7
— Suiza **7**:9
— tory **7**:41
— una y dos Cámaras **7**:9
— whig **7**:42
Gobierno, Palacio de, Malacañán **9**:58
Gobineau, condes de **11**:273
gobio **7**:10
Goble, Jonathan **12**:64
Góchez Sosa, Rafael **12**:184
Gockel, A **2**:149
Godard, Jean-Luc **7**:10
obra **7**:10
Godavari, río **7**:296
Goddard, Robert Hutchings **7**:11
biografía **7**:11
Gode, Alexander **8**:220
Godel **12**:244
Godfrey, Thomas **12**:301
Godin, Jan **5**:202; **8**:115
Godiva, lady **7**:11
biografía **7**:11
Godofredo de Bouillon **7**:11
bandera **2**:242
biografía **7**:11
godos **7**:11
— de Alarico **6**:82, 245, 318
— de España, rey de los **7**:154
Godoy Alcayaga, Lucila **9**:246
Godoy Cruz, Tomás **7**:11
biografía **7**:11
Godoy palacio de **2**:212
Godoy, Armando **7**:11
bibliografía **7**:11
Godoy, Dagoberto **7**:11
biografía **7**:11
Godoy, Emma **7**:11
biografía **7**:11
Godoy, Enrique **13**:87
Godoy, Manuel **7**:11
biografía **7**:11
motín **9**:312
Godunov, Boris **12**:142, 144
Godwin Austen o K2, pico **2**:85
Godwin, conde **5**:213
Godwin, Mary **9**:326; **12**:308
Godwin, William **1**:260; **13**:19
Goebbels, Joseph Paul **7**:11
bibliografía **7**:11
Goeppert Mayer, María **8**:94
Goering, Hermann **7**:12
biografía **7**:12
Goeritz, Mathias **7**:12
biografía **7**:12
GOES **7**:12
Goes, Damián de **7**:12
biografía **7**:12
Goes, Hugo van der **5**:205
Goes, Hugo van der **5**:290
Goethals, George W. **10**:305
Goethe, Johann Wolfgang **7**:12
Alemania **1**:166

arte **2**:64
bibliografía **7**:12
intermedio **8**:19
Maeterlinck, Maurice **9**:22
Frankfurt **6**:233
Romanticismo **12**:106
Pastermak, Boris leonidovich **11**:8
teatro **13**:133
Weimar **14**:144
Goethe, Willelm Meister de **10**:220
Goetz, Walter **7**:193
Goetzinger **4**:170
Gog y Magog 7:13
Goggia **4**:169
Gogh, Vicent van **6**:53, 102
Gogol, Nikolai 7:13
bibliografía **7**:13
esperanto **6**:13
Rusia **12**:141
Gohira, Pakistán **11**:107
Goiania 7:13
Goiás (o Goyas) 7:13
Goicuría Cabrera, Domingo de 7:13
biografía **7**:13
Goidelic, idioma **6**:261
Goitia, Francisco 7:13
obra **7**:13
Gojjam, ciudad **6**:70
Golán **5**:229; **13**:7
Golán, Alturas de 7:13
Golconda **7**:120
Gölcük, lago **13**:195
Golda Meier **11**:44
Goldar, Josefa **2**:255
Golden Gate **11**:228
Golden Hind **5**:73
Golding, William Gerald 7:14
bibliografía **7**:14
Goldmann, Max **11**:336
Goldoni, Carlo 7:14
bibliografía **7**:14
comedia **4**:163
Goldschmidt, Hans **13**:28
Goldschmidt, V.M. **11**:284
Goldsmith, Oliver 7:14
bibliografía **7**:14
Goldstein, Joseph Leonard 7:14
biografía **7**:14
Goldstone, antena **2**:119
Goldwater, Barry Morris 7:14
bibliografía **7**:14
Goldwyn, Samuel **5**:46
Gole Gumbhaj **7**:299
Goleta, batalla de **8**:113
goletas **6**:210
golf 7:14
golf, vista de un campo de **7**:15
Golfito 7:15
golfo 7:15
— de México **13**:45, 95, 110, 121, 331
— Pérsico **13**:6, 138, 195
Golfo Pérsico, guerra del 7:88, 131, 254
Estados Unidos **6**:43
Irán o Persia **8**:35
Nucleares, armas **10**:151
Golfo Pérsico, guerra del **8**:172
golfo, Corriente del 7:15
Golgi, Camillo 7:16
— aparato de Golgi **7**:16
— constitución química **7**:16
— funciones fisiológicas **7**:16
— relación con otros orgánulos celulares **7**:17
biografía **7**:16
Goliat 7:17
filisteo **6**:156
Golo **6**:302
golondrina 7:17
— filífera **7**:17
— rojiza **7**:17
— rústica **7**:17
ave **2**:178
golondrina **7**:17
golondrina de mar 7:17
goma 7:17
— de borrar **7**:17
— de mascar **7**:17
— elástica **7**:245
— laca **8**:159
— tragacanto **2**:106
llanta **8**:291
Gombrowicz, Witold 7:17
biografía **7**:17
Gomel, ciudad **12**:147
Gomensoro, Tomás 7:17
biografía **7**:17
Gomero **10**:192
Gomes, António Carlos 7:17
modinha **9**:263
obra **7**:17
Gomes, Diego **3**:142
Gomes, Fernão **12**:222
Gómez *el Gallo*, Rafael **13**:127
Gómez Arias, Miguel Mariano 7:18
biografía **7**:18
Gómez Carrillo, Enrique 7:18
bibliografía **7**:18
Gómez Cornet, Ramón 7:18
biografía **7**:18
Gómez de Avellaneda, Gertrudis 7:18
bibliografía **7**:18
mujer **9**:327
Gómez de la Serna, Ramón 7:19
bibliografía **7**:19
Gómez de Quevedo, Pedro **11**:253
Gómez de Silva, Ruy **9**:166; **11**:45
Gómez Farías, Valentín 7:19
biografía **7**:19
Gómez Freire, virrey **7**:286
Gómez Jaramillo, Ignacio 7:19
biografía **7**:19
Gómez Manrique **5**:319; **14**:94
Gómez Ortega *Joselito*, José **8**:110; **13**:127
Gómez Ortega, Rafael 7:19
Gómez Palacio **5**:179
Gómez Restrepo **11**:163
Gómez Tible, Enrique **7**:18
Gómez Toro, Francisco **9**:7
Gómez, Alonso **11**:63
Gómez, Crescencio 7:18
biografía **7**:18
Gómez, Esteban **5**:73; **6**:97; **9**:47
Gómez, Eusebio 7:18
biografía **7**:18
Gómez, Fernando *El Gallo* **6**:271; **13**:127
Gómez, Ignacio **12**:184
Gómez, isla **4**:35
Gómez, José Miguel 7:18
biografía **7**:18
Gómez, Juan Gualberto **4**:314; **9**:112
Gómez, Juan Vicente 7:18
biografía **7**:18
Otero Silva, Miguel **10**:270
Gómez, Laureano 7:18
bibliografía **7**:18
Gómez, Máximo 7:18
bibliografía **7**:18
Gómez, Miguel Mariano **4**:314
Gómez, Patty **11**:240
Gómez Quevedo, Francisco de **2**:258
Gómez, región **11**:153
Gomolka **11**:161
Gomorra **9**:323; **13**:24
gomorresinas **8**:180
Gompers, Samuel **6**:124
Gomulka, Wladyslaw 7:19
biografía **7**:19
Unión de Repúblicas Socialistas Soviéticas **13**:308
gónadas **5**:256
Gonave, golfo de **7**:121; **11**:229; **12**:221
Gonçalves Dias, Antonio **3**:76
Gonçalves, Joao **6**:251
Goncalves, Nuño **11**:177
Goncharov, Natalia **11**:244
Goncourt, Academia **7**:19
Goncourt, Edmond Jules 7:19
bibliografía **7**:19
diario **5**:105
Goncourt, Jules-Alfred **6**:227
Gondar, ciudad **6**:68, 70
gondo **2**:96
Gondra, Manuel 7:19
biografía **7**:19
gondwana o gondoana **5**:98; **6**:309
gonfalón o confalón **2**:242
Góngora y Argote, Luis de 7:19
Alonso, Dámaso **1**:199
Barroco **2**:258
bibliografía **7**:19
clasicismo **4**:107
España **5**:320
latín **8**:181
Polifemo **11**:151
Sarduy, Severo **12**:229
soneto **13**:37
Vega Carpio, Félix Lope de **14**:32
Góngora, Diego de 7:19
biografía **7**:19
gongorismo **7**:19
gongs de acero **8**:195
goniatites **1**:252
goniómetro 7:19
— óptico de reflexión **7**:19
— topográfico **7**:20
goniómetro de contacto y goniómetro de reflexión **7**:20
goniómetros **13**:201, 221
Gonneville, Paulmier de **5**:74
gonorrea **4**:106
Gonxha Bajaxhiu, Teresa **13**:164
Gonzaga, Carlos duque de Nevers **12**:64
Gonzaga, Ludovico **9**:61
Gonzaga, palacio de los **9**:62
Gonzaga, Vicente **12**:122
González *Machaquito*, Rafael **13**:127
González Balcarce, Antonio 7:20
biografía **7**:20
González Bocanegra, Francisco 7:21
bibliografía **7**:21
González Bravo, Antonio **3**:31
González Camarena, Jorge 7:21
obra **7**:21
González Dávila, Gil **2**:29; **4**:269; **10**:93; **13**:44
González de Clavijo, Ruy **2**:99
González de Mendoza, Pedro **5**:317
González del Castillo, Juan Ignacio **12**:166
González Delgado, Francisco **7**:20
González Goyri, Roberto **7**:79
González Marín, José **11**:314
González Márquez, Felipe 7:21
biografía **7**:21
González Martínez, Enrique 7:21
bibliografía **7**:21
González Moreno, general Vicente **13**:230
González Obregón, Luis 7:21
biografía **7**:21
González Ortega **14**:174
González Peña, Carlos 7:21
bibliografía **7**:21
González Peña, Rafael **11**:239
González Posada, A. **6**:103
González Prada, Manuel 7:21
bibliografía **7**:21
González Suárez, Federico 7:21
bibliografía **7**:21
González Vera, J. S. **4**:44
González Videla, Gabriel 7:21
biografía **7**:21
González Viquez, Cleto **4**:270
González, Aurelio **9**:203
González, Felipe **5**:318
González, Fernán **3**:278
González, Henry B. **7**:189
González, Ignacio M. **5**:161
González, Joaquín V. **1**:214; **2**:26; **3**:99
González, José Luis 7:20
bibliografía **7**:20
González, José Victoriano 7:20
biografía **7**:20
González, Juan Natalicio **10**:322, 323
González, Juan Vicente 7:20
bibliografía **7**:20
González, Julio **5**:319
González, Manuel 7:20
biografía **7**:20
González, Otto-Raúl 7:20
bibliografía **7**:20
González, Pablo **14**:173
González, Pedro Antonio **4**:44
González, Raúl **2**:140
González, Rodrigo **4**:102
González, Salvador **9**:274
González-Gallarza **1**:87
Gonzalo Suárez Rendón **13**:286
Goodricke, John **5**:150
Goodyear **8**:24
Goofy **5**:143
Gor, dinastía de **7**:300
Gorbachev, Mikhail **12**:168
Gorbachov **12**:146
Gorbachov, Mihail 7:21
bibliografía **7**:21
Alemania **1**:163
Checa, República **4**:27
Francia **6**:226
Gorbachov, Mihail **7**:22
Shevardnadze, Eduard **12**:310
Gorbatko, Viktor V **2**:113

Gorda, sierra **11**:250; **12**:193
Gordan **4**:92
Gordeyev, Vyacheslav **3**:34; **12**:143
gordiáceos **10**:70
Gordimer, Nadine 7:22
bibliografía **7**:22
Gordon Cooper, Leroy **2**:114
Gordon, Charles George **8**:140; **13**:66
Gordon, George, lord Byron **2**:221; **8**:136, 278
Gordon, Richard F. **8**:324; **2**:116
Gordy, Walter **5**:38
Gore, Al 7:22
biografía **7**:22
Gorea, isla de **5**:6
Gorgas, William Crawford 7:22
biografía **7**:22
Gorgias 7:22
bibliografía **7**:22
sofista **13**:24
gorgojo 7:22
— del arroz **7**:22
Gorgona, isla de la **11**:115
Gorgonas 7:22
gorgueras **14**:67
Gori **13**:50
Gori, Pietro **1**:260
Goria, Giovanni **8**:64
Goríbar, Nicolás Javier de **5**:202
gorila 7:22, 23; **11**:198
Gorinchen **7**:206
Goritzia **7**:271
Gorki, Maksim 7:23
bibliografía **7**:23
cuento **4**:320
Rusia **12**:141
volga **14**:128
Gorky, ciudad de **12**:168
Gorn **5**:125
Gorostiza, Carlos 7:23
bibliografía **7**:23
Gorostiza, Celestino 7:23
bibliografía **7**:23
Gorostiza, José 7:23
bibliografía **7**:23
Gorostiza, Manuel Eduardo de 7:23
obra **7**:23
Gorre, Arthy **13**:87
Gorrio, Tobio **3**:19
gorrión 7:24
Gorriti **11**:133
Gorsky, Aleksandr **3**:34
Gosbank **12**:124
Goscinny, R. **4**:170
gospel, música 7:24
Gossaert, Jan de Mabuse 7:24
obra **7**:24
gota 7:24, 195
Göteborg **13**:69
Goteborg, museo de **10**:129
Gotha **2**:211
Götha, Canal **13**:69
gótica, escuela **6**:229
goticismo **13**:71
gótico 7:25
— estilo **5**:183, 209; **6**:176, 293; **7**:44
— florentino, estilo **2**:48
— inglés, estilo primario **7**:44
— medieval **8**:65
— sudista **10**:183
— tardío **7**:190
arquitectura **2**:57
construcción **4**:219
escultura **5**:294
Francia **6**:228
gótico **2**:56; **13**:134
lengua **8**:217
mobiliario y mueble **9**:253
pintura **11**:96
tapiz **13**:116
Gotinga 7:25
— Universidad de **14**:189
Götland **13**:68
Gotland, isla **2**:230
Gotlib **4**:170
Gottelf, Jérémie **13**:82
Gottfried Ebel, Job **13**:291
Gottlieb Fichte, Johann **7**:138, 265; **9**:180
Gottlieb Gahn, Johan **9**:56
Gottorp, Sofía Augusta **3**:287
Gottschalk **4**:306
Goujon, Jean 7:25
obra **7**:25
Goulant Hopkins, Frederick **14**:107
Goulart, João **3**:76
Goulú, Jean Phillippe **13**:329
Gounod, Charles-François 7:25
obra **7**:25
ópera **10**:218
Goupil (Francia) **2**:187
Gournia **4**:282
Goutha, oasis de **5**:9
Govín, Luciana **9**:113
Gowda, H.D. **7**:302
Gower, John **7**:43
Gowon, Yakubu **10**:101
Goya 7:25, 28
Goya y Lucientes, Francisco de 7:25
agua fuerte **1**:112
autorretrato **2**:177
caricatura **3**:246
esperpento **6**:15
Goya y Lucientes, Francisco de **7**:26
Llaneces, José **8**:290
Madrid **9**:19
obra **7**:25
Prado, museo del **11**:182
retrato **12**:35
tapis **13**:116
Zuloaga, Ignacio **14**:190
Goyam, reino de **6**:67
goyatacá **7**:310
Goyena, Pedro **2**:26
Goyeneche, José Manuel **3**:28
Goytisolo, José Agustín 7:26
bibliografía **7**:26
Goytisolo, Juan 7:26
biografía **7**:26
Gozo, islote de **9**:46
Gozzi, Carlos **11**:117; **14**:137
Gozzoli **8**:66
Gozzoli, Benozzo 7:26
biografía **7**:26
Graanoogst **13**:86
grabación 7:26
— magnética **7**:26
grabación **7**:27
grabado 7:27
— al agua fuerte **1**:112
— tipográfico **6**:50
arqueología **2**:50
glíptica **6**:333
grabado **1**:330; **4**:111:,192, 275; **7**:313
pirograbado **11**:109
grabadora de alambre **1**:133
grabadoras, cabezas **14**:82
Graça Aranha, José Pereira da 7:28
bibliografía **7**:28
Graça, Carlos da **12**:223
Graceland **13**:158
gracia 7:28
Gracia, Deledda **8**:65
Gracián, Baltasar 7:28
bibliografía **7**:28
Graciano **4**:196; **13**:161
Graciano, Flavio 7:28
biografía **7**:28
Gracias a Dios (Honduras), cabo **2**:223
Gracias, Las Tres 7:28
Gracida, hermanos **11**:156
Graco **8**:238
Gracos 7:28
— Tiberio Graco **7**:28; **12**:49
— Cayo Graco **7**:29; **12**:49
biografía **7**:28
gradalis **7**:65
gradiente 7:29
— de presión **7**:29
— de temperatura **7**:29
grado 7:29
— de humedad **7**:177
— higrométrico **7**:249
grados de comparación 7:29
graduación 7:29
Graef Fernández, Carlos 7:29
bibliografía **7**:29
México **9**:202
Graendel, gigante **2**:294
Graf Spee **1**:54
Graf Zeppelin, dirigible **13**:252
graffiti 7:29
graffiti **2**:64
gráfica 7:29
Gráfica de la energía de los orbitales **9**:267
gráficas circulares **7**:30
grafismo **5**:111
grafito 7:30
grafología 7:30
grafómetro **13**:260
Graham Bell, Alexander **4**:183; **8**:25; **11**:283; **13**:143
Graham, Marta **5**:17
Graham, Tierra de **1**:302
Grahan, Ewethlyn **3**:205
Graigner, Percy **2**:164
grajo 7:30
— religioso **7**:30
Graland, Judy **2**:105
Gralheira **11**:173
grama 7:30
gramática 7:30
— Egipcia **4**:19
— latina **13**:202
— lexicológica **8**:177
— partes principales **7**:30
— utilidad **7**:30
español, idioma **6**:5
gramaticales, anfibologías **10**:230
Gramcko, Ida **14**:46
gramillas **7**:171
gramináceas **11**:145
gramíneas 7:30, 31, 146
Grammática, Emma 7:31
biografía **7**:31
Grammaticus **4**:320
Grammy **1**:267
gramo 7:31
gramófono 7:31
— historia **7**:32
— métodos **7**:32
— la reproducción **7**:32
— aparatos auxiliares **7**:32
Edison, Thomas Alva **5**:211
laca **8**:158
Gramsci, Antonio 7:32
bibliografía **7**:32
Gran Armada **14**:32
Gran Atlas **2**:138
Gran Barrera de Coral **2**:59
Gran Barrera de Ross **6**:329
Gran Barrera Polar **6**:98
Gran Belt, estrecho del **5**:122
Gran Bermuda **2**:301
Gran Berta, cañón **2**:75
gran bestia **1**:147
Gran Bohemia **12**:91
Gran Bretaña 7:32
— agricultuta **7**:35
— arquitectura **7**:44
— ciencias **7**:44
— clima **7**:34
— comercio **7**:37
— comunicaciones **7**:37
— costas **7**:34
— dependencias de **11**:153
— e Irlanda, Reino Unido de **6**:83, 217
— educación y enseñanza **7**:39
— extensión **7**:32
— fauna y flora **7**:34
— ganadería **7**:35
— geología y relieve **7**:33
— gobierno **7**:39
— hidrografía **7**:33
— historia **7**:40
— industria **7**:36
— la lengua **7**:38
— literatura **7**:43
— marina y puertos **7**:38
— minería **7**:35
— moneda, pesas y medidas **7**:37
— organización política y administrativa **7**:39
— pesca **7**:35
— pintura **7**:45
— población **7**:38
— religión **7**:39
— servicios aéreos **7**:38
— situación y límites **7**:32
— soberano de la **11**:202
acorazado **1**:54
Azores **2**:196
carbón **3**:236
Comunidad (Británica) De Naciones **4**:188
escuela **5**:287
exploraciones polares **6**:98
Monroe, James **9**:280
Pasteles, Guerra de los **11**:8
Sheffield **12**:308
Swazilandia **13**:90
Westminster, abadía de **14**:147
Gran Buda de Mogao, China **2**:92
Gran Caimán, isla **10**:318
Gran Canal **11**:28; **14**:40
Gran Canal, Venecia, Italia **14**:41
Gran Canaria **5**:21
Gran Canaria, isla **10**:294
Gran Canaria, Palmas de **11**:46

Gran Cañón 7:45
— del Colorado **6:**35, 308
— del Río Colorado **2:**34
Gran Cañón del Colorado **5:**88; **6:**34, 39
Gran Chaco **4:**16, 21
Gran Chartreuse **6:**213
Gran Chimú Chanchán **13:**276
Gran Colombia, República de la 7:46
Ciudad Bolívar **4:**101
Ecuador **5:**200
Flores, Juan José **6:**181
Páez, José Antonio **10:**283
Restrepo, José Manuel **12:**32
Valencia **14:**13
Gran Combi **13:**76
Gran conde duque de Enghien **7:**87
Gran Cordillera Divisoria **11:**247
Gran Cruz de la Legión de Honor **5:**178; **12:**321
Gran Cruz Laureada de San Fernando **11:**248
Gran Cuenca (*Great Basin*) **6:**31
Gran Desierto Americano **5:**89
Gran Elector de Brandeburgo **5:**233
Gran Flor, Monasterio de la, Arhats **9:**274
Gran Interregno **12:**91
Gran Kan **11:**156
Gran Karru, meseta del **13:**312
Gran Khingan, montañas del **9:**52
Gran Lago de los Esclavos **9:**9
Gran Lama del Tíbet **11:**194
Gran Logia **9:**120
Gran Londres **7:**64
Gran Maestre **10:**236
Gran Malvina **9:**47
Gran Malvina, isla **13:**173
Gran Mezquita **13:**285
Gran Mogol **2:**99
Gran Muralla **2:**97; **9:**53
Gran Muralla China **2:**85
Gran Palacio, Kremlin **9:**308
Gran Pirámide en Giza **5:**226
Gran Pirámide, Egipto **11:**105
Gran Sonda, islas de la **13:**36
gran teocalli de Tenochtitlan **9:**208; **13:**28, 159, 160
Gran Trek **13:**90
Gran Trianón **13:**260; **14:**59
gran unificación, teorías de la 7:50
Gran Valle, planicie **9:**116; **10:**83
granada 7:45
— de mano 7:45
Granada 7:45
— cerco de **4:**325
— en la historia **7:**47
— Guyana **4:**189
— provincias de **10:**83
Abén Humeya **1:**26
Nicaragua **10:**93
Pérez de Hita, Jinés **11:**46
Colón, Cristobal **4:**150
Edad Media **5:**209
García Lorca, Federico **6:**284
Latinoamérica **8:**182
Granada, fray Luis de 7:47
biografía **7:47**
Granada, Liceo de **14:**188
Granada, islas de **7:**46
Granada, Nicolás 7:47
biografía **7:47**
granaderos 7:48
Granadinas **8:**182; **12:**200
granado **7:**45
Granados, Enrique 7:48
obra **7:48**
gran-angulares **10:**174
granate 7:48
— de Bohemia **7:**48
Grand Etang **7:**46
Grand Haven South, puerto de **9:**214
Grand Island **10:**61
Grand Rapids **9:**214
Grand Teton, Parque Nacional **6:**35; **14:**156
Grand Turk, isla **1:**309
Grand, Lago **4:**155
Grand-Bourg **12:**197
Grande de Añasco, río **1:**113
Grande de Arecibo, río **1:**352
Grande de Santiago, río **4:**20
Grande de Tárcoles, río **4:**267
Grande de Térraba, río **4:**267
Grande del Norte, río **6:**136; **9:**194
Grande del Sur, río **11:**173, 321
Grande do Sal **4:**333; **6:**292
Grande y Pequeño Belt, estrechos **2:**230
Grande, bahía **2:**14
Grande, isla **2:**13
Grande, río **5:**305; **6:**26; **7:**72, 260; **10:**324; **13:**192; **14:**169
Grande, Salto **13:**326
Grande, salto de agua **2:**16
Grandes Lagos 7:48
Michigan **9:**213
siux **13:**11
grandes ligas **2:**78
Grande-Terre **7:**72
Grandidier, Alfred **5:**76
Grandmontagne, Francisco **2:**25
granero 7:49
Granero, Manuel **13:**127
Granit, Ragnar 7:49
biografía **7:49**
Wald, George **14:**138
graníticas **6:**311; **13:**292
granito 7:49
granito de Cerdeña **9:**104
granitoide **11:**170
granizo 7:49
granja 7:49
— avícola **2:**188
— en el campo de Lajuar, España **3:**195
Granma 7:50
Revolución Cubana **12:**42
grano 7:50
— ardido **13:**264
— brotado **13:**264
— de sorgo **2:**36
— turco **9:**34
Granollers, Barcelona **2:**253
granos calcinados **13:**264
Grant Aitken, Robert **14:**105
Grant, Cary 7:50
biografía **7:**50
Grant, Duncan **7:**45
Grant, James **5:**76
Grant, Ulysses Simpson 7:50
biografía **7:**50
granulación solar 7:50
granulocitos **1:**101; **6:**335; **8:**235
granuloma inguinal **14:**42
Granulomatosis **12:**227
gránulos de abono químico **1:**31
gránulos de cimógeno **7:**17
granulosidad **6:**201
Grapes of wrath **13:**53
Gras, Amadeo **13:**329
grasa 7:51
— lardácea **6:**186
— sólida **6:**48
grasos, ácidos **2:**233
Grass, Günter 7:51
Alemania **1:**166
bibliografía **7:**51
grastulación **3:**6
Gratz, Politécnica de **13:**174
Grau San Martín, Ramón 7:51
biografía **7:**51
Grau, Enrique 7:51
Colombia **4:**143
obra **7:**51
Grau, Jacinto 7:51
biografía **7:**51
Grau, Marta **2:**268
Grau, Miguel 7:51
biografía **7:**51
Grau, Ricardo **11:**64
Grauning Amundsen, Roald Engelbregt **6:**97, 95
Graunt, J. **9:**305
gravedad 7:51
— fuerza de **4:**249
— Ley de la caída de los cuerpos **7:**51
— leyes de **5:**259
gravedad **7:**53
gravedad, centro de 7:52
Graveland Koopmans, Tjalling Charles **8:**134
Gravelinas **12:**317
Gravelot, Huber **6:**261
Gravenhage (Parque del Conde) **7:**134
Graves, Robert **13:**202
Gravesend **11:**144; **13:**109
gravimetría 7:52
Richards, Theodore William **12:**62
Gravina, Federico Carlos 7:52
biografía **7:**52
gravitación 7:50
— universal **5:**302; **6:**168, 169
— universal de Newton, ley de la **7:**53
— universal, ley de **6:**305; **10:**88
gravitacional, colapso 7:53
gravitacionales, lentes 7:53, 54
gravitacionales, ondas 7:54
gravitatorias, fuerzas **4:**273
Grawfurd, John **5:**75
Gray **10:**253
Gray, Elisha **4:**183, 184; **13:**142, 143
Gray, Tomás 7:54
bibliografía **7:**54
Elegía **5:**244
Graz **2:**166; **14:**138
Graziano, Juan **7:**64
Great Basin **7:**262; **13:**332
Great Eastern (trasatlántico) **3:**112
Great Fall (Labrador) **3:**273; **9:**283
Great Salt Desert, lago **13:**332
Great Smoky, montañas **10:**132
Great Swamp **10:**86
Great Valley **11:**38
Greathead, sistema de **6:**142
grebas **2:**42
Grechaninov, Alexander **12:**142
Grecia 7:54
— agricultura **7:**56
— antigua **7:**156; **8:**230
— arcaica **7:**59
— clásica **2:**154
— clima **7:**56
— comercio exterior **7:**57
— costas **7:**55
— flora y fauna **7:**56
— ganadería **7:**56
— geología **7:**55
— gobierno **7:**57
— grecia arcaica **7:**59
— hidrografía **7:**55
— historia **7:**58
— industria **7:**56
— islas **7:**55
— la música **7:**63
— las artes **7:**63
— lengua **7:**57
— literatura **7:**61
— Macedonia en la historia de Grecia **7:**60
— meridional **8:**159
— orografía **7:**54
— pintura **7:**63
— población **7:**57
— recursos minerales **7:**56
— religión **7:**57
— septentrional (Macedonia y Tracia) **7:**54
— transportes **7:**56
— y Roma **5:**15, 234
arcadia **1:**349
Arquitectura **7:**63
Ciudades **7:**58
Edad Antigua **5:**202
Escultura **7:**63
ferias **6:**131
Grecia **1:**263; **2:**135; **4:**105; **12:**103
sacerdote **12:**157
Venizelos, Eleuterio **14:**48
Greco, el 7:63
Málaga **9:**40
grecorromana, decoración **2:**51
grecorromano, periodo **7:**62
Gredos, Sierra de 7:63
Extremadura **6:**105
Salamanca **12:**171
Greely, Adolf W. **5:**78
Green Bank 7:64
radiotelescopio **11:**288
Green Morton, Guillermo Tomás **8:**305
éter **6:**67
Green, R. **7:**43
Green, Theodore Francis **12:**60
Greene **7:**236
Greene, Graham 7:64
bibliografía **7:**64
Greenock **7:**37
Green-Park **8:**88
Greenpeace **7:**88
Greensboro **10:**71
Greenville **5:**41
Greenville-Spartanburg **13:**45
Greenwich 7:64
— meridiano de **7:**224
— Village **10:**89
reloj **12:**13
Greenwich, Observatorio de 7:64
Greenwood **12:**234
Gregor, William **13:**204

Gregoriana, Universidad **4**:229, 233; **11**:102
gregoriano, canto **4**:329
Gregoriano, museo **14**:30
Gregorio *el Grande*, San **8**:202; 252
Gregorio *el Luminoso* **2**:45
Gregorio I, san 7:64
biografía **7**:64
orden religiosa **10**:234
Doctores de la Iglesia **5**:152
Gregorio III, rey, Francia **2**:243
Gregorio IV **13**:210
Gregorio IX, papa **1**:317; **6**:231; **7**:336; **8**:48; **11**:296
Gregorio Magno **11**:15
Gregorio Marañón **11**:45
Gregorio Nacianceno, san **7**:214
Gregorio Papareschi **7**:335
Gregorio VI **7**:64
Gregorio VII, san 7:64
biografía **7**:64
cristianismo **4**:292
cruzadas **4**:306
Edad Media **5**:207
Estanislao, san **6**:46
Godofredo de Bouillon **7**:11
investiduras, querella de las **8**:29
Pontificios, Estados **11**:167, 295
Sacro Imperio Romano Germánico **12**:160
Urbano II **13**:322
Gregorio X **4**:196; **12**:91; **13**:216
Gregorio XIII **1**:320; 7:64; **9**:176; **11**:267, 268
Gregorio XV **5**:154; **6**:231; **13**:165
Gregorio XVI, papa **11**:101, 167; **12**:56
Gregorio, san **4**:234; **7**:180; **8**:252
Gregory, Augustus **5**:77
Gregory, Francis **5**:77
Gregory, Frederick **13**:243
Gregory, Jaime **10**:176
gregüescos **14**:67
Greiff, Leon de **4**:141
Greifswald **13**:52
gremios 7:64
— obreros **12**:52
artes industriales **2**:69
corporación **4**:252
marcas y patentes **9**:86
Grenoble **6**:212; **13**:316
Gresham, ley de **7**:65
Gresham, Thomas 7:65
biografía **7**:65
Greten **9**:333
Grétry **2**:284
Gretry, André Ernest **6**:229
Greuze, Jean Baptiste **8**:313
Grey, lady Jane **13**:228
Grey, Vivian **5**:145
Grey, Walter **4**:67
Grey, Zane 7:65
bibliografía **7**:65
Greyhound **10**:210
Grial o Graal 7:65
Griba, montañas de **1**:138
Grieff, León de 7:65
bibliografía **7**:65
Grieg, Edvard 7:65
folklore o folclore **6**:190
obra **7**:65
Sibelius, Jan **12**:311
Tárrega, Francisco **13**:122
griega, estilo a la **9**:255
griega, literatura **8**:276
griega, mitología **13**:301
griega, reminiscencia **5**:171
griego 7:65
— alfabeto **4**:92
— imperio **6**:82
— clásico **7**:57
— purista **7**:57
— vulgar **7**:57
educación **5**:215
Herculano **7**:151
Italia **8**:65
griegos focenses **6**:220
Grien, Hans Baldung **1**:166
Grierson, George **2**:95
grietas **10**:290
Griffin, Burley **3**:209
Griffith London, John **8**:302
Griffith, David W. 7:66
biografía **7**:66
grifos **11**:138
Grignan **12**:298
Grignard, François Auguste Victor 7:66
biografía **7**:66
Sabatier, Paul **12**:155
Grigoresco **12**:132
Grigorievich Rubinstein, Anton **13**:129
Grigorovic, Yuri **3**:34
Grijalva, Hernando de **3**:168; **12**:38
Grijalva, Juan de 7:66
Alvarado, Pedro de **1**:213
biografía **7**:66
descubrimientos y exploraciones geográficos **5**:73
México **9**:198
Tabasco **13**:95
Veracruz **14**:52
Grijalva, río **9**:195
grillidos **10**:261
grillo 7:66
grilloblátidos **10**:261
Grillparzer, Franz 7:66
bibliografía **7**:66
Grimaldi, familia genovesa **9**:272
Grimaldi, hombre de 7:66
prehistoria **11**:186
Grimbsby **7**:35
Grimm, Hans **9**:287
Grimm, hermanos 7:66
Alemania **1**:166
bibliografía **7**:66
cuentos infantiles **4**:320
lingüística **8**:266
literatura infantil **8**:284
Grimm, ley de **7**:66
grímpola **2**:242
Grindle Point, Isleboro, Maine **9**:34
gripe 7:67
— epidémica **5**:260
Gripenberg **13**:71
Gripsberg **14**:9
griptal **8**:158
Gris, Juan 7:67
bateau-lavoir, Le **2**:265
González, José Victoriano **7**:20
Gris, Juan **5**:109
obra **7**:67
Grisones **12**:167; **13**:77, 79, 80, 81
Grisones, en Suiza **12**:33
Grissom, Virgil I. **1**:327; **2**:113, 116; **12**:239
grisú 7:67
— emanaciones de **8**:168
— gas **6**:288
asfixia **2**:83
Griswol **11**:146
Gritwiken **6**:97
Griyedov, Alexander **12**:141
grizzly **10**:266
Véase oso
Gro, François **6**:323
Grochowiak, S. **11**:161
Grocio, Hugo 7:67
biografía **7**:67
Groenlandia 7:67
— bandera de **2**: 240
— corriente de **4**:257
alga **1**:178
Corterreal, familia **4**:259
Erik El Rojo **5**:274
Exploraciones polares **6**:95
Pasos del noroeste y del noreste **11**:7
Ross, sir John **12**:115
Tipología lingüística **13**:201
Zoogeografía **14**:180
Grolier, estilo **7**:68
Grolier, Jean 7:68
biografía **7**:68
Gromaire, Marcel **13**:117
Gromov **1**:87
Gromyko, Andrei A. 7:68
biografía **7**:68
Gronchi, Giovanni **8**:64
Groninga **7**:207; **13**:92
Groninga, Universidad de **14**:177
Groninga y Basilea, Juan **2**:304
Gronk **7**:189
Groof, Vincent de **2**:186
Groot, Huig van **7**:67
Groote, Gerardo de **12**:152
Gropius, Walter 7:68
obra **7**:68
Gros Islet, bahía de **12**:215
grosella 7:68
grosellero **7**:68
Gross **5**:139
Gross, Gèrard **10**:71
Gross-Clockner, camino de **2**:165
Grosso, sierra **1**:241
grosulariáceas **7**:68
Grotefend, Georg Friederich **2**:52, 102; **4**:329, 330
Grotewohl, Otto **1**:163
Grottammare **13**:12
Grouchy, Emmanuel, marqués de **14**:143
Groudimel, Claude **6**:229
Grounds, Roy **2**:164
Group Areas Act **1**:323
Grousfeld **4**:286
Groussac, Pablo **5**:266
Groussac, Paul 7:68
bibliografía **7**:68
Grover **9**:74
Groza, Petru **12**:131
Grozny **4**:24
grúa 7:68
— de carga **9**:97
grúas móviles, grúas portuarias **7**:69
Gruber, Mireya Moscoso de **10**:303
grulla 7:69
grupo, dinámica de 7:69
Grundtvig, Nicolai Friederik **4**:233
Grunewald **2**:300
Grünewald, Matthias **1**:166
Grunnintzky **13**:210
grupo de arbitraje **7**:97
grupo de *Los Cinco* **2**:222
grupo de los Cuatro **9**:274
grupo de los Ochenta **11**:237
Grupo de los Siete 7:70
grupo de los tres **4**:226
grupo de Madrid **11**:114
Grupo humanístico 2:212
grupo oscilador-modular **11**:288
grupo sanguíneo 7:70
grupo, teoría de 7:70
matemáticas **9**:128
grupo, terapia de 7:70
grupos de transformación geométrica **7**:70
Grupos humanos 2:94
gruta de Medous **6**:13
grutas de Cacahuamilpa **7**:101
Grutescos **2**:51
Grütli, Conjuración de **13**:80
guabina 7:71
Guacalate **7**:77
Guacalate, río **12**:157
guacamayo 7:71
— rojo **8**:309
guacamole 7:71
Guacanagarix **5**:159
Guacanayabo, Golfo de **4**:311
Guacarapora **11**:266
guacas **4**:31
guacha **3**:329
guácharo 7:71
Guácharo, cueva del **14**:44
guaco 7:71
Guadajoz **4**:242
Guadalajara 7:71
— Historia **7**:71
— Universidad de **10**:256
Guadalajara, México **7**:71
Guadalajara Provincia de España 7:71
Guadalajara Ciudad de España 7:71
Guadalaviar **13**:173
Guadalaviar, río **13**:173
Guadalcanal **7**:96; **12**:176
Guadalete **5**:206; **11**:316
Guadalete, batalla de **1**:331; **4**:241; **7**:11; **8**:95
Guadalfeo, río **7**:46; **12**:91
Guadalhore, río **2**:293
Guadalmedina, río **9**:40
Guadalquivir 7:255
— barra del **4**:166
— río, Sanlúcar **12**:208
— río, Sevilla **12**:298
— valle del **13**:123,
Baeza **2**:215
Córdoba **4**:242
Europa **6**:75
Guadalquivir **12**:298
Iberia **7**:71
Guadalupe 7:72
Guadalupe de los Reyes **12**:330
Guadalupe Hidalgo 7:72
— El Cerro del Tepeyac **7**:72
— historia **7**:72
— La Basílica antigua **7**:72
— La Capilla del Pocito **7**:72
Guadalupe Hidalgo, Tratado de 7:73
Guadalupe territorio francés **6**:219
Guadalupe Victoria, presa **9**:195
Guadalupe, en Nuevo México **6**:44
Guadalupe, isla **7**:72
Guadalupe, laguna de **12**:214
Guadalupe, Nuestra Señora de **9**:93;

12:193
Guadalupe, Plan de **3:**259
Guadalupe, sierra de **6:**105
Guadalupe, Virgen de **9:**219
Guadarrama 7:73
Guadarrama, río **9:**20
Guadarrama, sierra de **7:**133; **9:**18, 176; **12:**259
Guadiana 7:73
Guadiana, río **1:**265; **2:**212; **4:**102; **6:**75, 105
Guadiaro, río **12:**109
Guaduas **4:**329; **11:**148
Guagrauma **8:**117
guaguanche **6:**15
Guagua-Pichincha **11:**80
guahahibos **1:**220
Guahayona **11:**230
guahibo **7:**310
Guaicaipuro **14:**47
guaicas **1:**220
guaicurúes **4:**21
Guainía (Puerto Inirida) **4:**140
Guainía 7:73
Guainía o río Negro **1:**220
Guairá 7:73
Guaira, La 7:73
Guairá, Salto de **10:**321
Guairo, río **13:**118
guajajará **7:**310
Guajará Mirim **12:**109
guaje 7:73
guajira 7:73
Guajira, La 7:73
Guajira, La (Rioacha) **4:**140
Guajira, Península de la **4:**137
guajiro **7:**310
guajolote 7:73
Guajoyo **12:**182
Gual, Juan Manuel **14:**47
Gual, Pedro 7:73
biografía **7:**73
gualacate **13:**125
Gualaceo, río **2:**203
Gualeguaychú **1:**214; **13:**326
Guallетué, laguna **2:**324
Gualpo **5:**185
Guam (Marianas), isla de **9:**23
Guam, isla de **10:**179
Guam, Isla de 7:73
Asia **2:**98
Estados Unidos **6:**31
Marinas, islas **9:**95
guama **7:**73
Guamán Poma de Ayala, Felipe **11:**63
guamo 7:73
guana **7:**310
Guanabacoa 7:73
guanábano 7:74
Guanabara, bahía de **10:**104; **11:**227
Guanacaste 7:74
— cordillera de **4:**266
— región de **6:**191
Costa rica **4:**267
guanaco 7:74
Argentina, República **2:**17
fibra **6:**145
Patagonia **11:**11
Guanacos, Andes Sudamericanos **7:**74
Guanahacabies, península **4:**310
Guanahaní **4:**149; **11:**100
Guanaja **8:**54
Guanajuato 7:74
— historia **7:**74
Bajío, El **2:**220
Intendencia **8:**15
México **9:**195
Querétaro **11:**250
San Luis Potosi **12:**193
Guanajuato, Santa Fe de **7:**75
Guananipa **9:**273
Guanare 7:75
— río **4:**250; **7:**75
Coromoto, virgen de **4:**250
Guanarito, río **11:**178
guanay cormorán **4:**249
guanches 7:75
Guane **4:**312
Guangala **5:**202
Guangdong **4:**48; **7:**221
Guangxi Zhuang **4:**46, 48
Guanicún, río **12:**220
guanina **12:**61
Guanipa, río **1:**319
guano 7:75
Guanta, puerto **1:**319
Guantánamo 7:75
— bahía de **4:**311, 314
guante **14:**72
guanteles **2:**43
guapaco **7:**71
Guaporé **3:**70; **9:**132
Guaporé, río **12:**109
guaque **7:**310
Guaqui **13:**206
guaracha **8:**196
Guaraguao, puerto **1:**319
Guarajambala **12:**181
guaraná **3:**153
Guaranda 7:75
guaraní **1:**244, 343; **9:**241; **10:**322
guaraní, lengua **2:**17
guaraníes 7:75
— indígenas **10:**322
— los guaraníes y su cultura **7:**76
— los tupí-guaraníes **7:**75
— pampeanos **1:**32
Guaranítica, guerra **9:**241
guarapo **2:**272
guarayú **7:**309
Guarda, meseta de **11:**174
guardabosques **3:**52
guardabrazos **2:**42
Guardafuí en África **1:**338
Guardafuí, cabo **1:**92
guardas **8:**292
guardasol **14:**72
guardería **5:**291
Guardia Civil **13:**164
Guardia de Corps **7:**1; **12:**67; **10:**288
Guardia de Hierro **1:**315; **12:**131
Guardia forestal **6:**194
Guardia Gutiérrez, Tomás 7:76
biografía **7:**76
Guardia Imperial **5:**234
Guardia marina **2:**40
Guardia Repúblicana, Francia **2:**237
guardia suiza **8:**125
Guardia, Calderón **4:**271
Guardia, Ricardo Adolfo de la **10:**302
Guardián del espacio **2:**100
Guardias reales **13:**270
Guardias reales británicos uniformados **13:**305
Guardini, Romano 7:76
bibliografía **7:**76
Guardo, Juana de **14:**32
Guardunha **11:**173
Guareschi, Giovanni 7:76
bibliografía **7:**76
Guárico 7:76
Guarigiche **9:**273
Guarionex **5:**159; **11:**239
Guarirí **12:**211
Guarneri **14:**98
Guarnición, iglesia de la **11:**180
Guarnieri, Mozart Camargo 7:76
obra **7:**76
guarro **3:**329
Guasave **12:**330
Guasayán, sierra de **6:**308
Guascorán **12:**181
Guastalla **11:**142
Guatavita, lago **5:**165
Guatavita, laguna de **4:**32
Guatemala 7:76
— arquitectura **7:**78
— Capitanía General de **4:**203; **10:**93
— aiudades **7:**78
— alima, flora y fauna **7:**77
— aomunicaciones **7:**78
— aostas **7:**77
— educación **7:**78
— escultura **7:**79
— geología y volcanes **7:**77
— hidrografía **7:**77
— historia **7:**80
— la Antigua **7:**79
— la Nueva **7:**81
— literatura **7:**80
— música **7:**79
— orografía **7:**76
— pintura **7:**79
— población y gobierno **7:**79
— recursos Naturales y economía **7:**77
Acatenango **1:**43
Cakchiquel **3:**156
cooperativa **4:**232
Guatemala **1:**233;**1:**312
Izabal **8:**70
maíz **9:**38
Retalacheuleu **12:**33
Samalá, río **12:**33
suchiate **13:**65
Zacapa **14:**169
Guatemala, Ciudad de 7:81
guató **7:**309, 310
Guaviare (San José de Guaviare), **4:**140
Guaviare **8:**290; **13:**83; **14:**78
Guaviare, río **4:**137; **5:**74; **7:**73; **10:**251
guayaba 7:81
Guayabos, combate de **8:**200
guayaco 7:81
guayacol **4:**281
Guayama 7:81
Guayama, distrito **11:**230
Guayana Francesa 7:81
— Gente **7:**82
— Historia **7:**82
— Tierra y economía **7:**81
América del Sur **1:**237
Cayena **3:**304
Francia **6:**219
Guayana, ciudad **14:**42
Guayana, sierra **1:**241
Guayanas **1:**118; **3:**245; **4:**257; **6:**325; **7:**310; **11:**100
Guayanas, meseta de las **14:**43
Guayanas, montañas de las **1:**238
Guayape, cuenca del **9:**62
Guayaquil 7:82
— golfo de **5:**198; **7:**15
— Junta de Gobierno de **10:**208
— revolución de **9:**88
Babahoyo **2:**207
Ecuador **5:**197
Latacunga **8:**180
Nova, Diego **10:**143
puerto **11:**166, 229
Sucre, Antonlio José de **13:**65
Guayaquil **12:**197
Guayaquil, Ecuador **7:**82
Guayas 7:82
Milagro **9:**221
Guayas, río **5:**196, 198; **7:**82
Guayasamín, Oswaldo 7:82
Ecuador **5:**202
obra **7:**82
guaycur-pericú **7:**309
guaycurú **7:**309; **10:**164; **13:**209
Guaymallén **9:**165
Guaymas, México **2:**220; **13:**40, 41
Guaymí **10:**301
Guaynabo, barrio de **2:**269
Guayquiraró, río **5:**268; **10:**324
Guayra, salto de **10:**321, 324
guayule 7:83
Guazú **13:**326
Gucumatz **11:**254
Gudiño **5:**295; **9:**205
Guebriant **5:**74
guebros **8:**37
Gueculbu **1:**343
Gueiler, Lidia **3:**30
Güeldres **7:**207
güelfos **6:**181
güelfos y gibelinos 7:83
Güemes Pacheco, Juan Vicente 7:83
biografía **7:**83
Güemes, Juan Martín 7:83
biografía **7:**83
Guenot, L. **6:**230
guepardo 7:83
Guercino **12:**194
Guericke, Otto von 7:83
biografía **7:**83
Guérin **5:**39
Guernesey **2:**205, 240; **7:**32; **14:**7
Guernesey, raza **6:**277
Guernica 7:84
Espartero, Baldomero Joaquín Fernández **6:**8
Guernica, Pablo Picasso **7:**83
Vizcaya **14:**119
Guerra *Guerrita*, Rafael **13:**127
guerra 7:84
— anfibia **7:**323
— Anglo-Boer **7:**85; **13:**281
— Árabe-Israelí **1:**337; **7:**14
— Austro-Prusiana **7:**85
— Causas y razones **7:**84
— Chino-Japonesas **7:**85
— Civil de España **4:**172; **5:**319; **7:**85; **13:**5
— Civil Libanesa **13:**7
— colonial contra Inglaterra **1:**341
— contra Austria **1:**161, 216
— cruzadas **7:**84
— de África **11:**197

— de Aragón **1**:175
— de Castas **2**:30
— de Corea **1**:54; **7**:86; **13**:44
— de Crimea **1**:157; **7**:85; **13**:47
— de Cuba **2**:335
— de Dacia **1**:75
— de Granada **5**:233
— de la Fronda **5**:177
— de la Revolución Francesa **7**:85
— de las Alpujarras **1**:26
— de las Dos Rosas **5**:209; **7**:85; **13**:280
— de las Galias **2**:263
— de las Investiduras **13**:323
— de Liberación de Angola **1**:286
— de los boers **13**:15
— de los Cien Años **5**:177, 208; **7**:85
— de los países árabes **1**:337
— de los Siete Años **7**:85
— de Los Siete Jefes **1**:305
— de los titanes **5**:274
— de Los Treinta Años **1**:160; **4**:151; **5**:35; **7**:85; **13**:70
— de Oriente **2**:160
— de Peloponeso **1**:149; **7**:84
— de Persia o Médicas **7**:84
— de Restauración **5**:161, 176
— de Secesión **1**:30; **3**:99, 265; **5**:281; **13**:60, 256
— de seis días **5**:228
— de Suavia **13**:81
— de Sucesión de Austria **7**:85
— de Sucesión de España **5**:317; **7**:85; **13**:5
— de Tres Años **1**:214
— de Troya **1**:331; **5**:257; **7**:84; **13**:147, 174
— de Vietnam **5**:136; **7**:86
— del Chaco **1**:20; **13**:57
— del Danubio **2**:160
— del golfo Pérsico **3**:124; **5**:149; **7**:86
— del opio **2**:99
— del Peloponeso **5**:47; **13**:134, 258
— entre España y Estados Unidos **1**:116
— Franco-Prusiana **1**:32; **2**:220; **5**:177; **6**:83; **7**:85
— Fría **3**:7; **5**:177; **6**:248; **13**:18
— Germanica secunda **2**:160
— Grande **1**:246
— Las Guerras en América **7**:86
— Mundial, Primera **7**:85
— Mundial, Segunda **7**:86
— Napoleónicas **7**:85
— Púnicas **7**:84
— Ruso-Japonesa **7**:85
— Ruso-Turca **7**:85
Guerra del golfo Pérsico **2**:74
Guerra del golfo Pérsico **5**:234
Guerra Junqueiro, Abilio Manuel **7**:89
biografía **7**:89
guerra del Pacífico **7**:89
Guerra Mundial, Primera **7**:90
— aeroplanos y submarinos **7**:92
— antecedentes **7**:90
— bajas y pérdidas **7**:93
— características militares **7**:92
— efectos políticos y sociales **7**:92
— el estallido **7**:90
— en el mar **7**:92
— la paz **7**:92
— operaciones militares **7**:90
Guerra Mundial, Segunda **7**:93
Aalto, Albar **1**:17
Guerra Mundial, Segunda **1**:82
Guerra Paraguayo-boliviana **7**:97
— la guerra **7**:97
— mediación panamericana **7**:97
Guerra Ruso-Finlandesa **7**:98
— las hostilidades en 1939 **7**:98
— la Guerra de 1941 **7**:98
Guerra Sánchez, Ramiro **7**:99
bibliografía **7**:99
guerra Santa **2**:97; **5**:206, 207; **9**:5
Guerra y Azuola, Ramón **7**:101
biografía **7**:101
Guerra, José Eduardo **7**:86
bibliografía **7**:86
guerra, monumento a la **10**:194
Guerras Médicas **2**:99, 100; **5**:232; **13**:134
guerras nucleares **11**:272
guerras Púnicas **1**:250; **2**:11; **5**:313, 280; **11**:334 **13**:121
Guerrero **7**:101
— historia **7**:102
Chilpancingo, Congreso de **4**:45
Iguala Plan de **7**:267
Taxco o Tasco **13**:127
Guerrero Galván **13**:87
guerrero masai, Tanzania **13**:114
guerrero papú **1**:318
guerrero Zulú **14**:190
Guerrero y Torres, Jacinto **7**:102
obra **7**:102
Guerrero, Francisco **7**:102
biografía **7**:102
Guerrero, Gonzalo **1**:115
Guerrero, Manuel Amador **10**:302
Guerrero, María **7**:102
biografía **7**:102
Guerero, Vicente **7**:102
biografía **7**:102
Independencia **7**:295
Iturbide, Agustín **8**:67
México **9**:199
guerreros sajones **5**:232
guerrilla sandinista **13**:36
guerrillas musulmanas **13**:309
guerrilleros Enver Oxha **1**:138
Guerrini, Olindo **13**:53
Guerritiz, Kirck **5**:79
Guevara, Vasco de **2**:192
Guevara Valdés, Antonio **12**:184
Guevara, Ernesto **7**:102
biografía **7**:102
Guevara, Ernesto Che **12**:42
Guevara, Juan Bautista de **11**:63
Guggenheim **7**:102
Beca **2**:273
Covarrubia, Miguel **4**:274;
Maccio, Rémulo **9**:6
Sandoval Vallarta, Manuel **12**:204
Tamayo, Rufino **13**:109
Zavala, Silvio **14**:175
guía **7**:102
guía y control, sistemas de **7**:102
— Métodos de guía y control vía satélite **7**:102
— Dispositivos de guía y control **7**:103
Guibaut, A. **5**:75
Guiberto, antipapa **13**:323
Guicciardi, Giulietta **2**:276
Guicciardini **7**:192
Guidada, Negasso **6**:70
Guido di Pietro da Mugello **1**:280, 281
Guido Reni **8**:66, 313
Guido Spano, Carlos **7**:103
bibliografía **7**:103
Guido, José M **2**:24
Guido, Tomás **12**:*195*
Guiericke, O. von **1**:167
Güija, lago de **7**:76
guildas **4**:252
Guillaume, Charles-Edouard **7**:103
biografía **7**:103
Guillaumin, Armand **7**:286
Guillemin, Roger Louis **7**:104
biografía **7**:104
Yalow, Rosa Lyn Sussman. **14**:159
Guillén Zelaya, Alfonso **7**:219
Guillén, Asilia **10**:95
Guillén, Jorge **7**:104
bibliografía **7**:104
Guillén, Nicolás **7**:104
bibliografía **7**:104
Latinoamérica **8**:191
Guillermina I **7**:104
biografía **7**:104
Guillermo de Holanda **7**:133
Guillermo de Normandía **7**:40, 104
Guillermo *el Piadoso*, duque de Aquitania **10**:235
Guillermo Herschel **7**:159
Guillermo I de Orange **7**:104
biografía **7**:104
dinastía **5**:129
Guerra Franco Prusiana **7**:89
Guillermo I de Prusia **1**:161; **14**:58
Guillermo I *el Conquistador* **7**:104
biografía **7**:104
corona **4**:251
Edad Media **5**:207
Gran Bretaña **7**:40
Londres **8**:304
Nottingham **10**:137
torre de Londres **13**:227
Windsor **14**:152
Guillermo I, emperador de Alemania **1**:204; **10**:203
Guillermo II **7**:104
biografía **7**:104
Ana Estuardo **1**:255
Antártida **1**:302
Bismark, Otto von **2**:331
Constantino I **4**:217
correo **4**:255
Guerra Mundial, Primera **7**:92
abdicación **1**:20
Defoe, Daniel **5**:37
Gran Bretaña **7**:41
Guillermo II *el Rojo* **7**:104
biografía **7**:104
Guillermo III **7**:104
biografía **7**:104
Luxemburgo **8**:329
Marruecos **9**:108
puritanismo **11**:244
Revolución Inglesa **12**:53
Guillermo IV de Inglaterra **1**:67; **7**:42; **10**:70; **14**:77
Guillermo IV, rey de Prusia **7**:104
Guillermo IX **13**:273
Guillermo Tell **7**:104
Guillot, Claude **14**:143
guillotina (artes gráficas) **7**:104, 105
guillotina **7**:104, 105
Guimarães Rosa, João **7**:105
bibliografía **7**:105
Brazil **3**:76
Guimerá, Ángel **7**:105
biografía **7**:105
Guinard **12**:57
guindilla **11**:91
guindo **7**:105
Guinea **7**:105
— bandera de **2**:240
avicultura **2**:189
Costa de Marfil **4**:266
Francia **6**:225
Liberia **8**:242
Sierra Leona **12**:318
Sousa, Martín **13**:45
Guinea Ecuatorial, República de **7**:106
— bandera de **2**: 240
Fernando Poo **6**:136
Guinea Española **6**:136
Guinea, corrientes de **4**:257
Guinea, Golfo de **1**:92; **4**:266; **7**:106; **10**:100; **13**:210
Guinea, isla del Golfo de **5**:265
Guinea, Nueva **14**:9, 113, 180
Guinea, República de **7**:105
Guinea-Bissau **7**:105
— bandera de **2**:240
Soares, Mário **13**:15
Guiniguada, río **10**:294
Guinizelli, Guido **8**:64
Guinness, sir Alec **7**:107
biografía **7**:107
Guion Bluford **13**:243
Guipúzcoa **7**:107
Vasco **14**:28
Güiraldes, Ricardo **7**:107
bibliografía **7**:107
Latinoamérica **8**:189
güiras **8**:101
Guisa **7**:107
Güisa **12**:210
Guisa y Acevedo, Jesús **7**:107
bibliografía **7**:107
Guisa, Catalina de **10**:308
Guisa, duque de **5**:264; **6**:126; **7**:245
Guisa, familia de **7**:244
guisante **7**:107
guisante de olor **7**:107
Guise, María de **9**:94
guitarra **7**:107
guitarra electroacústica **8**:11
Guitry, Sacha **7**:107
biografía **7**:107
Guittone **8**:64
Guizot, François **7**:108
bibliografía **7**:108
Gujarat **7**:108, 300
gujarati **12**:209
Gujerate (Gandhinagar) **7**:299
Gujral **7**:302
gujurati **7**:300
Gulbransson **3**:246
Gulbudin Hekmatyiar **1**:91
Gulf Stream **1**:231; **7**:15
Gulge **10**:287

Gulliver 7:108
Gullstrand, Alvar 7:108
biografía **7:**108
Gumälius **13:**71
Gumarcaah, Utalán **11:**254
Gumersindo, san **13:**212
gumía **14:**65
Gumilla, José **14:**46
Gumplowicz, Ludwing **11:**273
Gumúchil **12:**330
Gunder Frank, André **13:**60
Gundislavo **13:**153
Gunnar Horn **6:**96
Gunnbjörn **5:**71
Gunter, Edmund **11:**332
Guntis Ulmanis **8:**234
Guntram **13:**57
Guo Xiang **4:**63
Gurdjieff, George Ivanovich 7:108
biografía **7:**108
Guridi, Jesús 7:108
obra **7:**108
Guriev **13:**320
Gurinovic, Adam **12:**149
Gurión, David Ben **12:**336
gurkas **10:**73
Gürsel, Celal **13:**297
Gurvitch, Heorges **6:**228
gusano de seda 7:108
artrópodo **2:**78
capullo **3:**228
fibra **6:**145
gusanos 7:109
— cilíndricos **14:**183
— de luz **8:**316
— de mar café **1:**275
— del maíz **9:**37
Gusmano, José Xanana **13:**196
Güssefeldt **1:**53
Gustafsson Oxenstierna, Axel **13:**71
Gustafsson, Greta Lovisa **6:**282
Gustar Robert **6:**10
Gustav Mahler **9:**31
Gustavo Adolfo, rey de Suecia **2:**75; **5:**233; **7:**323; **12:**144; **13:**70;
Gustavo de Beaumont **13:**209
Gustavo II 7:109
biografía **7:**109
Gustavo III **13:**71
Gustavo V, rey **2:**106; **13:**70
Gustavo VI **13:**70
Gustavo, Carlos **4:**293
gusto 7:109
GUT (Teorías de la Gran Unificación) **7:**50
gutapercha 7:109
Gutenberg, Johann 7:28
biografía **7:**28
comunicaciones **4:**183
encuadernación **5:**254
libro **8:**252
prensa **11:**189
Thorvaldsen, Bertel **13:**183
Guthrie **4:**116
Guthrie, teatro **9:**229
Gutiérrez Alea, Tomás **4:**316
Gutiérrez de Bastidas, Rodrigo **12:**215
Gutiérrez, Felipe **9:**206
Gutiérrez González, Gregorio 7:111
bibliografía **7:**111
Gutiérrez Nájera, Manuel 7:111
bibliografía **7:**111
Gutiérrez Solana, José 7:111
obra **7:**111
Gutiérrez y Espinoza, Felipe **11:**239
Gutiérrez, Alberto 7:110
obra **7:**110
Gutiérrez, Diego **4:**269
Gutiérrez, Eduardo 7:110
bibliografía **7:**110
Gutiérrez, Eulalio 7:110
biografía **7:**110
Gutiérrez, Felipe **4:**269; **14:**53
Gutiérrez, Gustavo **11:**62
Gutiérrez, Joaquín **4:**143
Gutiérrez, José María **5:**185
Gutiérrez, Juan María 7:110
bibliografía **7:**110
Gutiérrez, Ramón **7:**189
Gutiérrez, Ricardo 7:111
bibliografía **7:**111
Gutiérrez, T. Guardia **6:**133
Guts Muths **5:**220
gutta **8:**180
Guy de Lusignan **10:**96
Guy, Buddy **3:**9
Guyana 7:111
— bandera de **2:**240
— Historia **7:**112
Amazonas, río **1:**222
George Town **6:**315
Latinoamérica **8:**182
Guyena, Leonor de **6:**221
Guyot, monte **6:**31
Guyton de Morveau, Louis-Bernard **6:**230; **11:**261
Guyuk **9:**276
Guzmán Blanco, Antonio 7:112
biografía **7:**112
Guzmán Chuchaga, Juan 7:112
bibliografía **7:**112
Guzmán de Alfarache **11:**79
Guzmán *el Bueno* **12:**202; **13:**119
Guzmán y Pimentel, Gaspar de 7:112
biografía **7:**112
Guzmán, Alberto **11:**63
Guzmán, Antonio **5:**162
Guzmán, Diego de **14:**160
Guzmán, Domingo de **10:**236
Guzmán, Eduardo 7:112
bibliografía **7:**112
Guzmán, Leonor de **5:**264
Guzmán, Martín Luis 7:112
bibliografía **7:**112
Guzmán, Nuño de **4:**328; **7:**71; **8:**77; **11:**268
Guzmán, Ruy Díaz de 7:112
Gwalior **7:**298
Gyatso, Tensin **5:**7
Gyula Kállai **7:**252
Gzhatsk **6:**261

H

h 7:113
Haakón VII, rey de Noruega 7:113
biografía **7:**113
Noruega **10:**136
Haanpää, Paavo **6:**161
Haardt, G. M. **5:**75
Haarlem **7:**125; **12:**152
Haavelmo, Trygve 7:113
bibliografía **7:**113
haba 7:113
haba de san Ignacio 7:113
Haba, Alois **10:**12
Habacuc 7:113
Biblia **2:**309
Habana, Ciudad de La 7:113
Habana, La 7:114
Acuerdo General sobre Aranceles y Comercio **1:**61
Danvila, Alfonso **5:**12
Maceo y Grajales, Antonio **9:**7
habanera 7:115
danza **5:**14
hábeas corpus 7:115
Haber, Fritz 7:115
nitrógeno **10:**106
obra **7:**115
Haber-Bosch, método de **10:**107
Habib Bourguiba **13:**285
habichuela 7:115
alubia **1:**209
habilidad 7:115
habitación 7:115
— derecho de **14:**31
habitación **9:**104, 254
hábitat 7:115
especie **6:**9
vida **14:**81
hábitat natural **1:**293
hábito 7:116
Haboma **8:**150
Habsburgo, casa de 7:116
Austria **2:**167
Croacia **4:**295
Eslovenia **5:**301
Hispanoamérica **7:**187
Latinoamérica **8:**185
Richelieu, Armand jean du Plessis, cardenal y duque de **12:**63
Suiza **13:**80
Habyarimana **12:**121
Hacckel, Charles **6:**86
hacha 7:116
armadura **2:**42
técnica y tecnología **13:**135
Hachim **9:**31
hachís 7:116
cáñamo **3:**222
estupefacientes **6:**66
marihuana **9:**95
narcótico **10:**40
pipa **11:**104
Hacho, monte **4:**13
hacienda pública 7:116
Haciendas, río **4:**267
hacinamiento **7:**202
Hadad o Adad 7:116
Hadamard, Jacques **6:**230
hadas y gnomos 7:116
folklore o folclor **6:**188
Hades **5:**274; **9:**235; **11:**142; **14:**177
Haditsa **6:**72
Hadji Mirza, Yahya Dolatabi **8:**39
Hadley, grietas de **2:**120
hadrón 7:118
Haeckel, Ernst Heinrich 7:118
bibliografía **7:**118
embriología y embrión **5:**248
filogenia **6:**156
materialismo **9:**131
ontogenia **10:**213
Haedo, Cuchilla de 7:118
Haedo, Víctor 7:118
biografía **7:**118
Haeinsa **1:**350
Haendel, Georg Friedrich 7:118
Alemania **1:**165
Couperin, François **4:**273
giga **6:**323
obertura **10:**172
obra **7:**118
plagio **11:**117
Sajonia **12:**168
Haënke, Tadeo 7:119
biografía **7:**119
Haertling, Guadalupe **7:**219
Hafez, Mohammed 7:119
biografía **7:**119
Hafizullah Amin **1:**91
hafnio 7:119
Hevesy, George von **7:**161
titanio **13:**204
Haganah **10:**292; **11:**44
Hagen **10:**157
Hagenbeck, Carl 7:119
biografía **7:**119
Haggard, sir Henry Rider 7:119
bibliografía **7:**119
Haggi Zaina-i-Abidin **8:**39
hagiografía 7:119
Hague, William **7:**43
Hahn, Otto 7:119
Alemania **1:**167
biografía **7:**119
fisión **6:**170
Meitner, Lise **9:**156
Hahnemann, Christian Frederich Samuel 7:119
bibliografía **7:**119
homeopatía **7:**213
Hai, río **4:**46
Haiderabad 7:120
Haifa 7:120
Haifa **8:**56
Haifong, puerto **7:**313; **14:**90
Haig, Alexander Meigs, Jr. 7:120
biografía **7:**120
haiku 7:120
Haile Selasié I 7:120
biografía **7:**120
Hainán 7:121
Hainaut, condado **2:**284; **5:**277
Haití 7:121
— economía **7:**121
— gente **7:**121
— historia y gobierno **7:**121
— tierra **7:**121
América del Norte **1:**236
Colodge, Calvin **4:**231
Estados Unidos **6:**42
Haití **5:**161
Latinoamérica **8:**186
Monroe, James **9:**281
negro **10:**67
Piar, Carlos Manuel **11:**79
vodu o voduismo **14:**125
hakia **2:**272
Hakluyt, Richard **6:**40
Hakodade **6:**41
Halach Uinic 7:122
Halaib **13:**67
halcón 7:122
Arizona **2:**35
cernícalo **3:**335
Haldane, John Burdon Sanderson 7:124
bibliografía **7:**124

Hale, William J. **11**:263
Hales, Alejandro de **3**:96
Haley, Alex **6**:44
Haley, Bill **3**:9
Halffter, Ernesto y Rodolfo **7**:124
biografía **7**:124
España **5**:319
Halicarnaso **7**:156; **12**:320
Halicarnaso, Dionisio de **2**:51; **11**:147
Halifax **10**:156 **11**:229
Halifax, astillero naval **2**:75, 106
Hall, Albert **11**:16
Hall, Charles Martin **1**:212
Hall, efecto **7**:124
Hall, Granville Stanley **7**:124
biografía **7**:124
Hall, Willard **5**:41
Hallet, Dale **8**:299
Halley, cometa **2**:128
Halley, Edmond **7**:124
— el cometa **7**:121
biografía **7**:124
estadística **6**:29
Newton, sir Isaac **10**:88
halloween **7**:124
Hallwachs, Guillermo **3**:318
Halmaera **9**:270
halógenos **7**:124
flúor **6**:184
yodo **14**:163
Hals, Franz **7**:125
estilo **6**:54
Hals, Frans **12**:35
Louvre **8**:313
obra **7**:125
Ostade, Hermanos Van **10**:267
pintura **11**:94
Hälsingborg **13**:69
Halske, Georg **12**:317
Halsted, William Stewart **4**:94
Haltiatunturi **6**:159
Hama **10**:130
hamaca **7**:125
vivienda **14**:111
Hamacas, valle de las **12**:200
hamadan **2**:10
hamadas **12**:165
hamadríadas **10**:103
hamamelidáceo **10**:183
Hamann, Johann Georg **1**:166
Hamatah, Jebel **5**:224
hambre **7**:125
Hamburgo **7**:119
Alemania **1**:165
banco **2**:235
Copenhague **4**:233
ghetto **6**:321
jardín zoológico **8**:86
puerto **11**:229
Shopenhauer, Arthur **12**:248
Hamel, río **6**:175
Hamelin **6**:175
Hamilton, Alexander **1**:65; **12**:45
Hamilton, Emma Lady **7**:126
biografía **7**:126
Nelson, Oratio **10**:70
Hamilton, sir William **7**:126
Alembert, Jean Le Rond D' **1**:168
biografía **7**:126
símbolos matemáticos **12**:327
Hamlet **7**:126
Copenhague **4**:233
Dinamarca **5**:126
espectro **6**:10
Ofelia **10**:187
Tchaikovsky, Piotr **13**:130
Hammarskjöld, Dag **7**:126
biografía **7**:126
Hammerfest **10**:135
Hammett, Dashiell **7**:126
bibliografía **7**:126
Hammond **2**:138; **7**:306
Hammurabi **7**:126
— código de **5**:59; **14**:73
— imperio de **12**:275
biografía **7**:126
Nínive **10**:103
Hampshire **10**:274; **14**:150
Hampshire Down, raza **6**:278
Hampshire, condado de Inglaterra **10**:84
Hampson, William **1**:123
Hampton, Escuela Normal de **14**:140
hamster **7**:127
Hamsum, Knut Pederson **7**:127
bibliografía **7**:127
Han Sin **4**:167
Han Sui **7**:127
Han Yu **4**:58
Han, dinastía **5**:70
Han, río **12**:298
Han, río **4**:49, 245
Hanabanilla, salto del **4**:311
Hanak, Anton **2**:168
hanaq-paca **7**:293
Hancock, parque **2**:82
handball **7**:127
Händel, George Frederich **3**:312; **4**:250; **6**:248
handicap **7**:127
Handke, Peter **2**:168
Handy, W.C. **3**:9
Hanford, complejo de **10**:153; **11**:142
Hanford, Estados Unidos **2**:152
Hanga Roa **4**:37
Hangar de mantenimiento de aviones **1**:8; **7**:318
Hangchow **7**:127
Hang-Keu **2**:98
hanif **1**:334
Hanke, Tadeo **2**:25
Hankow **7**:127
Hanks, Nancy **8**:263
Hanley (Stafforshire) **2**:294
Hannibal **9**:244
Hannón **1**:291; **7**:279; **8**:226
Hannover **7**:127
— guerra de **10**:330
Alemania **1**:165
Bergius, Friedrich Carl Rudolph **2**:296
Jorge I **8**:108
Pintura **11**:98
Hannover **8**:86; **5**:294; **10**:331
Hanoi **7**:196, 313; **14**:90
Hans **2**:211
Hans Arp **9**:263
Hansa **7**:128
Hansa, barrio **2**:300
Hansdorf **2**:277
Hanseática, Liga **6**:124
Hansen, Emil **1**:166
Hanska, Evelina, condesa **2**:231
Hansson, Ola **13**:71
Hanswurst **13**:205
Hanuman **11**:293
Hanuman **13**:102
haol **14**:63
hapálidos **9**:278; **13**:205
hara (vientre) **7**:128
harakiri **7**:128
Harar **6**:68
Harare **14**:178
Harare en Zimbabwe, África **1**:96
Harawi, Elías **8**:241
Harbin **7**:98; **9**:53
Harbin, Karbin o Kharbin **7**:129
hardedge **9**:233
Harden, Arthur, sir **6**:73
Harden, sir Arthur **7**:129
biografía **7**:129
Hardenberg, Friederich von **1**:92, 166; **10**:138
Hardeveld **13**:312
Harding, Warren **4**:231
Harding, Warren Gamaliel **6**:42
Hardinxvel **7**:206
Hardouin-Mansart, Jules **6**:228; **14**:58
hardware **7**:129
computadora **4**:179
programa (computación) **11**:209
Hardy, Oliver **7**:129
biografía **7**:129
Hardy, Thomas **7**:129
bibliografía **7**:129
literatura **8**:280
Hare Krisna **7**:129
harén **7**:129
Arabia **1**:334
vivienda **14**:112
Harff, Renania **2**:9
Hargrave **4**:168
Hargreaves, James **7**:129
Arkwrigh, Richard **2**:37
biografía **7**:129
textiles **13**:180
harina **7**:129
— de arvejas **2**:79
— del amasijo **1**:348
harina de trigo **13**:265
Haring Kirpatrick, C. H. **8**:238
Harlem **7**:130
New York **10**:89
Harlem Brundtland, Gro **10**:136
Harlem, río **9**:57
Harley y Bolingbroke **1**:256
Harlingen **7**:205
Harlstadt **8**:214
Harmsworth **2**:138
Harnataka (Bangalore) **7**:299
Haro, Guillermo **9**:202
Harold I rey **10**:135
Haroldo **7**:104
Harpago **4**:92
Harpalo **5**:48
Harpe, la **1**:157
Harper, William R. **5**:219
Harpestreng **5**:126
Harpya **2**:48
Harriot, Thomas **12**:327
Harrisburg **11**:38
Harrison, George **2**:271
Harrison, Rex **7**:130
biografía **7**:130
Harrison, William **5**:48; **14**:144
Harrysburg **11**:40
Harsanyi, John Charles **12**:269
Harsanyi, John Charles **7**:130
biografía **7**:130
Hart Benton, Thomas **9**:335
Hart, Johnny **4**:170
Hart, Marvin **3**:63
Hart, teorema de **4**:92
Harte, Francis Brett **7**:130
bibliografía **7**:130
Hartford Alabama, EE.UU **1**:181; **4**:210, 211; **12**:54
Hartley, R.W. **7**:327
Hartline, Haldan Keffer **7**:130
biografía **7**:130
Wald, George **14**:138
Hartling, Poul **5**:126
Hartmann, Eduard von **7**:293
Hartmann, Karl Amadeus **1**:165
Hartmann, Nicolai **7**:131
biografía **7**:131
Romero, Francisco **12**:107
Hartogszoon, Dirk **5**:77
Hartranft, Chester D **6**:257
Hartree,Douglas R. **7**:44
Hartsfield, Henry **13**:243
Hartsoeker, Nicolaus **4**:228
Hartung, Hans **1**:167
Hartzenbusch, Juan Eugenio **7**:131
bibliografía **7**:131
drama **5**:171
Romanticismo **12**:106
Harún al-Rasid **7**:131
biografía **7**:131
Harvard, John **6**:35; **7**:131
Harvard, Universidad de **7**:131
Harvey Oswald, Lee **8**:138
Harvey, B. G. **9**:163
Harvey, William **7**:131
anatomía **1**:261
biografía **7**:131
ciencia **4**:75
embriología y embrión **5**:248
Harz, macizo del **1**:163
Harz, montes **7**:131
Hasa **1**:336; **2**:217
Hasan Ali Shah **1**:98
Hasek, Jaroslav **4**:28
Hashimoto, Ryutaro **8**:84
hashis **2**:81
hashisim **2**:81
hasidismo **12**:158
hasimí **1**:335
Hasingan **9**:52
Hasíodo **7**:160
hasmi **1**:336
Hassan II **7**:131
biografía **7**:131
Marruecos **9**:107
Sahara español o Sahara occidental **12**:165
Hassan Morales, Moisés **10**:95
Hassan, mezquita de **11**:271
Hassanein Bey **5**:76
Hasse **1**:163
Hassel, Odd **7**:131
biografía **7**:131
Hassler, F. **9**:69
Hassler, Leo **1**:165
hastarios **8**:210
Hastinapura **9**:30
Hastings, Warren **7**:131
biografía **7**:131
Bután o Bhután **3**:125
Hata Yoga **11**:11
Hatchett, Charles **10**:103; **13**:113
Hathaway, Ana **12**:303
Hathor **2**:105
hatos **1**:242

Hatsepsut, reina **2:**53
Hatshepsut **3:**267; **13:**298
Hatteras, Cabo **1:**229; **4:**257
Hatuey **14:**37
Hatzfeld, H. **6:**52
Hauck, Frederick **13:**243
Hauff, Wilhelm 7:131
 bibliografía **7:**131
Haug, Émile **6:**230
Haughey, Charles **8:**45
Haullaga, río **7:**235
Hauptmann, Gerhart 7:131
 Alemania **1:**166
 bibliografía **7:**131
 drama **5:**171
 Reinhardt, Max **11:**336
hausa **10:**66, 100; **13:**192
Haussmann, Georges Eugène **10:**39, 328
Haussofer **10:**25
Haüy **11:**152
Havasu **2:**36
Havel, río **11:**180
Havel, Vaclav **4:**27
Havers, canales de **10:**263
Havre, El 7:132
 Canal de la Mancha **3:**207
 Dufy Raoul **5:**176
Hawai 7:132
 ananás **1:**259
 arroz **2:**61
 descubrimientos y exploraciones geográficos **5:**77
 Hawai **1:**345; **4:**74
 montañismo **9:**285
 Estados Unidos **6:**38
 Oceania **10:**179
 Pearl Harbor **11:**22
 volcán **14:**127
Hawking, Stephen William 7:133
 bibliografía **7:**133
Hawkins, sir John 7:133
 biografía **7:**133
 Isabel I **8:**48
Hawks, Howard **1:**87; **7:**50; **9:**281
Haworth, Walter Norman 7:133
 biografía **7:**133
Hawthorne, Nathaniel 7:133
 bibliografía **7:**133
 literatura infantil **8:**285
haya 7:133
 árbol **1:**347
 madera **9:**12
Haya de la Torre, Víctor Raúl 7:134
 aprismo **1:**330
 biografía **7:**134
 Perú **11:**65
Haya y Fernández, Diego de la 7:134
 biografía **7:**134
Haya, La 7:133
 — historia **7:**134
 Amsterdam **1:**253
hayaca 7:134
Hayao Miyazaki **4:**171
Haydn, Franz Josef 7:134
 Austria **2:**167
 Bruckner, Anton **3:**88
 música **10:**257
 obra **7:**134
 Pleyel, Camilo **11:**138
Haydn, Miguel **14:**144
Hayek, Friedrich August von 7:134
 bibliografía **7:**134
 Myrdal, Carl Gunnar Myrdal **10:**20
Hayworth, Rita 7:135
 biografía **7:**135
 Astaire, Fred **2:**105
haz de electrones **13:**149
Hazlitt, William 7:135
 bibliografía **7:**135
Heaney, Seamus 7:135
 bibliografía **7:**135
Heard **2:**163
Hearn, Lafcadio 7:135
 bibliografía **7:**135
Hearst, William Randolph 7:135
 biografía **7:**135
 cómic **4:**169
Heath, Edward **8:**154; **7:**43
Heath, Sir Edward **8:**89
Heathcliff **10:**206
Heaviside, Oliver **11:**284
Hebbel, Christian Friedrich 7:135
 aforismo **1:**92
 bibliografía **7:**135
Hebe **2:**105; **7:**152; **14:**177
Hébert, Lois Philippe **3:**205
hebilla **14:**71
hebra larga **7:**178
hebraicos, caracteres **14:**163
hebreo 7:135
 — la lengua hebrea **7:**135
 — la literatura hebrea **7:**136
 apócrifo **1:**325
 calendario **3:**163
 Egipto **5:**226
 Europa **6:**81
 labranza **8:**157
 metrología **9:**191
 profecía **11:**208
 semita **12:**275
 yiddish **14:**163
Hébridas, islas 7:136
 normandos **10:**130
Hécate 7:136
Hecatonquirros **6:**295
hechicería 7:136
hechicero **9:**175
Hechos de los Apóstoles 7:136
 misiones y misioneros **9:**242
Hecla **8:**52
Hecquet, Diógenes **13:**329
Héctor 7:137
 Andrómaca **1:**274
 Príamo **11:**196
 transportes **13:**249
Héctor Tosar **13:**328
Hécuba 7:137
 Casandra **3:**271
 Paris **10:**329
Hedborn **13:**71
Hedin, Sven Anders 7:137
 bibliografía **7:**137
 descubrimientos y exploraciones geográficos **5:**75
hediondillo 7:137
Hedjaz 7:137
 Arabia Saudita **1:**335
 Sa'ud Ibn 'Abd Al' Aziz **12:**243
Hedjaz, rey del **7:**259
Hedley, William **6:**138
Hedlinger, Jean Charles **13:**82
hedonismo 7:137
 eutanacia **6:**85
 utilitarismo **13:**333
hedonista, principio **10:**62
Heelden, Jan van **7:**209
HEF **9:**168
Hefesto **2:**134
Hefestos **13:**100; **14:**136
Hefestos, dios **10:**308
Hegel, Georg Wilhem Friedrich 7:137
 Alemania **1:**166
 bibliografía **7:**137
 Dewey, John **5:**98
 Feuerbach, Ludwig **6:**144
 Metafísica **9:**180
 Panteísmo **10:**308
 Sartre, Jean-Paul **12:**231
hegemonía **5:**204, 269
Hegenberg **1:**87
hegias **5:**226
Hégira **1:**320; **2:**216
Hehaim, Martin **9:**67
hehet **13:**114
Heidegger, Martin 7:138
 bibliografía **7:**138
 cartesianismo **3:**267
 existencia **6:**93
 Sartre, Jean-Paul **12:**231
 Zubri, Xavier **14:**190
Heidelberg 7:138
 biblioteca **2:**313
 Ebert, Friedrich **5:**184
 Michelson, Alberto Abraham **9:**213
 Oncken, Guillermo **10:**210
 Sanz del Río, Julián **12:**224
 Wundt, Guillermo **14:**155
Heidelberg, hombre de 7:138
Heidenstam, Karl Gustaf Verner von 7:138
 bibliografía **7:**138
 Suecia **13:**71
Heidenstam, Verner von **13:**71
Heidi **8:**285
Heifetz, Jascha 7:138
 biografía **7:**138
Heights, Brooklyn **10:**89
Heike Kamerlingh Onnes **13:**84
Heildelberg **1:**166
Heilprin, Ángel **5:**74
Heilungkiang **9:**52, 53
Heilung-Kiang **9:**52, 53
Heindenhain **11:**17
Heine **5:**182
Heine, Heinrich 7:138
 Alemania **1:**166
 bibliografía **7:**138
 balada **2:**221
 Romanticismo **12:**106
Heininen, Paavo **6:**161
Heinrich, Hohann **6:**239
Heinroth, Oskar **8:**308
Heiremans, Luis Alberto **4:**44
Heisenberg, Werner Karl 7:139
 biografía **7:**139
 determinismo **5:**95
 Lennard-Jones, John Edward **8:**222
 Sandoval Vallarta, Manuel **12:**204
Heiter, Guillermo **14:**46
Héitor Villa-Lobos **6:**190
Héjira **3:**164
helada 7:139
heladas **11:**94
Hélade **6:**7
Hélade 7:139
 Esparta **6:**7
heládica **7:**58
helados 7:139
Helcías **8:**94
Helder **6:**238
helechos 7:139
 Andes **1:**269
Helena 7:140
 Agamenón **1:**99
 caballo de Troya **3:**136
 Menelao **9:**166
 Troya **13:**273
Helénica, cultura **4:**165
Helénicas, tragedias **10:**215
helénico **13:**110
helenio 7:140
helenismo 7:140
 Giono, Jean **6:**326
helenístico **7:**60; **14:**63
helenístico romano, periodo **6:**55
Heleno **1:**274; **2:**134; **7:**60; **13:**131
Helesponto 7:140
 Asia **2:**97
 Dardanelos **5:**18
 Jerjes I **8:**95
 Mileto **9:**223
Heli **12:**187
Helíadas **1:**134
Heliade-Radulescu, Ion **12:**132
heliastas **2:**8
hélice 7:140
 — marinas **7:**141
 — aéreas **7:**141
 aeroplano **1:**85
 buque **3:**112
helicoceras **1:**252
helicoidal **9:**316
helicoidales **14:**50
Helicón **7:**55
helicóptero 7:141
 helicóptero **1:**80, 82; **3:**200; **4:**159; **13:**252
Heligoland 7:142
 Schleswig-Holstein **12:**247
helio 7:142
 — superfluido, teoría del **6:**144
 atmósfera **2:**141
 dirigible **5:**140
 globo aerostático **6:**334
 Lee, David M. **8:**209
 Ramsay, sir William **11:**297
Heliogábalo **7:**282; **9:**253
heliografía 7:142
heliógrafo 7:142
 telégrafo **13:**145
 comunicaciones **4:**182
 estación meteorológica **6:**29
Heliópolis **2:**251
helios **7:**143
helioterapia 7:142
heliotropismo **13:**273
heliotropo 7:143
 anhídrido **1:**290
Helles, Cabo **5:**18
Hells Canyon **7:**263
Helluland y Vinland **5:**274
Hellulandia **1:**232
Hellvag **6:**191
Helmantiké **12:**171
Helmholtz, Hermann Ludwig Ferdinand von 7:143
 biografía **7:**143
 fonética **6:**191
 oftalmoscopio **10:**190
 radiotelefonía y radiotelegrafía **11:**282

resonancia **12:**29
helmintiasis 7:143
helmintología **14:**181
Helmont **13:**161
Helmut Schmitt, C. **10:**25
Heloderma **8:**163
Helsingfors **7:**143
Helsingsborg **13:**69
Helsinki 7:143
— Pacto de **6:**192
derechos humanos **5:**63
Finlandia **6:**159
Helst, Bartolomé van der 7:143
obra **7:**143
Helvecia **13:**178
helvecio **7:**209; **13:**79
helvética **11:**20
Helvética, Confederación **14:**192
Helvetius, Claude **9:**131
Hemaka **12:**168
hematíes **1:**101; **12:**208
hematites o hematita 7:143
— parda **8:**262
— roja **10:**202
mineralogía **9:**230
pirita **11:**109
hematomas **5:**172
hematopoyesis 7:143
hematopoyéticos **12:***33*
hematozoario **6:**286; **8:**201
hembra **7:**186; **8:**162; **14:**175
Hemerken, Tomás **8:**137
hemeroteca 7:143, 144
hemicelulosa **3:**233; **12:**273
Hemicordios **14:**185
hemiélitros **7:**144
Hemingway, Ernest 7:144
bibliografía **7:**144
Corresponsal de guerra **4:**256
generación perdida **6:**299
Hemingway, Ernest **4:**311
Naturalismo **10:**48
Rulfo, Juan **12:**129
hemípteros 7:144
insecto **8:**9
chinche **4:**59
filoxera **6:**158
hemisferio 7:144
— austral **1:**303; **6:**62; **7:**124; **8:**54; **11:**198
— Boreal **2:**84; **11:**198
— de Magdeburgo **7:**144
— meridional **10:**324
— norte **2:**161; **4:**249; **5:**272; **6:**28; **10:**270; **11:**43
— occidental **1:**227, 235
— oriental **7:**144
— septentrional **1:**35; **8:**54; **10:**324; **14:**189
— sur **1:**100; **4:**249; **5:**272; **6:**28; **10:**270, 324
viento **14:**88
hemodiálisis 7:145
diálisis **5:**103
hemodializador **5:**103
hemofilia 7:145
hemoglobina 7:145
anemia **1:**276
glóbulo **6:**335
hemoglobinopatía **13:**104
hemolisinas **1:**305
hemólisis **6:**110
Hémon, Lois **3:**205
hemopoyesis 7:145
hemorragia 7:145
— cerebral **4:**238
— externa **7:**145
coagulación **4:**118
escorbuto **5:**282
primeros auxilios **11:**199
torniquete **13:**224
hemorrágica **9:**167
hemostáticas **6:**297
hemostático **5:**168
Hemsterhuis, Tiberio **7:**209
Henao, Braulio 7:146
biografía **7:**146
Henares **9:**20; **12:**5
Henares, Alcalá de **10:**333
Hench, Philip Showalter 7:146
biografía **7:**146
Hendaya **13:**303
Henderson **6:**14
Henderson isla de **11:**112
Henderson, Arthur 7:146
biografía **7:**146
Henderson, Arthur **8:**154
hendidor **7:**157
henequén 7:146
agave **1:**100
Henestrosa, Andrés 7:146
bibliografía **7:**146
Henize, Karl **13:**243
Henk Arron **13:**86
Henlein **12:**12
Hennemorte, abismos de **6:**13
Henning Speke, John **13:**111
heno 7:146
labranza **8:**156
Henri Creswick Rawlinson **2:**102
Henrietta Maria, reina **9:**116
Henrik Ibsen **13:**106, 240
henrios **7:**317
Henríquez de Arana, Beatriz **4:**147
Henríquez Ureña, Max 7:146
bibliografía **7:**146
Dominicana, Repúblicana **5:**162
Henríquez Ureña, Pedro 7:147
bibliografía **7:**147
Dominicana, Repúblicana **5:**162
Henríquez, Camilo 7:146
biografía **7:**146
Chile **4:**44
Henríquez, fray Camilo **4:**41
Henry Ford **2:**171
Henry Moore, escultura de **9:**262
Henry, Irving, **8:**47
Henry, Joseph **11:**282; **13:**145
Henry, O. 7:147
bibliografía **7:**133
Henry, Victor **12:**244
Henson, Mattew **6:**96; **11:**23
Henze, Hans Werner **1:**165
hepática 7:147
hepatina **6:**332
hepatitis 7:147
hepato-megalia **8:**13
Hepburn, Audrey 7:149
Astaire, Fred **2:**105
biografía **7:**149
Hepburn, Katharine 7:149
biografía **7:**149
Bogart, Humphrey De Forest **3:**17
Hephaistos **6:**157
Heptamerón **9:**92
heptarquía **1:**284
Hera **2:**8, 28; **8:**126; **10:**329; **12:**242
Heraclea **5:**267; **7:**278; **11:**109; **14:**178
Heraclea, piedra de **9:**29
Heracles **1:**330; **14:**74
Heraclio **2:**333
Heráclito 7:149
biografía **7:**133
ciencia **4:**75
Empédocles **5:**250
filosofía **6:**157
metafísica **9:**180
Parménides **10:**330
heráldica 7:149
— componentes del blasón **7:**149
— esmaltes **7:**150
— origen **7:**149
— piezas o figuras **7:**134
amarillo **1:**218
heraldo 7:149, 150
Hérard, Rivière **5:**160
Herat **1:**90
Héraud, Gabriel **14:**94
Herault, río **6:**214
herbácea **1:**183, 282; **5:**89, 303; **11:**83; **14:**136, 162
herbáceas aromáticas **7:**171
herbario 7:150
Herbart, Johann Friedrich 7:150
biografía **7:**150
didáctica **5:**114
Realismo **11:**313
Herber, lord Horatio Kitchener **8:**140
Herbert Asquith, lord **8:**293
Herbert George Wells **13:**333
Herbert, Marcuse **9:**88
herbicida 7:150
Herciniana, selva **1:**164
Hercinianos, macizos **6:**213
herculani **2:**139
Herculano 7:150
Nápoles **10:**39
Plinio el Viejo, Cayo Plinio Segundo **11:**138
Tito, Flavius Sabinus Vespasianus **13:**206
Vesubio **14:**72
Herculano, Alejandro 7:151
bibliografía **7:**151
Herculé de Fleury, André **8:**318
Hércules 7:151
— columnas de **2:**137
— torre de **4:**262
Alcestis **1:**148
atletismo **2:**139
centauro **3:**322
constelación **4:**218
dólar **5:**154
Gibraltar **6:**322
Quirón **11:**269
Herczeg, Ferenc 7:152
bibliografía **7:**152
Herder, Johann Gottfried von 7:152
bibliografía **7:**152
Alemania **1:**166
Romanticismo **12:**106
Weimar **14:**144
Hereaux, Ulises **4:**12
heredero **13:**63
Heredia 7:152
Costa Rica **4:**268
Heredia y Campuzano, José María de 7:152
bibliografía **7:**133
Heredia, Cayetano 7:152
biografía **7:**152
Heredia, José María de 7:152
bibliografía **7:**152
Bryant, William Cullen **3:**92
Cuba **4:**315
Francia **6:**227
literatura hispanoamericana **8:**281
Modernismo y arte moderno **9:**262
Heredia, Luis Alberto **5:**202
Heredia, Nicolás **4:**315
Heredia, Pedro de **3:**265; **4:**143; **5:**73
hereditarios **6:**301
hereford 7:152
hereford, raza animal **2:**18; **6:**276
herejes **8:**327
herejía 7:152
apostasía **1:**328
catolisismo **3:**296
herencia 7:152
animal **1:**293
eugenesia **6:**73
herencia biológica 7:152
herencia, aceptación de **1:**47
herencias históricas **13:**321
Heresiarca persa **9:**58
Hergé, Georges Rémi **4:**170
Hergesheimer, Joseph 7:154
bibliografía **7:**133
herida 7:154
heridas **11:**199, 201
Heristal, Pipino de **3:**255
Heriulfson, Biarni **1:**232
hermafroditas **1:**295; **6:**177; **11:**242; **12:**25; **13:**243
hermafroditismo **9:**270
Hermágoras de Temnos **12:**34
Herman Melville **9:**160
Herman Northrop Frye **2:**155
Hermanas de la Caridad 7:154
hermandad **5:**208; **12:**112
hermandades **10:**19
Hermanitas de los Pobres 7:154
Hermann **3:**151
Hermanos de la Misión **10:**239
Hermanos Grimm **7:**67
Hermanos Hospitalarios, Orden de los **8:**114
Hermanos Peregrinos **12:**43
Hermas, Justino **11:**15
Hermaszewski, Miroslaw **2:**113
Hermenegildo, San 7:154
biografía **7:**154
Toledo **13:**212
hermenéutica 7:154
Hermes 7:154
Argos **2:**28
Filemón y Baucis **6:**154
Mercurio **9:**172
Pandora **10:**308
Perseo **11:**57
Hermes Trismegistro 7:154
hermético **4:**215
hermetismo **9:**281
Herminia **13:**324
Hermite, Charles **6:**230
Hermón, monte **8:**107
Hermosillo 7:154
hermunduros **13:**73
Hernán Cortés **10:**170, 202, 297
Hernandarias 7:154
biografía **7:**154
Hernández Aquino, Luis **11:**237

Hernández Catá, Alfonso **8**:283; **4**:316
Hernández Colón, Rafael **7**:155
biografía **7**:155
Puerto Rico **11**:232
Romero Barceló, Carlos Antonio **12**:108
Hernández Cruz, Luis **11**:241
Hernández Cruz, Víctor **11**:238
Hernández de Córdoba, Francisco **7**:155
biografía **7**:155
Alaminos, Antonio **1**:134
Díaz del Castillo, Bernal **5**:108
Nicaragua **10**:93
Hernández de Velasco **11**:132
Hernández Martínez, Maximiliano **12**:183
Hernández Moncada, Eduardo **9**:274
Hernández, Alberto **5**:163
Hernández, Daniel **11**:64
Hernández, David **12**:184
Hernández, Francisco **7**:154
bibliografía **7**:154
vainilla **14**:10
Hernández, Gregorio **7**:154
obra **7**:154
escultura **5**:294
Hernández, Jorge **10**:205
Hernández, José **7**:154
bibliografía **7**:154
Latinoamérica **8**:189
Martín Fierro **9**:113
Salaverría e Ipenza José María **12**:173
Uruguay **13**:329
Hernández, Miguel **7**:155
bibliografía **7**:133
Hernández, Rafael **11**:240
Hernández, Simón **9**:312
Hernandia **7**:154
Hernani **13**:133
hernia **7**:155
laparoscopía **8**:174
Hero y Leandro **7**:156
Herodes **7**:155
Bélen o Bethlehem **2**:280
Jerusalén **8**:97
tetrarquía **13**:178
Herodes Antipas **8**:113
Herodes Arquelao **8**:119
Herodes Atico, Atenas **10**:185
Herodes el Grande **8**:119
Herodiano **6**:335
Herodías **8**:113; **12**:176
Herodier, Claudia **12**:184
Herodoto **7**:156
África **1**:95
Atenas **2**:134
bibliografía **7**:156
correo **4**:253
focea **6**:187
oral, historia **10**:230
ricino, aceite de **12**:64
vestido **14**:62
Herodoto de Halicarnaso **5**:70
héroe **7**:151. 156; **13**:173
Héroe de Pichincha **3**:162
Héroe niño **11**:82
Herófila **12**:313
heroica **10**:184
Heroico, Concierto **12**:91
heroína **7**:156
drogadicción **5**:174
estupefacientes **6**:66
narcótico **10**:40
heroísmo **7**:156
Herón de Alejandría **9**:72, 74; **12**:126; **13**:286
Herón, fuente de **9**:75
Héroult, Paul **1**:213
herpes **7**:156
enfermedades de la piel **5**:262
venéreas, enfermedades **14**:42
herpesvirus **9**:279
herpetología **14**:181
herradura **7**:156
herradura **1**:351
herramienta **13**:135
herramienta **7**:116
herramienta neumática **7**:157
Herramientas y abonos **7**:239
Herrán, Saturnino **9**:206
Herrea, Antonio de **7**:193
Herrenhausen **7**:127
Herrera **7**:157
Herrera Campíns, Luis **7**:158
biografía **7**:158
Herrera *el Viejo* , Francisco de **7**:158
obra **7**:128
Herrera Oria, Ángel **7**:158
biografía **7**:158
Herrera Velado, F. **12**:184
Herrera y Chumacero, Juan de **4**:143
Herrera y Gutiérrez de la Vega, Juan de **7**:158
obra **7**:158
Herrera y Gutiérrez de la Vega, Juan de **7**:159
Herrera y Reissig, Julio **8**:279, 282
Herrera, Alberto **7**:157
biografía **7**:157
Herrera, Alfonso L. **7**:157
bibliografía **7**:157
México **9**:201
Herrera, Ángel **10**:205
Herrera, Bartolomé **7**:157
biografía **7**:157
Herrera, Benjamín **7**:157
biografía **7**:157
Herrera, Carlos M **2**:289; **13**:329
Herrera, Darío **10**:303
Herrera, Dionisio **10**:94
Herrera, Ernesto **7**:158
bibliografía **7**:157
Herrera, Fernando de **7**:19
Herrera, Francisco de **14**:37
Herrera, José Joaquín **7**:158
biografía **7**:158
Herrera, Juan de, fray **5**:282, 317; **6**:53; **14**:191
Herrera, Luis Alberto de **10**:333
Herrera, Tomás **7**:158
biografía **7**:158
Panamá **10**:302
herrerillo **7**:159
paseriformes **11**:5
herrerismo **10**:333
Herrero, Carlos María **7**:159
obra **7**:159
Herreros, Moratín de los **1**:215
Herreshoff, museo marino **12**:59
Herriot, Edouard **7**:159
bibliografía **7**:159
Herschbach, Dudley Robert **7**:159
biografía **7**:159
Lee, Yuan Tseh **8**:209
Herschel **7**:159
Venturi, Giovanni Battista **14**:51
Herschel, Frederich William **2**:124; **5**:150; **7**:159; **10**:62; **13**:320
Herschel, Guillermo **13**:160
Herschel, sir John **7**:44; **10**:62
Hershey, Alfred Day **7**:160
biografía **7**:160
Hertfordshire **8**:302
Hertwig, Oscar **4**:97; **7**:153
Hertz, Enrique **4**:183
Hertz, Franck **6**:231
Hertz, Gustavo **7**:160
biografía **7**:160
Franck, James **6**:231
Marconi, Guglielmo **9**:87
Hertz, Heinrich Ruddph **7**:160
biografía **7**:160
Alemania **1**:167
célula fotoeléctrica **3**:318
invenciones y descubrimientos **8**:24
radiotelefonía y radiotelegrafía **11**:285
hertzianas **7**:160; **11**:283
Hertzog, Enrique **7**:160
biografía **7**:160
hervíboro **3**:253; **9**:49
hervidor de Franklin **5**:184
Herzberg, Gerhard **7**:160
bibliografía **7**:160
Herzegovina **7**:160
Austria **2**:167
Eslovenia **5**:300
Herzl, Theodor **7**:160
bibliografía **7**:160
sionismo **12**:336
Herzog, Émile **9**:134
Herzog, Maurice **7**:179
Herzog, Roman **1**:163
Hesíodo **7**:160
bibliografía **7**:160
Atenea **2**:134
Esopo **5**:302
Gea **6**:295
libro **8**:251
tartesio **13**:123
Hespérides **7**:151
hesperidio **8**:261
hesperidium **10**:40
hespéridos **9**:102
Hesperus **12**:64
Hess, Rudolf **7**:161
biografía **7**:161
Hess, Victor Francis **7**:161
átomo **2**:149
biografía **7**:161
Hess, Walter Rudolf **7**:161
biografía **7**:161
Hesse, Alicia de **10**:96
Hesse, estado de **10**:49
Hesse, Hermann **7**:161
Alemania **1**:166
bibliografía **7**:161
Hessen, Alemania **2**:213
Hessen, Landtag de **10**:210
Hessling, Catherina **12**:20
Hestia **12**:242; **14**:177
Heston, Charlton **7**:161
biografía **7**:161
heteos **2**:100; **7**:195; **8**:217
heteróceros **8**:230; **9**:102, 276
heterodino **7**:161
heterodoxa **11**:15
heterotrofismo **1**:293
hetman **4**:263
Heumann **1**:320
Heuss, Theodor **7**:161
biografía **7**:161
Alemania **1**:162
Hevea **1**:222; **8**:180
Hevelius, Johannes **1**:167
Hevesy, George von **7**:161
biografía **7**:161
Hevia, Carlos **4**:314
Hewanorra **12**:214
Hewish, Antony **7**:161
biografía **7**:161
Ryle, sir Marti **12**:152
hexaedro regular **11**:151
hexagonal **4**:290
hexametilenediamina **10**:31
hexamina **11**:162
hexápodos **14**:185
hexasílabos **9**:188
Heyerdahl, Thor **8**:145, 286; **11**:118
Heymans, Corneille Jean François **7**:161
biografía **7**:161
Heyrovsky, Jaroslav **7**:161
biografía **7**:161
Checa, República **4**:28
Heyse, Paul von **7**:162
bibliografía **7**:160
Hezb-e-Islami **1**:91
Híadas **11**:138
Hialeah **6**:183; **7**:184
hiato **6**:313
hibachi **14**:113
Hibble, Edwin **7**:235
hibernación **7**:162
abeja **1**:24
hibisco **6**:180
Hibiscus **9**:38
hibridación **1**:52; **4**:283; **6**:88, 330; **8**:157
híbrido **7**:162
hibridomas **8**:145
Hibueras **4**:261, 310
Hicacos, Cabo **4**:310
Hicacos, península de **4**:310
Hicken, Cristóbal M. **7**:162
biografía **7**:162
Hicks, sir John Richard **7**:162
bibliografía **7**:162
excedente del consumidor **6**:90
hicsos **1**:251; **8**:22
Hida, montes **8**:79
Hidalgo **7**:163
— historia **7**:163
México, Estado de **9**:207
San Luis Potosí **12**:193
Hidalgo de Cisneros, Baltasar **2**:19; **8**:267
Hidalgo y Costilla, Miguel **7**:163
Allende, Ignacio María de **1**:216
biografía **7**:163
Guanajuato **7**:75
López Rayón, Ignacio **8**:307
México a Través de los Siglos **9**:208
Ortiz de Domínguez, Josefa **10**:260
Hidalgo, Bartolomé **7**:163
bibliografía **7**:163
Argentina, República **2**:25
Uruguay **13**:329
Hidalgo, Elvira de **3**:177
Hidalgo, Miguel, Parque **10**:331

Hidalgo, tratado de Guadalupe **10**:159
Hidarnes **13**:169
Hideki Yukawa **2**:150
hidr´geno **2**:204
Hidra **2**:125
hidra 7:164
zoología **14**:183
Hidra 7:164
— de Lerna **7**:151
constelación **4**:218
hidratación **9**:187
hidrato 7:164
hidrato de potasio **1**:144
hidratos de carbono 7:164
alimentación **1**:186
clorofila **4**:116
lenteja **8**:224
hidráulica 7:164
dique **5**:137
hidráulico, gigante **10**:255
hidrazinas **6**:163
hídricos **12**:254
hidroalcohólica de jabón **7**:169
hidroavión 7:165
aeroplano **1**:87
Dornier, Claude **5**:165
hidroavión civil **1**:82
hidrobiología **8**:261
hidrocarburo 7:165
— alicíclicos **13**:170
— aromáticos **11**:77
— nafténicos **11**:74
— parafínicos **11**:74
acetileno **1**:50
asfalto **2**:82
butano **3**:126
etileno **6**:67
parafina **10**:320
supergás **13**:85
Wallash, Ott **14**:139
hidrodinámica 7:164
mecánica **9**:146
hidroeléctrica **7**:331
hidroeléctrica, energía **4**:162
hidroelectricidad **9**:282
hidrófilo **5**:95
hidrofísica **8**:261
hidrofita 7:165
hidrofobia 7:165
enfermedad **5**:260
hidrófobo **5**:95
hidrofoil **1**:57
hidrófono **5**:187
hidrogel **6**:297
hidrogenación **6**:289, 332
hidrogénicas **6**:313
hidrógeno 7:142, 165, 166
— atómico **8**:170
— pesado **13**:324
hidrógeno, bomba de 7:166
— desarrollo **7**:166
— pruebas nucleares **7**:167
neutrones, bomba de **10**:82
hidrognosia **6**:311
hidrografía 7:167
hidrógrafo **5**:202
hidroláceas **7**:167
hidrolea 7:167
hidrólisis 7:167
bilis **2**:322
detergente **5**:95
glicósidos **6**:332
hidrólisis **8**:72
peptona **11**:41
hidrología 7:168
hidrología médica **9**:150
hidrológico **5**:258
hidrómetro 7:168, 177
hidropesía 7:168
hidroplano 7:168
Hidroplano de alas sumergida *7:168*
hidroplano NC-4 **11**:312
hidropónica 7:168
hidropónicos **3**:56
hidroquímica **8**:261
hidrosfera **9**:80; **13**:191
hidrosol **6**:297
hidrosolubles **14**:107
hidrostática 7:168
estática **6**:47
mecánica **9**:146
hidrosulfuroso, ácido **2**:336
hidroterapia 7:168
Kneipp, Sebastian **8**:144
hidrotimetría 7:169
hidrotímetro **7**:169
hidróxido 7:169
— amónico **1**:252
— de potasio **11**:179
hidrato **7**:164
hidróxido de sodio 7:169
hidroxilo **1**:149; **6**:130; **7**:316
hidroxiprolina **4**:131
hiedra 7:169
— plateada **7**:169
— venenosa **7**:169
Hielbert **1**:167
hielo 7:169
— formación **7**:169
— edad de **7**:169
— ártico **11**:161
— artificial **7**:170
— natural **7**:170
— seco **8**:294; **11**:327
— cristales de **10**:143
— Mar de **11**:23
agua **1**:110
glasiar **6**:328
hielo y nieve **1**:201
patinaje **11**:11
hiena 7:170
hienas manchadas africanas **7**:171
hienas, guepardos **14**:181
hiénidos **7**:170
Hieracium pilosella **14**:39
hierática **5**:284
hieratismo **5**:293, 294
hierba 7:171
— Buena, Francisco de **1**:319
— de escorbuto **2**:71
— de San Juan **2**:67
árbol **1**:348
hierba común **7**:171
vicuña **14**:78
hierba lombriguera 7:172
hierba mate **3**:153
hierba mora 7:172
plantas venenosas **11**:125
hierbabuena 7:172
menta y mentol **9**:170
hierofante **9**:25
hieroglifismo **5**:284
Hierón, rey **2**:53; **7**:100; **13**:136
Hiëronymus, tablas de **1**:316
hierro 7:172
— el hierro y la humanidad **7**:174
— el rey de los metales **7**:172
— elaboración del **7**:173
— especular **10**:202
— estado natural **7**:172
— forjado **8**:194
— minas de hierro **7**:172
— reservas mundiales **7**:173
— usos y aplicaciones **7**:173
alambre **1**:132
arqueología **2**:50
bronce **3**:84
clavo **4**:110
España **5**:309
Francia **6**:216
latón **8**:197
Mongolia **9**:276
peso específico **11**:68
técnica y tecnología **13**:135
vidrio **14**:85
hierro, edad de 7:174
Hierro, José **5**:320
Hierro, montaña del **13**:320
hifas tabicadas **2**:80
hígado 7:174
— funciones **7**:175
amiba o ameba **1**:249
atrofia **2**:154
glándula **6**:330
hígado **4**:94
pantoténico, ácido **10**:309
vesícula biliar **14**:60
higgings **4**:123
High Plains o Great Plains **6**:31
Highland Lakes **2**:161
highlander 7:175
Gran Bretaña **7**:33
higiene 7:175
educación **5**:219
higiene mental 7:176
higiene preventiva **11**:208
higienista **7**:176
higienista, movimiento **10**:49
higo **6**:240; **7**:177
higo chumbo **3**:149
higrometría **7**:249
higrómetro 7:177
clima **4**:112
meteorología y meteoro **9**:188
higuera 7:177
Hiiumaa, islas **6**:57
hijada **8**:73
hijuela **13**:65
Hijuelos, Óscar **7**:189
Hikari **6**:141
hikis **12**:64
hiksos **5**:227, 232
hilado **7**:129; **13**:179
hilado de seda **7**:178
hilador, aparato **8**:209
hilados belgas **2**:282
hilandería e hilados 7:177
Hilario, san **6**:220
hilatura **7**:177; **11**:28
Hilbert, David **9**:128
Hilda López Damiani **13**:329
Hildebrando **7**:64
Hildesheim **2**:312
hilera **11**:305
Hilhelm Scheele **9**:267
Hill, Alfred **2**:164
Hill, Archibald Vivian 7:178
bibliografía **7**:178
Hill, Barren **8**:162
Hill, Lewis **13**:170
Hill, Rowland 7:178
biografía **7**:178
correo **4**:254
Hill, Signal **8**:305
Hillary, Edmund **1**:303; **7**:179; **9**:284
Hillebrand **3**:335
Hiller **3**:88
Hillo, Pepe 7:178
biografía **7**:178
Hilmend, río **1**:90
hilo 7:177
— plástico, extrusión **11**:126
— sisal **8**:156
— de oro **1**:173
— de plata **1**:173
costura **4**:272
lana **8**:169
Hilton, James 7:179
bibliografía **7**:179
hilum **1**:196
Himachal Pradesh (Simla) **7**:299
Himalaya 7:179
— cadena del **1**:268; **10**:72
— cordillera del **6**:279, 306; **7**:295
— montes **10**:297
— región del **7**:296
Andes **1**:268
Asia **2**:84
China **4**:47
efedra **5**:223
Everest, Monte **6**:86
lengua **8**:216
montañismo **9**:284
panda **10**:307
rododendro **12**:91
himalayos **4**:202
himas **13**:301
himation **14**:63
himenópteros 7:180
abeja **1**:25
avispa **2**:190
insecto **8**:7
Himeto **1**:597:55
Himilcón **10**:54
Himmler, Heinrich 7:180
biografía **7**:180
concentración, campos de **4**:193
himno 7:180
— sacro **8**:217
Empédocles **5**:250
tragedia **13**:240
himno nacional 7:180
— Argentino **8**:308
— de México **7**:21
Himyari Du Nuwas **1**:334
himyaries **1**:334
Hinamatsuri **9**:333
Hinault, Bernard **4**:69
Hinchinbrook, fragata **10**:69
Hinde, saltos de **4**:207
Hindenburg, Paul von 7:180
biografía **7**:180
Alemania **1**:165
Ludendorff, Erich **8**:316
hindi **7**:112, 299; **12**:209
Hindo-Kush, montes **2**:85
hindú **5**:215; **9**:39, 249; **10**:297; **13**:99, 183; **14**:63
Hindú, montes **10**:297
hindúes **4**:184, 280, 329; **7**:182; **10**:11; **13**:83, 90
hinduísmo 7:180
— tántrico **9**:54
Fiji o Fidji, islas **6**:151
mantra **9**:62
hinduista **13**:86; **7**:299

Hindu-Kush, cordilleras del **1**:90; **2**:84
hinojo 7:181
Hinshelwood, Cyril Norman, sir **12**:271
Hinshelwood, sir Cyril Norman 7:181
biografía **7**:181
Hipalo **5**:71
Hiparco 7:181
Anacreonte **1**:257
Atenas **2**:133
biografía **7**:181
equinoccio **5**:272
magnitud **9**:29
ostracismo **10**:269
Pisistrato **11**:111
Tolomeo, Claudio **13**:214
hiperactividad 7:181
hiperbárica, cámara 7:181
hipérbaton 7:181
figuras de lenguaje **6**:151
hipérbola 7:181
hipérbola con sus elementos 7:181
hipérbolos **2**:134
hiperbóreas **2**:96
hipercarga **1**:311
hiperdulía **3**:295; **4**:329; **9**:93
hiperemia **11**:249
hiperestesia **10**:78
Hiperión **2**:161; **13**:204
hipermetropía 7:182
oftafmología **10**:190
hiperplasia **13**:163
hiperrealismo **11**:95
hipersensibiliadd **7**:183
hipertensión 7:182
— arterial **4**:238
epistaxis **5**:271
litotricia **8**:287
hipertermia **6**:147
hipertexto **8**:20
hipertiroidismo **13**:202
hipertrofia del corazón **4**:238
Hipias **2**:133; **7**:59; **11**:111
hipismo 7:182
hipnosis **5**:144; **13**:241
hipnótico **5**:174; **10**:40; **12**:257
hipnótico veronal **6**:163
hipnotismo 7:182
psicoanálisis **11**:223
hipnotizador **7**:182
hipo 7:183
hipocampo 7:183
caballo marino **3**:137
hipocastáneas **3**:277
hipocentro **13**:171
hipocloridia **6**:133
hipoclorito de sodio **2**:336
hipocondría 7:183
hipocondríacos **8**:9
hipocotilo **12**:272
Hipócrates 7:183
biografía **7**:183
alcmeónidas **1**:149
ciencia **4**:75
enfermedades de la piel **5**:262
Galeno, Claudio **6**:264
medicina **9**:149
odontología **10**:186
puericultura **11**:228
veterinaria **14**:73
Hipocrene **11**:27
hipódromo 7:183
Delfos **5**:42
hipófisis 7:184
acromegalia **1**:55
endocrinología **5**:256
progesterona **11**:208
tiroides **13**:202
hipogeo 7:184
necrópolis **10**:63
hipogloso 7:185
ártica, región **2**:70
hipoglucemia 7:185
– funcional **7**:185
– orgánica **7**:185
– Tratamiento **7**:185
Hipólito de Este, cardenal **2**:30
hipometropía **10**:190
Hipona **1**:118
hipopotámidos **2**:77
hipopótamo 7:185
artiodáctilos **2**:77
marfil **9**:90
hipopótamo **2**:76
hipoquebrachina **11**:247
hiporquema **5**:12
hiposométricos **9**:71
hiposulfitos **13**:82
hipotálamo **12**:246
hipoteca 7:186
hipotenusa **4**:211; **6**:314; **13**:260
hipótesis 7:186
— de la amina **5**:56
experimento **6**:94
hipotiroidismo **13**:202
hipsómetro 7:186
Hiquíngaxe **13**:119
Hira, monte **9**:31
Hirado **11**:170
hiragana **8**:85
Hiram, leyenda de **9**:120
Hiram, rey **6**:130; **13**:201
hirdrocarburo **7**:165
Hiripan **13**:119
Hirohito 7:186
Akihito **1**:130
biografía **7**:186
Japón **8**:84
Hiroshima 7:186
átomo **2**:151
bomba atómica **3**:37
Hiroshima **8**:82
Japón **8**:84
Oak Ridge **10**:169
Rotblat, Joseph **12**:118
Hirosigué **13**:96
hirudíneos **1**:276; **14**:184
hirudíneos **12**:208
Hisinger **2**:305; **3**:335
Hispalis **4**:241; **12**:298
Hispania **6**:5; **7**:187, 257; **12**:91
Hispania Citerior **9**:100
hispania visigótica **11**:15
Hispania, asteroide **4**:159
Hispanic notes and monographs **7**:187
Hispanic Society of America 7:187
hispanidad 7:187
Hispanoamérica 7:187
Córdoba **4**:241
Délano, Federico Jorge **5**:39
Frank, Wualdo **6**:232
jardinería **8**:89
Uribe Piedrahita, Cesar **13**:324
vara **14**:25
Hispanoamericana, independencia **4**:181,242
hispanoamericanos 7:188
— características de la población **7**:188
— comercio **4**:167
— contribuciones culturales **7**:188
— cubano estadounidenses **7**:189
— México-estadounidenses **7**:188
— otros elementos **7**:189
— puertorriqueños **7**:188
hispanoárabe, literatura 7:190
hispanocolonial 7:190, arquitectura hispanocolonial 7:191
hispanolatina, literatura 7:191
hispano-norteamericana, guerra **4**:314
hispanoparlantes **7**:188
hispanorromanos **11**:313
hispanos **7**:188
Hissarlik **12**:247; **13**:274
histamina 7:191
histeria 7:191
enfermedades mentales **5**:262
psicoanálisis **11**:223
histidina **1**:250; **7**:191; **10**:224
histiocitos **4**:249
Histocompatibilidad **12**:220
histología 7:191
botánica **3**:56
corion **4**:249
enfermero **5**:263
medicina **9**:150
histonas **6**:14
historia 7:191
— Disciplinas auxiliares **7**:191
— Historia de la historia **7**:192
— La filosofía de la historia **7**:193
— Teorías históricas **7**:193
antropología **1**:317
epigrafía **5**:270
literatura hispanoamericana **8**:282
historia natural 7:194
Historia Sagrada 7:194
historicismo 7:194
historietas 7:194
— ilustradas **14**:106
— Virtudes y defectos **7**:195
revista **12**:40
historiógrafo **7**:192
histrícidos **11**:228
Hita, arcipreste de 7:195
Véase Ruíz, Juan
Singerman, Berta **12**:335
María, virgen **9**:94
Hita, villa de **12**:128
Hitchcock Platt, Orville **11**:136
Hitchcock, Alfred 7:195
cinematografía **4**:84
Kelly, Grace **8**:137
obra **7**:195
Hitchings, George H. 7:195
black, sir James Whyte **2**:334
Elion, Gertrude Velle **5**:246
obra **7**:195
hitita, cultura 7:195
arqueología **2**:52
Asia Menor **2**:100
cuneiforme **4**:329
Egipto **5**:227
fundición **6**:252
Gog y Magog **7**:13
lengua **8**:217
metalurgia **9**:183
Hitler, Adolfo 7:195
adivinación **1**:69
Berlín **2**:299
biografía **7**:195
Boris III **3**:49
concentración, campos de **4**:193
dictador **5**:113
fortificación **6**:198
Litvinov, Maksim Maksimovich **8**:289
Meitner, Lise **9**:156
opinión pública **10**:225
Reichswehr **11**:334
Ribbentrop, Joachin von **12**:61
Unión de Repúblicas Socialistas Soviéticas **13**:307
Yugoslavia **14**:167
Hittorf **4**:299
Hivao **9**:105
Hixem II **1**:20, 194; **4**:241
Hiyaz **1**:334, 335
Hjälmar **13**:68
Hjalmar Branting **13**:72
Hjalmar Riiser-Larsen **6**:98
Hlinka, Andrej **5**:299
Ho Chi Minh 7:196
biografía **7**:196
Cochinchina **4**:122
Vietnam **14**:90
Ho Ho Chi Minh, Cuidad 7:197
Hoangho **13**:185
Hoang-Ho 7:196
Amarillo, mar **1**:218
Asia **2**:84
Hoare, Samuel **8**:200
hoatzín 7:196
Hobart **13**:124
Hobbes, Thomas 7:196
bibliografía **7**:196
ciencia **4**:76
literatura **8**:278
metafísica **9**:180
hobby 7:196
pasatiempo **10**:335
Hobson **7**:274
Hobson, bahía de **9**:158
Hochbrücker **2**:48
Hoche **5**:234
Hochschild **11**:12
Hochst **6**:123; **11**:170
Hochstaedt **9**:103
hockey 7:197
hockey sobre hielo 7:197
— Historia **7**:197
hockey sobre hielo 7:196
Hodeida **1**:334; **2**:93
Hodgkin, Alan Lloyd 7:197
biografía **7**:197
Eccles, sir John Carew **5**:184
Hodgkin, Dorothy Mary Crowfoot 7:197
biografía **7**:197
Hodgson, Brian H. **5**:75
Hodler Cuno Amiet **13**:82
Hodza, Milan **5**:299
Hoe, Richard **7**:285
Hoekvan-Holland **7**:205
Hofburg **14**:87
Hofburg **4**:195
Hofer, Andreas 7:197
biografía **7**:197
Hoff, Jacobus van't **10**:269
Hoff, Vant **14**:135

Hoffa, Albert 7:197
biografía 7:197
Hoffman, Dustin 7:197
biografía 7:197
Hoffmann, Ernst Theodor Wilhelm 7:197
Alemania 1:166
bibliografía 7:197
Hoffmann, Friederich 9:188
Hoffmann, Roald 7:197
biografía 7:197
Fucui, Kenichi 6:249
sífilis 12:321
Woodward, Robert Burns 14:154
Hofmannsthal, Hugo von 7:198
Austria 2:167
bibliografía 7:198
Hofstadter, Robert 7:198
biografía 7:198
Muessbauer, Rudolph Ludwing 9:323
Hoften, James Van 13:243
Hog 8:54
Hogalak o Hugleik, rey 2:294
hogar 7:198
— arbóreo en Taebia, estonia 7:198
— colonial en América 7:200
— colonial en américa 7:200
— *del Grand Ole Orpy* 13:158
— grecorromano 7:200
— grecorromano 7:200
— Hogares pertenecientes a otros tipos de cultura 7:201
— japonés 7:200
— La familia medieval 7:200
— lacustre 7:198
— Las etapas primarias 7:198
— moderno 7:201
— moderno 7:201
— poligámico 7:199
— primitivo 7:198
— primitivo 7:198
— y Leoplán 12:39
economía doméstica 5:195
familia 6:115
vivienda 14:111
Hogarth, William 7:202
caricatura 3:246
escuela artística 5:290
Hogarth, William 4:228
obra 7:202
pintura 11:97
Hohelinden, batallas de 10:91
Hohenberg, Gertrudis de 12:*91*
Hohenstaufen, Federico I de 1:159; 2:251; 12:160
Hohenzollern 7:202
Alemania 1:160
dinastía 5:129
Guerra Franco-Prusiana 7:89
Potsdam 11:180
Rumania 12:130
Hoh-i-noor, diamante 11:299
Hohnel, Ludwig Ritter von 5:76
Hoiracio Flaco, quinto 7:224
hoja 7:202
— clasificación de las hojas 7:203
— de morera 7:108
— de planta 1:*37*
— estructura 7:202
— flexibles 8:205
— Inserción de las hojas sobre los tallos 7:204
— lanceoladas 7:143
estructura de una hoja angiosperma 7:203
filotaxia 6:158
hojas de distintos tipos de plantas 11:124
hojas de menta o hierbabuena 9:170
palmera 10:294
hojalata 7:204
hojaranzo 1:347
Hojeda, fray Diego de 11:62
Hokiang 9:52
Hokkaido 8:78, 79
Hokokam 10:169
Hokusai, Katsushika 7:204
obra 7:204
Holanda 7:204
— campaña de 14:145
— ciencias y literatura 7:209
— ciudades 7:207
— clima 7:206
— colonias 7:208
— geología 7:206
— gobierno y religión 7:207
— guerra de 8:318
— hidrografía 7:206
— historia 7:208
— idioma y educación 7:207
— independencia de 14:147
— inundaciones 7:205
— la Lucha contra el mar 7:205
— la pintura holandesa 7:209
— orografía 7:205
— producción, industria y ganadería 7:206
— relieve físico y litoral 7:205
— septentrional 7:207
— superficie y población 7:204
— transportes 7:207
Amicis, Edmondo de 1:249
Atlántico, océano 2:137
Breda 3:78
canal de filas de robles en Holanda 12:84
Escalda 5:277
geografía 6:305
Holanda 4:220, 7:205, 208, 254
Juliana, Reina 8:125
mercantilismo 9:171
Nueva Guinea 10:157
patinaje 11:11
Revoluciones de 1830 12:54
vela 14:35
Holbach, Paul Henri Thiry, Baron d' 7:209
biografía 7:209
Bolívar, Simón 3:23
materialismo 9:131
Volney, Constantin François Chasseboeuf, conde de 14:128
Holbein, Hans 7:210
Alemania 1:166
Cranach, Lucas 4:275
escuela artística 5:289
Louvre 8:313
obra 7:210
pintura 11:97
retrato 12:35
Hölderlin 14:192
Holderlin, Friedrich 1:166; 8:278
holding 7:210
Holguín 7:210
Santiago de Cuba 12:219
Holguín, Carlos 7:210
biografía 7:210
Holkeri, Harri 6:160, 161
Holland 4:278,312; 13:61
Hollerith 4:179
Holley, Robert William 7:210
biografía 7:210
Khorana, Govind Har 8:140
hollín 7:210
Hollywood 7:210
Ángeles, Los 1:281
Bergman, Ingrid 2:297
Córdova, Arturo de 4:242
Disney, Walt 5:144
Figueroa, Gabriel 6:150
Kelly, Gene 8:136
Sabú 12:156
Tarzán 13:123
Holmberg, Eduardo Ladislao 7:211
biografía 7:211
Holmes, Larry 3:63
holoártica 3:57
holocausto 7:211
comic 4:171
Holofernes 2:309; 8:119
holografía 6:260; 7:211
holograma 7:211
holoturias o pepinos de mar 13:259; 14:185
holotúridos 11:41
Holstein-Frisia 6:277; 7:206
Holyfield, E. 3:63
Holyoake, George James 8:165
Hölzel 8:67
Holzmann, Rodolfo 11:63
Homar, Lorenzo 11:241
hombre 7:212
América del Sur 1:244
energía 5:257
hombre bereber 9:108
primario 11:198
totalitarismo 13:233
hombre de las cavernas 7:213
hombre fósil 11:185
hombre lobo 7:213
hombre rana 7:213
Home Popham, comodoro 2:19
Home Popham, sir 7:294
Home Rule 7:42
home run 2:278
homenaje 5:178
homeopatía 7:213
homeostasis 7:213
— fisiológica 6:92
— térmica 13:169
homeotermia 13:169
Homer, Winslow 4:299
homereios 1:262
homérico, epíteto 10:230
Homero 7:213
Agamenón 1:99
Asia Menos 2:100
biografía 7:213
comunicaciones 4:182
Edipo 5:211
Gladstone, William Eward 6:330
Homero 10:185
Homero en la Ilíada 14:63
Homerum, Prolegomena ad 14:154
literatura infantil 8:285
mapa 9:67
Realismo 11:313
rey y reyna 12:56
homicidio 7:213
asesinato 2:81
homilía 7:214
homínidos 7:212, 215
Homman 9:68
Homo 7:212
Homo erectus 7:214
— registro fósil 7:215
— evidencia cultural 7:215
Homo habilis 7:215
Homo neanderthalensis 11:186
Homo rudolfensis 7:215
Homo sapiens 7:215
— arcaicos 7:215
— modernos 7:216
— Neandertales 7:216
animal 1:295
Homo sapiens del tipo Chancelade 7:216
Homo sapiens sapiens 7:66
Linné, Carl von 8:267
prehistoria 11:186
homofóbicos 7:217
homofónico 9:251
homogéneo, reactor 2:153
homólisis 14:154
homología 7:215
homomorfismo 7:70
Homón 10:29
homónimo 7:215
homosexualidad 7:216
discriminación 5:142
transexual 13:243
Honan 4:54, 58; 8:173
Hond o Escalda Occidental 5:277
honda 7:217
Hondo, río 1:234; 11:265
Hondo,isla de 10:29
hondonada 14:74
Honduras 7:217
— bandera de 2:240
— ciudades 7:218
— clima 7:218
— comunicaciones 7:218
— desarrollo artístico 7:219
— desarrollo intelectual 7:219
— gobierno 7:218
— hidrografía 7:218
— historia 7:219
— orografía 7:218
— recursos naturales y economía 7:218
Belice 2:285
Choluteca 4:62
escudo 5:286
Guascorán 6:336
Honduras 7:218
Islas de la Bahía 8:54
Mayagües 9:136
Vespucio, Américo 14:60
Yucatán 14:165
Honecker, Erich 7:220
Alemania 1:163
biografía 7:220
Honegger, Arthur 7:220
Francia 6:229
Milhaud, Darius 9:223
obra 7:220
tocata 13:209
honestidad 7:221
Hong Kong 7:220
— bandera de 2:240

Asia **2**:93
China **4**:56
Hong Kong **2**:83; **8**:125
Rizal, José **12**:81
té **13**:130
hongos 7:221
— Amanita Inaurata **7**:221
— Boletus **7**:222
— Boletus anaranjados del abedul **7**:222
— Collybia Dryphila **7**:221
— ergot **8**:313
— mixoroicetos **11**:121
— parásitos **6**: **6**:253
— venenosos **10**:7
agaricácea **1**:99
ascomicetes **2**:80
enfermedad **5**:261
levadura **8**:235
mildeoo **9**:223
moho **9**:264
musgo **10**:10
plantas venenosas **11**:125
Honiara **12**:177
Honolulú 7:222
Pearl Harbor **11**:22
honor 7:222, 223
Honorato III **9**:272
Honoria **2**:135
Honorio II, papa **7**:335; **13**:155
Honorio III **4**:307; **6**:231
Honorio, Flavio Augusto 7:223
biografía **7**:223
Occidente, Imperio de **10**:178
Prudencio Clemente, Aurelio **11**:221
San Pedro de Roma **12**:198
Teodosio I, Flavio **13**:161
Honshu, isla de **3**:37; **6**:249
Hooch, Pieter 7:223
obra **7**:223
Hood **7**:95
Hood, Florence, violinista **2**:164
Hood, monte **6**:31
Hooghly, puente sobre el **7**:298
Hooke, Robert 7:223
reloj **12**:12
célula **3**:317
citología **4**:97
obra **7**:223
Hooker, John Lee **3**:9
Hoover, Herbert Clark **5**:211; **6**:42
Hoover, John Edgar **6**:123
Hope Hawkins, Anthony 7:223
bibliografía **7**:223
Hope, Bob 7:223
biografía **7**:223
Hope, Thomas **5**:*105*
Hopei **4**:58
hopis **7**:309
Hopkins, Frederick Gowland 7:223
biografía **7**:223
Hopkins, Gerard Manley **5**:6
Hopkins, Gowland **7**:44
hoplitas **12**:10
hoplitodromos **10**:204
Hor **1**:251
Hor, monte **1**:17
hora 7:223
minuto **9**:235
hora legal **7**:224
Horace Benedict de Saussure **9**:284; **13**:289
Horacio Flaco, Quinto 7:224
biografía **7**:224
hoda **10**:184
latina, literatura **8**:181
Wolf, Friederich August **14**:154
Horas 7:224
horcate **1**:339; **2**:47
Horcones **12**:62
Horcones, valle de **1**:53
Horda de Oro **12**:149
horizontal **6**:236, 314
horizonte 7:225
— geocéntrico **7**:144
paralelos **10**:324
Horkheimer, Max **1**:74; **9**:88
hormiga 7:225
— agricultoras **7**:227
— características generales **7**:225
— clasificación **7**:225
— el hormiguero **7**:225
— esclavistas **7**:227
— fundación de una colonia **7**:226
— guerras **7**:227
— pastoras **7**:227
— utilidad y daños **7**:228
artrópodo **2**:78
hormigas **4**:181
insecto **8**:8
nido **10**:98
hormiga blanca 7:228
termas **13**:166
hormiga león 7:228
hormigón 7:228
— armado **4**:219
— asfáltico **2**:82
hormigoneras **7**:228
hormiguero **7**:180, 225
hormonas 7:229
— ACTH **1**:57
— adrenocórticas **6**:51
— andrógena **1**:275
— compuestos de **14**:162
— esteroides **10**:224
— estimulante del folículo (HEF) **9**:170
— estradiol **6**:64
— femeninas **10**:272
— luteinizante (HL) **9**:170
— sexuales **6**:51
— tiroidea **10**:224
— tiroideas **3**:15
cortisona **4**:262
droga **5**:174
hormos **5**:13
andrógenos **1**:274
progesterona **11**:208
yodo **14**:163
hornablenda 7:229
Hornad, río **5**:297
hornblenda **9**:229; **13**:320
Hornemann, F. **5**:75
hornero 7:229
horno 7:230
— de crisol **13**:155
— de microondas **4**:124; **9**:29
— eléctrico **6**:200; **8**:28, 199; **9**:266
ladrillo **8**:161
pan **10**:299
Hornos, Cabo de 7:230
América **1**:228
Cabo de Hornos **5**:73
Chile **4**:35
mar **9**:84
Panamá **10**:301
horóscopo 7:231
Horqueta, pico **1**:268
hórreo 7:231
vivienda **14**:117
horreum **7**:231
Horsens (Jutlandia) **2**:298
horse-power **7**:234
horseshoe **10**:91
Horta, José Ramos **14**:158
hortalizas 7:231
— tempranas **2**:10
Latacunga **8**:180
Hortasis, Jorge **7**:62
hortelano 7:231, 239
hortense **8**:205
hortensia 7:231
horticultura **5**:218, 223; **8**:156
horticultura industrial **7**:238
Horus 7:231
dioses paganos **5**:136
Horus **1**:74
Isis **8**:51
Horus Niño **7**:231
Hoschild **3**:30
Hosni Mubarak **7**:254
Hosokawa, Morihiro **8**:84
hospital **11**:229
hospital 7:231
— clases de hospitales **7**:232
Hostes **4**:254
hostia **4**:335
hostilidad **10**:81
Hostos, Eugenio María de 7:232
bibliografía **7**:232
ensayo **5**:266
positivismo **11**:179
Zeno Gandía, Manuel **14**:176
Hot Springs **14**:156
hotel 7:233
hotentoíes **7**:186
hotentote 7:233
Kalahari, desierto de **8**:131
negro **10**:66
razas humanas **11**:310
vivienda **14**:115
Houari Boumedienne **2**:11
Houdini 7:233
biografía **7**:233
Houdon, Jean Antoine 7:233
Francia **6**:229
obra **7**:233
Houghton **10**:329
Houlton **9**:33
Hounsfield, Godfrey Newbold 7:234
biografía **7**:234
Cormack, Allan Mcleod **4**:249
Housatonic, río **9**:122
Housatonic-Naugatuck **4**:211
Housay, Bernardo A. **4**:248
House, Son **3**:8
Houser Brattain, Walter **13**:246
Houssay, Bernardo A. 7:234
Argentina, República **2**:27
biografía **7**:234
célula **3**:317
Houston **2**:161; **6**:34; **12**:246
Houston, Sam **8**:307
hovas **9**:11
Howard Taft, William **12**:*111*
Howard, Catalina **5**:265
Howard, Juan **11**:202
Howard, Sidney Coe **6**:43
Howard, sistema de **11**:202
Howarth, Carlos **4**:231
Howe, Elias 7:234
arte de vender **2**:65
biografía **7**:234
Singer, Isaac Merritt **12**:335
máquina de coser **9**:74
Howe, Richard, lord **14**:142
Howe, William **6**:40
howitzer **2**:75
Howland, isla de **5**:183
Hows **8**:248
Hoxha, Enver 7:234
biografía **7**:234
Hoya de Baza **2**:270
Hoya de Málaga **9**:39
hoyos negros **2**:127
Hoyt Whipple, Georgr **10**:6
hoz 7:234
Hozier, Clementina **4**:64
HP 7:234
Hrastnik **5**:300
Hsuan Tung **11**:244
Hsuan-Tung, emperador de China **1**:20
Hu Yaopang **4**:57
Hua Kuo-Feng 7:234
biografía **7**:234
China **4**:57
Deng Xiaoping **5**:50
Huaca Prieta **11**:187
Huacalito, río **4**:267
huacas o *wilkas* (santuarios) **7**:293
Huachipato 7:21, 234
Huaheine **13**:100
huailas **9**:54
Huaina Capac **11**:270
Huamachuco, batalla de **11**:182
Huamantla de Juárez **13**:208
Huambo **1**:284, 285, 287
Huanacaure, cerro **9**:54
Huanacauri **7**:293
Huancavelica 7:234
Ayacucho **2**:192
Junín **8**:126
Huancayo 7:235
Huanchaca **11**:180
Huang-Pu, río **12**:307
Huang-Ti, emperador **14**:62
Huánuco 7:235
Loreto **8**:308
San Martín **12**:194
Huanuni, distrito minero **6**:47
huapango 7:235
Huapi, montaña de **10**:92
Huapu **9**:105
Huaqui **2**:285; **14**:74
Huarás, río **1**:263
Huari **11**:64, 188
Huarpa **11**:188
huarpe **7**:309
Huarte de San Juan, Juan 7:235
biografía **7**:235
Huáscar o Tupac Cusi Hualpa 7:235
biografía **7**:235
Huascarán 7:235
— pico **11**:59
huaso 7:235
vaquero **14**:25
Huasteca Potosina **12**:193
Huasteca Veracruzana **14**:52
Huaura **12**:197
Huaynapicchu **9**:9
Huaynna Capac **7**:289; **9**:54
huayno **11**:62

Hubbard, Mabel **2**:287
Hubble, constante de 7:235
Hubble, Edwin Powell 7:235
astronomía **2**:129
biografía **7**:235
Hubble, telescopio 7:235
astronáutica **2**:122
Hubei **4**:58
Hubel, David Hunter 7:235
biografía **7**:235
Huber, Robert 7:235
biografía **7**:235
Huberto **14**:23
huchilles **7**:310
Hückel, Erich **10**:212
Huckleberry Finn **7**:247
hucumarí u oso de anteojos **10**:266
Hudaybiyya **1**:336
Hudin, Robert **11**:194
Hudson **12**:58
Hudson, bahía de 7:236
Atlántico, océano **2**:136
Corterreal, familia **4**:259
Montana **9**:282
Ontario **10**:213
Pasos Noroeste y del Noreste **11**:8
Hudson, estrecho de **8**:154
Hudson, Henry 7:236
biografía **7**:236
Delaware **5**:40
exploraciones polares **6**:97
New York **10**:91
Hudson, Mar de **8**:154
Hudson, río **6**:142; **7**:304; **9**:57; **10**:85, 90, 91
Hudson, William Henry 7:236
bibliografía **7**:236
naturaleza, estudio de la **10**:48
Huécar, río **4**:318
huecograbado 7:237, 284
Huehuento **5**:179
Huehuetan **14**:134
Huehuetenango 7:237
Huelén, cerro **14**:78
huelga 7:237
desocupación **5**:91
huelguistas de Guayaquil **13**:108
huellas dactilares 7:237
Huelsenbeck, Richard **5**:6
Huelva 7:237
Bacon, Roger **2**:209
España **5**:311
Jiménez, Juan Ramón **8**:102
Huémac **13**:281
huemel **13**:123
huemul 7:237
América del Sur **1**:240
caribes indios **3**:245
corzo **4**:263
huemules **11**:11
huérfano 7:237, 238
Huergo, Luis Augusto 7:238
biografía **7**:238
huerta y horticultura 7:238
— de especulación **7**:238
— de manzanos **7**:239
— el agua **7**:239
— herramientas y abonos **7**:239
— labores de horticultura **7**:239
Huerta, Adolfo de **3**:264; **9**:200; **14**:92
Huerta, Ángel **3**:247
Huerta, García de la **10**:71
Huerta, Victoriano 7:238
biografía **7**:238
Madero, Francisco I. **9**:16
Santos Chocano, José **12**:223
Zapata, Emiliano **14**:173
Huerto de los Olivos 7:240
huerto de olivos **7**:238
Huesca 7:240
Argensola, Lupercio Leonardo y Bartolomé Leonardo de **2**:12
Ribagorza o ribagosa **12**:60
hueso 7:241
huesos **10**:7
huesos de la mano **9**:60
huesos de la nariz **10**:42
osteopatía **10**:268
huésped **10**:325
huevo 7:241
— centrolecitos **3**:6
— cósmico **4**:277
— telolecitos y alecitos **3**:6
abeja **1**:23
larva **8**:177
ovalbúmina **1**:142
óvulo **10**:275
huexolotl **11**:17
Huexotzinco **10**:91
Hueyapan, río **13**:260
Hufeland, Rudolphi **3**:9
Huggins, Charles Brenton 7:243
biografía **7**:243
Rous, Francis Peyton **12**:119
Hughes, David Edward 7:243
biografía **7**:243
radiotelefía y radiotelegrafía **11**:283
Hughes, Howard **1**:88; **13**:253
Hughes, Thomas 7:243
bibliografía **7**:243
Huginn **10**:185
Hugli **3**:160
Hugo, Victor 7:243
bibliografía **7**:243
hugonotes 7:244
Coligny, Gaspar de **4**:134
Enrique III de Francia **5**:264
Felipe II **6**:126
Latinoamérica **8**:183
Palissy, Bernard **10**:293
persecución **11**:57
Richelieu, Armand Jean du Plessis, cardenal y duque de **12**:63
Hugonotes, Los 7:236
Huguet o Hugón **7**:244
Huguet, Jaime **5**:317
Huhuetenango **7**:237
huicholes **10**:59
Huidobro, Carlos G. **4**:43
Huidobro, Vicente 7:245
bibliografía **7**:245
Chile **4**:44
generación del 27 **6**:299
literatura hispanoamericana **8**:282
Marín, Juan **9**:96
Torre, Guillermo de **13**:227
Huila 7:245
— departamento **7**:245; **10**:69
— meseta de **1**:287
Pastrana Borrero, Misael **11**:10
Sumapas, macizo de **13**:83
huilliche **1**:343; **7**:310
Huitchisons, Bruce **3**:205
Huitzilíhuitl **2**:197; **9**:258; **10**:30, 91; **13**:159
Huitzilopochtli 7:245
Aztecas **2**:203
Cuatlicue **4**:119
México **9**:205
nahuas **10**:30
Huitzuco **7**:101
Huixtla **4**:30
Huizar, Candelario **9**:274
Huizinga, Johan 7:245
bibliografía **7**:245
Hulagu **8**:39; **9**:276
hule 7:245
huli, joven **10**:317
Hull, Cordell 7:246
biografía **7**:246
Hulla (Neiva) **4**:140
hulla 7:246
— coque **2**:291
carbón **3**:234
coque **4**:234
gas del alumbrado **6**:287
Santa Catarina **12**:210
hulla blanca 7:246
dique **5**:138
técnica y tecnología **13**:136
Hulla, volcán **1**:268; **4**:137
hulliche **7**:309
Hulme, Tomás E. **7**:273
Hulse, Russell 7:246
biografía **7**:246
Humacao 7:246
Puerto Rico **11**:230
Humachiri, batalla de **6**:284
Humahuaca, valle de **12**:94
Humaitá, línea de **10**:322
Human **9**:66
Humanae Vitae **11**:17
humanidad 7:246
constitución **4**:218
economía **5**:193
humanidad, educación en la 7:247
humanismo 7:247
Boccaccio, Giovanni **3**:13
Edad Moderna **5**:210
humanista **5**:291
humanística **5**:292
humanitario **11**:331
humanitarismo dikensiano **6**:289
humanitas **7**:246
humano **5**:213, 270
humano **9**:281
Italia **8**:65
Humaya **4**:328
Humaya, río **12**:330
Humber **13**:171
Humber **7**:33
Humbert, Ferdinand **12**:215
Humberto I de Italia 7:247
Amadeo I **1**:216
biografía **7**:247
Humboldt, Alexander von, barón de 7:247
bibliografía **7**:247
Blumen Bach, Johann Friedrich **3**:9
parques nacionales **10**:331
Pichincha **11**:80
Tenerife **13**:156
vasco **14**:28
Humboldt, Charles W. **9**:22, 43
Humboldt, Wilhelm von, barón de 7:248
bibliografía **7**:248
Humboldtianas **12**:94
Humdoldt, río **10**:83
Hume, David 7:248
atomismo **2**:143
bibliografía **7**:248
deismo **5**:39
librepensador **8**:250
Malthus, Thomas Robert **9**:46
nomenalismo **10**:128
Rousseau, Jean Jacques **12**:119
Humea **4**:329
húmeda **6**:280
humedad 7:248
— atmosférica **10**:143
húmero 7:249
radio **11**:277
humita **9**:37
humo 7:249
— de locomotora **7**:249
fumívoro **6**:250
humor 7:249
— acuoso **10**:197
— satírico **8**:46
— vítreo **10**:197
tragicomedia **13**:240
humorismo 7:249
Edwards Bello, Joaquín **5**:223
ironía **8**:46
Humperdinck, Engelbert **10**:219
Humphrey, Hubert **10**:107
Humucht **6**:336
humus 7:250
arcilla **1**:350
arena **2**:5
suelo **13**:72
Hun **9**:327
Hunab-Ku **9**:138
Hunac Ceel **9**:138
Hunahpu **4**:193
hunca **7**:310
Hung Wu **4**:55
húngaros **2**:97; **8**:23; **10**:270
Húngaros con trajes tradicionales **7**:252
Hungría 7:250
— artes plásticas y música **7**:253
— Esteban I de **6**:48
— estepas **6**:49
— historia **7**:252
— literatura **7**:252
— Matías Corvino, rey de **11**:331
— rey de **6**:48
alemán, idioma **1**:157
bebidas **2**:272
Cárpatos, montes **3**:256
comunismo **4**:191
Eslovaquia **5**:297
ferrocarril **6**:141
Hungría, bandera de **2**:240
Isabel, santa **8**:48
mongol, imperio **9**:276
Pulitzer, Joseph **11**:241
Revoluciones de 1848 **12**:132
Varsovia, pacto de **14**:27
hunos 7:253
Asia **2**:97
eslavos **5**:297
libro **8**:252
Milán **9**:221
Hunsa **4**:31
Hunsrück **1**:163
Hunt, H. **7**:45; **9**:224
Hunt, James **2**:169
Hunter, conducto de **10**:16

Hunter, John 7:253
biografía **7:**253
cirugía **4:**94
Jenner, Eduard **8:**93
Huntington, Archer Milton 7:253
bibliografía **7:**253
Huntsman, Benjamín **7:**174
Hunuan **4:**245
Hunyadi, Juan **7:**252
Huon, Golfo de **10:**317
hupas **7:**310
huracán 7:253
Santa Lucía **12:**215
viento **14:89**
Hurakan **3:**145
Hurezi, monasterio de **12:**132
Hurlingham Club **11:**156
hurón 7:253
hurones **4:**202; **11:**85
Hurón y Michigan, ríos **8:**165
Huron, lago **5:**74; **6:**32
Hurón, montañas **9:**213
Huroniano, macizo **3:**200; **7:**33
hurónico 7:253
— periodo **6:**307
Hurtado de Mendoza, Andrés **1:**233; **11:**79
Hurtado de Mendoza, Diego 7:253
biografía **7:**253
España **5:**317
Lazarillo de Tormes **8:**201
Santillana, Íñigo López de Mendoza, marqués de **12:**220
Hurtado de Mendoza, García 7:253
bibliografía **7:**253
Hurtado Moller, Gustavo **1:**53
Hurtado, Bartolomé **2:**29; **10:**93
Hurtado, Osvaldo **5:**201
hurto 7:253
plagio **11:**116
hurundínidos **7:**17
Hurwitz, Leo **5:**152
Husak, Gustav **4:**27; **5:**299
Husak, Jerome **6:**153
húsares **3:**130
Húsares Rojos **10:**201
Husayn **1:**336
Husky siberiano **1:***296*
huso **7:**179; **13:**180
husos horarios **7:**224
Huss, John 7:253
biografía **7:**253
Bohemia **3:**19
Lutero, Martin **8:**326
Praga **11:**183
Segismundo **12:**258
Hussein, Saddam 7:254
biografía **7:**254
Hedjaz **8:**42
Hussein Ibn-Alí **7:**137
Hussein, rey **8:**107; **8:**108
Husserl, Edmund 7:254
bibliografía **7:**254
cartesianismo **3:**267
Messer, Augusto **9:**178
Romero, Francisco **12:**107
hussitas, guerra de los **7:**253
Huston, John **9:**281
Hutchinson, área de **8:**133
Hutchinson **6:**18
Hutetot **9:**277
Hutten, Ulrich von **1:**166
Huttner, Fredermann **5:**165
hutu de Kibeho **12:**121
Huxley, Aldous L. 7:254
bibliografía **7:**254
ciencia **4:**77
Gran Bretaña **7:**44
Huxley, Andrew F. **5:**184; **7:**197
Huxley, Julian S. 7:254
bibliografía **7:**254
Unesco **13:**304
Huxley, sir Andrew Fielding 7:254
biografía **7:**254
Huxley, Thomas Henry 7:254
bibliografía **7:**254
Huygens, Christiaan 7:254
biografía **7:**254
fotómetro **6:**204
luz **8:**330
saturno **12:**242
Huysmans, Joris Karl **3:**270; **10:**48
Hveen, isla de **12:***92*
Hver en el mar Adriático. **1:***75*
Hwang, río **4:**46, 48
Hyacinthe Laënnec, René Théophile **6:**52; 230
Hyacinthe Rigaud **6:**228
Hyadas **4:**206
Hyde Park, Parque **8:**303, 88; **10:**331
Hyde Wollaston, William **11:**262
Hyde, Douglas **8:**45
Hyderabad **10:**287
Hydesville, New York **6:**18
Hydn, Franz Joseph **2:**276
Hydrargyros **1:**34
Hydrobatidae **11:**70
hydroxitiramina **5:**164
Hyeres, combate de las islas **10:**52
Hylacomilus **1:**227
Hynek Macha, Karel **4:**28
Hyriana (Chandigarh) **7:**299

I

I 7:255
I quattro libri dell' architettura **10:**293
Ianni, Octavio 7:255
biografía **7:**255
Iapeto **13:**204
Iasi **12:**130
Ibadán **10:**101
Ibagué 7:255
Ibaizábal **14:**119
Ibáñez del Campo, Carlos 7:255
biografía **7:**255
Ibáñez, Blasco **9:**226
Ibáñez, Carlos **1:**216
Ibarbourou, Juana de 7:255
bibliogrарfía **7:**255
Ibarra 7:255
Ibarra, Joaquín **7:**285
Ibarra, José de **9:**206
Ibd Sa'Od **1:**336
Iber, río **7:**257
Iberá 7:255
corrientes **4:**257
Iberia 7:255
Argentina, República **2:**24
Cuba **4:**312
Ibérica o Hispánica, península **5:**70, 176, 184, 206, 280, 303, 305
Ibérica, cordillera **5:**304; **6:**75; **10:**290
Ibérica, meseta central **9:**176; **11:**173
Ibérica, Península 7:255
comercio **4:**165
conejo **4:**202
español, idioma **6:**5
Felipe II **6:**127
hispanolatina, literatura **7:**191
normandos **10:**130
Pamplona **10:**298
Portugal **11:**173
Reconquista **11:**315
Segovia **12:**259
vestido **14:**65
Ibérico, Sistema 7:255
Valencia **14:**12
Iberoamérica **7:**187; **8:**182; **13:**161
Iberoamericana de Sevilla, Exposición **6:**124
iberos 7:256
— del Cáucaso **7:**255
aborigen **1:**32
España **5:**312
Francia **6:**218
Osuna **10:**269
tartesio **13:**123
Ibicuy **13:**326
Ibiracoí **2:**73
ibis 7:259
Ibiza 7:259
Baleares **2:**224
sal común **12:**170
IBM **7:**327; **9:**77
Ibn Batuta **2:**99
ibn Gabirol, Salomón **8:**118
Ibn Sa'ud, rey de Arabia **1:**336, 337; **12:**243
Ibn Tumart **1:**197
Ibn Zubayr **1:**336
Ibn-Batutta **1:**95
Ibn-Husein,Abdullah, rey **8:**210
Ibn-Saud, Abdul-Aziz 7:259
biografía **7:**259
ibo **10:**100
Ibrahim Nasir, A. **9:**43
<u>Ibrahim, Urfa</u> **2:**86
Ibsen, Henrik 7:259
bibliografía **7:**259
comedia **4:**163
drama **5:**171
espectro **6:**10
Nazimova, Alla**10:**60
Ica 7:260
Nasca, cutura **10:**44
Icalma, laguna **2:**324
Ícaro 7:260
Icaza, Francisco A. de 7:260
bibliografía **7:**260
Icaza, Jorge 7:260
bibliografía **7:**260
ICC **12:**214
iceberg 7:260
— <u>antártico</u> **7:**261
— <u>Groenlandia</u> **7:**68
— <u>en la isla de Baffin</u> **2:**215
— islas Baffin, Canadá **7:**260
ártica, región **2:**70
corrientes marinas **4:**258
glaciar **6:**329
Ichaso, Francisco 7:261
bibliografía **7:**261
ICHTHUS **1:**57
Iciar, Juan de **9:**144
Icla **6:**309
Icmelio **9:**253
icneumón 7:261
icono 7:261
iconoclastas **2:**333; **7:**161, 261
iconoscopio 7:261
— de Zworykin **13:**149
comunicaciones **4:**184
televisión **13:**149
icosaédrica **1:**68
ictericia 7:262
fiebre amarilla **6:**148
paludismo **10:**297
Ictino **1:**56; **2:**56; **10:**332
ictiología 7:262
ictiológica, riqueza **9:**83
ictiosaurio 7:262
paleontología **10:**291
id o ello **11:**223
Ida, monte **10:**329
Idaho 7:262
<u>Idaho</u> **7:**263, 264
idea 7:264
— marxista **7:**193
ideal estético **2:**64
idealismo 7:264
— objetivo **10:**173
— platónico **6:**72
— subjetivo **10:**173
Idealista, escuela **6:**146
idealistas **11:**312
idealización **8:**189
ídem 7:265
identidad 7:265
— de los contrarios **7:**138
— neutral **9:**180
identificación **5:**241
ideografía **1:**170
ideogramas **8:**96
ideal **7:**264
Idi Amin Dada **13:**301
<u>Idiapur, India</u> **2:**90
<u>Idiapur, lago de</u> **2:**91
Idilios vascos **2:**255
idiocia **1:**251
idioma 7:265
— arameo **7:**135
— hiperbólico **8:**188
— simplificado **7:**333
idioma internacional 7:265
Idioma y educación 7:207, 300
indoeuropeos, idiomas **6:**81
idiomática, innovación **10:**71
idiosoma **7:**16
idiota 7:265
idiotez **10:**202
idiotismo **9:**263
idólatras **10:**284
idolatría **5:**135
<u>Ídolo de piedra en San Agustín, Colombia</u> **7:**265
ídolo e idolatría 7:265, 266
escultura **5:**293
Idrija **5:**300
Iduarte, Andrés 7:266
bibliografía **7:**266
idus 7:266
Ienko **8:**85
Iesus Hominum Salvator **7:**268
<u>If, Castillo de, Marsella</u> **9:**109
Ifaz-Ul-Hasan **10:**287
Ifigenia 7:266
biografía **7:**266
Ifito, rey de la Élida **10:**203
Ifni 7:266
Igarashi **4:**171

iglesia 7:266
— consejo de relaciones públicas de la **10:**311
— padres de la **10:**282, 283
— anglicana **1:**284
— Chesmenskaya **13:**307
— colonial, Honduras **7:**218
— de las betitudes, Galilea **6:**267
— de la transfiguración en el monte Tibor, Galilea **6:**267
— de Notre Dame en Ontario, Canadá **1:**206
— de San José, Argelia **2:**11
— del monasterio de san Francisco, Quito, Ecuador **5:**201
— dominica de Cracovia, Polonia **1:**73
— en Jerez, España **5:**306
— ortodoxa de San Petersburgo **13:**306
— ortodoxa griega, Albania **1:**138
— ortodoxa rusa en el Kremlin **8:**148
— ortodoxa rusa, Tallinn **13:**107
— y monasterio de san Francisco, Guatemala **7:**191
Iglesia y Santos, Álvaro de la 7:266
bibliografía **7:**266
Iglesias Patín, Santiago 7:266
biografía **7:**266
Iglesias, Francisco **1:**87
Iglesias, Miguel **1:**264
Iglesias, Pablo 7:266
biografía **7:**266
Iglesias, Rafael **4:**270
iglú 7:266
ártica, región **2:**70
Ignacio de Antioquía, san 7:266
biografía **7:**266
Ignacio de Loyola, san 7:266
bibliografía **7:**266
misiones y misioneros **9:**242
Urbano VIII **13:**323
Ignacio, san **10:**96
ígneas **9:**184
ígneo **6:**310
igneri **3:**245
ignifugación **9:**12
ignorancia 7:267
Igorrote (pueblo) 7:267
Iguala, Plan de 7:267
Igualada, Ciudad, Barcelona **2:**253
igualdad 7:267
iguana 7:267
iguana **7:**268
iguánidos **2:**260; **7:**268
Iguanodon **5:**133
Iguazú, cataratas del 7:268
Iguazú, cataratas de **2:**14; **10:**320
Argentina, República **2:**13
Posadas **11:**178
Iguazú, río **2:**13; **4:**333; **7:**268
Ihme en Hanover, Alemania **1:**163
IHS 7:268
Ihuatzio **13:**118
Ikku **8:**85
Ikonnicovo **10:**173
Il'ja Mijailovich Frank **13:**110
ilang-ilang **4:**172
ilces **13:**295
Ildefonso, san 7:268
bibliografía **7:**268
jardinería **8:**88
íleo 7:268
íleon **1:**262
intestino **8:**21
ilercavones **7:**257
Ilerda **8:**231
ilergetes **7:**257
Ilex paraguaiensis **1:**45; **10:**321
Ilhuicamina (Flechador del Cielo) **2:**192; **9:**258
Ili **12:**335; **13:**184
ilíacas **2:**67
Ilíada 7:268
Ayax **2:**193
Caballo de Troya **3:**137
Paris **10:**329
poesía **11:**147
Troya **13:**273
Ilich Ulianov, Vladimiro (Lenin) **3:**20
Ilich, Iván **9:**152
Iliescu **12:**132
Iliniza **5:**196
Ilión **13:**273
Iliria 7:271
ilirias **8:**217
ilirio **1:**137; **4:**295; **7:**271; **8:**217
Ill, río **6:**59
Illampu **3:**26; **9:**285
Illapel **4:**235; **10:**191
Illi, río **2:**87
Illía, Arturo **2:**24
Illíberis **7:**47
Illich, Ivan 7:269
bibliografía **7:**269
Illiger **10:**253
Illimani 7:269
Andes **1:**268
illinchao **9:**38
Illiniwek **7:**271
Illiniza **11:**270
Illinois 7:269
— río **10:**200
Illrada, Injiald **13:**71
Illueca, Jorge **10:**302
Ilmen, Onega **10:**82
ilmenita **13:**204
Ilopango **12:**181
Ilopango, laguna de **12:**200
Ilopango, volcanes de **12:**200
ilotas **6:**7; **7:**59
ilotismo industrial 7:271
iluminación 7:272
iluminación en las minas **1:**50
Iluminismo o ilustración **7:**194, 272; **14:**68
ilusión 7:272
ilusión óptica 7:272
ilusionismo **11:**194
ilusionista **9:**25; **6:**131
ilustración 7:272
editor y editorial **5:**212
fotograbado **6:**200
ilustraciones **8:**285
Ilustre Teatro, Compañía del **9:**268
imagen 7:273
— computarizada **1:**282
— invertida **10:**184
— religiosa **7:**261
imaginación 7:273
imagineros **2:**69
Imaginismo 7:273
imaginistas **8:**155
imán 7:273
atracción **2:**154
excitación magnética **6:**91
magnetismo **9:**27
Imari **11:**170
Ima-Sumac **10:**208
Imataca, sierra **14:**43
Imaz, Eugenio 7:273
bibliografía **7:**273
Imbabura 7:273
Ecuador **5:**199
Otavalo **10:**269
imbangala **1:**287
Imbangalas de Cassange, reino de los **1:**287
imbecilidad 7:273
Imbert Barrera, Antonio **5:**161
Imhotep **12:**320
impanación **4:**221
impedancia 7:273
impenetrabilidad 7:273
impennes **11:**92
Imperator Caesar Augustis **7:**281
imperatoria 7:274
Imperial, Francisco 7:274
bibliografía **7:**274
Imperial, río **4:**37
Imperialismo 7:274
— de Prusia **7:**90
— inglés **7:**42
Monroe, James **9:**281
imperio 7:274
— alemán **2:**268, 284; **11:**91
— asirio **2:**97
— Austro-Húngaro **7:**92
— azteca **5:**73; **13:**159
— bizantino **1:**29, 335, 336; **2:**98, 100, 285; **5:**297
— caldeo-babilónico **2:**97
— carolingio **1:**159
— centrales **3:**8
— centroafricano **13:**66
— chino **2:**98
— colonial **5:**204
— de Brasil **13:**127
— de los medos **2:**97
— de los zares **7:**274
— de Maximiliano **1:**205, 214; **5:**281
— de Occidente **7:**223
— del Sol **1:**218
— despóticos **7:**5
— español **7:**274
— inca **5:**200
— italiano **7:**274
— latino **2:**97, 333
— mogol **2:**98; **5:**43, 206; **13:**123
— o Reino Nuevo **5:**227
— otomano **2:**241
— persa **1:**336
— ruso **13:**300
— sargónida **2:**131
— sasánida **5:**205
— turco **2:**38, 134; **13:**295
— Universal **7:**6
imperio británico 7:274
— en la India **7:**131
imperio romano 7:275
— de Occidente **1:**135; **2:**251; **5:**202; **11:**217
— de Oriente **2:**135; **13:**295
— germánico **5:**264; **13:**259
Adriano, Publio **1:**75
biblioteca **2:**312
Edad Media **5:**205
rector **11:**319
Tarragona **13:**121
Imperio, Argentina 7:274
Imperio, estilo **6:**53; **9:**255; **14:**69
Imperio, Pastora **6:**271
imperium **8:**255
impermeabilidad 7:282
impermeabilización 7:282
impermeabilizante **2:**82; **5:**250; **10:**320
impermeable **8:**268
impétigo 7:282
enfermedades de la piel **5:**262
implosión 7:282
Importancia **2:**176
Imposición 7:284
impregnación por inyección **9:**12
imprenta 7:282
imprenta **7:**283, 284
— composición **7:**283
— compaginación **7:**283
— del Paternoster Row **8:**303
— del Vaticano **9:**64
— evolución de los tipos **7:**285
— historia de la **7:**284
— imposición **7:**284
— impresión en varios colores **7:**284
— métodos modernos **7:**284
— Patriótica **8:**10
— prensas de imprimir **7:**284
— primitiva **7:**283
artes industriales **2:**68
comunicaciones **4:**183
escritura **5:**284
folio **6:**188
invenciones y descubrimientos **8:**28
prensa **11:**189
tinta **13:**198
imprenta en América 7:285
impresión tipográfica **14:**157
impresionismo 7:286
impresionismo **7:**287
— francés **2:**79; **6:**107; **10:**285; **13:**324; **14:**148
— musical **6:**229
— popular realista **8:**94
— sinfónico **5:**177
impresionista, grupo **10:**29
impresionista, movimiento francés **6:**112; **10:**208
impuesto 7:287, 288, 289
— al valor agregado (IVA) **6:**163
— de la mita **7:**290
Inambari **9:**18
Inca **9:**9; **10:**208
Inca, Calixto Bustamante Carlos **4:**197
Inca, Manco **10:**208
Incahuasi **4:**37
incaicos, temas **14:**10
incandescencia **1:**211
incandescente, lámpara **11:**126
incas 7:289
incas **7:**290, 291, 292
— de Vilcabamba **13:**213
— economía **7:**289
— espejo de los **10:**177
— estructura social y política **7:**290

— división territorial y colonización **7**:291
— historia **7**:289
— imperio **8**:182
— obras públicas, comunicaciones, ejército **7**:291
— religión **7**:292
— de Perú **2**:50, 52, 66, 132, 247
Bolivia **3**:28
contabilidad **4**:221
Dorado, El **5**:165
papa o patata **10**:310
petróleo **11**:71
Vilcamba **14**:92
incendio 7:293
bosque **3**:52
incensario **1**:52
incentro **13**:260
Inchon **4**:246, 247
incienso 7:293
incineración **6**:252
incisa **7**:154
incisivos **5**:50
Incitatus **3**:133
Inclán, Luis G. 7:293
bibliografía **7**:293
inclinación de cabeza **10**:166
inconsciencia **4**:158
inconsciente 7:293
— colectivo **9**:250; **11**:223
Incú, río **6**:18
incubación 7:293
incubación, alimentación e higiene, gallina **6**:270
incubadora **7**:293
incunable 7:294
biblioteca **2**:313
imprenta **7**:285
Indas **7**:312
indebiscentes **6**:239
Independencia 7:294
Independencia, bahía de la **11**:64
independencia 7:294
— argentina **11**:241
— chilena **9**:34
— de Estados Unidos **11**:189
— de México **7**:74, 267
— ecuatoriana **9**:88
— española **1**:342
— latinoamericana **8**:193
— lusitana **11**:176
— mexicana **1**:20, 323; **10**:186; **11**:265
— y de Secesión, guerras de **6**:35
— guerras de **7**:86
Inder Kumar Gujral **7**:302
indeterminismo **8**:244
***Index* 7**:295
Index librorum prohibitorum **7**:307
India 7:295
— arte y arquitectura **7**:302
— bandera de **2**:240
— ciudades y turismo **7**:298
— clima **7**:297
— costas **7**:295
— geología **7**:296
— historia **7**:300
— inglesa **1**:67
— idioma y educación **7**:299
— literatura y filosofía **7**:303
— llanuras septentrionales de la **11**:156
— monasterio de la **10**:11
— mitología de la **10**:29
— Muerta **2**:73; **13**:325
— música y danza **7**:303
— organización política **7**:299
— Oriental **8**:122
— orografía e hidrografía **7**:295
— Platón de la **11**:11
— recursos naturales y economía **7**:297
— ruta de la **6**:273
— situación territorial **7**:304
— Transgangética **10**:29
— transporte y comunicaciones **7**:298
— Unión **10**:29
— y Pakistán **2**:245
alfombra **1**:174
ario **2**:30
Cachemira y Jammu **3**:149
creación **4**:277
ébano **5**:183
girasol **6**:327
India **5**:244; **7**:297, 298, 299, 300, 301, 302, 303; **13**:130, 175
Iqbal, Muhammad **8**:34
pagoda **10**:284
pimienta **11**:91
universidad **13**:317
zoolatría **14**:181
Indiana 7:304
Indiana **7**:305, 306
Indianapolis, Estados Unidos **2**:169; **7**:304
Indias **1**:63; **2**:209; **4**:166, 212; **8**:163
Indias Occidentales **1**:307; **14**:100
Indias Occidentales Danesas **6**:42
Indias Occidentales, Compañía Francesa de las **10**:63
Indias Occidentales, Estados Asociados de las 7:306
Indias Orientales **2**:62; **7**:300, 308; **8**:125; **10**:104; **14**:159
Indias Orientales Holandesas **2**:225; **7**:315; **9**:270; **10**:159; **13**:125
Indias Orientales, Compañía de las **6**:111; **10**:20
Indias, Casa de **14**:101
Indias, compañías de 7:304
Indias, Consejo de **10**:42, 164, 197; **14**:36, 101
Indias, Junta de **14**:101
Indias, leyes de **5**:159; **6**:245
Indias, pieza de **10**:68
Indíbil 7:306, 307
índice 7:307
— de octano **6**:289
— de refracción **8**:332; **11**:326
Índico, océano 7:307
Colombo **4**:145
dugongo **5**:176
Madagascar **9**:10
océano y oceanografía **10**:180
Pérsico, Golfo **11**:57
Unión Sudafricana **13**:312
Zambeze **14**:171
Indígena, Cultura **4**:31
indígenas en la isla de Bali **1**:318
indigenismo 7:307
indigestión 7:307
indigetes **7**:257
índigo 7:307, 308, 316
indigofera **1**:320; **7**:307
indigotina **1**:320
Indika **1**:253
indio 7:308
— calchaquíes **11**:258
— charrúas **1**:20
— cospes **4**:250
— mexicanos **10**:177
— mosquitos **9**:310; **10**:93
— onas **4**:40
— payaguaes **2**:193
— peruanos **4**:41
— tehuelches **3**:157; **11**:87
— tepehuanos **6**:134
— tobas **4**:282
indios americanos 7:308
indios americanos **7**:309, 310,
— apache **1**:322
— hopi **6**:35; **9**:333
— navajo **4**:276; **9**:63
— pueblo en New Mexico y Arizona **6**:35
Indios, Territorio de los **10**:199
Indios, tierra de los **14**:47
individualismo 7:312
— romántico **7**:194
Indo, río 7:312
Asia **2**:87
Pakistán **10**:287
Semíramis **12**:275
Tíbet **13**:185
zoogeografía **14**:180
Indo, valle del **2**:84
indoafgana **11**:310
indoafricana **3**:57
indoamericanos **11**:311
Indochina 7:312
Indochina **7**:313, 314
— comunicaciones **7**:313
— división política **7**:313
— francesa **2**:248
— guerra de **6**:225; **9**:164
— historia **7**:314
— raza, cultura y costumbres **7**:313
— topografía, clima y recursos naturales **7**:312
Camboya **3**:183
Cochinchina **4**:122
Ginebra **6**:325
muñeca **9**:333
paz, tratado de **11**:20
Salomón, islas **12**:176
Tierra **13**:191
Vietnam **14**:90
indoeuropea, raza **6**:318
indoeuropeo 7:314
indogermánicos **2**:95; **7**:314
indoiránica, región **2**:30
indoislámica **13**:103
indoísmo 7:315
Indonesia, República de 7:315
— arte **7**:315
— bandera de **2**:240
— historia **7**:315
Borneo **3**:49
dragón **5**:169
pagoda **10**:284
petróleo **11**:71
Indonesia **8**:91, 146
indopaquistaníes **13**:86
Indortes **5**:313
Indostán 7:316
Bután o Bhután **3**:124
Indostánica, península **7**:300
indoxilo 7:316
Indra 7:316
Ramayana **11**:293
inducción 7:317
— eléctrica **8**:143
— electromagnética **7**:143
— magnética **6**:324; **9**:27; **11**:333
inductancia 7:317
indulgencia 7:317
indulto 7:317
indumentaria 7:318
Indurain, Miguel **4**:69
industria 7:317
industria **7**:318; **13**:136
— bélica **9**:223
— de alta tecnología **11**:233
— de la juguetería **9**:333
— de los plásticos **11**:260
— dulcera **3**:231
— editorial **1**:165
— farmacéutica **11**:328
— forestal **6**:195
— forestal regulada **6**:193
— hotelera **7**:233
— liviana **11**:233
— metalúrgica, Inglaterra **9**:183
— papelera **5**:310
— pesada **11**:233
— pesquera **7**:82
— procesadora de algodón **1**:181
— siderúrgica **5**:309
— textil **1**:165; **7**:177; **9**:260
— textil **14**:124
Industrial, Revolución **10**:19, 175, 176; **11**:195
industrialización del acero **1**:49
industrializada, sociedad **6**:116
Industrias 2:282
— de colorantes **11**:53
inercia 7:318
— ley de **14**:125
movimiento **9**:317
Inés de Castro 7:318
biografía **7**:318
Inés de la Cruz, Sor Juana **8**:188
Inés de la Cruz, Sor Juana **8**:281
Inés, santa 7:318
biografía **7**:318
infalibilidad 7:318
— papal **4**:196
infancia 7:319
infancia **7**:320, 321
— alimentación y cuidado **7**:320
— atención de la **11**:228
— crecimiento del niño **7**:321
— crecimiento y conducta **7**:322
— diferencias individuales en el desarro **7**:322
— los padres y el niño **7**:322
— recién nacido **7**:319
infantería 7:322
infantería **7**:323
— francesa **7**:323
— motorizada **7**:323
— sueca **7**:323
— suiza **7**:323
infantería de marina 7:323
infanticidio **7**:214
infantilismo **8**:144
infarto 7:324,
— del miocardio **4**:238
infección 7:325
— piógena **10**:268

Inferior, Laguna 10:170
Inferior, Península 9:213
infertilidad 7:325
Infierno 7:325
infinitivo 7:325
infinito 7:325
inflación y deflación 7:325
Inflacionaria, teoría 4:277
inflamación 7:327
inflexión 11:212
inflorescencia 7:327
inflorescencia 7:326
influencias electromagnéticas 1:252
influenza 7:67
infocitos 3:305
información 5:203
información genética 10:154
información, ciencia de la 7:327
información, teoría de la 7:327
informalismo español 13:95
informática 7:329
infracción punitiva 13:177
infrarrojas, miras 10:54
infrarrojos, rayos 7:329
infusible 13:105
infusión 7:329
infusorios 7:329
ingeniería 7:329
ingeniería 7:329, 330, 331, 332
— agronómica 1:107; 7:332
— astronáutica 2:110
— de construcciones 7:331
— del conocimiento 8:15
— eléctrica 7:331
— genética 3:210; 8:18
— hidráulica 7:331
— historia de la 7:330
— mecánica 7:331
— metalúrgica 7:332
— militar 7:332
— minera 7:332
— química 7:332
— ramas de la 7:331
ingeniería de materiales 7:332
— metales 7:332
— cerámica 7:332
— polímeros 7:332
— semiconductores 7:332
— intermetálicos 7:332
— compuestos 7:333
Ingenieros, José 7:332
Inglaterra 7:333
— batalla de 7:94
— corona de 8:169
— y Flandes 6:127
auto sacramental 2:177
Canterbury 3:220
cristianismo 4:292
Dunstan, san 5:179
exploraciones polares 6:95
India 1:106
Inglaterra 1:306; 3:220; 4:100; 5:218, 293; 8:87, 97, 129; 10:149, 276, 330; 14:147
literatura 8:280
O'Higgins, Bernardo 10:191
puente 11:227
Schopenhauer, Arthur 12:248
Thackeray, William Makepeace 13:181
Wilde, Oscar 14:150
inglés, idioma 7:333
— antiguo o anglosajón 7:333
— básico 7:265, 333
— moderno 7:333
Ingleses, guerra contra los 10:52
Ingobella 1:286
ingravidez 2:113
Ingres, Jean-Auguste-Dominique 7:333
bibliografía
Neoclasicismo 10:71
inguinal 7:155
Inhiraga 8:84
Inírida, río 7:73
injerto 7:333, 334
zoología 14:181
Inkotanyi 12:121
Inmaculada Concepción 7:334
— fiesta de la 7:334
inmigración y emigración 7:334, 335
inmortalidad 7:335
inmovilidad de factores 14:49
inmuebles 7:335
inmunidad 7:335
— activa 14:5
inmunitario, sistema 12:314
inmunización artificial 14:104
inmunodeficiencia humana (VIH) 12:314
inmunoglobulinas 5:210
inmunología 1:296; 2:211; 3:210; 7:335; 8:95, 227; 12:289
inmunoterapia 10:211
inmutabilidad 5:295
Inn, río 5:11; 13:76, 202
inning 2:279
Innsbruck, Austria 1:201; 2:166; 4:293; 13:202
Innsbruck, Austria 2:167
Inocencio II 7:335
biografía 7:335
Inocencio III 7:335, 336
biografía 7:335
albigenses 1:141
cruzadas 4:307
Edad Media 5:207
Francisco de Asis, san 6:230
Kempis, Tomás de 8:137
Roma 12:100
Inocencio IV, papa 9:276; 10:237; 11:167
Inocencio VI 1:214; 12:67
Inocencio VIII, papa 9:62; 11:100, 156
Inocencio XII 9:45
Inocente VIII 5:165
inocentes, Degollación de los 7:336
inoculación 5:261; 8:93; 14:5
Inonu, E. 13:297
Inönü, Ismet 7:336
biografía 7:336
Inositol 14:108
inovaciones tecnológicas 4:104
Inquisición 7:336
— francesa 12:293
— Tribunal de la 6:118; 8:50
antisemitismo 1:312
auto de fe 2:168
cortes 4:260
Edad Media 5:207
Galileo, Galilei 6:268
Mier, fray Servando Teresa de 9:219
Paulo III 11:17
inscripción 7:336
insecticidas 8:5
insectívoro 8:5
insecto 8:5
insecto 10:296, 335
insecto de Santa Teresa 9:62
insecto hemíptero 4:79, 122
insecto ortóptero 8:171
insecto tisanuaro 8:230
insectos dípteros 9:306
insectos himenópteros 1:21
inseminación alternativa 7:216
inseminación artificial 8:203
insignia 2:244
insomnio 8:9
inspección 8:9
inspector general 8:166
inspiración. 8:10
instinto 8:10
instinto sexual 12:300
Institución Carolina 13:72
Institución Guggenheim 7:146
Institución Hoover de la Universidad de Stanford 2:274
instituciones bancarias 8:16
Institut Metaphysique 6:18
Institute for Musole Research 13:92
Instituto Agrícola de Shanbat 13:66
Instituto Biblioteca Mazarina 9:145
Instituto Blas Pascal 9:77
Instituto Británico del Hierro y del Acero 2:306
Instituto Butantan de Brasil 4:327
Instituto Carniege 13:299
Instituto Caro y Cuervo. 8:10
Instituto Central de Gimnástica en Estocolmo 6:324
Instituto de Antropología 7:13
Instituto de Arte de Chicago 13:182
Instituto de Artes de Minneapolis 9:229
Instituto de Ciencia Telescópica Espacial en Baltimore 7:235
Instituto de Cooperación Intelectual de la Sociedad de las Naciones 9:246
Instituto de Correspondencia Arqueológica 2:52
Instituto de Criminología de Buenos Aires 7:332
Instituto de Derecho Internacional 2:105
Instituto de Desarrollo Armónico del Hombre en Fontainebleu 7:108
Instituto de Estudios Avanzados de Princeton 8:209
Instituto de Filosofía de la Academia Soviética 8:319
Instituto de Física de Kiel 8:215
Instituto de Física Química de la Universidad de Charles en Praga 7:161
Instituto de Física Teórica de Berlín 8:197
Instituto de Fisiología de Heidelberg 9:209
Instituto de Fisiología de la Universidad de Zurich 7:161
Instituto de Higiene de Marburgo 2:277
Instituto de Higiene y Sueroterapia 4:305
Instituto de Investigación Glynn 9:246
Instituto de Investigaciones Médicas de Madrid 8:103
Instituto de las Españas 9:246
Instituto de Tecnología Basel 8:95
Instituto de Tecnología de California 1:267; 9:224
Instituto de Tecnología de Estocolmo 1:177
Instituto de Tecnología de Illinois 8:209
Instituto del Emperador Guillermo para Investigaciones sobre Fisiología Celular 7:119; 9:156; 14:140
Instituto del Radio de París 4:333
Instituto Di Tella 9:6
Instituto Etnográfico 7:134
Instituto Federal Suizo de Tecnología 2:275
Instituto Franklin 8:215
Instituto Geográfico de Justus Perthes 2:138
Instituto Histórico y Geográfico de Brasil 4:330
Instituto Indigenista Interamericano 8:10
indigenismo 7:307
Instituto Internacional de Agricultura 4:328
Instituto Internacional de Bibliografía 2:314
Instituto Internacional de Educación 2:273
Instituto Internacional de Estadística 6:30
Instituto Le pître 2:231
Instituto Lebedev 2:261; 13:110
Instituto Libre de Segunda Enseñanza 8:306
Instituto Marx-Engels 8:319
Instituto Max Planck 7:139; 9:212
Instituto Max Planck de Química 4:302
Instituto Max Plank de Bioquímica 7:236
Instituto Nacional de Bellas Artes de México 9:198
Instituto Nacional del Corazón de la Universidad de Washington 7:14
Instituto Nobel de Estocolmo 9:156
Instituto Nobel de Física 1:177
Instituto Nobel de Medicina de Estocolmo 7:49; 13:182
Instituto Oswaldo Cruz 4:305
Instituto para la Integración de América Latina 8:10
Instituto para la Investigación de la Agricultura 1:108
Instituto Pasteur 8:201, 335
Instituto Pedagógico de Caracas 9:221
Instituto Pedagógico de la Universidad de Chile 8:197
Instituto Polarográfico 7:162
Instituto Politécnico Nacional de México 9:201
Instituto Religioso de Omndurman 13:66
Instituto Rockefeller de Investigaciones Médicas 8:170, 299; 9:175
Instituto Salk de Estudios

Biológicos de San Diego, California **7**:210
Instituto Técnico de Jartum **13**:66
Instituto Tecnológico de California **9**:268
Instituto Tecnológico de Massachussets **2**:254; **8**:313, 325; **9**:263, 268
Instituto Tecnológico de México **1**:149
Instituto Tecnológico de San Petersburgo **9**:164
Instituto Teyler de Haarlem **8**:308
Instituto y Museo Oceanográfico en Mónaco **4**:273
instrumentación 8:10
instrumental astronómico **2**:129
instrumento 8:10
— científicos **8**:12,14
— de aire **1**:91
— de cuerda y arco **8**:11; **9**:55; **14**:98
— de percusión **8**:11
— de viento **7**:79; **8**:11
— electrónicos **8**:12
— musical **1**:123, 192; **3**:277; **7**:107; **9**:84
— telefónicos **7**:172
— telegráficos **7**:172
instrumento de aire **1**:122
instrumento de laboratorio **11**:9
instrumento de medición **8**:13; **9**:189
Insúa, Alberto 8:13
bibliografía **8**:13
insuficiencia 8:13
— cardiaca **7**:324; **8**:13
— renal **8**:14
— tiroidea **8**:14
insularismo **11**:24
insulina 8:14
diabetes **5**:99
glándula **6**:331
hipoglusemia **7**:185
plásticos **11**:130
secreción **12**:253
Insulindia **2**:84
insulíndica **3**:57
Insurgente Galeana, Hermenegildo **7**:102
integración europea de 1991, tratado de **9**:5
integral 8:14
integrales elípticas, teoría de las **1**:26
inteligencia artificial 8:15
inteligencia artificial **8**:15
inteligencia 8:14
— teoría de la **13**:103
inteligencia **8**:14
INTELSAT 8:16
Intelsat II **4**:187
Intelsat III **4**:187
Intelsat IV **13**:145
Intelsat V y VI **4**:187
intendencia 8: 15
intensidad 8:16
— luminosa **13**:149
Inter coetera II **13**:222
Inter Coetera, bula **1**:157
Interamericano, Comité Jurídico **9**:159
intercambio 8:16
— comercial **8**:16
— cultural **8**:16
— de informaciones **8**:16
— de servicios **8**:16
interés 8:16
intereses **8**:16
intereses concretos, periodo de los **7**:319
intereses extranjeros **13**:60
Interest Equalization Tax **6**:74
interfase **4**:297
Interferencia 8:17
interferencia e interferómetro 8:18
interferencia luminosa **8**:18
Interferón 8:18
Interim **2**:159
interior de la basílica de Notre Dame, Canada **2**:260
interior de la biblioteca de Deiniol **2**:314
interior de la catedral de Coventry, Inglaterra **7**:266
interior de un baño turco en Mallorca, España **2**:248
interior del conjunto de cavernas en Chiquibuk, Belice **2**:286
Interlaken **1**:201
interleucinas **8**:18
interlingua **8**:220
intermedio 8:19
internacional 8:19
— *Amateur Radio Union* **11**:278
— Comunista o Comintern **6**:235; **8**:19
— de la Paz, Liga **11**:8, 255
— de Venecia **6**:151
— del Trabajo, Organización **6**:124
— Socialista **8**:19
International News Service (Ins) 8:19
Internet 8:19
— medular **8**:20
Internet **4**:67
información, ciencia de la **7**:327
prensa (información) **11**:190
interoceánica, cerretera **7**:218
interpolaciones figurativas **7**:110
interpretación de los sueños **11**:223
interruptor eléctrico 8:20
interruptor tetrapolar **8**:20
intersecciones **4**:308
intersticios **1**:342
interula **14**:64
intervención francesa en México 8:20
intervención quirúrgica **7**:232; **9**:149
intervencionismo 8:20
intestinales, ascárides o lombrices **10**:70
intestino 8:21
— delgado (duodeno) **5**:267; **8**:301; **14**:60
— grueso **10**:278
intestino **4**:115; **8**:20
Intibucá 8:21
Honduras **7**:218
Paz, La **11**:21
Intip cori **7**:290
intolerancia alérgica **7**:181
intoxicación **2**:83; **5**:261, 274
intranets **8**:20
Intrepid **2**:119
Introducción al estudio de la estructura estelar **4**:19
intuición 8:21
— emocional **14**:28
Intzu **8**:85
inuas **6**:26
inundación 8:21
Inurria, Mateo 8:22
invaginación **10**:186
inválido 8:22
invar **10**:104
invasión 8:22
— japonesa **10**:20
— microbiana **8**:14
Invasión portuguesa 2:73
invasor **5**:160
Invencible, armada **6**:323
invención, patentes de **8**:27
invenciones y descubrimientos 8:23
— descubrimientos e invenciones causales **8**:24
— el orígen de los inventos **8**:27
— influencia de los descubrimientos e investigaciones en la sociedad **8**:26
— la investigación organizada **8**:25
— las patentes de invención **8**:27
inventario 8:28
inventos,origen de los **8**:27
invernación 8:28
invernadero 8:28
heliotropo **7**:143
invernadero **12**:66
invernadero, efecto de 8:28
Inverness **7**:37
inversión 8:28
— bruta **8**:29
— combinada **8**:170
— neta **8**:29
— privada **8**:29
— pública **8**:29
— reproductiva **8**:29
inversión del ángulo, principio de **1**:290
inversión térmica 8:29
invertebrados 8 29
Investiduras **4**:197
investiduras, querella de las 8:29
investigación 8:30
— aplicada **8**:30
— atómicas **9**:28
— científica **7**:186
— método de **1**:318
— minera **9**:232
— pura **8**:30
investigaciones psiquiátricas **4**:310
invierno 8: 30, 214
Invierno, palacio de **14**:87
inyección 8: 30
— de desechos nucleares en Rusia **10**:153
Inyección Electrónica 2:172
inyección intravascular **1**:282
inyector 8:31
Iodes **1**:34
Ioess, capas de **11**:157
ion 8:31
iones, intercambio de 8:31
Ionesco, Eugène 8:32
Ionio, provincia de **13**:119
ionización 8: 32, 215
ionizador **11**:184
ionizar **11**:306
Ionosfera 2: 119, 142
estratosfera **6**:60
Iordan **8**:266
Iovis **8**:122
Iowa 8:32
— actividad económica **8**:33
— clima **8**:32
— educación y cultura **8**:33
— energía **8**:33
— población **8**:32
— suelo y recursos **8**:32
— vegetación y vida animal **8**:32
Ipala **7**:77
Iparraguirre, José María 8:33
obra **8**:33
Ipatiev, Vladimir Nikolaevich 8:33
biografía **8**:33
ipecacuana 8:34
Iperita 8:34
Ipiranga **12**:225
Ipsilanti, Alejandro **7**:61
Ipswich **7**:119; **11**:247
ipuriná **7**:310
Iqbal, Muhammad 8:34
bibliografía **8**:34
Iqui Balam **11**:254
Iquique 8:34
— puerto de **11**:183; **13**:118
Iquitos 8:34
Perú **11**:61
Iraca **4**:31
Irak **5**:229, 249
Irala, Domingo Martínez de 8:34
biografía **8**:34
Irán e Iraq, guerra de 8:34, 257
Irán o Persia 8:35
— agricultura y ganadería **8**:36
— ciudades **8**:38
— clima **8**:36
— comercio **8**:37
— desierto **5**:89
— flora y fauna **8**:36
— geología **8**:35
— gobierno **8**:38
— hidrografía **8**:35
— historia **8**:38
— industria **8**:36
— lenguas antiguas **2**:30
— letras y artes **8**:39
— meseta de **9**:176
— minerales **8**:36
— Minerales **8**:37
— población **8**:37
— Población **8**:38
— relieve **8**:35
— religión **8**:37
Abadán **1**:18
Armenia **2**:46
bloqueo **3**:8
cristianismo **4**:291
Egipto **5**:229
gitano **6**:328
Hassan II **7**:131
Irán **13**:140
Irán **8**:35, 36, 37, 38
Irán bandera de **2**:240
minería **9**:231
panarabismo **10**:307
petróleo **11**:71
seda **12**:257
Irapuato **7**:74
Iraq 8:40
— ciudades y transportes **8**:41

— clima **8:**40
— geografía física **8:**40
— geología **8:**40
— gobierno **8:**41
— historia **8:**41
— recursos naturales, industria y comercio **8:**40
Arabia Saudita **1:**335
Armenia **2:**46
cristianismo **4:**292
Éufrates, río **6:**72
Hussein, Saddam **7:**254
Iraq **8:**41
Iraq bandera de **2:**240
Mesopotamia **9:**178
panarabismo **10:**307
paz, tratado de **11:**20
sionismo **12:**336
Irauaddi, deltas de **2:**95
Irauaddi, río **2:**87
Irauadi 8:45
— valle del **10:**20
iraudi 8: 40
irazú 8:42
— volcán **1:**234; **4:**266
irbis 8:42
Ireland, Ward S. **6:**49
Irena, emperatriz bizantina **10:**96
Irene **7:**224
Irene Curie **8:**106
irham **14:**65
Irian occidental 8:42
Iriarte, Juan de 326
Iriarte, Tomás de 8:42
animal **1:**296
bibliografía **8:**42
cuentos infantiles **4:**320
fábulas **6:**109
literatura infantil **8:**284
Samaniego, Félix María **12:**185
iribú **14:**187
iridáceas **2:**193; **6:**178, 330
iridio 8:42
Irigoyen, Bernardo de 8:42
biografía **8:**42
Irineo, san **4:**280
iris 8:43
— germánica **8:**271
Irisarri, Antonio José 8:42
biografía **8:**42
Irisarri, Hermógenes de **4:**44
Irlanda (Eire) 8:43
— ciudades, religión, idioma **8:**44
— clima y vegetación **8:**44
— geología **8:**43
— gobierno **8:**44
— historia **8:**45
— instrucción pública **8:**45
— literatura y arte **8:**46
— mar de **2:**136; **5:**176; **6:**76; **8:**289
— monjes de **9:**64
— orografía, hidrografía y costas **8:**43
— recursos naturales **8:**44
aeroplano **1:**87
Bermudas, islas **2:**301
Brígida, santa **3:**82
Cromwell, Oliver **4:**298
escudo **5:**287
Euraton **6:**73
hadas y gnomos **7:**117
Irlanda **8:**44, 46; **10:**233
Irlanda bandera de **2:**240
normandos **10:**130
Patricio, san **11:**14
Revolución Inglesa **12:**53
vivienda **14:**117
Irlanda del Norte 8:46
— ciudades y transportes 8:44
— movimiento de Paz de **14:**151
— recursos naturales, industria y comercio **8:**43
— teatro Literario **14:**161
Belfast **2:**280
Comunidad de Gente de Paz **4:**1898
Europa **6:**81
Gran Bretaña **7:**39
Irlanda del Norte **10:**23
Londres **8:**302
Major, John **9:**38
ironía 8:46
— volteriana **14:**130
irrigación 8:46
irrigación sanguínea 8:47
Ir-ta **1:**251
Irtisch, río **1:**204; **10:**173, 210
Irún **14:**28, 33
Irvine **9:**268
Irving, Henry 8:47
biografía **8:**47
Irving, James B **2:**120
Irving, Washington 8:47
bibliografía **8:**47
Irwell **9:**51
Isaac 8:47
biografía **8:**47
Isaacs , A. **8:**18
Isaacs, Jorge 8:48
bibliografía **8:**48
Isabel Bowes-Lyon **8:**108
Isabel de Aragón **12:**105
Isabel de Baviera **1:**141
Isabel de Farnesio **13:**325
Isabel de Inglaterra **7:**130; **9:**94, 324; **13:**141
Isabel de Portugal **8:**48
Isabel de York **13:**280
Isabel I 8:48
anglicanismo **1:**283
biografía **8:**48
Indias, compañías de **7:**304
Sidney, sir Philip **12:**316
torre de Londres **13:**228
Isabel II 8:48
Bahamas o Lucayas, islas **2:**217
biografía **8:**48
Gran Bretaña **7:**43
Islandia **8:**54
Mountbatten, Felipe de **9:**315
Olivier, sir Laurence **10:**206
Pío V, san **11:**111
Salomón, islas **12:**177
Sydney **13:**92
Isabel II de España **1:**20, 317; **5:**318; **10:**39; **11:**197, 248, 265; **12:**22
Isabel, *la Católica* 8:48
— Cruz de **9:**172
— reina de Castilla **5:**316; **12:**258
Aragón **1:**340
Benlliure, Mariano **2:**294
biografía **8:**48
Isabel la Católica **8:**49
mujer **9:**324
Isabel, santa 8:48
Sagrada Familia **12:**163
Isabela, isla **6:**262
Isabela, puerto de **12:**164
Isabela, río **5:**159
Isabelina y Dariense, cordilleras **6:**48, 42
isabelino español, estilo **6:**53
Isabey, Eugène **6:**228
Isagoge **10:**72
Isaías 8:50
Biblia **2:**309
biografía **8:**50
Isamitt, Carlos **4:**43
Isar, río **5:**11
Isarco, río **5:**154
Isarno **12:**60
isba **14:**117
Iscariote **8:**100
Ischia isla **10:**39
isegoría **7:**6
Isella **12:**329
Iseo **5:**47
Iser, río **3:**18; **13:**89
Isherwood, Ch. **2:**156
Ishimori **4:**171
Ishtar **2:**105
Isidoro, san 8:51
Andalucía **1:**265
bibliografía **8:**51
enciclopedia **5:**252
patrología **11:**15
Isidro Labrador, san **9:**19
Isis 8:51
— diosa de la naturaleza **1:**296
Astarté **2:**105
dioses paganos **5:**136
Horus **7:**231
Osiris **10:**264
Iskander Mirza **10:**287
Iskanderun **1:**154
Iskra (La Chispa) **8:**221
isla 8:51
— de Flores **11:**133
— de Lealtad **9:**157
— del Evangelista **11:**94
— Mujeres **11:**265
isla de Manhattan, New York **9:**57
isla de Spitzberg **6:**97
isla Magdalena **6:**186
isla Viti Levu en Fiji **6:**152
Isla, Alejandro Selkirk **8:**114
Isla, José Francisco de 8:51
bibliografía **8:**51
islam e islamismo 8:51
Abderramán I **1:**20
Armenia **2:**45
califato **3:**165
cristianismo **4:**292
Edad Media **5:**206
Etiopía **6:**69
Mahoma **9:**31
Turquía **13:**295
Islamabad **8:**134; **10:**287
Islamey 2:222
Islámica, religión **4:**17, 24
Islandia 8:52
— geología y orografía **8:**52
— gobierno **8:**53
— Gran Géiser de **6:**296
— hidrografía **8:**53
— historia **8:**54
— recursos naturales, productos e industrias **8:**53
América **1:**231
descubrimientos y exploraciones geográficas **5:**71
Europa **6:**79
Islandia bandera de **2:**240
normandos **10:**130
Reykiavik **12:**57
zoogeografía **14:**180
Islas Canarias **2:**234
islas de la Bahía 8:54
islas de los Mares del Sur **2:**143
islas del Golfo de Bengala **8:**217
islas Fénix **11:**153
islas Feröe **6:**136
Islas Maldivas **1:**194
Islas Malvinas **13:**172, 182
Islas Shetland **13:**184
Islay **7:**32
Islote Santa Clara **8:**114
Ismael **1:**33, 99; **4:**92; **8:**47; **12:**225
ismaelitas **1:**98; **2:**293
Ismail **5:**228
Ismail III **9:**327
Ismailía **13:**74
Ismena **1:**305
Ismene **5:**211
Ismet Inönü **2:**269; **13:**297
Iso, batalla de **1:**261
isobara 8:54
isobaras **9:**188
isoclinas **9:**28
isocoro de Van't Hoff **14:**24
Isócrates 8:54
bibliografía **8:**54
Gorgias **7:**22
isocronismo **6:**267
isoctano **6:**289
isógona **9:**28
Isógono **11:**49
Isola de Carturo **9:**61
Isolda **13:**269
isómero 8:54
isomorfina **8:**54
isonomía **7:**6
Isonzo **7:**91
isopreno **13:**170
isoprenoides **13:**170
isópteros **13:**166
isósceles **13:**260
Isostática, teoría **10:**256
isoterma 8:54
isotimía **7:**6
isotopía **12:**63
isótopos 8:55
— de hidrógeno **7:**167
— de oxígeno **6:**321
Ispahán **1:**332
Israel 8:55
— pueblo de **11:**116
— República de **14:**145
— tribus de **8:**99, 117, 118
Biblia **2:**309
cristianismo **4:**291
diáspora **5:**106
Ghali, Boutros Boutros **6:**320
Hassan II **7:**131
Israel bandera de **2:**240
Zacarías **14:**169
Mediterráneo, Mar **9:**154
Acre, San Juan de **1:**55
— aspecto físico **8:**55
— recursos e industrias **8:**55
— pueblo y gobierno **8:**56
— historia **8:**56
Israel **8:**74, 97, 98; **10:**6, 209, 292

Nazaret 10:59
religión 12:11
israelita, causa 10:129
Issyk Kul, lago 8:143; 12:138
Istar 8:58
Istioforidaes 9:103
Ístmica, Cordillera 4:124
Ístmicos, juegos 10:74
istmo 8:58
— de Chignecto 10:156
— de Darién 6:134
— de Suez 13:73
— Departamento del 10:302
Istolacio 8:58
Istrati, Panaït 8:58
bibliografía 8:58
Istria 5:301; 7:271
Istúriz, Francisco Javier 11:251
Isuela 7:241
Itabapoana, río 6:18
Itabirá 6:308; 14:129
Ítaca 11:37
Itaca, isla de 7:55; 10:185
Itaipu, presa 2:*16*
Italí 2:19
Italia 8:58
— artes plásticas 10:65
— ciencia 8:66
— ciudades 8:61
— clima 8:60
— comercio 8:61
— conquista de 7:277
— cultura 8:62
— geología 8:58
— gobierno 8:62
— guerras de 10:52; 11:116
— hidrografía 8:59
— historia 8:62
— instrucción política 8:62
— lengua 8:62
— literatura 10:64
— litorales 8:60
— moneda 8:61
— música 8:66
— orografía 8:59
— pueblo 8:62
— recursos naturales 8:60
— reino de 6:181; 9:222
— religión 8:62
— renacentista 2:8
— transportes 8:61
— Udine 12:33
— y Alemania 13:334
academia 1:40
azufre 2:204
buque 3:117
conservatorio 4:215
encaje 5:251
estación espacial 6:28
Hitler, Adolf 7:119
Italia 1:281, 319, 325; 4:285; 8:59, 60, 61, 62, 63, 64, 65, 66, 76
Italia bandera de 2:240
Mediterráneo, Mar 9:154
Napoleón III, Luis Napoleón Bonaparte 10:38
Ravena 11:303
Rodas 12:89
Suavo 14:189
Urdaneta, Andrés de 13:323
italianas, estelas 6:48
italiano, idioma 8:66
Itálica, diosa 14:51
itálica, letra 8:67
Itálica, Península 6:71, 76; 9:153
Itálico, Silio 12:103
ítaloceltas 8:217
Italo-Turca, guerra 7:140; 8:248
Itambay, río 10:324
Itapacú-guazú 10:321
Itapúa 8:67
Paraguay 10:321
Itard, Jean-Marc-Gaspard 8:67
bibliografía 8:67
ITAR-TASS 13:125
Itaska, lago 9:228
Itata 8:67
Itatí, ciudad de 4:257
Itauna, río 6:18
itelmos 2:94, 96; 14:112
itene 7:309, 310
iterbio 8:67
Ithier, Rafael 11:240
Ítica 12:247
itipi 8:100
itivermiut 8:155
Ito, Irobumi 8:67
biografía 8:67
itrio 8:67
terbio 13:163
Itten, Johannes 8:67
biografía 8:67
Itterby 8:67
Itu, Sao Paulo 7:255
Ituizangó 13:330
Iturbi, José 8:67
biografía 8:67
Iturbide, Agustín 8:67
biografía 8:67
Iturbide, Agustín de 8:68
Iturbide, imperio de 10:94; 14:77
Iturbide, Palacio de 9:204
Iturriaga, Enrique 11:63
Iturriaga, José de 8:68
biografía 8:68
Iturrigaray y Aróstegui, José Joaquín de 8:68
biografía 8:68
Iturub, isla 8:150
Ituzaingó, batalla de 8:68
Itxio 8:84
itzá 8:68
— de Mayapán 9:138
Itzamná 8:69
mayas 9:139
Itzcóatl 8:69
biografía 8:69
Moctezuma I 9:258
Itzhak Ben-Zvi 8:57
Itztapalapa 13:159
Iván III 8:69
— *el Grande* 12:144
— *el Grande*, campanario de 12:142
Iván III 7:274; 9:309; 11:25; 12:144
Iván IV 8:69
Astracán 2:106
biografía 8:69
descubrimientos y exploraciones geográficos 5:75
Moscú 9:309
Rusia 12:144
Tolstoi, Aleksej Nicolaevich 13:214
Iván Pequeño 4:44
Ivanchenkov, Alexander 2:113
Ivanhoe 12:62, 251; 13:82, 129
Ivans, William S. 11:119
Ivato 13:110
Ivens, Joris 8:69
obra 8:69
Iverdon 5:216
Ives, Charles Edward 8:69
obra 8:69
Ives, Frederic Eugene 8:69
obra 8:69
Ivigtut 2:71
Ivovna, Alejandra 13:273
Ivry-sur-Seine 2:63
Iwo Jima 8:69
— acorazado 2:120
Guerra Mundial, Segunda 7:96
Iwo Jima, batalla de, Washington, D.C. 7:93
Ixchel 9:139
Iximché 3:157; 9:138
Ixtaccíhuatl 9:207
Ixtapalapa 12:*203*
Ixtapan 6:30
Ixtapantongo 5:258
Ixtepec 10:170
Ixtlahuaca 6:30; 9:207
Ixtlán del río 8:69
ixtle 1:100; 2:200
Ixtlilxóchitl I Ometochtli 8:69
biografía 8:69
Netzahualcóyotl 10:76
Ixtlilxóchitl II 8:69
biografía 8:69
chichimecas 4:34
Izá, Antonio de, san 11:244
Izabal 8:70
— departamento de 11:267
— lago de 7:77
Izagre (Valladolid) 13:335
Izalco 8:70
Izamal 8:70
Izanagi 1:218
Izancanac 4:310
Izapa, centro ceremonial de 9:136
Izcoatl 10:91
Izetbegovic, A. 4:296, 297
Izquierdo, María 8:70
obra 8:70
Iztaccíhuatl 8:70
Iztaccíhuatl-Popocatépetl, Parque 10:331
Iztapalapa 8:70
Izvestia 9:309; 11:51

J

J 8:73
Ja sais tout, revista 2:252
Jaaristo 8:71
jabalí 8:71
— de Erimantea 7:151
jabalí verrugoso 8:71
jabalina 8:71
Jabalón 9:51
Jabalón, río 14:10
jabirú 8:71
Jablanica, cadena del 1:137
Jablonoi, montes 2:85, 87
jabón 8:71
— obtención y usos 8:72
— amarillo 8:72
— de palo 11:258
— de tocador 8:72
— en escamas 8:72
— industriales 8:72
jabón 1:144; 8:72
Jaca 2:295
jacana 6:270
Jacarandá 1:28
jacaranda 8:72
Jáchymov, valle de 4:25
jacinto 8:72
Jacinto, San 8:307
Jackson, Andrew 8:72
biografía 8:72
Jackson, Helen Fiske Hunt 8:73
bibliografía 8:73
Jackson, Jesse 8:73
biografía 8:73
Jackson, Mahalia 7:24
Jacksonville 6:182, 183; 11:229
Jacob 2:293; 5:277; 9:279; 11:300, 313
Jacob, Françoise 8:73
biografía 8:73
Jacob, Max 2:265
Jacobi, Karl Gustav Jacob 8:73
biografía 8:73
jacobinismo 12:90
jacobinos 8:73
jacobitas 2:94
Jacobo I de Inglaterra y VI de Escocia 5:93; 6:40, 53; 7:41, 183; 10:156; 11:92; 13:93
Jacobo II de Inglaterra 1:255; 5:175; 6:65; 7:41, 104; 8:45
Jacobo III 8:108
Jacobo V 7:136; 9:94
Jacquard, Joseph Marie 8:73
biografía 8:73
Jacques, Charles 6:287
Jacques, L'Hermite, pirata 6:134
Jacques, Loeb 6:70
Jacques, Louis David 6:210; 6:228
Jacques, Philippe Leclerc 6:145
Jacques-Bènigne, Bossuet 6:226
Jacques-Pierre, Brissot de Warville 6:327
jade 8:73
jadeitas 8:73
Jaeger, Werner 5:214
Jaeger-Schmidt, André 13:253
Jaén 8:74
Alcalá, la Real 1:143
Baeza 2:215
Cajamarca 3:156
Fernando III el santo 6:135
Linares 8:262
Jafet 11:309
Jaffa 8:74
Jagellon, islas 11:159
Jagellones 11:159
Jagua, bahía de 4:78
jaguar 8:74
Argentina, República 2:17
Zoolog;ia 14:181
jaguarundi 6:291
Jagur-Veda 14:32
Jahan, sha 7:298
jaharro 5:264
Jahn 2:113
jailli 11:255
Jaime I
Jaime I de Aragón
Jaime I, *el conquistador* 8:74
biografía 8:74
Alcoy 1:151
Cataluña 3:289

inquisición **7**:336
topografía **13**:221
Jaime II de Aragón **3**:329; **5**:316; **10**:236
Jaime III **9**:45
Jaimes Freyre, Ricardo 8:75
bibliografía **8**:75
jainismo 8:75
jainista **8**:75
Jaino, templo **7**:298
Jaintia **7**:296; **11**:292
Jaipur, India **2**:91; **4**:120; **7**:301
jaique **2**:275
Jakes, Milos **4**:27
Jakobson, Roman **6**:64
Jalapa 8:75
jalapa 8:75
jaleas y mermeladas 8:75
Jalisco 8:76
Jallas **6**:266
Jalna **5**:39
Jalón **3**:158; **5**:313
Jalpan **11**:250
Jaluit **9**:110
Jamaica 8:77
— orografía e hidrografía **8**:77
— clima, producción y recursos **8**:77
— educación, religión y comunicaciones **8**:77
— historia **8**:77
— gobierno **8**:77

Jamaica
Jamaica **1**:229; **2**:240
Cuba **4**:313
Imperio Británico **7**:275
jenjibre **8**:93
Santo Domingo, isla de **12**:221
sistema económico latinoameicano (CELA) **13**:8
Walcott, Derek **14**:138
jamborees **3**:64
James, Henry 8:78
bibliografía **8**:78
James, Ralph A. **1**:247
James, río **10**:132; **14**:100
James, William 8:78
biografía **8**:78
Jamestown, ciudad de **12**:213
Jammu y Cachemira (Srinagar) **7**:299
jamón 8: 78
Jamshid bin-Abdullah, sultán **14**:172
Jan *el Joven* **3**:88
Jan *el Viejo* **3**:88
jandoan **13**:118
Janitzio, isla **11**:16
Jano 8:78
Jansen, Corneille 8:78
biografía **8**:78
Jansenio **13**:323
Janson, Eugene **13**:71
Janszoon Tasman, Abel **5**:77; **13**:125
Janus **5**:260
Japan Victor Company (JVC) **14**:83
Japeto **2**:138; **11**:212
Japón 8:78
— arte, literatura y ciencias **8**:84
— ciudades y turismo **8**:82
— clima, producción y recursos **8**:80
— emperador de **1**:130; **7**:186
— fosa de **10**:181
— geología
— gobierno **8**:83
— guerra con **10**:96
— historia **8**:83
— islas y costas **8**:179
— lengua, educación y religión **8**:82
— orografía e hidrografía **8**:80
— terremotos y volcanes
— transportes **8**:81
Corea **4**:247
ébano **5**:183
estación espacial **6**:28
grafito **7**:30
Japón **1**:349; **5**:15; **8**:81, 82, 84; **12**:43; **13**:211
Manchukuo **9**:52
Siberia **12**:313
video **14**:83
Japón, Mar de 8:85
japonés 8:85
jaque al rey **1**:127
jaque mate **1**:127
jaqueca 8:85
Jaques-Dalcroze, Émile 8:85
obra **8**:85
Jaquijahuana **14**:12
Jara, Max
jara 8:85 **4**:44
Jaraba, Sancho **4**:124
Jarabacoa **14**:33
jarabe 8:86
jaracha (impuesto territorial) **9**:318
Jarama **9**:20
jaramago 8:86
Jarash **1**:279
Jardiel Poncela, Enrique **5**:320
jardín de beisbol **2**:278
jardín de niños 8:86
jardín de infantes **6**:239
Jardín del Edén **10**:323; **13**:195
jardín zoológico. 8:86
Hagenbeck, Karl **7**:119
jardinería 8:87
jardín **8**:198
jardín de azaleas **2**:194
jardín de la reina Sofía, Herrenhausen, Alemania **1**:161
jardín del Chateau de Villandry **8**:88
jardín del palacio de Versalles, Francia **6**:217
jardín des Plantes **8**:267
jardines colgantes **2**:55; **7**:298
jariiles **1**:336
jaripeos **4**:22
jariyíes **1**:335
Jarnac, batalla de **4**:198
Jarnés **8**:155
Jaroslav II **10**:83
jarretera, orden de la 8:89
Jarrethout **8**:211
jarrón 8:90
Jarry, Alfred **2**:265; **5**:172
Jartum **13**:66
Jaruzelski, Wojciech Witold 8:90
biografía **8**:90
Jarvis, Gregory **13**:243
Jasón 8:90
jaspe 8:90
jaspe de Sicilia **9**:104
Jasper, Parque **10**:331
Jaspers, Karl 8:90
bibliografía **8**:90
Jata, lago **6**:67
Jata, río **6**:67
Jataca **11**:240
Jatibonico del Sur, río **4**:311
Játiva **6**:318; **10**:314; **12**:61
Jatiya **2**:246
Jauja **8**:126; **11**:115, 116; **13**:213
Jauja, valle de **7**:235
jaula 8:90
Jaun Carlos I **2**:130
Jáuregui y Aguilar, Juan de 8:90
bibliografía **8**:90
Jáuregui, virrey Agustín de **13**:286
Jaurés, Jean Joseph Marie Auguste 8:90
biografía **8**:90
Java, hombre de **7**:212; **8**:94; **11**:185
java, lenguaje. 8:91
Java 8:91
— el hombre de **8**:91
— erupciones volcánicas **8**:91
— historia **8**:91
— Mar de **8**:91, 92
— orografía hidrografía y clima **8**:91
— producción y recursos **8**:91
arroz **2**:61
descubrimientos y exploraciones geográficas **5**:76
Java **8**:91
mandala **9**:54
ramio **11**:293
Sonda, islas de la **13**:36
vivienda **14**:113
Javarí, río **1**:221
Javeriana de Bogotá, Universidad de **11**:10
Jawaharlal Nehru **7**:301
Jayapura **10**:157
Jaybar **1**:335, 336
jazmín 8:92
jazz 8:92
Louisiana **8**:312
Jean Gros, Antoine **6**:228
Jeanne, Antoinette Poisson, marquesa de Pompadour **8**:318
Jeanneret, Charles Edouard **8**:203
Jeans, James Hopwood 8:92
biografía **8**:92
Jebel-esr-Shayib **5**:224
Jedda **2**:307
Jeddah **1**:337
jeep 8:93
Jeeves **14**:154
Jefferson City **9**:243
Jefferson, río **9**:282
Jefferson, Thomas 8:93
biografía **8**:93
vicepresidente **14**:76
deísmo **5**:39
Jefferson, Thomas **6**:36
revolución estadounidense **12**:45
Jeffreys, Harold **6**:311
Jeffries, James J. **3**:63
Jehol **9**:52
Jehová 8:93
Babel, torre de **2**:207
Biblia **2**:308
Dios **5**:135
Moisés **9**:265
jején 8:93
Jejuí-Guazú **12**:*198*
Jelacic, Ban **4**:295
Jelmos **11**:32
Jemez **11**:24
Jena **8**:269; **12**:248; **14**:176
Jena, batalla de **12**:168
Jenachi **12**:132
jengibre 8:93
jenízaro 8:93
jenízaros **13**:295
Jenkins, Charles Francis **13**:149
Jenner, Eduard 8:93
biografía **8**:93
medicina **9**:150
vacunas y sueros **14**:5
Jenner, vacunación de **7**:335
Jenney, William Le Baron 8:94
biografía **8**:94
Jennings, Herbert Spencer **6**:70
Jenny Lynd **1**:267
Jenócrates **5**:269
Jenófanes **10**:330
Jenofonte 8:94
Artajerjes II **2**:63
biografía **8**:94
Ciro el Grande **4**:93
Grecia **7**:61
manuscritos **9**:64
retirada **12**:33
Sócrates **13**:23
Jensen, Hans Daniel 8:94
biografía **8**:94
Wigner, Eugene Paul **14**:150
Jensen, Johannes Vilhelm 8:94
bibliografía **8**:94
Jenson, Nicolas **7**:285
Jeque 8:94
Jequetepeque, río **9**:258
jerbo 8:94
Jeremías 8:94
Biblia **2**:309
biografía **8**:50
criptografía **4**:286
Ezequiel **6**:106
Jerez de la Frontera 8:94
Vico, Antonio **14**:76
Jerez de los Caballeros, España **2**:213
Jerez, José Antonio de **10**:251
Jerez, Regino **10**:95
jerga 8: 95
Jericó 8:95
Gaza, Franja de **6**:295
Moisés **9**:265
jerifato **1**:335
jeringa **8**:30
Jerjes **2**:38; **10**:184; **13**:154, 169
Jerjes **7**:100
Jerjes I 8:95
biografía **8**:95
Jerjes II 8:95
biografía **8**:95
Jerne, Niels Kai 8:95
Jeroboam II **8**:106
jeroglífico 8: 95, 120
jeroglíficos **8**:96
— egipcios **2**:52; **4**:19
— diccionario de **4**:19
Jerome, Jerome Klapka 8:96
bibliografía **8**:96
Taylor, Richard **13**:129
Jeromo **8**:113
Jerónimo Balbás **8**:193
Jerónimo, islote **11**:133
Jerónimo, orden de San **14**:168

Jerónimo, san 8:96
biografía **8:**96
manuscritos **9:**64
libro **8:**252
nuevo testamento **10:**160
refroma **11:**323
jersey 8:96
— isla **8:**97
— raza **6:**277
Jerusalén 8:95
— historia **8:**97
— la moderna Jerusalén **8:**97
— páginas vivas de historia y tradición **8:**97
— reino de **4:**306
— toma de **13:**125
Arafat, Yasir **1:**339
cristianismo **4:**291
Daniel **5:**10
Exequiel **6:**106
Herodes **7:**155
Jerusalén **8:**57, 97, 98; **10:**239; **13:**193
Sirac, libro de **13:**5
Zorobabel **14:**188
Jerusalén libertada **14:**24; **13:**111, 125
Jesi, Italia **12:**155
Jespersen, Otto **8:**266
Jesualdo 8:98
bibliografía **8:**98
Jesucristo 8:98
Andrés, san **1:**273
catolicismo **3:**294
cuaresma **4:**308
Dios **5:**135
espíritu **6:**18
Historia sagrada **7:**194
Jescristo **1:**330; **8:**99,**8:**113; **10:**160; **12:**38
Mesías **9:**176
padre nuestro **10:**282
Pascua (de Resurrección) **11:**5
religión **12:**12
transustanciación **13:**254
jesuita 8:100
— Iglesia **10:**322
— expulsión de los **1:**218
— palacio del duque de Borja de los **12:**259
— y franciscanos **13:**329
America del Sur **1:**241
Bossuet, Jacobo Benigno **3:**54
educación **5:**215
Indiana **7:**306
Jesurum, Ricardo **12:**184
Jesús de Nazareth **4:**293; **13:**193
Jesús María, río **4:**267; **11:**243
Jesús, Hospital de **10:**256
jet 8:100
jetlog, efecto **10:**97
Jevons, William Stanley **5:**190; **13:**55
Jhelum, río **7:**296
Jiagan, Yan **6:**197
Jian Quing **7:**234
Jiangxi **4:**56
jíbaros 8:100
— indígenas **14:**172
jibia 8:101
Jibia del Mediterráneo **8:**101
Jiboa **12:**181
jícara 8:101
jicarilla **1:**322
Jicarón, isla **10:**300
Jiddah o Yidda **1:**334
jiddish 8:101
Jijón y Caamaño, Quito, Museo **11:**94
jilguero 8:101
Jiloca **3:**158
Jilquiyá **13:**87
Jima, río **14:**33
Jiménez Aranda, José **11:**257
Jiménez da Asúa, Luis 8:102
biografía **8:**102
Jiménez de Cisneros, Francisco 8:102
biografía **8:**102
Isabel la Católica **8:**50
Jiménez de la Espada, Marcos 8:103
biografía **8:**103
Jiménez de Quesada, Gonzalo 8:103
biografía **8:**103
Jiménez de Rada, Rodrigo 8:103
biografía **8:**103
Jiménez Díaz, Carlos 8:103
biografía **8:**103
Jiménez Oreamuno, Ricardo 8:103
biografía **8:**103
Jiménez Rueda, Julio 8:103
bibliografía **8:**103
Jiménez y Bellido, Jerónimo 8:102
obra **8:**102
Jiménez, Fortún **3:**168
Jiménez, Francisco **9:**139
Jiménez, Ignacio **1:**87
Jiménez, Jesús **4:**270
Jiménez, Juan Ramón 8:102
bibliografía **8:**102
Jiménez, Max 8:102
obra **8:**102
Jiménez, Pepita **14:**14
Jiménez, Teresa **11:**295
Jimeno y Planes, Rafael **8:**194
Jimenoa, río **14:**33
Jimma **6:**68
Jinam **4:**51
jineta 8:103
Jinnah, Mohammed Alí 8:103
biografía **8:**103
Jinotega 8:103
jinrikisha **12:**64
jipijapa. 8:103
Jiquilpan, Michoacán **9:**214
Jiquipilco **6:**30; **9:**207
jirafa. 8:104
— africana **2:**76
Jirasek, Alois **4:**28
jitomate **13:**217
jiujitsu 8:104,315
Jiul **12:**129
jiva **8:**75
Joab **1:**35
Joachim Gram, Hans Christian **6:**63
Joachim von Laucher, George 8:104
biografía **8:**104
Joachimsthaler **5:**153
Joaquín y Ana **9:**93
Joaquín, san **1:**256; **4:**200; **6:**33
Joatán **8:**50
Job 8:104
biografía **8:**104
Job **8:**105
Jockey Clubs **4:**118
Jodoco, fray **12:***91*
jodrell bank 8:105
Joe Louis 8:105
biografía **8:**105
Joel **2:**309; **8:**108
Joffre, Joseph Jacques Césaire 8:105
biografía **8:**105
Jofre, Hermógenes **3:**31
Johannesburgo 8:105, 106, 107
Smuts Jean Christiaan **13:**15
Transvaal **13:**254
Sudáfrica **13:**314
Johansson, Bengt **6:**161
Johansson, Ingemar **3:**63
John Bull 8:106
biografía **8:**106
John Hancock, centro **11:**301
John, Eugenie **9:**103
Johncock, Gordon **2:**169
Johnson, Eyvind 8:106
bibliografía **8:**106
Martinson, Harry Edmund **9:**115
Johnson, Jack **3:**63
Johnson, Lyndon Baines 8:106
biografía **8:**106
Johnson, Michael **2:**140
Johnson, Richard H. **3:**8; **8:**243; **11:**119
Johnson, Samuel 8:106
bibliografía **8:**106
Gran Bretaña **7:**44
Johnson, Uwe **1:**166
Johore **9:**42; **10:**65; **12:**334
Johore, Estrecho de **12:**333
Joinville, Jean sire de **6:**226
Jokai **7:**253
Joksan **12:**154
Joliot-Curie, Jean Fréderic 8:106
biografía **8:**106
Joló 8:106
— archipiélago de **6:**155
jololabal **13:**211
Jolson, Al 8:106
biografía **8:**106
Jomeini, Rujola 8:106
biografía **8:**106
Jomo Kenyatta **8:**138
Jonás 8:106
biografía **8:**106
Jones Soong, Charlie **13:**41
Jones, Alan **2:**169
Jones, Burne **2:**69
Jones, Íñigo 8:106
biografía **8:**106
Jones, Spencer **7:**44
Jongkind, Johan **9:**275
Jonia **1:**323; **2:**133; **5:**223; **11:**151
Jónica, escuela **1:**262
Jónica, guerra **8:**94
Jónicas, islas **2:**224; **8:**107
Jónico, Mar 8:107
jónico-ático **8:**217
jonios 8:107
Jonson, Benjamín 8:107
bibliografía **8:**107
comedia **4:**163
drama **5:**170
Shakespeare, William **12:**304
Jonszoon Tasman, Abel **6:**152
jorakare **10:**91
Jorasán **5:**75
Jörd **13:**221
Jordaens, Jacob 8:107
obra **8:**107
Jordán 8:107
Jordán, Lucas **5:**283
Jordán, río **2:**85, 268; **6:**267; **9:**83, 323; **13:**193
Jordán, valle del **8:**107
Jordania 8:107
— historia **8:**107
Jordania **1:**279
Egipto **5:**228
Palestina **10:**292
Siria **13:**7
Jorezm **13:**109
Jorge de Alfama, orden de san **10:**236
Jorge I
Jorge I 8:108
biografía **8:**108
Constabtino I **4:**217
Haendel, Georg Friedrich **7:**119
Venizelos, Eleuterio **14:**48
Jorge II **4:**217; **7:**41, 61
Jorge III **6:**261; **7:**41, 159; **11:**113
Jorge IV **7:**41
Jorge V 8:108
Antártida **1:**302
biografía **8:**108
Eduardo VIII **5:**213
Gran Bretaña **7:**42
Jorge VI 8:108
biografía **8:**108
condecoración **4:**199
Gran Bretaña **7:**42
Isabel II **8:**48
Olivier, sir Laurence **10:**206
Jorge XIII **6:**317
Jorge, elector de Hannover **7:**41
Jorge Manuel **13:**182
Jorge, san 8:108
biografía **8:**108
Freetown **6:**234
Jarretera, orden de la **8:**90
Jörgen Siegbhan, Karl Manne **13:**72
Jorgensen, Anker **5:**126
jorongo **11:**166
joropo 8:108
cuatro **4:**310
latinoamérica **8:**195
vaquero **14:**25
Joroshki **12:**147
Jorullo, volcán de **9:**214
Josafat 8:108
Josafat, Valle de **8:**97
Josaphat, barón Israel beer **12:**37
José 8:109
biografía **8:**109
José de Calasanz, san 8:110
biografía **8:**110
José I **8:**111
José II **5:**301; **9:**95, 319
José, Pacto de San **10:**323
José, san 8:109
— templo de San **10:**304
biografía **8:**109
José, San **4:**270; **8:**109
Josefina 8:110
biografía **8:**110
Josefina Carlota **2:**106
Josefo, Flavio 8:110
biografía **8:**110
Joselito 8:110
biografía **8:**110
Josephson, Brian David 8:110
biografía **8:**110
Esaqui, Leo **5:**277
Josephson, efecto 8:110

Josetsu **8**:84
Josías **8**:94
Jostedalsbrae **10**:133
Josué 8:95,
  Josué **2**:308
jota 8:110
jota aragonesa **12**:227
Jotunheimen, macizo de **5**:278
Jouffroy, Claude François, marqués de **6**:230
Jouhaux, León 8:110
  biografía **8**:110
Joule, James Prescott 8:110
  biografía **8**:110
  — leyes de **8**:111
  calor **3**:171
  física **6**:167
  termodinámica **13**:167
Joule-Thomson, efecto 8:111
Jouvet, Luis 8:111
  obra **8**:111
Joux , castillo de **8**:312
Jovellanos, Gaspar Melchor de 8:111
  bibliografía **8**:111
Jovic, Borislav **14**:167
Joyce, Eileen **2**:164
Joyce, James 8:111
  Alonso, Dámaso **1**:199
  Becket, Samuel **2**:274
  bibliografía **8**:111
  Eco, Humberto **5**:187
  Gran Bretaña **7**:44
  William Faulkner **6**:121
joyería 8:111
  joyería de marfil **9**:91
Juan Bautista de la Salle, san 8:113
  biografía **8**:113
Juan Bautista Lully **10**:172
Juan Bautista, san 8:113
  biografía **8**:113
Juan Bosco, san 8:113
  biografía **8**:113
  gato montés **6**:231
Juan Carlos I 8:113
  biografía **8**:113
Juan Casimiro rey de Polonia **13**:16
Juan Clímaco, San **9**:201
Juan Crisóstomo, san 8:113
  biografía **8**:113
  homilía **7**:214
  patrología **11**:15
Juan Cristóbal Denner, de Leipzig **4**:106
Juan Cristóbal Federico **2**:211
Juan de Austria 8:113
  biografía **8**:113
  Mendoza y de la Cerda, Ana de **9**:166
Juan de Dios, san 8:114
  biografía **8**:114
Juan de Juanes 8:114
  biografía **8**:114
Juan de la Cruz, san **10**:237
Juan Díaz, río **10**:300
Juan Evangelista, san 8:114
  Ápis **1**:325
  biografía **8**:114
  Teotocópoulos Deménikus **13**:182
Juan Fernández, archipiélago 8:114
Juan Fernández, isla de **12**:173
Juan I **11**:44, 175, 176, 202
Juan I de Navarra **1**:175
Juan I de Portugal **5**:265
Juan I, papa **13**:160
Juan II **13**:222
Juan II **14**:95
Juan II de Aragón **5**:316
Juan II de Castilla **1**:175; **8**:48, 306, 324; **12**:220
Juan III **13**:16, 70
Juan IV **5**:317
Juan IV **6**:127
Juan IV **11**:176
Juan Manuel, Infante don 8:114
  bibliografía **8**:114
Juan Mayen, isla de **10**:133
Juan Pablo I 8:114
  biografía **8**:114
Juan Pablo II 8:115
  biografía **8**:115
  Cuba **4**:315
  encíclica **5**:252
  Juan Pablo II **8**:114
  Nijlinsky Vaslav **10**:101
  Pablo VI **6**:121
Juan sin tierra 8:115
  biografía **8**:115
  Carta Magna **3**:265
  Edad media **5**:207
  Gran Bretaña **7**:40
  Ricardo I, Corazón de León **12**:62
Juan V de Güemes Pacheco **14**:103
Juan VI **11**:25, 176
Juan XII, papa **10**:270
Juan XXII, papa **4**:196; **10**:178; **13**:216; **14**:29
Juan XXIII 8:112
  biografía **8**:112
  Mateo, san **9**:130
  Paulo VI **11**:17
  Sacro Colegio Romano **12**:160
Juan y Santacilia, Jorge 8:115
  biografía **8**:115
Juana de Arco, santa 8:115
  biografía **8**:115
Juana de Castilla **9**:287
Juana *la Beltraneja* **4**:325
Juana la loca 8:115
  biografía **8**:115
  Maximiliano I **9**:135
Juana, princesa de Portugal **5**:264
Juana, reina doña **10**:282
Juantorena, Alberto **2**:140; **10**:205
Juárez 8:115
Juárez Celman, Miguel 8:117
  biografía **8**:117
  Pellegrini, Carlos **11**:31
Juárez Marcaida, Catalina **4**:260
Juárez, Benito 8:116
  Altamirano, Ignacio Manuel **1**:205
  biografía **8**:116
  Comonfort, Ignacio **4**:172
  Escobedo, Mariano **5**:281
  Maximiliano **9**:135
  Oaxaca **10**:170
Juárez, Ciudad **5**:107
Juárez, José 8:117
  biografía **8**:117
Juárez, Luis 8:117
  obra **8**:117
Juárez, Salvador **12**:184
Jubia, río **6**:142
Jubileo 8:117
  — Gran **14**:77
  — o Año Santo **12**:198
  año **1**:320
  esclavitud **5**:281
jubón **14**:66
Jubones, río **2**:203; **5**:196
jubones 8:117
juby, cabo 8:117
Júcar **5**:307; **9**:51
Júcar, río **1**:148; **4**:318; **14**:12
Juchipila, río **14**:169
Juchitán **10**:170
Judá 8:117
  — tribus de **8**:119
  Benjamín **2**:293
  María, Virgen **9**:92
Judah ibn Gabirol, Salomón ben **10**:72
judaísmo. 8:117
  — ortodoxo **4**:280
Judas el Macabeo **9**:5
Judas Iscariote 8:119
  biografía **8**:119
Judas Tadeo, san 8:119
Judd, Donald **9**:233
Judea 8:119
  construcción **4**:218
  fariseos **6**:117
  Imperio Romano **7**:281
  Palestina **10**:292
  Santiago apostol **12**:218
Juderías y Loyot, Julián 8:119
  bibliografía **8**:119
judía 8:119
Judío Errante 8:119
judíos de origen español **8**:221
Judit 8:119
  Biblia **2**:309
juego 8:119
  — acuático **14**:143
  — casas de **10**:83
  — de ajedrez **8**:120
  — de básquetbol **2**:261
  — de dados **8**:121
  — de destreza **8**:120
  — de ingenio **8**:120
  — de las damas **8**:120
  — de los nueve palos **3**:32
  — de manos **8**:120
  — de mesa Parchesí **8**:119
  — de naipes **8**:120
  — de sociedad **8**:120
  — de tenis **8**:120
  — del intelecto **1**:126
  — del pool **2**:324
  — deportivo **7**:127
  — futbol **6**: 255
juego de azar 8:121
juego de pelota. 8:121
  — de Pelota de Tula **8**:122
Juegos Centroamericanos y del Caribe **2**:262
juegos florales 8:122
  — de 1914 **9**:246
  — de Barcelona **14**:54
juegos olímpicos. 8:122
  — bandera de **2**:243
  — de invierno **5**:54
  — de Tokio **8**:104
  — de verano **5**:53
  — del Lejano Oriente **2**:262
juegos panamericanos. 8:122
  atletismo **2**:140
Juegos Píticos **5**:6
Jueves Santo **8**:122
jueves 8:122
juez 8:122
  — pesquisidor **2**:156
Jufré, Juan **9**:165
Juggernaut 8:122
Juglar. 8:122
Jugoria **9**:26
jugos 8:122
  — de manzana **8**:123
  — gástrico **5**:119; **6**:56, 133, 330; **8**:122
  — pancreático **4**:324; **5**:119; **7**:51; **8**:122
juguetes. 8:122
  — didáctico **8**:123
  — mecánicos **8**:123
juicio final 8:124
  — mensajero del **1**:280
  Roma **12**:100
juicio 8:124
  — crítico **7**:192
  — de conciliación **11**:137
  — de ejecución **7**:186
  — de forma **8**:124
  — de residencia **2**:156
  — de valor **8**:124
  — libertad de **14**:132
Juigalpa **4**:62
Jujuy, San Salvador de 8:125, 200
Jujuy 8:125
  — provincias de **7**:173
  Rojas, Diego de **12**:94
Juliana, Reina 8:125
  biografía **8**:125
  Holanda **7**:209
Juliano Flavio Claudio, el apóstata 8:125
  biografía **8**:125
  Bizancio, Imperio de **2**:332
  Grecia **7**:62
Julien, Pierre **6**:229
Julio 8:125
Julio Agrícola **13**:97
Julio Antonio (Julio Antonio Rodríguez Hernández) 8:125
  biografía **8**:125
Julio César **2**:81, 159; **3**:92; **4**:111, 287; **6**:120, 318; **7**:193, 266
Julio II 8:125
  biografía **8**:125
  Pontificios, Estados **11**:167
  Roma **12**:100
  Sixtina Capilla **13**:11
  Vaticano, Ciudad del **14**:29
Julio III, papa **6**:118
Julum **6**:301
Jumbo **2**:255
Jumbo Jets **1**:83
Jumma **1**:101; **6**:280
Jumna, río **5**:44
Juncal **9**:165
Juncal, cerro **1**:269
Juncker, Jean-Claude **8**:329
junco 8:126
  — chinos **9**:96
  junco **8**:125
  cestería **4**:12
Junco, Alfonso 8:126
  biografía **8**:126
Juneau **1**:136
Jung, Carl Gustav 8:126
  bibliografía **8**:126
  carácter **3**:231
  inconsciente **7**:293

mandala **9:**54
Jünger, Ernst **1:**166
Jungfrau 8:126
jungla 8:126
Jungmann, Josef **4:**28
Junín 8:126, 308
Junín **2:**264
Junín, Argentina **12:**114
Junín, batalla de **8:**126; **10:**63, 201; **11:**251
Junín, departamento de **7:**235
Junín, lago **8:**126
junio 8:126, 128
Junio Bruto, Decio **14:**13
Juno 8: 126
Juno Moneta, templo de **9:**274
junquillo 8:126
gladiolo **6:**330
junta 8:127
Junta Conservadora **2:**21
Junta de Buenos Aires **2:**72; **13:**75
Junta de Observación **1:**340
Junta de Representantes Hispanos **2:**214
Junta de Zitácuaro **11:**265
Junta Diocesana **1:**44
Junta Grande **2:**20; **11:**199
Junta Militar de Gobierno **11:**47
Junta Nacional de Recursos Bélicos **13:**55
Junta Nacional Hispana **11:**232
Junta Santa **4:**180
Junta Suprema de Quito **2:**80
Juntas de Ofensiva Nacional Sindicalista (JONS) **6:**113
Junyent, en Barcelona **9:**333
jupe **14:**68
Júpiter 8:127
— estatua de **10:**203
— regiones polares **11:**103
— satélites de **2:**129
— templo de **3:**227; **11:**164, 267
Zeus, templo Olímpico de **10:**203
asteroides **2:**105
Comás y Zolá, José **4:**159
Quirón **11:**269
tierra **13:**191
Jura **6:**212, 213; **13:**76, 80
Jura, montes **2:**302; **6:**309; **12:**89
Jura, montes **12:**89
jurado y juicio por jurados 8:127
jurados **13:**262
Jurae Islay **7:**136
jurajaras **14:**47
juramento 8:128
jurásico 8:128
— periodo **5:**136; **7:**262
— superior **1:**283
jurí **7:**310
Jurisconsultos **13:**311
jurisdicción supraepiscopal **2:**79
jurisprudencia 8:128
— Academia de **2:**25
— diplomática **10:**81
Juruena, río **13:**115
Jusepe de Ribera **6:**54
Jusieu, Bernard de **6:**230
justa medieval **8:**129
justas y torneos 8:128
justicia 8:129, 275
— conmutativa **8:**129
— distributiva **8:**129
— palacio de **10:**283
— penal **8:**129
— social **8:**129
justicia **8:**130
justillo **14:**66
Justiniano I 8:130
— Código de **5:**59; **12:**103
— emperador **5:**205
Abkhazia **1:**29
Árabes **1:**332
Santa Sofía de Constantinopla **12:**215
Justino I **8:**130
Justino, san 8:130
biografía **8:**130
Justo Lipsius o Lips **7:**209
Justo Santa María de Oro, fray **12:**229
Justo, Agustín Pedro **2:**24; **3:**284; **12:**154
Justo, Juan Bautista 8:130
biografía **8:**130
Justus von Liebig **1:**52, 167
Jusuf-b-Fashfin **1:**197, 198
Jutiapa 8:130
Juticalpa **10:**201
Jutlandia, batalla de **2:**39; **8:**108; **13:**13
Jutlandia, península de **5:**122; **13:**13
jutos **1:**284
Juvara, Filippo **8:**66
Juvenal
Juvenal, Décimo Junio 8:130
biografía **8:**130
educación física **5:**220
Roma **12:**103
Juvencio **7:**191
Juvenilia **2:**26
juventud 8:130
juvia 8:130
Juzno-Sajalinsk **12:**168

K

k 8:131
K-2, monte **9:**284
ka **9:**271
Ka'ba **9:**146
Ka'ba, piedra **9:**146
Ka'ba, guardianes de la **9:**31
kaaba 8:131
Kaani **8:**39
Ka'ba **1:**334, 336
Kabaka Mutesa II **13:**301
Kabalevsky, Dimitri **12:**142
Kabardia **8:**131
kabardínico **8:**216
Kabardino-Balkaria 8:131
kabilas **9:**107
Kabishah **3:**164
Kabul 8:131
Afganistán **1:**90
India **7:**300
Kachima dolls **1:**261
Kadesh **11:**297
Kadesh, batalla de **5:**227; **7:**195
Kadjars **8:**3
Kadlubek, Vicente **11:**160
Kaesong **4:**244, 245
Kafka, Franz 8:131
bibliografía **8:**131
expresionismo **6:**102
Bibeyro, Julio Ramón **12:**61
Rulfo, Juan **12:**129
Kafri **11:**247
Kaga **11:**170
Kagalnik **11:**311
Kagel, Mauricioç **2:**27
Kagera **10:**102
Kagera-Nyvarongo **10:**102
kahin **1:**334
Kahlo, Frida **8:**195; **9:**206
Kahn **12:***321*
Kahyyam, Omar **8:**39
Kaieteur **7:**111
Kaifeng **4:**54
Kaifu, Toshiki **8:**84
Kailassa **7:**302, 303
Kairedín **2:**251
Kairouan, Egipto **1:**174
Kaiser **5:**171
Kaiser, George 8:131
bibliografía **8:**131
kaiser 8:131
Kai-Shek, Chiang **12:**43
kakapú 8:131, 309
kakemonos **14:**113
Kakiyemon **11:**170
Kakongo **1:**286
kala-azar 8:131
Kalah **2:**101
Kalahari, desierto de 8:131
bosquimqnos **3:**54
creación **4:**276
desierto **5:**89
negro **10:**67
vivienda **14:**116
kalakshetra **7:**299
Kalamata **11:**32
kalapuya **7:**308
Kalasasaya 8:132
aimara **1:**121
Tiahuanaco o Tiwanacu **13:**184
kalasiris **14:**61
Kalat-Ayub **8:**110
kalbíes **1:**336
Kalgan **4:**51
Kali, diosa **11:**293
Kali, gruta de **7:**302
Kali, templo **7:**298
Kalidasa 8:132
drama **5:**169
India **7:**303
Kalima (Zaire) **13:**111
Kalimantan **3:**49
Kalinin, Mihail Ivanovich 8:132
biografía **8:**132
volga **14:**128
Kaliningrado 8:132
ámbar **1:**223
Rusia **12:**139
Kalium **1:**34
Kalix **13:**68
Kalkbrenner, Frederic **11:**138
Kalkins, Dick **4:**170
Kallia, puerto de **9:**323
Kallikak, familia **7:**322
Kalmikovo **13:**320
Kalogeropoulos, María **3:**177
kalukina **7:**310
Kalvebodstrand **4:**233
Kama, río **14:**128
Kamal al-Ganzouri **5:**229
Kaman Elk **9:**139
kamayoq (platero) **7:**290
Kamba **8:**138
Kambalic **4:**55
kamchatdales **9:**324
Kamchatka
Kamchatka 8:132
descubrimientos y exploraciones geográficas **5:**75
Ojotsk, Mar de **10:**199
Siberia **12:**311
Kamenev **3:**21
Kamerlingh Onnes, Heike 8:132
biografía **8:**132
Kamet **7:**296
Kamikaze 8:132
Kaminaljuyú
Kaminaljuyu 8:132
mayas **9:**136
kamis **14:**63
Kampala **13:**115, 301
Kämpevisa, Götha **13:**71
Kampong, puerto **7:**313
kampongs **14:**113
Kampouroglous, D. **7:**62
Kampuchea 8:132
Asia **2:**98
Camboya **3:**184
Vietnam **14:**91
Kamtchatka, Mar de **2:**298
kana **8:**85
kanamaziri **8:**85
Kanaoka, Kose **8:**84
kanara **2:**96
kanarés **7:**300
kanatos **13:**123
kanca **7:**292
Kanchenyunga **2:**85
Kandahar **1:**90; **5:**75
Kandarya Mahadeva, templo de **7:**303
Kandinsky, Wasily 8:132
biografía **8:**132
Alemania **1:**166
art deco **2:**63
Modernismo y arte moderno **9:**263
pintura **11:**98
Rusia **12:**144
kandis **14:**61
Kandla **7:**295
Kane, Bob **4:**170
Kang-Teh **11:**244
Kania, Stanislav **11:**160
Kanin **2:**335
Kankakee, río **7:**269, 305
Kankan **7:**105
Kankiang, valle **4:**49
kannada **5:**172
Kansas 8:132
Kansas **8:**133
— actividad económica **8:**133
— clima **8:**133
— hidrografía **8:**133
— recursos **8:**133
— tierra y recursos **8:**132
— turismo **8:**133
— vegetación y vida animal **8:**133
Estados Unidos **6:**32
viento **14:**89
Kansas City 8:134
Disney, Walt **5:**143
Missouri **9:**244
Kansú **12:**335
Kant, Inmanuel 8:134
bibliografía **8:**134
cartesianismo **3:**267
critisismo **4:**293
espacio **5:**303
esteticismo **6:**51

mentira **9:**171
persona **11:**57
Schiller, Johan Cristoh Friedrich von **12:**247
Kantorovic, Leonid Vitalevic 8:134
bibliografía **8:**134
KANU **8:**138
Ka-nuch **7:**300
kanuri **10:**100
Kanya Kumaria, templo **7:**298
kanzi **8:**85
Kaohsiung **6:**197
kaones **1:**292
Kapaj Raymi **7:**293
Kapela, cordillera de **4:**294
Kapellmeister o maestro de Capilla **2:**211
Kaperfear, río **10:**132
Kapilavastu **3:**93
Kapitsa, Andrei **1:**303
Kapitza o Kapica, Pëtr Leonidovic 8:134
biografía **8:**134
Kaprena **11:**251
Kapuas **3:**49
Kaputt **9:** 41
Kara, mar de 8:134
ártica, región **2:**70
obi **10:**173
Rusia **12:**136
yenisei **14:**162
Kara, río **6:**74
Karachi 8:134
Asia **2:**93
Pakistán **10:**287
Karaganda **2:**113; **8:**135; **12:**313
karagassi **13:**288
Karageorgevit **4:**295
Karajan, Herbert von 8:134
biografía **8:**134
karakireuises **13:**288
Karakorum, cadena de **7:**179
Karakorum, corte de **2:**98
Karamanli, familia **8:**248
Karamanlis, Konstantinos 8:134
biografía **8:**134
Grecia **7:**61
Karame, sunní Rachid **8:**241
Karamzin, Nikolai **12:**141
Karangora, montaña **13:**301
Kara-Su **6:**72
Karbala **8:**42
Kardec, Allan 8:135
bibliografía **8:**135
Karditsa **13:**173
Karevo **10:**17
Karfeldt, Erik A. **13:**71
Karkemish, batalla de **10:**22
Karlfeldt, Erick Axel 8:135
bibliografía **8:**135
Karlis Ulmanis **8:**234
Karlovyvary **4:**25
Karlowitz, tratado de **4:**295
Karlsefni, Thorfinn **5:**71
Karlsruhe **2:**296
Karma, ley del **13:**162
karma 8:135
Karmen, R. **5:**152
Karnak **1:**252; **2:**54 **7:**195; **8:**329; **9:**120
Karnak **5:**224, 227
Karolinerna **13:**71
Károly y Grosz **7:**252
Karpas, Península de **4:**60
Karpathos **5:**223
Karpov, Anatoli 8:135
biografía **8:**135
Karrer, Paul 8:135
biografía **8:**135
Kars **3:**79
Karst **4:**326
Karume **13:**115
Karyai **2:**135
Kas, río **14:**162
Kasari **6:**57
Kasavubu, José **14:**171
Kasetsart **13:**101
Kashba (ciudadela), Marruecos **9:**108
Kashgar, montañas de **4:**47
kashim **14:**114
kashmiri **12:***209*
Kaskaskia, isla **7:**270
Kaskaskia, mar de **5:**98
Kasparov, Gary **8:**135
Kastanakis, Thrassos **7:**62
Kástelic, José **1:**53
Kastler, Alfred 8:135
bibliografía **8:**135
Kastro **12:**187
Kasturbai Makanji **6:**279
Kasuhiko Nishijima **6:**298
katabaló **1:**185
katakana **8:**85
Katanga **4:**207; **7:**126; **8:**321
katavotras **7:**55
Katba **1:**336
Kathadin, Monte **9:**33
kathak **7:**304
kathakali **7:**304
kathareuusa **8:**217
kathedra **9:**253
kathomilumené **8:**217
Katiusca **8:**172
Katmandú **10:**72
Kattegat, estrecho **2:**230
Katun **10:**173
Katz, Bernard 8:135
biografía **8:**135
Axelrod, Julius **2:**192
Kaufmann, Constantine **8:**221
Kaulen, Herman **6:**334
Kaunas (Kovno) **10:**98
Kaunitz, Antonio **9:**193
Kaussevitzky, Serge **2:**304
Kautsky, Karl 8:135
bibliografía **8:**135
Luxemburg, Rosa **8:**328
kava **2:**272
Kavala **7:**56, 58
Kaveri, río **7:**296
kawa **13:**219
Kawabata Yasunari 8:135
bibliografía **8:**135
Kawawa, Rashidi **13:**115
Kay, John **13:**140
kayak **1:**55; **2:**70
kayak **3:**57; **6:**26
Kaye, Nora **5:**17
Kayibanda, Grégoire **12:**120
Kaysone Phomvihane **8:**173
Kazajstán 8:135
Aral, Mar de **1:**340
Sinkiang **12:**335
kazakos **13:**291
kazaks **13:**294
Kazán, colegio **2:**221
Kazan, Elia **10:**87
Kazán 8:136
Tartaria **13:**123
volga **14:**128
Kazantzakis, Nikos 8:136
bibliografía **8:**136
Grecia **7:**62
Kazimiya, Bagdad **2:**93
Keaton, Buster 8:136
biografía **8:**131
mímica y pantomima **9:**226
Keats, John 8:136
bibliografía **8:**136
Browning, Robert **3:**88
epitafio **5:**271
esteticismo **6:**51
Gran Bretaña **7:**44
oda**10:**184
Kebec, indios **11:**247
Kebich, Viacheslav **12:**148
Keble, Jonh **10:**86
kefir 8:136
bebidas **2:**272
gato **6:**291
Kefrén O Chefrén 8:136
biografía **8:**136
esfinge **5:**296
pirámides de Egipto **11:**105
siete maravillas del mundo **12:**320
Keil, Alfredo **11:**178
Keita, Modibo **9:**43
Keith, Chesterton Gilbert **2:**289
Keitz, Paul Joseph **2:**121
kekchí **7:**78
Kekkonen, Urho K. **6:**160
Kekulé, Friederich August **2:**290; **6:**50
Kelami **8:**39
Kelatán **9:**42
Keller, Gottfried 8:136
bibliografía **8:**136
Suiza **13:**82
Keller, Helen Adams 8:136
bibliografía **8:**136
Kellgren, Johan Henrik **13:**71
Kellog-Briand, tratado **8:**136
Kellogg, Frank Billings 8:136
biografía **8:**136
Kelly, Gene 8:136
Astaire, Fred **2:**105
biografía **8:**136
danza **5:**17
Kelly, Grace 8:136
biografía **8:**136
Rainier III **11:**290
Kelly, Walt **4:**170
Kelvin, escala de 8:137
criogenia **4:**285
Kelvin, William Thomson, Lord 8:137
bibliografía **8:**137
máquinas de calcular **9:**77
radiotelefonía y radiotelegrafía **11:**282
Kemal Atatürk (Mustafá Kemal, llamado) 8:137
Angora o Ankara **1:**289
Bayar, Celal **2:**269
biografía **8:**137
Turquía **13:**294
Kemal Bajá **8:**137
Kem-atef **1:**251
Kemp **1:**302
Kempelen, barón de **2:**34
Kempen **8:**137
Kempis, Tomás de 8:137
bibliografía **8:**137
Kendall, Edward Calvin 8:137
biografía **8:**137
cortisona **4:**262
Kendall, Henry W. 8:137
biografía **8:**137
Kendo, artes marciales **2:**99
Kendrew, sir John Cowdery 8:137
biografía **8:**137
Kenia 8:137
África **1:**93
Comunidad (Británica) de Naciones **4:**189
deportación **5:**52
Estados Unidos **6:**43
imperio británico **7:**275
Kenko, anfiteatro de **7:**293
Kennedy, Centro Espacial 8:138
Kennedy, Centro y puerto espacial **10:**43
Kennedy, John Fitzgerald 8:138
bibliografía **8:**138
Dallas **5:**8
Estados Unidos **6:**42
Johnson, Lyndon Baines **8:**106
Nixon, Richard Milhous **10:**107
Samuelson, Paul Anthony **12:**187
Kennedy, Márgara **7:**44
kennel clubs **11:**56
Kent **5:**223; **8:**302
Kentucky 8:138
Kentucky **8:**139
— actividad económica **8:**139
— clima **8:**139
— hidrografía **8:**132
— tierra **8:**139
— turismo **8:**139
— vida animal y vegetal **8:**139
carrera **3:**260
cueva y caverna **4:**326
Estados Unidos **6:**32
tabaco **13:**94
Keops **11:**105; **12:**320
Kepler, Johannes 8:140
— leyes de **5:**151; **10:**232
Alemania **1:**167
astronomía **2:**124
bibliografía **8:**140
Brahe, Tycho **3:**65
creación **4:**277
oftalmología **10:**190
kepleriano, movimiento **11:**58
Kerala (Trivandrum) **7:**299
Kerbau **9:**39
Kerch **4:**283
Kerch, estrecho de **10:**68
Kerekou, Mathieu **2:**293
Kerensky, Aleksandr Fëdorovich 8:140
biografía **8:**140
Guerra Mundial, Primera **7:**91
Revolución Bolchevique **12:**41
Unión de Repúblicas Socialistas Soviéticas **13:**306
Kerintji, monte **13:**83
Kerk, Nederduits Hervormde **1:**322
kerka, río **5:**8
Kerkhoff, Hendrik Johannes **1:**70
keros **7:**293
keroseno 8:140
Kerouac, Jack **6:**43
Kerst, Donaldo W **2:**306
keru **8:**191
kervir **8:**35

Kerwin, Joseph Peter **2**:121
Ketchikan **1**:136
Kettering **4**:116
ketu **1**:100
Keweenaw, Península de **4**:121; **9**:213
Keynes, John Maynard 8:140
bibliografía **8**:140
desocupación **5**:91
Friedman, Milton **6**:237
Keynes, teoría de **5**:37
keynesianismo **8**:144
Keyserling, Hermann Alexander, conde de 8:140
bibliografía **8**:140
KGB **2**:195; **13**:310
Khachaturian, Aram Il'ic 8:140
obra **8**:140
Rusia **12**:142
Khadija **9**:31
Khafrá **11**:247
Khali, Rub al **1**:335
khamsin **5**:224
Khan, Yahya **10**:287
Khanato **12**:312
Khangai y Altai, montañas de **9**:276
Khanka, lago **12**:138
Kharkov 8:140
Europa **6**:81
Ucrania **13**:299
Khartum 8:140
Nilo, río **10**:102
Sudán **13**:66
Khasi **7**:296
Khatchaturian, Aram **3**:34
Khatia **13**:66
khawarij **8**:51
Khayyam, Omar **12**:121
khellin **5**:173
Kheops **6**:117
Khepri **1**:251
Khien Yimsiri **13**:103
Khingan Menor **9**:52
khipo kamayoq (contable) **7**:290
khisánida **11**:310
Khmer **1**:283; **13**:101
khoisan **4**:276
Khomení, Ruhollah **10**:307
Khon Kaen **13**:101
Khora **12**:187
Khorana, Gobind Har 8:140
biografía **8**:140
Khorsabad, palacio de **2**:102
Khovantchina **10**:17
Khrushchev, Nikita S **3**:81; **4**:191; **11**:160; **14**:178
Khufú **4**:29
Khyber, paso de **2**:93
Kiang **14**:160
Kiangsi **7**:127; **9**:66; **13**:65
Kiao-cheu **4**:56
Kiating **4**:51
Kiazán, ciudad **12**:140
kibbutz **11**:44
Kido, montes **8**:79
Kiel 8:140
— bahía **2**:230
— Canal de **4**:140, 233
— Golfo de **1**:164
— puerto **2**:230
— tratado de **10**:135
Alemania **1**:165
submarino **13**:61
Kien **5**:247
Kierkegaard, Soren Aabye 8:141
Andric, Ivo **1**:273
arte **2**:64
bibliografía **8**:141
Dinamarca **5**:126
existencialimo **6**:93
Sartre, Jaen-Paul **12**:231
Kiesinger, Kurt Georg **1**:162
Kieslowski, Krzyztof **11**:161
Kiev 8:141
Chernobil **4**:29
Europa **6**:81
Rusia **12**:140
Ucrania **13**:299
Kigali **12**:120
Kigo **8**:141
Kigoma Tanzania **13**:111
Kiichi Miyazawa **8**:84
Kiiji, islita **12**:143
Kikuyu **8**:138
Kilauea, Casa del fuego eterno **7**:132
Kilawea, volcán **8**:198
Kilimanjaro 8:141
África **1**:92
glaciar **6**:329
Kilimanjaro **11**:32
montaña **9**:285
Tanzania **13**:114
killke **7**:292
Killmayer, Wilhelm **1**:165
kilocaloría **3**:172; **6**:168
kilociclo 8:141
kilográmetro **11**:179
kilográmetro 8:141
kilogramo 8:141
kilómetro 8:141
kilotón **9**:155
kilotonelada **9**:155
kilovatio 8:141
electricidad **5**:238
vatio **14**:31
Kim Hong-do **4**:247
Kim Jong-il **4**:246
Kim Il-sung **4**:246
Kim Pyung-il **4**:246
Kim Sowol **4**:247
Kimball County **10**:60
Kimmler (Alemania) **3**:273
kimono 8:141
Kinabalu **2**:86; **3**:49
Kinchinyinga **7**:296; **9**:285
Kinda **1**:335
kinescopio **7**:261
kinesiología **5**:222
kinesiterapia 8:141
King Vidor **4**:84, 85
King, Clarence **5**:74
King, Martin Luther 8:142
biografía **8**:142
Jackson, Jesse **8**:73
King, Martin Luther **5**:62
King, Riley B.B. **3**:9
Kingman Riofríos, Eduardo **5**:202
Kingsley, Charles 8:142
bibliografía **8**:142
Kingston 8:142
Kinich Ahau-Itzammá **9**:139
Kinigi, Sylvie **3**:123
Kino, Francisco Eusebio 8:142
biografía **8**:142
Kinsai, ciudad de **6**:132
Kinshasa **14**:170
Kinzig, río **12**:270
Kiolen y Dofrines, montes **6**:75
Kioto **11**:170; **13**:211
kiowa-apache **1**:322
Kipling, Rudyard 8:142
bibliografía **8**:142
cuento **4**:319
Gran Bretaña **7**:44
literatura infantil **8**:285
Quiroga, Horacio **11**:268
Kipnis, Alexander **2**:220
kipucamayoc **11**:266
kipus **11**:266
Kira **12**:177
Kirchhoff, Gustav Robert 8:143
biografía **8**:143
Alemania **1**:167
Bunsen, Robert W. **3**:106
espectro y espectroscopio **6**:10
rubidio **12**:123
Kirchner, Ernst Ludwig **1**:166
Kireenka, K. **12**:150
Kirgizskij Chrebet **8**:143
kirguises **2**:94; **3**:170; **4**:263; **13**:98
Kirguises, estepa de los **2**:86
Kirguisistán 8:143
— bandera de **2**:240
Uzbekistán **13**:334
kiri (corte) **7**:128
Kiribati 8:143
Comunidad (Británica) de Naciones **4**:189
Gilbert y Ellice, islas **6**:324
Polinesia **11**:153
Kirin **9**:52, 53
kirirí **7**:310
Kirkcaldy **7**:37
Kirkpatrick, Federico Alejandro 8:143
bibliografía **8**:143
Kirkstall, abadía de **8**:209
Kirmanshah **8**:150
Kirov, teatro **10**:216
Kirovadab y Kuba **2**:195
Kirpatrick, montaña **13**:301
kirsch **2**:272; **8**:255
Kiruna **8**:175
Kiruna-Gällivare **10**:43
Kishinev **2**:305; **9**:266
Kissinger, Henry Alfred 8:143
América del Sur **1**:246
bibliografía **8**:143
Egipto **5**:229
Israel **8**:57
kiswahili **13**:114
Kitasato, Shibasaburo 8:143
biografía **8**:143
kitchen-kafir **2**:246
Kitimba **12**:120
Kitt Peak, Arizona **13**:148
Kittatinny **10**:86
Kittel, C. **5**:38
Kittery **9**:33
Kity Hawk **2**:187; **14**:155
Kiu-Shiu, isla, Japón **12**:152
kivas **1**:261; **9**:176; **14**:114
Kivu, lago **12**:120
Kivu, lago **14**:171
kiwi 8:143
Kjölen **13**:68
Kladno, cuenca de **4**:25
Klagenfurt **10**:16
Klaipeda **9**:160
Klamath, Río **6**:32
Klami, Uuno **6**:161
Klaproth, Martin Heinrich **3**:335; **4**:90; **11**:262; **13**:154
Klas Pontus Arnoldson **13**:72
Klaus, Václav **4**:27
Klee, Paul 8:143
Bauhaus **2**:267
Modernismo y arte moderno **9**:263
obra **8**:143
Klein, Christian Felix 8:144
biografía **8**:144
Klein, Lawrence R. 8:144
bibliografía **8**:144
Kleist, Heinrich von 8:144
Alemania **1**:166
bibliografía **8**:144
Zweig, Stefan **14**:192
Klerk, Frederik Willem de 8:144
biografía **8**:144
Klimt, Gustav **2**:168
Klimuk, Piotr **2**:113
Klinger, Friedrich Maximilian von **1**:166
kliny **9**:253
klismos **9**:253
Klitzing, Klaus von 8:144
biografía **8**:144
Hall, efecto **7**:124
Kloet, volcán **8**:91
Klóketen **10**:210
Klondike 8:144
Nordenskjöld, Otto **10**:129
Klopstock, Friedrich Gottlieb 8:144
Alemania **1**:166
bibliografía **8**:144
Klor de Alva, J, Jorge **7**:189
Kluba, Henryk **11**:161
Klug, Aaron 8:144
biografía **8**:144
Klumb, Henry **11**:240
Klyuchevskaya, volcán **12**:311
Kneipp, Sebastian 8:144
biografía **8**:144
baño **2**:247
Kneller, G. **7**:45
Knesset **8**:56; **11**:44
Knight, Eric **8**:284
knock-out 8:144
Knossos, palacio de, (detalle) Creta **9**:212
Knox Polk, James **6**:41
Knox, John 8:144
biografía **8**:144
Gaélico **6**:261
Knoxville, Tennessee **6**:102, 119
knut **13**:224
koala 8:145
Kobe 8:145
Asia **2**:93
Koch, Robert 8:145
biografía **8**:145
Alemania **1**:167
Ehrlich, Paul **5**:230
tuberculina **13**:278
Kochanowski **11**:161
Kocher, Emil Theodor 8:145
biografía **8**:145
Cushing, Harvey William **4**:335
Kodak, cámara **5**:183
Koechlin, Ch. **13**:325
Koeller, Gaspar **6**:254
Koellreuter, Johann Joachim **12**:223
Koenig **11**:189
Koenisberg **13**:316; **14**:137
Koeppen **4**:113
Kofi Atta Annan **10**:28
Kohari, Masood **10**:287

Kõhimã **10**:29
Kohl, Helmut 8:145
Alemania **1**:162
biografía **8**:145
cristiano demócrata, unión **4**:293
Francia **6**:225
Köhler, Georges 8:145
biografía **8**:145
Jerne, Niels Kal **8**:95
Milstein, César **9**:225
Kohutek, cometa **2**:122
Koivisto, Mauno **6**:160, 161
Kokkonen, Joonas **6**:161
Kokomo **7**:306
Kokoschka, Oscar **6**:102; **9**:263
Koksal Tau **8**:143
Kola, península de **12**:139
Kolahun **8**:242
kolario **2**:95
Kolas, Jakub **12**:149
Kolbe, Hermann **6**:66; **11**:262
Kolima río **12**:139
Kolima, lago **12**:138
Koling, Anton **2**:168
Koliván **10**:173
koljós 8:145
koljoses soviéticos **8**:233
Köll, Shen **10**:58
Kollar, Jan **4**:28; **5**:298
Kölliker, Rudolf Albert von **11**:296
Kolonos **1**:100
Koloshana **7**:308
Koltchak, ejército de **6**:239
Kolyma **12**:312
Kolzum **13**:73
Kom Ombo **8**:96
Komarov, Vladimir **2**:111, 113
Komensky, Jan Amos **4**:28
Komitern **7**:196; **13**:206
Komodo, monitor de **5**:169
Kondratituk, Andrzej **11**:161
Konsomol **8**:69
Kontantinovich Tolstoi, Aleksej **1**:193
Kon-Tiki 8:145
indios americanos **7**:308
Kootenai, río **9**:282
Kopaline **5**:152
Korab, cadena de **1**:137
Koraichitas **9**:31
Korasán **5**:75
Korchnoi, Viktor **8**:135
Korda, Alexander, sir 8:145
obra **8**:145
Sabú **12**:156
Korda, Zoltan **8**:145
Kordofán **5**:75; **10**:144
Koré **11**:142
Koritnik, cadena del **1**:137
Korn, Alejandro 8:145
Argentina, República **2**:26
biografía **8**:145
Romero, Francisco **12**:107
Kornberg, Arthur 8:146
obra **8**:146
Ocho Albornoz, Severo **10**:183
Korolenko, Vladimir Galaktionovich 8:146
bibliografía **8**:146
Koroma, S. I. **12**:319
Koror **10**:289
koroseal **11**:127
Korosec, Anton **5**:301
Korsi, D. **10**:303
Korutürk, Fahri **13**:297
Koryo **4**:243
Korzeniowski, Theodor Joseph Conrad **4**:212
Kósciuskzo, Tadeusz 8:146
biografía **8**:146
kosher 8:146
Kosice **5**:298
Kosma Zworykin, Vladimir **13**:149
Kosovo **4**:296
Kosrae **9**:216, isla
Kossel, Albrecht 8:146
biografía **8**:146
nucleicos, ácidos**10**:154
Kossuth, Luis 8:146
biografía **8**:146
Kostoma, río **14**:128 **14**:
Kostroma **14**:128
Kosygin, Aleksei Nicolaevich 8:146
biografía **8**:146
Unión de Repúblicas Socialistas Soviéticas **13**:309
Kota Kinabalu **3**:49
Kotarbinski, Tadeusz **11**:184
Kotosh **11**:187
Koulikoro **9**:43
Kountché, Seyni **10**:100
Koussevitzki, Sergei **11**:303
Kovác, Michal **5**:299
Kovalenek, Vladimir **2**:113
Kowal, Charles **11**:269
Kowalski **11**:161
Kowloon, Península de **7**:220
Kraag, Johan **13**:86
krahn, etnia **8**:243
Krajina **4**:296, 297
Krak des Chevaliers **4**:306
Krakatoa 8:146
Asia **2**:86
Java **8**:91
mar **9**:84
volcán **14**:128
Krakow, Cracovia **11**:157
Krasnodar territorio de **2**:195
Krasnoyarsk, ciudad **12**:140
Krause, Karl Christian Friedrich 8:147
bibliografía **8**:147
Eucken, Rudol Christop **6**:72
Sanz del Río, Julián **12**:224
krausismo **8**:147
krausista **12**:224
Kravchuk, Leonid **13**:300
Kravets, Inessa **2**:140
Krebs, Edwin G. 8:147
biografía **8**:147
Krebs, Ernest T. **8**:161
Krebs, sir Hans Adolf 8:147
biografía **8**:147
Kreisky, Bruno **2**:167
Kreisler, Friedrich 8:147
obra **8**:147
Kreisler, Fritz **14**:98
Kremer, Gerhard **9**:171
Kremlin 8:147
Astracán **2**:106
Moscú **9**:308
Napoleón I Bonaparte **10**:37
retirada **12**:33
Tito, Josip Broz, llamado **13**:206
Kremlin **8**:148; **9**:309
Krenek, Ernesto **12**:248
krepides **14**:63
Kreshimer II **4**:295
Kreshimir, Pedro **4**:295
Kretschmer, Ernst **3**:230
Kriangsak Chamanand **13**:102
Krikelenberg **7**:205
Krilov, Iván **12**:141
Krischna-Mira **7**:303
Krishna 8:148
Krishna, río **7**:296
Krishnamurti, Jiddu 8:148
bibliografía **8**:148
Kristallis, K. **7**:62
Kristensen, Leonard **5**:79
Kristeva, Julia **6**:65
Kristiasen, Ingrid **2**:140
Krogh, August 8:148
bibliografía **8**:145
Krohne **4**:151
Kronborg **4**:233
Kropotkin, príncipe Pëtr Alekseevic 8:148
biografía **8**:148
anarquía **1**:260
Kroto, sir Harold W. 8:148
biografía **8**:148
Curl, Robert F. Jr. **4**:333
Kruda, región de **1**:137
Kruger, Hubert **5**:38
Kruger, Pablo **3**:17
Kruger, Paulus 8:148
biografía **8**:148
Kruif, Paul de 8:149
bibliografía **8**:149
Krummacher **10**:318
Krung Thep 8:149
Bangkok **2**:245
Krunov, Yeugeny **2**:113
Krupp 8:149
biografía **8**:149
Kruschov, Hruscëv Nikita Sergeevich 8:149
biografía **8**:149
Kruse, Catalina **9**:333
Krusenstern, conde de **8**:85
ksour **9**:107
Kuachu **9**:42
Kuai, río **4**:49
Kuala Lumpur **7**:313; **9**:39
Kuan-cheu, bahía de **4**:56
Kuan-His, emperador **4**:53
Kuantan, puerto **7**:313
Kuapawa **2**:36
Kubasov, valeri N **2**:113
Kubelik 8:149
kubernetes **13**:136
Kubhet-er-Sajra **10**:209
Kubitschek, Juscelino **3**:76
Kublai Kan 8:149
biografía **8**:149
China **4**:54
ferias **6**:132
mongol, imperio **9**:276
Polo, Marco **11**:156
Kübler-Ross, Elisabeth 8:149
biografía **8**:149
Kubrick, Stanley **3**:119
Kubsov, Valeri **2**:113
Kuching **3**:49; **12**:227
Kuching, capital
kudu 8:149
antílope **1**:307
Kudu **4**:321
kudurrus **6**:48
kudzu 8:149
Kuen-Lun, cordillera de **2**:85
Kuen-Lun, Monte **2**:84; **10**:297
Kuhlman **9**:215
Kuhmo **6**:159
Kuhn, Richard 8:150
biografía **8**:150
Kuibishev **13**:307; **14**:128
Kuiper, Gerard P. **10**:74; **11**:142
Kuiper, hipótesis de **11**:142
Kuka **5**:75
Kukaburra III 36
ku-klux-klan 8:150
Kukrit Pramoj **13**:102
Kukuhor, montañas **4**:49
kukulcán 8:150
Kukulkán **9**:137
mayas **9**:137
pirámides de México y América Central **11**:106
kulanapu **7**:309
Kulesov, Arkadij **12**:150
Kuliyev, Aby **13**:292
kulturkampf 8:150
kulyabis, clan de los **13**:99
Kumasi **6**:321
kumyko **13**:288
kumyss **2**:272
kuna **4**:294
Kuna, indígena **10**:304
Kunasir, isla **8**:150
Kuncan, Milan **5**:300
Kundt, Augusto **12**:*93*
Kung Fu-tse **4**:53,205
Kungej Alatau **8**:143
Kuniyoshi **5**:281
Kunlun **4**:47
Kunming **4**:51; **14**:168
Kunsthalle de Hamburgo **7**:12
kuomintang 8:150
Formosa (Taiwan) **6**:197
Mao Tse-Tung (Mao Zedoing) **9**:66
Sun Yat-Sen **13**:84
Revolución China **12**:43
Kupala, Janka **12**:149
kupang de Timor **9**:43
Kuprin, Aleksandr **10**:48
Kura, río **2**:195; **13**:193
Kuravas **9**:30
Kurdistán 8:150
kurdo **8**:37
kurdos iraquíes **7**:254
Kuriles, islas 8:150
aino o ainu **1**:122
Asia **2**:84
Ojotsk, Mar de **10**:199
Unión de Repúblicas Socialistas Soviéticas **13**:307
Kuroki, Tamemoto **7**:99
kuro-sivo 8:150
corrientes marinas **4**:257
Kurt Joos **5**:17
kurukh **5**:172
Kury, Sonia Miriam **12**:184
kusana **7**:308
Kusch, Polykarp 8:151
biografía **8**:151
Kush, monte **10**:297
Kuskokwim, río **1**:136
Kut al Imara **13**:195
Kutaisi **6**:317
Kutch **7**:108
Kutenai **7**:308
Kutu-yat, mezquita de **9**:105
Kuwait 8:151
— bandera de **2**:240
— gobierno **8**:151

— historia **8:**151
agua de mar, purificación del **1:**111
Fuerzas de paz de las Naciones Unidas **6:**248
Guerra del Golfo Pérsico **7:**88
minería **9:**231
panarabismo **10:**307
petróleo **11:**71
Kuwatli **12:**27
Kuyunjik, montículos de **10:**103
Kuznets, Simon Smith 8:152
bibliografía **8:**152
Kuznetsk, cuenca de **12:**312
kwacha **14:**172
Kwame Nkrumah **6:**320
kwan **9:**54
Kwangchow **4:**52
Kwango **1:**284
Kwangsi **12:***322*
Kwanmo, pico 4:243
Kwasniewski, Aleksander **11:**160
Kwazulu-Natal **10:**46
Kweisui **9:**277
kyat **10:**20
Kyburg **12:***91*
Kyd, Thomas **5:**170
Kymi, lago **6:**159
Kyne, Peter Bernard 8:152
bibliografía **8:**152
Kyoto 8:152
universidad **13:**316
Kyoto **1:**349
Kyprianou, Spyrus **4:**60
Kyrania, montañas de **4:**60
Kyushu, isla **3:**37; **10:**29

L

L 8:153
L'orazia 2:9
L'Amérique Latine, revista, París **2:**251
L'art en relació amb l'home que no passa **13:**229
l'Etang, Dupont de **2:**218
L'Havre **9:**275
L'Hermitage, Museo de, Leningrado **12:**139
L'Hirondelle, yate **9:**272
L'Humanité **8:**91
L'indée russe **13:**31
L'Observatore Romano, períodico **11:**51; **14:**29
la 8:153
La adoración de los Magos **13:**207
La Aguja, cabos **4:**137
la Alcazaba **7:**46
La aldea perdida **10:**288
La alegría del capitán Ribot **10:**288
La alsaciana **7:**102
La Antigua **7:**81
La Anunciaión, Italia **9:***93*
La aparición de la Virgen a San Bernardo **8:**269
La Araucana de Ercilla Argentum **2:**254
La asamblea de mujeres **2:**32
la ascensión de Isaías **1:**325
La Asunción **13:**182
La Axarquía, Málaga **9:**40
La bailadora **2:**294
La balada de la cárcel de Reading **2:**30
La bandera de combate **2:**244
La barba en algunas regiones **2:**250
La barbarie moderna e Historia de las ciencias morales y políticas **11:**8
La base trófica de la inteligencia **13:**297
La Basílica antigua **7:**72
La batalla de los libros **13:**91
La biblioteca del orador **11:**266
La Biblioteca histórica de Puerto Rico **11:**237
La Blanche y Brunhes, Paul Vidal de **6:**303
La bohemia galante **10:**75
La bohemia limeña **10:**293
La bolsa **2:**25
La bella durmiente
Rusia **12:**142
Tchaikovsky Piotr **13:**130
la Biblia
Véase Biblia **2:**308
parabola **10:**318
texto **13:**181
La Brea **6:**309
La Brea **2:**82
La Bruyère, Jean de 8:158
bibliografía **8:**158
Francia **6:**226
La Caldera, Sierras de **2:**8
La Caleta, Málaga **9:**40
La canción de la tierra **9:**30
La canción del barrio **2:**26
La caperucita roja **11:**54
La Carrera de Gordon Bennet 2:294
La Carrera Panamericana de México 2:169
La Cartuja **7:**47
La Cartuja de Parma **13:**54
La casa de Aizgorri **2:**255
La casa de Bernarda de Alba **6:**284
La casa de Quirós 2:47
La casa del gato que pelotea **2:**231
la catedral **2:**189
la Católica, Isabel **6:**135
La cautiva **2:**25
La cenicienta **11:**54; **13:**43
La Centinela **7:**292
la Chaise, Pere **4:**62
La Chausée **5:**171
La Chaux de Fonds **13:**80
La citología **2:***326*
La ciudad de Bagdad **2:**216
La ciudad de la niebla **2:**255
La ciudad de un hombre **2:**255
La ciudad del Sol **13:**18, 333
La ciudad indiana **2:**26
La ciudad vieja **2:**245
La Ciudadela **9:**207
La Civilización **2:**228
La civilización de los incas **13:**153
la Colonia **7:**78
La comedia Humana (La comédie humaine) **2:**231
La Comisión de Paz Internacional (The International Peace Bureau) **2:**220
La condición humana **9:**30
La Conquista dello Stato, periódico **9:**41
La consagración de la primavera **13:**57
La Constitución **7:**8
La conversión del capitán Brassbound **13:**173
la corbata **2:**243
La Cordillera **10:**321
La Corona Real **2:**188
La corona, drama **2:**194
La cortigiana **2:**8
La costa Bathsheba en Barbados **2:***250*
La creación del hombre **13:**117
La crisis de la filosofía occidental **13:**31
La Cruz, puerto **1:**319
La dama de las camelias **13:**129
La dama de las camelias **5:**178
La dama del unicornio **13:**116
La dama errante **2:**255
La decadencia de Occidente **13:**47
La democracia en América **13:**209
La devoción de la Cruz **13:**46
La Dieta **7:**128
La disciplina mental **13:**297
La Divina Comedia **7:**315; **8:**274; **12:**259
La doncella de Orleans **13:**130
La educación sentimental **13:**229
La Eneida **5:**257; **8:**274
La época de las máquinas **13:**89
La epopeya de Artigas **13:**329
La era arqueozoica, geología **6:**307
La era cenozoica, geología **6:**309
La era mesozoica, geología **6:**309
La era paleozoica, geología **6:**308
La era proterozoica, geología **6:**307
La escena contemporánea **9:**95
La Esfinge **7:**330
La Esperanza **8:**21
La Estrella **14:**188
La European Space Agency (ESA), **6:**28
La expansión romana en acción **7:**279
la exposición, San Francisco **6:**101
La Extranjera **2:**231
La fábrica de tabaco de Sevilla **9:***193*
La Falconbridge Dominicana **14:**33
La familia medieval **7:**200
la feria **2:**59
La fiebre amarilla **13:**328
La fiera de mi niña **7:**50
La fierecilla domada **11:**81
La filosofía de la historia **7:**193
La filosofía del arte **13:**103
La flauta mágica **11:**17
La Ceiba
Atlántida **2:**137
Barquisimeto **2:**256
Honduras **7:**218
La Celestina
novela **10:**140
Renacimiento **12:**19
La Cierva y Codorniú, Juan de 8:158
obra **8:**158
La ciudad del Sol
socialismo **13:**18
utopía **13:**333
La comedia Humana (La comédie humaine) **2:**231
La Condamine, Charles Marie de 8:159
bibliografía **8:**159
Mendoza, Juan Antonio de **9:**165
Ulloa, Juan Antonio de **13:**302
La Coruña
Curros Enriquez, Manuel **4:**334
Iglesias Patín, Santiago **7:**266
Menéndez Pidal, Ramón **9:**166
La dama de las camelias
Dumas, Alejandro (hijo) **5:**178
Taylor, Robert **13:**129
La decadencia de Occidente **13:**47
La Divina Comedia
La Divina Comedia **7:**325
literatura **8:**274
Segrelles Albert, José **12:**259
La Eneida
literatura **8:**274
Véase Eneida **5:**257
La época de las máquinas **13:**89
La Española (Santo Domingo)
avicultura **2:**189
Dominicana, República **5:**159
Haití **7:**121
Latinoamérica **8:**184
Núñez de Balboa, Vasco **10:**164
La fierecilla domada **11:**81
La flauta mágica **11:**17
La Fontaine, Jean de 8:162
bibliografía **8:**162
cuentos infantiles **4:**320
fábula **6:**109
literatura infantil **8:**284
La Fuente, Antonio Gutiérrez de 8:162
biografía **8:**162
la Galia
Marco Antonio **9:**87
Vándalo **14:**21
La Gamarra **10:**201
La Gasca, Pedro de 8:163
biografía **8:**163
La Guaira, Venezuela
autopista **2:**177
Venezuela **14:**46
La Habana
conferencias panamericanas **4:**203
Cortés, Hernán **4:**260
Cuba **4:**311
Curros Enrique, Manuel **4:**334
Danvila, Alfonso **5:**12
Dolz, Ricardo **5:**154
Dorticós Torrado, Osvaldo **5:**166
Eça de Queiroz, José María **5:**184
Elguero Iturbide, Francisco **5:**245
Godoy, Armando **7:**11
Guerra hispano-norteamericana **7:**89
Henríquez Ureña, Pedro **7:**147
Hipódromo **7:**184
Lam Wilfredo **8:**166
Latinoamérica **8:**192
Maceo y Grajales, Antonio **9:**7
Manso de Velasco, José Antonio **9:**60
Marianao **9:**95
Mendive, Rafael María **9:**164
Mendiz Bolio, Antonio **9:**154
México **9:**199
México, Golfo de **9:**207
Olaya Herrera, Enrique **10:**201
Pinar del Río **11:**91
Piñera Llera, Virgilio **11:**101
Pinos, isla de **11:**94
Suárez y Romero,

Anselmo**13**:59
tabaco **13**:94
Tejera, Digo Vicente **13**:139
universidad **13**:319
Véase Habana, ciudad de la **7**:113
La Haya
Descartes, Rene **5**:68
Véase Haya, la **7**:134
Holanda **7**:207
Leyden **8**:238
Liga de las Naciones **8**:258
madera **9**:14
Felipe III **6**:127
Root, Elihu **12**:111
Bustamante Rivero, José Luis **3**:124
La Iliada
concurso **4**:198
disco, lanzamiento del **5**:140
Grecia **7**:61
libro **8**:252
lucha **8**:315
carro y carreta **3**:264
Casanova de Seingalt, Giacomo Girolamo **3**:271
La India
Afganistan **1**:90
agachadiza **1**:98
agricultura **1**:107
Ahmedabad **1**:119
algodón **1**:182
lino **8**:268
Madrás **9**:16
metemsicósis **9**:186
minería **9**:231
miniatura **9**:233
mogol **9**:264
mogol, imperio **9**:276
mono **9**:278
monogamia **9**:279
Nueva Delhi **10**:156
Sociedad protectora de animales **13**:21
Suez, Canal **13**:74
té **13**:130
teatro **13**:131
Tesoros de la India **13**:175
La isla del tesoro
literatura infantil **8**:285
stupa **13**:55
La leona herida **2**:102
La Mar y Cortázar, **José 8**:166
biografía **8**:166
La Fuente, Juan Antonio de **8**:162
La marsellesa **7**:180
La Meca
Asia **2**:96
Corán **4**:236
cronología **4**:299
Damasco **5**:9
égira **5**:230
Islam e islamismo **8**:51
Mahoma **9**:31
Mezquita de la Meca **9**:146
Omar I **10**:209
vestido **14**:65
La media luna **13**:100
La medida del círculo **2**:53
La Merced, la Antigua **7**:191
la Merced, Lima **7**:191
la Mesilla **7**:73
La Mettrie, Julien **9**:130, 131
La mina **9**:193
La Mocha, isla de **4**:38
La Moda **2**:25
La montaña de la bruja **2**:26
La montaña mágica **9**:59
La montería **7**:102
La Mouthe, cueva de **12**:134
la Muerte (Death Valley), Valle de **6**:31
La muerte de Aníbal 2:221
La muerte de Sigfrido **10**:92
La muerte de un viajante **9**:224
La mujer de treinta años 2:231
La música **7**:63, 64
La Nación, periódico **5**:39; **9**:251; **11**:18, 51
La Nao, cabo **1**:184
La natividad hecho por William Blake **2**:335
La noche de los mayas **12**:55
La novela de un novelista **10**:288
La nueva Atlántida **13**:18, 333
La nueva ciencia **13**:122
La nueva generación **5**:145
La Odisea
baño **2**:248
disco, lanzamiento del **5**:140
Grecia **7**:61
literatura infantil **8**:285
Homero **10**:185
La ONU en las encrucijadas **6**:248
La oración del huerto, Andrea Mantegna **9**:61
La Orana María, Paul Gaugion **6**:294
La Orden **10**:71
la otomana **9**:255
La Palabra **5**:107
la Palatina **2**:311
La Pampa **10**:78
La pampa argentina, llanura **10**:298
La Pampa del Tamarugal, llanura **10**:298
La pantera rosa **10**:107
La Pasiega **10**:172
La Pasión **2**:177
La pasión de Juana de Arco 2:63
La Patria Libre, periódico **9**:112
La Paz
— Baja California Sur, México **2**:219, 220 **4**:194, 235
— Bolivia **2**:249
— Bolivia **2**:292
— de Westfalia **7**:87
— Sociedad Alemana para **6**:237
Arguedas, Alcides **2**:28
Aristófanes **2**:32
Ecuador **5**:197
Guatemala **7**:77
Guerra del Pacífico **7**:88
Guerra Mundial, Primera **7**:92
Inteligencia artificial **8**:15
Montes, Ismael **9**:288
La peregrinación 2:196
La Pérouse, Jean Francois de Galaup, conde de 8:174
biografía **8**:174
Japón **8**:85
La Piedad de Cabadas, Michoacán **9**:214
La piedra del escándalo **2**:26
La piedra infernal **10**:316
La piel **9**:41
La piel de zapa **2**:231
La Pileta, cueva de (Málaga) **12**:134
La Plata **8**:15
La Plata, Universidad de **11**:46, 251
la Plata, virreinato de **14**:102
La posiciones geográficas de las tribus que formaban el imperio de los incas **2**:234
La Prensa **2**:322; **11**:20, 51
La Prensa, periódico
La prima Bette (La cousine Bette) **2**:231
la primera gran batalla americana **9**:34
La princesa Tam-Tam **2**:220
La Profesa, iglesia de **9**:204; **11**:12
La puerta del diablo **13**:129
La Quemada 8:175
Zacatecas **14**:169
La rebelión de las máquinas **13**:214
La Reconquista **5**:317
La reina africana **7**:149
La reina María **13**:158
La reina Victoria **13**:56
La reproducción **7**:32
La República **2**:322; **13**:18
La resistencia de la baquelita **2**:249
La resurrección de los ídolos **13**:96
La Reunión, isla de **8**:202
La Revolución Francesas **2**:166
La Revolución Industrial **13**:250
La Rioja
Argentina, República **2**:14
Avellaneda, Marco Manuel **2**:182
bailecito **2**:218
culebra de cascabel **4**:328
diaguitas **5**:101
Logroño **8**:300
la Rocha **13**:326
La Rochefoucauld, **François duque de 8**:177
bibliografía **8**:177
la rondeña **13**:126
La rosa de los vientos **13**:329
La rosa del azafrán **7**:102
La Rotonda **10**:293
La ruta de Don Quijote **2**:196
la Sagra **13**:212
La Sagrada Familia con un ángel **1**:*280;* **9**:220
La Salvadora, mina **11**:12
La Salle, **Rene Robert Cavelier, Señor de 8**:177
biografía **8**:177
la Rocha **13**:326
La sangre comprende el plasma y los glóbulos **6**:335
La sangre enemiga **13**:49
La Scala de Milán **7**:17
La Sepultura de Cristo **11**:*6*
La Serna, virrey de **2**:193
La sirena de los trópicos **2**:220
La Sociedad **2**:228
La soga **13**:55
La sombra de César **2**:221
La sombra del Pilar **7**:102
la Sonda, estrecho de **8**:146
La sucesión presidencial **9**:16
La Sultana del Gran Lago **7**:47
La tempestad **12**:304
La tentación de San Antonio **12**:257
La teología de la liberación **13**:161
La teología política de Mazzini 2:221
La tía Tula **13**:303
La tierra prometida **13**:304
La tierra tiembla **10**:72
La Torre, Mariano **7**:235
La Traviata **5**:178
La tribuna **10**:326
La Troya de Homero **13**:273
La Última Cena **9**:222
La última hada **2**:231
La última tentación **7**:62
La Unidad, períodico **7**:18
La Unión (El Salvador), puerto de **6**:192
La Unión, periódico **6**:59
La urna **2**:237
La Utopía **13**:18
La Valenciana **7**:74
La Valenciana, mina **11**:132
La Valetta **9**:46
La Vega 8:201
Dominicana, República **5**:159
La vegetación como la de Hoodoos en Alberta, Canadá estudiada por la geografía **6**:306
la veilleuse **9**:255
La velada de Benicarló **2**:194
La Vena, Golfo de **4**:250
La Venta 8:201
La Villa **7**:72
La visión de los vencidos **8**:228
La voluntad de poderío **10**:99
La vorágine **13**:324
La vuelta al mundo en ochenta días **10**:107
La vuelta de Martín Fierro **2**:25
La Warr, barón de **5**:40
Labán **11**:300
Labarden, **Manuel José de 8**:153
bibliografía **8**:153
Argentina, República **2**:25
literatura Hispanoamericana **8**:280
laberinto. 8:153
— de Creta **2**:186; **6**:82
labiadas
albahaca **1**:137
orégano **10**:241
tomillo **13**:217
toronjil **13**:225
flor **6**:178
lavándula **8**:200
mastranza **9**:125
laboratorio 8:153
— alquimista en Praga **1**:203
— Cavendish **13**:183
— de Biología Molecular de Cambridge **9**:225
— de Física de Pasadena **9**:224
— de la Física de Partículas **9**:155
— de patología, primer **9**:61
— de Propulsión a Chorro de California **9**:268
— Europeo de Investigación Nuclear **13**:304
— Jackson **13**:15
— Lewis de Propulsión Aérea **2**:47
— químico **1**:132
amianto **1**:248
Bayer de Leverkusen 1:152
bioingeniería 7:330
cromatografía de sustancias **4**:297
diagnóstico **5**:101

experimentación **6**:94
investigadora biomédica **8**:30
Kennedy de Medicina Molecular 8:208
Nacional de Brookhaven, Long Islad 2:150
Nacional de Oak Ridge 13:158
ozono **10**:278
Laboria, Pedro 8:153
bibliografía **8**:153
laborismo 8:153
laborismo inglés **14**: 145
Labra, Rafael María de 8:154
biografía **8**:154
Labrador (Canadá) 14:96
Labrador
pasos del noroeste y del noreste **11**:7
ártica, región **2**:70
avicultura **2**:189
descubrimientos y exploraciones geográficos **5**:71
esquimales **6**:25
Labrador Ruiz, Enrique 8:155
bibliografía **8**:155
Labrador, península y corriente del. 8:154
Iceberg **7**:260
Feldespato **6**:125
labranza 8:155
— forma de terrazas en Nepal **8**:155
campesinado **3**:194
campo de sorgo **8**:156
labranza **8**:158
Labrunie, Gerardo **10**:75
Labuán **9**:42
laca 8:158
barníz **2**:255
ebanistería **5**:183
Lacalle, Luis Alberto **13**:330
Lacan, Jacques **3**:267
lacandón 8:158
Guatemala **7**:77
Lacantún, río **4**:31
Lacayo Sacasa **13**:35
Lacedemonia **8**:159
Lacerda Almeida, Lorenzo **5**:75
Lacerda, Francisco **11**:178
laceriforme **13**:324
Lacerteux, Germinie **12**:6
lacertilios **5**:169
lache 8:160
aborigen **1**:32
Alba Longa **1**:137
Eneas **5**:257
fiesta **6**:150
imperio romano **7**:275
indios americanos **7**:310
Lachenal, Louis **7**:179
Lacio
lenguas romances **8**:221
Saturno **12**:242
Tiber **13**:184
lacolitos
geología **6**:312
volcán **14**:127
laconia 8:159
arcadia **1**:349
Esparta **6**:7
Peloponeso **11**:32
Lacq **6**:216
lacre 8:159
lacrimeo **8**:301
lacrimógeno **8**:34
Lacroix **5**:272
lactancia 8:159
infancia **7**:319
lácteos
Austria **2**:164
Washington, estado de **14**:141
láctico, ácido 8:159
bebidas **2**:273
lactosa 8:159
azúcar **2**:204
Lacunza y Díaz, Manuel **1**:325
lacustres, pueblos 8:159
ladaki **2**:94
Ladenburg, Albert 8:160
biografía **8**:160
ladino
negro **10**:68
trata **13**:256
Ladmón **5**:302
ladoga 8:160
Europa **6**:75, 160, 159
Guerra Ruso-Finlandesa **7**:98
Neva **10**:82
Rusia **12**:138
Onega, lago **10**:212
Ladrillero, Juan **4**:41
ladrillo 8:160
construcción **8**:160
ánfora **1**:279
ladrillo **8**:161
Ladrones, Islas de los **9**:95; **10**:179
Laecken, castillo de **8**:229
Laënnec, René Theophile Hyacinthe 8:161
biografía **8**:161
Laercio, Diógenes **9**:64
Laertes **11**:37; **13**:301
laetril 8:161
Lafayette, Marie Joseph Motier, marqués de 8:161
biografía **8**:161
escultura **5**:294
Estados Unidos **6**:41
Revoluciones de 1830 **12**:54
Pérez de Hita, Ginés **11**:46
Laferrère, Gregorio de 8:162
bibliografía **8**:162
Argentina, República **2**:26
Laffite, Pedro **2**:252; **11**:107
Lafinur, Juan Crisóstomo 8:162
biografía **8**:162
Argentina, República **2**:25
Lafontaine **5**:165
Lafourcade, Enrique 8:162
bibliografía **8**:162
lagartija 8:162
lagartijo 8:162
biografía **8**:162
lagarto 8:162
Lagasca, Pedro de **14**:103
Lagerkvist, Pär Fabian 8:163
bibliografía **8**:163
Lagerlöf, Selma 8:163
bibliografía **8**:163
literatura infantil **8**:285
mujer **9**:327
Suecia **13**:71
Laghonat, oasis **10**:169
Lágidas **7**:60
lagidio 8:163
Lagidium **14**:119
lago 8:163
— Cacasieu **8**:311
— Chapala, Jalisco,México **9**:195
— Chapala, México **9**:195
— de los cisnes **13**:129
— de Managua **9**:50
— de Maracaibo **9**:85
— de Ocrida y Prespa **9**:7
— de Tiberíades **11**:26
— de Valencia **9**:85
— del Pont D´Arc, Ardeche, Francia **6**:213
— Dicarezza, Italia **8**:61
— Eunice **8**:163
— Gotchka **2**:45
— Itasca **9**:242
— Lago Baikal 9:276
— Lago Mead **2**:36
— Lhasa, Tibet **8**:240
— Llanquihue **8**:290
— Momotombito **9**:50
— Pont D´Arc **6**:213
— Searles **9**:83
— Sebago **9**:33
— Sevan **2**:45
— Silvaplana, Suiza **13**:78
— Silvaplana, Suiza **13**:*78*
— Titicaca **9**:54, 96
— Vermilion **8**:164
— Vermilion, Banff **8**:164
Hamburgo **7**:125
Nilo, rio **10**:101
Valencia **14**:13
Lagos 8:164
Nigeria **10**:101
Lagos, Los 8:165
Lagos, Luis **12**:184
Lagostomus **14**:119
Lagrange, Joseph Louis de 8:165
biografía **8**:165
astronomía **2**:124
estática **6**:47
lágrima 8:165
Lagrimal, aparato **10**:198
lagrimal **8**:165
Lagting **10**:135
Laguerre Vélez, Enrique **11**:237
Laguipière **4**:124
Laguizamón, Martiniano **2**:26
laguna **8**:164
lagunas (merjas) **9**:106
lagunas fósiles **9**:83
Lagunas, Los Carbonales **6**:48
Lagunas, Miraflor **6**:48
Lagunas, Santa Clara **6**:48
laguna de Lauricocha **9**:85
Laguna de los Padres, Puerto de la **9**:84
Laguna Verde **12**:182
Laguna, Tomás Antonio de La Cerda y Aragón, marqués de la 8:165
biografía **8**:165
Lahore 8:165
Pakistán **10**:287
Penjab o Punjab **11**:38
Salám, Abdus **12**:171
laicismo 8:166
Fernández, Próspero **6**:133
laicos católicos **1**:44
laika, perra 8:165
Sputnik **13**:50
Laín Entralgo, Pedro 8:166
bibliografía **8**:166
España **5**:320
Generación del 98 **6**:299
Laínez, Daniel **7**:219
Láinez, Santiago **13**:259
Lair, Clara **11**:237
Laja, Laguna del **10**:168
Lajos Kossuth **7**:252; **12**:54
Lakas, Demetrio Basilio **10**:302
Lakehurst **14**:177
Lakmé **5**:44
Lakshadweep (Kavaratti) **7**:299
Laksminarain, Templo de **10**:156
Lal Bahadur Shastri **7**:301
Lalanda, Marcial **9**:60; **13**:127
Lalo, Edouard 8:166
obra **8**:166
Lam, Wilfredo 8:166
obra **8**:166
Cuba **4**:316
lama 8:166
Lamadrid, Gregorio Aráoz de 8:166
biografía **8**:166
lamaísmo
Asia **2**:96
calmucos **3**:170
lama **8**:166
Mongolia **9**:276
Tibet **13**:185
Lamar, José **11**:64
Lamarck, Jean Baptiste. 8:166
bibliografía **8**:166
expediciones polares **6**:86
transformismo **13**:245
Lamartine, Alphonse de 8:166
bibliografía **8**:166
Gómez de Avellaneda, Gertrudiz **7**:19
Liszt, Franz **8**:273
Nerval, Gérard de **10**:75
poesía **11**:147
turismo **13**:289
romanticismo **12**:106
Lamas, Andrés 8:166
biografía **8**:166
López, Vicente Fidel **8**:306
Lamas, José Ángel **14**:47
Lamas, Orfeón **14**:47
Lamb, Charles 8:166
bibliografía **8**:166
Lamb, Willis Eugene, Jr. 8:166
biografía **8**:166
Lambarené **12**:250
Lambayeque 8:166
Piura **11**:114
Lambert, Johann Heinrich **4**:289; **9**:69
lambrequines **7**:150
lamelibranquio **1**:195; **3**:84; **6**:154; **9**:156, 270; **14**:185 **4**:194
Lamennais, Felicité y Robert de 8:167
bibliografía **8**:167
Lamiaca, guerra **7**:60
lámina foliar **7**:202
laminado 8:167
plásticos **11**:130
láminas foliares **8**:270
Lamine Zaroval **2**:12
laminografía **11**:308
Lammermoor, Lucía de **11**:16; **13**:89
Lamoricière, general **14**:189
lámpara de seguridad 8:168
lámpara solar o ultravioleta 8:168
lámpara 8:167
— china de dragón **8**:168
— de gas **1**:211; **14**:129

— de luz **8**:331
— del casco de los mineros **9**:232
— eléctrica **8**:167
— eléctricas **6**:152, 242
— eléctricas **8**:168, 197
— incandescentes **7**:272
— maravillosa **1**:131
— ornamentales **8**:167
alumbrado **1**:210
filamento **6**:152
iluminación **7**:272
lámpara **8**:331; **9**:232
neón **10**:71
lampíridos **8**:316
lamprea 8:168
Lampridio **6**:7
Lampros **13**:24
Lamville, río **14**:57
lana 8:168
Australia **2**:164, 145, 149, 277
ganadería **6**:277
hilo **7**:178
lana **8**:169; **13**:180
oveja **10**:273
pasto **11**:9
vestido **14**:61
Lana, Francisco de **6**:333
Lancashire, Condado de **9**:51; **12**:51
Láncaster 8:169
— Catalina de **5**:264
— Enrique de **7**:40
— estrecho de **10**:332
— Felipa de **5**:265
— José **10**:193
Enrique VII de Inglaterra **5**:265
flor **6**:180
Ricardo III **12**:62
Tudor **13**:280
York, casa de **14**:164
Lancelote del Lago **13**:96
lanceolado **1**:351; **13**:325
lancero 8:169
lancha
— de caucho **3**:302
— de juncos **13**:206
— pesquera **4**:282
caballería **3**:130
lancha **3**:302; **4**:282; **13**:206
lancha torpedera 8:169
Land, Edwin Herbert **6**:204
Landa, Diego de 8:170
bibliografía **8**:170
Landaeta, Juan José **14**:47
Landaluz, Víctor Patricio de **4**:316
Landau, Lev Davidovich 8:170
biografía **8**:170
neutrones, estrella de **10**:82
Landázurri, Juan **3**:241
Lander, John **5**:75
Lander, Richard **5**:75
Landívar, Rafael **7**:80; **8**:280
landlords **7**:35
Landowska, Wanda 8:170
biografía **8**:170
Polonia **11**:161
Landseer, sir Edwin Henry 8:170
obra **8**:170
Landsteiner, Karl 8:170
biografía **8**:170
factor RH **6**:110
grupo sanguíneo **7**:70
transfusión de sangre **13**:245
Landsteiner, Karl **12**:208
Landwasser **14**:74
Lang, Fritz 8:170
cinematográfica **4**:84
obra **8**:170
Lange, Christian Lous 8:170
biografía **8**:170
Langenstein, Heinrich de **4**:196
Langerhans, islotes de
diabetes **5**:100
Langerhans, islotes de **10**:307
Langevin, Paul 8:170
biografía **8**:170
Francia **6**:230
Langley (Estados Unidos) **2**:1879:51
Langley, Edmundo de **14**:164
Langley, Samuel Pierpont
bolómetro **3**:31
transportes **13**:252
Wright, hermanos **14**:155
Langlois, Charles Victor **12**:268
Langmuir, Irving 8:170
biografía **8**:170
lluvia, artificial **8**:294
maquinaria neumática **9**:76
langosta 8:171
artrópodo **2**:78
maíz **9**:37
langosta **4**:184, 302; **9**:226
langostino 8:171
abisal **1**:29
artrópodo **2**:78
Languedoc
Francia **6**:216
Nimes**10**:102
Lanier, Thomas **14**:151
Lanín, volcán **1**:269
Lansing, Robert **1**:116
lantánido 8:172
disprosio **5**:145
terbio **13**:163
Lanús 8:172
Buenos Aires **3**:98
Lanuza, Juan de
Felipe II **6**:127
Pérez, Antonio **11**:45
lanza 8:172
ejército **5**:231
gladiadores **6**:329
lanzacohetes 8:172
defensa (antiaérea, pasiva y química) **5**:35
lanzallamas 8:172
lanzamiento de bala 8:172
Lanzamiento olímpico de Jabalina **8**:71
Lanzas, valle de las **7**:255
Lanzetta, Pablo **4**:142
Lao She **4**:58
Laocoonte 8:173
caballo de Troya **3**:136
poesía **11**:147
Troya **13**:273
Laomedón **10**:74
Laos 8:173
descubrimientos y exploraciones geográficas **5**:75
Ginebra **6**:325
Indochina **7**:312
Laos, bandera de **2**:240
Mekong **9**:156
sal **12**:169
Tailandia **13**:101
Vietnam **14**:90
Lao-Tse 8:173
biografía **8**:173
Asia **2**:96
refrán y refranero **11**:326
lapa 8:173
lapa **8**:174
microscópio **9**:217
lapacho 8:174
carpintería **3**:258
laparoscopia. 8:174
Lapeireta, Ninón **5**:163
Lapesa **7**:258
lapidario 8:174
lapilli **14**:126
lapislázuli 8:174
azúl **2**:206
piedras preciosas **11**:84
lápiz 8:174
carpintería **3**:258
Laplace, Pierre-Simon, marqués de 8:175
— tesis de **14**:22
astronomía **2**:124
bibliografía **8**:175
cosmología **4**:264
Francia **6**:230
geografía **6**:305
geología **6**:310
Legión de Honor **8**:211
mareas **9**:89
planeta **11**:119
Swedenborg, Emmanuel **13**:90
lapones
ártica, región **2**:70
exploraciones polares **6**:95
hogar **7**:199
Laplace, Pierre Simón, marqués de **8**:175
trineo **13**:268
vestido **14**:61
Laponia 8:175
— aspecto físico **8**:175
— el pueblo lapón **8**:175
— finlandesa **8**:175
Aalto, Albar **1**:17
Escandinava, península **5**:278
Suecia **13**:68
Laprida, Francisco Narciso 8:175
biografía **8**:175
Laptev, mar de **12**:136
Laquedivas, islas 8:175
Arábigo, mar **1**:338
Asia **2**:88
India **7**:295
Láquesis **10**:326
lar 8:8 176
Lara 8:176
Lara, Agustín 8:176
obra **8**:176
México **9**:203
Lara, Domingo Antonio 8:176
biografía **8**:176
Lara, Jesús 8:176
bibliografía **8**:176
Larache 8:176
Alcazarquivir **1**:147
Laramie, río **14**:156
Laredo Bru, Federico **4**:314
lares y penates 8:176
Large Black, raza **6**:278
Largillière, Nicolas **6**:228
largueros **9**:261
lárida **7**:17
laringe y laringitis 8:176
garganta **6**:285
voz **14**:134
laringoscopio **6**:283
Larousse, Pierre-Athanase 8:177
bibliografía **8**:177
diccionario **5**:112
Larra, Mariano José de 8:177
bibliografía **8**:177
Bretón de los Herreros, Manuel **3**:81
ensayo **5**:266
Estébanes Calderón, Serafín **6**:48
Larra, Mariano José de **12**:106
literatura **8**:278
Zorrilla y del Moral, José **14**:188
Larraín, Sergio **4**:43
Larravide, Miguel **13**:329
Larrazábal, Antonio 8:177
biografía **8**:177
Larrazábal, Felipe **14**:47
Larrea, Juan 8:177
biografía **8**:177
Argentina, República **2**:20
Larreinaga, Miguel 8:177
biografía **8**:177
Larreta, Antonio **13**:329
Larreta, Enrique Rodríguez 8:177
bibliografía **8**:177
Argentina, República **2**:26
Larriva, Joaquín de **11**:62
Larroyo, Francisco **9**:202
Lars, Claudia **12**:184
larva 8:177
abeja **1**:22
ascáris **2**:79
cólera **4**:133,
crisálida **4**:287
garrapata **6**:286
hormiga **7**:226
insecto **8**:7
larva, **8**:177
mariposa **9**:101
metamorfosis **9**:184,
moscarda y moscardón **9**:306
parásito **10**:325
polimorfismo **11**:152,
pólipo **11**:155,
rana **11**:298
termes **13**:166
zoología **14**:186
Larzac, raza **6**:278
Las bodas de Fígaro **5**:45
Las brujas de Salem **9**:224
Las Casas, Bartolomé de, fray
Arias Dávila, Pedro **2**:29
Cobán **4**:120
encomienda de indios **5**:253
latinoamérica **8**:188,
leyenda negra **8**:238
misiones y misioneros **9**:242
Las fantásticas aventuras de Simbad el Marino **12**:326
Las Heras, Juan Gualberto Gregorio de 8:179
biografía **8**:179
Lavalle, Juan Galo **8**:200
Mendoza **9**:165
Las mil y una noches
Bagdad **2**:216
novela **10**:140
Simbad el marino **12**:326
Las Vegas 8:179
Las Vegas **8**:121 **10**:82 **13**:289
Lascaux 8:178
mural, pintura **9**:335
pintura **11**:95

rupestre, arte **12**:134
Lascaux, Francia **8**:178
láser. **8**:178
— aplicaciones **8**:179
— tipos de láser **8**:178
Basov, Nicolaj Gennadievich **2**:261
láser **8**:179
Schawlow, Artur L. **12**:246
Townes, Charles Hard **13**:235
láseres **13**:163
láseres pulsantes **13**:13
Laserna, virrey **4**:325
Laskaratos, A. **7**:62
Lasker, Emanuel **8**:179
biografía **8**:179
ajedréz **1**:128
Steinitz, Wilhelm **13**:53
Laski, Harold Joseph **8**:179
biografía **8**:179
Lasky, Jesse **5**:46
Lassalle, Ferdinand **8**:179
bibliografía **8**:179
Lastarria, José Victoriano **8**:179
bibliografía **8**:179
Amunategui, hermanos **1**:254
Chile **4**:44
Latacunga **8**:181
Latakia **13**:6
látex. **8**:181
laticlavia **14**:64
latido **11**:242
latifundio **8**:180
latín **8**:180
educación **5**:215
español, idioma **6**:5
Europa **6**:81
fraile **6**:211
Francia **6**:218
género gramatical **6**:301
Herculano **7**:151
hispanolatina, literatura **7**:191
indoeuropeo **7**:315
ingles, idioma **7**:333
italiano, idioma **8**:66
latín **8**:181
lengua **8**:216
lengua **8**:217
lenguaje **8**:219
literatura **8**:277
patrología **11**:15
Tejeda y Guzmán, Luis de **13**:139
latina, literatura. **8**:181
Latini, Brunetto **5**:10
Latino, imperio **6**:45
latino, Medioevo **10**:308
Latinoamérica **8**:182
— arte y arquitectura **8**:191
— civilización mesoamericana **8**:182
— civilizaciones andinas **8**:182
— colonización portuguesa **8**:182
— expansión española **8**:184
— guerras de independencia **8**:185
— historia **8**:182
— la colonia **8**:183
— literatura **8**:188
— los españoles en el caribe **8**:183
— música **8**:195
— música **8**:195
— periodo nacional **8**:186
— pintura **8**:194
— preocupaciones conteporáneas **8**:187
— reformas borbónicas **8**:185
Argentina, República **2**:24
autopista **2**:177
Consejo Económico y Social **4**:213
control de la natalidad **4**:229
Coquimbo **4**:235
correo **4**:254
Hispanoamérica **7**:188
Latinoamérica **4**:291; **8**:186, 188, 190
Latinoamñerica, preocupaciones contemporáneas **8**:189
leche y lechería **8**:205
lenguas romances **8**:220
radiodifusión **11**:280
rascacielos **11**:301
refugiado **11**:329
Latinoamericanismo **8**:196
conferencias panamericanas **4**:203
latinos
arca **1**:348
mitología y mitos **9**:247
latitud y longitud **8**:196
— longitud **8**:196
— austral **13**:31
— boreal **13**:31
superficie **13**:85
corrientes marinas **4**:257
extensión **6**:103
física **6**:165
foca **6**:185
geografía **6**:302
geometría **6**:314
latón **8**:196
alambre **1**:132
latón **8**:197
Latona
Diana **5**:105
Niobe **10**:103
Latorre, Mariano **8**:197
biografía **8**:197
Chile **4**:44
latosol **13**:72
latría **4**:329
latrodéctidos **14**:109
Latrodectus mactans **14**:109
Lattes, Cesare **11**:181
Latvijas Republika **8**:232
Laube, Heinrich **1**:166
laúd, códice **8**:197
laúd **8**:197
Lauda, Niki **2**:169
láudano **8**:197
laudo **8**:197
Laude **13**:210
Laudes **9**:93
Laudi **8**:65
Laue, Max Theodor Felix von **8**:197
biografía **8**:197
Lauemburgo **4**:290
Laugerud García, Kjell Eugenio **8**:197
biografía **8**:197
Laughton, Charles **8**:197
biografía **8**:197
Laujar (Almería) **14**:93
Laumedonte **11**:196
Laura de Novés **8**:197
Véase, Laura de Novés
lauráceo
aguacate **1**:112
cinamomo **4**:81
sasafrás **12**:231
Laurana, Lucia **8**:65
laurel **8**:197
laurel **8**:198
Montana **9**:283
laureles **8**:198
Laurencin, Marie **9**:327
laurencio **8**:198
Laurens, Henri
Francia **6**:229
Michelena, Arturo **9**:212
Laurent Lavoisier, Antoine
ciencia **4**:72
clorhídrico, ácido **4**:115
nitrógeno **10**:106
oxígeno **10**:277
polarímetro **11**:148
prótesis **11**:218
unitaria **13**:314
Laurent, Auguste **6**:130
Laurent, Louis St **3**:205
Laurentiana **2**:315
Laurentis, Dino de **9**:56
Laurents, Jaen Paul **3**:67
Laurenza, R. J. **10**:303
Lauria, minas de plata de **13**:154
Lauria, Roger de **8**:198
Véase, Roger de Lauria
Lauricocha II **8**:198
Lauricocha, cuevas de **8**:198
lauricocha, cultura **8**:198
Laurie Anderson **11**:48
Laurie, isla
Antartida **1**:302
Órcadas del sur **10**:233
Laurión **11**:140
Lausana
alpinismo **1**:201
olimpiada **10**:205
Suiza **13**:80
universidad **13**:317
Lausana, tratado de **8**:198
Lautaro **8**:198
araucanos **1**:344
caupolicán **3**:302
Chile **4**:41
Ercilla y Zúñiga, Alonso de **5**:274
Valdivia, pedro de **14**:12
Lautaro Galvarino **1**:342
Lautaro, logia **8**:199
San Martín, José de **12**:195
Lauterbrunnen, valle de **13**:52
Lautreamont, conde de **8**:199
biografía **8**:199
literatura **8**:279
lava **8**:200
lava **10**:290
arena **2**:5
lavabos **11**:138
lavado y planchado **8**:199
Lavado, Joaquín Salvador **11**:264
lavadora **8**:199
— lavadoras de tambor **8**:199
— lavadora de turbina **8**:199
Laval, Gustaf de **8**:199
biografía **8**:199
Laval, Pierre **8**:199
biografía **8**:199
Laval, Pyrard de **5**:75
Laval, Universidad de **11**:246
Lavalle, Juan Galo **8**:200
biografía **8**:200
Argentina, República **2**:23
Dorrego, Manuel **5**:166
Urquiza, Justo de **13**:325
Lavalleja, Juan Antonio **8**:200
biografía **8**:200
Flores, Venancio **6**:181
Treinta y Tres Orientales **13**:258, 330
Lavalleja **8**:200
Uruguay **13**:327
Minas **9**:227
lavándula **8**:200
lavandera **1**:119
lavanderas **11**:5
lavaplatos **8**:200
Lavardén, Manuel José de **8**:200
biografía **8**:200
lavas **14**:126
Laveran, Charles-Louis-Alphonse **8**:201
biografía **8**:201
Lavigna **14**:55
Lavín, Carlos **8**:201
obra **8**:201
Lavista, Rafael **9**:201
Lavoe, Héctor **11**:240
Lavoisier, Antoine-Laurent **8**:201
ácido **1**:52
bioquímica **2**:328
Francia **6**:230
hidrógeno **7**:166
hipnotismo **7**:183
obra **8**:201
Priestley, Joseph **11**:196
química **11**:261
Revolución Francesa **12**:49
Vinagre **14**:95
Lavongai **2**:330; **10**:317
Lawrence Radiation Laboratory **1**:214
Lawrence, condado de **10**:194
Lawrence, D.H. **7**:44; **11**:171
Lawrence, Ernest Orlando **8**:201
átomo **2**:150
biografía **8**:201
ciclotrón **4**:69
hidrógeno, bomba de **7**:166
Lawrence, Thomas Edward **8**:201
bibliografía **8**:201
escuela artística **5**:290
Gran Bretaña **7**:45
Lawrence, William **3**:65
laxante **8**:201
alga **1**:178
doca **5**:151
fenolftaleína **6**:130
obesidad **10**:173
purgante **11**:243
Laxness, Halldór Kiljan **8**:201
bibliografía **8**:201
Layard, Austen Henri
Asiria **2**:102
mobiliario y mueble **9**:252
layetanos **7**:257
Layou, río **5**:156
Layrisse, Miguel **14**:45
lazareto **8**:201
Lazarev, Vasili G **2**:113
Lazarillo de Tormes **8**:201
Hurtado de Mendóza, Diego **7**:253
picaresca **11**:79
Lazaristas
orden religiosa **10**:239

Vicente de Paul, san **14:**75
Lázaro Cárdenas **9:**195
Lázaro Cárdenas, presa **9:**195
Lázaro 8:202
Pasión de Cristo **11:**6
Jesucristo **8:**100
Lazienki, palacio **14:**27
Lazo Martí, Francisco 8:202
bibliografía **8:**202
Venezuela **14:**46
Lazo, Carlos **9:**206
lazo 8:202
Le Bon, Gustave 8:202
bibliografía **8:**202
sociología **13:**22
Le Breton, Guilles **6:**192
Le Bris, Jean Marie **11:**118
Le Brun, Charles
Francia **6:**228
gobelinos **6:**336
Hércules **7:**152
tapíz **13:**116
Le Chat Noir **3:**137
Le Corbusier 8:203
Francia **6:**228
Marsella **9:**110
obra **8:**203
Villagrán García, José **14:**93
Wright, Frank Lloyd **14:**155
Le Couteaur, Jean **6:**228
Le Doux, Picart **13:**117
Le Duc Tho 8:143,209
biografía **8:**209
Le Maire, estrecho de **2:**14
Le Mans 8:214
autódromo **2:**168
Le Nain 8:215
— Antoine **8:**215
— Louis **8:**215
— Mathieu **8:**215
obra **8:**215
Le Notre, André 8:222
obra **8:**222
Le Pailleur **7:**154
Le Pen, Jean Marie 8:229
biografía **8:**229
Le Verrier, Urlain Jean Joseph 8:236
biografía **8:**236
Leabua, Jonathan **8:**231
Leach, Archibald Alexander **7:**50
Lean, David **4:**274; **6:**137
Leandro, san 8: 202
biografía **8:**202
España **5:**314
Isidoro, san **8:**51
Lebed, Aleksandr **4:**24
Lebedev, Instituto **11:**211
Lebedey, Valentín **2:**113
Leblanc, Maurice 8:202
bibliografía **8:**202
Leblanc, Nicolas **13:**43
Lebrón, Cristóbal **5:**159
Lebrun, Charles **14:**67
Lebu **1:**344
leche y lechería 8:203
— cuidado y alimentación **8:**203
— elección del ganado **8:**203
— necesidad de industrializar la **8:**204
— ordeño y preparación de la **8:**204
— pasteurización y derivados **8:**204
— productores de **6:**276
cremería **4:**280
lactosa **8:**159
lechetrezna **11:**125
lechuga **2:**35; **3:**100
lechuza 8:205
ave **2:**181
lecitina 8:202
bilis **2:**323
Leclerc, Charles
Boyer, Jean Pierre **3:**64
Dessalines, Jean Jacques **5:**93
maquis **9:**78
Viollet Le Duc, Eugene Emmanuel **14:**99
Lecocq, Alexandre Charles **6:**229
Leconte de Lisle, Charles-Marie-René 8:202
bibliografía **8:**202
modernismo y arte moderno **9:**262
Regnier, Henri de **11:**333
Sulli prudhomme, René Fraçoise Armand, llamado **13:**82
Lecoq, Jacques **9:**226
Lecor, Carlos Federico 8:202
biografía **8:**202
Lecouvreur, Adriana **2:**303
lectura 8:205
— cómo leer **8:**205
— por que leemos **8:**205
lectura **8:**206, 207, 208, 284
Lecuna, Vicente 8:208
bibliografía **8:**208
Lecuona, Ernesto 8:208
Cuba **4:**316
obra **8:**208
Leczinska, María **4:**198
Led Zeppelin **3:**9
Leda **3:**284; **5:**245
Lederberg, Joshua 8:208
biografía **8:**208
Tatum, Edward Lawrie **13:**125
Lederman, Leon Max 8:208
biografía **8:**208
Schwartz, Melvin **12:**250
Steinberger, Jack **13:**53
Ledesma, Ramiro **11:**201
Lee Teng-hui **6:**197
Lee, David M. 8:208
biografía **8:**208
Osheroff, Douglas D. **10:**263
Richardson, Robert C. **12:**63
Lee, Robert Edward 8:209
biografía **8:**209
Grant, Ulysses Simpson **7:**50
Lee, Tsung Dao 8:209
biografía **8:**209
Lee, William **9:**148; **13:**141
Lee, Yuan Tseh 8:209
biografía **8:**209
Polanyi, John Charles **11:**148
Leeb, Wilhelm von **7:**94
Leeds 8:209
Leeds **10:**330
sastrería e industria de la confección **12:**234
universidad **13:**316
Leekpai, Chuan **13:**103
Leestma, David **13:**243
Leeuwenhoek, Anton van 8:209
obra **8:**209
anatomía **1:**261
bacteria y bacteriología **2:**211
contracepción **4:**228
odontología **10:**187
sangre **12:**208
lef, movimiento literario (futurismo soviético) **4:**220; **9:**32
Lefeldt **5:**90
Lefkosa **10:**96
legado 8:209
sucesión **13:**63
legalización de documentos 8:209
Legarda, Bernardo de 8:209
obra **8:**209
legatario **13:**63
legato **3:**221
Legazpi, Miguel López de 8:210
Véase, López de Legazpi, Miguel
Léger, Fernand 8:210
obra **8:**210
art deco **2:**63
legión árabe 8:210
legión de Honor 8:210
condecoración **4:**199
Earhart, Amelia **5:**183
Mercé, Antonia, la Argentina **9:**172
legión extranjera 8:211
mercenarios **9:**172
legión 8:210
legislación 8:211
— civil **8:**211
— marítima **3:**116
— obrera **10:**176
Legislativo, poder 8:211
— el poder legislativo en latinoamérica **8:**212
— formas actuales **8:**211
— formas de elección **8:**212
— historia **8:**211
Legislatura **7:**10
legítima defensa, teoría de la **11:**35
legitimaciones **11:**331
Legnano **12:**160
Legorreta, Ricardo **9:**206
Legrenzi, Giovanni **10:**215
legua 8:212
Leguía, Augusto Bernardino 8:213
biografía **8:**213
Perú **11:**65
Leguizamón, Martiniano 8:213
bibliografía **8:**213
legumbres 8:214
leguminosas 8:213
alfalfa **1:**172
ceibo **3:**312
copayero **4:**233
flor **6:**179
hierba **7:**171
mimosa **9:**226
poder germinativo **11:**145
vulneraria **14:**136
Lehar, Franz 8:213
obra **8:**213
Lehman, Herbert H. **13:**319
Lehman, Robert **9:**192
Lehmden, Anton **2:**168
Lehn, Jean-Marie 8:213
biografía **8:**213
Cram, Donald James **4:**275
Pedersen, Charles John **11:**24
Leibniz, Gottfried Wilhelm 8:214
bibliografía **8:**214
cálculo **3:**159
computadora **4:**179
espiritualismo **6:**18
Huygens, Christian **7:**254
metafísica **9:**180
semiótica **12:**275
transformismo **13:**245
Leica, cámara **6:**203
Leicester **7:**36; **10:**274
Leicester, raza **6:**278
Leiden, Lucas van 8:214
bibliografía **8:**214
Leiden **1:**255
Holanda **7:**207
Rembrandt **12:**14
Leif, Eriksson 8:214
biografía **8:**214
descubrimientos y exploraciones geográficas **5:**71
Leigh, Vivien 8:214
biografía **8:**214
Olivier, sir Laurence **10:**206
Leighton, Frederic 8:214
bibliografía **8:**214
Gran Bretaña **7:**45
Leine, castillo de **4:**251
Leipzig 8:250
— batalla de **14:**147
— ciudad **6:**132
Arrhenius, Svante August **2:**59
conservatorio **4:**215
Delius, Frederick **5:**45
Hahnemann, Christian Frederich Samuel **7:**119
Saussure, Ferdinand de **12:**244
universidad **13:**316
Wagner, Wilhelm Richard **14:**137
Leiria **11:**175
Leiris **13:**87
leitmotiv. 8:214
Leiva, Ponciano **7:**18
Leixoes, antepuerto de **11:**174
Lejano Oriente **1:**67
Lejeune Dirichlet, Peter Gustav **6:**250
lejía **2:**336
lejía. 8:214
Lek, río **7:**206
Lélia **12:***203*
Leloir, Luis F **2:**27
Leloir, Luis Federico 8:214
biografía **8:**214
Lelong **9:**259
Lelong, Lucien **5:**135
Lely, Peter **7:**45
lema **13:**13
Lemáchez, Quirino **7:**146
Lemaire, Estrecho de **8:**214
Lemaire, J. **7:**230
Lemaire, Jacobo 8:214
biografía **8:**214
Lemaitre, Frederick **12:**6
Leman **13:**77
Lembert, M. E. **12:**63
lemming 8:214
lemmminges **2:**91
Lemne **9:**20
Lemnos, isla de **14:**136
Lemnos, islas **7:**55
Lemos, conde **11:**256
Lemos, conde de **2:**12
Lempa **12:**210
Lempa, río
Chalatenango **4:**17
Cuscatlán (o Cuzootlán) **4:**335
Ocotepeque **10:**183
Chalatenango **12:**181
Santa Ana **12:**210

Usulután **13**:331
Lempa, valles del **12**:181
lempira **7**:218
Lempira 8:215
lémur 8:215
Lemuria 8:215
Lemurias **9**:144
lemúridos **8**:215
Lemus, conde de **6**:266
Lemus, José María **12**:183
leña **9**:12
leña, carbón de **4**:162
Lena, lago **12**:138
Lena, lago **2**:87
Lena, río
ártica, región **2**:70
Rusia **12**:137
Siberia **12**:312
Yakutia **14**:159
Leñadores en Paradomiñas, Brasil **6**:194
Lenar Philipp 8:215
biografía **8**:215
Lenard **7**:160
Lenau, Nikolaus **2**:167
lenca
Honduras **7**:218
Mesoamérica **9**:178
Leñero, Vicente 8:224
bibliografía **8**:224
Leng, Alfonso **4**:44
lengoa geral **7**:75
lengua. 8:215
— Academia de la **2**:81; **7**:107,131; **9**:166; **11**:45
— aglutinante **1**:100; **8**:215; **13**:200
— aisladora o monosilábica **8**:215; **13**:200
— camítica **8**:218
— céltica **7**:38
— del Lacio **8**:180
— etiópica **8**:218
— flexiva o de flexión **8**:216; **13**:200
— germánica **1**:158; **8**:217
— incorporante **13**:201
— indoeuropea **8**:180
— khoisánida **1**:285
— lacandona **8**:158
— las lenguas semitocamíticas **8**:218
— los idiomas indoeuropeos **8**:217
— orientale **13**:317
— romance **6**:5; **8**:220
— uraloaltaica **8**:82
— vasca **8**:216
americanismo **1**:246
Canadá **3**:204
Grieff, León de **7**:65
lengua **8**:219
lenguado **2**:70
lengua 8:218
Véase boca
lenguado 8:218
lenguaje 8: 218
americanismo **1**:246
figuras del lenguaje **6**:151
infancia **7**:321
Puerto Rico **11**:231
Vossler, Karl **14**:131
lenguaje artificial 8:219
lenguaje corporal **8**:220
etología **6**:71
lenguaje por signos 8:220
lenguaje, figuras de **1**:90
lenguas romances 8:220
Edad Media **5**:205
Lenin, astilleros **14**:138
Lenin, Pico 8:221
Lenin, Premio **11**:211
Lenin, Vladimir Ilch Uljanov 8:221
biografía **8**:221
comunismo **4**:191
populismo **11**:169
Stalin, José **13**:50
Trotsky, León **13**:273
Voroshilov, Kliment Yefremovich **14**:131
Leningrado 8:221
Bakst, Leon Nicolaievich **2**:220
Guerra Ruso-Finlandesa **7**:98
Rusia **12**:139
Unión de Repúblicas Socialistas Soviéticas **13**:307
Voroshilov, Kliment Yefremovich **14**:131
leninismo 8:221
Lennard-Jones, John Edward 8:222
biografía **8**:222
Lenngren, Ana María **13**:71
Lennon, John 8:222
Beatles **2**:271
obra **8**:222
Lennon, Mac **3**:205
Lenoir, Etienne 8:222
biografía **8**:222
Lenormand **5**:172
Lenormand, Henri René 8:222
obra **8**:222
Lenormand, Sébastien **10**:318
Lenpol **9**:75
Lens **7**:87
Lent, Herman 8:222
biografía **8**:222
lentas **11**:311
lente 8:222
— acromáticos **1**:304
— altimétricos **1**:304
— analácticos **1**:304
— astronómico **1**:304
— bifocales **6**:233
— cóncavo **9**:235
— convergentes **10**:228
— de aumento **8**:325, 332
— elásticos **10**:198
— gravitacional **7**:54
— inverso **1**:304
anteojos **1**:304
cámara **3**:181
fotografía **6**:201
laparoscópia **8**:174
lentes **10**:184
lente de contacto 8:223
lente de contacto **8**:223
lenteja 8:223
lentejas **8**:224
lenticelas **9**:57
lenticular **13**:197
Léntulo Getúlico, Cornelio **3**:168
Lenz **5**:127
Lenz, ley de **5**:128
Leo **2**:125; **4**:218; **14**:179
Leofric, conde de Mercia y señor de Coventry **7**:11
León , Alfonso de **9**:94
León 8:224, 226
— Castilla **6**:134, 135
— de Caracas, Santiago de **3**:230
— de Lucerna, Suiza **13**:76
— España **5**:309
— Galicia **6**:266
Nicaragua **10**:93
león 8:225
león **8**:226
León Carpio, Ramiro de **7**:81
León de la Barra, Francisco **9**:200
Leon Cooper **13**:84
león de Nemea **7**:151
León de Judá **6**:69; **12**:154
León Degrelle **11**:201
León Garrido, Esteban de **7**:79
León Gómez, Adolfo **4**:141
León Hebreo **6**:285
León I, papa **2**:135; **11**:167
León III, papa **5**:206; **6**:221; **7**:261; **8**:63; **12**:160
León IV **10**:96, 312
León IX de Roma **10**:260
León M´Ba **6**:259
León Pedro de **7**:335
León Pinela, Antonio de **8**:239
león marino 8:227
León Portilla, Miguel 8:228
bibliografía **8**:228
León Tolstoi **13**:289
León Trotsky **13**:306
León Valencia, Guillermo **4**:144
León X (Giovanni de Medici) 8:226
biografía **8**:226
monte de piedad **9**:287
Rafael Sanzio **11**:289
Torres Naharro, Bartolomé de **13**:229
Vaticano, ciudad del **14**:30
León XII **11**:167
León XIII 8:227
biografía **8**:227
Cahmpagne, Philip de **4**:18
encíclica **5**:252
funcionarios **6**:251
Juan de Dios, san **8**:114
Matter et magister **9**:130
Newman, John Henry **10**:87
Pedro Claver, san **11**:26
salve **12**:185
Teresa del Niño Jesús, santa **13**:165
Vaticano, ciudad del **14**:30
León y Gama, Antonio 8:228
biografía **8**:228
México **9**:201
León, Alberto 8:227
biografía **8**:227
León, Alfonso IX, rey de **2**:295; **9**:174
León, Antonio 8:227
biografía **8**:227
león, boca de **4**:201
León, emperador **2**:333
León, Felipe Camino 8:227
bibliografía **8**:227
León, fray Luis de 8:227
bibliografía **8**:227
clacisismo **4**:107
diálogo **5**:103
Meléndez Valdés, Juan **9**:158
oda **10**:184
poesía **11**:147
Salinas, Francisco **12**:174
traducción **13**:239
León, golfo de **7**:15
León, Juan Francisco de **8**:68
León, Juan Ponce de **6**:182, 184
León, Omar de **10**:95
León, papa **5**:205
León, reino de **4**:180; **6**:135; **11**:316; **14**:172
León, Ricardo 8:227
bibliografía **8**:227
León,río **7**:218
Leonardo **10**:316; **14**:71
Leoncavallo, Ruggero 8:228
obra **8**:228
ópera **10**:216
Leone, Giovanni **8**:64
Leone, monte **12**:329
Leones, club de 8:228
Leones, Puerta de los **7**:63
Leoni, Pompeyo **5**:282
Leónidas 8:228
Simónides de Ceos **12**:329
termópilas **13**:169
Guerras Médicas **7**:99
Leonor, reina **9**:23
Leonov, Alexei **2**:113
Léons Aveyron, Saint **6**:107
Leontief, Wassily W. 8:228
bibliografía **8**:228
Leopardi, Giacomo 8:228
biografía **8**:228
Montale, Eugenio **9**:281
romanticismo **12**:106
leopardo. 8:228
leopardo **8**:229
Leopold, Gustaf **13**:71
Leopoldo **7**:94
Leopoldo I **6**:127
Leopoldo II **1**:141; **6**:230; **14**:170
Leopoldo III 8:229
abdicación **1**:21
Astrid Bernadotte III **2**:106
biografía **8**:229
Leopoldville **4**:208
Leopolita **11**:161
Leovigildo **5**:314; **6**:266; **7**:154; **11**:313; **13**:212
Lepanto **11**:101
Lepanto, batalla de 8:229
Corterreal, familia **4**:259
galera **6**:265
Requesens I de Zúñiga, Lluís de **12**:27
Lepanto, victoria de **5**:204
Lepanto,Golfo de **2**:38; **4**:6
lepcha **2**:94
Lepe, Diego de **5**:73, 317
Lépido **2**:159; **7**:281; **9**:87; **11**:165; **13**:270
Lépido, M. Emilio **3**:168
lepidópteros 8:230
bicho de canasto **2**:317
bosque **3**:52
crisálida **4**:287
mariposa **9**:100
seda **12**:255
lepidosirena 8:230
lepisma 8:230
lepísmidos **13**:203
lepóridos **4**:201; **8**:256
leporino **4**:201
lepra 8:230
bacteria y bacteriología **2**:211
epidemia **5**:269
lepromas **8**:230
Leptines **5**:48

Leptinotarsa **5:**165
Leptis Magna **2:**50
leptocéfalos **1:**289
leptomeningitis **9:**167
leptón 8:230
gran unificación, teoría de la **7:**50
Leptorhynchoides **1:**42
leptospirosis **5:**153
Leptothorax emersoni **7:**227
Lepukos **9:**217
Lerdo de Tejada, Miguel **9:**200, 203
Lerdo de Tejada, Sebastián 8:231
biografía **8:**231
Díaz, Porfirio **5:**107
Lerdo, Ciudad **5:**179
Lerez **6:**266
Lérez, río **11:**166
Leriche, René 8:231
biografía **8:**231
Lérida 8:231
— batalla de **7:**28
Condé, familia **4:**198
Ribalta, Francisco **12:**60
universidad **13:**316
Lerita **8:**231
Lerma y de Calderón, duque de **6:**127
Lerma y Villegas, Francisco José de 8:231
obra **8:**231
venezuela **14:**46
Lerma, Hernando de 8:231
biografía **8:**231
Lerma, río **2:**220; **4:**20; **6:**30; **9:**177, 207, 214
Lerma, valle de **12:**177
Lerma-Santiago. 8:231
altiplanicie mexicana **1:**208
Lermontov, Mihail Jurevich 8:231
biografía **8:**231
Rusia **12:**141
Lerner, Abba P. **5:**194
Lerroux, Alejandro 8:231
biografía **8:**231
Lerwick **12:**309
Lesage, Alain-René 8:231
biografía **8:**231
Francia **6:**226
Rojas Zorrilla, Francisco de **12:**95
Vélez de Guevara, Luis **14:**38
lesbiana **7:**216
Lesbos **2:**100
Lesbos, islas **7:**55
Leschetizky, Teodoro **10:**282
Lescot, Pedro **7:**25; **9:**26
lesghios **2:**94
Leshan **4:**55
Lesina, islas **5:**8
Lesión **7:**154
Leskov, Nikolai **12:**141
Lesotho 8:231
Comunidad (Británica) de Naciones **4:**189
imperio británico **7:**275
Lesotho, bandera de **2:**240
Unión Sudafricana **13:**311
Lesse, Benozzo di **7:**26
Lesseps, Ferdinand-Marie, vizconde de 8:232
biografía **8:**232
Panamá, canal de **10:**305
Lessing, Gotthold Ephraim 8:232
Alemania **1:**166
drama **5:**171
obra **8:**232
parábola **10:**318
poética **11:**147
Rietschel, Ernst Friedrich **12:**67
transmigración **13:**247
Lester Pearson **13:**275
Leszczynska, María **8:**318
Leszczynski **11:**161
letales **7:**124
Letelier, Alfonso 8:232
Chile **4:**44
obra **8:**232
Letelier, Valentín 8:232
bibliografía **8:**232
Chile **4:**44
Leteo, río **3:**199
letheon **9:**305
Leticia 8:232
Amazónas, comisaría del **1:**220
Colombia **4:**144
Mello Franco, Afranio de **9:**159
Leto **1:**325
letón **8:**218
letones **8:**233
Letonia 8:232
— gobierno **8:**233
— historia **8:**233
— principales ciudades **8:**233
— pueblo y gobierno **8:**233
— tierra y riquezas **8:**232
— vida actual **8:**233
Brest Litovsk, Paz de **3:**79
Cuba **4:**315
Europa **6:**84
Letonia, bandera de **2:**240
letra de cambio 8:234
banco **2:**236
letra negrita **8:**208
letra tau **2:**238
letrán 8:234
— San Juan de **10:**171, 293
— tratado de **8:**234; **11:**102; **14:**29
Vaticano, ciudad del **14:**29
letras
dramática **7:**31
letras **8:**234
Baral, Rafael María **2:**250
Letras, Academia Argentina de **2:**60
Letras, Academia Brasileña de **2:**321; **7:**28; **11:**178
letras, dibujo de. 8:234
— alfa **1:**17
— cursiva **9:**64
— negrita **8:**208
— tau **2:**238
gramática **7:**31
letras **8:**234
Letras contemparáneas 2:250
tipo **13:**200
Letsie, David Mohato **8:**232
Letts, Edwin Elmore **12:**223
Leucate **11:**108
leucemia 8:234
Down, síndrome **5:**167
Elion, Gertrude Belle **5:**246
enfermedad **5:**261
Hitchings, George H. **7:**195
leucina **1:**250
Leucipo
atomismo **2:**143
Demócrito **5:**47
materialismo **9:**131
leucocito 8:234
fagocitósis **6:**112
góbulo **6:**335
mononucleosis **9:**279
sulfamidas **13:**82
leucodermo **1:**122
leucotomia prefrontal **9:**277
Leuctra
Epaminondas **5:**269
Pelópidas **11:**32
Tebas **13:**134
Leuctra, batalla de **6:**7; **8:**94
Leumi, Vaad **8:**56
Leutréamont **9:**212
leva 8:235
levadura 8:235
— de cerveza **8:**235
— láctea **8:**159
— químicas **8:**235
conservas **4:**213
fermentación **6:**133
hongos **7:**222
pan **10:**298
levantamiento de pesas 8:235
atletismo **2:**140
Levante 8:236, 240
— Mar de **9:**154
arroz **2:**62
iberos **7:**256
Valencia **14:**12
levantina **11:**69
levar **1:**264
Level **10:**251
Levene, P. A. **10:**154
Levene, Sassone Ricardo 8:236
bibliografía **8:**236
Levens Hall **8:**87
Leverrier, Jean Joseph
Neptuno **10:**74
planeta **11:**119
Urano **13:**320
Levery **7:**45
Leví **1:**329; **9:**130
Leví, ben Gerson **8:**118
Levi, Eshkol **8:**57
Levi, R. **12:**224
Levi, Samuel **13:**182
leviatán 8:236
Levi-Montalcini, Rita 8:236
Cohen, Stanley **4:**128
biografía **8:**236
Levingston, Roberto Marcelo **2:**24
levirato **7:**291
Lévi-Strauss, Claude **6:**64, 70
levita **14:**69
levitación **9:**185
levitas 8:236
Levítico **11:**40
Leviticus **8:**146
Levitsky **12:**143
levo o tribu **1:**343
Levon Ter-Petrosian **2:**46
levulosa **6:**239
Levy Bruhl, Lucien **8:**266
Levy, Paul **6:**230
Lewes **5:**41
Lewes, George Henry **5:**246
Lewin, Kurt **7:**69
Lewis **7:**136
Lewis Balfour, Robert **13:**55
Lewis Carroll **1:**185
Lewis Paul **13:***180*
Lewis, Arthur, sir **12:**249
Lewis, Day **7:**44
Lewis, Edward B. 8:236
biografía **8:**22436
Lewis, Henry Morgan **6:**70
Lewis, Meriwether **5:**74
Lewis, Sinclair 8:236
biografía **8:**236
esatados Unidos **6:**43
Minnesota **9:**229
Lewis, sir William Arthur 8:236
biografía **8:**236
Lewis, Vaughan **12:**215
Lewiston, zona **7:**263
léxico
americanismo **1:**247
diccionario **5:**111
Español, idioma **6:**5, **6:**7
lexicografia **8:**10
lexicógrafo **5:**162
lexicología **7:**30
Lexin **8:**84
Lexington y Concord, combates de **6:**40
Lexintong **8:**139
ley marcial 8:237
Marcos, Ferdinando E. **9:**88
ley sálica 8:237
ley suntuaria 8:237
ley 8:236
— asociativa **9:**329
— conmutativa **9:**329
— de Ampére **1:**252
— de Bernouilli **2:**304
— de Boyle **9:**100
— de la atracción universal **2:**154
— de la caída de los cuerpos **7:**51
— de la gravitación universal **2:**154
— de la oferta y la demanda **8:**156; **9:**171
— *de las doce tablas* **7:**277
— de Moseley **9:**310
— de Prensa francesa **12:**22
— de reforma agraria **14:**37
— del Talión **4:**173
— distributiva **9:**329
— monótona **9:**329
— oppia **8:**238
— Orgánica Jones **9:**335
— psicológica de la imitación **8:**206
— transacción **13:**241
Leybourne, William **1:**197
Leyden 8:238
universidad **13:**316
Leyden, Botella de **4:**200; **11:**282
Leyden, Lucas de **7:**28
leyenda 8:238
— alemana **9:**155
— del caballo **13:**71
— del caballo de agua **8:**296
— grecolatinas **13:**5
— griega **1:**220
— quichés **14:**134
América del sur **1:**241
Andrócles **1:**273
balada **2:**221
cuento **4:**319
Dante Alighieri **5:**10
enero **5:**260
folklore o folclor **6:**189
highlander **7:**175
mitología y mitos **9:**248
moneda **9:**275
Píndaro **11:**91
Píramo y Tisbe **11:**106

leyenda negra 8:238
leyes agrarias 8:238
leyes de Ampére **1:**252
Leyes de Bernouilli **2:**304
leyes de la multiplicación **9:329**
leyes de las tres unidades **2:**64
Leyes de Moisés **11:**40
leyes de Nuremberg **1:**313
leyes del universo **4:**168
leyes de indias 8:238
  audiencia **2:**157
  colonial, periodo **4:**152
  uti possidetis, principio del **13:**333
Leyeune, Jerome **5:**167
Leyva **1:**95
Lezama Lima, José 8:239
  bibliografía **8:**239
  Cuba **4:**316
  literatura hispanoamericana **8:**283
  Piñera Llera, Virgilio **11:**101
Lezinski, Palacio de **11:**159
Lezo, Blas de 8:239
  biografía **8:**239
Lhasa 8:239
  Tibet **13:**185
  Lhasa, ciudad de **8:**240
Lhote, André **10:**287
Li Chao Tao **4:**59
Li Erh **13:**115
Li Lung Mien **4:**59
Li Peng **4:**57
Li Po **4:**58
Li Tai Po **9:**31
Lía **8:**117; **11:**300
Liadov, Anatol **12:**142
Liadov, Anatoly **11:**211
lianas **1:**282
Liao, río **4:**46
Liaoning **9:**52, 53
Liaopei **9:**52
Liaotung, Península de
  China **4:**56
  Guerra Ruso-Japonesa **7:**98
  Manchuria **9:**53
Líbano 8:240
  — bandera de **2:**240
  — cordillera del **6:**129; **8:**240
  — historia **8:**240
  drusos **5:**175
  Armenia **2:**46
  Asia **2:**85
  Drusos **5:**175
  fenicios **6:**130
  maronitas **9:**104
  mediterráneo, mar **9:**154
  milicia **9:**223
  panarabismo **10:**306
  Palestina **10:**292
  Salomón **12:**176
  sionismo **12:**336
  Siria **13:**5
  Tiro **13:**201
Libavius, Andreas **11:**261
Libby, Willard Frank 8:241
  biografía **8:**241
libélula 8:241
  libélula **8:**241
líber. 8:241
  Dionisos **5:**135
  ingerto **7:**334
liberal
  Dubcek, Alexander **5:**176
  Machadi y Morales, Gerardo **9:**8
  marzo **9:**118
  Pedro I **11:**25
  sociología **13:**22
  Tamayo, José Luis **13:**108
liberalismo 8:242
  — económico **13:**236
  — moderado **11:**45
  economía **5:**193
  Gazeta de Buenos Ayres **6:**295
  Europa **6:**83
  Gladstone, William Ewart **6:**330
  liberalismo **7:**7
  gobierno **7:**187
  laicismo **8:**165
  Lamennais, Felicité y Robert de **8:**167
  ilustraciòn **7:**273
  Ocampo, Melchor **10:**178
  Olaya Herrera, Francisco **10:**201
  totalitarismo **13:**233
  Smith, Adam **13:**14
liberalización económica. 8:242
Liberatore **4:**170
Liberia 8:242
  — aspecto fìsico **8:**242
  — bandera de **2:** 240
  — economía **8:**242
  — historia **8:**243
  — pueblo y gobierno **8:**243
  Costa de Marfil **4:**266
  dòlar **5:**153
  Ghana **6:**321
  Guanacaste **7:**74
  Guinea, Repúbluca de **7:**105
  hipopótamo **7:**186
  liberia **8:**242
  negro **10:**67
  Liberia **10:**100
  Sierra Leona **12:**318
Liberio **8:**96
libérrima **13:**318
libertad 8:243
  — bajo palabra **11:**21
  — civil **8:**244
  — de asociación o de reunión **8:**246
  — de cátedra **8:**244
  — de cultos **8:**245, 246
  — de cultos **8:**246
  — de expresión **4:**185, 187
  — de expresión **8:**243
  — de imprenta **8:**245
  — de imprenta **8:**245
  — de prensa **11:**189
  — de vientres **13:**256
  — delitos contra la libertad **8:**246
  — económica **8:**245
  — libre albedrío **8:**243
  — otras libertades **8:**246
  — política **8:**154, 245
  — provisional **8:**246
  — vigilada **8:**246; **13:**262
  escuela **5:**288
libertad, estatua de la 8:247
  Libertad, Estatua de la **5:**230, 293; **8:**247; **9:**57; **10:**90
libertad, La. 8:247
libertador **10:**183
Libertador Bolívar **10:**283
Libertador de las Américas **10:**301
Libertador San Martín, Orden del **4:**199
libertos **7:**278
Libia 8:247
  — bandera de **2:**240
  — desierto de **5:**226; **10:**144
  — geografìa humana y polìtica **8:**248
  — historia **8:**248
  — República Popular Socialista Árabe de **8:**248
  — territorio y recursos **8:**247
  Alamein, el **1:**134
  Argelia **2:**11
  bloqueo **3:**8
  cirenaica **4:**92
  Egipto **5:**224
  Estados Inidos **6:**43
  Francia **6:**225
  Guerra Mundial, Segunda **7:**94
  irán e Irak, guerra de **8:**35
  Jorge, san **8:**108
  Mediterráneo, mar **9:**154
  oasis **10:**169
  panarabismo **10:**307
  petroleo **11:**71
  Sahara **12:**164
  Semíramis **12:**275
  Siria **13:**7
  Sudán **13:**66
líbicas **8:**218
Líbico, Mar **9:**154
libido **11:**223
libios **8:**218
Libra 8:248
  — constelación de **8:**248
  — siria **13:**6
  — sudanesa **13:**66
  equinoccio **5:**272
  zodiaco **14:**179
libra esterlina 8:249
  corona **4:**251
  eurobono **6:**74
  Gran Bretaña **7:**37
libraciones de la Luna **8:**165
librado **8:**234
librador **8:**234
libranza **8:**234
Library Journal **5:**99
libre albedrío 8:259
  predestinación **11:**185
  drama **5:**170
Libre Comercio para América del Norte, Tratado de **6:**43; **11:**234
Libre Comercio, Tratado de (TLC) **9:**196, 200
libre competencia **4:**176; **13:**120
libre examen **11:**323
libre voluntad **4:**201
librea **14:**66
librecambio 8:249
librepensador 8:250
librería 8:250
  librería **8:**250
  librería del Congreso **6:**43
  ficha y fichero **6:**146
libres **9:**188
libreta de cheques **2:**236
libreto 8:250
Libreville **6:**259
librito **10:**183
libro 8:250
  — adivinatorio **8:**197
  — antiguos **8:**251
  — canónicos **10:**160
  — cuarto *Pentateuco, Números* **2:**221
  — de Enoch **1:**325
  — de Esdras **1:**325
  — *de Ester* **2:**309
  — *de horas* **9:**233
  — de Inventarios **8:**28
  — de Job **2:**309, **8:**104, 236
  — de Josué **8:**107
  — de la Revelación del divino san Juan **1:**325
  — *de la Sabiduría* **2:**309
  — *de las fundaciones* **13:**165
  — *de las leyes* **10:**333
  — de los Evangelios **8:**253
  — *de los Jueces* **2:**308
  — *de los muertos* **5:**227
  — *de los Reyes* **2:**308
  — de los Reyes **9:**190; **12:**154
  — de los Salmos **12:**175
  — de Mormón **13:**14
  — de oración común **1:**283
  — *de Samuel* **2:**308
  — de Toth **2:**310
  — *del buen amor* **12:**128
  — del Génesis **8:**309
  — del Profeta Daniel **13:**87
  — en Grecia y Roma **8:**251
  — en la Edad Media **8:**251
  — en nuestros dias **8:**252
  — impresos **8:**252
  — prohibidos, indice de los **4:**228
  — *sagrado maya* **8:**188
  — Santos **1:**280
  — Sibilinos **12:**313
  encuadernación **5:**254
  historia del libro **8:**250
  octava **10:**183
Libro de los muertos 8:254
libros de caballerías. 8:253
libros de comercio 8:253
  — clasificación **8:**254
  — el diario **8:**254
  — el mayor **8:**254
  — el coplador **8:**254
  — métodos modernos **8:**254
licantropía **7:**213
Liceaga, Eduardo **9:**201
Liceaga, José María **1:**323; **8:**307
licencia 8:254
  — administrativa **8:**254
  — armas **8:**254
  — caza y pesca **8:**254
  — deportiva **8:**254
  — eclesiástica **8:**254
  — marital **8:**254
  — matrimonial **8:**254
  — militar **8:**254
  — paterna **8:**254
  — poéticas **9:**188
licenciado **13:**316
licénidos **9:**102
Liceo 8:255
  Aristóteles **2:**32
Lichtenberg, Georg Christoph **1:**92
Lichtenstein **1:**95, 157
Licia **11:**258
Licinio **8:**238
Licinio Craso, M. **6:**8
Licinio, escenario de la derrota de **1:**75
Licisca **12:**173
Licnio **6:**198
Licomedes **13:**174
licor 8:255
  licor **8:**255
  licorera **4:**289

licósidas **13:**118
lictor 8:255
licuadora 8:255
licuefacción
frio **6:**255
Lavoisiere, Antoine-Laurent **8:**201
refrigeración **11:**326
Waals, Johannes Diderik Van Der **14:**137
licuefacción del aire **1:**123
Licurgo 8:255
— líder **8:**255
comunismo **4:**190
Esparta **6:**7
Grecia **7:**59
teatro **13:**131
lid **14:**77
Lichtenberg, Georg Christoph **1:**92
Lichtenstein **1:**95, 157
Liddel **7:**45
liderazgo **7:**69
liderin (el Rayo) **2:**269
Lidia **4:**92, 281
Lidia, reino de **2:**100
Lidner, Bengt **13:**71
Lie, Trygve Halvdan 8:255
biografía **8:**255
Liébana **11:**29
Liébana, beato de **6:**305
Liebig, Justus Baron von 8:256
bibliografía **8:**256
bioquímica **2:**328
cloroformo **4:**116
radical químico **11:**277
vacuno, ganado **14:**8
vinagre **14:**95
Liebknecht, Karl **1:**161; **8:**328
Liebmann Beer, Jakob **9:**209
liebre 8:256
liebre patagona 8:256
Liechtenstein 8:256
— bandera de **2:**241
— Principado de **8:**256
Europa **6:**81
vacuno, ganado **14:**8
lied 8:256
lieder **14:**154
Liederkranz **11:**252
Lieja **2:**282
Lieja, Exposiciones de **6:**101
Lieja, obispado **2:**284
Lieja, Universidad de **11:**107
liendres **11:**102
Lienviet **14:**90
lienzo. 8:257
Liepaja **8:**233
Lifa Yuan **6:**197
Lifar **5:**16
Lifar, Serge 8:257
obra **8:**257
Liffey, río **5:**176
liga 8:257
— Aquea **1:**349; **7:**60; **8:**257
— Árabe-India **8:**34
— Autonomista de la India **2:**305
— Católica **8:**257; **14:**139
— Comunista Juvenil (Komsomol) **7:**21; **13:**18
— de Augsburgo **8:**257
— de Beocia **13:**133
— de Cambray **8:**125
— de Corinto **5:**48
— de los Comunistas Yugoslavos **4:**296
— de los derechos del hombre **8:**257
— de los Estados Americanos **4:**203
— de los Países Neutrales **2:**290
— de los pueblos libres **2:**73
— de Mayapán **8:**68; **13:**334
— de Smalkalda **1:**160
— de Tannenberg **8:**316
— del Bien Público **8:**317
— del Peloponeso **1:**349
— del Rin **8:**257; **9:**145
— del Viet Minh **13:**219
— Délica **7:**59
— Etolia **4:**202; **8:**257
— Europea **2:**159
— guerra de la **4:**269
— Internacional de Arbitraje **4:**280
— Itálica **8:**257
— Latina **7:**277
— Musulmana **7:**301; **8:**103, 257
— Nacional para la Democracia **2:**160
— Naval **13:**203
— o pacto de individuos **1:**183
— Santa **8:**125, 257
— Stelinga **8:**257
liga árabe 8:257
Arabia Saudita **1:**337
Siris **13:**6
Bahrein **2:**218
Egipto **5:**229
Liga de las Naciones 8:257
— actividades **8:**258
— creación **8:**258
— evaluación **8:**259
— organización **8:**258
Hearst, William Rudolph **7:**135
Smuts, Jan Christiaan **13:**15
Zalamea Borda, Eduardo **14:**171
Liga de Sociedades de la Cruz Roja. 8:259
Liga de las Sociedades de la Cruz Roja **4:**304
Liga de la Cruz Roja **8:**259
liga Hanseática
comercio **4:**165
Danzig **5:**18
Dromund **5:**166
Gran Bretaña **7:**37
Hansa **7:**128
liga **8:**257
marina mercante **9:**98
Memén, territorio de **9:**161
Suecia **13:**70
ligadura **4:**228; **14:**39
ligadura de las arterias **1:**333
ligamentos
articulación **2:**72
dislocación **5:**143
hígado **7:**174
ligare **8:**236
Ligdamis **7:**156
Ligera **14:**35
ligero **2:**139
lignina
celulosa **3:**319
madera **9:**12
papel **10:**315
lignino 8:259
lignito 8:259
carbón **3:**234
Hungría **7:**251
lignocelulosa **9:**12
ligroína **6:**105
ligur, Nanos, rey **6:**220
ligures **5:**312; **6:**218, 301
Liguria, Génova **11:**78, 300
Liguria, Mar de **13:**48, 203
ligúrica **11:**20
Lij Yasu **6:**69
lija 8:259
Lijiang Yunnan, China. **1:**72
Lijiang, Yunnan **10:**284
Like a Virgin **9:**16
Likud
Israel **8:**58
Palestina **10:**293
Shamir, Isaac **12:**306
lila 8:259
universidad **13:**316
Lila, Universidad de **10:**285
lilangeni **13:**90
lilas **8:**259
lile **7:**310
liliáceas
ajo **1:**129
aloe **1:**198
azucena **2:**204
Drago **5:**168
espárrago **6:**7
flor **6:**178
jacinto **8:**72
puerro **11:**228
tulipán **13:**282
yuca **14:**165
Lilienthal, Otto 8:259
aviación **2:**186, 187
biografía **8:**259
planeador **11:**118
Wright, hermanos **14:**155
Lille 8:259
porcelana **11:**170
Lillo, Baldomero **4:**44
Lilongwe **9:**42
Lima 8:260
Aguirre, Francisco de **1:**116
América del sur **1:**244
Ancon, tratado de **1:**264
audiencia **2:**157
audiencia **2:**157
biblioteca **2:**313
comercio **4:**166,
conferencias panamericanas **4:**203
Guagin, Paul **6:**293
guerra del Pacífico **7:**88
Junnín **8:**126
La renta, Enrique **8:**177
latinoamérica **8:**192
Legarda, Bernardo de **8:**210
Lima, Perú **8:**185, 260, 184, 191 **11:**12
México **9:**199
Monteagudo, Bernardo **9:**285
Moteagudo, Bernardo **9:**285
O'Higgins, Ambrosio **10:**191
Palma, Ricardo **10:**293
Pérez, Felipe **11:**45
Perú **11:**59
Pizarro, Francisco **11:**115
Rocafuente, Vicente **12:**86
San Martín, José de **12:**195
Santa Cruz, Andrés **12:**212,
Santos Chocano, José **12:**223
Tagle y Portocarrero, José Bernardo **13:**99
Toledo, Franciso de, conde de Oropeza **13:**213
Varca de Castro, Cristobal **13:**335
Lima Barreto **3:**77
lima de acero **8:**261
lima de carpintería **3:**258
lima herramienta **8:**261
Lima y Silva, Francisco 8:261
biografía **8:**261
Lima, Jorge de **3:**76; **8:**190
lima. 8:261
Limann, Hilla **6:**320
Limarí **4:**37, 235
Limasol **4:**60
Limatambo, en Lima **1:**89
Limax y *Arión* **2:**208
Limay, río
araucanos **1:**343
Fagnano, José **6:**112
Negro, río **10:**69
Limbo 8:261
hoja **7:**202
Saxífrago **12:**245
limbos graduados **5:**277
Limbourg, hermanos **11:**96
Limburgo **2:**283; **7:**207
Limburgo, ducados **2:**284
Limburgo, porvincia de **9:**5
Limia **11:**173
limitadoras de tensión **14:** 27
límites **13:**172
limnología 8:261
limo. 8:261
Limoges. 8:261
arcilla **1:**350
esmalte **5:**302
Francia **6:**216
porcelana **11:**170
Renoir, Pierre Auguste **12:**20
vestido **14:**67
Limón, José 8:262
obra **8:**262
limón. 8:261
árbol **1:**346
arco, tiro de **1:**352
Argelia **2:**10
cítricos **4:**98
limón, árbol de **9:**14
madera **9:**14
Limón. 8:261
Costa Rica **4:**267
Limón, Puerto **4:**269
Limón, río **4:**267
Limones, bahía de **4:**145
Limoncillo **9:**14
limonita. 8:262
hierba mora **7:**172
mineralogía **9:**230
Limousin **10:**329
Limousin, montaña **6:**212
Limousine, raza **6:**276
Limoy **10:**324
limpiador, Pez **10:**326
limpieza **7:**175; **8:**199
Limpopo **1:**92
Limpopo, río **13:**312
límulo 8:262
Lin Yutang 8:269
bibliografía **8:**269
linaje **6:**299
Linares Rivas, Manuel 8:262
obra **8:**262
comedia **4:**163
Linares, José María 8:262

biografía **8:**262
Linares, plaza de toros de **9:**60; **13:**127
Linares, Santiago de **2:**19
Linares 8:262
linaria 8:262
linaria **8:**262
lince 8:262
lince **8:**263
— ártico **8:**262
— caracal **8:**262
— rojo **8:**262
felino **6:**126
linchamiento 8:262
Lincoln, Abraham 8:263
— colinas **7:**269
— Home National Historic Site, Springfield **7:**270
— monumento **7:**270
— tumba **7:**270
Adams, Charles Francis **1:**65
abogado **1:**29
biografía **8:**263
Borglum, John Gutzon **3:**47
confederación **4:**202
Estados Unidos **6:**37
Illinois **7:**271
Indiana **7:**306
Lincoln **8:**263
Lowell, James Russell **8:**313
oveja **10:**274
Nebraska **10:**60
Pinkerton, Allan **11:**93
Reclus, Elisée **11:**315
vocación **14:**122
Lincoln Presno **13:**329
Lincoln, pico **6:**31
Lincoln, raza **6:**278
Lincoln, Thomás **8:**263
Lindberg, Alexis Carrel **8:**264
Lindbergh, Charles Augustus 8:264
biografía **8:**264
Lindbergh, Charles **8:**264
modelismo **9:**261
aeroplano **1:**87
Linde, Cares de **12:***321*
Linde, ingeniero **7:**170
Linde, Karl von
aire líquido **1:**123
frío **6:**237
líquido **8:**271
Lindenmann, J. **4:**308; **8:**18
Linder **4:**137
Linderhof, Schloss **5:***32*
Lindermann, C.L. **7:**44
Lindley, J. **7:**44
Lindow, hombre de. 8:264
lindros **2:**176
Lindsay, Nicholas Vachel 8:264
bibliografía **8:**264
Estados Unidos **6:**43
Lindsey, sacerdote **13:**314
línea 8:264
línea 8:266
— costera del mediterráneo **8:**55
— de aceleración del ciclotrón del CERN **1:**46
— de ensamblaje **2:**176
— geodésica **6:**302
línea de foul **2:**278
línea de montaje **6:**193
línea del círculo **8:**173
línea ecuatorial **14:**88
línea férrea **14:**74
linea indefinida **8:**265
línea loxodrómica **9:**69
Línea Maginot **1:**204; **6:**198
línea meridional **6:**304
línea orográfica andina **2:**52
línea de demarcación 8:265
línea Equinoccial 8:265
Pinzón, Vicente Yáñez **11:**100
línea Equinoccial **8:**265
Línea, La 8:265
LINE-AC **1:**214
lineal **11:**58
Lineé, Karl von **4:**184
linfa y vaso linfático 8:265
— sistema linfático **8:**266
circulación **4:**91
filariosis **6:**152
linfocitos
glóbulo **6:**335
hematopoyésis **7:**143
interferón **8:**18
leucocito **8:**235
monucleosis **9:**279
Tonegawua, Susumo **13:**218
linfocitos B **13:**218
linfogranuloma venéreo **14:**42
Ling, Per Henrik **5:**221; **6:**324; **13:**71
lingala **2:**246
Lingding, bahía de **9:**5
lingote **8:**268; **11:**332
lingote ortoédrico **13:**200
lingotes **5:**191
Lingotes de metal, metalúrgica 9:183
lingua cósmica **8:**220
lingua franca 8:266
lingual **3:**11
lingüística 8:266
— familia **8:**216
americanismo **1:**247
dialecto **5:**102
dravidiano, lenguaje **5:**172
Eslovaquia **5:**299
estilística **6:**52
estructuralismo **6:**64
etimología **6:**67
impresionismo **7:**287
información, teoría de la **7:**327
lengua **8:**216
sofisma **13:**24
Talbot, William Henry Fox **13:**104
turco **13:**288
Lingula **3:**68
Liniers y Bremond, Santiago de 8:266
Beresford, William Carr, visconde de **2:**295
biografía **8:**266
Elío, Francisco Javier **5:**246
reconquista de Buenos Aires **11:**316
Saavedra, Cornelio **12:**153
virreinato **14:**104
linimento 8:267
Link, Jorge **1:**53
Linnaeus, Carolus **6:**86
Linné, Carl von 8:267
— clasificación de **7:**212
animal **1:**295
bibliografía **8:**267
botánica **3:**56
ciencia **4:**76
clasificación **4:**107
moluscos **9:**270
Monardes, Nicolás **9:**273
ornitología **10:**253
Ouer Martínez, José **11:**249
primario **11:**198
razas humanas **11:**309
Retzius, Anders Jean **12:**36
Suecia **13:**71
zoología **14:**187
Linneana, Sociedad **14:**139
lino 8:267
Asia **2:**91
fibra **6:**146
hilandería e hilados **7:**177
lino **8:**267
papel **10:**314
textiles **13:**180
vestido **14:**61
Lino, Pablo **11:**177
linóleo 8:268
aceite **1:**45
corcho **4:**240
titanio **13:**204
linotipia. 8:268
comunicaciones **4:**184
imprenta **7:**284
monotipo **9:**280
linotipo **9:**173
Lins do Rego, José **3:**76
linterna de proyección 8:269
linterna 8:268
— de gasolina **8:**268
— eléctrica **8:**269
— mágica **8:**269
alumbrado **1:**211
faro **6:**119
Lintl, Hannes **2:**168
Linz **2:**166
liofilización. 8:269
Liotard **2:**99; **5:**75
lipán **1:**322
Lípari (Italia), **6:**64; **13:**203
Lípari, islas **14:**127
Lipchitz, Jacques **6:**229
lípidos **6:**51
Lipmann, Fritz Albert 8:269
biografía **8:**269
Krebs, sir Hans Adolf **8:**147
Li-Po **13:**96
liposolubles **14:**107
lipotimia **5:**90
Lippe-Biesterfeld, Bernardo de **8:**125
Lippi, Fra Filippo 8:269
Botichelli, Sandro **3:**59
obra **8:**269
Rafael Sanzio **11:**289
Lippmann, Gabriel Jonas: 8:269
— proceso **8:**269
biografía **8:**269
polarimetro **11:**148
Lippmann, Walter **8:**269
Lipponen, Paavo **6:**160
Lipscomb, William Nunn 8:269
biografía **8:**269
liquen 8:270
— parmeliáceos **13:**224
alga **1:**177
ártica, región **2:**71
hierba **7:**171
liquidámbar 8:270
ocozol **10:**183
líquido 8:270
— en equilibrio **7:**164
— inflamados **8:**172
— subenfriados **13:**30
— superfluidos **8:**209
anilina **1:**292
átomo **2:**144
éter **6:**66
física **6:**164, 168, 255, 287
fusión, punto de **6:**255
gas asfixiante o ponsoñozo **6:**287
hidropónica **7:**168
hierbicida **14:**162
impermeabilización **7:**282
lanzallamas **8:**172
líquido amniótico **1:**251
viscocidad **14:**105
líquines **11:**279
lira 8:62, 271
— antigua **8:**271
— turca **13:**294
astronomía **2:**125
constelación **4:**218
Lira, Carmen 8:271
Véase Lyra Carmen
Lira, Máximo Ramón **4:**44
Lira, Pedro 8:271
bibliografía **8:**271
Lircay, río **10:**192
Lircay, tratado de
Lircay, Tratado de **9:**9; **10:**192
Liria **7:**259
Liria, palacio de **9:**19
lírica 8:271
— Arcadia **1:**349
Tennyson, Alfred, lord **13:**159
lirio 8:271
lirio de Persia **8:**271
muquete **9:**323
lirismo
Lopez Velarde, Ramón **8:**308
Picasso, Pablo **11:**79
Tennyson, Alfred Lord **13:**158
lirón 8:271
lisa, pez **9:**327
Lisandro
Grecia **7:**59
Peloponeso o Morea **11:**33
Treinta, tiranos **13:**258
Lisanul-Gheib (Voz del Otro Mundo) **7:**119
Lisboa 8:271
— Academia de Ciencias de **11:**178
— bahía de **11:**173
— Congreso de **4:**255
aeroplano **1:**88
Antonio de Padua, san **1:**316
Atlántico, océano **2:**137
Descubrimientos y exploraciones geográficos **5:**71
Espronceda y Delgado, José de **6:**21
fiebre amarilla **6:**148
Gama, Vasco da **6:**273
Herculano, Alejandro **7:**151
latinoamérica **8:**192
Lisboa **8:**272
Melo, Francisco Manuel **9:**159
Moníz, Antonio Cayetano de Abreu Freire Egas **9:**277
Paz, tratado de **11:**20
Portugal **11:**173
puerto **11:**229
Suárez, Francisco **13:**59
Tajo **13:**104

Timor **13:**196
Unión Postal Universal **13:**311
Lisboa, Antônio Francisco
Aleijandinho, El **1:**154
Brasil **3:**76
latinoamérica **8:**193
Lisie, Rouget de **6:**59, 229
Lisipo 8:272
escultura **5:**294
Grecia **7:**63
obra **8:**272
siete maravillas del mundo **12:**321
Lisístrata **2:**32
Lisle, Leconte de **6:**227
lisogenia **8:**335
Lissa (Polonia), **4:**164
Lissitzky **4:**220
List, Emanuel **2:**220
List, Friedrich **8:**249
lista **7:**307
Lista, Alberto **6:**21; **11:**336; **14:**188
listas geográficas **9:**67
Lister, Joseph 8:272
anticéptico **1:**314
asepcia **2:**81
biografía **8:**272
cirugía **4:**94
esterilización **6:**51
fenol **6:**130
medicina **9:**150
Schwann, Teodoro **12:**250
Semmelweiss, Ignác Fülöp **12:**276
Liston, Sony **3:**63
Listra **13:**197
Liszt, Franz 8:273
Albérniz, Issac **1:**139
Arrau, Claudio **2:**59
Bach, familia **2:**212
Bayreuth **2:**270
danza **5:**14
folklore o folclor **6:**190
Giazunov, Aleksandr Konstantinovich **6:**332
Hungría **7:**253
Mazepa, Iván Stepánovich **9:**145
obra **8:**273
Paganini, Niccoló **10:**284
rapsodia **11:**300
romanticismo **12:**106
Rubinstein, Anton Grigor´evich **12**123
Saint-Saêns, Camille **12:**167
vals **14:**18
Liszt, Cósima **14:**137
litas **8:**288
Litchi, semillas de **12:**273
litera 8:273
mobiliario y mueble **9:**256
literatura 8:273
— caballeresca **6:**149
— clásica **7:**14
— Club **12:**58
— corriente **10:**70
— de Brasil **1:**168
— dominicana **13:**139
— escandinava **5:**210
— española **5:**319
— española contemporánea **13:**228
— género **4:**175
— germánica primitiva **7:** 66
— inglesa **7:**14
— latina **6:**125
Edad Moderna **5:**210
Eliot, George **5:**246
ensayo **5:**266
España **5:**316
Francia **6:**226
gaélico **6:**261
Gran Bretaña **7:**43
Grecia **7:**61
Guatemala **7:**80
Holanda **7:**209
Hungría **7:**252
impresionismo **7:**286
India **7:**303
Nizami, Abu Mhammed ben Yusuf **10:**108
Nobel, premio **10:**110
parabola **10:**303
Pestalozzi, Juan Enrique **11:**64
Portugal **11:**177
Puerto Rico **11:**240
quichuas o quechuas **11:**255
traducción **13:**239
literatura hispanoamericana 8:280
literatura infantil 8:283
editor y editorial **5:**212
litificación 8:286
geología **6:**313
litigio **5:**58; **10:**137; **13:**206
litio 8:286
litografía 8:286
— de Natier **5:***93*
comunicaciones **4:**184
Dufy, Raoul **5:**176
grabado **7:**27
heliografía **7:**142
ilustración **7:**273
imprenta **7:**284
litografía **1:**70; **5:**299
litológico **4:**206
Litomysl, Bohemia **13:**13
litoral **2:**14; **5:**125, 305; **6:**159
litoral mediterráneo **5:**305
Litoral, mar **1:**204
Litoral, revista **11:**183, 250
Litoral, Universidad del **4:**310
litorales o albuferas **8:**164
litosfera 8:286
Tierra **13:**191
astenosfera **2:**105
geología **6:**311
mar **9:**79
Litospórica, zona **6:**312
litotomía **1:**333
litotricia 8:286
litotritor **8:**287
litre 8:287
litro 8:153, 287
cubicación **4:**316
Little America **1:**302
Little Miss Marker **13:**155
Little Rock, planicie **2:**36
Littré, Maximilien-Paul-Émile 8:287
bibliografía **8:**287
Lituania 8:287
— Historia **8:**288
— Principales ciudades **8:**287
— Pueblo y gobierno **8:**287
— Territorio y producción **8:**287
— Vida cultural **8:**288
bisonte **2:**332
comunismo **4:**192
Estonia **6:**57
Europa **6:**81
lengua **8:**218
Lituania **2:**241
Lituania **8:**287
lituano, ejército **8:**287
Memel, territorio de **9:**160
Niemen **10:**98
Rusia **12:**146
Suecia **13:**69
Vilna **14:**92
liturgia 8:288
— católica **4:**293
— cristiana **6:**150
litúrgico **1:**57
litúrgicos **13:**181
Litvinov, Maksim Maksimovich 8:288
biografía **8:**288
Liu Tsung Yuan **4:**58
Liubliana **5:**299, 301
Liutprando, rey lombardo **11:**167
Live Aid **2:**215
Livenza **14:**39
Liverpool 8:289
— en Inglaterra **8:**289
— universidad de **8:**299
Bélgica **2:**281
Gladstone, William Ewart **6:**330
Gran Bretaña **7:**34
Manchester **9:**51
porcelana **11:**170
puerto **11:**229
Robinson, sir Robert **12:**84
sal común **12:**170
Stephenson, George Robert **13:**54
universidad **13:**316
Livia Drusila **13:**184
Livingstone, David 8:289
África **1:**95
Bennet, James Gordon **2:**294
biografía **8:**289
Congo, río **4:**208
descubrimientos y exploraciones geográficas **5:**75
Fulton, Robert **6:**250
león **8:**225
Livingston, montes **13:**114
Livingstone, cataratas de **4:**208
Nyasa o Nasa **10:**166
Real Sociedad Geográfica **11:**312
reportaje y reportero **12:**23
Shetland del sur, islas **12:**309
Stanley, sir Hery Morton **13:**52
Victoria I **14:**77
Zaire, República de **14:**170
Livio Andrónico **8:**181
Livio Druso **7:**281
Livio, Tito 8:289
bibliografía **8:**289
Padua **10:**283
Roma **12:**103
Livonia **9:**214
Livorno **8:**62
Lixus **8:**176
liza. 8:289
Lizaraso, Ossorio **8:**283
Lizardi, José Joaquín Fernández de **4:**320
Ljubljana **5:**299
Llaima **4:**37
Llallagua, mina **11:**12
Llallague, distrito minero **6:**47
llama. 8:289
llama **8:**290
llama, animal **2:**9
Argentina, República **2:**17
llamada dipolo **1:**304
llamadores **13:**196
llamarada solar **2:**121
Llaneces, José 8:290
biografía **8:**290
llanero **14:**25
llano costal **14:**100
Llano Estacado **9:**176
Llano Zapa, Eusebio **11:**62
llanos, los 8:290
Llanquihue 8:291
Llanquihue, lago **4:**40; **10:**267
Todos lo Santos, lago de **13:**210
llanta 8:291
— de goma **14:**75
neumático **10:**77
llantén 8:292
llanura 8:292
— de Farsalia (Grecia), **6:**120
— de Sais **6:**144
llave 8:293
llave **8:**292
Lleida **1:**270
Lleras Camargo, Alberto 8:293
biografía **8:**293
Colombia **4:**144
López Pumarejo, Alfonso **8:**307
Lleras Restrepo, Carlos 8:293
biografía **8:**293
Colombia **4:**144
Llerena, Cristóbal de **8:**281
Lles, Fernando **4:**316
Ilex paraguariensis **9:**125
Llibret de versos **8:**293
Llimona, José **5:**295
Llobera Astrana Marín **13:**239
Llobregat, río **2:**253
Lloque Yupanqui **7:**289
Llord Jim **13:**60
Lloren, Joan **6:**318
Lloréns Torres, Luis **11:**237
Llorens, Antonio **13:**329
Llorente, Teodoro 8:293
bibliografía **8:**293
Lloyd George, David 8:293
biografía **8:**293
París, tratados de **10:**329
Chamberlain, sir Auster **4:**18
Lloyd, Edward **8:**293
Lloyd's 8:293, 303
Lluch Mora, Francisco **11:**238
Lluchmayor, batalla de **9:**45
Llull, Ramón **8:**319
Llullaillaco **1:**269; **4:**36; **9:**285
Lluta **4:**37
lluvia artificial 8:294
lluvia radiactiva 8:295
lluvia 8:293
— ácida **4:**227; **6:**195
— de arena **7:**157
— de estrellas **4:**169
atmósfera **2:**142
higrómetro **7:**77
labranza **8:**157
nieve **10:**99
preservación **11:**191
Tierra **13:**191
tormenta **13:**223
viento **14:**88
lluvias, nieves **10:**143
Lo invisible y Angelita **2:**196
Lo ipocrito **2:**9

Lo que el viento se llevó **6**:259; **9**:246
Lo que no muere (Le qui ne meurt) *2:251*
Loa, río **1**:314; **10**:298
Loaisa, Jofre de **13**:323
loalach **8**:230
Loango **1**:286
loas **4**:305
Loaysa **13**:335
Lobachewski, Nikolay Ivanovich **6**:315; **9**:127
lobanillo. 8:295
Lobeira, Vasco de **1**:217
lobelia 8:295
Lobelia inflata **14**:149
lobeliácea **7**:171; **8**:295
loberías **8**:228
lobeznos **8**:295
Lobit **1**:*285*
Lobito, puerto **1**:285
Lobkowitz, príncipe **6**:335
Lob-Nor, lago **2**:87; **7**:137
lobo 8:295
— ártico **2**:71
lobo **6**:309
zoología **14**:182
lobo de tierra 8:296
Lobo Guerrero, Bartolomé 8:296
biografía **8**:296
lobo marino 8:297
ártica, región **2**:71
león marino **8**:226
Lobo, Alfonso **11**:178
lobo, boca de **4**:201
Lobos, Vicente **13**:232
Lobstein, doctor **2**:67
lobuladas **7**:203
lobulillos hepáticos **7**:174
lóbulo 8:296
árbol **1**:347
hierro **7**:174
locación 8:296
contrato **4**:229
local **11**:53; **13**:290
locales comerciales **13**:*285*
localización **6**:304
localización acústica submarina **13**:302
Locarno, conferencia de 8:296
Locarno, pacto de **4**:18
Loch Ness, monstruo de 8:296
Gran Bretaña **7**:37
Loch Ness **8**:296
locha 8:296
Lochner, Stefan **1**:166
lochs **7**:34
Locke, John 8:296
Alberdi, Juan Bautista **1**:140
atomismo **2**:143
Berkeley, George **2**:298
bibliografía **8**:296
Cartier, Jacques **3**:267
educación física **5**:220
empirismo **5**:250
escuela **5**:288
Gran Bretaña **7**:44
ilustración **7**:272
materialismo **9**:131
revolución francesa **12**:46
semiótica **12**:275
lockout 8:297
Lockyer, J.N. **7**:44
locomoción 8:297
inventos y descubrimientos **8**:26
crustáceos **4**:302
infancia **7**:321
locomotora 8:297
— de aire comprimido **8**:299
— de ferrocarril **9**:72
— de vapor **6**:138, 139, 142
— Diesel **6**:140; **8**:299
— eléctrica **8**:299
— eléctricas **6**:140
— Rocket de Stephenson **5**:204
— turboeléctricas de gas **6**:140
ferrocarril **6**:137
locomotora Clyde **8**:298
locomotora diesel **6**:139
Locres, diosa de **2**:52
Lócrida **8**:228
locrio **2**:193
locro **9**:37
locuaz **5**:117
locución latina **6**:94
locura 8:299
locus **6**:298
locutor 8:299
Lodewijk van den Berg **13**:243
Lodge, sir Oliver Joseph 8:299
bibliografía **8**:299
radiotelefonía y radiofonía **11**:283
Lodz 8:299
Polonia **11**:158
Loeb, Jacobo 8:299
biografía **8**:299
Loeches **7**:112
Loeffler, Friedrich 8:299
loess 8:299
Suecia **13**:72
vivienda **14**:113
Asia **2**:84
Finlandia **6**:160
Loewi, Otto 8:299
biografía **8**:299
Dale, sir Henry Hallet **5**:7
Austria **2**:168
lof o clan totémico **1**:343
lofobranquios **3**:137
Lofoden o Lofoten, islas. 8:299
Maelström **9**:21
Lofoten **10**:135
Lofty, montes **1**:67
Logan **9**:285
Logan, monte **1**:135, 230
logaritmo 8:299
— naturales **8**:300
— neperianos **4**:216; **5**:183
constelación **4**:217
trigonometría **13**:267
aritmética **2**:34
Loghi **12**:132
logia de los inocentes **3**:90
Logia Lautarina **10**:193
logia Lautaro **1**:215; **2**:21
logia masónica, emblema de la **9**:121
lógica 8:300
— inductiva **7**:186
— matemática **3**:293
— orgánica **14**:28
— viva **14**:31
construcción gramatical **4**:194
deducción **5**:35
Du Maurier **5**:178
E **5**:183
educación **5**:215
escuela **5**:288
existencia **6**:93
juicio **8**:124
semiótica **12**:275
variable **14**:26
logística. 8:300
loglan **8**:220
logogrifo **8**:121
logon **7**:328
Logroño. 8:300
— Santiago de **1**:214
Rey Pastor, Julio **12**:55
Soria **13**:43
Lohengrin. 8:300
folklore o folclor **6**:189
— Herald de **12**:126
Loing, canal del **10**:70
Loira, río **6**:75, 213; **10**:70
Loira, valle del **8**:214
Loire, salón de **2**:*31*
Loiret, departamento del **10**:252
Loja 8:300
Ecuador **5**:199
indios americanos **7**:311
Lokesvara **1**:283
Lola **2**:229
Lolland-Falster, región **6**:114
lollardos **14**:156
Lolliet, Louis **7**:269
lolo **2**:95
lomas **11**:60
lomas de Santa Cecilia **9**:84
lomas de zamora 8:301
Banfield **2**:245
Lomas Garza, Carmen **7**:189
Lomas Velentinas **7**:88
lombarda **2**:43, 74
Lombarda, Liga **6**:124
Lombardía **9**:221; **11**:78; **12**:5, 54; **13**:164; **14**:76
lombardía, Italia **8**:112, 301, 301
Lombardía, valles de **4**:302
Lombardo Toledano, Vicente 8:301
biografía **8**:301
lombardos 8:301
Carlo Magno, Carlos I, llamado **3**:248
Francia **6**:221
Lombardo-Véneto, reino **9**:222
Mantua **9**:62
Milán **9**:222
Toscana **13**:233
Trieste **13**:263
Lombay, marqués **6**:285
Lombock, isla **14**:139
Lombook, estrecho de **7**:316
lombriz 8:301
ascaris **2**:79
gusanos **7**:109
lombriz de tierra **14**:189
lombriz intestinal 8:301
Lombroso, Cesare 8:302
bibliografía **8**:302
Lomé **13**:210
Lomonosov, Mikhail Vasilevich **12**:140
Lonardi, Eduardo **1**:340; **2**:24; **12**:*95*
Loncomilla 8:302
Londiniunm **8**:304
London Dialectical Society **6**:18
London Gazette **11**:189
London Midland **7**:38
London School of Economics **2**:29
London, Jack 8:302
bibliografía **8**:302
Estados Unidos **6**:43
Quiroga, Horacio **11**:268
Londres 8:302
— Covent Garden de **10**:308
— historia **8**:304
— importancia económica **8**:303
— La Real Sociedad de **7**:223
— National Gallery de **14**:38
— puente de **8**:303
— Real Sociedad de **10**:194, 316
— San Pablo de **7**:44
— Sociedad de Anticuarios de **11**:168
— torre de **4**:276; **12**:105; **14**:138
— tratado de **4**:217,290; **8**:329
Abadía de Westminster **1**:18
acuario **1**:59
aeropuerto **1**:89
América del sur **1**:245
banco **2**:235
Churchill, Winston Leonard Spencer **4**:64
comercio **4**:165
comunicaciones **4**:185
conferencias panamericanas **4**:203
crísis **4**:288
Danvila, Alfonso **5**:12
Disraeli, Benjamín **5**:145
edificio Lloyd´s **8**:293
Ejército de Salvación **5**:235
epitafio **5**:271
Europa **6**:80
exposición **6**:101
Glasgow **6**:331
Gran Bretaña **7**:32
Hamburgo **7**:124
Harvey, William **7**:131
jardinería **8**:86
Jeans, James Hopwood **8**:179
Jenner, Edward **8**:293
Markham, Clement Robert **9**:103
Nottingham **2**:137
Palacio de Buckingham **10**:827
Penn Club Internacional **11**:35
Pérez de Ayala, Ramón **11**:45
Prince Edward Theater **5**:169
prisión **11**:202
Puerto Rico **11**:229
Real Casa de Ópera **10**:222
restaurante **12**:32
Reynolds, sir Joshua **12**:58
Sargent, John Singer **12**:229
Sheffield **12**:308
socialismo **13**:19
South Dakota **13**:46
Stokowski, Leopold **13**:56
tapíz **13**:116
tren subterráneo en Londres **6**:142
Yeats, William Budler **14**:161
Long **2**:70; **13**:82
Long Beach 8:305
armada **2**:40
Long Beach **2**:37, **8**:305
Long Island **6**:32
long playing 8:306
gramófono **7**:32
Long Range Aid Navigation **11**:275
Long, Crawford Williamson 8:305
biografía **8**:305
anglosajones **1**:277

Long, George **14**:155
Longa, Rita **5**:295
longaniácea **7**:113
Longavi **8**:262
Longchamps **7**:184
longevidad **5**:180
Longfellow, Henry Wadsworth **8**:305
Acadia **1**:41
balada **2**:221
bibliografía **8**:305
Boston **3**:55
Hawthorne, Nathaniel **7**:133
Nueva Escocia **10**:156
Palma, Ricardo **10**:293
Pompeya **11**:163
Longfellow, montañas **9**:33
longibando **13**:195
Longimano **2**: 63
Longinos Casio **3**:92
Longitud **8**:305
coordenadas **4**:232
extensión **6**:103
física **6**:165
geografía **6**:302
geometría **6**:314
L **8**:153
latitud y longitud **8**:196
línea **8**:264
pie **11**:83
polígono **11**:152
sonido **13**:37
superficie **13**:85
vara **14**:25
yarda **14**:160
longitud de onda **8**:305
fisiología **6**:169
Madre Sierra **8**:18
radiación **11**:275
sonido **13**:37
Longo, río **9**:235
longobarda **8**:62
longobardos **13**:73
long-playing **9**:218
Longs, pico **6**:31
Longton-Hall **11**:170
Longyearbyen **13**:49
Lonicera **9**:18
Lonja de Sevilla **1**:350
Lonsdale, William **5**:97
Loo, Louis Michel van **5**:*114*
Loos, Adolf **2**:168
Lope de Rueda. **8**:306
bibliografía **12**:126
Lope de Rueda **5**:320
Timoneda, Juan de **13**:196
Véase Rueda, Lope de **12**:126
Lope de Sosa **2**:29, 223
Lope de Stúñiga **5**:319
Lope de Vega **8**:306
Alonso, Amado **1**:199
clasicismo **4**:107
comedia **4**:163
drama **5**:170
España **5**:320
Manrique, Jorge **9**:60
María, Virgen **9**:94
Menéndez y Pelayo, Marcelino **9**:166
obra **14**:32
Pérez de Montalbán, Juan **11**:46
plagio **11**:117
Quevedo y Villegas, Francisco de **11**:254
Rivalta, Francisco **12**:60
Rojas Zorrilla, Francisco de **12**:95
Ruíz de Alarcón, Juan **12**:128
soneto **13**:37
teatro **13**:133
Timoneda, Juan de **13**:196
Véase Vega Carpio, Félix Lope de **14**:32
Lopes Gonçalves **5**:72
Lopes Siqueira **9**:23
López Arellano, Osvaldo **7**:219
López Buchardo, Carlos **2**:27
López Contreras, Eleazar, genera **3**:230; **6**:269
López de Arteaga, Sebastián **5**:185; **9**:206
López de Ayala, Pedro **8**:306
bibliografía **8**:306
España **5**:319
mester **9**:179
López de Gómara, Francisco **8**:306
bibliografía **8**:306
España **5**:317
historia **7**:193
López de Hoyos, Juan **4**:5
López de Legazpi, Miguel **8**:306
biografía **8**:306
Colima **4**:135
descubrimientos y exploraciones geográficos **5**:76
Manila **9**:58
Urdaneta, Andrés de **13**:323
López de Mendoza, Íñigo **5**:319
López de Mesa, Luis **8**:306
bibliografía **8**:306
López de Pinilla **9**:148
López de Recalde, Íñigo **7**:266
López de Santa Anna, Antonio **8**:307
biografía **8**:307
Juárez, Benito **8**:116
latinoamérica **8**:186
Antonio López de Santa Anna **8**:306
Taylor, Zachary **13**:129
Herrera, José Joaquín **7**:158
López de Siqueira **5**:75
López de Villalobos, Ruy **5**:76
López Galarza, Andrés **7**:255
López Jordán, Ricardo **13**:325
López Mateos, Adolfo **8**:307
biografía **8**:307
México **9**:200
López Mezquita, José María **5**:318
López Michelsen, Alfonso **8**:307
biografía **8**:307
Colombia **4**:141
López Pérez, Rigoberto **10**:94; **13**:36
López Portillo y Pacheco, José **8**:307
biografía **8**:307
De la Madrid Hurtado, Miguel **5**:39
México **9**:200
López Pumarejo, Alfonso **8**:307
biografía **8**:307
Colombia **4**:144
López Rayón, Ignacio **8**:307
biografía **8**:307
México **9**:199
López Rayón, Ignacio **8**:307
Apatzingán, constitución de **1**:323
Verduzco, José Sixto **14**:55
López Rodezno, Arturo **7**:220
López Suria, Violeta **11**:238
López Vallecillos, Italo **12**:184
López Velarde, Ramón **8**:308
bibliografía **8**:308
literatura Hispanoamericana **8**:282
México **9**:202
López y Avellaneda, Vicente **3**:98
López y Planes, Vicente **8**:308
Argentina, República **2**:21
biografía **8**:308
literatura hispanoamericana **8**:281
López, Vicente Fidel **8**:306
partido político **10**:327
López, Alonso **9**:201
López, Ambrosio, Fray **2**:288
López, Antonio **4**:240
López, Carlos antonio **2**:74; **10**:322
López, Encarnación **5**:17
López, Estanislao **8**:306
Argentina, República **2**:22
Artigas, José Gervasio **2**:73
biografía **8**:306
López, Francisco Solano **8**:306
biografía **8**:306
López, Juan Pedro **14**:46
López, Lucio Vicente **2**:25; **12**:232
López, Narciso **8**:306
Cuba **4**:313
biografía **8**:306
López, Rafael **11**:240
López, Ruy **1**:128
López, Tomás **9**:68
López, Vicente Fidel **8**:306
Dorrego, Manuel **5**:166
Argentina, República **2**:25
bibliografía **8**:306
historia **7**:193
lorán **8**:308
radar **11**:275
lorantáceas **9**:322
Lorazo, Ghiberti **8**:66
Lord Baltimore **6**:40
Lord Byron **9**:145; **11**:27, 31
lord Roberts **4**:192
lordosis **6**:16, 324
Loren Acton **13**:243
Lorena **1**:159; **6**:214
Lorena, cardenal de **5**:264
Lorena, Carlos de **13**:296
Lorena, Claudio de **8**:308
bibliografía **8**:308
Francia **6**:228
Lorencez **14**:174
Lorencillo **13**:110
Lorentz, Hendrick Antoon **8**:308
bibliografía **8**:308
Lorenz, Konrad Zacharias **8**:308
Austria **2**:168
bibliografía **8**:308
Tinbergen, Niko Laas **13**:197
Lorenzana, Marcel de **2**:18
Lorenzini, Carlos **8**:308
literatura infantil **8**:285
bibliografía **8**:308
Lorenzo el Magnífico **8**:226; **9**:148
Lorenzo Fernández, Óscar **3**:77
Lorenzo, diácono **7**:231
Lorenzo, iglesias de San **10**:165
Lorenzo, Médici **2**:312
Lores **5**:145
Lores, Cámara de los **14**:138
Loreto **8**:308
Baja California Sur **2**:220
Pastaza **11**:8
San Martín **12**:194
Sansobino, Andrean Contucci, llamado Il **12**:209
Lorges, señor de **8**:129
Loriga **1**:87
loro **8**:309
— azules **8**:309
— de cabeza azul **8**:309
— de frente blanca **8**:309
— rojos **8**:309
— verde **8**:308
Lorrain, C. **11**:97
Los acarnianos **2**:32
Los Adobes **9**:247
Los albañiles **8**:224
los Alpes **2**:268
los Alpes **4**:307
Los Andes **10**:191
los Andes **4**:15
los Andes, Universidad de **8**:292
Los Ángeles, California
Ángeles, Los **1**:280
acueducto **1**:61
aeroplano **1**:87
asfalto **2**:82
dirigible **5**:140
Estados Unidos **6**:34
Los Angeles **7**:210
Long beach **8**:305
Nurmi, Paabo **10**:165
puerto **11**:229
Soler **13**:29
Los antiguos cementerios del valle de Nazca **13**:153
Los Apalaches **6**:316
Los Argonautas **2**:28
Los átomos **11**:54
Los babilonios **2**:31
Los Balcanes **2**:223
los Balcanes **6**:7, 75
Los bancos centrales **2**:236
Los banqueteadores **2**: 31
los barómetros **2**:256
Los Buddenbrook de Thomas Mann **9**:59
Los caballeros **2**:32
Los Cabos, Baja California Sur, México **9**:194
Los campesinos **2**:231; **10**:72
los Cápatos **2**:224; **6**:75
los Castillos **9**:60
Los celenterados **14**:183
Los cielos de la muerte **2**:44
Los cocodrilos **14**:186
Los conquistadores **9**:45
Los chuanes **2**:231
Los de Abajo **2**:205
Los Debates **2**:268
Los elementos de Euclides **9**:126
Los esclavos **9**:220
Los espacios azules **2**:30
Los Evangelios **2**:268
Los exiliados **10**:322
Los fastos **10**:275
Los fracasados **2**:205; **8**:222
los Gómez, isla de **4**:137
Los hermanos Karamazov **12**:141
Los indiferentes **10**:72
Los Llanos, región de **14**:42
Los majos de Cádiz **10**:288
Los mercaderes **2**:231
Los mirasoles **2**:26

Los miserables **5:**182
Los misiles son dirigidos bajo las leyes físicas **2:***226*
Los misterios de París **13:**67
Los Nibelungos **5:**271
Los niños de la aldea **10:**69
Los nuevos **13:**302
Los Números **2:***308*
Los ojos de la momia **10:**65
los Olivos, monte de **8:**100, 119, 96, 97
Los Paralipómenos **2:***309*
Los parientes pobres (Les parents pauvres) **2:**231
Los pazos de Ulloa **10:**326
Los pechos privilegiados **12:**129
Los piratas de Penzance **13:**82
Los presupuestos del socialismo **13:**18
Los primeros principios **13:**47
Los profetas del pasado, Goethe y Diderot **2:**251
Los pulpos son moluscos cefalópodos **14:**185
Los rayos cósmicos **2:**149
Los relatos de aventuras **2:**183
Los ríos profundos **2:**28
Los Ríos, capital **2:**207
Los Salmos **2:**309
Los siete locos **2:***37*
Los tres maridos burlados **13:**203
Los tres mosqueteros **5:**177
Los Trinitarios **5:**175
Los tupí-guaraníes **7:**75
Los últimos románticos **2:***255*
los validos, periodo de **6:**127
los Valles Marítimos, región de **6:**113
Los viajes de Gulliver **8:**284; **13:**90
Los yaks en el Tibet **6:**278
Losada y Quiroga, Diego 8:309
  biografía **8:**309
  Caracas **3:**230
  Venezuela **14:**47
Lost River **7:**262
Lot, Mar de **9:**323
Lot 8:309
Lota 8:309
  — puerto **4:**37
  Concepción, Chile **4:**193
Lotario **14:**55; **8:**316, 336
lotería 8:309
  — de clasificación **8:**310
  juego de azar **8:**121
Lothar Meyer **9:**164
Lothar Wegener, Alfred **6:**311
Loti, Pierre 8:310
  bibliografía **8:**310
  Francia **6:**227
loto 8:310
  — sagrado **8:**310
  jardinería **8:**87
lotófagos **10:**185
Lotto, Lorenzo **2:**318
lotuko **13:**66
Lou Gehrig, mal de **7:**133
Loubat **13:**254
Loubomo **4:**207
Lough Neagh **7:**34
Louis Duprez, Gilbert **13:**160
Louis I de Borbón **4:**198
Louis, Joe **3:**63
Louis, Joseph **1:**168
Louis, St. **6:**34
Louis,George **13:**245
Louisiade, archipiélago de las **10:**317
Louisiana 8:311
  — actividades económicas **8:**312
  — clima **8:**311
  — cultura **8:**312
  — hidrografía **8:**311
  — suelo **8:**311
  — turismo **8:**312
  — vegetación, vida animal y recursos naturales **8:**311
  América del Sur **1:**246
  anexión **1:**277
  Catedral de San Luis, New Orleans **8:**312
  Estados Unidos **6:**33, 38, 41
  La Salle, Rene Robert **8:**177
  Nebraska **10:**61
  New Orleans **10:**88
Louisville **8:**139
Louisy, Allan **12:**215
Loup **10:**60
Lourdes ciudad **8:**312
  — Nuestra Señora de **8:**312
  — región de **2:**302
  romería **12:**107
Lousá **11:**173
Lousma, Jack Robert **2:**121
Louverture, Toussaint 8:312
  biografía **8:**312
  Boyer, Jean Pierre **3:**64
Louvois **3:**150
Louvois, Le Tellier, Francois Michel, marqués de **6:**222
Louvre 8:312
  — palacio de **10:**288
  ángeles **1:**280
  Chasseriau, Teodoro **4:**23
  cómic **4:**170
  escultura de Cupido y Psiquis **4:**330
  estuco **6:**65
  falsificación **6:**114
  Gea **6:**296
  Giorgione Zorzi da Castelfranco **6:**326
  Hammurabi **7:**127
  Milo **9:**225
  mobiliario y mueble **9:**252, 257
  moda **9:**260
  Oller y Cesteros, Francisco **10:**208
  pirámide de cristal **8:**313
  Plutón **11:**142
  Samotracia **12:**187
  Vanloo **14:**24
  Victoria de Samotracia **14:**77
Lovaceusvkij, Nikolaj Luanovic **4:**73
Lovaina **2:**283; **11:**107; **13:**116, **13:**316
Lovaina, Universidad de **9:**171; **14:**190
Love and Exile **12:**335
Lovecraft, Howard Philips 8:312
  bibliografía **8:**312
Lovejoy, Jesse **10:**107
Lovell, S. Alberto **10:**205
Lovera, Juan **14:**46
Lovett Cameron, Verney **11:**312
Lovett, Edward **9:**333
Lowell, Amy **7:**273
Lowell, James A. **2:** 113, 114
Lowell, James Russell 8:313
  bibliografía **8:**313
Lowell, observatorio **11:**119
Lowell, Percival 8:313
  biografía **8:**313
  Marte **9:**111
  Plutón **11:**141
Lowestoft **7:**35
Lown, Bernard **2:**103
Lowry, Thomas Martin **1:**52
loxodromia 8:313
  loxopterigina **11:**247
  Loyola **1:**149
  Loyola, Ignacio de, san Francisco Javier, san **6:**231
  Paulo II **11:**17
  Reforma **11:**325
Loyola, Íñigo de **10:**238
loza 8:313
  Véase Cerámica
Lozano, Abigaíl **14:**46
Lozano, Cristóbal **11:**64
Lozano, Julio **7:**219
Lozi **1:**287
LR: Lunar Rover **1:**326
lsd 8:313
  drogadicción **5:**175
Lu, estado de **4:**205
Lu, rey de **4:**205
Luanda, Pablo de **1:**285, 287
Luanda, puerto **1:**285
Luang-Prabang **8:**173; **9:**156
Luarca **2:** 130
Luba **2:**246; **6:**136
Lubbers, Rudolphus **7:**209
Lubbock, John 8:313
  biografía **8:**313
Lübeck **6:**73, 124; **12:**247
Lubitsch, Ernst 8:314
  bibliografía **8:**314
  cinematografía **4:**84
  Negri, Pola **10:**65
Lublin **11:**159, 160; **13:**316
Lubomir Strougal **4:**27
Lubomirski, insurrección de **13:**16
lubricante 8:314
  — aditivos para, **1:**69
  automóvil **2:**175
  Curl, Robert F., Jr. **4:**333
  extrusión **6:**106
  fricción **6:**237
  grasa **7:**51
Luca de Tena, Torcuato 8:314
  biografía **8:**314
Lucania **6:**8
Lucano, Marco Anneo 8:314
  Andalucía **1:**265
  bibliografía **8:**314
  España **5:**313
  farsalia **6:**120
  hispanolatina, literatura **7:**191
  Pompeyo, Cneo **11:**165
  Roma **12:**103
Lucas **7:**137; **13:**244
Lucas Alamán **7:**193
Lucas, Robert E. 8:314
  bibliografía **8:**314
Lucas, san 8:315
  apóstoles **1:**330
  biografía **8:**315
  Evangelios **6:**85
  Jesucristo **8:**98
Lucayas 8:315
  Véase Bahamas
  Antillas **1:**308
  Pinzón, Martín Alonso Yáñes **11:**100
Lucca **11:**250
Luce, Clara Boothe 8:315
  bibliografía **8:**315
Luce, Henry **8:**315
Lucea, edificio de gobierno en **8:**78
Lucena 8:315
  Averroes **2:**184
  Córdoba **4:**242
Luceño y Becerra, Tomás 8:315
  bibliografía **8:**315
Luceño, Tomás **12:**166
Lucerna **1:**201; **10:**99; **13:**80, 81
Lucerna, lago de **13:**153
lucha 8:315
  lucha **2:**140
  — armadas **7:**84
  — de clases **13:**19
  — de los Pandavas **9:**30
  — grecorromana **2:**140
  — grecorromana olímpica **8:**315
  — japonesa **2:**140
  — libre **2:**140; **8:**315
Luchadores de Sumo **13:**211
Luchana **6:**8
Lucía **6:**121
Lucía de Lamermoor 8:315
  Véase Ópera
Lucía, santa 8:315
  biografía **8:**315
Luciano de Samosata 8:315
  bibliografía **8:**315
luciérnaga 8:316
  — ferroviaria **8:**316
Lucifer 8:316
  Véase Demonios y diablos
  ángeles **1:**280
  Infierno **7:**325
  Miguel Arcángel, san **9:**220
luciferasa **6:**199
luciferina **6:**199; **8:**316
Lucilio **8:**181
lucímetro **6:**204
Lucina, Janka **12:**149
Lucio Aurelio Vero **2:**160
Lucio, Rafael **9:**201
lucio 8:316
Lucknow **7:**298
Luçon, obispo de **12:**63
Lucrecia
  Borgia **3:**47
  imperio romano **7:**276
  Tarquino *el soberbio*, Lucio **13:**121
Lucrecio Caro, Tito 8:316
  atomismo **2:**143
  biografía **8:**316
  determinismo **5:**95
  poesía **11:**147
  Virgilio **14:**99
lucro **13:**235
Lúculo
  biblioteca **2:**311
  Mitre, Bartolomé **9:**251
  Tiberio **13:**184
Ludendorff, Erich 8:316
  biografía **8:**316
Ludlow **8:**93
Ludovico Ariosto **8:**65
Ludovico *el Moro* **12:***105*
Ludovico Pío 8:316
  biografía **8:**316
  Carlomagno, Carlos I llamado **3:**248

Carolingios **3**:255
Ludving Almquist, Carl Jonas **13**:71
Ludwig, Emil 8:316
Baeza, Ricardo **2**:215
bibliografía **8**:316
biografía **2**:325
revista **12**:40
Strachey, Giles Lytton **13**:56
Ludwigsburg **11**:170
lúe venérea **6**:205
Luftwaffe **7**:94
Lugano **1**:201
Lugano **13**:77
Lugares históricos **7**:270
Lugduno **6**:220
Lugo ciudad **8**:316
Lugo provincia **8**:316
— meseta de **6**:266
Lugo y Albarracin, Pedro de 8:317
bibliografía **8**:316
Colombia **4**:142
Lugo, Samuel **11**:237, 303
Lugones, Leopoldo 8:317
Argentina, República **2**:26
bibliografía **8**:317
literatura **8**:279
Modernismo y arte moderno **9**:262
Plata, Río de la **11**:133
Silva Valdés, Fernán **12**:325
Storni, Alfonsina **13**:56
Luhit **7**:296
Luhn, Hans Peter **7**:327
Luini, Bernardino 8:317
bibliografía **8**:317
Luis Agote **13**:245
Luis Alberto de Herrera **13**:170, 329
Luis d' Este, cardenal **13**:125
Luis de Góngora y Argote **6**:5, 299
Luis de León, fray **8**:277
Luis *el Germánico* **3**:255
Luis *el Grande* **4**:295
Luis *el Piadoso* **5**:206
Luis Felipe I 8:318
abdicación **1**:20
arco de triunfo **1**:351
biografía **8**:318
Borbón **3**:46
Dumas, Alejandro **5**:177
Flaubert, Gustave **6**:174
Francia **6**:223
Hugo, Víctor **7**:243
legión extranjera **8**:211
Orleans **10**:252
Revoluciones de 1848 **12**:54
Thiers, Louis Adolphe **13**:182
Luis Felipe José **10**:252
Luis I **6**:127
Luis I **11**:176
Luis I **13**:230
Luis I de Borbón **4**:198
Luis I, príncipe de Condé **12**:86
Luis II **7**:252
Luis II **11**:290
Luis II de Borbón **4**:198
Luis II de Mónaco **9**:272
Luis II, rey de Baviera **2**:270; **14**:137
Luis IV **1**:154
Luis IV **8**:48
Luis IX **6**:221
Luis IX, rey **2**:335
Luis IX, san 8:317
biografía **8**:317
Luis José de Borbón **1**:140
Luis Napoleón **7**:243; **10**:295
Luis Pasteur **11**:9
Luis Vaz de Camoens **1**:195
Luis VI **6**:221
Luis VI, rey **2**:242
Luis Víctor, archiduque **14**:87
Luis VII **4**:306
Luis VII **6**:127
Luis VII **6**:221
Luis VIII **6**:221
Luis VIII **8**:317
Luis VIII, rey **2**:335
Luis XI **4**:254
Luis XI **6**:222
Luis XI **6**:226
Luis XI 8:317,49
biografía **8**:317
Isabel *la Católica* **5**:209
Luis XII **6**:135
Luis XII **10**:252
Luis XIII
Anorra **1**:271
Conde, familia **4**:198
criptografía **4**:287
Francia **6**:222
Hugonotes **7**:245
Luis XIV **8**:317
mobilirario y mueble **9**:254
mosquete y mosquetero **9**:310
Orleans **10**:252
París **10**:328
peinado **11**:27
Pussin, Nicolás **11**:181
prensa **11**:189
Richellieu, Armand, Jean Duplesis, cardenal y duque de **12**:63
Rhoján **12**:94
Luis XIII, estilo **6**:53
Luis XIII, rey de Francia **2**:250; **12**:53
Luis XIV 8:317
— estilo **9**:255
acueducto **1**:60
Alsacia y Lorena **1**:204
Argelia **2**:11
Augsburgo **2**:159
barba **2**:250
biografía **8**:317
Colbert, Jean Baptiste **4**:131
Couperin, François **4**:273
Diamante azul *Hope* **5**:105
divisa **5**:146
duelo **5**:176
Dunkerke **5**:179
edad de oro **5**:204
Fauchard, Pierre **6**:121
Federico Guillermo, *el Gran Elector* **6**:125
Felipe V **6**:127
flor de lis **6**:181
Francia **6**:222, 228
Guillermo III **7**:104
hugonotes **7**:245
Indias, compañía de **7**:304
Maintenon, Françoise **9**:34
Marlborough, John Churchill, duque de **9**:103
Mazarino o Mazarin, Giulio **9**:145
mercantilismo **9**:171
Molière **9**:268
Plumier, Carlos **11**:141
Racine, Jean **11**:272
reclinatorio **11**:315
Suez, Canal de **13**:74
tapiz **13**:116
Telémaco **13**:147
Trianón, Tratado de **13**:260
Triple Alianza **13**:268
Tullerías, las **13**:282
vestido **14**:68
Luis XV 8:318
biografía **8**:317
Condé, familia **4**:198
Fleury, André Hércule de **6**:177
Francia **6**:222
María Antonieta **9**:94
Orleans **10**:252
Pompadour, Jeanne Antoinette **11**:163
regente **11**:330
Rococó **12**:87
silueta **12**:325
tapiz **13**:116
Trianón, Tratado de **13**:260
vestido **14**:68
Luis XVI 8:318
— estilo **6**:53
adivinación **1**:70
Annam o Anam **1**:299
biografía **8**:317
Chateaubriand, Francisco **4**:23
Condorcet, Marie Jean Antoine **4**:201
correo **4**:254
Diamante azul *Hope* **5**:105
Francia **6**:222
globo aerostático **6**:333
Indochina **7**:314
María Antonieta **9**:94
Murat, Joachim **9**:336
Necker, Jacques **10**:63
Orleans **10**:252
Paine, Tomás **10**:285
Revolución Francesa **12**:46
Rococó **12**:88
Staël, madame de **13**:50
Turgot, Anne Robert Jacobo **13**:288
vestido **14**:68
Luis XVIII
Borbón **3**:46
Cherbini, Luigi **4**:30
Conde, Familia **4**:198
Civier, George **4**:335
Francia **6**:223
La Place, Pierre Simón, marqués de **8**:175
restauración **12**:31
revuluciones de 1830 **12**:53
Talleyrand, Périgord, Charles Maurice **13**:107
Luis, duque **10**:252
Luis, san **6**:181
Luis, san **10**:314
Luisa de Sajonia **13**:233
luiseños **7**:309
Luisiana
Criollo **4**:285
México, Golfo de **9**:207
Paris, tratdos de **10**:329
Luján **9**:334
Luján, nuestra señora de 8:318
lujo 8:319
Lukács, György 8:319
bibliografía **8**:319
Luk-ga **4**:207
Lukian **12**:132
Lule **13**:68
lule **7**:309
Lulio, Raimundo Llull, llamado **8**:319
alquimia **1**:203
bibliografía **8**:319
universidad **13**:316
Lully o Lulli, Jean Baptiste 8:320
obra **8**:320
Francia **6**:229
orquesta **10**:257
lumarita **11**:127
lumbares **6**:22, 280
lumbosacra **13**:8
lumbreras **14**:50
lumen **6**:204
lúmenes **7**:272
Lumière, Auguste Marie y Louis Jean 8:320
biografía **8**:320
cinematografía **4**:83
documental, cine **5**:152
Francia **6**:230
Marey, Etienne Jules **9**:90
luminal **5**:270
luminiscencia **1**:211
luminiscencia 8:320
luminosidad **5**:35; **8**:334
luminotecnia 8:320
fotómetro **6**:204
ingeniería **7**:331
Lummis, Charles Fletcher 8:321
bibliografía **8**:321
leyenda negra **8**:238
lumpectomía **9**:124
Lumphanan, batalla en **9**:6
Lumumba, Patrice Émery 8:321
biografía **8**:321
Mobutu Sese Seko **9**:257
Lumumba, Patricio **14**:171
Luna, Alberto **12**:184
Luna, Álvaro de 8:324
bibliografía **8**:324
Mena, Juan de **9**:163
Pérez de Guzmán, Fernán **11**:46
Santillana, Íñigo López **12**:220
Luna, la 8:321
— acercamiento telescópico **8**:323
— astronauta sobre la **8**:323
— diagrama de fases lunares **8**:322
— expedición espacial Apolo 17 **8**:323
— llena **8**:322
— llena **8**:324
— mares de la **8**:322
— nueva **8**:322
— pirámide de la **6**:30; **9**:207
Aldrin, Edwin E. **1**:152
Apolo, programa **1**:325
arco iris **1**:351
Armstrong, Neil **A. 2**:47
arqueoastronomía **2**:49
astrogeología **2**:107
astronauta Edwin Aldrin **1**:152
astronauta Neil Armstrong **2**:47
astronáutica **2**:109, 111
astronáutica, logros **2**:109
astronomía **2**:123
cápsula de un cohete Apolo **1**:326
Collins, Michael **4**:136
cosmogonía **4**:264
Coyolxauhqui **4**:275

creación **4**:276
Cuzco **4**:336
eclipse **5**:186
eclipse de Luna **5**:187
educación **5**:216
estudios en superficie **2**:111
experimentos de medición **5**:79
Explorer **6**:99
firmamento **6**:162
Galileo Galilei **6**:268
geología **6**:310
Halley, Edmond **7**:124
incas **7**:293
orbitador **10**:232
pirámides de México y América Central **11**:106
posiciones de la Luna y Tierra **5**:187
satélite **12**:235
satélite natural **12**:235
sombra producida por la Luna **5**:186
sonda espacial **13**:36
Teotihuacan **13**:162
zodiaco **14**:179
Luna Park, estadio **6**:29
Luna, Pedro de 8:324
Lunaire, Pierrot **12**:248
Lunajod 1 **8**:324
Lunajod 2 **8**:324
lunar **3**:164; **9**:176
lunares, fases **8**:322
lunch 8:324
Lund, Universidad **10**:194
Lunda **1**:287
Lundbye **5**:126
Lunekerke, monasterio de **8**:137
Lunes de Revolución **13**:30
lunes 8:324
Luneville **11**:20
Lung-Yu **2**:98
Lunik **13**:36
lúnulas **4**:307
lupa 8:325
— lente de una, **8**:222
luz **8**:332
microscopio **9**:217
Lupaca **2**:193; **7**:310
Lupercales **6**:149; **10**:300
Lupercalias **6**:122
Luperón, Gregorio **5**:161
Lupi, Miguel A. **11**:177
Lupin, Arsenio **8**:202
Luppis, capitán **13**:226
lupulina **7**:146
lupulino **8**:325
lúpulo 8:325
— amarillo **8**:325
— flamenco **8**:325
— rojo **8**:325
— verde **8**:325
cerveza **4**:8
lupus 8:325
— erimatoso **8**:325
tuberculosis **13**:279
Luque 8:325
Luque, Crisanto 8:325
biografía **8**:325
cardenal **3**:241
Luque, Hernando de **5**:73; **11**:115
Luquillo, sierra de **11**:229
Lurcat, Jean **13**:116
luri **6**:317
Luria, Aleksandr Romanovic 8:325
bibliografía **8**:325
Luria, Salvador Edward 8:325
biografía **8**:325
Delbrück, Max **5**:42
Watson, James Dewey **14**:143
Lurín, valle de **10**:281
Lusacia, Neisse de **10**:185
Lusaka **1**:289; **14**:171
Luscinia **12**:128
Lusitania provincia 8:325
Mérida, España **9**:174
Portugal **11**:175
portugués, idioma **11**:178
Lusitania, barco **7**:90; **13**:61, 203
lusitanos **7**:257
Lutecia **8**:125; **10**:328
lutecio **8**:67
luteínica, fase **9**:169
luterana **6**:160
Luterana, Iglesia **10**:239
luteranismo **4**:292; **6**:17; **11**:324; **13**:303
Lutero, Martín 8:326
biografía **8**:326
Alemania **1**:160
anabaptista **1**:256
Calvino, Jean Cauvin **3**:174
Cranach, Lucas **4**:275
cristianismo **4**:292
educación física **5**:220
Erasmo, Desiderio **5**:273
Evangélicos **6**:85
Melanchthon, Philipp **9**:157
protestantismo **11**:218
Reforma **11**:324
Renacimiento **12**:19
Rietschel, Ernst Friedrich **12**:67
Sachs, Hans **12**:157
Taulero, Johanes **13**:126
Tyndale, William **13**:298
Luther King Jr., Martin **1**:27
Luther Long, John **10**:220
Luthuli, Albert John 8:327
bibliografía **8**:327
luto 8:327
lutuamia **7**:308
Lutwidge Dodgson, Charles **3**:264; **8**:284
Lutzel Burg **8**:328
Lützen 8:327
— batalla de **7**:109; **13**:70
Wallenstein, Albrecht Eusebius **14**:139
Luvino **12**:94
lux **6**:204; **8**:333
lux divina **13**:123
luxación **2**:72; **6**:210
luxaciones **11**:200
Luxemburg, Rosa 8:327
biografía **8**:327
Alemania **1**:161
Luxemburgo 8:328
— bandera de **2**:241
— condado **2**:284
— palacio de **10**:288, 328
alemán, idioma **1**:157
Alemania **1**:158, 160
Bélgica **2**:283
Benelux **2**:292
Comunidad Económica Europea **4**:189
Euratom **6**:73
Europa **6**:80, 81
París **10**:328
Portugal **11**:174
Ruhr **12**:127
Sargent, John Singer **12**:229
Sarre o Saar, Territorio del **12**:231
Luxor :329
— obelisco de **10**:327
— Templo de Amón en, **5**:224, 229
Amón–Ra **1**:252
arqueología **2**:52
arquitectura **2**:54
Egipto **5**:229
escultura **5**:293
minarete de una mezquita **8**:328
Maspero, Gaston **9**:120
crucero turístico **10**:102
Tebas **13**:133
Luynes, D de **2**:52
luz 8:329
— año de, **8**:332
— comportamiento de la, **8**:332
— del Sol **8**:330
— descomposición de la **6**:169
— espectros **8**:332
— fotometría **8**:333
— frecuencia de la **8**:332
— fuentes de, **8**:333
— invisible **11**:307
— lámpara de, **8**:331
— natural **8**:331
— ondas electromagnéticas **8**:331
— planta de, **8**:330
— polarización de la, **8**:332
— principales clases de rayos **8**:331
— ¿qué es la luz? **8**:330
— rayos de **10**:184
— refracción **8**:332
— solar **6**:162, 204; **7**:203; **12**:95
— solar **8**:332
— solar, componentes de la **8**:168
— teoría electromagnética de la **8**:331
— ultravioleta **5**:262; **9**:218
— velocidad de la, **6**:164, 239; **8**:331
albedo **1**:139
arco iris **1**:351
color **4**:155
cuarta dimensión **4**:309
Einstein, Albert **5**:230
fonofotografía **6**:191
fosforescencia **6**:199
fósforo **6**:200
fotograbado **6**:200
fotografía **6**:200
fotómetro **6**:204
fotón **6**:204
fotoquímica **6**:204
fotosíntesis **6**:204
fototipia **6**:204
Foucault, Jean Bernard Léon **6**:20
Frizeau, Armand–Hippolyte–Louis **6**:239
fuego y sus consecuencias **6**:242
inercia **7**:318
interferencia **8**:18
interferencia luminosa **8**:18
lámpara **8**:167
Le Corbusier **8**:203
tiempo **13**:188
Wheatstone, Charles **14**:147
Luz Caballero, José de la **4**:315
luz eléctrica 8:333
invenciones **8**:24
luz eléctrica **8**:334
luz neón **8**:334
luz negra 8:335
luz polarizada 8:335
— microscopio de, **5**:51
polarización **11**:149
Luz y Caballero, José Cipriano de la 8:335
bibliografía **8**:335
luz zodiacal 8:335
Luz, bahía de la **10**:294
Luz, puerto de la **10**:294
Luzán **2**:270
Luzán, José **7**:25
Luzarches Robert de **1**:249
Luzbel **1**:280
Luzón **6**:155
Luzón, isla de
Igorrote (pueblo) **7**:267
López de Legazpi, Miguel **8**:306
Manila **9**:58
Luzzi, Mundini de **5**:143
Lvov, príncipe **12**:*41*
Lwoff, André 8:335
biografía **8**:335
Monod, Jacques Lucien **9**:279
Lyachow **2**:88
Lyakhov, Vladimir **2**:113
Lycaon **7**:213
Lyceé Bonaparte **13**:82
Lycia, Obispo de Myra en **10**:96
Lyell, pico **6**:31
Lyell, sir Charles 8:335
bibliografía **8**:335
Lynch, Benito 8:336
bibliografía **8**:336
Argentina, República **2**:26
Lynch, Charles **8**:262
Lyndom Baines, Johnson **8**:143
Lynen, Feodor 8:336
biografía **8**:336
Lynikov, M. **12**:150
Lynx, géneros **14**:182
Lyón 8:336
— Golfo de **9**:153
— Ireneo de **11**:15
— Segundo Concilio de **4**:196
comercio **4**:165
fayenza **6**:123
Francia **6**:216
Herriot, Edouard **7**:159
Molière **9**:268
Nostradamus, Michel **10**:136
Récamier, madame **11**:313
parque Cabeza Dorada **12**:5
Reynaud, Jean **12**:57
Ródano, río **12**:*89*
Saint–Exupéry, Antoine de **12**:166
títeres **13**:205
universidad **13**:316
vestido **14**:66
veterinaria **14**:73
Lyra Carmen 8:336
bibliografía **8**:336
cuentos infantiles **4**:320
Lys, río **2**:282; **6**:281
Lyttleton, Raymond A. **11**:142
Lytton, Bulwer **12**:67

M

M 9:5
M. Buber **1**:100
M. Mahmud Uld Luly **9**:134
M'Huila, tribu **1**:286
M'Sila **2**:290
M-4 Sherman **13**:113
M-48 Patton **13**:113
Ma Rainey, Gertrude **3**:9
Maach **1**:35
Maan Selkä, cordillera de **6**:159
Maastricht 9:5
— Tratado de **4**:190;
Major, John 9:38
Maawiya Ould Si Ahmed Taya
9:134
Maboia **5**:136
Mabu, J. **7**:45
Mabuse **2**:284
Mac Arthur, Douglas 9:5
biografía **9**:5
Eisenhower, Dwight David
5:231
Nimitz, Chester William **10**:103
Mac Bride **9**:47
Mac Clure, Robert John 9:6
biografía **9**:6
Mac Donald, James Ramsay 9:6
bibliografía **9**:6
Mac Kinnon, L. **7**:45
Mac Niece, L.
Auden, Wystan Hugh **2**:156
Gran Bretaña **7**:44
Macabeo portugués **1**:195
Macabeos 9:5
Ginebra **6**:325
macaco 9:5
Asia **2**:90
macacos japoneses **9**:5
MacAdam, John **13**:250
macagua 9:5
Macao 9:5
China **4**:52
Oriente **10**:250
Portugal **11**:174
Macapá **1**:218
Macario, san
ermitaño **5**:275
Tebaida **13**:133
macarrones 9:5
fideos **6**:147
Macaulay **7**:193
Macaulay de Rothley, barón **9**:6
Macaulay, Alejandro 9:6
biografía **9**:6
Macaulay, C. **7**:44
Macaulay, Thomas Babington 9:6
bibliografía **9**:6
Macaya **3**:247
Macbeth 9:6
drama **5**:170
espectro **6**:10
Macbeth **12**:306
Shakespeare, William **12**:304
MacBride, Sean 9:6
biografía **9**:6
Sato, Eisaku **12**:242
MacCay, Windson **4**:169
Maccio, Rómulo 9:6
biografía **9**:6
Macclesfield **7**:36
Mac Clure, Robert John 9:6
biografía **9**:6
pasos del noroeste y del noreste
11:8
MacCormick, Cyrus Hall **12**:258
MacDonald **7**:136
Mac Donald, James Ramsay 9:6
bibliografía **9**:6
Gran Bretaña **7**:42
MacDonald-Wright, Stanton **12**:331
macebualli 2:199
Macedo, M. **11**:177
Macedonia 9:7
— bandera de **2**:241
— en la historia de Grecia **7**:60
— Filipo de **3**:129; **4**:248; **6**:26;
11:251
— Filipo V de **7**:279
Alejandro II, *el magno* **1**:155
Aníbal **1**:291
Arcadia **1**:349
Augusto, Cayo Julio César **2**:159
Bayaceto I **2**:269
ejército **5**:232
Entenza, Berenguer de **5**:267
Esquines **6**:26
Eurípides **6**:74
Europa **6**:81
Filipo de Macedonia **6**:156
Iliria **7**:271
invasión **8**:22
lacustres, pueblos **8**:159
lengua **8**:216
libros de caballerías **8**:253
Olimpo **10**:205
Polibio **11**:150
Rusia **12**:140
seléucida **12**:269
vivienda **14**:117
macedónico **7**:274
Macedonio **4**:196
Maceio **10**:46
Maceo y Grajales, Antonio 9:7
biografía **9**:7
Cuba **4**:314
García Íñiguez, Calixto **6**:283
Martí, José **9**:112
Maceo, Francisco **7**:18
maceración 9:7
MacFarlane Burnet, Frank, sir **9**:147
MacGregor, John **3**:217
MacGregor, Robert **12**:*82*
**Machado de Assis, Joaquim Maria
9**:8
bibliografía **9**:8
Brasil **3**:76
Machado de Castro, J. **11**:177
Machado y Morales, Gerardo 9:8
biografía **9**:8
Batista, Fulgencio **2**:266
Herrera, Alberto **7**:157
Machado, Antonio 9:7
bibliografía **9**:7
España **5**:320
generación del 98 **6**:299
Ribera Chevremont, Evaristo
12:61
Machado, Augusto **11**:178
Machado, Gerardo **3**:256; **4**:314
Machado, los **9**:160
Machado, Manuel 9:8
biografía **9**:8
Machala 9:8
Ecuador **5**:199
Oro, El **10**:256
Machangar, río **11**:270
Machek **4**:295
Machly **9**:77
macho de monte **13**:115
Macho, Victorio 9:8
biografía **9**:8
escultura **5**:295
España **5**:318
Machu Picchu 9:9
— cultivos en terrazas de **1**:238
— montañas de **9**:9
— vestigios incas **7**:289
Cusco **4**:336
incas **7**:292
Latinoamérica **8**:183, 191
Machuca de Zuazo, Diego **4**:269
Macià y Llussà, Francesco 9:9
biografía **9**:9
Macías Nguema **6**:136
Maciás, Francisco
Companys, Luis **4**:172
Guinea Ecuatorial, República de
7:106
Maciejowice, batalla de **8**:146
macima **10**:161
Macintosh **10**:223
Macip, Vicente Juan **8**:114
macizo Adamello **11**:18
Macizo Brasileño **1**:238
Macizo Central **6**:212
macizo Fichtel **1**:163
macizo Renano **1**:163
macizos calcáreos **1**:137
Mack, Connie **2**:279
Macke, August A. **1**:166
Mackendrick, Alexander **7**:107
Mackenna, Juan 9:9
biografía **9**:9
Mackennal, Bertram **2**:164
Mackenzie **9**:9
Mackenzie King, William Lyon
3:204
Mackenzie, Alexander 9:9
biografía **9**:9
descubrimientos y exploraciones
geográficos **5**:74
Mackenzie, río 9:9
ártica, región **2**:70
Mackenzie, sir James **4**:238
Mackinac, estrecho de **9**:213
Mackinder, Halford **6**:315
Macklenburgo-Pomerania **1**:163
MacLane, Saunders 9:10
biografía **9**:10
MacLaurin **11**:212
MacLeod, Fiona **12**:308
**Macleod, John James Rickard
9**:10
biografía **9**:10
Banting, sir Frederick Grant
2:246
MacLuhan, Marshall 9:10
bibliografía **9**:10
MacMillan **11**:142
Macmillan, Maurice Harold 9:10
biografía **9**:10
Eden, Anthony **5**:210
MacNeish, Richard **13**:138
Macon **6**:316
Macpherson
Gaélico **6**:261
highlander **7**:175
MacPherson, James **10**:263
Macpherson, montes **11**:247
Macquarie, Australia **2**:163
Macquer **11**:261
Macracanthorhynchus hirudinaceus
1:42
Mac-Robertson **1**:302
macrobiotus **14**:81
macrocelis **13**:195
macrocosmos **4**:265
macroeconómico **8**:314
macrófagos **3**:305
macromolécula 9:10
macroscélidos **8**:5
macrosplacnia **11**:314
macrosporangios **6**:21
Mactán **9**:23
macú **7**:310
mácula lútea **10**:198
Madagascar 9:10
— bandera de **2**:241
— clima **9**:10
— comunicaciones **9**:11
— costas **9**:10
— hidrografía **9**:10
— historia **9**:11
— isla de **9**:11
— orografía **9**:10
— población **9**:11
— recursos **9**:10
— República Democrática de
9:11
Acuña o Cunha, Tristãn da **1**:63
descubrimientos y exploraciones
geográficos **5**:76
ébano **5**:183
Francia **6**:225
grafito **7**:30
lémur **8**:215
lengua **8**:216
perla **11**:53
Madagascar **12**:*37*
Tananrive **13**:110
viento **14**:89
vivienda **14**:116
zoogeografía **14**:180
Madama Sui **12**:82
Madama, villa **12**:105
Madame Bovary **10**:65
Madame Butterfly **10**:16
Madame du Barry **10**:65
Madariaga, Joaquín **13**:325
Madariaga, Juan **13**:325
Madariaga, Salvador de 9:11
bibliografía **9**:11
ensayo **5**:266
España **5**:320
Madeira, río 9:12
Beni **2**:293
Rondónia **12**:109
Madeira
— bandera de **2**:241
— islas **6**:251
— acordeonista en **1**:54
Portugal **11**:173
Madeleine, isla **4**:265
Mädelsetgbande **5**:235
madera 9:12
— ábaco de **1**:17
— abedul **9**:13
— abeto **9**:13
— acacia **9**:13
— acebo **9**:13
— álamo **9**:13
— aliso **9**:13
— áloe **9**:13
— arce **9**:13
— avellano
— blandas **9**:13
— boj **9**:13

— caoba **9:**14
— carbonización **9:**12
— carpe **9:**14
— castaño **9:**14
— cedro **9:**14
— cerezo **9:**14
— ciruelo **9:**14
— colorantes **9:**13
— cucaracha de **4:**317
— de árboles **1:**38
— de balsa **9:**261
— densidad **9:**12
— duras **3:**258
— ébano **9:**14
— encino **9:**14
— eucalipto **9:**14
— finas **9:**13
— fresno **9:**14
— guayaco **9:**14
— haya **9:**14
— limoncillo **9:**14
— limonero **9:**14
— majagua **9:**38
— manzano **9:**14
— molida **10:**315
— naranjo **9:**14
— nogal **9:**14
— olivo **9:**14
— olorosas **9:**13
— palisandro **9:**15
— palo de hierro **9:**15
— palo de rosa **9:**15
— palo santo **9:**15
— paneles de **8:**194
— peral **9:**15
— pino **9:**15
— pulverizada **8:**268
— quejigo **9:**15
— roble **9:**15
— sándalo **9:**15
— sasafrás **9:**15
árbol **1:**345
arte pictórico **4:**270
combustible **4:**162
construcción **4:**219
cubiertos **4:**317
Guyana **7:**111
Hawai **7:**132
higuera **7:**177
Honduras **7:**218
hormigón **7:**228
huerta y horticultura **7:**240
lápiz **8:**175
música **10:**11
navegación **10:**53
orquesta **10:**257
pintura **11:**94
pipa **11:**104
pirograbado **11:**109
planta **11:**121
plástico **11:**127, 129
polo **11:**156
prehistoria **11:**186
prensa **11:**189
preservación **11:**191
puente **11:**227
puerta **11:**228
quebracho **11:**247
química **11:**259
reclinatorio **11:**315
Madera, islas 9:15
Angola **1:**287
Atlántico, océano **2:**136
Atlántida **2:**137
maderamen **2:**38
Madero, Francisco I. 9:15
— Convención Antirreeleccionista **9:**16
biografía **9:**15
Calles, Plutarco Elías **3:**178
Carranza, Venustiano **3:**259
Díaz, Porfirio **5:**107
Juárez, ciudad **8:**116
Latinoamérica **8:**189
México **9:**200
Obregón, Álvaro **10:**175
Taracena, Alfonso **13:**117
Villa, Francisco **14:**92
Zapata, Emiliano **14:**172
Madetoja, Leevi **6:**161
Madhurai **7:**298
Madhya Pradesh (Bhopal) **7:**299
Madhya Pradesh **7:**298
Madian **9:**265
madianitas **6:**296
Madiguri **10:**101
Madinaveitia **9:**85
Madison **7:**306; **14:**100
Madison Square Garden
estadio **6:**29
Paderewski, Ignacy Jan **10:**282
Madison, James **6:**41
Madison, río **9:**282
madonas **8:**269
Madonie **12:**313
Madonna 9:16
biografía **9:**16
Madonna Lisa **14:**96
Madox Brown, Ford **7:**45
Madrás 9:16
India **7:**295, 299
puerto **11:**229
universidad **13:**317
Madrazo, Federico **10:**208
madre 9:17
madre e hijo siendo vacunados **14:**5
madre Castillo **7:**201
Madre de Dios 9:18
Crisóstomo, san Juan **4:**289
Madre de Dios, Canal de la **9:**22
Madre de Dios, río
Madre de Dios **9:**18
Perú **11:**60
Madre de la India, carretera **2:**93
Madre, Laguna **13:**108
Madre, Sierra 9:17
— o de Soconusco **4:**31
— Meridional **10:**170
— Meridional o del Sur **9:**17
— Occidental **9:**17
— Oriental **9:**18
Chihuahua **4:**34
Coahuila **4:**118
Nayarit **10:**59
Nicaragua **10:**92
Nuevo León **10:**159
madre Tierra
creación **4:**276;
religión **12:**11
madreperla 9:18
nácar **10:**22
madrépora 9:18
mar **9:**79
Réaumur, René Antoine Ferchault de **11:**313
madrepóricos, archipiélagos **10:**280
madreselva 9:18
Madrid ciudad **9:**18
— conservatorio de **12:**168
— Fuente de las Cibeles **4:**66
— jardín botánico de **11:**249
— la Fontana de Oro de **1:**143
— museo de Ciencias Naturales de **10:**172
— orquesta Sinfónica de **6:**133
— Palacio Real de **10:**208, 288
— Parque Retiro de **10:**331
— Real Museo de **11:**182
— teatro Beatriz de **11:**35
academia **1:**41
aeroplano **1:**87
Alonso, Dámaso **1:**199
Arbuzos, Luis Amadeo **1:**35
arte plumario **2:**66
Artigas, José Gervasio **2:**72
Azorín **2:**196
Benavente, Jacinto **2:**290
Companys, Luis **4:**172
coronación **4:**251
correo **4:**255
cubiertos **4:**317
Curros Enríquez, Manuel **4:**334
Daoíz y Velarde **5:**18
Desmaisieres, Micaela **5:**89
Empecinado, Juan Martín Díaz, el **5:**250
Ercilla y Zúñiga, Alonso de **5:**274
Escorial, El **5:**282
Eslava y Elizondo, Hilarión **5:**297
Espartero, El **6:**8
Espronceda y Delgado, José de **6:**21
Eugenia de Montijo **6:**73
ferrocarril subterráneo **6:**142
Gómez de Avellandeda, Gertrudis **7:**19
Gual, Pedro **7:**73
Guerrero y Torres, Jacinto **7:**102
Guzmán y Pimentel, Gaspar de **7:**112
Herrera y Gutiérrez de la Vega, Juan de **7:**159
hipódromo **7:**184
Iglesias, Pablo **7:**266
Jiménez de Cisneros, Francisco **8:**102
La Cierva y Codorniú, Juan de **8:**158
Lam, Wilfredo **8:**166
Lara, Agustín **8:**176
Machado, Antonio **9:**7
Membrives, Lola **9:**160
Mesa, Enrique de **9:**176
Mesonero Romanos, Ramón de **9:**178
Montenegro y Nervo, Roberto **9:**287
Montes, Francisco **9:**288
Nardi, Ángel **10:**41
Negret, Edgar **10:**65
Núñez de Arce, Gaspar **10:**164
Ochoa, Eugenio de **10:**183
Oller y Cesteros, Francisco **10:**208
Patti, Adela Juana María **11:**16
Pedreira, Antonio S. **11:**24
Peral y Caballero, Isaac **11:**42
Pérez de Holguín, Melchor **11:**46
Peza, Juan de Dios **11:**76
Pittaluga, Gustavo **11:**114
Prado, Museo del **11:**182
Quevedo y Villegas, Francisco de **11:**253
Répide, Pedro de **12:**22
Rizi, Francisco **12:**81
Rodríguez Marín, Francisco **12:**92
Sanguily, Manuel **12:**208
Santayana, George Ruíz de **12:**217
Sanz del Río, Julián **12:**224
Sarasate y Navascués, Martín **12:**227
Tallavi, José **13:**106
Tárrega, Francisco **13:**122
Téllez–Girón, Pedro Alcántara **13:**153
Tiépolo, Giambattista **13:**190
Tirso de Molina **13:**203
Unión Postal Universal **13:**311
universidad **13:**316, 318
Urbina, Luis G. **13:**323
Valera y Alcalá–Galiano, Juan **14:**14
Vega, Ricardo de la **14:**33
Vico, Antonio **14:**76
Madrid provincia **9:**20
— Universidad Central de **10:**143
— Universidad de **8:**166; **9:**176; **10:**182, 212, 258, 267; **11:**114
Arabia **1:**333
Aragón **1:**340
Aranjuez **1:**341
Araucana, La **1:**342
Cortes de Cádiz **4:**260
España **5:**310
Europa **6:**81
legión extranjera **8:**211
Madrid 1940 **13:**303
quinta columna **11:**264
Segovia **12:**259
Tajo **13:**104
Madrid Hurtado, Miguel de la
México **9:**200
Salinas de Gortari, Carlos **12:**174
Madridejos **13:**213
madrigal 9:20
— dramático **10:**14
Madrigal de Castilla *la Vieja* **11:**268
Madrigal de las Altas Torres, Ávila **11:**268
Madrigal, Alonso de 9:20
bibliografía **9:**20
madrigales **4:**13
madriguera
conejo **4:**202
miguela **9:**219
nutria **10:**166
topo **13:**220
Madrileña castiza, Chulapa **9:**20
madrina 9:20
Madriz 9:20
Madriz, José **9:**20
madroño 9:21
Maeguerítte, Víctor **9:**92
maelström 9:21
corrientes marinas **4:**258
Noruega **10:**133
Maelzeel, Johann Nepomuck **2:**34
Maelzel, Johann **9:**192
Maerlant, Jacob van **7:**209
maestoso, movimiento **10:**13
maestra, educación para adultos **1:**77

Maestra, Sierra **4**:311; **12**:42
maestre de Aviz **11**:44
maestría **9**:21
Maestricht **2**:276
maestro **9**:21
— bellas artes **9**:21
— de Caldas **1**:272
— de Canillo **1**:272
— escuela **9**:21
artes industriales **2**:69
maestro de escuela rural, por Albert Anker **9**:21
maestros albañiles **9**:21
monstruo **9**:281
Montessori, María **9**:288
universidad **13**:316
Maestros Cantores de Nuremberg **9**:21
Maeterlinck, Maurice **9**:21
Bélgica **2**:284
bibliografía **9**:21
Dukas, paul **5**:177
entomología **5**:268
Modernismo y arte moderno **9**:262
literatura **8**:279
literatura infantil **8**:286
música **10**:16
simbolismo **12**:327
títeres **13**:205
Maetzu **14**:20
Maeztu, María de **9**:22
bibliografía **9**:22
Maeztu, Ramiro de **9**:22
biografía **9**:22
generación del 98 **6**:299
Mafalda, princesa **14**:76
Maffeo Barberini **13**:323
Maffeo Polo **5**:71
Mafia **9**:22
mafiosi **9**:22
Mafra, palacio de **11**:177
Magallanes **9**:22
— cordillera **2**:14
— provincia de **4**:37
— Región de **9**:22
— Ruta de **9**:23
— y de la Antártida Chilena, Región de **9**:22
Marianas, islas **9**:95
marina mercante **9**:98
Pacífico, Océano **10**:280
viento **14**:88
Magallanes Moure, Manuel **4**:44
Magallanes, Estrecho de **9**:22
Chile **4**:37
Cook, James **4**:231
Drake, Francis **5**:169
Elcano, Juan Sebastián **5**:235
exploraciones polares **6**:95
Nordenskjöld, Otto **10**:129
piratería **11**:107
Tierra del Fuego **13**:192
Valdivia, Pedro de **14**:12
Magallanes, Fernando de **9**:22
América **1**:233
América del Sur **1**:242, 244
antípoda **1**:312
biografía **9**:22
descubrimientos y exploraciones geográficas **5**:72
Elcano, Juan Sebastián **5**:235
especias **6**:9
Filipinas, República de **6**:155
geografía **6**:304
Latinoemérica **8**:183
López deLegazpi, Miguel **8**:306
navegación **10**:52, 55
Oceanía **10**:179
Pigafetta, Francisco Antonio de **11**:87
Sanlúcar de Barrameda **12**:208
Tierra del Fuego **13**:192
transportes **13**:252
Magallanes, Nubes de **9**:23
magama **9**:26
Magangué **3**:22
Magaña **5**:295
Magasin Pitioresque **6**:172
Magastenes **2**:99
Magda **13**:67
Magda Portal **11**:62
Magdala **6**:267
Magdalena **9**:24
— campaña de **12**:176
— iglesia de la **10**:328
— Santa Marta **4**:140
Magdalena Nile del Río **7**:274
Magdalena, río **9**:24
Atlántico **2**:135
Bastidas, Rodrigo de **2**:262
Barranquilla **2**:256
Bolívar **3**:22
Colombia **4**:137, 139
Crevaux, Jules **4**:282
descubrimientos y exploraciones geográficas **5**:74
Huila **7**:245
Magdalena **9**:24
Manizales **9**:58
Neiva **10**:69
Santander **12**:216
Sumapaz, macizo de **13**:83
Tierradentro, cultura de **13**:193
Tolima **13**:213
Magdalenas **8**:178
Magdaleno, Mauricio **9**:24
bibliografía **9**:24
Magdaleno, río **6**:327
Magdeburgo
— castillo de **11**:91
— teatro de **14**:137
Alemania **1**:165
Elba, río **5**:235
hemisferio **7**:144
Magenta, batallas de **10**:39
Magerit
Madrid **9**:18
Ramiro II **11**:295
Maggi, Carlos **13**:329
Maggiore, Borgo **12**:*193*
Maggiore, san Giorgio **10**:293
magia **9**:24
— adivinación **9**:25
— aparatos **10**:65
— Bazar en Marrakesh, Marruecos **9**:25
— blanca **11**:194
— templo de la **9**:25
átomo **2**:143
ocultismo **10**:184
religión **12**:11
magiar **9**:26
Europa **6**:81
magiares **7**:199
magister **13**:316
magistrado **9**:26
juez **8**:122
Naciones Unidas **10**:27
tribunal **13**:261
tribuno **13**:262
magistratura **5**:210
Magloire, Paul-Eugène **9**:26
biografía **9**:26
Duvalier, Françoise **5**:182
magma **9**:26
geología **6**:307, 312
volcán **14**:126
vulcanología **14**:136
Magna Grecia
bacanales **2**:209
Herodoto **7**:156
imperio romano **7**:278
magnanimidad **9**:276
magnesia **9**:26
jade **8**:73
vidrio **14**:84
Magnesia, región
magnetismo **9**:27
Polícrates **11**:151
Temístocles **13**:154
magnesio **9**:26
— electrólisis **9**:27
abono **1**:31
amianto **1**:248
biología **2**:326
clorofila **4**:116
duraluminio **5**:179
Grignard, François Auguste Victor **7**:66
ladrillo **8**:160
lente **8**:223
mar **9**:82
química **11**:260
refractario **11**:326
Tierra **13**:192
magnesita **7**:56
magnética
— brújula **10**:52, 249
— declinación **10**:52
— fenómeno **14**:24
— soporte **14**:82
inducción **7**:317
magnetismo **9**:27
— animal **9**:177
— atracción **9**:27
conductividad **4**:201
Coulomb, Charles Augustin **4**:273
electromagnetismo **5**:240
éter **6**:66
física **6**:164, 165, 169
Gay–Lussac, Joseph–Louis **6**:295
geoelectricidad **6**:302
Gilbert, William **6**:324
Tyndall, John **13**:298
magnetismo terrestre **9**:28
giróscopo **6**:328
magnetita **9**:28
arena **2**:5
física **6**:169
hierro **7**:172
magneto **9**:28
— eléctrica **7**:317
— eléctricos **6**:300
automóvil **2**:172
magnetófono **4**:87
magnetohidrodinámica **4**:285
magnetómetro **2**:119
magnetoóptica **9**:28
magnetoscopio **14**:82
magnetósfera **9**:28
atmósfera **2**:142
Aurora boreal **9**:28
magnetostática **9**:29
magnetostricción **13**:302
magnetrón **9**:29
— de multicavidad **11**:274
microondas **9**:217
Magni **13**:221
Magnisia **13**:173
Magnitogorsk
Rusia **12**:139
Siberia **12**:313
magnitud **9**:29
— vectorial **6**:246
estrella **6**:61
física **6**:165, 166, 169
fuerzas centrífuga y centrípeta **6**:247
función **6**:250
intensidad **8**:16
Magno, Alberto el
alquimia **1**:203
París **10**:328
química **11**:261
Magno, Alejandro
Aristóteles **2**:32
Armenia **2**:45
arroz **2**:62
Asia Menor **2**:100
magnolia **9**:30
magnoliáceas **2**:214
magnoliáceo **13**:282
Magnus, Heinrich Gustav
Siemens, Ernest Wernwr von **12**:317
Tyndall, John **13**:298
magos **11**:194
Magos de Oriente **8**:99
Magritte, René **9**:30
obra **9**:30
Magsaysay, Ramón **6**:155
maguey **9**:30
agave **1**:100
Mesoamérica **9**:177
México **9**:195
Maguncia
— arzobispo de **12**:161
acueducto **1**:60
Alemania **1**:158, 159
comunicaciones **4**:184
Messer, Augusto **9**:178
prensa **11**:189
reproducción de una imprenta **7**:110
universidad **13**:316
mah jong **9**:30
Maha Vajiravudh (Rama VI) **13**:102
Mahabashya **11**:11
Mahabharata **9**:30
Asia **2**:98
India **7**:303
literatura **8**:276
sánscrito **12**:209
Mahadeo, montes **7**:296
Mahadhatu **13**:103
Mahammad al-Badr, imán **14**:162
Mahanadi, río **7**:296
maharajá **9**:30
rajá **11**:292
Maharashtra (Bombay) **7**:299
Maha-Singh **11**:299
Mahatma **6**:279
Mahdi (Mesías del Islam), **1**:197
Mahé
India **7**:295, 304
Seychelles **12**:301
Mahemet, Alí **9**:156

Maheu, René **13**:304
Mahfouz, Naguib 9:30
bibliografía **9**:30
Mahler, Gustav 9:30
Austria **2**:167
música **10**:16
obra **9**:30
Schönberg, Arnold **12**:248
Mahmodiya, Canal **1**:155
Mahmud **7**:300
Mahoa, J. **11**:177
mahogani 9:31
Mahoma 9:31
Abraham **1**:33
árabes **1**:331
Arabia **1**:334
Arabia Saudita **1**:336
Asia **2**:97
Averroes **2**:184
califato **3**:165
Corán **4**:236
cronología **4**:299
Edad Media **5**:206
educación **5**:215
égira **5**:230
Gabriel, san **6**:260
Hedjaz **7**:137
Irán o Persia **8**:38
Iraq **8**:42
Islam e islamismo **8**:51, 52
libro **8**:252
Meca, La **9**:146
símbolo **12**:327
teocracia **13**:160
Turquía **13**:295
Mahomed ben Musa
álgebra **1**:180
árabes **1**:332
Mahomet el Xartosí **9**:320
Mahomet II
Bizancio, imperio de **2**:333
Estambul **6**:45
Mahón **9**:169
Mahony, Frank **2**:164
Mahucutah **11**:254
Maiakovski, Vladimir 9:32
bibliografía **9**:32
constructivismo **4**:220
Maidenhead **13**:109
Maigret et Monsieur Charles **12**:328
Maigualida, sierra **14**:43
Maikala, montes **7**:296
Maikop **13**:307
Mailer, Norman 9:32
bibliografía **9**:32
Bellow, Saul **2**:289
Maillol **5**:294
Maillol, Arístides 9:32
obra **9**:32
Francia **6**:229
Maiman, Theodore H. **8**:178
Maimón, Mosé Ibn **9**:32
Maimónides 9:32
bibliografía **9**:32
Córdoba **4**:241
judaísmo **8**:118
Main, río
Frankfurt **6**:232
suevos **13**:73
Mainake **6**:187
Maine 9:32
— actividad económica **9**:34
— clima **9**:33
— Down East **9**:32
— educación **9**:34
— gobierno **9**:34
— instituciones culturales **9**:34
— lugares históricos **9**:34
— población **9**:33
— recursos **9**:33
— ríos y lagos **9**:33
— tierra y recursos **9**:33
— Universidad de **9**:34
— vegetación y vida animal **9**:33
Acadia **1**:41
Cuba **4**:314
Estados Unidos **6**:33
gato **6**:291
New England **10**:84
mainland **9**:32
Maintenon **12**:246
Maintenon, Françoise de Aubigné, marquesa de 9:34
biografía **9**:34
Maipo
— provincia **9**:285
— río **12**:218
— San José de **10**:191
Chile **4**:37
San Martín, José de **12**:196
Santiago **12**:218
Maipú 9:34
— victoria de **4**:42
batalla **2**:264
Beltrán, Luis **2**:287
Berutti, Antonio Luis **2**:305
Freire y Serrano, Ramón **6**:234
González Balcarce **7**:20
Mendoza **9**:165
Necochea, Mariano **10**:63
O'Higgins, Bernardo **10**:192
Olavarría, José Valentín de **10**:201
Maipures **10**:251
Máiquez, Isidoro 9:34
biografía **9**:34
Mairaux, André **9**:45
Maire, Le **1**:197
Mairena, Juan de **9**:8
Maisí **4**:311
Maisí, punta de **4**:310
Maissenier, J.A. **6**:228
Maisur **12**:156
Maitani, Lorenzo **10**:262
Maitín, José Antonio **14**:46
Maître-aux-Arts **2**:212
maíz 9:34
— campo cultivado de **9**:37
— campo de cultivo de **4**:328
— cosecha de **8**:156
— cultivo y recolección **9**:36
— híbrido **9**:36
— historia del **9**:38
— plagas **9**:37
— *pop* **9**:36
— semillas de, elotes **12**:274
— utilidad del **9**:37
— variedades de **9**:35
— zonas, producción mundial **9**:35
Angola **1**:287
Arequipa **2**:8
Arizona **2**:35
Arkansas **2**:36
Asia **2**:91
azúcar **2**:204
harina **7**:129
Heredia **7**:152
Laos **8**:173
lecitina **8**:202
México **9**:195
pan **10**:299
pinole **11**:94
Vichada **14**:78
Maíz híbrido 9:36
Maiziere, Lothar de **1**:163
majagua 9:38
Majali, H. **8**:107
Majana **4**:310
Majano, treguas de **1**:175
Maj'e Tomorrit, montañas **1**:138
Majencio **4**:217
majestad 9:38
majestas **9**:38
Majewski, Janisz **11**:161
Major, John 9:38
biografía **9**:38
Gran Bretaña **7**:43
Irlanda (Eire) **8**:46
Major, ruinas de la **9**:109
Majorica **9**:44
Majunga **9**:11
Makarios, arzobispo 9:39
biografía **9**:39
Chipre, República de **4**:60
Makarov, Oleg G. **2**:113
Makart, Hans **2**:168
Makatea **10**:180
makíes **8**:215
Mako, Gene **3**:95
Makomsimvelo **13**:90
makonde **13**:114
Makpelá, caverna de **1**:33
Makua **13**:299
Makurdi **10**:68
mal de Chagas **13**:139
mal de Pinto **5**:182
mal de Pott 9:39
tuberculosis **13**:279
mal de san Vito **12**:37
Mala hierba
Azuela, Mariano **2**:205
Baroja, Pío **2**:255
malas hierbas **14**:162
Malabar, costa de
India **7**:295
Laquedivas, islas **8**:175
Malabo **7**:106
Malaca 9:39
— Estrecho de **9**:39
— Península de **9**:42; **13**:83
Andrade, Simón de **1**:273
Asia **2**:86
Indias, compañías de **7**:304
lengua **8**:216
pimienta **11**:91
Singapur **12**:334
malacopterigio **8**:296
Maladeta **11**:108
Málaga 9:39
— bahía de **9**:40
— Casa del Consulado **9**:40
— ciudad **12**:217
— provincia de **12**:109
Andalucía **1**:264
Málaga **5**:318
Mena, Pedro de **9**:163
Rodríguez, Ventura **12**:91
Tallaví, José **13**:106
veterinaria **14**:73
Malagarasi **13**:114
Malagón, sierra de **12**:259
malagueña **5**:13
Malaita **12**:176
Malamud **2**:289
Malamud, Bernard 9:40
bibliografía **9**:40
Malan, Daniel F. **13**:314
malanga 9:40
Malanov **11**:282
Malapane **10**:185
Malaparte, Curzio 9:41
bibliografía **9**:41
Italia **8**:65
Malaquías 9:41
biografía **9**:41
Biblia **2**:309
malaquita 9:41
malaquita **9**:229
Mälar, lago
Estocolmo **6**:55
Europa **6**:75
Mälaren **13**:68
Mälaren, lago **13**:69
malaria 9:41
Duvalier, François **5**:182
Elion, Gertrude Belle **5**:246
epidemia **5**:269
Hitchings, George H. **7**:195
Malasia 9:41
— bandera de **2**:241
— península de **12**:333
— sakai de **9**:42
Comunidad (Británica) de Naciones **4**:189
imperio británico **7**:275
Malasia **5**:70
Negri Sembilan **10**:65
pavo real **11**:18
Malaspina **6**:329
Malaspina, Alejandro 9:42
biografía **9**:42
Malaspina, monte **1**:135; **6**:329
Malatesta **12**:194
Malatesta, Enrique **1**:260
Malatesta, Sigismondo 9:42
biografía **9**:42
Malawi 9:42
— bandera de **2**:241
Bantú **2**:246
Comunidad (Británica) de Naciones **4**:189
imperio británico **7**:275
Rhodesia **12**:60
Malay, Malaca **9**:39
Malaya **9**:41; **13**:102
Malaya Unida, Organización Nacional (UNMO) **9**:42
Malaya, península
dólar **5**:153
pagoda **10**:284
Malaya, Reino de **9**:42
malayalam **5**:172; **7**:300
Malayas, islas **12**:163
Malayo, archipiélago
Asia **2**:84
dragón **5**:168
Java **8**:91
Lemuria **8**:215
malayos **9**:42
Molucas **9**:270
Wallace, Alfred Russel **14**:138
zoogeografía **14**:180
Malayo, archipiélago Tuamotu-Gambier **11**:153
malayos 9:42
Java **8**:91
Tailandia **13**:101

Brunei **3**:90
lengua **8**:216
Malaca **9**:39
Sumatra **13**:83
Malayu **9**:39
Malbarco, laguna **10**:78
Malcolm I **9**:6
Malcolm II **6**:180
Malcolm X **3**:250
Malcuzinski, W. **11**:161
Maldivas 9:43
— bandera de islas **2**:241
Comunidad (Británica) de Naciones **4**:189
descubrimientos y exploraciones geográficas **5**:75
rupia **12**:136
Maldonado 9:43
— departamento de **11**:243
Artigas, José Gervasio **2**:72
Plata, Río de la **11**:133
Uruguay **13**:327
Maldonado, Francisco **3**:248; **4**:180; **10**:282
Maldonado, Juan **14**:46
Maldonado, Pedro Vicente 9:43
biografía **9**:43
Ecuador **5**:202
Línea Equinoccial **8**:265
Malé **9**:43
maleabilidad 9:43
física **6**:164
oro **10**:254
Malebranche, Nicholas 9:43
bibliografía **9**:43
Sévigné, Marie de Rabutin Chantel **12**:298
malecón **13**:178
malecón y playa en Barcelona **2**:252
malecón, Paseo del **5**:159
malecón, Shangai **12**:307
Malenkov, Georgij **8**:149
Malenkov, Georgy M. **13**:308
Malevic **4**:220
maleza 9:43
hierba **7**:171
Malfatti, Anita **3**:76
Malfatti, Teresa **2**:276
malformaciones **13**:163
Malgache, República **9**:11
Malgache, Segunda República **9**:11
malgaches **9**:11
malgachie **4**:172
Malhao **11**:173
Malherbe, François
francés, idioma **6**:211
Francia **6**:226
oda **10**:184
Malí 9:43
— bandera de **2**:241
— Djenne Gran Mezquita **9**:44
Costa de Marfil **4**:266
Guinea, República de **7**:105
Mali **10**:67, 291
Sahara **12**:164
Timbuctú **13**:196
Mali Taimir, archipiélago **2**:70
Malietoa Tanumafili II **12**:187
Malik **10**:209
Malinalli **9**:96
Malinas
Bélgica **2**:283
encaje **5**:251
Malinche, La
Cortes de Cádiz **4**:260
Marina, doña **9**:96
Tlaxcala **13**:208
Volcánico transversal, eje **14**:128
Malindi **1**:63
Malinosvki **13**:308
Malinowski, Bronislaw 9:44
biografía **9**:44
Malintzin **9**:96
Malipiero, Gian Francesco
Dianda, Hilda **5**:105
Italia **8**:66
Mall **14**:140
Mallarmé **5**:176
Mallarmé, Stéphane 9:44
Ahmet, Hashim **1**:119
bibliografía **9**:44
Francia **6**:227
literatura **8**:279
Modernismo y arte moderno **9**:262
Regnier, Henri de **11**:333
simbolismo **12**:327
Malle, Louis 9:44
obra **9**:44
Mallea, Eduardo 9:44
bibliografía **9**:44
Argentina, República **2**:26
Malleco 9:44
Angol **1**:284
Araucania, Región de la **1**:343
Mallet, Anatole **6**:140
Mallol **3**:247
Mallorca 9:44
— ciudad de **5**:316
asno **2**:103
Baleares **2**:224
España **6**:44
germanías **6**:318
Jaime I el conquistador **8**:74
mayólica **9**:144
Pedro Claver, san **11**:26
Rusiñol y Prast, Santiago **12**:150
Mallowan **10**:103
Malmö
Copenhague **4**:233
Suecia **13**:69
Malmoe **13**:69
Malocelli, Lanserotto **3**:208
Maloja **13**:77
Malory, Thomas 9:45
bibliografía **9**:45
Malos, Gregorio **3**:76
Maloti, monte **8**:231
Malouines **9**:47
malpaís **8**:199
Malpica, marqués de **14**:32
Malpighi **5**:248; **10**:213
Malpighi, Marcello 9:45
biografía **9**:45
circulación **4**:91
Leeuwenhoek, Anton Van **8**:209
sangre **12**:208
Malpighi, Narcelo **8**:66
Malpigio **5**:270
Malpigio, capa de **11**:249
Malplaquet **9**:103
Malraux, André 9:45
bibliografía **9**:45
Malraux, André **6**:227
Malta 9:45
— bandera de **2**:241
— batalla naval de **12**:93
— isla de **2**:195; **6**:149
— Plaza de **9**:45
— Puerto de **9**:46
asno **2**:103
avicultura **2**:189
Comunidad (Británica) de Naciones **4**:189
Europa **6**:81
imperio británico **7**:275
Roger de Lauria **12**:93
malta 9:45
Malta, Guillermo **4**:44
Malta, orden de 9:46
Pío IV **11**:101
Malta, Roberto **4**:43
Maltaraña, isla **4**:20
Malthus, Thomas Robert 9:46
biografía **9**:46
Gran Bretaña **7**:44
población **11**:144
Maltiempo **12**:156
maltosa **5**:268
maltusianismo **9**:46
Maluenda Labarca, Rafael 9:46
biografía **9**:46
Maluenda, Rafael **4**:44
Malva **7**:296
malva 9:46
— rosa de China **9**:46
malva **9**:47
química **11**:263
malvavisco 9:46, 47
malveína **11**:53
Malvidas **2**:88
Malvinas, islas 9:47
— bandera de **2**:241
— Guerra de las **9**:47
América del Sur **1**:238
Argentina, República **2**:12
armada **2**:41
Atlántico, Océano **2**:136
Corrientes marinas **4**:258
exploraciones polares **6**:97
geología **6**:308
imperio británico **7**:275
Monroe, James **9**:280
Shetland del sur, islas **12**:309
malvís 9:48
Maly, Teatro **3**:34
mam **7**:78
mama konas **7**:290
Mama Oclla **13**:206
Mama Ocllo **9**:54
Mamaloni **12**:176
Mamaloni, S. **12**:177
mamarias **6**:330
mamboreta **9**:62
mameluco 9:48
Egipto **5**:228
Tamerlán **13**:109
mamey 9:48
mamífero 9:48
— artiodáctilos **6**:20
— cabra **9**:49
— marsupial **8**:145
— monotremas **6**:20
— pinnípedo **8**:227
— placentarios **14**:9, 59, 118
— prociónido **9**:71
— sirenio **9**:51
abdomen **1**:21
animal **1**:296
armadillo **2**:42
artiodáctilos **2**:76
bisonte **2**:331
blastócero **3**:6
cetáceo **4**:12
chinchilla **4**:59
coatí **4**:119
conejo **4**:201
corion **4**:249
crecimiento y desarrollo **4**:278
especie **6**:9
hamster **7**:127
hipopótamo **7**:185
hombre **7**:212
insectívoro **8**:5
jabalí **8**:71
jineta **8**:103
jirafa **8**:104
lemming **8**:214
lémur **8**:215
león **8**:225
león marino **8**:227
lobo **8**:295
mamíferos **14**:187
mamíferos **9**:48
Mamíferos: alce, oso hormiguero, gato montés **9**:48
migración **9**:219
monotrema **9**:280
muda **9**:320
pelo **11**:31
pezuña **11**:77
útero **13**:332
vagina **14**:9
vertebrados **14**:59
vivíparo **14**:118
zoología **14**:185
zorro **14**:185
Mamiya Rinzo **8**:85
Mammouth **10**:57
Mamo, Anthony **9**:46
Mamoré, llanos de **1**:240
Mamoré, río
Beni **2**:292
Madeira, río **9**:12
Rondônia **12**:109
mamparo **13**:283
mamposterías **8**:161
Mamré **1**:33
Mamry, lago **11**:157
mamut 9:49
— emperador **6**:309
— momificado **9**:322
cueva y caverna **4**:326
mamut **9**:50
Man **7**:32
Man Ray
dadaísmo **5**:6
surrealismo **13**:87
Man, isla de **6**:261
maná 9:50
negro **10**:66
terapéutica **13**:163
Manabí 9:50
Bahía, cultura de **2**:217
chone **4**:62
Ecuador **5**:196
Jipijapa **8**:103
Mañach, Jorge 9:65
bibliografía **9**:65
Managua 9:50
— lago de **10**:95
— museo Nacional de **10**:95
Estelí **6**:49
Manama, capital **2**:218
Manambao **9**:10
manantial 9:50
— Pirineos **2**:27
geología **6**:311

manao **7**:310
Manaos
Amazonas **1**:220
América del Sur **1**:241
Negro, Río **10**:69
Manaos, Zona Franca de (SUFRAMA) **9**:51
Manar, cima de **14**:162
Mañara, don Juan de la **9**:7
Mañara, don Miguel de **10**:6
Manasés
Gedeón **6**:296
José **8**:109
Manatará, Picos de **14**:190
manatí 9:51
manatí **9**:50
Manatí, río **4**:311
Manaure **7**:73; **14**:47
Manaus 9:51
Amazonas **1**:220
Amazonas, río **1**:221
Manava **9**:62
manceras **1**:339
Mancha **4**:318
Mancha Alta **4**:318
mancha amarilla **10**:198
Mancha, Canal de la 9:51
aeroplano **1**:87
Consejo de Europa **4**:213
Edad Media **5**:206
mar **9**:84
Marconi, Guglielmo **9**:88
Normandía **10**:130
Sena **12**:276
Wight **14**:150
Mancha, La 9:51
Albacete **1**:137
Mancha, Teresa **6**:22
Mancham, J. R. M. **12**:302
manchas del Sol **7**:124
manchas solares 9:51
aurora boreal **2**:161
geoelectricidad **6**:302
Mancheno **2**:48
Manchester 9:51
— Universidad de **8**:222; **11**:148
— y Londres **7**:140
Engels, Friedrich **5**:263
Gran Bretaña **7**:34, 36
Hicks, sir John Richard **7**:163
Lindow, hombre de **8**:264
Liverpool **8**:289
New Hampshire **10**:85
Robinson, sir Robert **12**:84
Rutherford, sir Ernest **12**:152
Saramago, José **12**:226
Sierra Leona **12**:319
manchú **5**:7
manchú, dinastía
Mukden **9**:327
Pu Yi, Henry **11**:244
manchúes
Asia **2**:95, 98
Corea **4**:244
hogar **7**:199
Pekín o Beijing **11**:29
Manchukuo 9:52
— emperador de **11**:244
— imperio del **4**:19
Asia **2**:98
China **4**:56
Japón **8**:84
Manchuria **9**:54
Manchuria 9:52
— agricultura **9**:52
— ciudades **9**:52
— clima **9**:52
— comercio e industria **9**:53
— comunicaciones **9**:53
— Convenio de **9**:53
— flora y fauna **9**:52
— gobierno **9**:53
— hidrografía y orografía **9**:52
— historia **9**:53
— Montañas Blancas de **14**:160
— población **9**:52
— región de **9**:52
— religión y educación **9**:52
Chang Chun **4**:19
Korea **4**:243
faisán **6**:113
Guerra Ruso-Japonesa **7**:98, 99
hogar **7**:199
lama **8**:166
leopardo **8**:228
Mongolia **9**:277
Mukden **9**:327
Siberia **12**:313
Mancilla Francisco Martínez de **4**:8
Manco Cápac 9:54
biografía **9**:54
Cuzco **4**:336
incas **7**:289, 293
Pizarro, Francisco **11**:115
Pizarro, Hernando **11**:116
Quichuas o quechuas **11**:254
Manco II **9**:54; **14**:92
Manco Inca 9:54
— fuerte **12**:161
biografía **9**:54
Almagro, Diego de **1**:193
mancomunidad 9:54
Máncora, puerto de **11**:114
mandala 9:54
Mandalay
Indochina **7**:313
Myanmar **10**:20
mandamiento 9:54
Mandamientos de la Ley de Dios 9:54
Mandane **4**:92
mandarín 9:54
avicultura **2**:189
mandarina 9:55
mandarina **4**:98
mandatarios, Reunión de **10**:281
mandato 9:55
— internacional **9**:55
— vitalicio **5**:182
Mandé Daguerre, Louis Jacques **6**:203
Mandela, Nelson 9:55
apartheid **1**:323
biografía **9**:55
Klerk, Frederik Willem de **8**:144
Mandelstam, Osip Emilievich 9:55
bibliografía **9**:55
Mandere, río **5**:18
mandíbula
— inferior **6**:23
— superior **6**:23
hormiga **7**:227
vida **14**:80
zoología **14**:185
mandinga **4**:266
mandingo 9:55
mandioca 9:55
Angola **1**:285
boro **3**:50
plantas venenosas **11**:125
yuca **14**:165
mando, módulo de **1**:325
mandolina 9:55
mandos aliados **7**:94
Mandonio **7**:307
mandrágora 9:55
descubrimientos y exploraciones geográficos **5**:69
mandril 9:56
fresadora **6**:236
mandril **11**:198
torno **13**:224
Mandryka **4**:170
Mane **2**:230
Mane, Édouard **12**:321
Manes, Josef **4**:27
Manet, Edouard 9:56
obra **9**:56
Baudelaire, Charles **2**:267
Francia **6**:228
impresionismo **7**:286
Oller y Cesteros, Francisco **10**:208
Zuloaga, Ignacio **14**:190
maneteniri **7**:310
Manfred **13**:130
Manfred, Lee **5**:247
manga
buque **3**:108
cómic **4**:170, 171
mangacuerpos **14**:68
Mangalore **7**:295
manganesa **9**:56
manganeso 9:56
acero **1**:47
América del Sur **1**:243
Arkansas **2**:36
hierro **7**:173
Montana **9**:282
vidrio **14**:85
Mangano, Silvana 9:56
bibliografía **9**:56
manganotitanio **13**:204
Mangas Coloradas 9:56
Mangifera indica **9**:57
mangle 9:57
mango 9:57
Mangoro, río **9**:10
Mangos **4**:266
mangosta 9:57
Manhattan, coktail **2**:272
Manhattan, isla de 9:57
Manhattan, New York **6**:40
Harlem **7**:130
New York **10**:89, 90
mani **3**:146
manías **6**:185
manicura **13**:319
mánidos **10**:308
manierismo 9:57
— barroco **9**:58
Manifiesto **4**:220
Manifiesto comunista
comunismo **4**:190, 191
Marx, carlos **9**:116
Manila 9:58
— ciudad de **6**:155
— Galeón de **1**:42
— mantón de **14**:69
abacá **1**:17
aeroplano **1**:87
López de Legazpi, Miguel **8**:306
puerto **11**:229
Rizal, José **12**:81
UNESCO **13**:304
Váez de Torres, Luis **14**:9
manille **14**:148
Mani-Mahesa, templo de **7**:303
Manin, Ludovico **5**:182
maniouri **7**:304
manipulador **13**:145
manípulo **2**:238
Manipur (Imphal) **7**:299
maniqueísmo
bogomilitas **3**:17
Maniqueo o Manes **9**:58
Mónica, santa **9**:277
persecusión **11**:57
Maniqueo o Manes 9:58
Manises **14**:13
Manit-Poo-aree **13**:103
Manitú **5**:136
Maniu, Rodica **12**:132
manivela **8**:298
Manizales 9:58
Arias Trujillo, Bernardo **2**:29
Colombia **4**:139
Manjón, Andrés 9:59
biografía **9**:59
Mankievicz, Joseph L. **9**:281
Manley Hopkins, Gerard
Montale, Eugenio **9**:282
Thomas, Dylan Mareais **13**:183
Manley, Michael **8**:77
Manly (Estados Unidos) **2**:187
Mann, Heinrich 9:59
bibliografía **9**:59
Alemania **1**:166
Dietrich, Marlene **5**:116
Mann, Horace 9:59
biografía **9**:59
educación **5**:216
Mann, Thomas 9:59
Alemania **1**:166
bibliografía **9**:59
literatura **8**:275
Mannar, Golfo de **7**:295
Mannerheim, Carl Gustaf Emil 9:59
biografía **9**:59
Mannheim 9:59
Baden-Wüttemberg **2**:213
regla de cálculo **11**:332
Mannheim, Renania **1**:165
mano 9:59
mano de obra **11**:208; **13**:320
Manola **9**:333
Manolete, Manuel Rodríguez Sánchez 9:60
biografía **9**:60
Arruza, Carlos **2**:62
manoletina **9**:60
manómetro 9:60
aeroplano **1**:86
autoclave **2**:168
electricidad **5**:238
escala **5**:277
refrigeración **11**:327
tensión **13**:160
Manono **12**:186
Manosalvas, Luis 9:60
obra **9**:60
Manousos, A. **7**:62
Manresa 9:60
Barcelona **2**:253
Puig, Ignacio **11**:241
Manrique Cabrera, Francisco **11**:237

Manrique, Jorge 9:60
bibliografía **9:**60
copla **4:**234
elegía **5:**244
España **5:**319
Longfellow, Henry Wadsworth **8:**305
muerte **9:**323
Manrique, Rodrigo **9:**60
Mansart, François **6:**228
Mansfield, Katherine 9:60
bibliografía **9:**60
mujer **9:**327
Manship **5:**295
Mansilla, Lucio Víctor 9:60
bibliografía **9:**60
Mansilla, Lucio V **2:**26
Manso de Velasco, José Antonio 9:60
biografía **9:**60
Manso, río **2:**16
Manta **11:**173
manta cuadrilonga **1:**343
Manta, puerto de **9:**50
mantabah **14:**65
Mantagu-Chelmsford **7:**301
Mantaro **2:**192
mantas **8:**169
manteca o mantequilla 9:60
— artificial **9:**91
— defectos de la **9:**61
— fabricación primitiva **9:**60
— producción en gran escala **9:**60
— valor alimenticio **9:**61
aguacate **1:**112
cremería **4:**280
grasa **7:**51
lápiz **8:**175
leche y lechería **8:**204
Mantegazza, Paolo 9:61
biografía **9:**61
Mantegna, Andrea 9:61
Burne–Jones, sir Edward **3:**122
crucifixión **4:**301
Cupido **4:**331
grabado **7:**28
Italia **8:**66
obra **9:**61
mobiliario y mueble **9:**254
pintura **11:**94, 97
tapiz **13:**116
Manteola Martínez, Raúl 9:62
biografía **9:**62
mantequera **9:**60
mantequilla 9:62
— artificial **9:**91
cremería **4:**280
mántidos
mantis religiosa **9:**62
ortóptero **10:**261
mantillo
abono **1:**31
lombriz **8:**301
Mantinea **5:**269
Mantinea, batalla de **13:**134
Mantinea, combate de **8:**94
Mantiqueira, sierra
Monteiro Lobato, José Benito **9:**287
Paraná, río **10:**324
mantis **4:**276
mantis religiosa 9:62
Mantis, género **9:**62
mantisa **8:**300
Manto 9:62
ostra **10:**268
vestido **14:**61, 64, 65
manto terrestre 9:62
manto vegetal **8:**89
mantón **14:**65
mantos de hierro **8:**175
Mantovani, Juan 9:62
bibliografía **9:**62
mantra 9:62
mantse **2:**95
Mantua 9:62
— duque de **12:**122
Hofer, Andreas **7:**197
Romano, Julio **12:**105
Mantzikert, batalla de **12:**105
Manú 9:62
— Código de **9:**62
— leyes de **10:**81
Brahma y brahmanismo **3:**65
India **7:**303
Madre de Dios **9:**18
Manual Bartolomé Cossío **13:**182
Manual de patología política **2:**26
Manuel I 9:63
biografía **9:**63
Gama Vasco da **6:**273
Noronha, Fernando de **10:**130
Portugal **11:**176
Manuel Ugarte **2:**251
Manuel Vicente **6:**283
Manuel, rey de Portugal **10:**130
manuelino **11:**177
Manuelito 9:63
biografía **9:**63
manufactura 9:63
Missouri **9:**244
manuscritos 9:63
manuscrito de la Edad Media **5:**207
manuscrito antiguo de la *Historia Sagrada* **7:**194
manuscrito *El Matrimonio del conde Sanseverino*, Sano di Pietro **9:**63
manuscrito *Paz y guerra*, Benvenuto di Giovanni **9:**63
historia **7:**192
miniatura **9:**233
Montecassino **9:**286
Manuzio, Aldo 9:64
biografía **9:**64
Grolier, Jean **7:**68
itálica, letra **8:**67
Manuzio, Aldo, *el Viejo* **7:**285
manx **6:**261
manxa **9:**51
Manzala **13:**74
Manzalah **5:**224
Manzanares
— plaza de **12:**202
— río **9:**18
Ciudad Real **4:**102
Cumaná **4:**329
manzanas **6:**240
manzanilla 9:64
manzanilla romana **9:**64
Andalucía **1:**265
Manzanillo (Cuba) **9:**64
Manzanillo (México) **9:**64
Manzanillo 9:64
Manzanillo, isla **4:**145
manzano 9:64
— producción **9:**65
Manzini **13:**90
Manzoni, Alessandro 9:65
bibliografía **9:**65
Italia **8:**65
Pellico, Silvio **11:**31
Romanticismo **12:**106
Manzur, David 9:65
biografía **9:**65
Colombia **4:**143
Mañach, Jorge 9:65
Cuba **4:**316
bibliografía **9:**65
Pedreira, Antonio S. **11:**24
Mañara, don Juan de la **9:**7
Mañara, don Miguel de **10:**6
Mao Tse-tung (Mao Zedoing) 9:66
— Revolución Cultural **9:**66
bibliografía **9:**66
China **4:**56
comunismo **4:**191
Deng Xiaoping **5:**50
Hua Kuo-Feng **7:**234
Mao, Ciudad Prohibida en Beijing, China **9:**66
Vietminh **14:**90
maorí 9:65
lengua **8:**216
maoríes **9:**66
Nueva Zelanda **10:**158
tatuaje **13:**125
mapa 9:66
— celeste del hemisferio austral **2:**124
— celeste del hemisferio boreal **2:**125
— de Norteamérica que muestra el Golfo de México, 1640 **7:**16
— división **9:**71
— escala **9:**70
— sistemas de proyección **9:**68
audiovisual, educación **2:**157
excursionismo **6:**92
geografía **6:**304
Mapas de proyección cilíndrica **9:**68
mapache 9:71
panda **10:**307
mapamundi
Cosa, Juan de la **4:**263
geografía **6:**304
mapa **9:**69
mapamundi **9:**69
mapamundi antiguo **5:**63
Mapeyé **11:**240
Mapiche, sierra **14:**43
maple 9:71
arce **1:**349
Washington, estado de **14:**141
Maples Arce, Manuel 9:71
bibliografía **9:**71
Mapocho, río **4:**37; **12:**219; **14:**11
mapuches **1:**343; **4:**41; **7:**310; **11:**27; **13:**155; **14:**12
Maputo (antes Lourenço Marques) **9:**317
Maqroll **10:**18
maqui **2:**33
maqui sudamericano **2:***33*
Maquiavelo, Nicolás 9:71
bibliografía **9:**71
Borgia **3:**47
Florencia **6:**181
Gracián, Baltazar **7:**28
historia **7:**192
Italia **8:**65
Maquiavelo, Nicolás **9:**72
Saavedra Fajardo, Diego de **12:**154
maquílidos **13:**203
maquillaje 9:72
máquina 9:72
— agrícola **11:**302
— control de **10:**263
— de calcular ecuaciones **9:**77
— de impresión en rotativa de periódicos **7:**284
— de inyección **11:**128
— de limpieza **1:**123
— de sumar **2:**34; **3:**122
— desfibradora de troncos **5:**87
— para hilos **9:**172
— para perforar **11:**47
— rotativas **6:**50
— sembradora **13:**265
máquina de coser 9:73
— motor eléctrico **9:**73
máquina de escribir 9:74
máquina de escribir **4:**184
máquina de servicio automático 9:74
máquina de vapor 9:74
máquina impulsada por vapor **9:**72; **14:**25
máquina de vapor **1:**45
industria **7:**317
ingeniería **7:**330
Revolución Industrial **12:**51
máquina herramienta 9:75
máquina herramienta: barrenadora **9:**75
producción en serie **11:**207
máquina neumática 9:76
Guericke, Otto von **7:**83
maquinaria **5:**263
maquinaria agrícola 9:76
maquinaria agrícola **9:**76
maquinarias industriales **11:**207
máquinas **9:**78
máquinas de calcular 9:77
máquinas de oficina 9:78
maquinismo
división del trabajo **5:**148
fábrica **6:**108
futurismo **6:**258
urbanismo **13:**322
maquinista, era **9:**72
maquiritares **1:**220
maquis 9:78
— arbusto **9:**78
maquisard **9:**78
Mar (*Mama qoca)* **7:**293
mar 9:78
— Amarillo **2:**88
— Arábigo **2:**88
— Báltico **2:**7
— Blanco **2:**36
— Cantábrico **2:**190
— Caribe **3:**243; **9:**80
— cómo nacen y mueren las islas **9:**83
— crecimiento del **9:**81
— de los Sargazos **9:**81
— frutos del **9:**82
— la corriente de la vida **9:**79
— Muerto **9:**322, 323
— nacimiento del **9:**78
— Negro, Golfo del **2:**195
— Pacífico **8:**103, 114, 165, 167, 170, 171, 174, 193

— Pacífico **8:**218
— Rojo **14:**162
— superficie del **9:**79
— Tirreno, isla del **6:**64, 76
Mar del Plata 9:84
mara **8:**256
marabú 9:84
marabú **14:**181
maraca 9:84
Maracaibo 9:84
— golfo de **6:**113
— cuenca del **9:**174
— depresión de **14:**42
— lago **1:**173; **2:**256; **9:**85, 174; **10:**131
piratería **11:**107
Venezuela **14:**42, 45
Zulia **14:**190
Maracapaná **6:**125
Maracay 9:85
Aragua **1:**340
Maragall y Gorina, Juan 9:85
bibliografía **9:**85
España **5:**320
lenguas romances **8:**221
Marais Viljoen **13:**314
Marambas, río **10:**324
Maranao, río **13:**209
Maranhão 9:85
Sarney, José **12:**230
Marañón
Cajamarca **3:**156
Loreto **8:**308
Pastaza **11:**8
Marañón, Gregorio 9:85
bibliografía **9:**85
ensayo **5:**266
España **5:**320
Ortega y Gasset, José **10:**259
Marañón, río 9:85
Amazonas **1:**220
Andes **1:**268
Huánuco **7:**235
Perú **11:**60
Marânus **13:**139
Marao **11:**173
Marasso, Arturo **11:**257
Marat, Jean-Paul 9:85
bibliografía **9:**85
Artaud, Antonin **2:**63
Babeuf, François Noel **2:**207
Corday, Carlota **4:**240
Revolución Francesa **12:**48
Marata **10:**108
Marathi
India **7:**300
sánscrito **12:**209
Marathus **6:**129
Maratines **13:**108
Maratón 9:85
— batalla de **2:**264
— victoria de **13:**154
alcmeónidas **1:**149
Arístides **2:**31
Esparta **6:**7
Esquilo **6:**24
Guerras Médicas **7:**99
Jerjes I **8:**95
Milcíades **9:**223
maratón **3:**260; **5:**56
maratón de New York **3:**261
Maravasco, río **4:**134
maravedises **10:**182
maravilla 9:86
Maravillas del Mundo **5:**223
marbella o pato aguja **10:**286
Marbella, Golfo de **9:**40
Marble, Alice **3:**95
Marboré **12:**97
Marburgo **13:**316
Marburgo (Alemania) **10:**316
Marburgo, universidad de **8:**299
Marc, Franz **1:**166
Marca del Este **14:**87
Marca Hispánica
Andorra **1:**271
Barcelona **2:**252
Gerona o Girona **6:**319
Marcano, Gaspar **14:**45
marcas de mar **11:**56
marcas y patentes 9:86
Marceau, Marcel Mangel 9:86
biografía **9:**86
mímica y pantomima **9:**226
Marcel, Gabriel **6:**227
Marcelo, general romano **6:**314
Marcelo, San **6:**336
March, Ausias 9:86
bibliografía **9:**86
Vives, Juan Luis **14:**110
March, conde de **9:**305
March, J.G. **12:**329
marcha 9:87
Marcha eslava **13:**129
Marcha Verde **9:**109
Marchand **1:**95; **2:**134; **9:**105
marchas **13:**203
Marche, montaña **6:**212
Marchena y Ruiz de Cueto, José 9:87
bibliografía **9:**87
Marchena, Abate **9:**87
Marchena, Antonio de **4:**147; **8:**50
Marchena, Enrique de **5:**163
Marchfeld **12:**91
Marcial, Marco Valerio 9:87
biografía **9:**87
Alcázar, Baltazar del **1:**147
Marciano, Rocky **3:**63
Marcinkevic, Dunin **12:**149
Marcio, Anco **12:**98
marco 9:87
marco alemán **6:**74
Marco Anneo **12:**103
Marco Antonio 9:87
Agripa, Marco Vipsanio **1:**110
biografía **9:**87
Augusto, Cayo Julio César Octaviano **2:**159
biblioteca **2:**311
Cicerón, Marco Tulio **4:**68
Cleopatra **4:**111
imperio romano **7:**281
Octavia **10:**183
triunvirato **13:**270
Marco Aurelio 9:87
Alejandro III **1:**157
Antonino Pío **1:**316
biografía **9:**87
Avidio Casius o Gaius Avidius **2:**189
Estoicismo **6:**55
Grecia **7:**62
imperio romano **7:**282
Papiniano, Emilio **10:**316
Viena **14:**87
Marco Polo
China (Hong Kong) **4:**46
China **4:**54
Colón, Cristóbal **4:**146
correo **4:**253
ferias **6:**132
geografía **6:**305
Hangchow **7:**127
Indochina **7:**314
Japón **8:**83
Kublai Kan **8:**149
Mongol, imperio **9:**276
palmera **10:**295
Toscanelli dal Pozzo, Paolo **13:**233
vestido **14:**70
Marco Porcio Catón **7:**279
Marco Tulio **4:**184
Marco Tulio Cicerón **7:**156; **8:**181
Marco, Ancio **10:**268
marcomanos **13:**73
Marconi, Guglielmo 9:87
biografía **9:**87
Brawn, Karl Ferdinand **3:**77
comunicaciones **4:**183, 184, 186
invenciones y descubrimientos **8:**24
Italia **8:**66
radiotelefonía y radiotelegrafía **11:**283
Marcos, Ferdinando E. 9:88
biografía **9:**88
Aquino, Corazón **1:**331
Filipinas, República de **6:**155
Marcos, Francisco 9:88
biografía **9:**88
Marcos, Imelda **6:**156
Marcos, san 9:88
biografía **9:**71
Evangelios **6:**85
Jesucristo **8:**98
Marcus, Rudolph A 9:88
biografía **9:**88
Marcuse, Herbert 9:88
bibliografía **9:**88
Marcy, monte **1:**69
Marden, Orison Swet 9:88
bibliografía **9:**88
Mardenk, Basil **1:**53
Mardi Gras **8:**312
Mardonio **7:**99; **8:**95
Mardoqueo **2:**309
Mardrus **9:**226
Mare Magnum **9:**153
Mare Nostrum **2:**160
mareas 9:88
— gigantescas **9:**90
— muertas **9:**89
— puerto Hall, Canadá **9:**89
— vivas o sicigia **9:**88
Mareb **14:**162
Marechal **4:**94
Marechal, Leopoldo 9:90
bibliografía **9:**90
maremare **14:**47
maremoto 9:90
terremoto **13:**172
Marengo, llanos de **10:**36
Marennes **6:**216
mareo 9:90
mareógrafo
altitud **1:**208
mareógrafo **9:**89
Mareotis, lago **1:**154
mares de nubes **14:**89
Marey, Etienne Jules 9:90
bibliografía **9:**90
Marfan, síndrome de 9:90
marfil 9:90, 91
— fósil **9:**49
— vegetal **13:**100
ártica, región **2:**71
plásticos **11:**126
marga 9:91
Margai, Albert **12:**319
Margai, Milton **12:**319
Margall y Gorina, Juan **9:**85
Margall, Francisco **10:**19
margarina 9:91, 155
Margarita de Angulema, reina de Navarra 9:92
bibliografía **9:**92
Margarita de Austria **1:**115; **3:**248
Margarita I **5:**125
Margarita *la Tornera* **14:**188
Margarita, isla
comercio **4:**166
Nueva Esparta **10:**156
Venezuela **14:**47
Margarita, santa **8:**115
margas calcáreas **1:**31
margay 9:92
Margenat, Hugo **11:**238
Margenthaler, Ottmar **9:**173,174
Margeritte, Paul **9:**92
Marggraf, Andreas Sigismund 9:92
biografía **9:**92
Alemania **1:**167
química **11:**261
marginación social 9:92
marginalismo 9:92
margota o acodo **11:**123
margraves de Brandeburgo **2:**299
Marguerítte, hermanos 9:92
— Paul **9:**92
— Victor **9:**92
bibliografía **9:**92
Mari, palacio de **11:**95
María Antonieta 9:94
biografía **9:**94
María Antonieta, Reina por Vigee-Lebrun **9:**94
Luis XVI **8:**318
Revolución Francesa **12:**46
Rohán **12:**94
Versalles **14:**59
vestido **14:**68
María Candelaria **2:**45
María Cleofas **13:**259
María Cristina de Habsburgo **1:**176
María Cristina, reina **9:**114
María de Austria **2:**12
María de Castilla **1:**175
María de los Buenos Aires, santa 9:94
María de Molina 9:94
biografía **9:**94
María de Oro, Santa **10:**59
María de Sajonia Coburgo-Gotha 9:94
biografía **9:**94
María del Monte, Félix **8:**281
María Dolores **13:**96
María Egipciaca, santa 9:94
biografía **9:**94
ermitaño **5:**275
María Enriqueta 9:94
Camarillo de Pereyra, María Enriqueta **3:**182
María Estuardo 9:94
biografía **9:**94
Torre de Londres **13:**228
María Farinha **1:**245

María Fernanda **2:**255
María Goretti, santa 9:95
biografía **9:**95
María Guerrero **9:**326
María Guerrero y Díaz de Mendoza, Compañía **9:**105
María Hostos, Eugenio **8:**282
María I **11:**176
María Luisa de Saboya **1:**140
María Luisa, archiduquesa **10:**37
María Madre **13:**259
María Magdalena 9:95
biografía **9:**95
Tres Marías **13:**259
María Salomé **12:**218
María Soledad **2:**60
María Teresa de Austria 9:95
biografía **9:**95
María Teresa, infanta **8:**318
María Tubau, compañía de **11:**94
María Valencia, Antonio **4:**143
María, baño de **4:**123
María, Carlos **3:**44
María, Hijas de **1:**44
María, princesa **11:**253
María, Santa **4:**148
María, sierra **11:**37
María, Virgen 9:92
— culto mariano **9:**93
— arte mariano **9:**93
biografía **9:**92
Fátima, Nuestra Señora **6:**120
Navidad **10:**57
Pilar, Nuestra Señora del **11:**89
Purificación **11:**244
Mariana, Juan de **5:**317; **13:**212
Marianao 9:95
Marianas Septentrionales 9:95
Marianas, fosa de las **10:**181
Marianas, islas 9:95
— bandera de **2:**241
descubrimientos y exploraciones geográficas **5:**72
Estados Unidos **6:**31
Oceanía **10:**179
Mariani, Roberto 9:95
bibliografía **9:**95
Marías, Julián 9:95
bibliografía **9:**95
Mariátegui, José Carlos 9:95
bibliografía **9:**95
Maribor **5:**300
Marie de La Condamine Carlos **8,:**265
Marie Joseph Motier, Lafayette, marqués de **8:**318
Marienburg **13:**86
Mariette, Auguste Edouard **2:**102
marihuana 9:95
estupefacientes **6:**66
cáñamo **3:**222
Mariles, Humberto **10:**205
Marillac, Luisa de **10:**239
marimba
Honduras **7:**219
Latinoamérica **8:**195
xilófono **14:**157
marímbula **8:**195
Marín Cañas, José 9:96
bibliografía **9:**96
Marín de Poveda, Tomás 9:96
biografía **9:**96
Marín de Solar, Mercedes **4:**44
Marín y Johanot, Ricardo **11:**257
Marín, Juan 9:96
bibliografía **9:**96
marina de guerra
armada **2:**38
buque **3:**113
marina de yates en Almería, España **1:**196
marina estadounidense **1:**54
marina estadounidense **2:**43, 237
marina mercante 9:96
— en la Edad Media **9:**98
— nacimiento de la vela **9:**96
— navegantes del Mediterráneo **9:**97
marina y puertos **7:**38
Marina, doña 9:96
biografía **9:**96
marina, fauna **10:**181
Marina, obra de Francisco de Zurbarán **14:**191
Marinello, Juan **5:**166
Mariner
astronáutica **2:**120
Luna, La **8:**324
Marte **9:**111
NASA **10:**43
Venus **14:**51
marineta 9:114
Marinetti, Filippo Tommaso 9:99
bibliografía **9:**99
futurismo **6:**258
Italia **8:**65
Modernismo y arte moderno **9:**263
Marini, Giambattista **2:**258
Mariño, Antonio **13:**65
Marino, San **6:**81
Marinoni, Hippolyte 9:99
biografía **9:**99
marinos
natación **10:**45
Palos de la Frontera **10:**297
Mariño, Santiago 9:99
biografía **9:**99
Marinsky, teatro **11:**17
Mario, Cayo 9:99
biografía **9:**99
mariología 9:100
marionetas 9:100
Marionette **13:**205
Mariotte, Edme 9:100
bibliografía **9:**100
átomo **2:**144
mariposa 9:100
— negra **9:**102
— el huevo **9:**100
— la oruga **9:**100
— la crisálida **9:**101
— la mariposa **9:**101
huevo **7:**243
lepidópteros **8:**230
mariposa **9:**101, 102; **11:**154
migración **9:**219
Mariposa **2:**229
mariquita 9:102
mariscal de campo 9:102
marisco 9:103
Marismas **7:**72
marista 9:103
Maritain, Jacques 9:103
bibliografía **9:**103
Maritain, Raissa **9:**103
marítimas, fosas **10:**280
marítimo, derecho **10:**54
marítimo, movimiento **10:**280
Marítimos, Alpes **9:**272
Maritshuis **7:**133
Maritza (Evros) **7:**55
Maritza, río **1:**75
Mariupol **2:**195
Marius, Simon **1:**167
Marivaux, Pierre-Carlet Chamblain de **6:**226
Marixcopa **2:**35
Mark I **9:**77
Mark II **8:**105
Mark III
jodrell banck **8:**105
máquinas de calcular **9:**77
Mark Twain 9:103
bibliografía **9:**103
Clemens, Samuel Langhorne **4:**110
cuento **4:**319
literatura infantil **8:**284
Missouri **9:**244
Takington, Newton Booth **13:**121
Markarian **6:**348
Marker, Chris **5:**152
marketing 9:103
mercadotecnia **9:**171
Markham, Clement Robert 9:103
bibliografía **9:**103
markka 87
Markland **5:**71
Marklandia **1:**232
Markos, Vafiades **7:**61
Markowitz, Harry M. 9:103
biografía **9:**103
Miller, Merton M. **9:**224
Sharpe, Williams **12:**308
Marlborough, John Churchill, duque de 9:103
bibliografía **9:**103
marlín 9:104
— azul **9:**103
— blanco **9:**103
— negro **9:**103
— rayado **9:**103
Marlitt, Eugenie 9:104
bibliografía **9:**104
Marlowe, Christopher 9:104
bibliografía **9:**104
Gran Bretaña **7:**43
Isabel I **8:**48
Jerjes I **8:**95
marmagao **7:**295
Mármara, isla de **9:**104
Mármara, Mar de 9:104
Asia **2:**84
Balcanes **2:**224
Egeo, Mar **5:**223
Estambul o Istambul **6:**45
Europa **6:**74
Helesponto **7:**140
Mediterráneo, Mar **9:**153
Negro, Mar **10:**68
marmita **9:**157
marmita de Papin **2:**168
mármol 9:105
— de Carrara **13:**232
— de marezzo **9:**104
— negro **13:**295
Mármol Carvajal, Luis del **9:**320
Mármol, Donato **9:**7
Mármol, José 9:105
bibliografía **9:**105
Marmont, Auguste **1:**342
marmosa 9:105
marmota 9:105
Marne **2:**264
Marne, batalla del **6:**187
marne, campañas del **12:**134
Marne, trincheras del
fortificación **6:**198
Francia **6:**217
Maroff, Tristán **10:**52
Marón, Publio Virgilio **14:**99
Maroni **13:**86
maronitas 9:105
Asia **2:**94
Líbano **8:**240
Marot, Clément **6:**226
Maroto, Rafael **4:**15
Marozzo **5:**296
marqués 9:105
Marqués, René 9:105
bibliografía **9:**105
Marquesado del Valle **10:**170
Marquesas, archipiélago de las **11:**153
Marquesas, islas 9:105
— historia **9:**105
Oceanía **10:**179
Polinesia **11:**153
Marquet, Albert **3:**249
Marquette, Jacques **7:**269
Márquez, Antonio **13:**127
Márquez, Francisco **10:**103
Marquina, Eduardo 9:105
bibliografía **9:**105
comedia **4:**163
Marquina, Ignacio **9:**204
Marquina, Mauricio **12:**184
Marr, Wilhelm **1:**312
Marra **10:**92
Marrakesh 9:105
Véase Marruecos
Marrakesh **1:**174
Fez **6:**144
marrano **3:**329
marrasquino **2:**272
marroquíes **14:**191
Marroquín, José Manuel
Colombia **4:**141
Instituto Caro y Cuervo **8:**10
Marruecos ciudad **9:**105
Marruecos estado **9:**105
— bandera de **2:**241
— guerra de **10:**186
— Marruecos **3:**153
— monarquía independiente de **12:**68
— orografía y geología **9:**105
— hidrología **9:**105
— costas **9:**106
— clima **9:**106
— recursos **9:**106
— comunicaciones **9:**106
— comercio **9:**107
— población **9:**107
— educación **9:**107
— gobierno **9:**107
— ciudades **9:**107
— historia **9:**108
África **1:**93
Algeciras **1:**180
Arabia Saudita **1:**337
Argelia **2:**11
aberroes **2:**184
Bojador, Cabo **3:**19
Casablanca **3:**270
Ceuta **4:**14
descubrimientos y exploraciones geográficas **5:**76

Fez **6:**144
Francia **6:**225
Guerra Mundial, Primera **7:**90
Ifni **7:**266
Juby, cabo **8:**117
langosta **8:**171
Portugal **11:**174
Rabat **11:**271
Marruecos **12:**67
Rif **12:**164
Tánger **13:**112
Marryat, Frederick 9:109
biografía **9:**109
Marsal **1:**112
Marsala **12:**314
Marsé, Juan **5:**320
Marsella 9:109
— Observatorio de **10:**187
— Piteas de **10:**54
— puerto de **11:**220
Alejandría **1:**154
Artaud, Antonin **2:**63
comercio **4:**165
Croacia **4:**295
exploraciones polares **6:**95
fiebre amarilla **6:**148
Francia **6:**217
puerto **11:**229
marsellesa, La 9:110
Bastilla **2:**263
Estrasburgo **6:**59
Marshall, archipiélago **2:**321
Marshall, George Catlett 9:110
biografía **9:**110
Marshall, islas 9:110
— bandera de **2:**241
bomba de hidrógeno **3:**39
océano y oceanografía **10:**182
Marshall, Plan
Marshall, George Catlett **9:**110
Truman, Harry Swinomish **13:**276
Unión de Repúblicas Socialistas Soviéticas **13:**308
marsopa 9:110
cetáceo **4:**13
mar **9:**81
Marston Moor y Naseby, batallas de **3:**249
Marston Moore, batallas de **12:**53
marsupial 9:110
canguro **3:**216
mamífero **9:**49
marsupial **9:**111
reproducción **12:**25
vagina **14:**9
zarigüeya **14:**175
marta 9:110
— cebellina **9:**110
ardilla **1:**352
ártica, región **2:**71
Washington, estado de **14:**141
Marta y María **10:**288
Marta, Princesa **1:**302
Marta, Santa **8:**103
Martabán, golfo de **10:**19
martagón **2:**205
Marte (dios) **9:**111
— estatua de **12:**209
Ares **2:**8
argonautas **2:**28
Cupido **4:**331
Dios **5:**135
juramento **8:**128
Marte (planeta) **9:**111
Marte **2:**112; **9:**112
asteroides **2:**105
astronomía **2:**124
Deimos **5:**39
geología **6:**310
júpiter **8:**127
Lowell, Percival **8:**313
Pioneer, sondas espaciales **11:**103
planeta **11:**119
satélite artificial **12:**240
Marte, campo de
naumaquia **10:**49
París **10:**328
Sila o Sula, Lucio Cornelio **12:**322
Martel, Carlos 9:112
árabes **1:**332
batalla **2:**265
Edad Media **5:**206
Pipino el breve **11:**104
Martel, Eduard Alfred **6:**13
Martel, Julián 9:112
bibliografía **9:**112
Martens, Adolph **13:**156
martes 9:112
Martí, José 9:112
Acuña, Manuel **1:**63
bibliografía **9:**112
Aveledo, Agustín **2:**182
Cuba **4:**312, 314, 315
ensayo **5:**266
Gómez, Máximo **7:**18
literatura hispanoamericana **8:**282
Mañach, Jorge **9:**65
Trelles, Carlos M. **13:**258
martica **11:**264
Martignac **12:**53
martillo
atletismo **2:**139
carpintería **3:**258
herramienta neumática **7:**157
Martillo del jansenismo **1:**176
martillo, oído **10:**195; **13:**197
Martín, Archer 9:113
biografía **9:**113
Martín Artajo, Alberto 9:113
biografía **9:**110
martín cazador **9:**114
Martín de Porres, san 9:113
biografía **9:**113
Martín Díez, Juan 9:113
Véase Empecinado, Juan Martín Diez, el
Martin du Gard, Roger 9:113
bibliografía **9:**113
Martín *el expósito* **13:**67
Martín *el Humano* **1:**271
Martín Faber **12:**328
Martín Fierro 9:113
Argentina, República **2:**25
literatura hispanoamericana **8:**281
Martín García, isla de **11:**133
Martín Luis Guzmán **9:**334
martín pescador 9:113
ave **2:**180
martín pescador, ave **9:**114
Martín V **4:**196; **11:**167
Martín, Abel **9:**8
Martin, Emile **12:**51
Martín, Esteban **7:**285
Martín, Francisco **11:**100
Martín, José de San **9:**62
Martín, Juan, *el Empecinado* **5:**318
Martín, rey **10:**236
Martín, san
árbol **1:**348
Francia **6:**220
historia **7:**193
Martín, San **3:**98
Martín, San, río **13:**208
Martínes de Irala, Domingo **9:**165
martineta 9:114
— de Catemarca **9:**114
— de Córdoba **9:**114
martinete (ave) **9:**114
martinete (martillo) **9:**114
— eléctricos **6:**196
— hidráulicos **6:**196
Martínez Barrio, Diego 9:114
biografía **9:**114
Martínez Bonilla, Carmen Natalia **5:**162
Martínez Campos, Arsenio **9:**7; **3:**218
Martínez Cubells, Salvador **10:**6
Martínez de Arrona, Juan **11:**63
Martínez de Hurdaide, Diego **14:**160
Martínez de Irala, Domingo 9:114
Paraguay **10:**322
Martínez de la Rosa, Francisco 9:114
bibliografía **9:**114
Romanticismo **12:**106
Martínez de Oviedo, Diego **11:**63
Martínez de Rosas, Juan **7:**295
Martínez de Rozas, Domingo **4:**41
Martínez de Rozas, Juan
O´Higgins, Bernardo **10:**191
panamericanismo **10:**306
Martínez de Toledo, Alfonso 9:114
bibliografía **9:**114
España **5:**319
Martínez Espinel, Vicente **6:**64
Martínez Estrada, Ezequiel 9:114
Argentina, República **2:**26
bibliografía **9:**114
Martínez Montañés, Juan 9:115
obra **9:**115
Alcalá la Real **1:**143
Andalucía **1:**266
escultura **5:**294
España **5:**318
Martínez Montoya, Andrés **4:**143
Martínez Orantes, Eugenio **12:**184
Martínez Ruíz, José
composición y redacción **4:**175
ensayo **5:**266
España **5:**320
literatura **8:**280
Martínez Sierra, Gregorio 9:115
bibliografía **9:**115
comedia **4:**163
Martínez Silíceo, Juan **5:**317
Martínez Solares, Raúl **9:**203
Martínez Zuviría, Gustavo 9:115
bibliografía **9:**115
Argentina, República **2:**26
Martínez, Alicia **1:**198
Martínez, César **7:**189
Martínez, J. de J. **10:**303
Martínez, José Daniel **11:**240
Martínez, Leoncio **14:**46
Martínez, Luis A. **5:**202
Martínez, María Estela **2:**24; **11:**54
Martínez, Orlando **10:**205
Martínez, Pedro **10:**95
Martínez, Raúl **8:**195
Martínez Ruiz, José **2:**290
Martínez, Santos **4:**142
Martínez, Sierra Gregorio **2:**253
martini **2:**272
Martini, Giovanni Battista **6:**229
Martini, Simone **5:**289
Martinica 9:115
— islas de **5:**156; **11:**162; **14:**128
Colón, Cristóbal **4:**150
Francia **6:**219
Gauguin, Paul **6:**294
Santa Lucía **12:**214
Martinitz **5:**35
Martins, Oliveira **3:**65
Martinson, Harry Edmund 9:115
bibliografía **9:**115
Johnson, Eyvind **8:**106
mártir 9:115
Esteban, san **6:**48
Mártir **13:**303
Mártir de Anglería, Pedro **5:**317
Mártir de la Reforma **10:**178
mártires Zelotes, fortaleza **8:**54
martirio de san Esteban **7:**156
Marto, Jacinta **6:**121
Martonne **6:**306
Martorell, Antonio **11:**241
Martti Ahtisaari **6:**160, 161
Marvin, C. F. **4:**168
Marx, Carlos 9:116
Alemania **1:**166
arte **2:**64
Bakunin, Mijail **2:**221
bibliografía **9:**116
capital **3:**226
determinismo **5:**95
economía **5:**193
Engels, Friedrich **5:**263
estratificación **6:**60
estructuralismo **6:**64
Evolución, Teoría de la **6:**90
explotación **6:**100
Feuerbach, Ludwig **6:**144
historia **7:**193
internacional **8:**19
laborismo **8:**154
Luxemburg, Rosa **8:**328
Marcuse, Herbert **9:**88
Marx, estatua de **4:**190, 191
materialismo **9:**131
metefísica **9:**180
populismo **11:**169
precapitalista **11:**184
Proudhon, Pierre Joseph **11:**219
Ricardo, David **12:**62
sindicalismo y sindicato **12:**332
revisionismo **12:**38
Revolución Bolchevique **12:**41
salario **12:**173
marxismo 9:116
Alemania **1:**166
Falange Española **6:**113
fascismo **6:**120
precapitalista **11:**184
Hitler, Adolf **7:**195
Kautsky, Karl **8:**135
Lukács, György **8:**319
revisionismo **12:**38
marxista, teoría **4:**292; **8:**221
Mary, pico de **10:**241
Maryland 9:116
— actividad económica **9:**117
— clima **9:**117

— occidental **6:**32
— población **9:**117
— recursos **9:**117
— tierra y recursos **9:**116
— vegetación y vida animal **9:**117
Delaware **5:**40
Estados Unidos **6:**33, 38, 40
hipódromo **7:**184
Maryland **9:**117
universidad **13:**316
Marz, Carlos **14:**16
marzo 9:118
Marzo, revolución de **9:**273
Más allá del bien y del mal **10:**99
Mas, Juan **1:**53
masa 9:118
— crítica **2:**152; **3:**36
— de materia **7:**52
— intestinal **7:**174
— producción en **6:**108
— transferencia de **5:**152
— vítrea **14:**84
Masabielle **2:**302
Masaccio, Tomás Guidi, el 9:118
obra **9:**118
Angélico, Fra **1:**281
escuela artística **5:**289
Gozzoli, Benozzo **7:**26
pintura **11:**97
masai **8:** 138, 159
masaje 9:118
Masan **4:**246
Masaryk, Tomás Garrigue 9:118
bibliografía **9:**118
Benes, Eduardo **2:**292
Checa, República **4:**27
Eslovaquia **5:**299
Masaya (ciudad) **9:**119
Masaya (departamento) **9:**119
Mascagni, Pietro 9:119
obra **9:**119
máscara 9:119
— ceremonial **5:**14
— de danza, Bali **9:**119
— de Hierro **2:**262
— Venecia **14:**40
máscaras **1:**28
Mascarenas, archipiélago **9:**134
Mascarenhas Monteiro, Antonio **3:**142
máscaro, danza **7:**219
Mascate **10:**208
Mascate, imán de **14:**172
mascoi
chaqueña, cultura **4:**21
indios americanos **7:**309
Masefield, John 9:120
bibliografía **9:**120
máser 9:120
Masferrer, Alberto 9:120
bibliografía **9:**120
Mashiah **8:**98
masilla 9:120
masilla rebotadora **11:**128
Masjid, Mezquita de **1:**101
Maslama **1:**333
Masó, Bartolomé **4:**314
Masolino da Panicale **9:**118
Mason, John **10:**84
masonería o francmasonería 9:120
— Consejo Supremo **9:**120
— especulativa **9:**120
Masora **8:**118
Maspero, Gaston 9:120
bibliografía **9:**120
Massachusetts 9:121
— actividad económica **9:**123
— bahía de **10:**84
— clima **9:**122
— cultura **9:**123
— educación **9:**123
— gobierno puritano de **13:**160
— *Institute of Technology* **2:**230; **4:**247
— Instituto de Tecnología de **11:**24
— Instituto Oceanográfico de **14:**138
— irrigación **9:**122
— población **9:**123
— recursos **9:**123
— suelos **9:**122
— tierra y recursos **9:**121
— vegetación y vida animal **9:**122
Boston **3:**55
Connecticut **4:**210
Cormack, Allan McLeod **4:**249
Estados Unidos **6:**33
Harvard, Univesidad de **7:**131
Kennedy, John Fitzgerald **8:**138
New England **10:**84
pornografía **11:**171
referéndum **11:**322
Revolución Estadounidense **12:**43
Rhode Island **12:**58
Massalia (Marsella)
Ampurias o Empúries **1:**253
Delfos **5:**42
Francia **6:**220
Piteas **11:**113
Massari, Giorgio **4:**223
Massawa **5:**274
Massawa, puerto de **6:**70
Masséna, André 9:124
biografía **9:**124
Massenba-Debat, Alphonse **4:**207
Massenet, Jules 9:124
obra **9:**124
Francia **6:**229
música **10:**16
ópera **10:**219
Massera, Emilio **2:**24
Massilia **6:**95
Massine **5:**16
Massini **13:**160
Masson, Charles **5:**75
mastaba 9:124
mastectomía 9:124
Master Charge **13:**120
masticación 9:124
digestión **5:**119
mastienos **7:**257
mastifóforos **11:**219
mástil **2:**238
mastix **9:**269
mastocitos **4:**249
mastodonte 9:124
— americano **6:**309
paleontología **10:**291
mastranzo 9:125
mastuerzo 9:125
masturbación 9:125
Mastyn **10:**318
masubí **7:**310
Masulipatán **2:**99
Masuria **11:**157
Masvingo **4:**278
Mata Carmelera **4:**281
Mata Echaurren, Roberto **8:**195
Mata, Andrés **14:**46
Mata, Juan de la **12:**24
Mata, Miguel **4:**240
matabolímetro **9:**179
mataco 9:125
armadillo **2:**42
matacos
chaqueña, cultura **4:**21
indios americanos **7:**309, 310
mataderos 9:125
Matadi **4:**208
Mataflorida, marqués de **11:**330
Matagalpa 9:125
Mata-Hari **7:**18
matamalezas **14:**41
matamata **11:**248
Matamoros, Mariano 9:125
biografía **9:**125
Matanzas 9:125
Cuba **4:**311, 312
Matapán, Cabo **9:**153
Mataquito **1:**344
Mataquito, río **4:**37, 332
Mataró 9:125
Barcelona **2:**253
Matheu, Domingo Bartolomé **9:**131
matasellos **6:**154
Matatías **9:**5
match o partido **13:**157
mate 9:125,126
Mate de Luna, Fernando de Mendoza de 9:126
biografía **9:**126
Mate, Palacio del **11:**178
Matehuala **12:**193
matemáticas 9:126
— álgebra escolar **9:**129
— básicas **7:**70
— clásicas **9:**127
— conjunto **9:**129
— contenido **9:**129
— enseñanza de **9:**128
— formalistas e intuitivos **9:**128
— geometría **9:**130
— modernas **9:**128
— para ingenieros **14:**51
— teoría **14:**177
academia **1:**41
álgebra **1:**179
árabes **1:**332
Argentina, República **2:**25
astronomía **2:**129
compensación **4:**173
comunicaciones **4:**184
criticismo **4:**294
cuadratura del círculo **4:**308
función **6:**250
geometría **6:**314
hipérbola **7:**181
hipótesis **7:**186
ingeniería **7:**329
invenciones y descubrimientos **8:**24
raíz cuadrada y cúbica **11:**291
Talbot, William Henry Fox **13:**104
teorema **13:**161
término medio **13:**167
topología **13:**221
transformación **13:**244
universidad **13:**317
Mateo, Evangelio de san **10:**282, 310
Mateo, san 9:130
biografía **9:**130
evangelios **6:**85
Jerónimo, san **8:**96
Jesucristo **8:**98
Mater et magistra 9:130
Materazzo **12:**224
materia 9:130
— córnea **4:**322
— prima **7:**172
— ley de conservación de la **11:**261
— propiedades de la **6:**164
— teoría electrónica de la **13:**183
— viva **2:**153
átomo **2:**146
contaminación ambiental **4:**226
criogenia **4:**285
Einstein, Albert **5:**230
electrónica **5:**241
energía **5:**258
espiritualismo **6:**18
estereoscopio **6:**50
filosofía **6:**157
física **6:**163
fitófago **6:**171
fuerza **6:**245
luz **8:**329
material esterilizado **6:**51
material incandescente **13:**223
material médico **7:**232
material, ética **6:**196
materialismo 9:130
— histórico **9:**116; **11:**184
materias albuminoideas **11:**263
materias minerales **7:**129
materias primas **6:**93; **11:**272
Maternidad de María **9:**93
Mathan **1:**256
mathesis **9:**126
Matheu, Domingo **2:**20
Matheu, Domingo Bartolomé 9:131
biografía **9:**131
Mathias, A. **12:**150
Mathieu, Georges **6:**228
Mathrah, puerto de **1:**334
Matías Mella, Ramón **5:**160
Matilde, condesa **6:**181
Matilde, emperatriz **10:**276
Matina, río **4:**267
Matisse, Henri 9:131
— pintura moderna **9:**131
bateau-lavoir, Le **2:**265
Francia **6:**228
obra **9:**131
pintura **11:**98
sincronismo **12:**331
tapiz **13:**117
Matkomek **5:**136
matlatzinca 9:131
Calixtlahuaca **3:**169
Estado de México **6:**30
Matlatzincatzin
Cortés, Hernan **4:**261
Otumba, batalla de **10:**271
Mato Grosso 9:132
— brasileño **10:**321
— del Norte **9:**132
— del Sur **9:**132
Paraguay **10:**322
Rondônia **12:**109

Mato, sierra **1:**241
Matochkin, canal **10:**159
Matorell, Isabel **9:**86
Matos Paoli, Francisco **11:**237
Matra, macizo de **7:**250
matriarcado
Asia **2:**96
hogar **7:**199
mujer **9:**324
Matricaria chamomilla **9:**64
matrimonio 9:132
— contrato matrimonial **9:**132
— costumbres y tradiciones **9:**133
— elementos religiosos **9:**132
— formas primitivas **9:**132
— *por servicio* **7:**199
Abderramán I **1:**20
divorsio **5:**148
esponsales **6:**21
familia **6:**115
hogar **7:**198
matrimonio **4:**291
monogamia **9:**279
parafernales **10:**320
registro civil **11:**331
matris munus **9:**132
Matritenses, Códices 9:133
matriz 9:133
— de la uña **13:**319
discos **5:**142
estereotipia **6:**50
mimeógrafo **9:**226
tipo **13:**200
Matsol, cabo **10:**173
Matsushita Electric Industrial **14:**83
Matta Echaurren **13:**87
Matteotti, Améndola **8:**63
Matter **5:**74
Matternich, Klemens Wenzel Hothar, príncipe de **6:**230
Mattew, Robert H. **7:**45
Mattingly, Thomas Kenneth **2:**120
Mattison McMillan, Edwin **10:**74
Matto de Turner, Clorinda 9:133
bibliografía **9:**133
Maturana, Eduardo **4:**44
Maturín 9:133, 273
Matute **14:**95
Matuz, Luis **14:**160
Maud, reina de Noruega **5:**213
Maudé Daguerre, Louis-Jacques **6:**230
Maudslay, Henry **9:**75
Mauer **7:**138
Maugham, William Somerset 9:133
bibliografía **9:**133
maulas o muladíes **9:**318
Maule 9:133,134
— Nicolás de la Cruz, conde de **10:**191
— Región de **13:**104
— río **13:**105
araucanos **1:**343
Mauleón **14:**28
Maullín, río **4:**37
Maumee, río **7:**305
Mauna Loa y Mauna Kea 9:134
montañas **9:**285
Maupassant, Guy de 9:134
bibliografía **9:**134
cuento **4:**319
Francia **6:**227
naturalismo **10:**48
Maung, Win **10:**20
Maura y Gamazo, Miguel 9:134
biografía **9:**134
Maura y Montaner, Antonio 9:134
Alcover i Maspons, Joan **1:**151
biografía **9:**134
Maurepas, lago **8:**311
Maurer, Gheorghe **12:**131
Maures, Monte **6:**212
Mauriac, François 9:134
bibliografía **9:**134
Maurice Dirac, Paul Adrien **13:**110
Maurice Quentin de La Tour **6:**228
Mauricio 9:134
— bandera de **2:**241
dido **5:**114
ébano **5:**183
Mauricio, San **13:**182
Maurier, Busso du **5:**178
Maurier, Daphne du **5:**178
Mauriliano, Pánfilo **3:**313
Mauritania 9:134
— bandera de **2:**241
Argelia **2:**11
Claudio **4:**109
Marruecos **9:**108
Sahara **12:**164
Yugurta **14:**168
Mauritania Tingitania **13:**111
Maurocordato **7:**61
Maurois, André 9:134
bibliografía **9:**134
Francia **6:**227
Maurras, Charles 9:135
biografía **9:**135
Francia **6:**228
mauser **6:**254
mausoleo **8:**98
Mausoleo de Halicarnaso 9:135
mausoleo de la esposa del marajá Aurangzeb **7:**299
mausoleo de Lenin **9:**309
mausoleo de Sagasta **2:**294
mausoleo Rabat, Marruecos **1:**94
Mausolo, rey de Caria **12:**320
Mauss, Marcel 9:135
bibliografía **9:**135
Mavilis, L. **7:**62
Mawell, James Clerk **9:**136
Mawenzi **8:**141
Mawlay, mezquita de **11:**271
Mawson, Douglas, Sir **6:**98
Max Einhorn **10:**143
Max Planck, Instituto **10:**165
Maxam, Allan **6:**324
Maxey, Lyle A. **11:**119
maxia **5:**6
maxilar 9:135
Maxim, Hiram **1:**248
máxima y mínima 9:135
aforismo **1:**92
maximalistas **3:**21
Maximiliano 9:135
— de Habsburgo **4:**240,321
— emperador **4:**21
— gobierno de **14:**174
— imperio de **11:**197
biografía **9:**135
Maximiliano de Alemania
Menéndez de Avilés, Pedro **9:**166
Querétaro **11:**250
Quevedo y Villegas, Francisco de **11:**253
Maximiliano I 9:135
biografía **9:**135
Austria **2:**167
Carlota Amalia **3:**249
Durero, Alberto **5:**181
México **9:**199
Veracruz **14:**52
Maximina **10:**288
maximización **14:**49
Máximo de Córdoba, Colegio, del Tucumán **9:**241
Maximova, Yekaterina **3:**34
Maxtla 9:136
Netzahualcóyotl **10:**76
Nezahualpilli **10:**91
Maxwell, James Clerk 9:136
biografía **9:**136
Fleming, John Ambrose **6:**176
Gran Bretaña **7:**44
radiotelefonía y radiotelegrafía **11:**282
Maxwell-Boltmann **3:**34
Maya, Rafael 9:136
bibliografía **9:**136
Mayagüez 9:136
— Casa Alcaldía **9:**136
— Nuestra Señora de la Candelaria de, poblado de **9:**136
Puerto Rico **11:**230
Mayans y Siscar, Gregorio 9:136
bibliografía **9:**136
Mayapán 9:136
mayas **9:**142
Mérida **9:**174
maya-quiché
Guatemala **7:**78
indios americanos **7:**309
mayas **9:**136
quichuas o quechuas **11:**255
mayas 9:136
— arcofalso **9:**140
— área **8:**191
— arquitectura **9:**140
— Chichén Itzá **9:**137
— ciencia **3:**164; **9:**139
— ciudades del periodo clásico **9:**141
— ciudades del periodo posclásico **9:**142
— civilización **2:**52
— clásico, periodo **9:**137
— cultura **4:**33
— descubrimientos arqueológicos **9:**140
— economía **9:**138
— escritura **9:**139
— escultura **9:**140
— estela **6:**48
— imperio **4:**31; **9:**198
— literatura **9:**139
— maestro **6:**295
— música y teatro **9:**140
— organización social **9:**138
— pintura **9:**140
— posclásico, periodo **9:**137
— religión **9:**138
— Yum Chac **9:**139
aborigen **1:**32
América Central **1:**234
América del Sur **1:**237
Año Nuevo **1:**321
arqueología **2:**50
arqueología **2:**50
Bonampac **3:**43
Bonampak **3:**43
Cakchiquel **3:**156
Cakchiquel **3:**156
indigenismo **7:**307
lacandón **8:**158
Latinoamérica **8:**182
mayas **4:**233
Mérida **9:**174
Mesoamérica **9:**178
México **9:**198
observatorio **10:**176
pelota **11:**33
pirámides de México y América Central **11:**106
Pléyades **11:**138
quetzal **11:**252
Quintana Roo **11:**265
razas humanas **11:**311
vivienda **14:**115
Yaxchilán **14:**161
Yucatán **14:**166
Mayda, isla **5:**70
Mayer, Augustus L 9:143
bibliografía **9:**143
Rizi, fray Juan Andrés **12:**81
Mayer, hermanos **1:**202
Mayer, Julius Robert von 9:143
biografía **9:**143
Mayer, Maria Goeppert 9:144
biografía **9:**144
Mayer, Nathan **12:**118
Mayflower 9:143
— barco **6:**40
— reconstrucción del **9:**143
— Pacto del **9:**144
Maynas **8:**34
mayo 9:144
Mayo Clinic de Rochester **13:**92
Mayo, familia 9:144
— Charles Horace **9:**144
— William James **9:**144
Mayo, Revolución de **6:**295
Mayo, Teatro, de Buenos Aires **9:**160
mayólica 9:144
mayor 9:144
Mayor, lago **6:**75
Mayor, oasis **10:**169
mayorazgo 9:144
Mayorga, Martín de 9:144
biografía **9:**144
Mayorga, Silvio **10:**94
mayoruna **7:**310
Mayotte **6:**219
Mayr **10:**253
Mayrán, laguna de **4:**118
Mayrya, dinastía de los **7:**300
Mayta Capac **7:**289
mayúsculas 9:144
mazacote **9:**157
mazahuas
Estado de México **6:**30
indios americanos **7:**309
mazamorra 9:144
Mazarino o Mazarin, Giulio o Jules 9:145
biografía **9:**145
Francia **6:**222
Luis XIV **8:**317
Romanelli, Giovani Francesco **12:**105
Mazar-i-Sharif, Afganistán **1:**90
Mazarrón **1:**213
Mazatenango **13:**65
Mazatlán, Sinaloa **12:**330

Mazda, Ahura **10:**252
mazdeísmo **10:**252; **14:**187
Mazepa, Iván Stepánovich 9:145
biografía **9:**145
mazorcas de maíz **9:**36
Mazowiecki, Tadeusz **11:**160
mazur **9:**145
mazurca 9:145
folklore o folclor **6:**190
Negri, Pola **10:**65
Mazuria, provincia de **9:**145
mazut **6:**244
Mazzantini, Luis **13:**127
Mazzini, Giuseppe 9:145
biografía **9:**145
Cavour, Camilio Benso, conde de **3:**304
Garibaldi, Giuseppe **6:**286
Revolución de 1830 **12:**54
Mbabane **13:**90
Mbacarayú, sierra de **10:**321
mbaya **7:**310
Mbilini, Jameson **13:**90
Mburucuyá **13:**328
Mc Millan, Edwin Mattison **9:**145
McAdie, Alejandro **4:**168
McAuliffe, Christa **13:**243
McBride, Jon **13:**243
McCandless, Bruce **13:**243
McCarran-Walter, decreto **10:**48
McCartney, Paul
Beatles **2:**271
Lennon, John **8:**222
McClintock, Barbara 9:145
biografía **9:**145
McClure, Robert
descubrimientos y exploraciones geográficas **5:**78
exploraciones polares **6:**97
McCormick, Cyrus **9:**76
McDivitt, James A **2:**114
McDonald **2:**163
McGregor, cordillera **11:**247
McHenry, fuerte **2:**230
McKim, Mead y White, firma arquitectónica **9:**192
McKinley **9:**285
McKinley, monte
Alaska **1:**135
América **1:**230
América del Norte **1:**235
Rocosas, Montañas **12:**88
temoeratura **13:**154
McKinley, William
García Íñiguez, Calixto **6:**283
Roosevelt, Franklin Delano **12:**111
McLane, Fuerte **9:**57
McLeod, Michael **10:**233
McManus, Geo **4:**169
McManus, Jorge **7:**194
McMillan, Edwin Mattison 9:145
biografía **9:**145
McNair, Ronald **13:**242, 243
McNally, Rand **2:**138
McNeill Whistler, James Abbott
Carlyle, Thomas **3:**250
estilo **6:**52
Me he de comer esa tuna **10:**65
Mead, lago **10:**83; **13:**332
Mead, Margaret 9:145
biografía **9:**145
feminismo **6:**129
mujer **9:**326
Meade, James E. 9:145
biografía **9:**145
economía **5:**194
Ohlin, Bertil **10:**194
meandro 9:146
Meca, La 9:146
árabes **1:**332
Arabia **1:**334
Arabia Saudita **1:**336
ferias **6:**131
geografía **6:**304
Fez **6:**145
mecánica 9:146
— acumuladores de energía **9:**321
— analítica **8:**165
— celeste **2:**123; **9:**146; **10:**84
— clásica **6:**267
— cuántica **8:**110, 222; **9:**146, 328
— de la radiactividad **11:**277
— de las radiaciones **11:**281
— disgregación **10:**315
— energía **4:**213
— estadística **3:**34
— propiedades **7:**168
antídoto **1:**305
Arquímedes **2:**53
cantera y cantería **3:**219
corredora **4:**253
Euler, Leonhard **6:**73
física **6:**164
fricción **6:**237
inercia **7:**318
ingeniería **7:**329, 331
Niepce, Joseph-Nicéphore **10:**98
refrigeración **11:**327
mecanicismo 9:146
mecanicistas **8:**249
Mecánico, aparato **9:**75
mecanismos 9:146
— de defensa **7:**335
— detector **1:**135
economía **5:**193
metabolismo **9:**180
micromecanismo **9:**216
mecanismos de desprendimiento 9:146
mecanismos de reacción 9:146
mecanografía 9:146
mecenas
Francia **6:**230
Horacio Flaco, Quinto **7:**224
Mecenas, Cayo Cilnio **9:**147
Virgilio **14:**99
Mecenas, Cayo Cilnio 9:147
biografía **9:**147
Mecenas, ministro **2:**160
mecha 9:147
mechera en fino **7:**178
mechera en grueso **7:**178
mechera intermedia **7:**178
Meciar, Vladimir **5:**299
Meck, Nadejda von **13:**129
Meckenburgo **11:**163
Mecklemburgo-Pomerania **12:**116
Mecklemburgo-Schwerin, Enrique de
Holanda **7:**209
Juliana, Reina **8:**125
Mecklenburgo, Golfo de **1:**164
Meconetzin **13:**215
meconio **10:**226
mecópteros **8:**9
Mecsek, monte **7:**251
Meczeck, macizo de **7:**250
meda **7:**274
medalla 9:147
— Copley **1:**339
— de Oro del Rey Jorge **2:**156
— Hughes **13:**183
— Perkin **11:**53
— Willard Gibbs **13:**324
medalla **10:**108
Medan **13:**83
Médanos, istmo de Los **4:**250
Medas, islas **6:**319
Medawar, Peter Brian 9:147
biografía **9:**147
Medea 9:147
argonautas **2:**28
Jasón **8:**90
Teseo **13:**174
Medebac, Girolamo **7:**14
Medellín 9:148
— Antioquía **13:**324
— valle de **4:**138
Colombia **4:**139
Cortés, Hernán **4:**260
Gardel, Carlos **6:**285
plata martillada **11:**133
Rendón, Ricardo **12:**19
medersas **8:**37
media luna 9:148
Armenia **2:**45
mediación 9:148
— panamericana **7:**97
medias 9:148
medicamentos **7:**176; **11:**125, 259
Medicare **7:**145
Médicas, guerras **14:**63
Medici 9:148
— Alejandro **9:**148
— Catalina de **9:**148
— Cósimo **9:**148
— Cosme de **1:**282
— familia **4:**223
— Francisco de **11:**170
— Giovanni di Bicci **9:**148
— Juan Ángel de **11:**101
— Julián de **14:**96
— Lorenzo de **9:**220
— Lorenzo *el magnífico* **9:**148
— María de **6:**222
— Pedro de **12:**245
academia **1:**40
Aretino, seudónimo de Pietro Bacci **2:**9
bordado **3:**47
Cellini, Benvenuto **3:**314
Donatello, Donato Betto del Bardo **5:**163
Enrique II de Francia **5:**264
Florencia **6:**181
hugonotes **7:**244
Italia **8:**65;
mobiliario y mueble **9:**254
pantomima **10:**309
París **10:**328
Pío IV **11:**101
Richelieu, Armand Jean du Piessis, cardenal y duque de **12:**63
Siena **12:**317
Signorelli, Luca **12:**322
Tullerías, las **13:**282
Vespucio, Américo **14:**61
Vinci, Leonardo da **14:**96
Vos **14:**131
medicina 9:149
— emblema de la **9:**149
— china **13:**163
— legal **13:**235
anémona **1:**276
árabes **1:**332
dulcamara **5:**177
endocrinología **5:**256
ergotina **5:**274
fenómeno **6:**131
fisiología **6:**170
geriatría **6:**318
halógenos **7:**125
hierba mora **7:**172
hopnotismo **7:**183
laurel **8:**198
litio **8:**286
luz eléctrica **8:**335
medicina **13:**153; **14:**120
óxido de nitrógeno **10:**277
paidología **10:**284
patología **11:**13
potasio **11:**179
quilay **11:**258
tánico, ácido **13:**112
tranquilizante **13:**241
vibración **14:**75
médico **5:**292; **7:**152, 178; **8:**161
médico, estetoscopio **8:**12
medicina espacial 9:151
medicina holística 9:152
medicina psicosomática 9:152
higiene mental **7:**176
medición del meridiano **9:**43
medición sísmica **5:**79
médicos brujos **7:**182
medida de las fuerzas **6:**246
medida y corte **9:**259
medidas de peso **11:**68
medidas eléctricas 9:152
— capacidad **9:**152
— galvanómetro de espiral móvil **9:**152
medieval clásico, arte **9:**262
medieval, civilización **10:**278
medieval, Europa **6:**78
medieval, literatura **8:**277
medieval, sistema **9:**63
Medina 9:152
— mezquita de **9:**32
Asia **2:**96
Edad Media **5:**206
égira **5:**230
Hedjaz **7:**137
Omar II **10:**209
Medina Azara **1:**20
Medina del Campo
Díaz del Castillo, Bernal **5:**107
múdejar **9:**321
Rizi, fray Juan Andrés **12:**81
Medina del Campo, castillo de **11:**116
Medina, Alejandro **9:**202
Medina, Bartolomé
España **5:**317
México **9:**201
Pachuca de Soto **10:**282
plta **11:**132
Medina, Hiyaz
Arabia **1:**334
Arabia Saudita **1:**336
Medina, José María **7:**18
Medina, José Toribio 9:153
biografía **9:**153
Chile **4:**44
Medina, Pedro de **4:**316

Medina, Rafael **9**:203
Medina, Vicente 9:153
bibliografía **9**:153
Medinaceli, duque de **4**:147
Medina-Sidonia, duque de **5**:317
Medinet-es-Salam **2**:216
medio informativo **11**:189
Medio Oriente
Abadán **1**:18
Astarté **2**:105
Jordania **8**:108
eurodólar **6**:74
Europa **6**:82
Fuerzas de Paz de las Naciones Unidas **6**:247
Saladino I **12**:171
Medio Queso, río **4**:267
medios de comunicación
audiovisual, educación **2**:158
tecnocracia **13**:137
televisión **13**:149
medios de contraste **11**:308
medios de represión **13**:201
meditación 9:153
mediterránea, región **6**:214
Mediterráneo, Mar 9:153
Mediterráneo, Mar **1**:142
— costa oriental del **13**:141
— cuenca del **14**:79
África **1**:92
Akkad (o Accad) **1**:130
Albufera **1**:92
Alcibíades **1**:148
Alejandria **1**:92
Alepo **1**:168
Alpujaras **1**:202
Andalucia **1**:264
arqueología **2**:22
Atlántico, océano **2**:136
Beirut **2**:307
chanquete **4**:19
Chipre, República de **4**:60
Colón, Cristóbal **4**:146
columnas de Hércules **4**:158
comercio **4**:165
cónsul **4**:220
coral **4**:235
corvina **4**:263
Costa Azul **4**:265
Dardanelos **5**:18
Edad Media **5**:208
Egeo, mar **5**:223
Egipto **5**:224
Eneas **5**:257
ecitas **5**:280
España **5**:303
espetón **6**:15
esponja **6**:20
estrechos **6**:60
Etna **6**:70
Éufrates, río **6**:72
Europa **6**:74
Fenicia **6**:129
Francia **6**:212
Gibraltar **6**:322
gobierno **7**:6
Granada **7**:46
Grecia **7**:54
Haifa **7**:120
Halley, Edmond **7**:124
Hauptmann, Gerhart **7**:132
higuera **7**:177
Jerusalén **8**:96
jibia **8**:101
Jónico, Mar **8**:107
lancha torpedera **8**:170
lenguas romances **8**:220
Lepanto, batalla de **8**:229
Lesseps, Ferdinand-Marie, vixconde de **8**:232
Levante **8**:236
limón **8**:261
lingua franca **8**:266
maíz **9**:35
Málaga **9**:39
Marsella **9**:109
mergo **9**:174
mero **9**:175
Moisés **9**:265
Mónaco **9**:272
Murcia **10**:5
Navarino **10**:51
Nilo, Río **10**:102
Niza **10**:107
océano y oceonografía **10**:180
Odisea **10**:185
olivo y aceite de oliva **10**:206
Palestina **10**:292
pintura **11**:95
Pinzón, Martín Alonso Yáñes **11**:100
pirateria **11**:107
Pisa **11**:110
Piteas **11**:113
Provenza **11**:220
Rif **12**:67
róbalo **12**:82
Ródano, río **12**:89
Sagunto o Sagunt **12**:164
sardina **12**:228
semita **12**:275
Suez, canal de **13**:74
Tarragona **13**:121
Tauro, montes **13**:126
Tolomeo II **13**:213
Valencia **14**:12
viento **14**:90
Mediterráneo Occidental
Alcibíades **1**:148
Córcega **4**:239
Mediterráneo Oriental
Alcalá Galiano, Dionisio **1**:143
Creta o Candia **4**:282
vidrio **14**:85
mediterráneo**,** subtrópico **1**:108
médium 9:154
mediumnidad **9**:185
Mediz Bolio, Antonio 9:154
bibliografía **9**:154
Medlock **9**:51
Médol, Canteras del **13**:121
Medonte, hijo de Codro **1**:352
Medoro, Angelino **4**:142
médula 9:154
médula **9**:155
— oblonga **5**:252
acción refleja **1**:44
encéfalo **5**:252
espina dorsal **6**:16
esqueleto **6**:24
hematopoyesis **7**:143
mielitis **9**:219
osteomielitis **10**:268
Ramón y Cajal, Santiago **11**:296
vertebrados **14**:59
Medullosa **6**:308
Medusa
Gorgonas **7**:22
Pegaso **11**:27
Perseo **11**:57
medusa 9:155
acalefo **1**:42
acuario **1**:58
zoología **14**:183
Meenakshí, templo **7**:298
Meer, Simon van der 9:155
biografía **9**:155
Mefistófeles 9:155
mefitinos **10**:18
megabytes **5**:141
megaciclos **12**:237
Megacles **1**:148
megáfono 9:155
comunicaciones **4**:182
megahercios **2**:128
megalíticos, monumentos **11**:187
megalito 9:155
Megalosaurus **5**:133
Megara
Hércules **7**:151
Platón **11**:135
Plutón **11**:142
Zenón de Citio **14**:177
Megara, Susarión de **6**:120
mégaron micénico prehelénico **2**:154
Megaspileon, monasterio de **11**:32
megaterio 9:155
megatonelada o megatón 9:155
hidrógeno, bomba de **7**:167
Mege-Mouries **9**:91
Megera **6**:254
Meghalaya (Shillong) **7**:299
Mehdia, puerto **9**:106
Mehemet Alí 9:156
Acre, San Juan de **1**:55
biografía **9**:156
Meiji
Ito, Irobumi **8**:67
Kyoto **8**:152
Meillet , A.
lengua **8**:216
lingüística **8**:266
Mein Kampf (Mi lucha) **7**:196
Mein, río **2**:270
meiosis 9:156
desarrollo **5**:66
Meira, río **9**:235
Meirargue **14**:79
Meireles de Lima, Vítor **3**:76
Meireles, Cecilia **3**:76
Meisenbach, Alexander **4**:184
Meissen, Alemania **11**:170
Meissner, Alexander W. **13**:84
Meissonier, Jean Louis Ernest 9:156
agua fuerte **1**:112
obra **9**:156
Meitner, Lise 9:156
biografía **9**:156
mujer **9**:326
Mejía Arredondo, Enrique **5**:163
Mejía Colindres, V. **11**:21
Mejía Lequerica, José 9:156
biografía **9**:156
Mejía Nieto, Arturo **7**:219
Mejía Sánchez, Ernesto **4**:252
Mejía Vallejo, Manuel 9:156
bibliografía **9**:156
Mejía Vides, José **12**:184
Mejía, Epifanio 9:156
bibliografía **9**:156
Mejía, Tomás
Maximiliano **9**:136
Querétaro **11**:250
mejillón 9:156
mejorana 9:156
Meknèz **6**:144
Mekong 9:156
— delta del **12**:66
Asia **2**:87, 93, 95
Indochina **7**:313
Vietminh **14**:90
Yunnán **14**:168
Meksi**,** Alexandre **1**:139
Mela, Pomponio
España **5**:313
geografía **6**:304
melamina 9:156
Melanchthon, Philipp 9:157
biografía **9**:157
Reforma **11**:324
Reuchlin, John von **12**:36
melancolía 9:157
Melanesia 9:157
— artesano en **9**:157
— islas negras **10**:179
— traje regional de **9**:157
Almirantazgo, islas del **1**:196
concha **4**:195
hogar **7**:199
Pacífico, océano **10**:280
Papua, Nueva Guinea **10**:317
población **11**:144
Salomón, islas **12**:176
Vanuatu **14**:24
melanina 9:157
melanoafricanos **11**:310
melanohindúes **11**:310
melanoma 9:157
— benigno **9**:157
Melanto **1**:323
Melartin, Erkki **6**:161
Melas, Spyro **7**:62
melazas 9:157,158
Melba, Nellie 9:158
biografía **9**:158
Melbourne 9:158
Australia **2**:162
fiebre del oro **6**:149
puerto **11**:229
Victoria I **14**:77
Melcarte **11**:87
Melchor de Aymerich **11**:80
Melchor de Jovellanos, Gaspar **5**:320
meleágridos **11**:17
Meleagro **2**:28
Meleda, islas **5**:8
Meléndez Muñoz, Miguel **11**:237
Meléndez Valdés, Juan 9:158
bibliografía **9**:158
Meléndez, Jorge **12**:183
Meles Zenawi **6**:70
Meleska **12**:149
Melga sinfónica **13**:328
Melgar Castro, Juan Alberto **7**:219
Melgar, Agustín **10**:103
Melgarejo, Mariano 9:158
biografía **9**:158
Melgarejo, Ruiz Díaz de **14**:94
Méliès, Georges **4**:86
melífera **1**:21
Melik el Ascraf **1**:55
Melilla 9:158
España **5**:303
Marruecos **9**:108
San Martín, José de **12**:195
Mélingue **12**:6
Melipilla, provincia **12**:218

Mélito, condes de **9:**166
melivorinos **10:**18
Mella, Francisco del Rosario **12:**216
mellah **9:**107; **11:**271
Meller, Raquel **7:**18
Mellin **13:**71
Mello Franco, Afranio de 9:159
biografía **9:**159
Mellon **10:**336
Melmoth, Sebastián **14:**150
Melnik **4:**26
Melo Muñoz **9:**334
Melo Neto, Joao Cabral de **8:**190
Melo, Francisco Manuel 9:159
bibliografía **9:**157
Melo, Manuel de **11:**177
Melo, virrey **2:**285
melocotón 9:159
melocotón **9:**158
melodía 9:159
melodrama 9:159
meloes, larvas de los **1:**25
melón 9:160
melón zapote 9:160
Véase Papaya
Meloria **11:**110
Melospiza melodía **7:**24
Melotte **8:**127
Melpómene 9:160
Melville, Herman 9:160
bibliografía **9:**160
Melville, isla de **10:**332
Melville, Tomás **4:**168
Membo **8:**65
membranas 9:160
— de los ojos **8:**165
— envolvente **9:**215
— hialoide **10:**198
— interdigital **11:**12
— postsináptica **1:**50
— procesos de **5:**66
— sinternas **7:**242
Membreño, Alberto **7:**219
membrillo 9:160
Membrives, Lola 9:160
biografía **9:**160
Memel, Territorio de 9:160
Memet Shehu **1:**139
Memling, Hans 9:161
obra **9:**161
Memnón 9:161
memoria 9:161
Memorial de agravios **13:**228
Memorias de Sherlock Holmes **12:**309
Memorias de un hombre de acción **2:**255
Memorias del nuevo mundo **2:**30
Mémories intimes **12:**328
Memphis 9:162
Memphis **13:**158
Tennessee **13:**158
Texas **13:**178
Mena, Juan de 9:163
bibliografía **9:**163
Mena, Pedro de 9:163
Andalucia **1:**266
obra **9:**163
Málaga **9:**40
Menam, río **2:**87, 245
Menamnos de Plauto **13:**196
Menandro 9:163
bibliografía **9:**163
comedia **4:**163
menarquía y menopausia 9:170
menchevique 9:163
bolchevique **3:**21
Lenin, Vladimir Ilch Uljanov **8:**221
Revolución bolchevique **12:**41
Menchú, Rigoberta 9:163
biografía **9:**163
Mencken, H. L. **6:**43
Mendaña, Álvaro de
descubrimientos y exploraciones geográficas **5:**77
Marquesas, islas **9:**105
Oceanía **10:**179
Salomón, islas **12:**176
Mendel, Gregor Johann 9:163
biografía **9:**163
ciencia **4:**77
genética **6:**301
Vries, Hugo de **14:**135
Mendel'stam, L. I. **13:**110
Mendelejev **4:**185; **5:**278
mendelevio 9:163,164
Mendeleyev, Dmitry Ivanovich 9:164
biografía **9:**164
química **11:**262
Mendelsshon, Dorotea **12:**247
Mendelssohn, Felix 9:164
obra **9:**164
Alemania **1:**165
conservatorio **4:**215
fuga **6:**248
Grieg, Edward **7:**65
intermedio **8:**19
Menuhin, Yehudi **9:**171
música **10:**15
obertura **10:**172
piano **11:**78
romanza **12:**106
Menderes, río **13:**273
Mendès France Pierre 9:164
biografía **9:**164
Francia **6:**225
Mendeville, John Sir **7:**43
Mendez Ballester, Manuel **8:**190
Méndez Manfredini, Aparicio **13:**330
Méndez Núñez, Casto 9:164
biografía **9:**164
Méndez Pinto, Fernando **5:**75
Méndez Plantarte, Gabriel **8:**126
Méndez, Joaquín **12:**184
mendicantes, órdenes **6:**211
mendicidad 9:164
Mendieta, Carlos **4:**314
Mendigorría **10:**42
Menditeguy, hermanos **11:**156
Mendive, Rafael María 9:164
bibliografía **9:**164
Mendoza ciudad **9:**164
Argentina, República **2:**14
Cuyo **4:**335
Fader, Fernando **6:**112
Mendoza (Veracruz) **14:**52
Mendoza provincia **9:**165
Mendoza, provincia **2:**24
Mendoza y de la Cerda, Ana de 9:166
biografía **9:**166
Mendoza y Mate de Luna, Fernando de 9:166
biografía **9:**166
Catamarca **3:**289
Mendoza, Alonso de **11:**20
Mendoza, Antonio de 9:165
biografía **9:**165
Díaz del Castillo, Bernal **5:**108
imprenta en América **7:**285
México **9:**199
Moscoso de Alvarado, Luis **9:**308
Niza, fray Marcos de **10:**108
Mendoza, García Hurtado de Osorno **10:**267
virreinatos **14:**103
Mendoza, Gonzalo de **8:**34
Mendoza, Gumersindo **9:**201
Mendoza, Hurtado de **14:**93
Mendoza, Inés María **9:**334
Mendoza, Juan Antonio de 9:165
biografía **9:**165
virreinatos **14:**103
Mendoza, Pedro de 9:165
América del Sur **1:**244
biografía **9:**165
Ayolas, Juan de **2:**193
Buenos Aires **3:**97
descubrimientos y exploraciones geográficos **5:**73
Garay, Juan de **6:**282
Schmidel, Ulrich **12:**247
virreinato **14:**103
Mendoza, Rafael **12:**184
Mendoza, río **1:**53; **9:**165
Mene Mauroa **6:**113
menecy **11:**170
Menelao 9:166
biografía **9:**166
caballo de Troya **3:**136
Elena de Troya **5:**245
Helena **7:**140
Troya **13:**273
Menelik **12:**154
Menelik I **6:**69
Menelik II 9:166
biografía **9:**166
Etipía **6:**69
Menem, Carlos Saúl **2:**24
Menéndez de Avilés, Pedro 9:166
biografía **9:**166
descubrimientos y exploraciones geográficos **5:**73
Menéndez Pidal, Ramón 9:166
biografía **9:**166
villancico **14:**93
Menéndez y Pelayo, Marcelino 9:166
bibliografía **9:**166
Menéndez, Andrés I. **12:**183
Menéndez, Francisco **10:**30
Menenio Agripa **6:**109
Menes
Egipto **5:**226
faraón **6:**117
Meneses, Jorge de
descubrimientos y exploraciones geográficos **5:**77
Nueva Guinea **10:**157
Menfis
Apis **1:**325
Asiria **2:**101
Egipto **5:**227
Maspero Gaston **9:**120
Pah o Ptah **13:**100
vid **14:**78
Mengchem Begin **6:**42
Menger **5:**190
Mengistu Haile Mariam
Eritrtea **5:**274
Etiopía **6:**69
Mengs, Antonio Rafael 9:166
obra **9:**166
menhir 9:167
arquitectura **2:**54
meninges y meningitis 9:167
meningocócica **9:**167
meningococo **9:**167
menisco **4:**308; **8:**270
Menkaura **11:**105
Menlo Park **5:**211
Mennesinger **1:**165
Mennin, Peter **5:**265
Meno, río **13:**73
Menoldo Guerri, corsario **6:**134
menopausia 9:167
menstruación **9:**170
Menor, oasis **10:**169
Menorca 9:169
aivcultura **2:**189
baleares **2:**224
menosacaridos **7:**164
Mens sana in corpore sano **5:**292
mensaje al futuro 9:169
mensajera, paloma
avicultura **2:**189
paloma **10:**296
mensajeros **1:**280
menstruación 9:169
— menstruo **9:**170
estrógenos, hormonas femeninas **6:**64
ovulación **10:**275
ménsula **12:**22
mensurabilidad **9:**92
menta y mentol 9:170
mestranzo **9:**125
mental, debilidad **10:**202
mentales, enfermedades **1:**90
mente 9:170
Menthon **2:**303
mentira 9:171
Menton **12:**81
Mentor **13:**147
menú 9:171
restaurante **12:**32
Menuhin, Yehudi 9:171
biografía **9:**171
Menura **2:**182
Menvielle, Juana de **8:**266
Mera, Juan León 9:171
bibliografía **9:**171
Ecuador **5:**201
mercado 9:171
arte de vender **2:**65
ferias **6:**131
labranza **8:**156
mercado **13:**120
mercado en Mónaco, Francia **4:**177
mercado al aire libre en Port Vila, Vanuatu **14:**24
Mercado Común Centroamericano
América Central **1:**235
comercio **4:**167
Honduras **7:**218
Latinoamérica **8:**187
Mercado Común Europeo
España **5:**311
Europa **6:**84
mercado de valores
expansión económica **6:**94
valor **14:**17
mercado negro **7:** 326
mercadotecnia 9:171
mercancía

comparador y arte de comprar **4**:176
compraventa **4**:178
mercancía-metal **9**:182
mercantil, operación
negocio **10**:64
pagaré **10**:284
mercantilismo 9:171
Mercator Kremer, proyección de **10**:53
Mercator, Gerard 9:171
biografía **9**:171
Duisburg **5**:177
transportes **13**:252
Mercé, Antonia, la Argentina 9:172
biografía **9**:171
Merced, convento de la **11**:270; **14**:191
Merced, Nuestra Señora de la 9:172
Merced, río **14**:164
Merced, Virgen de la **9**:172
Mercedario, cerro
Andes **1**:268
Argentina, República **2**:14
mercedarios 9:172
Mercedes 9:172
Mercedes Argentina **9**:172
Mercedes Buenos Aires **9**:172
Mercedes Uruguay **9**:172
mercenarios 9:172
mercenarios, Tercio de Extranjeros **9**:172
Mercer, John 9:172
biografía **9**:172
mercerización 9:172
mercerización **13**:180
Merchiston, señorío de **10**:35
Mercia **5**:223
Merckx, Eddy **4**:69
Mercosur
Latinoamérica **8**:187
Paraguay **10**:323
Mercurialis **5**:220
mercurio (azogue) 9:173
amalamación **1**:217
elemento químico **5**:245
lámpara solar o ultravioleta **8**:168
veneno **14**:41
Mercurio dios **9**:172
Caduceo **3**:152
ferias **6**:131
pan **10**:299
Mercurio planeta **9**:172
fénix **6**:130
Júpiter **8**:127
Mercurio, programa 9:173
astronáutica **2**:120
Meredith, George 9:173
biografía **9**:173
literatura **8**:280
Merendón, montañas de **7**:76
merengue **8**:195
Merezhkovsky, Dmitry Sergeyevich 9:173
bibliografía **9**:173
Rusia **12**:141
Mergenthaler, Ottmar 9:173
biografía **9**:173
comunicaciones **4**:184
linotipia **8**:268
mergo 9:174
Merici, Ángela **13**:325
Mérida ciudad Venezuela **9**:174
Mérida 9:174
Mérida estado Venezuela **9**:174
Mérida México **9**:174
Mérida, Carlos 9:174
guatemala **7**:79
Mérida, Cordillera de 9:174
Mérida, sierras de **1**:268
meridiano 9:174
meridiano de Greenwich
Greenwich, Observatorio de **7**:64
hemisferio **7**:144
tiempo **13**:190
Merikanto, Aarre **6**:161
Merikanto, Franz Oskar **6**:161
Mérimée, Prosper 9:175
bibliografía **9**:175
Francia **6**:227
Merín, laguna de **13**:258
Merina, meseta de **9**:11
merindades **1**:67
merino **6**:277
Meriño, Fernando Arturo de **5**:162
Merino, Ignacio 9:175
obra **9**:175
Merino, Jerónimo 9:175
biografía **9**:175
Merino, Rosa **1**:148
merlín (Falco aesalon) **7**:123
Merlín 9:175
libros de caballería **8**:253
tabla o mesa redonda **13**:95
merluza 9:175
mermelada 9:175
naranja **10**:40
Merneptah **6**:117
Mero **6**:266
mero 9:175
mero **10**:326
Meronvingios, reyes **14**:65
Meropea **10**:251
Meroveo **9**:175
Meroveo, familia de **6**:221
Meroveo, rey **6**:232
merovingios 9:175
Borgoña **3**:48
Edad Media **5**:206
Francos **6**:232
Merrifield, R Bruce 9:175
Merrimack, río
Massachusetts **9**:122
New Jersey **10**:85
Merrit, isla de **8**:138
Mersey **7**:34; **10**:156
Meruam II, califa de Siria **1**:20
Meruan, Abd-el-Malek ibn **10**:209
Mervvede, río **7**:206
mes 9:175
mesa 9:176
Mesa Redonda, orden de caballería
Arturo, rey **2**:78
libros de caballerías **8**:253
Mesa Verde, Parque Nacional 9:176
Anasasi, cultura **1**:261
Pueblo Bonito **11**:226
Mesa, Enrique de 9:176
bibliografía **9**:176
Mesabi, cuenca de **7**:172
Mesala **13**:186
mesalianos **3**:18
Mesalina **4**:109
mesantoína **5**:270
mescal **9**:209
mescalero **1**:322
mescalina **5**:175
mesencéfalo **5**:252
Mesenia
arcadia **1**:349
laconia **8**:159
Peloponeso o Morea **11**:32
tirteo **13**:203
Mesenia, guerras de **12**:60
mesénquima **14**:183
mesenterio o epiplón **7**:155
meses **1**:320
meseta 9:176
— Central **14**:19
— de Armenia **6**:72
— de Estelí **6**:48
— de Irán **2**:85
— de las Ardenas **6**:212
— de Ozark **6**:31
— de Utah **6**:31
— podónica **13**:299
— *altiplano* **9**:176
— horst **6**:313
Marruecos **9**:106
Meshed, imán del **10**:29
Mesías 9:176
Besant, Annie **2**:305
cristianismo **4**:291
Domingo de ramos **5**:155
Historia sagrada **7**:194
Isaías **8**:50
Mesina 9:177
Escila y Caribdis **5**:280
Esparta **6**:7
espejismo **6**:11
maremoto **9**:90
Navarro, Juan José **10**:52
Odisea **10**:186
Sicilia **12**:313
Mesmer, Franz Anton 9:177
biografía **9**:177
hipnotismo **7**:183
Zweig, Stefan **14**:192
mesmerismo **9**:177
Mesoamérica 9:177
Mesoamérica **9**:177
latinoamérica **8**:182
olmecas **10**:207
Quemada, la **11**:248
Zapoteco **14**:173
mesoblástico **13**:86
mesocarpio
fruto **6**:239
pericapo **11**:49
mesocéfalos **7**:311
mesodermo
desarrollo **5**:67
ontogenia **10**:213
mesofilia **6**:204
mesofita 9:178
mesolítico 9:178
prehistoria **11**:186
mesomiodos **10**:286
mesón 9:178
mesón partícula **9**:178
Mesonero Romanos, Ramón de 9:178
bibliografía **9**:178
Estébanez Calderón Serafín **6**:48
mesones
antimateria **1**:310
átomo **2**:150
quark **11**:246
mesopausa **2**:142
Mesopotamia 9:178
Abraham **1**:33
Alepo **1**:168
árabes **1**:333
Arabia **1**:334
arqueología **2**:52
arquitectura **2**:55
astronomía **2**:123
Attlee, Clement Richard **2**:155
Babilonia **2**:207
Bagdad **2**:216
Caldea **3**:161
cacarul **3**:231
comercio **4**:165
comunicaciones **4**:184
Corrientes **4**:257
Craso, Marco Licino **4**:276
Creta o Candia **4**:282
cuneiforme **4**:329
derecho **5**:59
Edad Antigua **5**:202
ejército **5**:232
Entre Ríos **5**:268
Estela **6**:48
Éufrates, río **6**:73
Europa **6**:82
Fenicia **6**:129
ganadería **6**:275
gaucho **6**:292
hebreo **7**:135
hogar **7**:199
Indio **7**:300
Irán o persia **8**:38
Iraq **8**:40
irrigación **8**:46
Isaac **8**:47
judaísmo **8**:117
lengua **8**:216
metales **9**:182
mongol, imperio **9**:276
Omar I **10**:209
Palmira **10**:295
pintura **11**:95
Rebeca **11**:313
Semita **12**:275
Sumer **13**:84
textiles **13**:179
vestido **14**:61
Mesopotamia Argentina 9:178
Mesopotamia septentrional **13**:194
Mesorea, planicie de **4**:60
Mesosfera
atmósfera **2**:142
estratosfera **6**:60
mesotorio **7**:119
mesotrones **9**:178
mesozoica, era 9:178
extinción **6**:104
ictiosaurio **7**:262
palenotología **10**:291
mesquita de la Roca **8**:56
Messana (Zancia) **9**:177
Messenius, Johannes **13**:71
Messer, Augusto 9:178
biografía **9**:178
Messerschmitt, Guillermo 9:179
biografía **9**:179
Messiaen, Oliver **6**:229
Messier **4**:206
mester 9:179
mester de clerecía **9**:179
mester de juglaría **9**:179
mestizaje **1**:244
mestizo 9:179
Angola **1**:287

casta **3:**276
hispanoamericanos **7:**189
mulato **9:**327
raza humana **11:**311
tamborito **13:**109
Mestre, Héctor **9:**205
Mestres, Apel-les 9:179
obra **9:**179
Mestrovic, Iván 9:179
escultura **5:**294
obra **9:**179
Meta 9:179
Colombia **4:**140
Zumapáz, macizo de **13:**83
Vichada **14:**78
Meta, río
América del Sur **1:**241
Apure **1:**330
Venezuela **14:**43
metabolismo 9:179
animal **1:**293
diabetes **5:**99
educación física **5:**222
enfermedad **5:**261
enfermedades profesionales **5:**262
fructosa **6:**239
gimnasia **6:**324
Kreps, Edwin G. **8:**147
Krogh, August **8:**148
lámpara solar o ultravioleta **8:**168
Loewi, Otto **8:**299
vida **14:**80
metacarpo **6:**23
metacentro **2:**54
metacresol **5:**5
metafísica 9:180
abstracción **1:**38
Coronel, Pedro **4:**252
criticismo **4:**294
filosofía **6:**157
metafísicos **10:**174
metáfora 9:181
alegoría **1:**153
figuras del lenguaje **6:**151
metafosfatos **6:**199
metagnosia **9:**185
metales 9:181
— alcalinos **11:**179
— de blindaje **9:**182
— dúctiles **1:**132
— historia **9:**181
— fisionables **2:**152
— laminados **9:**182
alambre **1:**132
aleación **1:**152
alquimia **1:**202
estaño **6:**47
heráldica **7:**150
herramienta **7:**157
hidrato **7:**164
hierro **7:**172
indio **7:**308
ingeniería de materiales **7:**332
magneso **9:**56
metales **2:**152; **4:**258, 316
orquesta **10:**257
radio **11:**277
venadio **14:**21
metales preciosos 9:182
oro **10:**254
metálicas, sales **6:**253
metálico **13:**134
metálico, sistema 9:182
Metálicos, montes **4:**24
metalistería **13:**118
metalización **9:**12
metalografía 9:182
metaloide 9:182
boro **3:**50
halógenos **7:**124
metalurgia 9:182
electrólisis **5:**240
extrusión **6:**106
Laval, Gustav de **8:**199
prehistoria **11:**187
ultrasonido **13:**302
metámeras **10:**203
metamerismo **1:**276
metamerizado **1:**275
metamorfismo 9:184
metamorfosis 9:184
metamorfosis **9:**185
hidra **7:**164
latina, literatura **8:**181
oruga **10:**261
metano 9:184
atmósfera **2:**142
hidrocarburo **7:**165
urano **13:**320
metanol
alcohol **1:**150
formaldehído **6:**196
madera **9:**13
metaplasmo 9:184
Metaponto **11:**112
metaproteínas **11:**41
metapsíquica
metapsíquica 9:184
— objetiva **9:**185
— subjetiva **9:**185
Richet, Charles Robert **12:**64
metarsénico **2:**63
Metastasio, Pedro 9:185
libreto **8:**250
metástasis 9:185
cáncer **3:**210
metastatizado **9:**124
metatarso **6:**24
metate 9:186
metátesis 9:186
figuras de lenguaje **6:**151
Metauro **2:**81
Metauro, batalla de **1:**292
metazoario 9:186
zoología **14:**182
Metcalfe, Charles **11:**299
Metchnikov, Elie 9:186
biografía **9:**186
bacteria y bacteriología **2:**211
Ehrlich, Paul **5:**230
fagocitosis **6:**112
metemsicosis 9:186
alma **1:**192
Pitágoras **11:**112
transmigración **13:**247
Meteor **2:** 112
meteorito
astrogeología **2:**107
astronáutica **2:**110
astronomía **2:**123
atmósfera **2:**141
cometa **4:**168
Paap, Desiderio **10:**317
meteorización 9:186
meteoro **2:**126; **6:**60
meteoro acuoso **9:**186
meteorogénicas **6:**313
meteorógrafos **4:**168
meteorología y meteoro 9:187
aereolitos **1:**78
cometa **4:**168
estabilidad **6:**27
isobara **8:**54
Metepec
Estado de México **6:**30
México, Estado de **9:**207
Methuen, tratado de **11:**176
meticelulosa **11:**127
metilbenceno **13:**215
Metilcaucho **3:**301
metileno 9:188
metilheptano **10:**183
metílico **1:**150
metionina **1:**250
metodismo 9:188
método 9:188
— AIV **14:**104
— analítico **7:**317
— Braille **8:**220
— científico **5:**216
— curativo **7:**168
— de enseñanza **2:**47
— de investigación **2:**50
— de observación y descubrimiento **7:**317
— deductivo **7:**317
— del vacío **9:**157
— experimental **6:**267
— inductivo **7:**317
— Input-Output **8:**228
— analítico **9:**188
— de guía y control vía satélite **7:**102
— industriale **11:**207
— moderno **7:**284
— trigonométrico **1:**109
Metón **2:**123
metonimia **6:**151
metonimia 9:188
metopas **6:**238
metoxianfetaminas **1:**278
métrica 9:188
— acento **9:**188
— cantidad **9:**188
madrigal **9:**20
metro y sistema métrico 9:189
carpintería **3:**258
distancia **5:**145
peso **11:**68
superficie **13:**85
volumen **14:**130
Metro, ferrocarril subterráneo **9:**206
metrología 9:191
metrónomo 9:192
metrópoli 9:192
edad contemporánea **5:**203
metrópolis imperialistas **9:**178
metropolitain **6:**142
Metropolitan **2:**304
Metropolitan de New York **13:**89
Metropolitano 9:192
Metropolitano, Museo de Arte 9:192
Metropolitano, Museo, de Nueva York **9:**192
metros **14:**89
metros poéticos **9:**65
Metsys, Quentin 9:192
obra **9:**192
Mette Gad **6:**293
Metternich, Klemens Fürst von, príncipe de 9:192
obra **9:**19
Austria **2:**166
revoluciones de 1848 **12:**54
Metternich-Winneburg **12:**210
Metz **6:**217
Metzinger **2:**265
Metztitlán **7:**163
Meudon **10:**328
Meudon **4:**289
Meung, Jean de **6:**226
Meunier, Constantino 9:193
escultura **5:**294
obra **9:**193
Meurthe **6:**216
Mewar **7:**296
mexcal **9:**209
Mexi, dios **2:**197
mexica o azteca
razas humanas **11:**311
religión **12:**11
Mexicalcingo **8:**70
Mexicali 9:193
— valle de **9:**193
Mexicana, Revolución
Orozco, José Clemente **10:**256
porfiriato **11:**170
mexicas
ferias **6:**132
Matlatzinca **9:**131
nahuas **10:**30
Querétaro **11:**250
tenochtitlán **13:**159
Tlaxcala **13:**208
Totonaca **13:**234
México 9:193
— agricultura y ganadería **9:**195
— arquitectura **9:**204
— arte cinematográfico **9:**203
— artesanías **9:**195
— artesanías otomíes **9:**195
— bandera de **2:**241
— catedral de **10:**186
— charro **9:**202
— Ciudad Universitaria de **4:**103
— climas **9:**194
— Colegio de **12:**56; **14:**160
— comercio **9:**195
— comunicaciones y transportes **9:**196
— conquista de **14:**52
— Conservatorio Nacional de **13:**109
— cuenca de **13:**208
— cultura, ciencias y artes **9:**200
— descubrimiento de **14:**37
— educación **9:**198
— época colonial **9:**198
— época independiente **9:**199
— época prehispánica **9:**198
— escenarios e interpretes **9:**203
— escudo nacional de **5:**286
— escultura **9:**205
— expedición a **10:**39
— Familias lingüísticas **7:**309
— filosofía **9:**202
—geología **9:**194
— gobierno y división política **9:**197
— grandes ciudades y turismo **9:**197
— Guerra de Independencia de **11:**250
— hidrografía **9:**194
— historia **9:**198

— imprenta en **9:**165
— independencia de **11:**104
— independencia de **9:**199
— industria **9:**195
— literatura **9:**202
— movimiento agrarista de **14:**172
— muralistas de **10:**256
— Museo de Arte Moderno de **9:**6
— música de **7:**189; **9:**203
— obras hidráulicas **9:**195
— olmeca de **13:**259
— orografía **9:**194
— Palinuro de **11:**7
— pintura **9:**205
— Plaza **13:**126
— población **9:**196
— recursos minerales **9:**194
— religión e idiomas **9:**197
— teatro **9:**202
academia **1:**41
Acapulco de Juárez **1:**42
acero **1:**49
Acuña, Juan de **1:**63
adoración del sol **1:**74
aeroplano **1:**88
agricultura **1:**107
águila **1:**115
ahuehuete **1:**120
ajolote **1:**129
ALALC **1:**131
Alemán, Mateo **1:**158
alga **1:**178
algodón **1:**182
Aguirre Beltrán, Gonzalo **1:**216
América **1:**228
América del Norte **1:**236
americanismo **1:**247
Anáhuac **1:**257
Ángeles, Los **1:**281
Aparicio, Sebastián de **1:**322
Apatzingán, constitución de **1:**323
arácnido **1:**338
Atlántico, océano **2:**137
atletismo **2:**140
aztecas **2:**196
azúcar **2:**204
Azuela, Mariano **2:**205
Azulejos y baldosas **2:**206
Benavente, Toribio de, o Motolinía **2:**290
Cacahuamilpa, grutas de **3:**146
California, Golfo de **3:**167
Campeche **3:**192
Chiapas **4:**30
chocolate **4:**62
ciudad universitaria **4:**103
Coahuila **4:**118
cochinilla **4:**122
Colima **4:**134
comercio **4:**164
cometa **4:**168
Comisión Económica para América Latina y el Caribe (CEPAL) **4:**171
Comonfort, Ignacio **4:**172
comunicaciones **4:**186
condecoración **4:**199
cóndor **4:**200
conferencias panamericanas **4:**203
contadora, grupo **4:**226
cooperativa **4:**232
Córdoba **4:**241
Coronel, Pedro **4:**252
correo **4:**253
corresponsal de guerra **4:**256
Cortés, Hernán **4:**260
Costa Rica **4:**269
Covarrubias, Miguel **4:**274
coyote **4:**275
cristero **4:**290
Croix, Carlos Francisco de **4:**297
Cuauhtémoc **4:**310
Cuba **4:**314
cuchareta **4:**318
Cuernavaca **4:**321
cueva y caverna **4:**326
Cuitláhuac **4:**327
dalia **5:**7
documental, cine **5:**152
Domínguez, Miguel **5:**155
Durango **5:**179
educación **5:**218
Elías Calles, Plutarco **5:**246
encomienda de indios **5:**253
energía **5:**258
esclavitud **5:**281
escudo **5:**286
español, idioma **6:**7
Estados Unidos **6:**31
Estrada, Genaro **6:**59
extinción **6:**104
Fábregas, Virginia **6:**107
federalismo **6:**124
Fernández de Lizardi, José Joaquín **6:**134
ferrocarril **6:**141
ferrocarril subterráneo **6:**142
Fuentes, Carlos **6:**244
ganso **6:**281
girasol **6:**327
Golfo de México **7:**16
grafito **7:**30
guaco **7:**71
Guadalupe Hidalgo **7:**73
guayule **7:**83
guerra **7:**86
Gutiérrez Nájera, Manuel **7:**111
Guzmán, Chuchaga, Juan **7:**112
Hidalgo **7:**163
hierro **7:**173
hipódromo **7:**184
hispanocolonial **7:**190
Hoatzín **7:**196
independencia **7:**294
indigenismo **7:**307
indios americanos **7:**309
Instituto Nacional de Bellas Artes (INBA) **8:**10
intendencia **8:**15
irrigación **8:**46
Iturbide, Agustín **8:**67
Iztaccihuatl **8:**70
Jalapa **8:**75
Jalisco **8:**76
jardín zoológico **8:**86
jardinería **8:**88
jícara **8:**101
Jiménez Rueda, Julio **8:**103
Juárez, Benito **8:**116
labranza **8:**157
lacustres, publos **8:**159
lagarto **8:**163
latinoamérica **8:**191
Lee, Robert Edward **8:**209
lenguas romances **8:**221
León **8:**224
Lerma-Santiago **8:**231
López de Santa Anna, Antonio **8:**307
maíz **9:**35
mamey **9:**48
mayas **9:**136
Mérida **9:**174
Mesoamérica **9:**177
México **1:**72, 231, 296, **5:**65, 294 **8:**193
Michoacán **9:**214
minería **9:**231
Mistral, Gabriela **9:**246
mitología y mitos **9:**247
Moctezuma I **9:**258
Moctezuma II **9:**258
momia **9:**272
moneda **9:**274
montañas **9:**285
Monte Albán **9:**286
Mutis, Álvaro **10:**18
nahuas **10:**30
naranja **10:**40
Narváez, Pánfilo de **10:**42
Nayarit **10:**59
nopal **10:**129
novela **10:**141
Novo, Salvador **10:**143
Nuevo Laredo **10:**159
nutria **10:**166
Oasismérica **10:**169
Oaxaca **10:**170
ocozol **10:**183
Olid, Cristóbal de **10:**202
oro **10:**254
orquídeas **10:**258
otomí **10:**270
Otumba, batalla de **10:**271
Pachuca de Soto **10:**281
palo de rosa **10:**296
Pasteles, Guerra de los **11:**8
pastorela **11:**10
pato **11:**12
Pátzcuaro **11:**16
perico **11:**50
perro de las praderas **11:**56
petróleo **11:**71
pínole **11:**94
pipián **11:**104
Pirámedes de México y América Central **11:**106
pistache **11:**111
platos voladores **11:**135
plomo **11:**140
pozole **11:**181
Prim, Juan **11:**197
Progreso **11:**211
Puebla **11:**226
Quemada, La **11:**248
Querétaro **11:**250
queso **11:**252
Quintana Roo **11:**265
Radiodifusión **11:**279
reforma agraria **11:**325
Reid, Thomas Maye **11:**334
religión **12:**11
Sacro Colegio Romano **12:**160
Santos Chocano, José **12:**223
sarape **12:**226
Scott, Winfield **12:**251
vainilla **14:**9
vanadio **14:**21
Velasco José María **14:**36
Venta, La **14:**49
Veracruz **14:**52
vid **14:**79
Votan **14:**134
Xochimilco **14:**158
yuca **14:**165
Yucatán **14:**166
zapoteco **14:**173
zaragoza, Ignacio **14:**174
zorro **14:**189
México ciudad de 9:206
— historia **9:**206
Domingo, Plácido **5:**155
estadio **6:**29
Fernández de Lizardi, José Joaquín **6:**134
Figueroa, Gabriel **6:**150
imprenta en América **7:**285
jardín zoológico **8:**86
Latinoamérica **8:**193
México, Ciudad de **4:**271 **8:**116
Noche triste, la **10:**126
virreinatos **14:**103
México, Estado de 9:207
— historia **9:**207
México, Golfo de 9:207
América **1:**229
América del Norte **1:**235
Ciudad Madero **4:**102
corrientes marinas **4:**257
criollo **4:**285
Cuba **4:**310
esponja **6:**20
Estados Unidos **6:**31
Kansas **8:**133
Louisiana **8:**311
México **9:**193
Mississippi **9:**242
Montana **9:**282
Olmecas **10:**207
palo de Campeche **10:**296
pelícano **11:**31
Pinar del Río **11:**91
Pochteca **11:**144
Quintana Roo **11:**265 **14:**52
México, valle de 9:207,208
Aztecas **2:**198
Cortes, Hernán **4:**261
Cuitlahuac **4:**327
Estado de México **6:**30
latinoamérica **8:**183; **8:**194
Zacatenco, cultura de **14:**169
Mexico a Través de los Siglos 9:208
México-Tenochtitlan 9:208
Acamapichtli **1:**42
Iztapalapa **8:**70
Matlatzinca **9:**131
México-Tenochtitlán **4:**21
otomí **10:**270
Tenoch **13:**159
Xochimilco **14:**158
México y Estados Unidos, guerra de **10:**103
México-estadounidenses **7:**189
México, Universidad Nacional Autónoma de
García Robles, alfonso **6:**284
Jimenez Rueda, Julio **8:**103
López Portillo y Pacheco, José **8:**307
México, Universidad Nacional Autónoma de **9:**198
Molina, Mario **9:**268
O´Gormarn, Juan **10:**191
Vasconcelos, José **14:**28

Mexitli **2**:196
Meyer, Conrad Ferdinand **13**:82
Meyer, Hans **8**:141
Meyer, hermanos **8**:126
Meyerbeer, Giacomo 9:209
obra **9**:209
Wagner, Wilheim Richard **14**:137
Meyerbeer, Jacobo **10**:216, 219
Meyerbeer, Jakob Liebmann **12**:251
Meyerhof, Otto F 9:209
biografía **12**:251
Meyerhold **4**:220, 297
Meyrink, Gustav **2**:167
Meza, Ramón **4**:315
mezcal 9:209
agave **1**:100
bebidas **2**:272
Mezcala, isla **4**:20
Mezcalapa, río
Chiapas **4**:31
México **9**:194
mezcla sulfonítrica **10**:105
mezclas binarias **14**:137
Mezen, río **2**:335
Mezöfold, depresión de **7**:250
mezquita 9:209
— Azul, Estambul **2**:86
— de Córdoba **5**:311
— en Afganistán **1**:90
— en Mali, Africa, Gran **1**:95
— rosa, Estambul **9**:209
— Niamey, Nigeria **9**:209
Aberroes **2**:184
alminar o minarete **1**:196
Andalucía **1**:266
arquitectura **2**:57
Hedjas **7**:137
Portugal **11**:173
Sarajevo **12**:226
Mezquital, río **5**:180
mezquite 9:210
mezzosoprano
canto **3**:221
orquesta **10**:257
Mg **9**:26
Mi bella Dama **7**:149
Mi credo pedagógico **5**:98
Mi lucha **10**:25
Miami 9:211
— océano de **9**:211
— río **10**:194
aeropuerto **1**:89
balneario **2**:228
Cubano-Estadounidenses **10**:303
Dominicana, república **5**:158
Escobar, Luis Antonio **5**:281
Estados Unidos **6**:34
Florida **6**:183
hispanoamericanos **7**:190
miaotse **2**:95
miasis linear **12**:230
Miaskovski, Nikolai **12**:142
mica 9:211
acero **1**:48
arena **2**:5
ártica, región **2**:71
granito **7**:49
lente **8**:222
micácea **11**:114
micacita **12**:86
Micala, batalla de **9**:223
Micas 9:230
micelas **6**:297; **13**:87
micelio **7**:221
micelio vegetativo **2**:80
micelios **9**:264
Micenas 9:212
acrópolis **1**:56
Agamenón **1**:99
arquitectura **2**:55
construcción **4**:218
cúpula **4**:331
Europa **6**:82
Grecia **7**:58
Ifigenia **7**:266
Perseo **11**:57
Schliemann, Heinrick **12**:247
Micenas, ruinas de **11**:32
micénica, cultura **2**:52
Micerinos **12**:320
Michael Sars **10**:34
Michaelis, S. **5**:126
Michailowski **11**:161
Michatoya **7**:77
Michaux, Henri 9:212
obra **9**:212
Michel, Hartmut 9:212
biografía **9**:212
Michèle, San **14**:40
Michelena, Arturo 9:212
obra **9**:212
Michelena, Bernabé **13**:328
Michelena, Francisco **10**:251
Michelet, Julio 9:212
Francia **6**:227
biografía
Michelson, Alberto Abraham 9:213
biografía **9**:213
Einstein, Albert **5**:230
interferencia e interferómetro **8**:18
Luz **8**:332
Michigan 9:213
Detroit **5**:95
Edison, Tomás Alva **5**:211
Estados Unidos **6**:33
Ford, Henri **6**:193
grandes lagos **7**:48
Indiana **7**:304
lago **8**:164
Michigan **4**:32
Miller, arthur **9**:224
Perl, Arthur Henri **11**:53
universidad **13**:316
Michimalonco
Santiago de Chile **12**:219
Valdivia; Pedro de **14**:12
Michoacán 9:214
aztecas **2**:197
Bajío, el **2**:220
educación **5**:218
Enriquez de Rivera, Payo **5**:266
Indigenismo **7**:307
intendencia **8**:15
jícara **8**:101
López Rayón, Ignacio **8**:307
madre, sierra **9**:17
México **9**:194
Michoacán **1**:296; **9**:193; **12**:224
nahuas **10**:30
pátzcuaro **11**:16
plata **11**:132
tacámbaro **13**:96
Tarascos **13**:118
universidad **13**:318
Mickan, Rolando A. **1**:53
Mickey Mouse **5**:110, 143
Mickiewicz, Adam 9:214
bibliografía **9**:214
Polonia **11**:161
Miclos Zrinyi **7**:253
micmas **7**:309
mico **13**:205
micológico **5**:262
Micombero **3**:123
micoré **14**:175
micótica **6**:290
Microanálisis orgánico cuantitativo **11**:185
microbalanza 9:214
microbiología 9:215
cultivo **4**:328
Waxman, Selman Abraham **14**:138
microbio 9:215
asepsia **2**:81
cuerpo humano **4**:324
cultivo **4**:328
esterilización **6**:51
generación espontánea **6**:299
germen **6**:319
helioterapia **7**:142
higiene **7**:175
infección **7**:325
plasma **11**:126
microchips **9**:216
micrococáceas **6**:44
micrococos **9**:215
microcosmos **4**:265
microelectrodos **10**:8
microelectrónica 9:215
microenlace **14**:82
microfilme 9:215
biblioteca **2**:313
infromación, ciencia de la **7**:327
microfónicas, corrientes **10**:196
micrófono 9:215
— de carbón **9**:215
— de velocidad **9**:215
— electrostático, esquema **9**:216
— piezoeléctrico, esquema **9**:216
dictáfono **5**:113
estereofonía **6**:49
fonografía **6**:191
locutor **8**:299
radiotelefonía y radiotelegrafía **11**:285
radiotrasmisor **11**:288
teléfono **13**:143
microfotografía 9:216
microlente **7**:54
microlepidóptero **1**:210
micromecanismo 9:216
micrómetro 9:216
instrumento **8**:13
micromodelos **10**:336
micrón
gen **6**:298
glóbulo **6**:335
micronecton **10**:63
Micronesia (Estados Federados de Micronesia) 9:216
— bandera de **2**: 241
— economía **9**:216
— historia **9**:217
— formas de gobierno **9**:217
bikini **2**:321
Carolinas, islas **3**:254
guerra mundial, primera **7**:92
Marianas, islas **9**:95
oceanía **10**:179
pacífico, océano **10**:280
población **11**:144
micronésicos, dialectos **8**:216
micronesios **10**:179
microondas 9:217
alarma, sistemas de **1**:135
ferrocarril **6**:141
Lamb, Willis Eugene, Jr **8**:166
microorganismo
conservas **4**:214
enfermedad **5**:260
estafilococo **6**:44
gelatina **6**:297
germen **6**:319
leche y lechería **8**:204
virus **14**:104
microparásitos **10**:297
micropelícula
fotocopia **6**:200
modelismo **9**:261
microplancton **11**:118
micropodiformes **10**:253
microprocesador **4**:179
microquímica 9:217
química **11**:259
microquirópteros **10**:5
microscopía
Zernike, Frits **14**:177
zoología **14**:181
microscópica, vista **10**:80
microscópicos seres **10**:34
microscopio 9:217
— amplificadores **9**:217
— binocular **8**:69
— de rastreo interno **12**:94
biología **2**:327
electricidad **5**:238
enfermedad **5**:260
estreptococos **6**:63
física **6**:169
flourescencia **6**:185
histología **7**:191
Hook, Robert **7**:223
instrumento **8**:12
microbio **9**:215
microscopio **5**:51 **8**:12
naturaleza, estudio de la **10**:47
teodolito **13**:160
microscopio electrónico 9:218
microscopio electrónico de emisión **9**:218
microscopio electrónico de transmisión **9**:217
Microsoft **10**:223
microsporangios **6**:21
microsurco 9:218
micrótomo 9:218
Microwave Amplification by Simulated Emission of Radiation **9**:120
Midas 9:218
biografía **9**:218
Middle Atlantic, región del **9**:122
Middlesex **8**:302
Mideros, Víctor 9:218
obra **9**:218
Midway
Cooper, Leroy Gordon **4**:231
Polinesia **11**:153
Schirra, Walter M. **12**:247
miedo 9:218
fobia **6**:185
miel 9:218
ánfora **1**:279
Miel, río de la **1**:180

mielina
nervios y sistema nervioso **10**:76
neurobiología **10**:79
mielitis **9**:219
mien **14**:62
Mier, fray Servando Teresa de **9**:219
bibliografía **9**:219
Mina, Francisco Xavier **9**:227
Miércoles de Ceniza
cuaresma **4**:308
fiesta **6**:150
Miescher, Friedrich
ADN y ARN **1**:71
nucleiicos, ácidos **10**:154
Miethe **5**:245
Mifsud Bonnici, Ugo **9**:46
migajas **11**:305
migala **9**:219
araña **1**:342
migálidos **9**:219
Mignard, Nicolas **6**:228
Mignard, Pierre **6**:228
Mignon **13**:183
Mignone, Francisco **3**:77
migración **9**:219
inmigración y emigración **7**:334
negocios extranjeros **10**:65
migración, teoría de la **14**:137
migraciones masivas **12**:50
migraciones pacíficas **7**:335
migraña **3**:310
Miguel Ángel Buonarrotti **9**:220
Adán y Eva **1**:65
arquitectura **2**:58
arquología **2**:51
arte **2**:64
autorretrato **2**:177
barroco **2**:258
cupido **4**:331
Donatello, Donato Beto del Bardo **5**:163
Escuela artística **5**:289
escultura **5**:294
Farnesio **6**:118
Florecncia **6**:181
manierismo **9**:58
Masaccio, Tomás Guidi, el **9**:118
Medici **9**:149
Miguel Ángel **4**:111; **12**:18
obra **9**:220
Padua **10**:283
Paulo III **11**:17
Rafael y Sanzio **11**:289
Roma **12**:100
San Pedro de Roma **12**:199
Vasari, Jorge **14**:28
Vaticano, ciudad del **14**:29
Velázquez, Diego Rodriguez de Silva y **14**:37
vestido **14**:71
Vignola, Giacomo Barozzi **14**:91
Volterra, Daniel da **14**:130
Miguel Ángel y Tansillo **8**:65
Miguel Arcángel, san **9**:220
biografía **9**:220
Juana de Arco, santa **8**:115
Miguel Cabrera representando a un mestizo **9**:178
Miguel Santiago, Sociedad Artística **9**:60
Miguel VI **12**:105
Miguel VII **12**:105
Miguel, don **11**:316
Miguelito, río San **10**:131
Mihailovich, Draza **9**:221
biografía **9**:221
Yogoslavia **14**:167
Mihajlovski **11**:169
Mihura, Miguel **5**:320
Mijailovskoe **11**:244
Mijares, Augusto **9**:221
bibliografía **9**:221
Venezuela **14**:46
mijo **9**:221
Asia **2**:91
Mikado **13**:211
Mikerinos **6**:117
Mikhail Gorbachov
Mikhail Gorbachov **7**:22
Tadjikistán **13**:99
Unión de Repúblicas Socialistas Sovieticas **13**:309
Mikhailovich Frank, Ilia **3**:333
Mikhailovich Projorov, Aleksander **13**:235
Mikkola, M.L. **6**:161
Miklós Horthy **7**:252
Mikoyan, Anastas **13**:309
Mikszath, Kalman **9**:222
bibliografía **9**:222
mil y una noches, Las **9**:225
Aladino **1**:131
Baskst, León Nicolalevich **2**:220
cuento **4**:320
Mila **9**:166
Milá y Fontanals, Manuel **9**:223
bibliografía **9**:223
Fortony y Carvó Mariano José **6**:199
Piferrer, Paula **11**:87
Milá, casa **6**:293
Milagro **9**:221
Milán **9**:221
— Catedral de **9**:221
Milagro, río **9**:221
milagros **13**:132
Milagroso alimento **9**:50
Agustín, san **1**:118
Anitúa, Fanny **1**:299
Donizeti, Gaetano **5**:163
Eco, Humberto **5**:187
Edad Media **5**:208
encaje **5**:251
Europa **6**:81
Facismo **6**:120
Humberto I de Italia **7**:247
Dalia **8**:62
Napoleón I, Bonaparte **10**:35
Nata, Giurio **10**:46
Paulo VI **11**:17
Pio IV **11**:101
Schipa, Tito **12**:247
Tartaglia o Tartalea **13**:122
Milan Panic **14**:168
Milán, ducado de **12**:27
Milán, edicto de
Constantino I Cayo Flavio Valerio el grande **4**:217
Cristianismo **4**:291
España **5**:314
Milán, La Scala de **11**:42
Milán, seminario de **11**:102
Milanés, José Jacinto
Cuba **4**:315
literatura hispanoamericana **8**:281
Milanés, María Luisa **4**:315
milano **9**:222
milanos **2**:180
Milbanke, Annabella **3**:128
Milcíades **9**:223
Arístides **2**:31
batalla **2**:264
biografía **9**:223
Grecia **7**:59
Heroísmo **7**:156
maratón **9**:85
Pericles **11**:49
Temístocles **13**:154
Mildenhall, John **7**:300
mildew **9**:223
moho **9**:265
mildiú **9**:223
Mileto **9**:223
Grecia **7**:59
Teócrito **13**:160
Mileto, Anaximandro de **9**:67
Mileto, escuela de **9**:180
Mileto, Hecateo de **6**:304
Mileto, Isidoro de **12**:216
Mileto, Tales de
ciencia **4**:75
filosofía **6**:158
magnetostática **9**:29
Milhailovich, Draza **9**:220,221
Milhaud, Darius **9**:223
Francia **6**:229
Honegger, Arthur **7**:220
Jazz **8**:92
obra **9**:223
seis, grúpo de los **12**:268
Supervielle, Jules **13**:85
milia passuum (mil pasos) **9**:191
miliamperímetro **6**:204
Miliani, Domingo **9**:223
bibliografía **9**:223
milicia **9**:223
Ecuador **5**:201
Herrera, José Joaquín **7**:158
ingeniería **7**:331
López, Francisco Solana **8**:306
milicia **2**:237; **11**:281
milicia griega **7**:150
Milicias, capitán de **14**:91
Mililan, encomienda de **1**:116
milímetro cuadrado **13**:85
Militar de Zaragoza, Academia General **2**:130
Militar, Colegio, de Bolivia **9**:250
Militar, hospital **10**:193
militares **13**:305
militares, campañas **10**:39
militarismo **7**:202
militarización **9**:223
milivoltios **13**:167
Miljacka, río **12**:225
Milkszath, Kalman **9**:221
Mill, John Stuart **9**:223
bibliografía **9**:223
Economía **5**:191
feminismo **6**:128
Gran Bretaña **7**:44
milla **9**:224
— náutica **9**:235
Milla y Vidaurre, José **9**:224
bibliografía **9**:224
Millais, J. E.
Millais, John Everett **9**:224
Gran Bretaña **7**:45
Millais, John Everett **5**:145
obra **9**:224
Millán Austray, José
Franco Bahamonde, Francisco **6**:232
legión extranjera **8**:211
Millán, Rafael **12**:162
Millares, Manuel **5**:319
millas **14**:88
Miller, Arthur **9**:224
bibliografía **9**:224
Miller, Henry **9**:224
bibliografía **9**:224
Miller, Jeanette **5**:162
Miller, Merton H.
Miller, Merton M **9**:224
Marcouits, Harry M **9**:103
Sharpe, William **12**:308
biografía **9**:224
Miller, William **1**:78
Milles **5**:294
Millet, Jean Francois **9**:224
aguafuerte **1**:112
Francia **6**:228
obra **9**:224
Pizarro, Camille **11**:111
sardana **12**:228
Millikan, experimento de **9**:224
Millikan, Robert A **9**:224
átomo **2**:146
electrón **5**:240
ion **8**:31
biografía **9**:224
Millikan: el electrón **2**:146
Millinocket **9**:33
Millle, Cecil B. de **13**:89
Millskzo I **11**:159
Milo **9**:224
Imperio Romano **7**:278
Milo, isla **6**:76
milonga **9**:225
Milosevic, S.
Croacia **4**:297
Servia **12**:294
Milosz, Czeslaw **9**:225
bibliografía **9**:225
milreis **9**:225
Milstead **4**:250
Milstein, César **9**:225
Kohler, Georges **8**:145
biografía **9**:225
Milton, John **9**:225
bibliografía **9**:225
censura **3**:321
Gran Bretaña **7**:43
jardinería **8**:88
Vaculai, Thomas Babington **9**:6
paraiso **10**:323
Milton, John pintado por W. Faithome **9**:225
Milwakee **14**:153
Milwaukee **6**:34; **7**:48
mimbrera **9**:226
mimeógrafo **9**:226
mimetismo **9**:226
Fasmoideo **6**:120
insecto **8**:9
mariposa **9**:102
mimetita **9**:229
mímica y pantomima **9**:226
Mimodrama, Escuela de Marcel Marceu **9**:86
mimos **9**:226
mimosa **9**:226
acacia **1**:40
Min **1**:251
mina **9**:226

Venezuela **14**:47
mina abierta de hierro, Brasil **7**:172
Mina Clavero, balneario **2**:27
Mina el Mozo **9**:227
Mina, Francisco Xavier 9:227
biografía **9**:227
Pablo y Antón, Joaquín **10**:279
Mina, São Jorge de **12**:222
minador 9:227
minarete 9:227
minarete **13**:285
Miñarica **14**:12
Minas 9:227
— cupríferas **2**:30
— de carbón **7**:67
— de carbón en Peñarroya y Villanueva **1**:265
— de hierro **7**:172
— de oro **12**:217
armada **2**:39
Dragaminas o barreminas **5**:168
hierro **7**:172
Minas Gerais 9:227
agricultura **1**:107
Bello horizonte **2**:289
Espíritu Santo **6**:18
hierro **7**:173
Santos Dumont, Alberto **12**:223
Minas Gerais, Conspiración de **13**:201
minas marinas **2**:75
Minas, Colegio de **12**:36
Minas, montes **5**:302
Minatitlán **14**:52
Mincio **11**:143
Mincio, río **9**:62
Mindanao **6**:155
Mindanao, fosa de **10**:181
Mindoro **6**:155
Mindorobas, provincia de **11**:254
Minelli, Liza **12**:331
minera **7**:332
mineral
mica **9**:211
yeso **14**:163
mineral de hierro **7**:143
Mineral, reino **6**:199
mineral, tipos de **9**:229
minerales **1**:186, 187,
minerales, amalgamación **1**:217
minerales **2**:92; **7**:129; **9**:229
minerales o rocas **14**:159
minerales y energía **6**:80
Minerales y energía, Europa **6**:79
mineralocorticoides **6**:51
mineralogía 9:229
dureza **5**:182
Swedemborg, Emmanuel **13**:90
mineralogía **9**:230
mineralógica, especie **9**:233
minería 9:231
Austria **2**:164
comercio **4**:165
filón **6**:157
Francia **6**:216
Gran Bretaña **7**:35
industria **7**:317
Portugal **11**:174
química **11**:258
Zacatecas **14**:169
Minerva 9:233
Atenea **2**:134
bosque **3**:53
buho **3**:101
Dioses paganos **5**:136
fiesta **6**:149
Laoconte **8**:173
marzo **9**:118
Pegaso **11**:27
Perseo **11**:57
quimera **11**:258
símbolo **12**:327
Telémaco **13**:147
textiles **13**:179
Ming, dinastía
Asia **2**:98
porcelana **11**:170
Mingrelia **6**:317
Minho **1**:287
miniatura 9:233
miniaturista **5**:167
miniaturistas **10**:285
Minié **6**:254
Minifalda negra **9**:259
mínima **13**:104
minimal, arte 9:233
minimalistas **3**:21
minimizador **9**:135
mínimo común múltiplo **1**:180
minio 9:233
corrosión **4**:258
Ministerio de Defensa **2**:40
Ministerio de Educación Nacional de Río de Janeiro **10**:98
Ministerio de Marina **2**:40
Ministerio de Instrucción Pública **2**:79
ministerios **6**:251; **9**:233
ministro 9:233
— de estado **2**:160
— de guerra **7**:158
— de justicia **9**:26
— de defensa **9**:233
— de gabinete **9**:233
— de gobierno **9**:233
Ministros, Consejo de **14**:167
minium **9**:233
mink **14**:105
Minkowsky, Herman 9:234
biografía **9**:234
Minkus, Ludwig **3**:34
Minneapolis 9:234
Minneapolis, Minnesota **9**:228
Estados Unidos **6**:34
Minnesota 9:228
— tierra y recursos **9**:228
— suelos **9**:228
— iirigación **9**:228
— vegetación y vida animal **9**:228
— instituciones culturales **9**:229
— activida económica **9**:229
— Universidad de **9**:234
Dewey, John **5**:98
Estados Unidos**6**:33
hierro **7**:172
Mineapolis **9**:234
Rocosas, montañas **12**:88
Miño 9:235
Duero, río **5**:176
España **5**:305
Miño, río
Pontevedra **11**:167
Portugal **11**:173
Minoica, cultura **4**:282
Minoicos, Cnossos, Creta **7**:57
minoría 9:234
minoría de edad o menoría 9:234
minorías **14**:134
Minorica **9**:44
Minos y Minotauro 9:235
Ariadna **2**:29
Atenas **2**:133
Cortazar, Julio **4**:258
deseo **13**:174
Europa **6**:82
Ícaro **7**:260
laberinto **8**:153
Minotauro mirando al mar **9**:234
Plutón **11**:142
Minos, palacio de **4**:118
Minot, Jorge Ricardo 9:235
biografía **9**:235
Murphy, William Parry **10**:6
Whipple, George Hoyt **14**:148
Minsk **6**:81; **10**:98
Minsk, acuerdo de **4**:189
Minsk, capital **12**:147
Minsk, río **2**:279
minuanas **2**:72
minuane **7**:309, 310
minuciosidad **1**:249
minué 9:235
danza **5**:13
Scherzo **12**:246
minuendo
álgebra **1**:179
sustracción **13**:88
minueto **13**:75
Minuit, Peter **9**:57
Minusinsk **12**:313
minuta 9:235
minuto 9:235
paralelos **10**:324
Minvielle, Rafael **4**:44
Mio Cid, poema del **8**:277
miocardio y miocarditis 9:235
asma **2**:103
corazón **4**:237
electrocardiografía **5**:239
Mioceno 9:235
arqueodáctilos **2**:77
geología **6**:309
mioceno-plioceno **2**:77
miofibrillas **14**:182
miofibrillas o filamentos **14**:182
miógrafos **10**:8
Miomandre, Francisco de 9:235
bibliografía **9**:235
miometrio **10**:334
miopes **1**:304
miopía 9:235
miopía, esquema **9**:235
oftalmología **10**:190
ojo **10**:198
miosina **10**:7
Miotto, Domingo **4**:290
Miqueas **2**:309
Miquelón, isla de **10**:329
MIR **6**:28
Mir, estación **2**:123
Mir, Joaquín 9:236
obra **9**:236
Mira 9:236
mira 9:236
Mira de Amescua, Antonio 9:236
bibliografía **9**:236
mira telescópica **8**:335
Mira, Emilio 9:236
biografía **9**:236
Mira, río **9**:236
Portugal **11**:173
Mirabeau, Honorato Gabriel Riquetti, conde de 9:236
biografía **9**:236
revolución francesa **12**:47
Miraflores 9:236
guerra del pacífico **7**:88
Panamá, canal de **10**:306
Miraflores del Palo **9**:40
Miramar **1**:264
Miramón, Miguel 9:236
Juárez, Benito **8**:116
Querétaro **11**:250
biografía **9**:236
Miramontes y Zuázola, Juan de **11**:62
miraña **7**:310
Miranda 9:236
Bolivar, Simón **3**:23
Picón Slas, Mariano **11**:82
urano **13**:320
Miranda Archilla, Graciany **11**:237
Miranda y Gómez, Miguel Darío **3**:241
Miranda y la Revolución Francesa **10**:331
Miranda, Francisco de 9:237
Alvear, Carlos María de **1**:215
América del sur **1**:245
biografía **9**:237
imprenta en América **7**:286
independencia **7**:294
O'Higgins, Bernardo **10**:191
Panamá, Canal de **10**:306
revolución **12**:40
Rivas, José Félix **12**:60
Roscio, Juan Germán **12**:114
Salom, Bartolomé **12**:176
San Martín, José de **12**:195
Venezuela **14**:46
Miranda, Luis de **8**:280
Miranda, Luis R. **11**:240
Mirándola dormir **2**:30
Mirándola, Pico de la **14**:190
miras **10**:184
Miravalles **4**:267
Miravalles, volcán **4**:268
Mirbeau, Octavio 9:237
bibliografía **9**:237
Mirdita, región de **1**:137
Mireya **9**:246
Miriam **5**:15
miriápodos 9:237
artrópodo **2**:78
dermatoesqueleto **5**:65
insecto **8**:5
zoología **14**:184
Mirim, laguna **13**:326
miriñaque **14**:68
Mirine **12**:143
mirística 9:238
mirlo 9:238
mirlos **11**:5
mirmeleónidos **7**:228
Mirmícidos **7**:225
Miró Quesada, Luis 9:239
biografía **9**:239
Perú **11**:63
Miró, Gabriel 9:238
bibliografía **9**:238
descripción **5**:68
España **5**:320
Miró, Joan 9:238
obra **9**:238
España **5**:319
surrealismo **13**:87
Miró, José **9**:112
Miró, Ricardo 9:239

Panamá **10:**303
bibliografía **9:**239
Mirón
disco, lanzamiento del **5:**140
escultura **5:**294
Grecia **7:**63
mirra 9:239
Mirrlees, James A 9:239
biografía **9:**239
Mirrlees, James A. **14:**76
Mirtáceas
arrayán **2:**59
eucalipto **6:**72
juvia **8:**130
mirto 9:239
mirtos **2:**180
Mirza, Bashir **10:**287
Mis montañas **2:**26
misa 9:239
altar **1:**206
credo **4:**280
Misa del Papa Marcelo **10:**293
Misa, Sacrificio de la **10:**283
misal 9:239
misántropo **5:**246
Misas herejes **2:**26
Misas y La Pasión según San Mateo **2:**212
miserere 9:239
Miserere mei Deus **12:**175
Misery, Mount **12:**166
Mishima, Yukio 9:239
bibliografía **9:**239
Mishnah **7:**136
misil 9:240
misiles **2:**225
misiles de balística **7:**103
misión **5:**287
Misiones 9:240
Argentina, República **2:**15
Artigas, José Gervacio **2:**73
culebra de cascabel **4:**328
Misiónes **9:**241
misiones americanas 9:240
misiones lunares **11:**102
misiones planetarias **11:**103
misiones solares-interplanetarias **11:**103
misiones y misioneros 9:242
Misiones, selva de **11:**268
Misköle **7:**252
Misore **7:**302
Missier **10:**188
Mississippi, río 9:242
América **1:**229
America del norte **1:**235
Arroz **2:**61
Chicago **4:**32
Clemens, Samuel Laghorn **4:**110
Colorado **4:**155
Delta **5:**45
Estados Unidos **6:**31
Georgia **6:**315
Illinois **7:**270
Indiana **7:**306
Inundación **8:**21
Iowa **8:**32
Lincoln, Abraham **8:**263
Memphis **9:**162
Minesota **9:**228
Mississippi **6:**121
Montana **9:**282
negro **10:**67
New Orleans **10:**88
North Carolina **10:**132
Nuñez, Cabeza de Vaca, Álvar **10:**163
Obi **10:**173
pradera **11:**182
Vermont **14:**57
Washington, George **14:**141
Winsconsin **14:**153
Mississippi-Missouri, sistema **9:**243
Missoula **9:**283
Missouri 9:243
— actividad económica **9:**244
— clima **9:**243
— comunicaciones **9:**244
— cultura **9:**244
— historia **9:**244
— manufactura **9:**244
— población **9:**244
— recursos minerales **9:**244
— tierra y recursos **9:**243
— transporte **9:**244
— turismo **9:**244
— Universidad de **9:**244
— vegetación y vida animal **9:**243
América del norte **1:**235
delaware **5:**40
Estados Unidos **6:**33
Kansas **8:**132
Nebraska **10:**60
viento **14:**89
Wyoming **14:**156
Missouri, río
Colorado **4:**155
Estados Unidos **6:**31
Montana **9:**282
Nebraska **10:**60
North Dakota **10:**132
mistacocetos **4:**13
misterios 9:245
auto sacramental **2:**177
teatro **13:**132
Misti 9:245
América **1:**230
Arequipa **2:**8
misticismo 9:245
cuento **4:**319
Dionisos **5:**134
Edad Media **5:**206
Juan de Juanes **8:**114
Krishnamurti, Gidu **8:**148
místicos españoles **4:**304
mistral 9:245
Mistral, Federico 9:246
bibliografía **9:**246
Echegaray e Izaguirre, José **5:**185
Fabré, Jean Henry **6:**107
Mistral, Gabriela 9:246
Chile **4:**44
Ibargourou, Juana de **7:**255
literatura hispanoamericana **8:**282
Verdaguer y Santaló, Jacinto **14:**54
villancico **14:**94
bibliografía **9:**246
Misurata **8:**248
mita 9:246
Toledo, Francisco de, conde de Oropeza **13:**213
Mitana, princesa **5:**235
mitas **11:**255
mitayos **9:**246
Mitchell, Edgard D **2:**120
Mitchell, James F. **12:**200
Mitchell, Juliet **6:**129
Mitchell, Keith **7:**46
Mitchell, Margarita 9:246
bibliografía **9:**246
Mitchell, Mary **9:**326
Mitchell, montaña **1:**229
Mitchell, monte **10:**132
Mitchell, Peter 9:246
biografía **9:**246
Mitchell, Wesley Clair **6:**94
Miterrand, François **6:**225; **9:**43
Miterrand. Socialista, Partido **9:**251
Mitford, J. **7:** 44
Mitilene, isla de Lesbos **12:**162
Mitla 9:246
mosaico **9:**306
Mitla **9:**247; **10:**170
zapoteco **14:**173
mitlchimalli 2: 200
mitmakona o mitimaes **7:**291
mitología y mitos 9:247
— alemana, escuela de **6:**190
— brahmánica **5:**169
— escandinava **8:**129; **10:**172
— grecorromana **9:**172
— griega y romana **6:**52
— hindú **8:**148; **9:**62
— nórdica **6:**24; **10:**25, 92
— romana **8:**126; **9:**172
— y magia **13:**109
— y poesía **14:**158
Adonis **1:**73
Ambrosía **1:**226
animal **1:**296
Ares **2:**8
Atenea **2:**134
Aurora **2:**161
bosque **3:**53
creación **4:**276
Diana **5:**105
Dioses paganos **5:**135
Eddas **5:**210
Érebo **5:**274,
Escila y Cariptis **5:**280
esfinge **5:**296
Esperanza **6:**13
Estrella **6:**61
Faetón **6:**112
Folklore o folclor **6:**189
Fuego y sus consecuencias **6:**241
genios **6:**301
gigante **6:**323
Golding, William Gerald **7:**14
Gracias, Las Tres **7:**28
Hércules **7:**152
Ícaro **7:**260
Jasón **8:**90
Memnón **9:**161
mitología **9:**249 **5:**204
Nereidas **10:**74
novela **10:**140
Perseo **11:**57
Quimera **11:**258
Quirón **11:**269
Thor **13:**221
Mitos de nuestro tiempo 135
mitos polinesios **4:**277
mitosis **1:**257
mitótica, actividad **10:**97
Mitra 9:250
mitra 9:250
obispo **10:**173
mitra ortodoxa griega **9:**250
mitral **4:**238
Mitre **11:**18
Mitre, Ambrosio **9:**250
Mitre, Bartolomé 9:250
academia **1:**41
Alcina, Valentín **1:**204
Alem, Leandro Licéforo **1:**157
Barros Arana, Diego **2:**259
biografía **9:**250
Granada, Nicolás **7:**47
Janeses, José **8:**290
Pampa, la **10:**298
Roca, Julio Argentino **12:***86*
Ruouson, Guillermo **11:**304
Saenz Peña,Roque **12:**162
San Martín, José de **12:***195*
Sarmiento, Domingo Faustino **12:**229
Urquiza, Justo José de **13:**325
Mitrídates 9:251
César, Cayo Julio **4:**9
imperio romano **7:**281
Mitrídates IV, Ponto, rey del **11:**251
Mitrídates V Evergetes **9:**251
Mitscherlich **11:**152
Mittelland **13:**76
Mitterrand, François 9:251
biografía **9:**251
Louvre **8:**313
Mittweida **12:**247
mitua **7:**310
Mitzotakis, Konstantinos **7:**61
Miura **6:**8; **13:**126
mixe cedema **13:**202
mixedema **8:**14
mixofíceas **1:**178
mixta **2:**132
mixtas **6:**236
mixteca **7:**309; **10:**170
Mixteca, la **11:**264
mixtecas **14:**173
Mixteco, Nudo **9:**17
mixtecos **9:**286
Mixtequilla **3:**47
mixtos **10:**230
Mizoram (Aizawl) **7:**299
mizostómidos **1:**276
Mladenov, Petar T. **3:**104
Mn **9:**56
Mnemón **2:**63
Mnemósine **13:**204
mnemotecnia 9:251
Mnesicles **1:**56
MNM **9:**24
Moab
Balaam **2:**221
Moisés **9:**265
moai **11:**5
moaimiro **11:**5
Moanda **4:**207
Mobangui **13:**299
Mobile **9:**207
mobiliario y mueble 9:251
— Babilonia, Asiria y Persia **9:**252
— canapé confidente **9:**255
— Edad Antigua **9:**252
— Edad Contemporánea **9:**256
— Edad Media **9:**253
— Edad Moderna **9:**254
— Egipto **9:**252
— Estilo Chippendale **9:**255
— Estilos Sheraton y Hepplewhite **9:**256
— Grecia **9:**252
— Inglaterra **9:**255

— o pignoraticios **2**:236
— prerrománico **9**:253
— *psyché* **9**:255
— Renacimiento **9**:254
— Roma **9**:253
Möbius, August Ferdinand 9:257
espacio **5**:303
biografía **9**:257
Möbius, banda de 9:257
Mobutu Sese Seko 9:257
Lumimba, Patrice Émerick **8**:321
biografía **9**:257
Mobutu, José, general **14**:171
Moby Dick 9: 160
Moca **5**:303
Mocamedes **1**:287
mocasín 9:257
mocasín reptil **9**:257
— acuática **9**:257
— asiática **9**:257
mocasín zapato **9**:257
— de polaina **9**:257
Mocejón **13**:212
Moche, cultura **11**:188
Moche, río **9**:258
mochica 9:257
mochuelo 9:258
moco **9**:320
mocoa **7**:310
Mocoreta **13**:326
Mocoretá, río **5**:268
mocoví **7**:309
mocovís **4**:21
Moctezuma I 9:258
arte plumario **2**:66
Axayácatl **2**:192
Aztecas **2**:198
biografía **9**:258
Chapultepec **4**:21
jardín zoologico **8**:86
Netzahualcoyotl **10**:76
Tarascos **13**:119
Taxco **13**:127
Totonaca **13**:234
Tula **13**:281
Moctezuma II 9:258
Alvarado, Pedro de **1**:213
Aztecas **2**:199
biografía **9**:258
Chocolate **4**:62
correo **4**:253
Cortés, Hernán **4**:260
Cuauhtemoc **4**:310
Cuitlahuac **4**:327
Grijalva, Juan de **7**:66
Iztapalapa **8**:70
Latinoamérica **8**:183
pochteca **11**:145
Tenochtitlán **13**:159
Moctezuma, cuencas de **1**:208
Moctezuma, río **11**:250; **12**:193
moda 9:258
— aspecto psicológico **9**:259
— revistas de **9**:260
modalidades **11**:213
modelado de barcos a escala **9**:260
modelismo 9:260
modelismo **10**:336
modelo **6**:46
modelo de pintor **9**:260
modelos **9**:255
modelos reducidos **9**:260
módem
fax **6**:123
internet **8**:20
Módena
Amicis, Edmondo de **1**:249
Napoleón I, Bonaparte **10**:35
Pontificios, Estados **11**:167
Victor Manuel II **14**:76
Moderna **13**:322
Modernismo y arte Moderno 9:262
Agustini, Delmira **1**:118
Andrade, Mario de **1**:272
Blanco Fonbona, Rufino **2**:335
Chile **4**:44
Colombia **4**:141
Diaz Mirón, Salvador **5**:108
estructuralismo **6**:64
Finlandia **6**:161
García Lorca, Federico **6**:284,
Grieff, León de **7**:65
Klee, Paul **8**:144
latinoamérica **8**:189
Machado Cano, Antonio **9**:8
Perez Bonalde, Juam Antonio **11**:45
Puerto Rico **11**:237
ultraísmo **13**:301
Vallejo, César **14**:20
Verlaine, Paul **14**:57
moderno, drama **1**:195
Moderno edificio bancario en China **2**:236
Modershon-Becker, Paula **12**:69
modificadores o filtros **14**:105
Modigliani, Amadeo 9:263
bateau-Lavoir, Le **2**:265
escultura **5**:295
obra **9**:263
modinha 9:263
Modinhas **14**:93
modismo 9:263
modistería
moda **9**:259
vestido **14**:72
modo **10**:128
modo capitalista **9**:63
modo gramatical 9:264
— imperativo **13**:187
— indicativo **13**:187
— potencial **13**:187
— subjuntivo **13**:187
Modrzewski **11**:161
modulacion de frecuencia 9:264
música **10**:10
radiotelefonía y radiotelegrafía **11**:286
modulación por impulsos codificados (M. I. C.) **13**:144
Modular Equipment Transport (MET) **1**:326
módulo 9:264
módulo lunar **1**:326
Moebius **4**:170 **9**:257
Moeller, Arthur **10**:25
Moenjo Daro, Pakistán **10**:286
Moesta, Carlos **4**:44
mofeta 9:264
mofeta **9**:264
mofetas **14**:127
Mogador **7**:118
Mogilev, ciudad
Belarus **2**:279
Rusia Blanca o Bielorrusia **12**:147
mogol 9:264
Armenia **2**:45
Ártica, región **2**:70
Eslavos **5**:297
Gengis Khan **6**:301
India **7**:300
inmigración y emigración **7**:335
nopal **10**:73
Shah-jahan **12**:303
Turquestán **13**:293
mogoles orientales **2**:95
Mogolia
descubrimientos y exploraciones geográficos **5**:75
Manchuria **9**:52
tartaria y tartáros **13**:123
Mogolia, desiertos de **12**:311
mogólico **7**:310
Mogollón **10**:169
Mogollón Rim **2**:34
Mogotes **4**:181
Mogrovejo, Toribio de **7**:312
Moguer **11**:100
Moguer, Palos de **10**:297
moguex **7**:310
Mohacs, batalla de **4**:27, 295
Mohafazat **13**:269
mohair **3**:144
Mohamed Ahmed Mahgoub **13**:66
Mohamed *el Mahady* **11**:296
Mohamed I, rey de Arabia
Alhambra **1**:182
Mozambique **9**:319
Mohamed II 9:264
arcadia **1**:349
artillería **2**:75
Begini, Giovanni **2**:288
biografía **9**:264
Santa sofía de Constantinopla **12**:216
Turquía **13**:296
Mohamed Juna Uld Haidalla **9**:134
Mohamed Naguib, general **10**:44
Mohamed V, rey **9**:107; **13**:296
Mohamed-Kuli-Kali **7**:120
Mohamet Alí **1**:39
Mohammed Ali Jinnah **7**:301
Mohammed I, emir **9**:18
Mohammed IV **13**:296
Mohammed, Mahathir **9**:42
Mohammed, profeta **4**:92
Mohan Adhikari, Man **10**:73
moharra **2**:238
Mohave, desierto de **9**:83
Moheli **4**:172
mohicanos 9:264
pieles rojas **11**:85
Mohler, Humphrey **6**:11
moho 9:264
conservas **4**:213
hongos **7**:222
moho **9**:265
Moholy-Nagy, Ladislas **2**:267
Mohs, escala de **5**:182
Mohs, escala de dureza de **4**:248
Moillard **11**:118
Moin **4**:267
Moiras **10**:326
Moisés 9:265
— escultura de, por Miguel Ángel **9**:220
— La ascensión de **1**:325
— ley de **1**:349
— leyes de **5**:281
— Salvado de las Aguas **9**:265
Ascsholem **2**:80
Biblia **2**:308
biografía **9**:265
Catolicismo **3**:294
Derecho **5**:59
encuadernaciòn **5**:254
escultura **5**:284
faraón **6**:117
himno **7**:180
incienso **7**:293
islám e islamismo **8**:52
Jehová **8**:93
José **8**:109
Josué **8**:110
Judaísmo **8**:118
langosta **8**:171
maná **9**:50
Miguel Arcangel, san **9**:220
Moisés **11**:14, 116
religiòn **12**:12
revelación **12**:38
salmo **12**:175
Tenoch **13**:159
usura **13**:331
Moissac **10**:308
Moissan, Enrique 9:266
biografía **9**:266
flúor **6**:184
piezoquímica **11**:87
Mojadidi, Sibghtullah **1**:91
mojarra 9:266
mojo **7**:309
mojos **7**:311
moka **3**:152
Mokhehle, Ntsu **8**:232
Moktar Ould Daddah **9**:134
Mokundra **7**:296
Mola mola **11**:75
Mola, Luis **11**:264
Molango, encomienda de **1**:116
molares **5**:50
Molas, Felipe **10**:323
Molas, Mariano **10**:322
molasa 9:266
Molay, Jacques de **13**:155
Moldavia 9:266
— bandera de **2**:241
— príncipe de **12**:132
— río **3**:18; **9**:266; **11**:183
Vesarabia **2**:305
comunismo **4**:192
Dniester, río **5**:150
Europa **6**:81
Rumania **12**:130
Rusia **12**:146
molécula 9:266
— cohesión **9**:267
— diatómica **10**:277
adenosintrifosfato **1**:68
animal **1**:293
benzeno o benzol **2**:290
covalencia **4**:274
Dalton, John **5**:8
dipolo **5**:137
Einstein, Albert **5**:230
elemento químico **5**:244
estereoquímica **6**:50
expansión **6**:94
física **6**:164
Folry, Paul John **6**:184
gas **6**:287
hidratos de carbono **7**:164
Kroto, sir Harlod W **8**:148
macromolécula **9**:10
molécula **2**:143
radical químico **11**:276

unitaria **13:**314
Urey, Harold Clayton **13:**324
Moleschott, Jacob **9:**131
Moleson **13:**76
molibdeno 9:267
acero **1:**47
América del sur **1:**243
Arizona **2:**34
hierro **7:**173
tecnesio **13:**134
Molière 9:268
avaricia **2:**177
bibliografía **9:**268
comedia **4:**163
drama **5:**171
esperanto **6:**13
Francia **6:**226
humorismo **7:**250
Jouvet, Luis **8:**111
Lully, Jean Baptiste **8:**320
Racine, Jean **11:**272
Molin, Biagio **1:**140
Molina (Lagartijo), Rafael **13:**127
Molina Ureña, José Rafael **5:**161
Molina Vigil, Manuel **7:**219
Molina, Abate **9:**268
Molina, Argote de **10:**9
Molina, Enrique **4:**44
Molina, Juan Ignacio 9:268
bibliografía **9:**268
Chile **4:**44
Molina, Juan Ramón **7:**219
Molina, María de **11:**329
Molina, Mario 9:268
biografía **9:**268
Crutzen, Paul **4:**302
Rouland, Frank de **12:**120
Molina, Pedro 9:268
biografía **9:**268
Molina, Rafael **8:**162
Molina, Tirso de
Don Juan **5:**163
Drama **5:**170
España **5:**320
literatura **8:**277
Ruiz de Alarcón y Mendoza, Juan **12:**128
molino 9:268
— de aros cilíndricos **9:**268
— de caída de bolas **9:**269
— de harina **9:**268
— de martillos **9:**268
— de río **9:**268
— de sangre **9:**268
— de viento **9:**268
— de viento, Holanda 9:269
— de viento, La Mancha, España **9:**51
— Rojo, Pigalle, París **6:**214
molino de viento 9:269
Molinos, Miguel de 9:269
bibliografía **9:**269
Molins de Rey **14:**158
Molisch, Juan 9:269
biografía **9:**269
molle 9:269
Mollendo **1:**269
Mollendo, puerto de **2:**8
Moller, Nelly **1:**53
Molnar, Ferenc 9:269
bibliografía **9:**269
Moloch 9:269
Baal, Bel o Belús **2:**207
dioses paganos **5:**136
sacrificio **12:**160
Molodnjak **12:**150
Mologa, río **14:**128
Molokai **5:**9
Mölon **6:**73
Molotov, Viacheslav 9:269
biografía **9:**269
Kruschov, Hiruscëv Nikita Segreevich **8:**149
Moltke, Helmuth Karl Bernhard, conde de 9:270
bibliografía **9:**270
Molucas 9:270
— Estrecho de **9:** 270
— islas **5:**235; **14:**138
— Mar de **9:**270
Asia **2:**84; **2:**99
Holanda **7:**208
Indonesia, república de **7:**315
Magallandes, Fernando de **9:**23
Malasia **9:**41
Ramio **11:**294
moluches **1:**344
moluscos 9:270
— calamar ovalado **9:**270
— gasterópodo **8:**173
caracol **3:**230
concha **4:**195
huevo **7:**241
marisco **9:**103
pulmonados **11:**242
Reaumur, René Antoine Ferchauld de **11:**313
tentáculo **13:**160
zoología **14:**183
acuario **1:**58
aronauta **2:**27
— marino **9:**18
— cefalópodo **10:**50
Mombasa, puerto de **10:**33
momento de inercia 9:271
momia 9:271
— museo de las, Guanajuato, México **9:**271
momificación **9:**322
Mommsen, Teodoro 9:272
bibliografía **9:**272
Historia **7:**193
Momo **3:**100
Momoh, Joseph **12:**319
Momotombo **10:**93
Momotombo, volcán **8:**224; **9:**50
mona **13:**126
Mona Lisa **12:**19
Mona, Isla de **9:**136; **11:**229
monacato **4:**291
monacillo **1:**52
monacita **8:**67
Mónaco 9:272
— bandera de **2:**241
— Oficina Hidrográfica Internacional de **9:**71
— Principado de **12:**81
— puerto de **4:**98
acuario **1:**59
Costa Azul **4:**265
Europa **6:**81
juego de azar **8:**121
Mónaco **4:**177 **8:**136
montecarlo **9:**286
San Marino **12:**193
Mónaco, Honorato Carlos Alberto, príncipe de 9:272
biografía **9:**272
Mónaco-Ville **9:**272
mónada 9:272
mónadas **8:**214
Monagas estado **9:**273
Monagas, José Gregorio 9:273
biografía **9:**273
Monagas, José Tadeo **13:**225, 234
monaguillo **1:**52
Monarcas **12:**55
Monardes, Nicolás 9:273
biografía **9:**273
museo **10:**9
monarquía 9:273
— absoluta **9:**273
— constitucional **7:**207, 306
— constitucional y hereditaria **10:**135; **13:**69
— hereditaria **11:**329
— independiente **7:**306
— unitaria **13:**90
— y república **7:**7
Carlismo **3:**247
Domingo, Marcelino **5:**209
Eslovenia **5:**301
Feudalismo **6:**143
gobierno **7:**6
monarquía **5:**155
nación **10:**23
patria **11:**13
régimen **11:**330
título nobiliario **13:**207
monárquico **7:**90
monasterio 9:273
— abulense de la Encarnación **13:**165
— cistercienses de Santa María de Poblet **13:**121
— de Brunn **9:**163
— de Cluny **13:**322
— de El Escorial **13:**182
— de Fulda **2:**312
— de la Rábida **1:**265
— de San Francisco **7:**74
— de San Juan de los Reyes **13:**212
— de San Millán de la Cogolla **2:**295
— de Santo Domingo **7:**74
— de Santo Tomás **2:**189
— del Escorial **6:**126
— del monte Athos **2:**312
— en Neufmoutier **1:**250
— Ettal en Baviera, Alemania **2:**268
— Ganden **13:**185
feudalismo **6:**144
Historia **7:**192
monasterio **1:**18
Tebaida **13:**133
Moncada, Francisco de 9:274
bibliografía **9:**274
Moncada, José María **10:**94
Moncada, Miguel de **4:**5
Moncayo, José Pablo 9:274
obra **9:**274
Moncey, general **10:**289
Monchique **11:**173
Monción, Benito **5:**161
Monck, George **12:**53
Monclova **4:**118
Moncorgé, Jean-Alexis **6:**259
Mondego, río **4:**130; **10:**324
Mondéjar **1:**202
Mondengo **11:**173
Mondino, Luis Pedro **13:**328
Mondoñedo **14:**34
Mondonville **6:**229
Mondrian **2:**69
Mondrian, Piet **9:**263
moneda 9:274
— Casa de **10:**255
— italiana de Pompeya **9:**274
— judías **9:**5
— metálica y de papel **5:**132
— pesas y medidas **6:**34; **7:**37
arqueología **2:**50
arte de vender **2:**65
comercio **4:**165
comprador y arte de comprar **4:**176
concha **5:**191
corona **4:**251
dinero **5:**132
dolar **5:**154
Estados Unidos **6:**34
eurobono **6:**74
evasión de capitales **6:**85
Gran Bretaña **7:**37
Macabeos **9:**5
moneda **1:**153
monedas **10:**162
oro **10:**255
prehistoria **11:**187
monel **10:**104
Moneró, José Luis **11:**240
Monet, Antoine de **8:166**
Monet, Claude 9:275
obra **9:**275
Francia **6:**228
impresionismo **7:**286
Renoir, Pierre Auguste **12:**20
Sargent, John Singer **12:**229
Signac, Paul **12:**321
Monet, Jean Baptiste Antoine Pierre de **6:**89; **8:**29
Moneta, Ernesto T. 9:275
bibliografía **9:**275
monetaria, teoría **6:**237
monetario, sistema **9:**182
Monetarismo 9:275
Mong, Gaspard **8:**211
Monge Alvárez, Luis Alberto **4:**271
Monge, Gaspard **6:**11; **6:**314
Monge, matemático **11:**106
Mongka **9:**276
mongol, imperio 9:275
Agra **1:**101
Asia **2:**94
Ghengis Khan **6:**301
Gobi, desierto de **6:**336
hogar **7:**199
imperio **7:**274
Irán o Persia **8:**37
Mongolia 9:276
— bandera de **2:**241
— exterior **12:**335
— interior **9:**277
— República Popular de **9:**277
agricultura **1:**107
albaricoque **1:**139
China **4:**47
Corea **4:**246
Dalai Lama **5:**7
Lama **8:**166
lengua **8:**216
Ossendowski, Fernando **10:**267
mongolismo **5:**167
mongoloide **10:**65; **14:**113
Mongwy **6:**216
Mónica, santa 9:277
biografía **9:**277

monimiáceas **3:**21
Monismo 9:277
metafísica **9:**180
Monista, Liga **10:**269
Moniuszko **11:**161
Moniz, Antonio Cayetano de Abreu Freire Egas 9:277
bibliografía **9:**277
Moñiz, María **4:**146
monja Alférez **5:**274
monje Vendt **7:**127
monje y monja 9:277
— benedictinos **7:**192
montecassino **9:**286
orden religiosa **10:**234
Wamba **14:**140
mon-khamer **2:**96
monkhmer **2:**95
Monmouth, rebelión de **5:**37
Monnier **3:**246
Monnier, Marc **13:**81
mono (dios Hanuman) **1:**296
mono 9:277
— cautividad **9:**278
— cinocéfalo **9:**56
— clases **9:**278
— costumbres **9:**278
— de Huxley **9:**278
— dosemticidad
— tamaño **9:**278
Argentina, república **2:**17
chimpancé **4:**46
Laos **8:**173
mono **9:**278
monoaminas dopamina **10:**81
monoatómicas **9:**267
monocelular **1:**249
monocitos
glóbulo **6:**335
hematopoyésis **7:**143
leucocito **8:**235
mononucleósis **9:**279
retículo-endotelial, sistema **12:**33
monoclinal 9:278
— pliegue **6:**313
monoclínico **2:**205; **4:**290
monoclínico, sistema **9:**211
monocotiledóneas 9:278
— tallo **9:**279
árbol **1:**347
cotiledón **4:**272
gramíneas **7:**31
hierba **7:**171
tallo **13:**107
Monod, Jacques Lucien 9:279
bibliografía **9:**279
Jacob, Francoise **8:**73
Lwoff, André **8:**335
monoestearina **6:**48
monofisita **2:**46
monofisita de Egipto **1:**334
monofisitas **11:**57
monogamia 9:279
— antropólogos **9:**279
familia **6:**115
hogar **7:**198
matrimonio **9:**132
monografías **7:**193; **9:**288
monoicas **1:**282
monolito **10:**207
monolito del calendario azteca **2:**198
monolitos **8:**201
monólogo 9:279
drama **5:**169
Vicente, Gil **14:**75
monómeros **11:**129
monometalismo **9:**182
monomio 9:279
álgebra **1:**179
Monongahela, río **11:**114; **14:**146
mononucleosis 9:279
— infecciosa **9:**279
monoolefinas **11:**74
monopatín 9:279
monoperiantea **6:**177
monoplejía **10:**324
monopódica **1:**282
monopolio 9:279
— artificiales o privados **13:**277
— bilateral **9:**280
— legales **9:**280; **13:**277
— naturales **9:**280; **13:**277
economía **5:**191
ologopolio **10:**202
papiro **10:**317
monosacáridos **2:**204
monosurcos **1:**339
monoteísmo 9:280
Arabia **1:**334
monoteístas **4:**293
monotipia **7:**284; **9:**280
monotipo 9:280
monotonía **5:**111
monótono **5:**148
monotrema 9:49, 289
Equidno o Equidna **5:**272
ornitorrinco **10:**253
Monóvar, Alicante, España **2:**196
monóxido **10:**276
monóxido de carbono **7:**143; **8:**168; **14:**41
Monroe, James 9:280
América del Sur **1:**246
biografía **9:**280
Canning, George **3:**217
Estados Unidos **6:**41
La doctrina Monroe **9:**280
Panamericanismo **10:**306
Monroe, Marilyn 9:281
biografía **9:**281
Monroy, Alonso de **14:**12
Mons **2:**282
Monserrat **7:**275
Monserrat, monasterio de **12:**81
Monsieur, Compañía de **9:**268
Monsigny, Pierre **6:**229
monstruo 9:281
Hidra **7:**164
mitología y mitos **9:**247
teratología **13:**163
monstruo del gila 9:281
Arizona **2:**35
lagarto **8:**163
monstruos por defecto **13:**163
Monstruos terrestres y marinos **10:**327
Mont Blanc 9:285
Alpes **1:**201
Francia **6:**213
Mont Blanc **1:**200
montañismo **9:**284
Mont Doré **1:**213; **6:**212
Mont Lozére **6:**212
Mont St-Michel, Francia **6:**219
montacargas **11:**149
Montagua **11:**254
Montagua, río **11:**211, 267
Montague **10:**173
Montaigne, Miguel Eyquem de 9:281
bibliografía **9:**281
ensayo **5:**266
Francia **6:**226
montaje 9:281
moda **9:**259
televisión **13:**150
montakus **7:**309
Montale, Eugenio 9:281
bibliografía **9:**281
Montalvo, Juan 9:282
Ambato **1:**224
bibliografía **9:**282
Ecuador **5:**201
Montana 9:282
— actividad económica **9:**283
— agricultura **9:**283
— clima **9:**282
— energía **9:**283
— gobierno **9:**282
— manufactura **9:**282
— población **9:**283
— recursos minerales **9:**282
— río **9:**282
— tierra y recursos **9:**282
— turismo **9:**283
— vegetación y vida animal **9:**282
Cooper, gary **4:**231
Estados Unidos **6:**32
plata **11:**132
rocosas, montañas **12:**88
montaña 9:283
— Blanca **9:**134
— Magazzine **2:**36
Fujiyama **6:**249
Gea **6:**295
Girondinos **6:**327
Huánaco **7:**235
montaña **4:**281
montañas de Wuling Yuan en China **6:**303
montañas de Bermellón en el Cañón Marble, Arizona **2:**301
montañas de St Anton, Austria **2:**167
montañas Mule **13:**284
montañas Rocosas
Colorado **4:**155
Idaho **7:**262
Mckenzie, Alexander **9:**9
montañas Rocosas **9:**283
montañas Verdes **14:**57
Montánchez, sierra de **6:**105
Montani, Andrés R. **13:**329
montañismo 9:284
— historia **9:**284
— equipo **9:**284
— tipos de **9:**285
Montano **13:**173
montañosas, cadenas **10:**290
Montauban **2:**194; **12:**63
Montbazon **12:***94*
Montcorbier, De **14:**95
Monte Albán 9:286
juego de pelota **8:**122
México **9:**198
Zapoteca **14:**173
Monte Ararat **2:**85
Monte Blanco **2:**303; **9:**285
Monte Cervino 9:286
Monte Corvino, Juan **5:**72
Monte Cristi 9:286
monte de piedad 9:287
Monte de Piedad, México **9:**206
monte de termitas **8:**9
Monte McKinley en Alaska **6:**38
Monte Olimpo **14:**177
monte Palomar
astrofotografía **2:**107
astronomía **2:**130
Quirón **11:**269
Monte, Antonio del **5:**162
Monte, Capilla del **4:**242
Monte, Juan María del **13:**259
Monteagudo, Bernardo 9:286
biografía **9:**286
Argentina, República **2:**21
conferencias panamericanas **4:**203
panamericansimo **10:**306
Montecarlo 9:287
— casino de **8:**121
Montecarlo, Casino de, Mónaco **9:**272
Costa Azul **4:**265
Riviera **12:**81
Montecassino 9:286
Benito, san **2:**293
biblioteca **2:**312
orden religiosa **10:**234
Montecinos, Sergio **4:**43
Montecitorio, palacio de **12:***100*
Montecorvino, Juan de **4:**54
Montecristo **13:**203
Montecristo, conde de 9:287
— isla de **9:**287
biografía **9:**287
Montefeltro **12:**194
Monteiro Lobato, José Benito 9:287
bibliografía **9:**287
Montejo, casa de **7:**190
Montejo, Francisco de
Dominicana, república **5:**159
Grijalva, Juan de **7:**66
Mérida **9:**174
Yucatán **14:**166
Montemayor, Jorge de 9:287
bibliografía **9:**287
España **5:**319
Gil Polo, Gaspar **6:**323
Montemezzi **10:**216
Montenegro y Nervo, Roberto 9:288
México **9:**205
obra **9:**288
Paz, José María **11:**20
Montenegro 9:287
Adrático **1:**76
Berlín, tratado de **2:**300
Bosnia y Herzegovina **3:**51
Croacia **4:**296
Escultura **5:**295
Yogoslavia **14:**167
Montenegro, agreste **9:**287
Montenegro, Cerro **10:**83
Montenegro, Elena de **14:** 76
Monteoliveto **12:***322*
Montepellier, escuela médica de **9:**149
Montepin, Javier de 9:288
bibliografía **9:**288
Montepío de Toreros Españoles **2:**62
Monterde, Francisco **9:**202
Montería **4:**241
Monteria 9:288

montería 9:288
Montero, José Ángel **14:**47
Monteros **13:**280
Monterrey 9:288
— aeropuerto **9:**288
— bahía **4:**194
— palacio de **12:**172
Junco, Alfonso **8:**126
latinoamérica **8:**192
México **9:**195
Nuevo León **10:**159
Taylor, Zachary **13:**129
Montes Claros, virrey marqués de **6:**245
Montes de Hedin **2:**85
Montes de Oca **14:**190
Montes de Oca, Confucio **7:**220
Montes de Oca, Fernando **10:**103
Montes de Oca, Marco Antonio **9:**202
Montes de Oca, Rafael **9:**201
Montes de Toledo **2:**213
Montes, Francisco 9:288
bibliografía **9:**288
tauromaquia **13:**127
Montes, Ismael 9:288
biografía **9:**288
Bolivia **3:**29
Montesmuro **11:**173
Montespan, señora de **9:**34
Montesquieu, Charles de Secondat, barón de 9:288
bibliografía **9:**288
Bolivar, Simón **3:**23
Diderot, Denis **5:**252
Francia **6:**226
historia **7:**192
Montesquieu **5:**114
Montessori, María 9:288
bibliografía **9:**288
didáctica **5:**114
educación **5:**216
escuela elemental **5:**290
Montessori, Maria **11:**24
mujer **9:**326
Monteverde **13:**209
Monteverde, Domingo **12:**60
Monteverde, general **3:**23
Monteverde, Julio 9:289
bibliografía **9:**289
Monteverdi, Claudio 9:289
Italia **8:**66
música **10:**14
obertura **10:**172
obra **9:**289
ópera **10:**215
orquesta **10:**257
Montevideo ciudad 9:289
— ciudad vieja y moderna **9:**289
— clima y balnearios **9:**289
— construcciones y paseos **9:**289
— historia **9:**290
— industria y comercio **9:**289
— vida cultural **9:**290
América del sur **1:**244
armada **2:**39
Artigas, José Gerbacio **2:**72
Arzadúm, Carmelo **2:**79
Blanes Viane, Pedro **2:**336
comunicaciones **4:**181
conferencias panamericanas **4:**203
Damvila, Alfonso **5:**12
del este **11:**243
Echeverría, Esteban **5:**185
Fígari, Pedro **6:**150
Hidalgo, Bartolomé **7:**163Elio, Francisco Javier **5:**246
Jardinería **8:**88
Lamas, Andrés **8:**166
Larrea, Juan **8:**177
Lavalle, Juan Galo **8:**200
puerto **11:**229
Punta Rodó, José Enrique **12:**90
reconquista de Buenos Aires **11:**316
Regules, Elías **11:**333
Sarmiento, Domingo Faustino **12:**229
Viamonte, Juan José **14:**74
Yegros, Fulgencio **14:**161
Zavala, Bruno Mauricio de **14:**169
Montevideo departamento **9:**290
— El Día de **14:**191
— puerto de **4:**325
— Tratado de **4:**167
— Universidad de **11:**333; **14:**31
Olavarría, José Valentín de **10:**201
Plata, río de la **11:**133
Montfaucon **2:**51; **10:**203
Montfort, Simón de 9:290
biografía **9:**290
albigences **1:**141
Montgolfier, hermanos 9:290
ariete hidráulico **2:**30
dirigible **5:**139
biografía **9:**290
Montgolfier, Jacques- Étiene
aerostación **1:**89
Francia **6:**230
globo aerostático **6:**333
Legión de honor **8:**211
Transportes **13:**251
Montgomery **11:**118
Montgomery, Bernard Law 9:290
biografía **9:**290
Rommel, Erwin **12:**108
Montgomery, Lucy N **3:**205
Montherlant, Hebry de **6:**227
montículo **2:**278
montículos de Pinson **13:**158
Montiel **5:**177
Montier **4:**124
Montignac **11:**186
Montijo, bahía de **10:**300
Montijo, Eugenia María de **10:**39
Montijo, Eugenia de **13:**74
Montilla **4:**242
Montini, Giovanni Battista **11:**17
Montjuich **12:**81
Montjuich en la montaña **2:**252
Montjuich, castillo de **12:**81
Montmartre **10:**328
Montmorency
Bateau-Lavoir, Le **2:**265
Pálissi, Bernard **10:**293
París **10:**328
Ruseau, jean Jacques **12:**119
San quintín, Batalla de **12:**200
Montnegre y Morella, sierras **2:**253
Montorgueil, castillo de **8:**96
Montoya, Esteban **4:**142
Montpellier
biblioteca **2:**315
Mallorca **9:**45
Montpellier **14:**57
Rabelais, Francoise **11:**271
Roque, san **12:**111
Sydenham Thomas **13:**91
universidad **13:**316
Valery, Paul **14:**15
vid **14:**79
Montpensier, duques de **6:**133
Montreal 9:290
Montreal, Canadá **4:**88
América del norte **1:**236
Osler, sir William **10:**264
pasos del noroeste y noreste **11:**229
Montreux **5:**18
Montrose, James Graham, marqués de 9:291
biografía **9:**291
Monts Verts **14:**57
Montseny **2:**253
Montseny **7:**133
Montserrat 9:291
Montserrat**,** islas **1:**309
Montserrat, montaña **2:**253
Montserrat, montaña de **6:**286
Montt, Jorge **4:**42
Montt, Manuel 9:291
biografía **9:**291
Chile **4:**42
Loncomilla **8:**302
Prieto, joaquín **11:**197
Montt, Pedro **4:**42
Montt, Puerto **4:**36, 37
Montu **1:**251
montura **2:**47
monturas **11:**148
Monturiol, Narciso 9:291
bibliografía **9:**291
Monument Valley **2:**35; **10:**50, 51
monumento y monumento nacional 9:291
monumento a John F Kennedy y biblioteca, EEUU **2:**311
monumento a la perla Bahrein **2:**218
monumento a Ludwig van Beethoven **2:**276
monumento a María Teresa, Innsbruck, Austria **2:**166
monumento a Nelson **10:**70
monumento al Ejército de los Andes **9:**165
monumento al trabajador y granjero en Moscú **7:**234
monumento al trabajador y granjero en Moscú **7:**234
monumento del general San Martín **2:**294
monumento erigido a la democracia, Bangkok **2:**245
monumento funerario **6:**48
monumento Rizal, Manila **9:**58
monumentos **7:**151
monumentos a Velázques **2:**294
Monvaerni **5:**302
Monza, italia **2:**168
Monza, seminario de **11:**102
monzón 9:292
Véase vientos
monzón de verano **2:**87
monzones **2:**89; **14:**88
Moñino, José 9:292
Véase Floridablanca, conde de
moño de celofán rojo **12:**96
Moock, Armando 9:292
bibliografía **9:**292
Chile **4:**44
Moody, Dwight L. **7:**24
Moor, Marston **4:**298
Moore **5:**295
Moore, George 9:292
Empecinado, Juan Martín Diaz, el **5:**250
Gran Bretaña **7:**44
bibliografía **9:**292
Moore, George Edward **12:**150
Moore, Henry **4:**158
Moore, Henry **5:**293
Moore, Stanford 9:292
Anfinsen, Christian Boehmer **1:**279
biografía **9:**292
Moore, Thomas 9:292
bibliografía **9:**292
Moorea **13:**101
Moorea, Tahiti **13:**100
Moorin, Puerto **12:**174
Moquegua 9:292
Angeles, los **1:**280
Baquedano, Manuel **2:**249
moquelumna **7:**308
Moquihuix **13:**208
Mora **4:**270; **13:**213
Mora Porras, Juan Rafael **4:**269
Mora, José María Luis 9:293
bibliografía **9:**293
Mora, Juan Rafael 9:293
biografía **9:**293
Morabios, Cordillera de los **8:**224
moráceas **3:**222; **7:**177
Moradal **11:**173
morado **11:**91
Moraes, Francisco **11:**177
Moragas, Tomás **12:**150
Moraitinis, A. **7:**62
moral ciencia 9:293
moral 9:293
— división **9:**293
— norma de la **9:**293
— ética cristiana **9:**293
Moral y costumbres **7:**312
catolicismo **3:**296
Confucio **4:**205
cristianismo **4:**293
cuentos infantiles **4:**320
drama **5:**170
dualismo **5:**175
educación **5:**213
escuela secundaria **5:**292
Floklore o Folclor **6:**189
formalismo **6:**196
América **7:**312
moral árbol 9:293
Moral, castillo del **8:**315
Moral, Enrique del **8:**195; **9:**206
Morales Bermúdez Cerruti, Francisco 9:294
Perú **11:**65
biografía **9:**294
Morales, Ambrosio de 9:294
Perú **9:**294
Morales, Andrés de 9:294
biografía **9:**294
Morales, Armando **10:**95
Morales, Carlos **5:**161
Morales, Gaspar de **2:**29
Morales, Jorge Luis **11:**238
Morales, José **11:**241
Morales, Luis de 9:294

obra **9**:294
moralidad
educación **5**:214
hogar **7**:198
infalibilidad **7**:319
Morán, Diana **10**:303
Moran, Monte **14**:156
Morarji Desai **7**:301
Moratín **1**:215
Moratín y Quintana, Baltazar **4**:107
Moratín, Fernándo de **10**:71
Moratín, Leandro Fernández de 9:294
bibliografía **9**:294
moratoria 9:294
Morava, río **4**:25, 26
Morava, río **5**:11
Moravia 9:295
Austerlitz **2**:161
Cirilo y Metodio, santos **4**:92
Comenio, Joann Amós Comensky, llamado **4**:164
Oder **10**:185
Rumania **12**:129
Checa, república **4**:24
Moravia, Alberto 9:295
Italia **8**:65
neorrealismo **10**:72
bibliografía **9**:295
Moravos, hermanos **4**:164
Moraza, río **9**:287
Morazán, Francisco 9:295
biografía **9**:295
Costa Rica **4**:269
Molina, Pedro **9**:268
Nicaragua **10**:94
Paz, la **11**:21
San Miguel **12**:197
Tegucigalpa **13**:138
Morazán, Puerto **4**:59
Morbihan, en la Bretaña (Francia) **12**:*94*
Morcegos, isla de **6**:336
morcillo **3**:133
mordeduras **11**:199, 201
Morden-Clark, expedición **5**:75
mordiente **13**:198
mordientes 9:296
More, Thomas **7**:43
Morea, Península de
Corinto **4**:248
Milo **9**:224
Moréas, Jean **6**:227
Moreau, Gustavo 9:296
ejército **5**:234
Matise, Henri **9**:131
biografía **9**:296
Moreau, Marcel **5**:260
Moréaus, Jean **12**:327
Moreira de Saa **11**:178
Moreira, Juan **2**:26
Morel Campos, Juan **11**:239
Morelia 9:296
acueducto **1**:60
Ávila Camacho, Manuel **2**:190
Michoacán **9**:214
Morella la Vella, cueva de (Castellón) **12**:134
Morella la Vieja **11**:95
Morelos estado 9:296
— historia **9**:297
Bravo, Nicolás **3**:78
Cuernavaca **4**:321
Yecapixtla **14**:161
Morelos y Pavón, José María 9:297
biografía **9**:297
Bustamente, Carlos María de **3**:124
Chilpancingo, Congreso de **4**:45
Esclavitud **5**:281
Estado de México **6**:30
Guerrero, Vicente **7**:102
independencia **7**:295
latinoamérica **8**:185
Pátzcuaro **11**:16
Victoria, Guadalupe **14**:77
morena 9:297
Morena, Sierra
Cordoba **4**:241
España **5**:304
Sevilla **12**:299
Moreno **13**:176
Moreno Carbonero, José 9:298
obra **9**:298
Málaga **9**:40
Quijote, don **11**:257
Moreno Fernández **2**:26
Moreno Torroba, Federico 9:298
obra **9**:298
Moreno, Francisco de Paula 9:297
biografía **9**:297
Moreno, Francisco P. **3**:327
Moreno, Fulgencio R. **10**:322
Moreno, Mariano 9:298
Argentina, república **2**:20
Azcuénaga, Miguel de **2**:195
bibliografía **9**:298
biblioteca **2**:317
Blai, Miguel **3**:6
Gaceta de Buenos Ayres **6**:295
Larrea, Juan **8**:177
primera junta **11**:198
Vieytes, Hipólito **14**:91
Moreno, Mario 9:298
biografía **9**:298
México **9**:203
Moreno, Pedro **9**:227
Moreno, Segundo Luis **5**:202
morera 9:299
murcia **10**:5
Píramo y Tisbe **11**:106
sardana **12**:228
Morera y Viura, Enrique 9:299
obra **9**:299
Moreto y Cavaña, Agustín 9:299
bibliografía **9**:299
Moreto, Agustín **5**:320
Morey, Bartolomé **12**:5
Morfeo 9:299
morfina 9:299
alcaloide **1**:144
dolor **5**:154
droga **5**:173
estupefacientes **6**:66
glicerina **6**:332
narcótico **10**:40
terapéutica **13**:163
morfología 9:299
botánica **3**:56
geografía **6**:303
glaciar **6**:329
gramática **7**:30
Morgan 9:300
— Junius Spencer **9**:300
— John Pierpont **9**:300
Morgan, Carlos 9:300
Gran Bretaña **7**:44
bibliografía **9**:300
Morgan, el pirata 9:300
biografía **9**:300
Morgan, Henry **8**:77; **11**:107
Morgan, Leon O. **1**:247
Morgan, Pierpont **10**:336
Morgan, pirata Henry **10**:301, 304
Morgan, sociedad **12**:120
Morgan, Thomas Hunt 9:300
bibliografía **9**:300
morganito rosa **2**:297
Morgante **8**:65
Morgaten **13**:80
Morgenstern, Christian **3**:137
Morí **13**:114
Morí, Camilo **4**:43
Moría, monte **12**:105
Morichal Largo **9**:273
Morichal Largo, río **1**:319
moriches **8**:290
Mörike **14**:154
Mörike, Eduard **1**:166
Morillas, Francisco **5**:162
Morillo, general **3**:23
Morillo, Pablo
Acevedo y Gómez, José **1**:51
Fernández Madrid, José **6**:135
Restrepo, José Manuel **12**:32
Morin, Paul **3**:205
Moriñigo, Higinio **10**:323
morisca **5**:13
moriscos 9:301
— españoles **1**:26
— Expulsión de los **14**:37
Aben Humeya **1**:26
casta **3**:276
Felipe III **6**:127
mudejar **9**:320
muladí **9**:327
Moritz Stubel, Alfons **13**:274
Morley **9**:213
mormones 9:301
Young, Brigham **14**:165
Morning Chronicle **5**:113
Morning Post, periódico
Baring, Mauricio **2**:254
Churchil, Winston Leonard Spencer **4**:64
corresponsal de guerra **4**:256
moro **3**:153
Moro **5**:290
moro Ulid **14**:19
Moro, Aldo **8**:64
Moro, Antonio 9:301
Gran Bretaña **7**:45
biografía **9**:301
moro, Suspiro del **10**:83
Moro, Tomás, santo 9:302
biografía **9**:302
Erasmo, Desiderio **5**:273
Holbein, Hans **7**:210
Metsys, Quentin **9**:192
moro, vega de **10**:83
Morococha, minas de **4**:122
Morona **1**:214; **11**:8
Morona-Santiago 9:303
Morone **8**:66
moros 9:303
— andaluces **9**:107
Gibraltar **6**:322
Marruecos **9**:107
reconquista **11**:315
Morosini, Francisco **7**:61
Morphou **4**:61
Morphy, Paul **1**:268
Morquio, Luis **2**:289
morrenas **6**:311
morrénicos **1**:270
morrenoas **6**:329
Morris (Maurice de Bévère **4**:170
Morris Hunt, Richard **9**:192
Morris Jesup, Cabo **1**:227
Morris, Charles **12**:275
Morris, Guillermo **3**:122
Morris, William 9:303
artes industriales **2**:69
bibliografía **9**:303
Morrison **14**:144
Morrison, Herber Stanley 9:303
biografía **9**:303
laborismo **8**:154
Morrison, Toni 9:303
bibliografía **9**:303
Estados Unidos **6**:44
Morro **2**:30
Morro de Arica **2**:249; **7**:88
morrón **11**:91
Morrosquilllo, Golfo de **4**:137
Morrow, Anne **8**:264
Morrow, D. W. **4**:290
morsa 9:304
ártica, región **2**:71
foca **6**:185
Asia **2**:91
marfil **9**:90
esquimales **6**:26
Morse, clave **11**:286
Morse, Samuel Finiey Breese 9:304
biografía **9**:304
comunicaciones **4**:183
invenciones y descubrimientos **8**:24
telégrafo **13**:145
mortalidad 9:304
mortero 9:305
artillería **2**:75
asfalto **2**:82
labranza **8**:157
papel **10**:314
Mortimer, Roger de 9:305
biografía **9**:305
Mortlake **13**:116
Morton Stanley, Henry
automóvil **2**:171
Bennet, James Gordon **2**:294
Livingston, David **8**:289
Real Sociedad Geográfica **11**:312
Morton, Jelly Roll **3**:9
Morton, William Thomas Green 9:305
biografía **9**:305
cirugía **4**:94
medicina **9**:150
óxido de nitrógeno **10**:277
Mórula
desarrollo **5**:67
embriología y embrión **5**:248
Morvan **6**:212, 216
Mosa **2**:282
Mosa, departamento del **14**:55
Mosa, estuario **7**:205
Mosa, río
Bélgica **2**:281
Francia **6**:214
Holanda **7**:206
Verdún **14**:55
Mosa, valle **6**:212
mosaica **12**:12
mosaico 9:305

mosaico **1**:175, 176; **4**:148, 318
— bizantino **8**:109
— con escenas tomadas del Libro de los *Salmos* de Alfonso **2**:308
— de Gutenberg, Madrid **9**:19
— de plumas **8**:191
— decorativo de Málaga, España **9**:306
— español **10**:238
— romano en Marruecos **1**:93
artes industriales **2**:69
pintura **11**:96
televisión **13**:150
Mosander **13**:163
mosca y moscón 9:306
— burrera **9**:308
— de la fruta **9**:307
— de las flores **9**:307
— del caballo **9**:308
— del Mediterráneo **9**:308
— del plátano **9**:328
— doméstica **9**:306
— tsetsé **5**:251; **9**:308; **14**:182
zoología **14**:184
moscarda y moscardón 9:306
Moscardó Ituarte, José **1**:147
mosco *Aedes* **5**:49
Moscoso de Alvarado, Luis 9:308
biografía **9**:308
Moscoso, V. **4**:170
Moscova, río **9**:308; **10**:37
Moscova-Volga, Canal **9**:309
Moscú 9:308
— conferencia de **11**:222
— Conservatorio de **13**:129
— convenio de **11**:206
— periódicos de **9**:309
— tratado de **7**:167
— Universidad de **11**:211
aeroplano **1**:87
Andreev, Leonid Nikolaevich **1**:273
Angola **1**:288
Moscú **4**:220
constructivismo **4**:263
Crimea **4**:284
Dostoievski, Fedor M. **5**:166
Estados Unidos **6**:42
Estonia **6**:58
Europa **6**:81, 84
ferrocarril **6**:141
ferrocarril subterráneo **6**:142
Georgia **6**:317
Ho Chi Minh **7**:196
Honecker, Erick **7**:220
Kandinsky, Wasily **8**:132
Kerensky, Aleksandr Fëdorovich **8**:140
Kruschov, Hruscëv Nikita Sergeevich **8**:149
Lenin, Vladimir Ilch Uljanov **8**:221
lino**8**:268
Moscú **8**:22, 147; **12**:11, 138
Pavlov, Iván Petrovich **11**:17
Rachmaninoff, Sergei Vasilevich **11**:274
Razin, Stenka **11**:311
satélite artificial **12**:237, 238
Scriabin, Aleksandr Nicolaievich **12**:251
Tamerlán **13**:109
Tito, Josip Broz, llamado **13**:206
Unión de Repúblicas Socialistas Soviéticas **13**:307
universidad **13**:317
Yugoslavia **14**:167
Mose Richards **4**:273
Mosel, río **1**:164
Mosela
Alemania **1**:163
bebidas **2**:272
Francia **6**:216
Moseley, Henry Gwyn-Jeffreys 9:310
biografía **9**:310
Moser, Francesco **4**:69
mosetene **7**:309
Moshood Abiola **10**:101
Moskenesoe, isla **9**:21
Moslema **5**:315
moso **2**:95
Mosolov, Alexander **12**:142
Mosquera, Tomás Cipriano 9:310
biografía **9**:310
Ospina, Rodríguez Mariano **10**:267
Popayán **11**:168
Urdaneta, Rafael **13**:323
mosquete y mosquetero 9:310
arcabuz **1**:349
ejército **5**:233
fusil y rifle **6**:254
mosquetón modelo Mauser **9**:310
Mosquitia, La 9:310
Nicaragua **10**:94
mosquito 9:310
— *Culex pipiens* **9**:311
artrópodo **2**:78
mosquito **7**:218
mosquitos **13**:126
Mosquitos, costa de los **9**:310
Mosquitos, golfo de **10**:300
Moss Duke, Charles **2**:120
Mossadegh, Mohamed 9:311
biografía **9**:311
Irán o Persia **8**:39
Mostaganem **2**:11
mostaza 9:311
— alílica **9**:311
— blanca **9**:311
— negra **9**:311
— silvestre **9**:312
especias **6**:8
Mostazem **3**:165
mosto **6**:133
Móstoles, alcalde de 9:312
biografía **9**:312
Mosul
arqueología **2**:52
Bagdad **2**:216
Iraq **8**:41
Nínive **10**:103
Saladino I **12**:171
Tigris, río **13**:195
Mosyi **12**:335
mota **9**:95
Motagua
América Central **1**:234
Guatemala **7**:77
Izabal **8**:70
Zacapa **14**:169
Motane, isla **9**:105
Motatán, río **9**:85
mote **9**:37
Motecuhzoma Xocoyotzin
Nezahualpilli **10**:91
Tenochtitlán **13**:159
motete 9:312
— Victoria **9**:312
motetus **2**:62
Moth **14**:35
Mothe Fénelon, Francois de Salignac de la **6**:226
Mother Lode, yacimientos de **10**:254
Motier, Marie Joseph, marqués de Lafayette
Revolución Francesa **12**:47
trata **13**:256
motilón **7**:310
motilones **14**:47
motín 9:312
motivaciones **10**:63
moto de propulsión **13**:204
moto de vapor **13**:260
motocicleta 9:312
carrera **3**:261
Motomitsu **8**:84
motonaftas **10**:29
motonaves **3**:110
motoneuronas tróficas **7**:49
motor
— de chorro **6**:140
— de combustión **6**:140
— de combustión interna **5**:257
automóvil **2**:171
Diesel, motor **5**:115
generador **6**:300
motor **2**:171
motor fuera borda **9**:315
taquímetro **13**:117
motor de explosión 9:313
automóvil **2**:171
carburador **3**:239
helicóptero **7**:141
gasolina **6**:289
inercia **7**:318
ingeniería **7**:331
labranza **8**:157
motor de explosión **9**:312
transportes **13**:250
volante **14**:125
motor de gasolina **2**:171, 172
motor de inducción **9**:315
motor de un aeroplano **1**:86
motor de un aeroplano DC-9 **1**:85
motor diesel **6**:168; **9**:314; **13**:61
motor diesel **8**:31, **5**:116
motor fuera borda 9:315
motor modelo SP333 **2**:171
motor sincrónico **9**:315
motor térmico **8**:222
motores **1**:69
motores **11**:215
motores de combustión interna **2**:171
motores de émbolo **7**:141
motores de estrella **9**:314
motores de inducción monofásicos **9**:314
motores de reacción **11**:215
motores de un cilindro **2**:171
motores eléctricos 9:314
asensor **2**:80
Edison, Thomas Alva **5**:211
electricidad **5**:238
funicular **6**:253
hierro **7**:172
invenciones y descubrimientos **8**:28
motor eléctrico de corriente continua **9**:313
motores en derivación **9**:314
motores en serie **9**:314
motores fijos **6**:289
Mott, Juan Raleigh 9:315
bibliografía **9**:315
Mott, sir Nevill **1**:267; **14**:24
Motta, Francisco de **9**:51
Motta, Vianna da **11**:178
Mottelson, Ben Roy **11**:290
Mottelson, Benjamin 9:315
biografía **9**:315
Mottke el ladrón **2**:80
Mouciño, José María **9**:201
Mouliert, Joaquín **11**:240
Moulton **2**:52; **6**:310
Mount Mitchell **6**:31
Mount Stromlo **13**:148
Mount Wilson, observatorio de **7**:235
Mountbatten, Felipe de 9:315
biografía **9**:315
Isabel II **8**:48
Mourguet **13**:205
mouseíon **10**:9
Moustier **6**:219
movilidad **13**:98
movima **7**:309
movimiento 9:315
— angular de la cámara **7**:66
— beat **6**:161
— browniano **5**:230
— circular uniforme **6**:246
— de rotación **9**:316
— de traslación **9**:316
— ondulatorio simple **6**:169
— rectilíneo uniforme **9**:316
— retardado **9**:316, 317
— uniformemente acelerado **9**:316
— vibratorio **6**:165, 167, 168, 169, 234
— tres leyes del **6**:166
— geológicos **6**:311
— peristálticos **5**:119
escape **5**:278
extensión **6**:103
física **6**:164
fuerza **6**:245
fuerza centrífuga y centrípeta **6**:247
hidráulica **7**:164
música **10**:10, 13
onomatopeya **10**:212
parálisis **10**:324
movimiento anarquista **2**:221
movimiento continuo 9:317
movimiento curvilíneo **6**:165
movimiento de la Fronda **8**:177
movimiento de la Resistencia **2**:318
movimiento existencialista **8**:141
movimiento invencionismo **1**:117
movimiento irredentista de Fiume **2**:292
movimiento laborista **7**:146
movimiento Lituano por la Perestroika **8**:288
Movimiento Misional de Estudiantes Americanos **9**:315
movimiento modernista **7**:28; **14**:14
movimiento modernista en América Latina **3**:270
Movimiento Nacional del Congo **8**:321
movimiento revolucionario **9**:16
movimiento romántico **2**:25

movimiento sionista **8:**118
movimientos internacionales **7:**334
movimientos, absolutos **9:**316
Moya, Pedro de **10:**6
Moyne, abadía **10:**233
Moyobamba **12:**194
Moyocoyani **13:**181
Moyotlan **13:**159
Moyuta, volcán **8:**130
Mozambique 9:317
Mozambique 9:318
— bandera de **2:**241
— Canal de **4:**172; **9:**10, 317
— economía **9:**317
— historia **9:**318
Acuña o Cunha, Tristán da **1:**63
África **1:**94
Angola **1:**287
descubrimientos y exploraciones geográficas **5:**76
Nyasa o Ñasa **10:**166
Portugal **11:**175
Rhodesia **12:**60
Serpa Pinto, Alexandre Alberto da Rocha **12:**289
mozárabes 9:319
— arquitectura **9:**318
— ritos y letras **9:**319
España **5:**314, 315
español, idioma **6:**5
Mozart, Wolfgang Amadeus 9:319
— monumento, Viena **9:**319
— museo **11:**78
Ángeles, Victoria de los**1:**281
armpnía y acorde **2:**46
biografía **9:**319
Austria **2:**167
Bach, familia **2:**212
Beethoven, Ludwig van **2:**276
Clementi, Muzio **4:**111
concierto **4:**196
contrabajo **4:**227
cuarteto **4:**309
De los Ángeles, Victoria **5:**45
educación **5:**217
fandango **6:**116
Fígaro **6:**150
Flautista de Hamelin, El **6:**175
fuga **6:**248
Haydn, Franz Josef **7:**134
lied **8:**256
minué **9:**235
música **10:**14
obertura **10:**172
ópera **10:**215, 218
orquesta **10:**257
Renard, Rosita **12:**19
réquiem **12:**27
Rietschel, Ernst Friedrich **12:**67
Salzburgo **12:**185
sinfonía **12:**333
Weber, Karl Maria Friedrich von **14:**144
Mozzoni, Umberto **3:**241
mpongwe movimiento gabón África **6:**259
Mpulun-gu Zambia **13:**111
Ms-dos **10:**223
MSFN **10:**43
Mswati **13:**90
Mswati III **13:**90
Mtwara **13:**114
mualadí **9:**327
Mu-Allagat, antología **1:**333
Muawad, René **8:**241
Mubarak, Mahommed Hosni
Israel **8:**58
Kuwait **8:**151
Sudán **13:**67
mucilaginoso **12:**243
mucílago **1:**45; **8:**158
mucíparas **3:**11
mucosa, membrana 9:320
— bucal **3:**11
— nasal **6:**58
anhídrido **1:**290
fisonomía **6:**171
gastritis **6:**290
helioterapia **7:**142
tacto **13:**98
válvula **14:**18
Mucuján, río **9:**174
Mucury, río **6:**18; **9:**227
mucus **2:**102
mucus **9:**320
Mud Island **13:**158
muda 9:320
mudechan **9:**320
mudéjar 9:320
estilo **6:**54
hispanocolonial **7:**190
mudez 9:321
— histérica **9:**321
— pura **9:**321
mudgelin **9:**320
mudras **7:**304
Mudway, islas **11:**152
Mueble **3:**259
muebles, banco **9:**253
muelas **9:**268
muelle construcción 9:321
muelle **10:**131, 213
muelle en la costa de Montreal **1:**232
muelle pieza 9:321
muelles en espiral **9:**321
muérdago 9:322
Navidad **10:**57
muermo 9:322
muerte 9:322
— natural **9:**322
— instinto de la **13:**75
— Digna, Ley de **6:**85
— mensajero de la **1:**280
moneda **9:**275
tabú **13:**96
teatro **13:**132
Muerte, Valle de la **13:**154
Muerto, Mar 9:323
asfalto **2:**82
Asia **2:**87
cristianismo **4:**291
Galilea **6:**267
Jerusalén **8:**96
Jordania **8:**107
Judá **8:**117
Muerto, Mar **8:**98
mar **9:**83
Muessbauer, Rudolph Ludwig 9:323
biografía **9:**323
muestra 9:323
muflón **10:**273
Muga, río **6:**319
Mugabe, Robert **14:**178
Múgica, Rafael **3:**313
muguete 9:323
Muhammad Ahmed **13:**66
Muhammad Alí
Arabia Saudita **1:**336
Egipto **5:**225, 228
Mehemet, Alí **9:**156
Muhammad Daud **1:**91
Muhammad Hosni Mubarak **5:**229
Muhammad Idris I, rey **8:**248
Muhammad Khuswa **5:**228
Mühlberg **5:**301
muiscas **1:**32; **7:**311
mujer 9:323
— aporte a la cultura y mejoramiento social **9:**323
— atleta olímpica **9:**325
— con vestimenta frisia **7:**207
— dentista **9:**325
— ejecutiva **9:**324
— en traje de noche **9:**258
— evolución histórica de la **9:**324
— en nuestros días **9:**325
— mulata **9:**326
— navajo **10:**51
— trabajando lana **9:**323
mujer **4:**231, 263, 303, 304, 314; **10:**67, 101; **13:**218
Mujer joven de Montmatre, Modigliani **9:**263
Mujeres de Tahití, Gauguin **6:**293
economía doméstica **5:**194
harén **7:**129
hogar **7:**198
madre **9:**17
monogamia **9:**279
Mujercitas **8:**285
Mujibur Rahman **2:**246
Mújica Láinez, Manuel 9:327
bibliografía **9:**327
mujiks **13:**215
mújol 9:327
Mukden 9:327
— batalla de **9:**327
China **4:**51
Guerra Ruso-Japonesa **7:**99
Manchuria **9:**53, 54
Mukunga **12:**120
mula **4:**283
muladí 9:327
España **5:**315
Omar Ben Hafsun **10:**209
mular **6:**275
Mulatas o San Blas, archipiélago de las **10:**300
mulato 9:327
casta **3:**276
indios americanos **7:**311
negro **10:**68
Mulegé, México **2:**220
Müler, Johann **1:**167
muleta 9:327
Muley Hacén 9:327
biografía **9:**327
Mulhacén 9:327
montañismo **9:**285
Nevada, Sierra **10:**83
Penibético, Sistema **11:**37
Mulheim **12:**126
mulita 9:327
— de Azara o de las pampas **9:**328
— grande o toche **9:**328
armadillo **2:**42
Mull **7:**32, 136
Muller **9:**68
Muller, Hermann J. 9:328
biografía
átomo **2:**153
Watson, James Dewey **14:**143
Müller, K. Alexander 9:328
Bednorz, Johannes Georg **2:**275
biografía **9:**328
Muller, Max **9:**249; **12:**304
Muller, Paul Herman 9:328
biografía **9:**328
Muller-Hill, Benno **6:**324
mulleus **14:**64
Mulliken, Robert Sanderson 9:328
biografía **9:**328
Mullis, Kary B. 9:328
biografía **9:**328
mulo 9:328
Mulroney, Brian **3:**205; **8:**84
multa 9:328
multielectrodos **14:**19
multifásico **13:**206
multiforme **5:**146
multigeneracional **7:**190
multimercado 9:328
multinacional 9:328
multipartidismo **13:**115
multipartidista **5:**298
múltiplex **13:**146
multiplexal **12:**242
multiplicación 9:329
— leyes de la **9:**329
— práctica de la **9:**329
— prueba de la **9:**329
álgebra **1:**179
aritmética **2:**34
multiplicador, reactor **2:**153
multiplicando **9:**329
múltiplos **9:**189; **10:**128
multipunto **2:**172
Muluya, río **12:**67
Mummio **4:**248; **10:**203
Mümzer, Thomas **1:**256
Munch, Edward 9:330
biografía **9:**330
expresionismo **6:**102
Modernismo y arte moderno **9:**263
Noruega **10:**136
Munchhausen, Karl Friedrich Hieronymus, barón de 9:330
bibliografía **9:**330
munda **2:**96; **8:**216
Munda, batalla de **4:**10
mundo 9:330
ermitaño **5:**275
tercer mundo **13:**164
Mungo Park, Niger
África **1:**95
descubrimientos y exploraciones geográficos **5:**75
Níger **10:**100
Muni, Paul 9:330
obra **9:**330
Munich 9:330
— acuerdo de **10:**17
— escuela de **6:**52
— historia **9:**330
— Museo de **11:**120
— pacto de **2:**155, 292; **9:**330
— Universidad de **10:**172, 194; **11:**117, 255
Adenauer, Konrad **1:**68
Alemania **1:**165
autopista **2:**177

Baviera **2:**269
bebidas **2:**272
cerveza **4:**9
comunicaciones **4:**184
concentración, campos de **4:**193
Eckener, Hugo **5:**185
Eslovaquia **5:**299
ferrocarril **6:**141
Hitler, Adolfo **7:**195
Lippi, Fra Filippo y Filippino **8:**269
Lynen, Feodor **8:**336
Munich **9:**331
Nacional socialismo **10:**25
Neher, Erwin **10:**69
Pío XII **11:**102
Planck, Max Karl Ernest **11:**117
Sudete, región del **13:**67
universidad **13:**316
Vossler, Karl **14:**131
municipal **11:**322
municipales de Barcelona **2:**237
municipales de Madrid **2:**237
municipalidad **2:**79
municipalidad de Buenos Aires **13:**301
municipio 9:331
— autónomo **9:**331
— ayuntamiento **9:**331
— cabildo municipal **9:**331
Puerto Rico **11:**235
Muninn **10:**185
Muniquio **2:**133
munsee **5:**40
Munson **13:**117
Munster, Seabastián **6:**305
Muntaner, Ramón 9:331
bibliografía **9:**331
Muntaz Mahal **13:**103
Munthe, Axel 9:332
bibliografía **9:**332
Munweis, Paula **2:**289
muñeca 9:332
— articuladas y con voz **9:**333
— Carolina **9:**333
— de cerámica **9:**332
— de trapo **9:**333
— diseños y modelos **9:**334
— fabricación **9:**333
— fiesta de las muñecas **9:**333
— fuente de superstición **9:**332
— grandes colecciones **9:**333
— griega **9:**332
— historia **9:**332
— maniquí **9:**333
— significación religiosa **9:**333
— viviente **9:**333
muñeco **9:**332
muñecos chinos **9:**332
muñecos japoneses **9:**332
Muñecas, Idelfonso 9:334
biografía **9:**334
Muñiz, Francisco Javier 9:334
biografía **9:**334
Munkacsy **7:**253
Muñoz Camargo, Diego 9:334
bibliografía **9:**334
Muñoz Degrain, Antonio
España **5:**318
Málaga **9:**40
Zubiaurre, Ramón de y Valentín de **14:**189
Muñoz del Monte, Francisco **5:**162
Muñoz Duque, Aníbal **3:**241
Muñoz Marín, Luis 9:334
bibliografía **9:**334
Puerto Rico **11:**231
Muñoz Mendoza, Victoria 9:334
biografía **9:**334
Muñoz Rivera, Luis 9:334
biografía **9:**334
Puerto Rico **11:**237
Muñoz Vega, Pablo **3:**241
Muñoz, Felipe **10:**205
Muñoz, Hernando **14:**32
Muñoz, Marín Luis, gobernador **2:**269
Muñoz, Miguel **4:**143
Muñoz, Rafael F. 9:334
bibliografía **9:**334
muones **8:**230
muónicos **8:**209; **12:**250
mura **7:**310
Mura, río **5:**299
Murad I **13:**295
Murad II **9:**264; **13:**296
mural, pintura 9:335
mural **1:**332; **10:**264
mural de las ruinas de Tula **13:**215
mural con graffiti **7:**29
mural del Palacio Nacional, México **9:**334
mural en el templo Minakschi, Tamilnadú **7:**297
mural, Jorge González Camarena **7:**21
Abela, Eduardo **1:**26
Guayasamín, Oswaldo **7:**82
Puvis de Chavannes, Pierre **11:**244
muralla almenada **13:**119
Muralla China, Gran 9:335
Muralla China, Gran **9:**336
Mongolia **9:**276
Muralla de Adriano **7:**38
muralla de Haram-El-Sherif **10:**6
muralla del Atlántico **7:**96
muralla y las torres de Ávila, España **2:**189
Murallas Largas **2:**133
Murano
cristalería **4:**289
Italia **8:**62
Murano **8:**60
vidrio **14:**85
Murat, Joachim 9:336
biografía **9:**336
Eufrates, río **6:**72
Murayama, Tomiichi **8:**84
Murchinson, Roderick **5:**97
Murcia 10:5
— museo de **12:**185
Andalucia **1:**264
Cartagena **3:**266
Cieza **4:**79
Conde, Carmen **4:**198
España **5:**307
Fernando III, *el santo* **6:**135
La Cierva y Codorniú, Juan de **8:**158
Levante **8:**236
Salzillo, Francisco **12:**185
universidad **13:**316
vivienda **14:**118
murciélago 10:5
Argentina, República **2:**17
quiróptero **11:**269
radar **11:**274
Murdoch, Iris Jean 10:5
bibliografía **10:**5
Murena, Héctor A 10:5
bibliografía **10:**5
Muret, Esteban de **10:**235
Murfreesboro **2:**36
Mürger, Henri 10:5
bibliografía **10:**5
Murghab, río **1:**90
Murguía, Manuel **3:**285
muriático, ácido **4:**115
Murillo, Ana **10:**6
Murillo, Bartolomé Esteban 10:5
Andalucia **1:**265
Antonio de Padua, san **1:**317
Anunciación **1:**319
Asunción **2:**131
escuela artística **5:**290
España **5:**318
obra **10:**5
pintura **11:**94
Murillo, Bartolomé Esteban **10:**6
Prado, museo del **11:**182
Sagrada Familia **12:**163
Zurbarán **14:**192
Murillo, Gerardo 10:6
Clausell, Joaquín **4:**109
México **9:**206
obra **10:**6
Murillo, José **8:**280
Murillo, Pedro Domingo 10:6
biografía **10:**6
Murmansk, puerto de
Rusia **12:**139, 146
submarino **13:**61
Unión de Repúblicas Socialistas Soviéticas **13:**306
Murnau, Friedrich Wilhelm 10:6
obra **10:**6
muro 10:6
plomada **11:**138
muro de Berlín 10:6
Europa **6:**84
muro de las lamentaciones 10:6
Jerusalén **8:**97
muro de las lamentaciones **8:**57, 117
Murphy, William Parry 10:6
biografía **10:**6
Minot, Jorge Ricardo **9:**235
Murray, A. **7:**45
Murray, John **13:**314
Murray, Joseph E 10:7
biografía **10:**7
Thomas, E. Donnall **13:**183
Murray, Mathew **9:**75
Murray, Richard **9:**75
Murray, río **10:**157
Murube **13:**126
murut de Borneo **9:**42
Murviedro **6:**318
Murzuk **6:**145
Musà Nusayr **13:**119
musáceas **2:**234
musarañas **8:**5
musas 10:7
— Calíope **10:**7
— Clío **10:**7
— Erato **10:**7
— Euterpe **10:**7
— Melpómene **10:**7
— Polimnia **10:**7
— Talía **10:**7
— Terpsícore **10:**7
— Urania **10:**7
inspiración **8:**10
muscarina 10:7
muscicápido **10:**314
múscidos **9:**306
muscíneas **3:**56
muscular
arteria **2:**67
histología **7:**191
tejido **13:**139
muscular, contracción 10:7
musculatura **5:**249; **6:**324
musculoesqueléticos **9:**168
músculos 10:7
— antagonistas **10:**9
— bíceps **10:**8
— cardiaco **4:**237
— cubital **10:**8
— deltoides **10:**8
— elevador **10:**8
— esternocleidomastoideo **10:**8
— estriado **10:**8
— externo **10:**7
— frontal **10:**8
— glúteos **10:**8
— gran dorsal **10:**8
— liso **10:**7
— masetero **10:**8
— oblicuos **10:**8
— orbicular **10:**8
— pectoral mayor **10:**8
— pedio **10:**9
— psoas **10:**8
— rectos **10:**8
— sartorio **10:**9
— serrato **10:**8
— sinérgicos **10:**9
— sóleo **10:**9
— tibial **10:**9
— tríceps **10:**8
— articulación **2:**72
corazón **4:**237
cuerpo humano **4:**324
diafragma **5:**100
músculos **5:**118
Museión, palacio **2:**310
Museo **7:**156
museo 10:9
— Alexander Graham Bell en Nova Scotia **2:**288
— Brera de Milán **8:**317
— de Amsterdam **5:**167; **7:**143
— de Antropología en Mérida, Yucatán **9:**204
— de Arte Contemporáneo, Puerto Rico **11:**241
— de Arte de San Francisco **8:**195
— de arte de San Petersburgo **13:**309
— de Arte Moderno de México **7:**12
— de Arte Moderno de New York **1:**65
— de Arte Moderno de París **13:**109
— de Arte Moderno de Tokio **13:**109
— de Artes Marroguíes, Marruecos **11:**271
— de Bellas Artes de Caracas **13:**109
— de Berlín **7:**116; **8:**269
— de Bruselas **7:**143
— de Ciencias Naturales de Paraná **1:**226

— de Cluny **5**:302
— de El Cairo **1**:130, 227
— de El Cairo **13**:298
— de Florencia **11**:142
— de Historia Natural de La Plata **1**:226
— de la Academia de Ciencias Naturales de EE.UU. **1**:41
— de la Revolución **7**:114
— de Nurember **2**:277
— de San Marcos **1**:281
— de Viena **2**:202
— del misil, Arizona **10**:144, 145
— del Patriarca **2**:45; **5**:256; **13**:116
— del Vaticano **1**:325
— di Villa Giulia **8**:90
— Etnográfico de la Universidad de Buenos Aires **1**:226
— Field de Historia Natural **7**:270
— Galeria de Arte de Glasgow, Escocia **6**:331
— Hagley **5**:41
— Metropolitano de Arte, Nueva York **9**:192
— Nacional de Antropología, México **1**:317
— Nacional de Arte de Cataluña **1**:272
— Nacional de Bangkok **13**:103
— Nacional de Costa Rica **13**:269
— Nacional de Egipto **13**:298
— Nacional de Escultura de Valladolid **2**:305; **7**:154
— Nacional de Hungría, en Budapest **7**:251
— Nacional de Suecia **13**:69
— Nacional de U-Thong **13**:103
— Riverside de Nueva York **7**:12
— Salomón R. Guggenheim, New York **13**:109
— viviente **7**:79
audiovisual, educación **2**:157
ebanestería **5**:183
museología **10**:10
Patricio, san **11**:14
museo Británico
Acrópolis **1**:56
Asurbanipal **2**:131
Boewulf **2**:294
biblioteca **2**:310, 313
Ildefonso, san **7**:268
Londres **8**:303
museo Británico **1**:306
museo de Louvre
arpa **2**:48
Denis, Maurice **5**:50
escriba **5**:283
Helst, Bartolomé van der **7**:143
museo de Louvre en París **6**:101; **8**:313
museo del Prado de Madrid
Andrómeda **1**:275
ángeles **1**:280
Anunciación **1**:319
Berruguete, Pedro y Alonso González de **2**:305
iberos **7**:259
llama **8**:290
Theotokópoulos, Doménikos **13**:182
Tiziano Vecellio **13**:207
museografía **10**:10
museología 10:10
musgaño o musaraña 10:10
musgo 10:10
ardilla **1**:352
ártica, región **2**:71
hierba **7**:171
Music Hall **13**:129
música 10:10
— caribeña **11**:236
— china **10**:13
— de cámara **10**:14
— desarrollo lógico **10**:15
— folclórica venezolana **14**:47
— géneros musicales **10**:13
— historia de la **10**:13
— humana **10**:10
— indígena **14**:11
— maya-quiché **7**:79
— mundana **10**:10
— polifónica **10**:13
— pop **9**:16
— popular **9**:30
— Sociedad Nacional de **6**:122
— tema **10**:16
— teoría de la **10**:11
canto **3**:220
compás **4**:173
comunicaciones **4**:182
concierto **4**:196
concreto **4**:197
conservatorio **4**:215
educación **5**:215
escuela **5**:288
Fonseca, Julio **6**:191
Guridi, Jesus **7**:108
impresionismo **7**:286
India **7**:304
instrumentación **8**:10
Khachaturian, Aram Il'ic **8**:140
Kubelik **8**:149
Landowska, Wanda **8**:170
Latinoamérica **8**:195
música **4**:331
Portugal **11**:178
Puerto Rico **11**:238
universidad **13**:317
variación **14**:26
Música cordial **2**:229
musical **3**:221
musical, instrumento **14**:157
músico **11**:78
músico canadiense con banjo **2**:246
musicólogo **5**:297
músicos **1**:161; **10**:14, 15
Musil, Robert von 10:16
Austria **2**:167
bibliografía **10**:16
musivarius **9**:306
Muskingum, río **10**:194
muslo 10:16
musmón **1**:298
Musona **10**:166
Musset, Alfred de 10:17
balada **2**:221
bibliografía **10**:17
Romanticismo **12**:106
Sand, George **12**:203
Mussolini, Benito 10:17
biografía **10**:17
Badoglio, Pietro **2**:214
camisa **3**:189
Chamberlain, Arturo Neville **4**:17
condecoración **4**:199
Daladier, Edouard **5**:7
De Gásperi, Alcide **5**:38
Einaudi, Luigi **5**:230
fascismo **6**:120
Ferri, Enrico **6**:137
Gran Bretaña **7**:42
Guerra Mundial, Segunda **7**:94
imperio **7**:274
Italia **8**:63
Libia **8**:248
Liga de las Naciones **8**:258
Locarno, conferencia de **8**:296
Marinetti, Flippo Tommaso **9**:99
Milán **9**:222
Montale, Eugenio **9**:282
Munich **9**:331
Mussolini, Benito **12**:45
nacionalsocialismo **10**:25
Neorrealismo **10**:72
Pontificios, Estados **11**:167
Saboya **12**:156
Sforza, Carlos **12**:302
Unión de Repúblicas Socialistas Soviéticas **13**:307
Victor Manuel III **14**:76
Mussolini, Edda **4**:65
Mussorgsky, Modest Petrovich 10:16
obra **10**:17
Balakirev, Mily Alexeievich **2**:222
cinco, grupo de los **4**:82
Cui, César **4**:327
folklore o folclor **6**:190
ópera **10**:216
Rusia **12**:142
Mustafá Kemal **7**:336
Mustafá Uld M. Salek **9**:134
Mustaghata, macizo **2**:85
Mustang 10:17
Mustang P-51D **10**:18
Mustel, Victor **3**:313
mustela 10:18
armiño **2**:46
cazón **3**:305
mustélidos 10:18
armiño **2**:46
comadreja **4**:159
garduña **6**:285
glotón **6**:335
hurón **7**:253
marta **9**:110
mofeta **9**:264
ratel **11**:302
tejón **13**:141
turón **13**:292
visón **14**:105
zoología **14**:182
musulmán
cruzadas **4**:306
Filipinas, República de **6**:156
jardinería **8**:88
Kuwait **8**:151
Líbano **8**:240
islam e islamismo **8**:52
Israel **8**:56
Mahoma **9**:31
teocracia **13**:160
vestido **14**:63
musulmana
— sunní **13**:291, 294
Arabia Saudita **1**:335
Brunel **3**:90
Croacia **4**:294
Marruecos **9**:107
Surinam **13**:86
Tailandia **13**:101
Tanzania **13**:114
Toledo **13**:212
Turkemenistán **13**:292
Uzbekistán **13**:334
musulmanes
Acre, San Juan de **1**:55
amén **1**:227
ángeles **1**:280
Arabia Saudita **1**:336
Asia **2**:96
Egipto **5**:229
Eritrea **5**:274
Fez **6**:145
Francia **6**:218
Georgia **6**:317
imperio **7**:274
India **7**:299
Java **8**:91
naipe **10**:33
pirámides de Egipto **11**:106
mutación 10:18
educación **5**:215
evolución, teoría de la **6**:89
herencia biológica **7**:153
Mutanabbi **1**:333
mutatio **10**:18
Mutebi, Ronnie **13**:301
Mutina **2**:159
Mutis y Bosio, José Celestino 10:18
bibliografía **10**:18
Mutis, Álvaro 10:18
bibliografía **10**:18
Mutis, José Celestino **14**:176
Mutsamundu **4**:172
Mutsuhito 10:18
biografía **10**:18
Mutt and Jeff **4**:169
mutualismo 10:19
Mützner **3**:67
Muyahidin **8**:39
Muza o Tarik **2**:252; **5**:314
Muzaemu **8**:84
Muzio, Claudia **9**:326
muzo **7**:310
Múzquiz, general **3**:124
Mwanza **13**:114
Myanmar (antes Birmania) 10:19
— bandera de **2**:241
Aung San Suu Kyi, Daw **2**:160
Bangladesh **2**:245
Indochina **7**:312
Laos **8**:173
Makong **9**:156
Myanmar **10**:20
Nãgã Pradesh **10**:29
Rangún o Rangoon **11**:299
rubí **12**:122
mylar **5**:5
Mylius-Erickson, expedición de **11**:301
Myogale moschata **5**:90
Myogale pyrenaica **5**:90
Myrdal, Alva Reimer 10:20
bibliografía **10**:20-
Myrdal, Karl Gunnar 10:20
bibliografía **10**:20
Myrtus communis **2**:59
Myslbek, Josef **4**:28
Myslivecek Josef **4**:28

N

N 10:21
Näätämö, río **6:**159
naba 10:21
Nabateos de Petra, reino de los **1:**335
Nabiev, Rahman **13:**99
nabo 10:21
Nabokov, Vladimir 10:21
Escobar, Luis Antonio **5:**281
bibliografía **10:**21
Rusia **12:**141
Nabonid **2:**230
Nabopolasar 10:22
asfalto **2:**82
biografía **10:**22
Babilonia **2:**207
Caldea **3:**161
Nabuco de Araujo, Joaquín Aurelio 10:22
bibliografía **10:**22
Nabucodonosor II 10:22
biografía **10:**22
Babilonia **2:**207
Caldea **3:**161
Daniel **5:**10
ezequiel **6:**106
Habacuc **7:**113
Jerusalén **8:**97
siete maravillas del mundo **12:**320
Tiro **13:**201
Verdi Guiseppe **14:**55
Nabunaid, rey de Babilonia **2:**51
Nacaome, río **7:**218
nácar 10:22
madre perla **9:**18
nacer **14:**80
Nacianceno, Gregorio **5:**152
nacimiento **7:**200, 319
nacimiento de Jesús 10:22
nacimiento de Jesús **10:**58
nacimientos **10:**58
nación 10:22
— nacionalidad **10:**24
— patria y nación **10:**22
— y estado **10:**23
Argentina, República **2:**12
comunidad **4:**187
Regiomontanos, Johann Müller, llamado **11:**331
Nacional Indio, Congreso **10:**30
Nacional Mayor de San Marcos, Universidad de **11:**62
Nacionalidad 10:22
ciudadanía **4:**101
Arias, Armodio **2:**29
nacionalismo 10:25
— literario **13:**71
— musical **6:**190
— romántico **7:**193
— rural, escuela **6:**333
Cuevas, José Luis **4:**326
De Valera, Eamón **5:**97
Eurpoa **6:**83
nacionalización 10:25
evasión de capitales **6:**85
privatización **11:**203
nacionalsindicalismo 10:25
nacionalsocialismo 10:25
Goering, Hermann **7:**12
Hindemburg, Paul von **7:**180
naciones comunistas **8:**187
Naciones Unidas 10:25
— la asamblea general **10:**26
— el consejo de seguridad **10:**26
— el consejo económico y social **10:**27
— el consejo de administración fiduciaria **10:**27
— la corter internacional de justicia **10:**27
— la secretaría **10:**27
— organismos especializados **10:**28
— carta de las **4:**153
— estatuto de las **1:**172
Azerbaijan Persa **2:**195
Balaguer, Joaquín **2:**221
Federación Sindical Internacional (FSI) **6:**124
feminismo **6:**129
genocidio **6:**301
Tanjanica **13:**111
Temple, Shirley **13:**155
UNRA **13:**319
Naciones, Liga de las
Etiopía **6:**69
Nansen, Oficina Internacional para Refugiados **10:**34
Paderewski, Ignacy Jan **10:**282
Naciones, Sociedad de las
Estados Unidos **6:**42
Europa **6:**83
Naciones Unidas **10:**25
pacto **10:**281
pacifísmo **10:**281
Porras Barrenecheas, Raúl **11:**171
región y regionalismo **11:**331
Restrepo, Antonio José **12:**32
Nacioniones Unidas **2:**218
Naco, plaza de **10:**202
Naco, región de **12:**204
nacones **9:**138
Nacrología **14:**34
nada 10:28
Nadadores **4:**118
Nadal, Premio **9:**156
Nadar, Seudónimo de Gaspard-Félix Tournachon 10:28
biografía **10:**28
Nadine **14:**149
nadir 10:29
cenit **3:**320
Nadir Khan 10:29
biografía **10:**29
Nadir Shah **1:**90
Naegeli **4:**137
nafta 10:29
acetileno **1:**51
benzina **2:**291
naftalina 10:29
química **11:**260
naga 10:29
Naga Hills **10:**29
Nagako Kuni **7:**186
Nagako, emperatriz **1:**130
Nagaland (Kohima) **7:**299; **10:**29
Nagaoka **5:**245
nagas 10:29
Nagasaki 10:29
átomo **2:**151
bomba **3:**36
Hiroshima **7:**186
Japón **8:**84
Nagasaki **12:**118
Nägeli, K. W. Von **10:**154
Nagomo-Karabah **2:**195
Nagorno-Karabah **12:**146
Nagoya 10:29
Japón **8:**82
Nagpur **7:**299
Naguib, Muhammad 10:29
biografía **10:**29
Egipto **5:**228
Faruk I **6:**120
nahua
aztecas **2:**196
Mesoamérica **9:**178
Tula **13:**281
nahua, lengua **10:**30
nahuacuá **7:**310
nahuales **10:**270
nahuas 10:30
aztecas **2:**200
indios americanos **7:**309
Iztaccíhuatl **8:**70
lengua **8:**217
México **9:**197
náhuatl
pinole **11:**94
Quetzalcoatl **11:**253
Quinatzin, Mapa **11:**264
Nahuel Huapí 10:30
— lago **2:**254
— Parque **10:**331
— Parque Nacional de **10:**30
Nahuelbuta, cordillera de **1:**344; **2:**324
Nahum **2:**309
Naid, meseta de **1:**335
Naid, meseta de **1:**336
Naidu, Sarojini Chattopa 10:30
biografía **10:**30
nailon 10:30
— historia **10:**30
— cómo se hace el nailo **10:**31
— crudo **10:**31
— orión **10:**32
— vicara **10:**32
armadura **2:**43
fibra **6:**146
rollo de cuerda de nailon **4:**320
instrumentos de cocina con mangos de nailon **10:**32
Naipe 10:32
Naipe **11:**104
Whist **14:**148
Nairobi 10:33
Nairobi, África **10:**339
Naismith, James **2:**262
Nájera (Logroño) **14:**95
Nájera **9:**254
Najibuá **1:**91
Najran **1:**336
Nakhon Ratchasima **13:**101
Naku'alofa **13:**218
Nakuru **12:**68
Nala y Damayanti **12:**124
Nalada **5:**315
Nalchik **8:**131
Nalé Roxlo, Conrado **8:**283
Nalé Roxlo, Conrado 10:33
bibliografía **10:**33
Nalón **5:**305
Nalón, Río 10:33
Asturias **2:**130
nalorfina **10:**33
naloxona 10:33
Nam Tso lago Celeste **13:**185
Namangán **13:**334
Namib, desierto de **10:**33
Namibia 10:33
— bandera de **2:**241
Angola **1:**284
Unión sudafricana **13:**313
Nampa **7:**264
Nampula, Mozambique **1:**93; **9:**317
Namuncurá **1:**204
Namur **2:**282; **8:**114; **10:**197
Namur, marquesados **2:**284
Naná **12:**20
Nana Sahib **4:**88
Nanaimo **4:**157
Nanambolo, río **9:**10
Nan-Chan, monte **2:**84
Nanchang **12:**43
Nancy **13:**133
Nanda Devi **7:**296
Nanga Parbat, pico **7:**179
Nanjin **4:**56
Nankín o Nanjing 10:34
Asia **2:**98
Chiang Kai-shek **4:**30
lengua **8:**216
Sun Yat-Sen **13:**84
Nanking **13:**190
Nanling, cordillera **4:**48
nanoplancton 10:34
Nansen International Office for Refugees **10:**34
Nansen, Fridtjof 10:34
biografía **10:**34
descubrimientos y exploraciones geográficas **5:**78
Real Sociedad Geográfica **11:**312
Nansen, Oficina Internacional para Refugiados 10:34
Nantes 10:35
— Oratorio de **6:**205
Francia **6:**218
Guilelrmo I el conquistador **7:**104
Nantes Edicto de
Enrique IV de Francia **5:**265
Francia **6:**222
Nantes **10:**35
Richelieu, Armand Jean de Plesiss, cardenal y duque de **12:**63
Nanticoke, ríos **5:**40
Nao de la China **1:**42
napalm 10:35
Napata **6:**69
Napier, Charles **9:**99
Napier, John 10:35
bibliografía **10:**35
regla de cálculo **11:**332
Napo 10:39
— cantón de **13:**155
— río **5:**196
Amazonas, río **1:**220
Cotopaxi **4:**272
Loreto **8:**103
Jimenez de la Espada, Marcos **8:**308
Orellana, Francisco de **10:**242
Pastasa **11:**8
Pizarro, Gonzalo **11:**115
Napoleón I, Bonaparte 10:35
— Egipto **10:**36
— el consulado **10:**36
— el final **10:**38
— el imperio **10:**36
— el ocaso del imperio **10:**37

— Italia **10:**35
— juventud **10:**35
— la invasión de Rusia **10:**37
— la obra constructiva **10:**36
— los cien dias **10:**38
— primeras armas **10:**35
abdicación **1:**20
adivinación **1:**69
Andric, Ivo **1:**273
Austerlitz **2:**161
Bernadotte, Juan B **2:**302
biografía **10:**35
Bonaparte **3:**44
Francisco II **6:**230
Génova **6:**302
Gran Bretaña **7:**41
Houdon, Jean Antoine **7:**234
latinoamérica **8:**185
Napoleón I, Bonaparte **2:**63, **12:**33, 194, 296, 321
paz, tratado de **11:**20
pirámides de Egipto **11:**106
Pontificios, estados **11:**167
Queipo de Llano Ruiz de Saravia José María, Conde de Toreno **11:**248
revolución Francesa **12:**49
Santa Elena **12:**214
símbolo **12:**327
Volney, Constantin Francoise Chasseboeuf, conde de **14:**129
Napoleón II **2:**331; **7:**209
Napoleón III, Luis Napoleón Bonaparte 10:38
— campañas militares **10:**39
— emperador **10:**39
— la obra de gobierno **10:**39
— ostracismo y muerte **10:**39
— presidente de la República **10:**38
aluminio **1:**212
Biarritz **2:**307
biografía **10:**38
cruz roja internacional **4:**302
estilo **6:**53
imperio **7:**274
Juárez, Benito **8:**116
Maximiliano **9:**135
Pontificios, Estados **11:**167
revoluciones de 1840 **12:**54
símbolo **12:**327
Thiers, luis Adolphe **13:**182
Tocqueville, Charles Alexix Henry Clerem, conde de **13:**209
Victor Manuel II **14:**76
Napoleón, Código de **5:**60
Napoleón, Estatua de **10:**37
Napoleón, La coronación de **10:**37
Napoleón, Monumento en Ajaccio a **10:**38
Napoleón, Santa Elena **12:**213
Napoleón, Tumba de **10:**38
Napoleónica, Guardia **10:**39
Napoleónicas, guerras **7:**116
Napoleónico, imperio **6:**83
Nápoles (Napoli) 10:39
— bahía de **2:**5
— batalla naval de **12:**93
— Golfo de **3:**227
— Italia **1:**59, 175
— Juana de **1:**175
— museo de **11:**164
— reina Carolina de **10:**70
— rey de **6:**134
— rey de **9:**336
— Universidad de **14:**76
— virrey de **13:**153
biblioteca **2:**315
conservatorio **4:**215
Cristina de Suecia **4:**293
Domenichino, Doménico Sanpieri **5:**154
Doria, Andrea **5:**165
Europa **6:**81
Fernández de Córdoba, Gonzalo **6:**134
geología **6:**311
Giordano, Luca **6:**326
Habsburgo, casa de **7:**116
Herculano **7:**150
Italia **8:**62
Loeb, Jacobo **8:**299
Mestastasio, Pedro **9:**185
Nápoles **12:**112, 209, 322
Pergolesi, Giovanni Battista **11:**49
puerto **11:**229
Rivera, José de **12:**61
Scarlatti, Alessandro **12:**245
naranja 10:39
naranja **10:**40
cítricos **4:**98
mandarina **9:**55
Naranjal, río **5:**196
naranjero **13:**237
naranjo **1:**346, 352; **2:**10
Naranjo **9:**14
Naranjo, río **4:**267
Naranjos, río **11:**253
Narasimha Rao **7:**301
Narayan, R.K. **7:**303
Narbada, río **1:**338
Narbona **6:**216, 220
Narcea, río **2:**130; **10:**33
narcisismo **10:**40
narciso 10:40
— blanco **10:**40
— trompón **10:**40
Narciso **6:**11
Narciso **6:**179
Narciso Monturiol **13:**60
Narciso negro **12:**156
narcolepsia **1:**278
narcosíntesis **11:**41
narcótico 10:40
coca y cocaína **4:**122
droga **5:**174
narcotráfico 10:40
Nardi, Ángel 10:41
obra **10:**41
Nardinu (Babilonia) **9:**58
Narenta, ríos **5:**8
narguile 10:41
Nariño **3:**18; **4:**140
Nariño, Antonio 10:41
bibliografía **10:**41
Colombia **4:**144
independencia **7:**294
Nariokotome **7:**215
nariz 10:41
nariz **10:**42
mucosa, membrana **9:**320
Narmada, río **7:**296
Narmer **6:**117
Narodnaya, monte **13:**320
narración 10:42
— etiológica **6:**189
— folklórica **6:**189
Narraciones de Canterbury **7:**333
Narraciones de Mala Strana **10:**75
narradores **7:**191
Narragansett **9:**257
Narragansett, bahía **12:**58
narrativa **2:**289; **10:**42
narrativa onírica **7:**14
narratología **6:**64
Narsés **8:**62; **10:**269
Nartin du Grad, Roger **9:**113
Narva **6:**57
Narváez, Francisco **14:**47
Narváez, Pánfilo de 10:42
biografía **10:**42
Cortes, Hernan **4:**261
descubrimientos y exploraciones geográficas **5:**73
Grijalva, Juan de **7:**66
Louisiana **8:**311
Narváez, Pánfilo de **12:**203
Narváez, Ramón María de 10:42
biografía **10:**42
Narváez, Tomás B. **7:**219
narval 10:42
ártica, región **2:**71
marfil **9:**90
Narvik 10:43
NASA 10:43
Aldrin, Edwin E **1:**152
astronáutica **2:**121
Estados Unidos **6:**36
Hubble, telescópio **7:**235
Magallanes (sonda) **9:**22
NASA **2:**108; **10:**278
vanguard, programa satelital **14:**23
nasal, cavidad **8:**165; **10:**42
nasal, mucosa **10:**42
nasales, fosas **10:**288
Nasarre **10:**71
Nasarre, Blas Antonio 10:43
bibliografía **10:**43
Nasca, Cultura 10:44
Naseby **4:**298
Nash, equilibrio de **10:**44
Nash, John Forbes 10:44
biografía **10:**44
Selten, Reinhard **12:**269
Nashville **13:**158
Nashville, meseta de **13:**158
Nashville-Davidson **13:**178
Nassau **2:**216, 217
Nassau, Adolfo de **10:**44
Nassau, Adolfo II de **10:**44
Nassau, Casa de 10:44
— Guillermo I, el Taciturno **10:**44; **7:**208
— Guillermo III **10:**44
biografía **10:**44
Nassau, Enrique de **13:**288
Nassau, Mauricio de **7:**133, 134
Nassau, montes **10:**157
Nassau, príncipe de **5:**68
Nassau, Wiññiam **1:**38
Nassau-Weilburg, Federico Guillermo de **10:**44
Nasser, Gamal Abdel 10:44
biografía **10:**44
Ahram, Al **1:**120
Egipto **5:**228
Sa´udibn´adbaj´aziz **12:**243
nasturtium 10:44
nata 10:44
natación 10:45
— a la marinera o de lado **10:**45
— brazada **10:**45
— competencia oficial **10:**46
— Crawl **10:**45
— de mariposa **10:**46
— de pecho **10:**45
— estilos **10:**45
— over arm **10:**45
– saltos ornamentales **10:**45
atletismo **2:**140
carrera **3:**261
natación **5:**52
visor **14:**106
nataka **5:**169
Natal 10:46
— Brasil **10:**46
Jaggard, sir Henrry Rider **7:**119
Swazilandia **13:**90
Nataniel, Aguirre **3:**31
Nataputta **8:**75
natchez-muskogi **7:**309
Nathán **6:**109
Nathan, Lionel **12:**118
Nathans, Daniel 10:46
biografía **10:**46
National Book Award **9:**40
National Economic Policy **13:**209
National Geographic Society **2:**138
National Industrial Recovery Act (NIRA) **10:**84
National Institute for Medical Research **11:**172
National Road **7:**306
National Society of Film Critics **2:**296
National Standard **13:**181
Natividad 10:46
Natividad de María **9:**93
NATO 10:46
Natrium **1:**34
Natta, Giulio 10:46
biografía **10:**46
Ziegler, Karl **14:**178
Nattier, Jean Marc **8:**313
natural
escuela **5:**289
hielo **7:**170
número y numeración **10:**162
Natural, Ley **6:**56
naturales **2:**255; **9:**247
naturaleza
agricultura **1:**103
contaminación ambiental **4:**226
durazno **5:**181
Feurbach, Ludwig **6:**144
Monet, Claude **9:**275
naturaleza **10:**47
naturaleza del fuego **6:**241
naturaleza humana **7:**194
naturaleza humana y conducta **5:**98
naturaleza, estudio de la 10:46
— método **10:**47
— principales auxiliares **10:**47
— deporte y ciencia **10:**47
— importancia **10:**48
— los libros **10:**48
Naturaleza, fenómenos de la **10:**46
Naturalismo 10:48
escuela artística **5:**289
escultura **5:**294
Farrel, James Thomas **6:**120
Francia **6:**227
Groussac, Paul **7:**68
Hernándes, Francisco **7:**154
Leiden Lucas van **8:**214
literatura **8:**279

Mérimée, Prosper **9:**175
ornamentación **10:**252
Orozco, José Clemente **10:**256
Pubis Echavannes, Pierre **11:**244
Reinhardt, Max **11:**336
Rwyles, Carlos **12:**57
Venezuela **14:**46
Zola, Emile **14:**180
naturalismo gótico **2:**48
naturalismo impresionista **7:**286
naturalista **7:**154, 157, 162, 254, 258; **9:**178
Naturalista, escuela **9:**61
naturalistas **6:**174
naturalización 10:48
ciudad y ciudadanía **4:**101
naturalizaciones **11:**331
naturismo 10:49
Nau **11:**107
naubcampan **13:**159
naufragio 10:49
Turner, Joseph, Mallor William **13:**292
Nauheim 10:49
Naum Gabo **4:**220
naumaquia 10:49
Nauplia, golfo de **7:**55
Nauplia, puerto de **11:**32
Nauru, República de 10:50
—bandera de **2:** 241
comunidad (Británica) de Naciones **4:**189
Imperio Británico **7:**275
náusea 10:50
Nausicca 10:50, 185
Nausield, lago **7:**251
náutica **9:**224
nautilo 10:50
Nautilius **2:**153
Futton, Robert **6:**249
submarino **13:60**
Nautilus, submarino **2:**40
Nautla, río **14:52**
Nava, Pepe **5:**247
Navachiste, bahía de **12:** 330
navaja 10:50
navajas de Albacete **10:**50
navajo **2:**35
navajos 10:50
indios americanos **7:**310
naval **7:**331
Naval, Academia **2:**130
Navarino 10:51
Navarino, bahía de (Grecia) **10:**51
Navarino, batalla de **12:**210
Navarino, batalla de **7:**61
Navarra 10:51
— guerra de **11:**116
— isla **5:**317
Aragón **1:**339
cortes **4:**259
Enrique IV de Castilla **5:**264
España **5:**316
feudalismo **6:**144
Foits, Catalina **6:**187
Jimenez de Cisneros, Francisco **8:**102
lengua **8:**216
Mina, Franciso Xavier **9:**227
Pamplona **10:**298
Rivagorza o Rivagoza **12:**60
Vasco **14:**28
Navarra Ledesma, Francisco **11:**256
Navarra**,** Blanca de **1:**175
Navarra, Blanca de **5:**264
Navarra, Cortes de **10:**52
Navarra, Enrique de **5:**264, 265
Navarra, Enrique IV de **9:**148
Navarra, Enrique IV, rey de **6:**222
Navarra, Melchor 10:52
biografía **10:**52
Navarra, Ramiro de **4:**70
Navarra, reino de **11:**316
Navarrete, Fray José Manuel Martínez de 10:52
bibliografía **10:**52
Navarrete, Roque **4:**142
navarro **8:**216
navarro occidental, bajo **14:**28
navarro oriental, bajo **14:**28
Navarro Tomás, Tomás 10:52
biografía **10:**52
Navarro, Gustavo A 10:52
bibliografía **10:**52
Navarro, Juan José 10:52
biografía **10:**52
Navarro, Pedro 10:52
biografía **10:**52
ejército **5:**233
España **5:**317
Navas de Tolosa, Batalla de las 10:52
Navas de Tolosa **11:**316
nave **8:**165
Nave de batalla estadounidense **2:**264
Nave en el canal Welland **9:**99
nave Fram **13:**89
nave nodriza **2:**117
navegación 10:52
— Acta de **4:**299
— aparatos de **14:**135
— cabotaje **10:**53
— carta de **10:**53
— de altura **3:**143
— el arte de navegar **10:**53
— grandes navegantes **10:**54
— instrumentos de **10:**53
— la era del vapor **10:**53
alta mar **1:**204
astronáutica **2:**108
átomo **2:**153
buque **3:**111
compás **4:**173
contabilidad **4:**221
Cunnard, sir Samuel **4:**329
dragado **5:**167
duero, río **5:**176
eco **5:**187
Enrique el Navegante **5:**265
eolo **5:**269
estabilizador **6:**27
Fulton, Robert **6:**249
giróscopo o giroscopio **6:**328
Labrador, península y corriente del **8:**155
mareo **9:**90
piragua **11:**104
transportes **13:**251
navegación a vela 10:55
— las velas y el viento **10:**55
— las velas y el barco **10:**55
— voltejear **10:**56
— algunas operaciones usuales **10:**56
— embarcaciones de vela **10:**56
— buques de guerra y buques mercantes **10:**56
— principales tipos de embarcaciones de vela **10:**57
navegación a vela **10:**56
altamar **1:**204
navegador **8:**19
navegante **7:**155
naves de guerra **2:**39
naves de guerra **2:**39
Naves tripuladas 2:111
Navia **6:**266
Navia, río **2:**130
Navidad 10:57
coptos **4:**234
fiesta **6:**150
hayaca **7:**134
lotería **8:**310
Navidad **12:**211
pavo **11:**18
navidad, fuerte de **4:**149
Navidad, isla de **2:**120
navideña, postal **10:**59
navideña, representación **10:**58
navío Clermont **10:**53
navío Príncipe de Asturias **7:**52
navíos **7:**140
navíos egipcios **2:**38
navíos menores **2:**39
Navolato **12:**330
Naxos, isla de **13:**174
Naxos, isla de **2:**29
Naxos, las Cicladas, Mar Egeo, Isla de **7:**56
náyades **10:**103
Nayarit 10:59
— historia **10:**59
aztecas **2:**196
Durango **5:**179
Ixtlán del río **8:**69
Madre, Sierra **9:**17
tarascos **13:**118
Tres Marías **13:**259
náydes 10:59
Nazaire, Saint **6:**217
Nazarenas, iglesia de las **11:**63
Nazaret 10:59
cristianismo **4:**291
Galilea **6:**267
Gethsemaní **6:**320
Israel **8:**57
Jesucristo **8:**99
María, Virgen **9:**93
Tabor **13:**96
Nazariantz, Hrand 10:59
bibliografía **10:**59
Nazario, Alfredo **12:**202
Nazas, río
altiplanicie mexicana **1:**208
Durango **5:**180
Nazas, río **9:**195
Nazca 10:60
arqueoastronomía **2:**49
Nazer**,** Hicham **1:**337
nazi
Alemania **1:**162
Bauhaus **2:**267
concentración, campos de **4:**192
Dachau **5:**5
Dollfuss, Engelbert **5:**154
Freud, Sigmund **6:**237
genocidio **6:**301
ghetto **6:**321
Goebbels, Joseph Paul **7:**11
Israel **8:**57
Jaspers, Karl **8:**90
Laval, Pierre **8:**200
Schacht, Horace Gree Hjalmar **12:**246
nazi, régimen **10:**16
Nazimova, Alla 10:60
biografía **10:**60
nazismo
Austria **2:**167
Berlín **2:**299
encíclica **5:**252
Gestapo **6:**320
gobierno **7:**7
Mann, Thomas **9:**59
nazismo **10:**25
neonazismo **10:**71
Proceso de Nuremberg **11:**206
refugiado **11:**328
reichstal **11:**334
reparaciones de guerra **12:**22
Nazret **6:**68
Nb **10:**103
NBQ 10:60
Nd **10:**71
Ndadaye, Melchior **3:**123
Ne **10:**71
Ne Win **10:**20
Neagh, lago **2:**280
neandertales **6:**
Neandertales **7:**216
Neanderthal, hombre de **7:**212
Neanderthal, raza **6:**82, 220
Neápolis **1:**253; **10:**39
Nearco **1:**155; **2:**99
Neártica, región **14:**180
Nebi Yunus **10:**103
Nebis, rey **6:**7
neblí **2:**181
Nebraska 10:60
— tierra y recursos **10:**60
— clima **10:**60
— recursos **10:**60
— población **10:**61
— cultura **10:**61
— recreación **10:**61
— actividad económica **10:**61
— turismo **10:**61
— historia **10:**61
— vegetación y vida animal **10:**60
Estados Unidos **6:**32
Kansas **8:**132
Nebraska, barco **7:**90
Nebrija, Alonso de **10:**178
Nebrija, Elio Antonio de 10:61
bibliografía **10:**61
diccionario **5:**112
España **5:**319
español, idioma **6:**5
k **11:**245
Nebrodi **12:**313
nebulosa 10:62
— de los Perros de Caza **10:**62
— de Orión **10:**62
— anulares **2:**129
— difusas **2:**129
— extragalácticas **2:**129
— planetarias **10:**62
— teoría de la **6:**310
Hershel **7:**159
luz **8:**329
nebulosa en Sagitario **2:**128
nebulosas **2:**127
Necao II **10:**22, 54
Necaxa **5:**258
Necaxa,río **11:**226
necesario, trabajo **6:**100
necesidad 10:62

necesidades primarias **14:**122
Nechodoma, Antonin **11:**240
Neckar, río
 Baden-Bürttenberg **2:**213
 Manheim **9:**59
 selva negra **12:**270
Necker, Jacques 10:63
 biografía **10:**63
 Luis XVI **8:**318
 Necker, Jacques **12:**46
Necoc Yáotl **13:**181
Necochea **5:**5
Necochea, Mariano 10:63
 biografía **10:**63
necrología 10:63
necromancia **10:**184
necrópolis 10:60
 Iberos **7:**258
necrópolis paleocristiana **13:**121
necropsia **2:**177
necropsias **4:**237
necrosis 10:63
 escorbuto **5:**282
 gangrena **6:**280
 odontología **10:**187
néctar 10:63
 miel **9:**219
 néctar **1:**22
 néctar de una flor **1:**21
 néctar, polinización **11:**154
nectario 10:63
 Juan Crisóstomo, san **8:**113
necton 10:63
Necuima, cañón de **14:**46
Neculce, Ion **12:**132
Neddermeyer, David **9:**178
Nedjed **1:**335, 336
Needles **10:**83
Néel, Louis Eugène Felix 10:63
 biografía **10:**63
neerlandés **13:**86
nefelometría 10:64
nefelómetro **10:**64
Nefertari **1:**39
Nefertiti 10:64
 biografía **10:**64
 escultura **5:**293
nefoscopio **6:**29
nefridios **1:**275; **14:**185
nefrítico **5:**173
nefritis 10:64
Neftalí **9:**265; **13:**209
Nefud 10:64
negativa **4:**293
negativa pendiente **11:**36
negativo del disco **7:**32
negativos
 fotografía **6:**203
 Talbot, William Henry Fox **13:**104
 tropismo **13:**272
negatoscopio **11:**308
negligencia 10:64
 culpa **4:**328
negocio 10:64
negocios extranjeros 10:65
Negra, laguna **13:**326
negra, raza **10:**68
negras **10:**207
Negras, montañas **6:**31
Negret, Edgar 10:65
 biografía **10:**65
Negrete, Jorge 10:65
 biografía **10:**65
 México **9:**203
Negri Sembilan 10:65
 Negri Sembilan **9:**42
Negri, Pola 10:65
 biografía **10:**65
negrillos **14:**116
negrito **9:**39
negritos **2:**95
negritos, asia **7:**198
negro 10:65
 — los melanesios **10:**65
 — los africanos **10:**66
 — el negro en América del Norte **10:**67
 — el negro en América Latina **10:**67
 Caballo **3:**133
 milano **9:**222
 Uruguay **13:**326
Negro, Mar 10:68
 Abkhazia **1:**29
 Asia **2:**84
 Atila **2:**135
 Azof, mar de**2:**195
 Bakú **2:**220
 Balcanes **2:**223
 besrabia **2:**305
 comercio **4:**165
 Corinto **4:**248
 crimea **4:**283
 Dardanelos **5:**18
 Dnepropetrovsk **5:**149
 Espetón **6:**15
 estepas **6:**49
 estrechos **6:**60
 esturión **6:**66
 Europa **6:**74
 guerras Ruso-Turcas **7:**101
 Kublaikhan **8:**149
 lengua **8:**216
 mármol **9:**104
 negro, mar **10:**68
 negro, mar **5:**72
 Odessa **10:**185
 Pedro I, el Grande **11:**25
 Rumanía **12:**129
 Rusia **12:**136
 Sebastopol **12:**252
Negro, Río 10:69, 78
 Amazonas **1:**220
 Argentina, república **2:**16
 Costa Rica **4:**267
 Fagnano, José **6:**112
 geología **6:**309
 Guainía **7:**73
 Haedo, cuchilla de **7:**118
 Honduras **7:**218
 Manaus **9:**51
 Mercedes **9:**172
 Patagonia **11:**11
 Venezuela **14:**43
negroide **10:**65
negroide, grupo **9:**55
Negroponto, islas **7:**55
negros **13:**86, 256
Negros **6:**155
Néguev, camapaña del **11:**272
Negus 10:69
 Haile Selasié I **7:**120
negusti **10:**69
Nehemias **8:**118
Nehemías **9:**41
Neher, Erwin 10:69
 biografía **10:**69
Nehru 10:69
 — Motilal **10:**69
 — Jawaharial **10:**44, 69
 biografía **10:**69
 bibliografía **10:**69
Neiba, ciudad, República Dominicana **2:**217
Neira, Colombia **9:**65
Neira, Juan José 10:69
 biografía **10:**69
Neisse, Lausitzer **10:**185
Neisseria gonorrhoease **14:**41
Neiva 10:69
 Patrana Borrero, Misael **11:**10
 Huila **7:**245
Nejd, sultán del **7:**259
Nekao **13:**213
Nekrásov, Nikolai Alekseevic 10:69
 Rusia **12:**141
 bibliografía **10:**69
nektar **10:**63
Nel Ospina, Pedro **1:**18
Nelson **12:**309
Nelson Mandela, Sudáfrica **9:**55
Nelson, Baby Face **12:**109
Nelson, Edmundo **10:**69
Nelson, George **13:**243
Nelson, Horatio 10:69
 biografía **10:**69
 armada **2:**39
 Gran Bretaña **7:**41
 Trafalgar **13:**239
Nelson, Horatio, visconde de Nelson y duque de Bront **1:**39
Nelson, Lord **10:**37
Nelson, puerto de **7:**236
nematelminto **13:**269
nematelminto **14:**184
nematelmintos 10:70
 invertebrados **8:**29
nemátodos 10:70
 ascaris **2:**79
Nemcova, Bozena **4:**28
Nemea **7:**59
Nemeas **11:**91
Nemerçke, montañas **1:**138
Némesis 10:70
nemontemi **2:**201
Nemours 10:70
Nemours, Du Pont de **11:**126
Nemrod **2:**207
Nennius, escritor **2:**78
nenúfar 10:70
 nenúfares **11:**122
neoarcaísmo **5:**294
Neoárticas **4:**267
Neoburgo, Mariana de **8:**165
neocid **9:**328
neoclásica, escultura **6:**229
Neoclasicismo 10:70
 clasicismo **4:**107
 Flaxman, John **6:**175
 Francia **6:**228
 Italia **8:**66
 latinoamérica **8:**194
 Mengs, Antonio Rafael **9:**166
 Thorvaldsen, Berthel **13:**183
 Uruguay **13:**329
neoclásico **13:**260
neoclásicos **5:**37; **6:**228
neoconfucionismo **4:**244
neodimio 10:71
neoelamita **4:**329
neofigurativismo **14:**46
neognatos **10:**253
neogramáticos **12:**244
Neoimpresionismo **11:**98
neoindio **2:**95; **8:**217
neolingüistas **8:**266
Neolítico 10:71
 civilización y cultura **4:**104
 comercio **4:**165
 Europa **6:**78
 Iberia **7:**255
 lanza **8:**172
 pintura **11:**95
 prehistoria **11:**186
neologismo 10:71
 español, idioma **6:**7
 méttrica **9:**188
neomicina **13:**279
neón 10:71
 alumbrado **1:**212
 atmósfera **2:**141
 electrodo **5:**239
neonazismo 10:71
neoplasmas **3:**210
neoplasticismo **11:**95
neoplasticismo holandés **11:**98
neoplatónico **7:**190
Neoplatonismo 10:71
 Filón de Alejandría **6:**157
 Maimónides **9:**32
neopreno **11:**74
Neopreno **3:**301
neornitas **10:**253
Neorrealismo 10:72
 — cinematográfico **12:**313
 chile **4:**44
 De Sica, Vitorio **5:**87
 González, José Luis **7:**20
 Sica, Vitorio de **12:**313
neorromántica **13:**183
Neorromanticismo **7:**198
neorromántico, movimiento **11:**336
Neos **1:**34
Neosho **8:**133
Neosho, río **10:**200
Neotropical, región **14:**180
Neovolcánica, cordillera **1:**208
Neovolcánica, Cordillera **14:**128
neozelandeses **7:**333
Nepal 10:72
 — historia **10:**71
 — pico **7:**179
 — Sikkim **9:**285
 — Tíbet **9:**285
 Asia **2:**94
 montañismo **9:**284
 Nepal **8:**155
 Nepal, bandera de **2:** 241
 rupia **12:**136
 Tibet **13:**185
Nepeña **9:**258
Neper o Napier, John 10:74
 biografía **10:**74
 logaritmo **8:**300
Nepi, río **13:**184
Nepociano **11:**295
Nepote, Cornelio 10:74
 bibliografía **10:**74
 Nepote, Cornelio **13:**196
Neptunio 10:74
 átomo **2:**151
 Mcmillan, Edwin Mattison **9:**145
Neptuno 10:74
 arquitectura **2:**56
 atronomía **2:**124
 Danaide **5:**10

dioses paganos **5**:136
Escila y Caribdis **5**:280
Le Verier, Urlain Jean Joseph **8**:236
Marte **9**:111
Minerva **9**:233
Neptuno, Estatua de **10**:74
Nier, Alfred Otto Charles **10**:99
Odisea **10**:185
perturbación **11**:58
Plutón **11**:142
Polifemo **11**:151
Quimera **11**:258
Rodríguez, Ventura **12**:91
Samotracia **12**:187
Sansobino, jacobo Tatti, llamado il **12**:209
satélite **12**:235
Nera **13**:184
nereidas 10:74
andómeda **1**:275
ninfas **10**:103
Nereo
gea **6**:295
Neptuno **10**:74
Plutón **11**:142
Tetis **13**:178
Nernst, Walther Hermann 10:74
— Berlín **2**:296
— ecuación de **11**:179
— microbalanza de **9**:215
biografía **10**:74
Ostwald, Wilheim **10**:269
Nerón, Claudio César 10:74
Agripina, julio **1**:110
anticristo **1**:305
biografía **10**:74
Caludio **4**:109
cometa **4**:168
Corinto **4**:248
epigteto **5**:269
esmeralda **5**:302
España **5**:313
fuego y sus consecuencias **6**:242
hipódromo **7**:183
imperio romano **7**:282
Lucano, Marco Anneo **8**:314
Nerón **10**:75
Nilo, río **10**:102
olimpia **10**:203
Persio Flaco, Aulo **11**:57
Quo Vadis? **11**:270
Roma **12**:98
Rubinstein, Anton Drigor´evich **12**:123
San Pedro de Roma **12**:198
Suetonio Tranquilo, cayo **13**:73
Tácito, Cayo Cornelio **13**:97
termas **13**:166
Tito, Flavius Sabinus Vespacianus **13**:206
viático **14**:74
Nerón Claudio druso **7**:208
Nersés IV 10:75
biografía **10**:75
Neruda, Jan 10:75
bibliografía **10**:75
Checa, república **4**:28
Neruda, Pablo 10:75
Aleixandre, Vicente **1**:154
bibliografía **10**:75
Chile **4**:44
generación del 29 **6**:299
latinoamérica **8**:190
linares **8**:262
Paz Lozano, Octavio **11**:21
surrealismo **13**:87
Nerva
imperio romano **7**:282
Roma **12**:98
Trajano, Marco Ulpio **13**:240
Vazquez Díaz, Manuel **14**:31
nervaduras **7**:202
Nerval, Gérard de 10:75
bibliografía **10**:75
Nervi **12**:81
nervio **10**:75
nervio aferente **1**:44
nervio motor o eferente **1**:44
nervio sensorial periférico **10**:78
Nervión **5**:305; **14**:119
Nervión, río **2**:321
nervios y sistema nervioso 10:76
— aferentes **1**:258
— guerra de **7**:89
— intercostales **7**:156
— principales **10**:76
— raquídeos **9**:155
— y sistema nervioso **1**:44
alógenos **7**:125
animal **1**:294
plexo **11**:138
nerviosa **2**:77
nerviosa, afección **10**:81
nerviosas **7**:183
nervioso **7**:191
nervioso auditivo, sistema **6**:167
nervioso central o periférico, sistema **10**:324
Nervioso, sistema **6**:148, 171, 268
nervioso, tejido **10**:76
Nervo, Amado 10:76
bibliografía **10**:74
literatura **8**:279
México **9**:202
modernismo y arte moderno **9**:262
Nervo, Amado **13**:96
Nesiotes **7**:63
neskji **5**:284
nesosilicatos **13**:220
Ness, río **2**:335
Néstor **1**:148; **9**:31
Nestor, compañía **7**:211
Néstor, río **13**:184
nestorianos **11**:57
nestorianos **8**:37
Netanyahu, Benjamin **8**:58
neto **7**:258
Neto, Agostinho Antonio 10:76
Angola **1**:288
biografía **10**:76
Netscape **8**:20
Netzahualcóyotl 10:76
— presa **9**:195
— rey de Texcoco **9**:258
Aztecas **2**:198
biografía **10**:76
Chichimecas **4**:34
Maxtla **9**:136
Tenochtitlán **13**:159
Netzahualpilli **4**:34
Neuchate **2**:231
Neuchâtel 10:76
Suiza **13**:80
Neue Zeit **12**:38
Neufchatel **8**:221; **13**:77
Neugoss, Ludwig **12**:321
Neuhof, Theodor Antonio, Barón de 10:76
biografía **10**:76
Neuilly
Croacia **4**:295
París, tratados de **10**:329
Santos Dumont, Albert **12**:223
Neumann von **7**:329
Neumann, Gaspar **6**:29
Neumann, Johan Balthasar **1**:166
neumática 10:76
Neumáticas, cámaras **14**:84
neumático 10:76
neumáticos **1**:182
neumáticos **6**:162
neumococo 10:77
neumococos **13**:202
neumoconiosis 10:77
— clasificación de las **10**:77
— prevención **10**:77
neumomitosis **1**:68
neumonía o pulmonía 10:77
bacteria y bacteriología **2**:211
hipo **7**:183
neumostoma **11**:242
neumotórax 10:78
Neunkirchen **12**:231
Neuquén 10:78
Araucanos **1**:344
argentina, república **2**:16
Chile **4**:41
Neuquén, río **6**:112; **10**:69
Neural networks **7**:327
neuralgia 10:78
— del trigémino **10**:78
— glosofaríngea **10**:78
enfermedades mentales **5**:262
neurastenia 10:78
enfermedades mentales **5**:262
lecitina **8**:202
neuritis 10:78
neurobiología 10:78
— estructura de las neuronas **10**:79
— potenciales eléctricos **10**:79
— potenciales de recepción y sináptico **10**:79
— potenciales de acción **10**:79
— propagación del potencial de acción **10**:80
— la sinapsis **10**:80
— drogas e inhibidores **10**:80
neurobiólogo **7**:235
neurocirugía **4**:335
Neurocirujano **10**:79
neuroesqueleto **5**:64
neurofisiología **6**:290; **8**:135
neurofisiológicas **2**:134
Neurofisiólogo sueco **7**:49
neurohormona diencefálica **7**:104
neurología 10:80
Galeno, Claudio **6**:264
medicina **9**:150
Wagner Von Jauregg, Juluis **14**:138
neuromas **10**:76
neuromoduladores **10**:78, 80
neurona 10:80
— estructura de la **10**:79
Australia **2**:164
cerebro **3**:332
dendritas **5**:48
neuronales, mecanismos básicos **10**:69
neuroparalítica **10**:190
neuróptero
bosque **3**:52
crisopa **4**:289
hormiga león **7**:228
insecto **8**:9
tricóptero **13**:263
neurosis 10:81
— epiléptica **8**:302
compensación **4**:173
disociación (psicología) **5**:144
fobia **6**:185
higiene mental **7**:176
psicoanálisis **11**:223
neuroterapia **7**:197
neurótica **7**:191
neurotransmisor 10:81
Neusse **8**:129
Neustadt **11**:21
Neustria **3**:91
neutralidad 10:81
neutralización 10:81
neutralizante, efecto **2**:76
neutrino
antimateria **1**:310
átomo **2**:150
Landau, Lev Davidovich **8**:170
Paulie, Wolgang E **11**:16
neutro **10**:21
neutrófilos **3**:305; **6**:335
neutrón 10:82
— proyectil **3**:36
alfa, partículas **1**:170
átomo **2**:148
cómic **4**:170
deuterio **5**:97
disprosio **5**:145
dosímetro **5**:166
Dunning, John Gray **5**:179
electrónica **5**:241
neutrones
anihilación **1**:292
Brockhaus, Bertrand Neville **3**:83
Friedman, Jerome Isaad **6**:237
helio **7**:142
Jensen, hans Daniel **8**:94
materia **9**:130
neutrones **2**:120
neutrones, bomba de 10:82
neutrones, estrella de 10:82
neutrónico **12**:251
neutros **6**:301; **9**:178
Neva 10:82
Neva, río **2**:230; **12**:138
Nevada 10:82
— actividad económica **10**:83
— clima **10**:83
— hidrografía **10**:83
— recursos **10**:83
— tierra **10**:83
— turismo **10**:83
— Universidad de **8**:180
— vegetación y vida animal **10**:83
arqueología **2**:52
Estados Unidos **6**:33
juego de azar **8**:121
Las vegas **8**:179
Nevada **5**:138
Nevada, Sierra 10:83
alpujarras **1**:202
Colombia **4**:137
parque nacionales **10**:331
penibético, sistema **11**:37
popocatépetl **11**:168
puebla **11**:226
Nevado de Colima **8**:76

Nevado de Toluca **9:**207
Neve **1:**284
nevera 10:83
refrigeración **11:**327
Neverí, cuencas **1:**319
Nevers **6:**123
Nevers, duque de **9:**310
Neves, ciudad **12:**222
Nevins, Alan **10:**230
nevintertropical **3:**57
Nevis **12:**166
Nevis **4:**190
neviza 10:83
nevos **5:**262
Nevoso, monte **1:**300
Nevski, Alejandro 10:83
biografía **10:**83
Nevski, caballeros de San Alejandro **10:**84
New Albany **6:**121
New Amsterdam **12:**43
New Amsterdam **9:**99; **10:**91; **13:**86
New Britain **10:**317
New Brunswick **1:**41; **6:**32
New Brunswick, Canadá **1:**144
New Brusnwick **9:**33
New Castle **5:**41, 184
New Deal 10:84
New Deal **12:**110
New England 10:84
Estados Unidos **6:**31
Maine **9:**32
Massachusetts **9:**121
New England **12:**43
New England Biolabs en Beverly (Massachusetts) **12:**82
New Hampshire 10:84
— actividad económica **10:**85
— clima **10:**85
— hidrografía **10:**85
— río **4:**211
— tierra y recursos **10:**85
— turismo **10:**85
— vegetación y vida animal **10:**85
Estados Unidos **6:**33
New Hampshire **10:**85
New Hampshire, Connecticut y Rhode Island **12:**43
New harmony **7:**305
New Haven **4:**211
New Holanda **10:**91; **12:**43
New Ireland **10:**317
New Jersey 10:85,
— actividad económica **10:**86
— clima **10:**86
— hidrografía **10:**86
— tierra y recursos **10:**86
— turismo **10:**86
— vegetación y vida animal **10:**86
Cooper, James Fenimore **4:**231
delaware **5:**39
Estados Unidos **6:**33
New Jersey **10:**86; **12:**43
Washington, George **14:**142
New Lanark **10:**275
New London **4:**211
New Mexico 10:87
— actividad económica **10:**88
— clima **10:**88
— hidrografía **10:**87
— tierra y recursos **10:**87
— turismo **10:**88
— vegetación y vida animal **10:**88
anexión **1:**277
apache **1:**322
arena **2:**5
Estados Unidos **6:**32
Fernandez de la Cueva, Francisco **6:**134
Folsom **6:**191
Laguna, Tomás Antonio de la Cerda y Aragón, marqués de la **8:**165
Manuelito **9:**63
navajos **10:**50
New México **4:**326
Rocosas, Montañas **12:**88
sandía **12:**203
Vazquez de Coronado, Francisco **14:**31
New Orleans 10:88
Armstrong, Louis **2:**47
Estados Unidos **6:**34
Farragut, David Glasgow **6:**120
fiebre amarilla **6:**148
jazz **8:**92
Louisiana **8:**311
Paris, Tratados de **10:**329
Schally, Andrew Victor **12:**246
New Purchase **7:**306
New Salem **8:**263
New Salem state Historic Site **7:**270
New School for Social Research de Nueva York **7:**20
New Scottia **1:**41
New Wales **13:**91
New Westminster **4:**157
New Yersey, EE.UU **12:**89
New York 10:89, 91
— bahía de **9:**57
— Congreso Sionista de **10:**292
— cultura **10:**90
— Escuela de Investigación Social en **10:**256
— Estado de **10:**91
— Herald **2:**294
— industria y comercio **10:**90
— museo de Arte Moderno de **4:**171
— puenrtes, calles y edificios **10:**89
— Times **11:**51
— Universidad de **9:**103; **10:**90, 182
Abler, Félix **1:**71
acueducto 1:60
aeroplano **1:**87
aeropuerto **1:**89
Agramonte Simone, Arístides **1:**101
alumbrado público **1:**212
Arafat, Jasir **1:**339
Ash Scholem **2:**80
bolsa de valores **11:**334
Brooklyn **3:**86
Estados Unidos **6:**31
exposición **6:**100
feniano **6:**129
ferrocarril subterráneo **6:**142
Hudson, Henrry **7:**236
Japón **8:**82
jardín zoologico **8:**86
Léger, Fernand **8:**210
libertad, estatua de la **8:**247
Londres **8:**304
negro **10:**67
New Jersey **10:**85
New York **1:**76; **10:**26; 90; **2:**58; **4:**89
ómnibus **10:**210
portaviones **11:**171
prensa, información **11:**190
puente **11:**227
Puerto Rico **11:**230
Pulitzer, Joseph **11:**241
Revolución Estadounidense **12:**43
Rice, Elmer **12:**62
Rockefeller, John Davison **12:**87
Saint Exupéry, Antoine de **12:**166
Schick, Bela **12:**246
Schnitzir, Arthur **12:**248
Shcipa, Tito **12:**247
Wall Street **14:**139
Washington, George **14:**142
New Zeland **14:**36
newar **2:**94
Newark 10:84
Edison, Thomas Alva **5:**211
plásticos **11:**126
Newbery, Jorge 10:84
aeroplano **1:**87
biografía **10:**84
Newcastle (upon-Tyne) 10:84
Gran Bretaña **7:**33
Newcomb, Simon 10:84
Newcomen **9:**75
Newell, A. **12:**329
Newell, Bent **1:**53
Newfoundland **1:**232
Newgate **11:**202
Newman, John Henry 10:86
bibliografía **10:**86
Newman, Paul 10:87
biografía **10:**87
Newmarket, hipódromo de **7:**183
Newport **12:**59; **14:**150
Newport Folk, festival de **2:**215
Newport, Rhode Island **12:**59
Newton Lewis, Gilbert **1:**52
Newton, Manzano de **1:**348
Newton, sir Isaac 10:88
— ley de **5:**127; **7:**52
— leyes de **11:**58
— tercera ley de **6:**166
Alemania **1:**167
astronomía **2:**124
atracción **2:**154
bibliografía **10:**88
bomba, Uv **3:**40
cálculo **3:**159
ciencia **4:**73
cohete **4:**128
color **4:**153
creación **4:**277
criticismo **4:**294
dispersión **5:**144
espectro y espectroscópio **6:**10
física **6:**164
Fresnel, Augustin-Jean **6:**237
geografía **6:**305
Goethe, johhan Wolgang **7:**13
Gran Bretaña **7:**44,
gravedad **7:**51
Intrferencia **8:**18
invenciones y descubrimientos **8:**23
Leibniz, Gottfried Wilheim **8:**214
Lucrecio, Caro Tito **8:**316
Luna, La **8:**321
luz **8:**330
mareas **9:**89
matemáticas **9:**127
mecánica **9:**146
Newton, Isaac **10:**89
objeto **10:**174
órbita **10:**232
pasatiempo **10:**336
planeta **11:**119
propulsión a chorro **11:**215
reactor nuclear **13:**148
relatividad **12:**8
Roemer, Olaf **12:**92
Sextante **12:**301
nexo **5:**252
Ney, Michel 10:91
biografía **10:**91
Nez Perce National Historical Park **7:**264
Nezahualcóyotl 10:91
biografía **10:**91
Nezahualpilli 10:91
biografía **10:**91
Ixtlixóchitl II **8:**69
Nezvanova, Netochka **5:**167
Ngami, lago **5:**76; **8:**289
Ngema **7:**106
Ngola, Angola **1:**286
ngoni **13:**90
Ngouabi, Marien **4:**207
Ngoyo, Angola **1:**286
Nguyen de Cochinchina **7:**314
Nguyen tat Tan **7:**196
Ngwane II **13:**90
Nhlangano **13:**90
Ni **10:**104
Ni un pelo de tonto **10:**87
Niágara 10:91
— calcárea del **10:**92
— río **6:**32
cometa **4:**168
energía **5:**258
mar **9:**82
remolino **12:**17
Wstinghouse, George **14:**147
niakaré **10:**91
Niamey **10:**100
Niari, valle del **4:**207
Niaux, cuevas, Francia **11:**95
Nibelungos 10:92
nibelungos germánicos **7:**116
Nicander, Karl **13:**71
Nicanor Plaza **5:**295
Nicaragua 10:92
— clima **10:**92
— comunicaciones **10:**93
— costas **10:**92
— descubrimiento y conquista **10:**93
— economía **10:**92
— educación **10:**93
— el canal Interoceánico **10:**95
— flora y fauna **10:**92
— fundación de las ciudades **10:**93
— gobierno **10:**93
— hidrografía **10:**92
— historia **10:**93
— la Colonia **10:**93
— la Independencia **10:**93
— la República **10:**94
— patrimonio cultural **10:**95
— población **10:**93
— relieve **10:**92

— sus primeros pobladores **10**:93
— Universidad Centroamericana **10**:93
— Universidad Nacional Autónoma **10**:93
Aguilar, Manuel **1**:116
Alajuela **1**:131
America central **1**:234
América del sur **1**:246
Ampudia, Juan de **1**:253
Belalcázar,, Sebastián de **2**:279
Benavente, Toribio de; Motolinia **2**:290
Bloofields **3**:8
Boaco **3**:10
Carazo **3**:232
conferderación **4**:202
conferencias panamericanas **4**:203
Contadora, grúpo **4**:226
Coolidge, Calvin **4**:231
Coronado Chávez, J **4**:251
Costa Rica **4**:266
Chinandega **4**:59
Chontales **4**:62
eduacación **5**:218
escudo **5**:286
Esquipulas **6**:26
Estados Unidos **6**:42
Estelí **6**:48
Fernández de Córdoba, Francisco **6**:134
Fonseca **6**:192
Fuguerez Ferrer, José **6**:150
hispanoamércia **7**:187
independencia **7**:295
indios americanos **7**:311
Jinotega **8**:103
lago **8**:164
León **8**:224
literatura hispanoamericana **8**:282
Madríz **9**:20
Managua **9**:50
Masaya **9**:119
Matagalpa **9**:125
Mesoamérica **9**:177
Monroe, James **9**:281
Nicaragua, bandera de **2**: 241
Sandino, Augusto César **12**:203
Vazquez de Coronado, Juan **14**:31
Wilson, Thomas Woodrow **14**:152
Nicaragua, Lago de 10:96
Costa Rica **4**:267
Granada **7**:47
nicaraos **10**:93
Nicaraqua **10**:142
Niccolo **5**:71
Nicea **4**:280; **7**:181
Nicea, concilios de 10:95
arrianismo **2**:60
concilio **4**:196
Córdoba **4**:241
Trinidad, santísma **13**:268
Nicholson, Ben **7**:45
Nichos, Pirámide de los **13**:104
Nicias **11**:33
Nickerson-Kvein **12**:227
Nickleby, Nicolás **5**:113
NICMOS **12**:242
Nicobar **2**:292
Nicobar, islas 10:96
Andamán y Nicobar, islas **1**:266
Asia **2**:88
India **7**:295
Nicodemo **11**:7
Nicodemus, Evangelios de **1**:325
Nicola II **1**:219
Nicolaevich, Zarevich Alejo **1**:154
Nicolai, Otto 10:96
obra **10**:96
Nicolás **2**:304; **11**:156
Nicolás Antonio **2**:314
Nicolás de Bari, san 10:96
biografía **10**:96
Nicolás de Ovando **1**:256
Nicolás I 10:96
Alejandro II **1**:157
biografía **10**:96
Kremlin **8**:148
Nicolás I **12**:54
Pushkin, Alksandr **11**:244
revoluciones de 1830 **12**:144
Nicolás I, san 10:96
biografía **10**:96
Nicolás II 10:96
biografía **10**:96
Alejandra Fedorovna **1**:154
asesinato **2**:81
imperio **7**:274
Polonia **11**:160
abdicación **1**:20
Revolución Bolchevique **12**:41
Nicolás Romero **9**:207
Nicolás V, papa
conciliares, doctrinas **4**:196
Roma **12**:100
Sanm Pedro de Roma **12**:198
Tordecillas, tratado de **13**:222
Vaticano, Ciudad del **14**:29
Nicolás, gran duque **12**:307
Nicolás, I emperador **7**:13
Nicolás, príncipe **9**:287
Nicolás, San **4**:233
Nicolle, Charles Jules Henri 10:96
bibliografía **10**:96
Nicolo **2**:99
Nicolovius **13**:71
Nicómano **2**:32
Nicomedes II, rey de Bitinia **9**:251
Nicópolis **2**:269; **12**:258
Nicosia 10:96
Chipre, república de **4**:60
Nicot, Jean **13**:93
Nicotea **2**:49
Nicotera, batalla naval de **12**:93
Nicotiana **13**:93
Nicotiana tabacum **13**:93
nicotina 10:96
nicotina **5**:173
nicotina y alquitrán **1**:203
nicotismo **10**:97; **13**:117
Nicoya y Osa, penínsulas de **4**:267
Nicoya, golfo de 4:269
Nicoya, Península de **4**:267; **9**:177
nictagináceas **3**:100
nictagínea **5**:163
nictemeral (nictémero) 10:97
nictitante membrana **10**:199
Nicuesa, Diego de 10:97
biografía **10**:97
Balboa, vasco Nuñes de **2**:223
Veragua **14**:53
Nuñez de Arce, Gaspar **10**:164
nidícolas **11**:5
nido 10:97
hormiga **7**:226
migración **9**:219
nido **4**:318
nido de avispas **7**:180
nido de termes **13**:167
pingüino **11**:93
Nidos y huevos 2:179
Nie wieder Krieg (nunca más la guerra), movimiento **10**:267
niebla 10:98
luz negra **8**:335
Unamuno Y jugo, Miguel de **13**:303
Niebla, sitio de **2**:74
Niebuhr **7**:193
Niebuhr, Barthold Georg 10:98
biografía **10**:98
Niebuhr, Karsten **10**:98
Niels Bohr, Aage **6**:144
Niels, Henrik Abel **8**:73
Nielsen, Carl 10:98
biografía **10**:98
Nielsen, sistemas de **2**:83
Niemen 10:98
Báltico, mar **2**:230
Europa **6**:75
Lituania **8**:287
Rusia **12**:138
Niemeyer Soares Filho, Oscar 10:98
obra **10**:98
Brasil **3**:76
latinoamérica **8**:195
Niepce, Claudio Félix Abel 10:98
biografía **10**:98
Niepce, Joseph-Nicéphore 10:98
biografía **10**:98
fotografía **6**:203
Francia **6**:230
Nier, Alfred Otto Charles 10:99
biografía **10**:99
Nierenberg, Eusebio, padre **7**:285
Nierenberg, Juan Eusebio **5**:246
Nieto Caballero, Agustín 10:99
bibliografía **10**:99
Nieto Caballero, Luis Eduardo 10:99
bibliografía **10**:99
Nietzsche, Friedrich 10:99
Adrick, Ivo **1**:273
Alemania **1**:166
almafuerte **1**:92
arte **2**:64
Baeza, Ricardo **2**:215
Berbiaeff, Nicolás **2**:295
bibliografía **10**:99
Brandes, Jorge **3**:67
expresionismo **6**:102
helenismo **7**:140
India **7**:312
Kazantzakis, Nicos **8**:136
Mann, Thomas **9**:59
Maragall y Gorina, Juan **9**:85
racismo **11**:273
Zweig, Stefan **14**:192
Nieuw Nickerie **13**:86
Nieuwe Tijdingen **11**:51
Nieuwveld **13**:312
nieve 10:99
nieve **1**:148
nieve, conejo **4**:202
nife **6**:312
Níger 10:100
— bandera de **2**: 241
— valle del **1**:95
Guinea **7**:105
lengua **8**:217
Mali **9**:43
Sahara **12**:164
Níger, río
descubrimientos y exploraciones geográficas **5**:75
Níger **10**:100
Park, Mungo **10**:329
Timbuctú **13**:196
Nigeria, 10:100
— Real Compañía de **10**:101
Camerún **3**:186
Comunidad (Británica) de naciones **4**:189
descubrimientos y exploraciones geográficas **5**:75
Guinea **7**:105
imperio británico **7**:275
lagos **8**:164
negro **10**:67
Nigeria **8**:94
Nigeria, bandera de **2**: 241
petróleo **11**:71
Sierra Leona **12**:319
talla y tallado **13**:106
Nightingale, Florence 10:101
biografía **10**:101
enfermero **5**:262
Nigricia **13**:256
nigromancia **1**:70
nigua 10:101
Nihilismo 10:101
nihilismo **5**:6
Nijinsky, Vaslav 10:101
biografía **10**:101
danza **5**:16
Rusia **12**:142
Nijni Novgorod **2**:221; **4**:165
Nijnii-Tajilsk **11**:134
Niké **14**:77
Niké Aptera **7**:63
Nikolaievsk **10**:199
Nikolayev, Adrian G 10:102
biografía **10**:87
astronáutica **2**:111
Nilgiri, montañas **7**:297
Nilgiro, monte **7**:296
nilgó **1**:307
Nilo, Río 10:102
— Azul (Bahr-el-Azrak) **5**:75; **10**:102; **13**:66
— Blanco **6**:67; **10**:102
— cultura del **2**:51
— delta del **5**:45
— hamíticos **10**:66
— historia **10**:102
— pantanos del **2**:53
— tesoros del **1**:104
— Victoria, río **1**:141
acueducto **1**:59
África **1**:92
agricultura **1**:104
agrimensura **1**:109
ápis **1**:325
Arabia Saudita **1**:335
armada **2**:38
arquitectura **2**:54
arroz **2**:61
Cairo, El **3**:155
descubrimeintos y exploraciones geográficas **5**:75
Egipto **5**:225
fallenza **6**:123
geometría **6**:314

invasión 8:22
irrigación 8:46
jardinería 8:87
ladrillo 8:160
lengua 8:217
loto 8:310
Mennón 9:161
Miosés 9:265
Nilo, río 4:125; 5:70; 10:102; 12:65
riego 12:65
siete maravillas del mundo 12:320
Sudán 13:66
Tebas 13:133
Nilo, valle del
dique 5:138
Egipto 5:226
Kenia 8:138
labranza 8:157
Osiris 10:264
pirámidew de Egipto 11:105
Portseid 11:171
siete maravillas del mundo 12:321
nilon 11:126
nilóticos 8:138; 10:66
Nils Adolf Erik, barón de Nordenskjold 13:71
Nils Gustav Dalen 1:51
Nilson, Lars 5:278
Nimba, montes 4:266
Nimbas 10:43
nimbos 10:144
Nimega 7:104, 206, 207
Nimeri, Gaatar Mohammed 13:67
Nimes 10:102
— acueducto de 1:60
Bataylle, Henri 2:263
Richelieu, Armand Jean Dupleis, Cardenal y Duque de 12:63
Nimitz, Chester William 10:103
biografía 10:103
Niña 10:54, 297
Niña francesa con baguettes, Francia 6:229
ninfa
— Estigia 14:77
— Liriope 10:40
— Pluto 13:113
crisálida 4:287
garrapata 6:286
hormiga 7:226
insecto 8:7
mariposa 9:101
mosquito 9:310
ninfáceas 6:179
ninfálidos 9:102
ninfas 10:103
— griegas 7:116
Gea 6:295
náydes 10:59
Polifemo 11:151
ninfeácea 10:70
ninfomanía 10:103
ninfosis 4:287
Ningpo 4:52
Ningxia Hui 4:46
Nínive 10:103
Asiria 2:101
Iraq 8:41
Jonás 8:106
libro 8:251
Nínive 2:207
Nínive 2:309
Nínive 4:184
Tigris, río 13:195
Tobías 13:209
niño 5:195; 10:103
Niño de la Guardia 13:212
Niño Jesús 1:73
Niño Salamunu 10:179
Niño, Andrés 10:93
Niño, Pedro Alonso 5:73
Niño, río 4:267
niños 13:232
Niños Expósitos 2:24
Niños Héroes 10:103
Niños jugando con material didáctico 7:320
Niobe 10:103
tántalo 13:113
niobio 10:103
niobiotetantalita 10:104
niobita 10:104
Niobrara 10:60
nipa 10:104
vivienda 14:113
nipáceas 10:104
Nipe, sierra de 7:210
nipmuks 7:309
Nipón, archipiélago 2:84
Nipón, isla de 7:186
nipones 13:278
Nippur 6:73
níquel 10:104
acero 1:47
hierro 7:173
Laponia 8:175
Tierra 13:192
titanio 13:204
vidrio 14:85
niques 7:37
Nirangistan 8:39
Nirenberg, Marshall Warren 10:104
biografía 10:87
Holley, Robert William 7:210
Khorana, Gobind Har 8:140
nirvana 2:98
Nirvanas, P. 7:62
Nisán o Avid 2:193
níspero 10:104
nitaínos 11:230
Nitaka-Yama 2:86
Niterói 10:104
nitración 10:104
— para la química orgánica 10:104
— del tolueno 11:74
— para la química orgánica 10:104
anilina 1:292
nitrato de amoniaco 1:252
nitrato de plata 10:105
verruga 14:58
nitrato de potasio 10:105
nitrato de sodio 2:132
nitratos 10:105
jardinería 8:89
nítrico, ácido 10:105
agua regla 1:112
éster 6:49
Nitrificación 10:106
nitro 10:105
vidrio 14:85
nitrobenceno 2:48
nitrocelulosa 10:105
laca 8:158
plásticos 11:126
nitrogenadas 8:224
nitrógeno 10:106
— amonificación 10:106
— gaseoso 2:210
— ionizado 2:110
— líquido 4:206
abono 1:31
arbol del pan o artocarpo 1:348
bacteria y bacteriología 2:211
biología 2:326
clorofila 4:116
explosivos 6:99
fósforo 6:199
gas 6:287
haba 7:113
helio 7:142
huerta y horticultura 7:239
labranza 8:156
leguminosas 8:213
oxígeno 2:141
plásticos 11:126
tiempo 13:187
vida 14:80
nitrógeno, ciclo del 10:106
— amonificación 10:106
— desnitrificación 10:106
— nitrificación 10:106
— fijación del 10:106
— fertilizantes nitrogenados 10:107
nitroglicerina 10:107
dinamita 5:127
éster 6:49
explosivos 6:99
glicerina 6:332
Nitrosobac 10:106
Nitrosococus 10:106
Nitrosomonas 10:106
Niuewe Maas, río 12:118
Nive, islas 11:153
nivel 10:107
— de aire 10:107
— de albañil 10:107
— molecular 7:159
carpintería 3:258
hisdrostática 7:168
nivelación 10:107
— barométrica 10:107
— directa geométrica 10:107
— indirecta, trigonométrica 10:107
aterrizaje 2:134
topografía 13:221
niveles de Tamm 13:110
Niven, David 10:107
biografía 10:107
Nix, Olympica 9:111
nixon 11:127
Nixon 13:102
Nixon, Richard Milhous 10:107
biografía 10:107
Astronáutica 2:118
Estados Unidos 6:42
Ford, Gerard Rudolph 6:192
Johnson, Lindon Banes 8:106
Kennedy, john Fitzgerald 8:138
Kissinger, Henry Alfred 8:143
nixtamal 11:181; 13:230
Niza 10:108
— carnaval de 9:92
Costa azul 4:265
Francia 6:215
Garibaldi, Guiseppe 6:286
Jaeckel, Ernst Heinrich 7:118
lenguas romances 8:221
Napoleón III, Luis Napoleón Bonaparte 10:39
plebiscito 11:137
riviera 12:81
Niza, fray Marcos de 10:108
biografía 10:108
Cíbola 4:68
Niza, Gregorio de 11:15
Nizami, Abu Mohammad ben Yusuf 10:108
biografía 10:108
Nizhami 8:39
Nizhniy-Tagil 12:313
Nizhny Novgorod 7:23
Nizhny, ciudad 12:140
Nizoa, río 5:157
Nkrumah, Kwame 10:108
biografía 10:108
Nnariño 10:41
no contradicción, principio de 10:63
No Proliferación Nuclear, Tratado de 10:146, 151
no violencia 10:143
Noailles, Anna Elisabeth de Brancovan, Condesa de 10:108
Noailles, Anna de 12:132
biografía 10:107
Nobel, Alfred Bernhard 10:108
biografía 10:107
dinamita 5:127
explosivos 6:100
filantropía 6:152
Suecia 13:71
Nobel, Fundación 10:108
Nobel, Premio 10:108
nobelio 10:125
Nobile 6:96, 97
Nobile, Umberto 5:78; 6:97
nobilitas 11:14
noble de abolengo 7:149
noble o hidalgo 14:94
nobles 13:126, 192
nobleza 10:125
— barón 10:125
— baronet y caballeros 10:125
— el conde 10:125
— el duque 10:125
— el marqués 10:125
— feudal 7:7
— los títulos de gobernantes 10:125
— los títulos y las condecoraciones en la época modernas 10:126
— senatorial 7:280
— Vizconde 10:125
cortes 4:259
Estados generales 6:30
feudalismo 6:143
Noboa 5:247
Noboa Caamaño, Ernesto 5:201
Noboa, Diego 12:85; 13:323
Nobre, Marlos 3:77
Nóbrega, Manuel de 1:263; 12:225
noche 10:126
Noche campera 13:328
Noche de los asesinos 13:260
Noche de San Bartolomé
Coligny, Gaspar de 4:134
Francia 6:222
Hugonotes 7:245
Noche transfigurada 12:248
Noche Triste, la 10:126

— retirada de la **10:**202
ahuehuete **1:**120
Cuauhtemoc **4:**310
Cuitlahuac **4:**327
México **9:**198
Moctezuma II **9:**258
Nochebuena **10:**57
Nochebuena **12:**211
noción **4:**105
noctiluca 10:126
noctilucas **6:**199
Nocturno **13:**91
Nocturno III **12:**325
Noddack **13:**134
Nodi **13:**221
Nodier, Charles 10:126
biografía **10:**126
nodo 10:126, 232
— ascendente **10:**126
— ascendente **11:**58
— descendente **10:**126
nodos **9:**279
nodriza **10:**334
nodriza o sirvienta **9:**324
nódulo 10:126
— geología **10:**126
— medicina **10:**126
nódulo sinoauricular **4:**237
Noé
arca **1:**349
fruto **6:**240
Maccio, Rómulo **9:**6
razas humanas **11:**309
Noel **4:**124
Noel, Gordon George **2:**221
Noel, papá **10:**58
noerrealistas **2:**30
nogai **13:**288
nogal 10:127
árbol **1:**346
arco, tiro de **1:**352
carpintería **3:**258
madera **9:**14
nuez **10:**161
Nogale **2:**36
Noguchi, Hideyo 10:127
Japón **8:**85
biografía **10:**127
Noguchi, Yone **8:**85
Noguera, Magdalena **4:**198
Noguera, Pedro de **11:**63
Noguera, río **12:**60
Nojom-Yum Chac **8:**158
Nola **2:**160
Nola, Antonio de **3:**142
Nolan, Sidney **2:**164
Nolasco, Pedro **14:**192
Nolasco, Pedro, san **9:**172; **11:**296
Nolde, Emil **6:**102
Nollet, Jean Antoine **6:**230
nómada **14:**116
nómadas
— somalíes **10:**127
beduinos **2:**275
hogar **7:**198
Laponia **8:**175
nomadismo 10:127
nombre 10:127
Nombre de Dios
Balboa, Vasco Nuñez de **2:**223
Belalcázar, Sebastian de **2:**279
Nicuesa, Diego de **10:**97
— cordillera de **2:**137
nombre y símbolos **5:**245
nombres de pila **10:**128
Nombres divinos **10:**72
nomenclatura 10:128
— binaria **1:**295
química **5:**273
nómina **7:**307
nominalismo 10:128
Occamm Ucokham, Guillermo de **10:**178
nominalistas **11:**312
nominativo 10:128
nomografía 10:128
nomograma **10:**128
nomos **13:**173
nonadecano **10:**320
Nonell y Monturiol, Isidro 10:129
biografía **10:**129
nonio 10:129
micrómetro **9:**216
nonios **13:**160
nonius **3:**165
Nonthaburi **13:**101
Noonan, Fred **5:**183
Noordung, Herman **6:**28
Noort, Adam van **12:**122
nopal 10:129
cochinilla **4:**122
noradrenalina **2:**192; **13:**86
Norberto, san **10:**235
norbido **1:**33
Nordau, Max Simon 10:129
bibliografía **10:**129
Nordenflycht, Carlota **13:**71
Nordenskjöld, Nils Adolf Erik barón de 10:129
— mar de **2:**70
biografía **10:**129
descubrimientos y exploraciones geográficas **5:**78
exploraciones polares **6:**96
Kara, mar de **8:**134
pasos del noroeste y del noreste **11:**8
Nordenskjöld, Nils Erland Herbert 10:129
biografía **10:**129
Nordenskjöld, Otto 10:129
bibliografía **10:**129
de descubrimientos y exploraciones geográficas **5:**79
Nordgren, Pehr Henrik **6:**161
Nórdica, mitología **14:**18, 90
Nórdico **13:**70
nórdicos **11:**309; **14:**15
nórdicos archipiélagos **5:**70
Nordli, Odvar **10:**136
Nordraak, Rikard **7:**65
Nordström, Johan **13:**71
Nordvik **2:**71
Noreña, Manuel **9:**205
norepinefrina **10:**81
Norfolk, isla de
Australia **2:**163
Laperouse, Jean Francoise de Galaup, conde de **8:**174
Norfolk, isla de **1:**104
Pitcairn, isla **11:**112
nori **7:**310
noria 10:129
norias **12:**65
Nórica **13:**202
Noriega **10:**303
Noriega, Manuel Antonio
Estados Unidos **6:**43
latinoamérica **8:**187
Panamá **10:**302
Norien **10:**197
Norma **10:**15
norma **6:**46
norma ética **8:**237
norma jurídica **8:**237
norma social **8:**236
Normadía **7:**96
normal 10:130
barómetro **2:**256
normales **7:**249; **11:**314
Norman Wells, pozos de **2:**71
Norman, río **11:**247
Normandía 10:130
— Alta **12:**120
— Guillermo, duque de **5:**213; **7:**333
— invasión a **2:**41
— invasion de **2:**75
— Roberto, duque de **3:**242; **4:**306
batalla **2:**264
Eduardo el confesor **5:**213
Francia **6:**216
Guillermo II el rojo **7:**104
paracaídas **10:**319
Patton, George Smith **11:**16
piratería **11:**107
vikingos **14:**91
vivienda **14:**117
normandos 10:130
Atlántico, océano **2:**136
Edad media **5:**206
Francia **6:**218
Grecia **7:**60
marina mercante **9:**98
navegación **10:**54
Noruega **10:**135
Robin Hood o Robin de los bosques **12:**83
Suecia **13:**70
universidad **13:**315
Normas **10:**326
normas de edad **7:**322
normas de seguridad **12:**263
normas escandinavas **7:**116
Noroeste, paso del **6:**95; **9:**6
Noronha, Fernando de 10:130
biografía **10:**130
Nörrenberg **11:**148
Norrish, Ronald George Wreyford 10:130
biografía **10:**130
Pita, María **11:**112
Porter, sir Geroge **11:**172
Norrköping **13:**69
norte **10:**21
Norte Báltico, mar del **1:**158
norte de África **1:**193; **11:**31
norte de Europa **1:**177
Norte de Santander 10:131
Norte y del Centro, estados del **7:**89
Norte, Canal del **13:**301
Norte, Cordillera del **12:**181
Norte, isla del **10:**158
Norte, Mar del 10:130
Alemania **1:**163
Argelia **2:**11
Atlántico, oceano **2:**136
Bacalao **2:**209
Báltico, Mar **2:**230
Bélgica **2:**281
Dortmund **5:**166
Edimburgo **5:**210
Elba, río **5:**235
Escalda **5:**277
esturión **6:**66
Europa **6:**75
exploraciones polares **6:**95
frailecillo **6:**211
Francia **6:**214
lancha torpedera **8:**170
londres **8:**302
maíz **9:**35
Nelson, Horatio **10:**70
Newcastle, (upon-time) **10:**84
Norte, mar del **1:**27
Mar del Norte en Escandinavia **10:**131
Piteas **11:**112
Norteamérica
alosaurios **1:**199
indios americanos **7:**311
latinoamérica **8:**182
norteamérica **4:**281
norteamérica, Chicago **1:**230
norteños federales **7:**89
North American Metheorologic Service **4:**168
North Carolina 10:131
— tierra y recursos **10:**131
— clima **10:**132
— hidrografía **10:**132
— vegetación y vida animal **10:**132
— actividad económica **10:**132
— turismo **10:**132
North Dakota 10:132
— tierra y recursos **10:**132
— clima **10:**132
— hidrografía **10:**132
— vegetación y vida animal **10:**132
— actividad económica **10:**133
— turismo **10:**133
— recursos **10:**133
Montana **9:**282
North Platte, río **4:**155; **14:**156
North Saskat-chewan **5:**212
North Whitehead, Alfred **2:**192
North, Douglass C 10:132
biografía **10:**132
North, lord **7:**41
Northampton **4:**231
Northcliffe, Alfred C W, Harmsworth, Vizconde de 10:132
biografía **10:**132
North-Little Rock **2:**37
Northrop, John Howard 10:133
biografía **10:**133
Northumberland **7:**35
Northumberland, condado de **10:**84
Northwestern **5:**218
Nortiroleses **13:**202
Norton, Ken **3:**63
Noruega 10:133
— aspecto físico **10:**133
— bandera de **2:**241
— educación y cultura **10:**135
— el pueblo noruego **10:**134
— geografía económica **10:**134
— gobierno **10:**135
— historia **10:**135
— mar de **2:**70; **9:**21
— Parlamento de **10:**108
— patrimonio cultural **10:**136
— principales ciudades **10:**134
armiño **2:**46
átomo **2:**151

bacalao **2:**209
comercio **4:**165
Comunidad Económica Europea **4:**189
corona **4:**251
corrientes marinas **4:**258
descubrimientos y exploraciones geográficas **5:**71
Diaz, Leopoldo **5:**107
España **5:**308
Europa **6:**74
exploraciones polares **6:**95
ferrocarril **6:**141
Fiordo **6:**161
grafito **7:**30
Guerra Mundial, Segunda **7:**94
Haakón VII, rey de Noruega **7:**113
Hamsum, Knut Pederson **7:**127
hematites o hematita **7:**143
hielo **7:**170
lagar **11:**116
Laponia **8:**175
leming **8:**214
Lutero, Martin **8:**327
Maine **9:**33
Minessota **9:**229
naturismo**10:**49
normandos **10:**130
Noruega **5:**278; **10:**134
Noruega, islas lofote **8:**299
Noruega, Oslo **10:**136
Ombudsman **10:**210
Oslo **10:**264
Pechblenda **11:**23
petróleo **11:**71
plebiscito **11:**137
rata **11:**302
reforma **11:**325
Wisling, Vidcun **11:**269
Nosara, río **4:**267
Noshaq en Afganistán, monte. **1:**91
Nosotros **2:**307
Nosotros, revista **6:**328
Nostradamus, Michel de Notredame o 10:136
biografía **10:**136
adivinación **1:**70
nota musical 10:136
notación 10:136
— musical **10:**136
Grecia **7:**63
notario 10:137
escritura **5:**284
notarios **8:**209
notas **10:**12
notas musicales **10:**137
notas tironianas **13:**117, 202
Nothingham **7:**36, 129
noticia 10:137
noticiario 10:137
Noticias telegráficas **13:**146
noticieros electrónicos o ENG **14:**82
notificación 10:137
Notke, Bernt **1:**166
notocorda **4:**240
notocordio **8:**168; **14:**185
Notre Dame, escuela de **2:**62
Nôtre, André Le **10:**331
Nottingham 10:137
— castillo de **10:**137; **12:**83
Arkwright, Richard **2:**37
Nouel, Adolfo **5:**161
Nouel, Monseñor **14:**33
Noumea **10:**156
noumeno **10:**174
Nous **1:**262
Nouvelle Revue Français **6:**322
nova 10:137
Nova Lisboa **1:**285
Nova, Diego 10:143
biografía **10:**143
Nova, Jõao de **12:**214
Novais**,** Paulo Dias de **1:**287
Novais, Xavier de **9:**8
Novak **8:**262
Novak, Kim 10:138
biografía **10:**138
Novak, Vitezslev **4:**28
Novalis 10:138
bibliografía **10:**138
aforismo **1:**92
Alemania **1:**166
pética **11:**147
Novarro, Ramón **14:**139
novas **2:**127
Novedades **11:**52
Novedades **2:**293
novela 10:138
— alemana **10:**141
— científica **14:**57
— colombiana contemporánea **2:**30
— contemporánea **8:**283
— costumbrista **2:**161
— de aventuras **10:**138
— de costumbres **10:**138
— de la energía nacional **2:**257
— de tesis **10:**139
— en América **10:**141
— en América **10:**142
— en la antigüedad **10:**139
— en Rusia **10:**141
— epistolar **10:**139
— existencialista **10:**139
— experimental **10:**139
— ficción novelesca **10:**139
— folletinesca **10:**139
— folletinesca **14:**10
— géneros novelísticos **10:**138
— grandes novelistas **10:**140
— griega **10:**140
— histórica **9:**65 **10:**139; **11:**46
— iberoamericana **14:**26
— medieval **10:**140
— oriental **10:**140
— pastoril **10:**139; **11:**257
— picaresca **10:**139
— policiaca **10:**139
— psicológica **9:**134; **10:**139
— realista **8:**13
— social **10:**139
compisición y redacción **4:**175
Dumaurier **5:**178
literatura **8:**275
Montecristo, conde de **9:**286
Salamea Borda, Eduardo **14:**171
Val, Luis de **14:**10
novelas **10:**42
novelas caballerescas **5:**319
novelas científicas **8:**285
novelas y cuentos filosóficos **2:**231
Novelists **11:**35
Novelli **7:**31
novem **10:**142
Novempopulania **6:**289
novena 10:142
Noverre **5:**16
Novés, Audiverto de **10:**142
Novés, Laura de 10:142
bibliografía **10:**132
Novgorod **11:**30
Novgorod, ciudad **12:**140
Novgorod, Nijni **6:**132
Nóvgorod, Nizhni (antes Gorki), **6:**81
Novgorod, principado de **10:**83
Novi **13:**89
novia **9:**132
noviciado 10:142
noviembre 10:142
Novilior, Fulvio **12:**102
Novo, Salvador 10:142
biografía **10:**142
literatura hispanoamericana **8:**282
México **9:**202
Villaurrutia, Xavier **14:**94
Novoa Santos, Roberto 10:143
bibliografía **10:**143
Nicaragua **10:**95
novocaína 10:143
droga **5:**174
narcótico **10:**40
novolle, Lucífero **13:**210
Novorosisk, puerto de **10:**68
Novosibirsk **6:**81; **8:**134
Novotny, Antonio **4:**27
Novum Organum **2:**209
Noyes, Alfred 10:143
bibliografía **10:**143
Np **10:**74
Ntare V **3:**123
Ntaryamira, Cyprien **3:**123
Ntombi **13:**90
NTT, Japón **13:**142
Nuah **2:**102
Nuakchot **9:**134
nube **10:**98
Nube Mayor **6:**263
Nube Menor **6:**263
nubes 10:143
— grises **10:**15
— luminosas **2:**129
estratocúmulo **6:**60
nubes **8:**293
lluvia artificial **8:**294
nubes de Magallanes
andrómeda **1:**275
astronomía **2:**129
galaxia **6:**263
Nubes, mar de **10:**144
Nubes, Mar de las **8:**324
Nubia 10:144
— de Abu Simbel a Filae **5:**229
— desierto de **5:**224
descubrimientos y exploraciones geográficos **5:**75
Egipto **5:**227
nubios **13:**66
Nuble, provincia **2:**324
nuclear **2:**120; **8:**166
nuclear Misil **10:**144
nuclear reactor, accidentes en los reactores **10:**150
nuclear reactor, la seguridad nuclear **10:**149
nuclear, combustible **10:**148
nuclear, diagrama de una central **10:**147
nuclear, energía **4:**227
nuclear, esquema de la central **10:**148
nuclear, estrategia 10:144
— defensa nuclear **10:**146
— posterior a la guerra fría **10:**146
— estrategias para confrontar la proliferación nucle **10:**146
— evolución de la estrategia nuclear **10:**145
— la disuasión **10:**144
— las armas nucleares **10:**144
— dilemas **10:**145
nuclear, familia 10:146
nuclear, física 10:146
— estructura nuclear **10:**146
— fuerzas nucleares **10:**147
— propiedades nucleares **10:**146
— reacción nuclear **10:**147
nuclear, invierno **10:**145
nuclear, misil **10:**145
Nuclear, planta en Seabrook **10:**85
nuclear, propulsión **10:**53
nuclear, radiación **10:**82
nuclear, reactor 10:147
— energía proveniente de la fisión **10:**147
— reactores de agua ligera **10:**148
— otros tipos de reactores **10:**148
— la seguridad nuclear **10:**149
— accidentes en los reactores **10:**150
nuclear, sala de control de la planta **10:**149
nuclear, submarino estadounidense **10:**151
nuclear, teoría **13:**183
nuclear-biológica-química **10:**60
nucleares **2:**76
nucleares, armas 10:150
— producción y destrucción **10:**151
— efectos del uso de las armas nucleares **10:**152
— el invierno nuclear **10:**152
— medidas de protección **10:**152
nuclear, esrategia **10:**144
nucleares, arsenales **10:**145
Nucleares, Centro de Estudios **10:**64
nucleares, desechos 10:152
— eliminación **10:**153
— inyección de desechos necleares en Rusia **10:**153
— tipos de **10:**152
nucleares**,** partículas **1:**292
nucleicos, ácidos 10:154
— composición **10:**154
— descubrimiento **10:**154
— estructura **10:**155
— el código genético **10:**155
— funciones biológicas **10:**154
nucleico, ácido **14:**108
nucleínas **8:**146
núcleo 10:155
— atómico **2:**149; **10:**146
— celular **1:**71
— del átomo **11:**219
— familiar **4:**187
— fónico **7:**31
átomo **2:**146
cometa **4:**168
cromosoma **4:**298
electricidad **5:**236
plutonio **11:**142

protón **11:**219
radioactividad **11:**276
trigo **13:**263
zoología **14:**182
nucleones **2:**148
nucleoproteínas **4:**298
núcleos atómicos **7:**198
núcleos fisionables **2:**152
nucleótidos **10:**223
nucleótidos, cadenas de **10:**154
nudo 10:155
— ciego **10:**155
— de cabos **10:**155
— de eslinga **10:**155
— de la Sagra **11:**37
— de Loja **1:**268
— de Pasto **1:**268
— Mixteco **10:**170
nudos de Portete y Tinajillas **8:**117
nueces
ardilla **1:**352
nueces **4:**205; **10:**161
nogal **10:**127
palmera **10:**295
Nueces, río **6:**32
nuer **10:**66; **13:**66
Nuestadt , ciudad **7:**125
Nuestra Señora de la Asunción **2:**131
Nuestra Señora de la Luz, Murcia **7:**258
Nuestra Señora de los Ángeles **1:**281
Nuestra Señora de París **7:**244
Nuestra Señora del Mar **2:**231
Nuestra Señora del Monte Carmelo, orden de **10:**237
Nuestra Señora del Pilar **7:**158
Nuestra Señora del Pilar, basílica de, en Zaragoza **12:**91
Nuestra Señora Santa María del Buen Aire, Puerto de **9:**165
Nuestra Señora, catedral de (Notre Dame) **10:**327
Nueva Albión **5:**169
Nueva Amsterdam **6:**40; **7:**208, 304; **9:**57
Nueva Andalucía **2:**223; **4:**263
Nueva Armonía **4:**188
Nueva Asunción **10:**321
Nueva Bretaña **6:**297
Nueva Bretaña, isla **2:**330
Nueva Caledonia 10:155
Cook, James **4:**231
Coral, mar del **4:**236
Francia **6:**219
Melanesia **9:**157
negro **10:**66
niquel **10:**104
Oceanía **10:**179
Nueva Caledonia, isla de **10:**155
Nueva Córdoba **4:**329
Nueva Delhi 10:156
Nueva Delhi **1:**297
Jorge V **8:**108
Nueva Escocia 10:156
Nueva Escocia **1:**49, 210, 263; **4:**179; **5:**258; **8:**114; **13:**174, 180
descubrimientos y exploraciones geográficas **5:**71,
Nueva España
Angeles, Los **1:**281
Carillo de Mendoza Pimentel, Diego **3:**264
Colonial, periodo **4:**152
comercio **4:**166
Córdoba **4:**241
Cortés, Hernán **4:**261
Croix, Carlos Francisco de **4:**297
Elías, Antón y Baltasar **5:**246
Enriques de Rivera, Payo **5:**266
Fernandez de la Cueva, Francisco **6:**272
Francisco, Hérnandez **7:**154
imprenta en América**7:**285
Itirrigaray Y Aróstegui, José Joaquín de **8:**68
Juárez José **8:**117
latinoamérica **8:**186
López de Gómara, Francisco **8:**306
Mendoza, Antonio de **9:**165
México **9:**198
intendencia **8:**15
O´Donojú, Juan **10:**186
Querétaro **11:**250
Quino, Francisco Eusebio **8:**142
Sefardíes **12:**257
Serra, fray junípero **12:**292
Nueva Esparta 10:156
Nueva Extremadura **4:**118
Nueva Filipina **11:**91
Nueva Gales del Sur 10:157
Acuario **1:**59
Australia **2:**163
Queensland **11:**247
Nueva Galicia
Aguascalientes **1:**114
Colima **4:**135
México **9:**198
Nayarit **10:**59
Nueva Georgia **12:**176
Nueva Gerona **11:**94
Nueva Granada, Virreinato de 10:157
— Estados Unidos de **4:**203
América del sur **1:**245
Colombia **4:**143
colonial, periodo **4:**152
confederación **4:**203
Córdoba, confederación **4:**242
Eslava, Sebastian de **5:**297
Fernandez Madrid, José **6:**262
Gran Colombia, república de la **7:**45
Independencia **7:**294
Jimenez de Quesada, Gonzalo **8:**103
latinoamérica **8:**186
Mejía Lequerica, José **9:**156
Nariño, Antonio **10:**41
Nueva Granada **6:**135
Panamá **10:**301
Rivas, José Félix **12:**61
Santander, Francisco de Paula **12:**217
Urdaneta, Rafael **13:**323
virreinatos **14:**103
Nueva Guinea 10:157
— aborígenes de **7:**199
— isla de **10:**179
Almirantazgo, islas del **1:**197
Bave del paraíso **2:**182
Cook, James **4:**231
Coral, mar del **4:**235
descubrimientos y exploraciones geográficas **5:**77
Earhart, Amelia **5:**183
equidno o equidna **5:**272
eucalipto **6:**72
Holanda **7:**208
lacustres, pueblos **8:**159
lengua **8:**216
Malasia **9:**41
Malinovsky, Bronislav **9:**44
Melanesia **9:**157
monotrema **9:**280
Nueva Guinea **1:**318; **5:**69; **8:**159; **12:**78
Papúa, Nueva Guinea **10:**317
pelícano **11:**31
selva **12:**269
Nueva Harmonía **10:**275
Nueva Hébridas 10:159
Nueva Holanda **6:**40
Nueva Inglaterra 10:158
New Hampshire **10:**84
pasos del norte y del noreste **11:**7
Nueva Irlanda **2:**330
Nueva Jersey **5:**140, 211; **10:**84
Nueva Jerusalén **13:**90
Nueva Loja **13:**66
Nueva Ocotepeque **10:**183
nueva ola **7:**11
Nueva Orleans 10:158
México, Golfo de **9:**207
batería **11:**107
puerto **11:**229
Nueva Palmira **13:**327
nueva política económica (NEP) **9:**42
Nueva Política Económica **13:**307
Nueva Providencia, isla **2:**216
Nueva Roma **6:**44
Nueva San Salvador 10:158
Libertad, La **8:**247
Salvador, El **12:**183
Nueva Segovia 10:158
Nicaragua **10:**92
Nueva Siberia **2:**70
Nueva Suecia **11:**39
Nueva Toledo **11:**116
Nueva Vizcaya **4:**35; **9:**198
Nueva York 10:158
véase New York **10:**191
Nueva Zelanda 10:158
— aspecto físico **10:**158
— bandera de **2:**241
— historia **10:**159
— pueblo y gobierno **10:**158
— recursos económicos **10:**158
— Universidad de **10:**159
agricultura **1:**107
antátida **1:**302
Australia **2:**164
comercio **4:**189
descubrimeintos y exploraciones geográficas **5:**77
fiebre del oro **6:**149
Fiordo **6:**161
geiser **6:**297
glaciar **6:**329
imperio Británico **7:**275
lengua **8:**216
Maori **9:**65
montañismo **9:**284
Nueva Zelanda **10:**159; **10:**273; **12:**73
Oceanía **10:**178
Ombudsman **10:**210
Polinesia **11:**152
Rutherford, sir Ernest **12:**152
Samoa **12:**186
Tasman, Abel Hanszon **13:**124
tatuaje **13:**125
Uc, james **4:**231
Nueva Zembla 10:159
— islas de **8:**134
ártica, región **2:**70
pasos del noroeste y del noreste **11:**8
Nuevas Hébridas **4:**235; **10:**66, 179
nuevo Bangkok **2:**245
Nuevo Continente **14:**134
Nuevo Frente (NF) **13:**87
nuevo imperio **2:**52
Nuevo Laredo 10:159
Tamaulipas **13:**108
Nuevo León 10:159
— historia **10:**160
Ampudia, Pedro de **1:**253
educación **5:**218
Escobedo, Mariano **5:**281
Junco, Alfonso **8:**126
México **9:**198
Monterrey **9:**288
San Luis Potosí **12:**193
Nuevo Luciano **6:**12
Nuevo México
Gudalupe Hidalgo **7:**73
indios americanos **7:**311
Mangas Coloradas **9:**56
México **9:**198
Pecos **11:**23
platos voladores **11:**135
Pueblo Bonito **11:**226
Wallace, Lewis **14:**139
Nuevo Mosa **7:**206
Nuevo Mundo
América del sur **1:**243
Anglería, Pedro Mártir de **1:**283
Aparicio, Sebastian de **1:**322
Aragón **1:**340
arbitraje **1:**344
Atlántico, océano **2:**137
audiencia **2:**156
azulejos y baldosas **2:**206
Balboa, Vazco nuñez de **2:**223
Bastidas, Rodrigo de **2:**262
Bello, Andrés **2:**288
Benavente, Jacinto **2:**290
Colón, Cristobal **4:**146
colonial, periodo **4:**152
comercio **4:**166
conferencias panamericanas **4:**203
consejo de indias **4:**212
contrucción **4:**218
Córdoba **4:**241
descubrimientos y exploraciones geográficos **5:**69
encomienda de indios **5:**253
español, idioma **6:**5
exposición **6:**101
gato **6:**291
hispanoamérica **7:**187
hispanocolonial **7:**191
hogar **7:**201
independencia **7:**294
indigenismo **7:**307
indios americanos **7:**308
Isabel, La Católica **8:**50
latinoamérica **8:**183
leyes de indias **8:**238
Monardes, Nicolás **9:**273
mono **9:**278

Nuevo Mundo **5**:209
Pereira, Carlos **11**:44
piratería **11**:107
tabaco **13**:93
tortilla **13**:230
Toscanelli Dalpozzo, Paolo **13**:233
Valdivia, Pedro de **14**:11
vestido **14**:69
Nuevo Orden Económico Internacional (NOEI) **13**:164
Nuevo Reino de Granada **12**:84
Nuevo Reino de León **10**:160
Nuevo Santander **13**:108
Nuevo Testamento 10:160
Anticristo **1**:305
apócrifo **1**:325
apóstoles **1**:330
biblia **2**:308
biblioteca **3**:15
Corán **4**:236
discípulo **5**:140
exégesis **6**:92
Getsemaní **6**:320
Herasmo, Desiderio **5**:273
Teatro **13**:132
texto **13**:181
Nuevo Trato (New Deal), política del **6**:42
nuevo vehículo **7**:92
Nuevos descubrimientos **7**:327
Nuevos, grupo de los **9**:136
nuez 10:161
nuez de Adán **10**:161
nuez de cola 10:161
cafeína **3**:153
nuez moscada 10:161
especias **6**:8
nuez vómica 10:161
alacloide **1**:144
terapéutica **13**:163
Nujoma, Sam **10**:34
Nukuhiva, isla de **9**:105
Numa **5**:112; **6**:123
Numa Pompilio 10:161
biografía **10**:161
calendario **3**:164
Ecuador **5**:201
enero **5**:260
imperio romano**7**:275
mayo **9**:144
Numa, rey **9**:118
Numancia 10:161
arqueología **2**:52
Retógenes **12**:34
Schulten, Adolf **12**:249
Numantino, museo **10**:162
Numenius, género **14**:174
Numeración **3**:336; **5**:215
númeración literal **2**:33
numeración romana 10:162
numerador **6**:205
numérica **8**:310
número y numeración 10:162
— teoría de los **11**:112
— arábigas **10**:162
— arábigos **2**:34
— aritmética **10**:162
— artificiales o logaritmos **8**:300
— atómico **5**:244
— cardinal **10**:162
— cifras o guarismos **10**:162
— complejo **10**:162
— conjuntos **10**:162
— contar **10**:162
— de Bernouilli **2**:304
— decimal **10**:162
— decimal **5**:147
— dígitos **2**:33
— entero **5**:147
— enteros **6**:207
— enteros, multiplicación de **6**:207
— fraccionario **10**:162
— leptónico **1**:311
— Libro de los **6**:29
— mixto **6**:209
— mixtos, adición de **6**:207
— mixtos, multiplicación de **6**:208
— naturales **9**:129
— ordinal **10**:162
— positivo **10**:162
— primos **6**:110
— racional **10**:162
— racionales **9**:127
— real **10**:162
— reales **9**:129
— romanos **2**:33
números **9**:128; **11**:40
Numidia **4**:10; **7**:100
numismática 10:162
— clasificación metódica **10**:163
arqueología **2**:50
dolar **5**:154
paleografía **10**:290
Victor Manuel III **14**:77
Numitor **7**:275
Nummi, L. **6**:161
nummulites **9**:81
numulita 10:163
Nun **8**:110
Nun, río **7**:266
nuncio 10:163
Núñez Cabeza de Vaca, Alvar 10:163
biografía **10**:163
descubrimientos y exploraciones geográficos **5**:73
historia **7**:193
virreinatos **14**:104
Núñez de Arce, Gaspar 10:164
bibliografía **10**:164
Reina y Montilla, Manuel **11**:335
Núñez de Balboa, Vasco 10:164
— el fin de la aventura **10**:165
— Mar del Sur **10**:164
biografía **10**:164
América **1**:233
América del sur **1**:244
Maltrata, río **2**:154
Arias Dávila, Pedro (Pedrarias) **2**:29
Pizarro, Francisco **11**:115
Núñez de Cáceres, José **5**:160
Núñez de Haro **9**:219
Núñez de Pineda y Bascuñán, Francisco **8**:281
Núñez de Vela **5**:200
Núñez de Vela, Blasco **14**:103
Núñez de Vela, virrey **11**:115
Núñez del Prado, Marina **3**:31
Núñez Vela, Blasco **13**:335
Núñez, Gonzalo **4**:24; **11**:239
Núñez, Pedro **9**:216;**10**:129
Núñez, Rafael 10:163
bibliografía **10**:163
Nungkiang **9**:52
Nuño de Guzmán **14**:169
Nunó, Jaime **7**:21
Nuñoa **12**:219
Nur Mohammed Taraki **1**:91
Nureiev, Rudolf 10:165
biografía **10**:165
Nurember **2**:269
Nurember, Conrado, burgrave de **7**:202
Nuremberg 10:165
— Alemania **2**:168
— ciudad **6**:118
— Tribunal de **12**:61
Alemania **1**:165
Bebel, Auguste **2**:272
Copérnico, Nicolás **4**:234
Durero, Alberto **5**:181
Fallenza **6**:123
ferias **6**:132
juguetes **8**:123
lápiz **8**:174
mobiliario y mueble **9**:254
muñeca **9**:333
reloj **12**:12
Sachs, hans **12**:157
Schacht, Horace Gree Hjalmar **12**:246
vestido **14**:67
Nurmi **1**:219
Nurmi, Paavo 10:165
biografía **10**:165
Nursia, Italia **2**:293
Nursia, san Benito de **9**:286
Nüsslein-Volhard, Christiane 10:165
biografía **10**:165
Lewis, Edwuard B **8**:236
Nut, diosa **10**:264
nutación 10:166
— principal **10**:166
— y precesión, movimienos de **10**:166
nutria 10:166
— común **10**:166
— costumbres **10**:166
— el hogar perfecto **10**:166
— la caza **10**:166
— la nutria marina **10**:166
— marina **10**:166
— vivienda **10**:166
foca **6**:186
Iowa **8**:32
Patagonia **11**:11
nutrición 10:166
alimentación **1**:185
hipófisis **7**:184
vida **14**:80
nutritiva **7**:129
nutritivo **8**:203; **8**:224
Nuuko Godthab **7**:67
nyanja **2**:246
Nyasa o Ñasa 10:166
Nyasalandia 10:166
Malawi **9**:42
Zambia **14**:172
Nyassa, lago
lago **8**:164
Livingstone, David **8**:289
Tanjanica, lago **13**:111
Nyassax, lago **8**:311
nyaya **7**:303
Nyberg, Julia **13**:71
Nyerere, Julius Kambarage 10:166
biografía **10**:166
Tanjanica **13**:111
Tanzania **13**:114
Nyköbing **6**:114
Nylon 10:166
nailon **10**:30
Nymphenburg **11**:170
nynorsk **10**:134
Nyquist, H. **7**:327
Nysalandia (Malawi) **10**:166
Nyx **5**:274

Ñ

Ñ 10:167
ñame 10:167
— amarillo **10**:167
— blanco o de China **10**:167
— pelado **10**:167
ñandú 10:167
América del Sur **1**:239
Argentina, República **2**:17
avestruz **2**:185
gaucho **6**:293
ñandubay 10:167
ñandubayes **12**:214
ñandutí **5**:251
Ñanza **14**:77
ñapindá 10:168
Ñeembucú 10:168
Paraguay **10**:321
ñú 10:168
— azul **10**:168
— macho **10**:168
ñúes **10**:168
Ñuble 10:168
Chillán **4**:45

O

O 10:169
O. I. T. 10:197
O. N. U. 10:213
O'Neill, Eugene **13**:240
O'Casey, Sean **7**:44
O'Connell, Daniel 10:183
biografía **10**:183
O'Connor, Flannery 10:183
bibliografía **10**:183
O'Daly, Tomás **11**:240
O'Donnell y Jorris, Leopoldo 10:186
Alarcón y Arriaza, Pedro Antonio de **1**:135
biografía **10**:186
Espartero, Baldomero Joaquín Fernández **6**:8
O'Donojú, Juan 10:186
Ampúdia, Pedro de **1**:253
biografía **10**:186
Córdoba **4**:241
Iturbide, Agustín **8**:68
O'Feeney, Sean Aloysius **6**:193
O'Flaherty, Liam 10:190
bibliografía **10**:190
O'Gorman, Juan 10:191
latinoamérica **8**:195
México **9**:205
obra **10**:191
O'Gorman, Miguel 10:191

biografía **10:**191
O'Henry 10:191
bibliografía **10:**191
O'Higgins, Ambrosio 10:191
biografía **10:**191
Manteola Martínez, Raúl **9:**62
O'Higgins, Bernardo 10:191
biografía **10:**191
Carrera Verdugo, Hermanos **3:**262
Chacabuco, batalla de **4:**15
Chile **4:**41
Chillán **4:**45
conferencias panamericanas **4:**203
Freire y Serrano, Ramón **6:**234
independencia **7:**294
Las Heras, Juan Gualberto Gregorio de **8:**179
latinoamérica **8:**185
Nuble **10:**168
Rancagua **11:**299
Rodríguez, Manuel **12:**91
San Martín, José de **12:**196
Santiago **12:**218
O'Higgins, Libertador General Bernardo 10:193
biografía **10:**193
O'Higgins, Orden de **4:**199
O'Kelly, Sean Thomas **8:**45
O'Leary, general **4:**242
O'Leary, Juan Emilio **10:**322
O'Lleary, Daniel Florencio 10:201
biografía **10:**201
O'Mahoney, J. **6:**129
O'Neill **5:**171
O'Neill Eugene Gladstone 10:212
bibliografía **10:**212
Electra **5:**236
Estados Unidos **6:**43
O'Neill, Gerard **6:**28
Oahu, isla **7:**222
oajl **14:**72
Oak Ridge 10:169
plutonio **11:**142
Oakland, California **6:**35
Oaks **7:**184
oasis 10:169
Argelia **2:**10
desierto **5:**88
Egipto **5:**226
Gobi, Desierto de **6:**336
Oasisamérica 10:169
Oates, Tierras de **1:**302
Oaxaca 10:170
— árbol del tule **1:**346
— historia **10:**170
— Huaxyacac **10:**171
— Monte Albán **9:**286
— ruinas de Mitla en **10:**170
árbol **1:**348
Díaz, Porfirio **5:**107
intendencia **8:**15
Juárez **8:**116
latinoamérica **8:**192
Madre, Sierra **9:**17
México **9:**195
Tehuacán **13:**138
universidad **13:**318
Victoria, Guadalupe **14:**77
zapoteca, artesanía **1:**175; **14:**173
Oaxaca de Juárez 10:170
— historia **10:**171
Obaldí, María Olimpia de 10:171
bibliografía **10:**171
Panamá **10:**303
Obaldía, José Domingo de 10:171
biografía **10:**171
Obando, José María 10:171
biografía **10:**171
Obasanjo, Olusegun **10:**101
Obed **12:**151
obediencia 10:171
obelisco 10:171
— Assuán **10:**171
— de la Fuente de los Ríos de Bernini **10:**171
— Hatshepsut **10:**171
— Karnak **10:**171
jardinería **8:**88
Luxor **8:**329
obenque 10:171
Oberammergau (Baviera) **2:**177
Oberammergau 10:172
Oberlin, Johann **5:**291
Obermaier, Hugo 10:172
bibliografía **10:**172
Oberón 10:172
Urano **13:**320
Weber, Karl María Friedrich von **14:**144
Wieland, Christoph Martin **14:**149
Oberon, Merle **10:**206
Oberth, Hermann Julius 10:172
Alemania **1:**167
estación espacial **6:**28
obra **10:**172
Oberto, San Bonifacio, conde de **14:**55
obertura 10:172
— de concierto **10:**172
— francesas **10:**172
obesidad 10:172
alimentación **1:**190
grasa **7:**51
Obi 10:173
— Golfo de **2:**88; **10:**173
— lago el **12:**138
— río **2:**70, 87; **12:**187, 312
altai, montes **1:**204
molucas **9:**270
Obidos **10:**318
obispo 10:173, 311
abadía **1:**18
arzobispo **2:**79
Austria **2:**166
catedral **3:**291
papado **10:**311
pastoral **11:**9
objetividad **6:**251
objetivismo 10:173
objetivo 10:173
— básico **13:**98
— *de inmersión* **9:**218
— dobles **10:**173
— vértigo **14:**60
cámara **3:**181
objeto 10:174
— algebraicos **7:**70
— de la obligación **10:**174
— de la prestación **10:**174
— del delito **10:**174
— del impuesto **7:**288
oblación 10:174
oblast **5:**149
oblast de Kulyab **13:**99
Oblast, Zakarpatskaya **12:**151
oblea 10:174
oblicuas **1:**36
obligación **10:**174, 175
obligación condicional **10:**174
obligacionista **14:**16
Obligado **10:**184
Obligado, Pedro Miguel 10:175
bibliografía **10:**175
Obligado, Rafael 10:175
bibliografía **10:**175
Cané, Miguel **3:**215
Santos Vega **12:**223
obligatorio **11:**322
oblongo **1:**42
oboe 10:175
clarinete **4:**106
Obote, Milton **13:**301
obra **2:**74; **5:**178
Obra abierta **5:**187
Obra de la Redención **3:**295
obra literaria **11:**212
obra poética **11:**21
obras hidráulicas **7:**74; **9:**195
obras religiosas **14:**131
obras sociales **7:**176
obras técnicas **8:**207
obre 10:231
Obregón Santacilia, Carlos **9:**205
Obregón, Alejandro 10:175
obra **10:**175
Colombia **4:**143
Manzur, David **9:**65
Obregón, Álvaro 10:175
biografía **10:**175
Calles, Plutarco Elías **3:**178
Carranza, Venustiano **3:**259
Elías Calles, Plutarco **5:**246
Huerta, Victoriano **7:**238
México **9:**200
Portes Gil, Emilio **11:**172
reforma agraria **11:**325
Villa, Francisco **14:**92
yaqui **14:**160
Obregón, Marcos de **11:**79
Obrenovi, Miloch **12:**294
obrerismo 10:175
obrero 10:65, 176, 332
— movimiento **13:**237
abeja **1:**22
andamio **1:**266
desocupación **5:**91
fábrica **6:**108
hormiga **7:**225
legión extranjera **8:**197
legislación **8:**211
maestro **9:**21
termes **13:**166
observación 10:176
— médicas **13:**91
— meteorológicas **10:**176
— radioscópica **13:**153
meditación **9:**153
observatorio 10:176
— Astrofísico de Tonanzintla **7:**29
— Astronómico de Bogotá **10:**18
— Astronómico de Cádiz **8:**115
— astronómico de la marina **10:**84
— de Alejandría **10:**176
— de Dominion **10:**176
— de Greenwich **8:**196
— de Monte Palomar **10:**177
— de Monte Wilson **10:**176
— de París **8:**236
— del Monte Palomar **13:**148
— Europeo Austral **13:**149
— Geofísico en Órbita **10:**190
— Ionosférico **1:**352
— meteorológicos **14:**88
— Náutico Alemán **7:**16
— radioastronómico **7:**64
— ruso de Pulkova **8:**196
Arago, Dominique François **1:**339
ebullición **5:**184
Eddington, Arthur Stanley **5:**210
Obsesión **10:**72
obsesiones **6:**185; **7:**176
obsidiana 10:177
geología **6:**313
obstáculos **7:**182
obstetricia 10:177
asepcia **2:**81
obstrucción **5:**244
obturador 10:177
— de cortina **10:**177
— de objetivo **10:**177
— de precisión **10:**177
cámara **3:**182
fotografía **6:**201
obtusángulos **13:**260
obús 10:177
armas **2:**43
oca 10:177
Ocampo Silvina **2:**329
Ocampo, Florián de 10:178
bibliografía **10:**178
Ocampo, Gonzalo de **4:**329
Ocampo, Melchor 10:178
biografía **10:**178
Ocampo, Sebastián **4:**313
Ocampo, Victoria 10:178
biografía **10:**178
Ocampo, Victoria **2:**26
Ocaña **13:**213
Ocáno Pacífico **2:**298
Ocantos, Carlos María **2:**25
ocarina 10:178
ocaso **2:**123
Occam u Ockham, Guillermo de 10:178
biografía **10:**178
nominalismo **10:**128
escolasticismo **5:**281
Occhialini, Giuseppe **11:**181
occidente 10:178
— cultura **10:**178
— isla **10:**178
Pacífico, océano **10:**280
Berlín **2:**300
Occidente, Imperio de 10:178
Occidente, Tierra de **1:**264
occipital **3:**332; **6:**22
OCDE **13:**81
Oceanía 10:178
— arte y religión **10:**180
— historia **10:**179
— islas de **10:**295
— los habitantes **10:**179
— recursos, naturaleza y economía **10:**179
abacá **1:**17
agricultura **1:**107
comercio **4:**166
comunidad europea **4:**189
crianza **4:**283
Dampier, William **5:**9
Dumont D´Urville, Jules-Sebastién-César **5:**178

España **5:**317
ferrocarril **6:**141
Fiji o Fidji, islas **6:**151
Francia **6:**225
lacustres, pueblos **8:**159
lenguas romances **8:**221
London, Jack **8:**302
Marianas Septentrionales **9:**95
marsupial **9:**110
Nueva Zelanda **10:**158
Oceanía **10:**179
perico **11:**50
piragua **11:**104
Samoa **12:**186
Tahití **13:**100
viento **14:**88
vivienda **14:**113
zoogeografía **14:**180
oceánica **6:**311
oceánica, fauna **10:**181
oceánicas, cuencas **10:**181
oceánidas **10:**103
océano y oceanografía 10:180
— Casa del **14:**101
— de las Tempestades **8:**324
— de las Tormentas **2:**119
— el fondo de los océanos **10:**181
— extensiones y límites de los océanos **10:**180
— oceanografía **10:**182
aeroplano **1:**87
África **1:**92
Alagoas **1:**131
Alaska **1:**135
alcatráz **1:**146
almirante **1:**197
América **1:**227
América del Norte **1:**235
América del Sur **1:**241
Andalucía **1:**264
Angola **1:**284
arenque **2:**7
argonáuta **2:**27
ártica, región **2:**70
Atlántida **2:**137
Blanco, mar **2:**335
Gea **6:**296
geología **6:**311
Guyana **7:**111
Herrera **7:**157
Java **8:**91
langostino **8:**171
Laquedivas, islas **8:**175
Lemuria **8:**215
lenguado **8:**218
Lindbergh, Charles Augustus **8:**264
mar **9:**78
Nuñez de Balboa, Vasco **10:**165
océano Antártico **1:**301; **2:**136, 137; **13:**121
océano Pacífico **8:**260
Surinam **13:**86
Sverdrup, Otto Neumann **13:**89
Tahití **13:**101
Tajo **13:**104
Tarapacá **13:**118
Tasman, Abel Janszon **13:**124
Tenerife **13:**156
Tierra **13:**191
Unión Sudafricana **13:**311
Urales, montes **13:**320
Uruguay **13:**326
Usulután **13:**331
oceanografía **7:**168
Oceanus Germanicus **10:**131
ocelos **9:**306
ocelote 10:182
ocelote **6:**126
ocestroms **6:**329
Och'amch'ire **1:**29
Ochab **11:**160
ochavo 10:182
ochavón **9:**327
ocho **10:**184
ocho versos **10:**183
Ochoa Albornoz, Severo 10:182
biografía **10:**182
Ochoa López, Moravia **10:**303
Ochoa, Eugenio de 10:183
bibliografía **10:**183
Ochoa, Severo **8:**146
Ochomogo, cerro de **4:**269
Ochrana **11:**150
ociosidad 10:183
Ocipeta **2:**49
Ocitoa **2:**49
Ockeghem, Johannes **6:**229
Ockels, Wubbo **13:**243
oclusión 10:183
oclusivo **7:**31
Oco **2:**63
Ocoa, río **5:**157
Ocochi o Nebeshima **11:**170
Ocos (Guatemala) **13:**65
Ocosingo **4:**31
Ocosito, río **11:**253
Ocotal **10:**158
Ocotepeque 10:183
Ocotlán **5:**265
Ocotlán, santuario **7:**191
ocoxote **10:**183
ocozol 10:183
Ocozol **8:**270
ocre 10:183
— amarillo **10:**183
— rojo **10:**183
ócrea **7:**202
Ocreza **11:**173
octaedro **4:**290
octano 10:183
octanos **6:**289
octantes **2:**108
octas **13:**134
octava 10:183
música **10:**12
octava alta **10:**183
octava persecución **14:**15
tenor **13:**159
octavas reales **10:**214
Octavia, 10:183
Neron, Claudio César **10:**75
Octaviana **2:**311
Octavio
— Augusto **1:**109; **14:**173
— El señorito **10:**288
triunvirato **13:**270
Augusto, Cayo Julio César Octaviano **2:**159
imperio romano **7:**281
Marco Antonio **9:**87
octodóntidos **5:**38
octoédrico **2:**205
octógono 10:184
octópodos **14:**185
octosílabos **9:**188
octubre 10:184
ocular 10:184
microscópio **9:**217
observatorio **10:**176
ojo **10:**197
ojo estructura anatómica **10:**197
ocultación **6:**234
ocultismo 10:184
cábala **3:**129
apócrifo **1:**325
ocupación 10:184
oda 10:184
— a la libertad **7:**62
— *a la muerte del duque de Wellington* **13:**158
— *al deber* **14:**154
— *seculares* **2:**26
Horacio Flaco, V **7:**224
Tamyo, Franz **13:**108
Odenato **14:**176
Odense **5:**125
odeón 10:184
Atenas **2:**134
Bernhardt Sara **2:**303
oder 10:185
Báltico, mar **2:**230
Berlín **2:**299
Checa República **4:**25
Europa **6:**75
lombardos **8:**301
Oder-Neisse, línea **11:**157
Pomerania **11:**163
vándalo **14:**21
Odessa 10:185
cruzadas **4:**306
Europa **6:**81
Mickiewicz, Adam **9:**214
Rusia **12:**138
Ucrania **13:**300
Unión de Repúblicas Socialistas Soviéticas **13:**307
universidad **13:**317
Valeriano, Publio Aurelio Licinio **14:**15
Odessa puerto de **10:**68
Odessa, Universidad de **9:**186
Odgai Kan **2:**98
Odín 10:185
Dinamarca **5:**125
Tor **13:**221
Valhala **14:**15
Valkirias **14:**18
odio **5:**205
Odisea (módulo de mando y servicio) **2:**119
Odisea, 10:185
Agamenón, máscara de **5:**204
centauro **3:**322
epopeya **5:**271
Europa **6:**82
Homero **7:**213
Iliada **7:**268
Naussica **10:**50
Odisea **13:**123
Odisea **5:**70
poesía **11:**147
Polifemo **11:**151
remo **12:**16
Tartesio **13:**147
Ulises **13:**301
Odman **13:**71
Odoacro 10:186
Italia **8:**62
occidente, imperio de **10:**178
Teodorico **13:**160
Odom, William P. **1:**88; **13:**253
odontoblastos **5:**52
odontocetos **4:**13
odontogénesis 10:186
odontognatos **10:**253
odontolita **13:**293
odontología 10:186
odontólogo **11:**103
odontómetro **6:**154
odre 10:187
hormiga **7:**225
manteca o mantequilla **9:**60
Odría, Manuel 10:187
Belaúnde Terry, Fernando **2:**279
biografía **10:**187
Bustamante Rivero, José Luis **3:**124
Peru **11:**65
Oduber Quirós, Daniel **4:**271
Oduber, Daniel **6:**150
Odumegwu, Ojukwu **10:**101
Oe Kenzaburo 10:187
biografía **10:**187
Organización de Estados Americanos (OEA)
— bandera de **2:**243
Bogotá, conferencia de **3:**18
diplomacia **5:**136
Dominicana, República **5:**161
OECO **1:**306
Oehlenschlager, A. **5:**126
Oemichen **7:**142
Oenona **10:**329
Oersted **5:**238
Oertel (Ortelius) **9:**67
Oeste 10:187
— islas del **7:**136
— Golfo del **2:**36
Oested, Hans Christian 10:187
aluminio **1:**212
Ampére, André Marie **1:**252
bibliografía **10:**187
Dinamarca **5:**127
electrmagnetismo **5:**240
telégrafo **13:**145
Oesterd **9:**28
Oeta, monte **7:**152
Ofelia 10:187
ofelimidad 10:187
ofensa 10:188
ofensivo **2:**76
oferta y demanda 10:188
economía **5:**190
estaciones del año **6:**27
expansión económica **6:**94
Offenbach, Jacques 10:188
danza **5:**16
Francia **6:**229
obra **10:**188
officina gentinm **2:**94
offset 10:188
— impresión en **10:**188
— moderno **10:**189
ilustración **7:**273
imprenta **7:**284
litografía **8:**286
máquinas de oficina **9:**78
oficial 10:189
— mayor **10:**189
ártica, región **2:**69
oficina 10:189
— edificio de **1:**125
— Federal de Investigaciones (FBI) **11:**150
— gubernamental de Sudáfrica **1:**94
— gubernamentales **13:**311
— Internacional de Pesos y

Medidas **11**:68
— Internacional del Trabajo **7**:92
— Internacional Nansen para Refugiados **11**:328
— Nacional de Investigación Económica **2**:274
— Postal Universal **13**:311
hispanoamérica **7**:188
oficina **8**:319
Oficina del Alto Comisionado de las Naciones Unida para los Refugiados 10:189
Oficina Internacional Permanente de la Paz 10:189
oficio 10:190
— de la madre **9**:132
— divinos **8**:288
— gramatical **1**:258
ofidio 10:190
— constrictores **11**:113
Amazonas, rio **1**:222
anaconda **1**:257
boa constrictor **12**:290
Colombia **4**:139
culebra de cascabel **4**:120
culebra de cascabel **4**:327
víbora **14**:74
ofiúridos **6**:62
Ofqui, istmo **4**:36
Ofrendas **1**:119
Ofrendatorio **9**:165
oftalmía 10:190
oftalmía simpática **3**:312
oftalmología 10:190
Arruga, Hermenegildo **2**:62
medicina **9**:150
anteojos **1**:304
oftalmoscópica **10**:176
oftalmoscopio 10:190
— de Lorin **10**:190
Helmholtz, Hermann Ludwig Ferdinand von **7**:143
Og **6**:323
Ogadén **6**:69
Ogadén, región de **6**:68
Ogbomosho **10**:101
Ogden, C.K. **7**:333
Ogden, Charles Kay **12**:275
Ogé, Vincent 10:190
biografía **10**:190
Ogilvie **5**:112
Oglethorpe, james **6**:316
Oglethorpe, Universidad de **9**:169
Oglio **11**:143
Ognabene, Andrés de **10**:243
OGO 10:190
— contribuciones científicas **10**:190
— los satélites **10**:190
Ogodai Khan **9**:276
Ogorlandia **9**:26
Oh, Capitán, mi Capitán **14**:149
Oher, río **14**:57, 146
Ohio 10:193
— actividad económica **10**:194
— clima **10**:194
— hidrografía **10**:194
— recursos **10**:194
— río **10**:194
— río **6**:31, 33; **7**:30
— tierra y recursos **10**:193
— turismo **10**:194
— valle de **8**:138
— vegetación y vida animal **10**:194
Anderson, Sherwood **1**:267
Cleveland **4**:112
delaware **5**:40
Estados Unidos **6**:32
granja **7**:49
inundación **8**:21
Kósciuskzo, Tadeusz **8**:146
pradera **11**:182
Revolución Estadounidense **12**:44
Ohlin, Bertil 10:194
biografía **10**:194
Meade, James E. **9**:145
Ohm, Georg Simon 10:194
biografía **10**:194
Alemania **1**:167
Ohmímetro **10**:195
ohmio 10:194
medidas eléctricas **9**:152
amperio y amperimetro **1**:252
electricidad **5**:238
Ohnet, George 10:194
bibliografía **10**:194
Ohre, río **4**:25
oídio 10:195
oidium **9**:265
oído 10:195
— audimetría **10**:196
— canales semicirculares **10**:195
— enfermedades del oído **10**:197
— externo **10**:195
— interno **10**:195
— medio **10**:195
— órganos del laberinto del **10**:196
— propiedades de los sonidos **10**:196
— sonidos dañinos **10**:196
Helmholtz, Hermann Ludwig Ferdinand von **7**:143
otitis **10**:270
oidores **2**:157; **14**:102
Oileo **2**:193
Oireachtas **8**:44
Oise 10:197
Francia **6**:217
Oissarro, Camile **6**:293
Oita, distrito de **4**:177
Oitaven **6**:266
ojaladura **14**:72
ojana **7**:310
Ojeda, Alonso de 10:197
América **1**:232
América del Sur **1**:244
Balboa, Vasco Nuñez de **2**:223
biografía **10**:197
Cosa, Juan de la **4**:263
España **5**:317
exploraciones y descubrimientos geográficos **5**:73
Pizarro, Gonzalo **11**:114
Venezuela **14**:47
Ojeda, Cristóbal de **11**:63
Ojeda, Diego de **8**:280
ojibwas **7**:309
ojiva **2**:58
ojival
— estilo **6**:176
ábaco **1**:17
arco, tiro de **1**:351
arquitectura **2**:57
gótico **7**:25
retablo **12**:33
ojo 10:197
— caliente **1**:113
— compuestos **9**:306
— de buey **1**:352
— de flor **1**:307
— del Salado **4**:36
astrofotografía **2**:107
ceguera **3**:311
conjuntivitis **4**:210
iris **8**:43
lectura **8**:207
tipo **13**:200
tubérculo **13**:279
Ojos claros, serenos **9**:20
Ojotsk, Mar de 10:199
Asia **2**:88
Ojotsk **12**:311
Siberia **2**:298
Sajalín o Sakhalin **12**:168
Kamchtka **8**:132
Oka **11**:311
Oka, río **14**:128
Okanogan, río **14**:141
okapi 10:199
Okat **9**:217
Okavango **1**:284
okay 10:199
Okeechobee, lago **6**:182
Okeechobee, río **6**:182
Oken **10**:253
okho-paca **7**:293
Okhotsk, mar de **12**:136
Okinawa 10:199
Okinawa **7**:96
Okinawa, islas **12**:152
Oklahoma 10:199
— tierras y recursos **10**:199
— hidrografía **10**:199
— clima **10**:200
— vegetación y vida animal **10**:200
— actividad económica **10**:200
reservaciones indias **12**:28
sandía **12**:203
Vázquez y Coronado, Francisco **14**:31
danza guerrera **5**:17
Estados Unidos **6**:33
Kansas **8**:132
Okubo, Toshimichi **8**:67
ola 10:200
ola de la inflación **7**:326
Olaf I 10:200
Noruega **10**:135
Olaf V **10**:136
Olaguíbel **5**:295
Olaguíbel, Juan **9**:205
Olah, George Andrew 10:200
biografía **10**:200
Olalla, R. de **5**:74
Olancho 10:201
— departamento de **9**:62
Honduras **7**:218
Oland **13**:68
Olano, Lope de **10**:97
olas de leva **10**:200
olas de traslación **10**:200
Olavarría 10:201
Olavarría, José Valentín de 10:201
bibliografía **10**:201
Olaya Herrera, Enrique 10:201
biografía **10**:201
Colombia **4**:144
Olcott, Henry S. **6**:18
old fashioned 2:272
Old Jr, Archie J. **1**:88
Old Red Sandstone **5**:98
Old Vic **10**:206
Oldenburg **8**:90
Olduvai Gorge, Tanzania **7**:215
oleáceas
alheña **1**:183
flor **6**:179
fresno **6**:237
jazmín **8**:92
lila **8**:259
olmo **10**:206
oleaginosas
leguminosas **8**:213
tostación **13**:233
yerbicidas **14**:162
olefina **11**:74
Oleg **14**:119
Olegario, san 10:201
Olegario, obispo san **13**:121
oleico, ácido 10:201
oleína **1**:46
óleo 10:201
fresco **6**:236
pintura **11**:94
titanio **13**:204
oleoducto 10:201
— transalaskano **2**:72
petróleo **11**:71
Santander **12**:217
oleomargarina 10:201
ballena **2**:233
margarina **9**:91
oleosas **2**:91
olfativas, papilas **10**:202
olfativo, bulbo **10**:201
olfativo, nervio **10**:42
olfato y olor 10:201
— sentido del **10**:41
petroquímica **11**:75
Olga **10**:96
Olid, Cristóbal de 10:202
biografía **10**:202
Sandoval, Gonzalo de **12**:*203*
Cortés, Hernán **4**:261
Cuahutemoc **4**:310
Honduras **7**:219
Michoacán **9**:214
Olifant **13**:312
oligarquía 10:202
— consejo de los Diez **10**:202
— los dos Triunviratos **10**:202
— treinta Tiranos **10**:202
aristocrácia **2**:31
gobierno **7**:6
oligisto 10:202
oligoceno 10:202
geología **6**:309
oligoelemento 10:202
oligofrenia 10:202
— adquirida **10**:202
— congénita **10**:202
exhibicionismo **6**:93
oligolecito **5**:67
oligomícticos **4**:206
oligopolio 10:202
monopolio **9**:280
oligoquetos 10:203
anélidos **1**:276
zoología **14**:184
Olimpia 10:203
— de Gouges **6**:128
— Grecia **10**:204

arqueología **2:**51
deporte **5:**54
estadio **6:**29
Fidias **6:**147
hipódromo **7:**183
Manet, Edouard **9:**56
Peloponeso o Morea **11:**32
Simónides de Ceos **12:**329
victoria **14:**77
Weissmuller, John **14:**141
olimpiada 10:203
— de los griegos **8:**173
— olimpiada modernas **10:**204
— organización de los Juegos Olímpicos **10:**205
ciclismo **4:**68
Coubertin, Pierre de **4:**273
educación física **5:**222
juegos panamericanos **8:**122
Olímpico
— de Invierno **10:**204
— estadio **10:**204
— Internacional, Comité **10:**205
— Juego **10:**165, 203, 296
— Nacional, Comité **10:**205
Olimpo 10:205
— Fuerte **10:**205, 321
antropomorfismo **1:**319
Apolo **1:**325
Atenas **2:**133
Atlas **2:**138
Diana **5:**105
dioses paganos **5:**136
Ganimedes **6:**280
Grecia **7:**55
Hércules **7:**151
Horas **7:**224
inspiración **8:**10
Neptuno **10:**74
Pan **10:**299
Pegaso **11:**27
Zeus **14:**177
Olimpo, Monte
Olimpo **10:**205
Chipre, República de **4:**60
Estados Unidos **6:**31
Grecia **7:**55
Olinda, Recife, iglesia de **11:**314
Olintia **5:**48
Olínticas **5:**48
Oliphant, Marcus Laurence Elwin 10:205
biografía **10:**205
Olisipo **8:**272
Oliva, María de **12:**112
Oliva, Tomás **4:**316
Olivares, condeduque de **6:**127; **14:**37
Olivari, Nicolás 10:205
bibliografía **10:**205
Oliveira Martins, Joaquím Pedro de 10:206
bibliografía **10:**206
Oliveira Ramos, Nereu da **3:**76
Oliveira Salazar, Antonio de 10:206
biografía **10:**206
Portugal **11:**174
Oliveira, Antônio Mariano Alberto de 10:206
bibliografía **10:**206
Brasil **3:**76
Olivenza, plaza fuerte de **12:***195*
Oliver Twist **11:**168
Oliver, José R. **11:**241
Olivetan, Robert **3:**174
Olivier, sir Laurence 10:206
biografía **10:**206
Leigh, Vivien **8:**214
olivino
arena **2:**5
magnesio **9:**27
manto terrestre **9:**62
aerolitos **1:**79
olivo y aceite de oliva 10:206
— mosca de **10:**207
Argelia **2:**10
madera **9:**14
olivo, árbol de **9:**14
olivos
— Monte de los **6:**320; **11:**6
Andalucía **1:**265
árbol **1:**346
olla de presión 10:208
olla podrida **1:**129
ollantay 10:208
literatura hispanoamericana **8:**280
Rojas, Ricardo **12:**95
Ollantaytambo 10:208
— fortaleza de **10:**208
incas **7:**292
Oller y Cesteros, Francisco 10:208
obra **10:**208
olmecas 10:207
Latinoamérica **8:**182
México **9:**198
zapoteco **14:**173
Olmedo, batalla de **4:**325
Olmedo, José Joaquín de 10:208
bibliografía **10:**208
Ecuador **5:**201
literatura hispanoamericana **8:**281
olmo 10:208
árbol **1:**346
madera **9:**12
Olmos, Emilio F. **4:**240
Olmutz, convención de **12:**54
ológrafo **2:**169
Olona **14:**175
Olonos **11:**32
olor 10:208
— de especias **10:**202
— de flores **10:**202
— de frutos **10:**202
— resinosos **10:**202
onagro **10:**202
Olot **6:**319
OLP **6:**295; **10:**293
Olsen, Regina **8:**141
Olszewski, Karol **4:**285
Olt **12:**129
Olter, Bailey **9:**217
Olum, Walam **5:**40
Olustee, batalla de **6:**184
olutes **2:**95
omagua **7:**310
omaguaas 10:208
omaguaca **7:**309
omaguacas **2:**52; **5:**101
omah **14:**113
Omaha
Omaha **2:**105; **10:**60, 61
Omán 10:208
— bandera de **2:**241
— Golfo de **1:**334; **2:**85; **10:**208; **11:**57
Abu Dhabi **1:**39
Arabia **1:**334
Arábigo, Mar **1:**338
Omán **10:**209
Zanzíbar **14:**172
Omar Ben Hafsun 10:209
biblioteca **2:**311
Mahoma **9:**31
biografía **10:**209
Omar I 10:209
biografía **10:**209
Omar II 10:209
biografía **10:**209
Omar Khayyam 10:209
bibliografía **10:**209
Omar, califa **5:**230
Omar, Mezquita de 10:209
Abdullah, Ibn-Hussein **1:**21
Omar-ibn-Hafsun **9:**318
Omasuyo **2:**193
ombú 10:209
ombú **12:**223
ombudsman 10:210
Ometéotl **13:**181
Omeya 10:210
— de Damasco, dinastía de los **5:**314
Abderramán I **1:**20
Andalucía **1:**265
Córdoba **4:**241
islam e islamismo **8:**51
sarracenos **12:**230
omisión 10:210
Ommiadas **2:**241
Omnes **12:**275
ómnibus 10:210
omnidireccionales **1:**304
omnipotencia **4:**293
omnívoros **1:**295; **10:**265
Omo, río **6:**67
omoplato 10:210
esqueleto **6:**23
Omphalós **5:**42
Omsk 10:210
Dostoievski, Fedor M. **5:**166
ona 10:210
América del Sur **1:**240
indios americanos **7:**309
Tierra del Fuego **13:**192
Oña, Pedro de 10:214
Angol **1:**284
bibliografía **10:**214
Chile **4:**44
Hurtado de mendoza, García **7:**253
literatura hispanoamericana **8:**280
onagrariácea **6:**241
onagro 10:210
Onatas **7:**63
Oñate, Cristóbal de
Alvarado, Pedro de **1:**213
correo **4:**254
Guadalajara **7:**71
Jalisco **8:**77
Oñate, Juan de 10:214
San Luis Potosí **12:**193
biografía **10:**214
Oncativo **1:**152
Once mil Vírgenes **9:**23
Oncken, Guillermo 10:210
bibliografía **10:**210
Oncken, Hermann 10:210
biografía **10:**210
oncogén 10:210
Bishop, John Michael **2:**330
oncología 10:211
— clínica **10:**211
— experimental **10:**211
onda corta 10:211
ondas 10:211
— amplitud de la **10:**211
— caloríficas **10:**211
— canalización de **13:**143
— continuas **11:**284
— crestas de la **10:**211
— de frecuencia **7:**161
— de radio **11:**274, 278
— de shock extracorporal **8:**286
— depresiones **10:**211
— eléctricas **6:**191; **8:**305
— electromagnéticas **6:**61; **7:**160; **8:**24, 331,334; **9:**217
— estacionarias **7:**160
— gravitacionales **7:**53, 54
— hertzianas **8:**18; **9:**88; **11:**275, 282; **13:**144
— interferencia **8:**18
— longitud de **10:**211
— longitudinales **10:**211
— sonoras **1:**133; **6:**191; **8:**331; **10:**5
— transversales **10:**211
fotón **6:**204
interferencia **8:**17
radiogoniómetro **11:**281
radiotelefonía y radiotelegrafía **11:**283
Óndice, revista **11:**237
ondulaciones **8:**305
ondulada **13:**238
ondulatoria, teoría **8:**330; **10:**89
ondulatorio longitudinal **6:**165
One Ton Cup **14:**36
Onega, Lago 10:212
— lago **6:**75; **12:**143
— río, **2:**335
Rusia **12:**138
Oneguín, Eugenio **12:**141; **13:**129
Onetor **5:**47
Onetti, Juan Carlos 10:212
bibliografía **10:**212
latinoamérica **8:**190
Uruguay **13:**329
Onganía, Juan Carlos 10:212
Aramburu, Pedro Eugenio **1:**340
Argentina, República **2:**24
biografía **10:**212
Onia **10:**197
ónice 10:212
onicóforo 10:212
zoología **14:**184
oniromancia **1:**70
Onís, Federico de 10:212
obra **10:**212
Onitaby **9:**10
ónix **11:**142
ónix de México **10:**212
Onizuka, Ellison **13:**242, 243
Onnes, Heike Kamerlingh 10:212
biografía **10:**212
Onnes, Kamerling **6:**237
Ono, Yoko **8:**222
Onomastikon **5:**111
onomatopeya 10:212
Onsager, Lars 10:212
biografía **10:**212
Ontario 10:213
— Canal Rideau en **10:**213
— ciudad de **1:**211
centro emisor de imágenes

13:150
Congreso Estatal en Ontario Canadá 4:208
delaware 5:40
Facultad de leyes 8:237
geología 6:307
Grandes Lagos 7:48
lago 8:164
Niágara 10:91
Ontario, lago 1:69; 5:74; 6:32
trucha en Ontario 13:275
ontogenia 10:213
Evolución, Teoría de la 6:89
ontología 10:213
Marcuse, Herbert 9:88
metafísica 9:180
objeto 10:174
Ontos 13:113
ONU
— Asamblea General de la 4:315
— bandera de 2:243
— cascos azules 4:294
Aristide, Jean Bertrand 2:31
Armenia 2:46
Azerbaiján 2:195
Belarús 2:279
delincuencia juvenil 5:44
diplomacia 5:136
Dulles, John Foster 5:177
Egipto 5:229
Eslovenia 5:301
Estonia 6:58
FAO 6:117
Finlandia 6:161
Fondo Monetario Internacional 6:191
García Robles, Alfonso 6:284
Georgia 6:317
Ghali, Boutros Boutros 6:320
Golán, alturas de 7:14
Hussein, Saddam 7:254
Indonesia, República de 7:316
Macedonia 9:7
mandato 9:55
Naciones Unidas 10:26
Namibia 10:34
Omán 10:208
Papúa Nueva Guinea 10:317
Santa Lucía 12:215
Santo Tomé y Principe 12:222
Onyar, río 6:319
onza 10:213, 214
ooforectomía 10:272
oogénesis 6:14
oolita 10:214
oolong 13:130
Oostacker, jardín de 9:22
ootecas 4:317
op art 10:215
pintura 11:99
ópalo 10:214
— australiano 10:214
piedras preciosas 11:84
Oparin, Aleksandr Ivanovich 10:215
bibliografía 10:215
ópata 7:309
Opava, cuenca de 4:25
OPEP, Organización de Países Exportadores de Petróleo 5:197
ópera 10:215
— Aída 10:216
— Aída 10:216
— Almira 7:119
— Boris Godunov 10:217
— Carmen 10:217
— Casa de la 10:220
— Cavalleria rusticana 10:217
— china 10:219
— de Beijing 10:222
— de Chicago 7:270
— de Glück 1:299
— de París 8:257
— de, Munich 14:138
— del Estado de Viena 2:304
— Der Freischüt 10:219
— Don Giovanni 10:218
— El anillo de los Nibelungos 10:216
— El barbero de Sevilla 10:216
— El buque fantasma 10:217
— El caballero de la Rosa 10:217
— El crepúsculo de los dioses 10:217
— *El oro del Rin* 10:220
— Falstaff 10:218
— Fausto 10:218
— Fidelio 10:218
— Gran casa de 10:217
— Hänsel y Gretel 10:219
— historia 10:215
— homónima de Verdi 10:218
— *I Pagliacci* 10:221
— *Il fifanzato del mare* 10:308
— *Il Trovatore* 10:223
— Kukuska 8:213
— La Africana 10:216
— La Bohème 10:217
— La fanciulla del West 10:218
— La hija del regimiento 10:219
— *La Traviata* 10:222
— *La Valkiria* 10:223
— Lakmé 10:219
— Las Maestros Cantores de Nuremberg 10:220
— Le jongleur de Notre Dame 10:219
— Lohengrin 10:219
— Los bodas de Fígaro 10:216
— Los cuentos de Hoffmann 10:218
— Los hugonotes 10:219
— Lucia di Lamermoor 10:219
— Luisa 10:220
— Madame Butterfly 10:220
— Manon 10:220
— Marta 10:220
— Mignon 10:220
— moderna 9:185
— óperas famosas 10:216
— *Otelo* 10:221
— *Parsifal* 10:221
— *Pellèas et Mélisande* 10:221
— *Pietro d'Abano* 10:308
— *Porgy and Bess* 10:221
— Real Casa de Londres, Inglaterra 10:222
— *Rigoletto* 10:221
— *Romeo y Julieta* 10:221
— *Salomé* 10:221
— *Sansón y Dalila* 10:222
— *Sigfrido* 10:222
— *Tannhäuser* 10:222
— Teatro de la 11:181
— Teatro de la, Madrid 9:19
— *Thaïs* 10:222
— *Tosca* 10:222
— *Tristán e Isolda* 10:222
Bellini, Vincenzo 2:288
espectáculos 6:10
Patti, Adela Juana María 11:16
video 14:84
Viena 14:87
operación 10:223
— binaria 7:70
— Deepfreeze I 1:303
— hipotecaria 7:186
operación matemática 10:223
operación quirúrgica 10:223
— de espina dorsal 7:232
— Swap 13:89
quirófano 11:267
Operaciones 2:236
— elementales 1:179
— fundamentales 2:34
— matemáticas 9:77
— militares 7:90
— para la seguridad y conservación de la paz realizadas entre 1945 y 1990. 6:247
laparoscopia 8:174
operativo, sistema 10:223
programa (computación) 11:209
operatorio, Método 10:223
opérculo 10:223
opereta 10:223
operón 10:223
— enzimas inducibles 10:224
— enzimas reprimibles 10:224
— regulación de los genes en los organismos eucariotas 10:224
Opie, J. 7:45
opinión pública 10:224
— ciclo de formación de la opinión 10:224
— clases de opinión 10:225
— modos de registrar la opinión 10:225
— organismos encargados de registrar la opinión 10:225
— noción de la opinión 10:224
— campo de acción de la 10:226
opio 10:226
— guerra del 12:307
adormidera 1:74
alcaloide 1:144
Asia 2:99
Courtois, Bernardo 4:273
droga 5:173
estupefacientes 6:66
Hong Kong 7:220
isómero 8:54
láudano 8:197
narcótico 10:40
pipa 11:104
terapeutica 13:163
Opisso, Ricardo 3:247
opisthodomos 2:235
opistosoma 1:338
opone 7:310
Oporto 10:227
— catedral de 11:177
— distrito de 11:174
— Portugal 11:136, 174, 229
bebidas 2:272
Duero, río 5:176
Magallanes, Fernando de 9:23
oposición 10:227
oposición islámico-demócrata 13:99
opossum 14:175
opoterapia 10:227
Oppas, arzobispo 12:91
Oppenheim, Edward Phillips 10:227
bibliografía 10:227
Oppenheimer, J. Robert 10:227
astrtonomía 2:128
biografía 10:227
Feynman, Richard Phillips 6:144
hidrógeno, bomba de 7:166
Schuwinger, Julian Seymour 12:250
Tamm, Igor´ Evgenevich 13:110
Oppenordt, Gilles Marie 6:228
Ops 12:242
optar 10:227
óptica 10:227
— aplicada 10:227
— física 7:108; 10:227
— ilusión 10:200
Fermat, Pierre 6:132,
física 6:164
Fresnel, Agustin-Jean 6:237
Frizeau, Armand-Hippolyte-Louis 6:239
imágen 7:273
láser 8:178
óptica 10:89
Talbot, William Henri Fox 13:104
Tolomeo, Claudio 13:214
Zernike, Frits 14:177
Opticks 8:18
óptico, fenómeno 6:11
óptico, instrumento 10:184
ópticos 6:169
ópticos, cordones 10:198
Optimist 14:35
optometría 10:227
optométrica de Monnoyer, escala 10:198
optotipos 10:198
Opus 23 12:248
Opus Dei 10:228
Opus maius 2:210
Opus minus 2:210
Opus Tertium 2:210
ora serrata 10:198
Ora, río 4:267
Orabá 4:328
oración 10:228
oración gramatical 10:228
— compuestas 10:229
— coordinadas 10:229
— de infinitivo 10:229
— de relativo 10:229
— de verbo recíproco 10:229
— impersonales 10:229
— partes de la oración 10:229
— reflexivas 10:229
— subordinadas 10:229
— subordinadas adverbiales 10:229
— subordinadas sustantivas 10:229
pronombre 11:212
oráculo 10:230
— de Delfos 1:325; 12:157; 13:154
— de la Universidad de Córdoba 13:139
— sibilino 1:325

adivinación **1:**70
Edipo **5:**211
mágia **9:**25
Oraefa-Jokull **8:**53
oral, historia 10:230
oral, literatura 10:230
Oramas, Rosendo de **8:**319
Orán 10:52, 230
Argelia **2:**10
Jiménez de Cisneros, José Francisco **8:**102
Oranés **10:**230
Orange Walk, ciudad, Belice **2:**286
Orange, casa de **7:**207
Orange, dinastía **5:**129
Orange, Estado libre de 10:230
orange pekoe **13:**130
Orange, Guillermo de **7:**104; **8:**238, 45; **9:**103
Orange, montes **10:**157
Orange, príncipe de **2:**159
Orange, Río 10:231
Unión Sudafricana **13:**312
descubrimientos y exploraciones geográficas **5:**76
Orange-Nassau **10:**44
Orange-Nassau, princesa de **8:**125
orang-laut **2:**95
orangután 10:231
Asia **2:**90
Oranienburg, campo de concentración en **7:**211
Oranienburg-Sachsenhausen **4:**193
Oranjestad **2:**78
oratoria 10:231
Oratorianos de Vendôme **2:**231
oratorio 10:231
— *de Navidad* **2:**212
— El Mesías **7:**119
orbe **10:**336
orbe **8:**302
Orbegoso, Luis José de **12:**173
orbicular **10:**197
órbita 10:232
— atómica **2:**147
— de traslación **12:**9
astronomía **2:**125
cometa **4:**169
doble estrella **5:**151
guía y control, sistemas de **7:**102
Nikolajev, Adrian G **10:**102
ojo **10:**197
órbita **2:**118
órbita terrestre **2:**118; **10:**323
satélite **12:**235
satélite artificial **12:**235
orbitador 10:232
orbital molecular, teoría **4:**247
Orbital rodeando a un átomo Pintura **2:**149
orbitales atómicos s y los moleculares o **9:**267
orbitales moleculares **9:**328
Órbitas atómicas en ciclos, arte **2:**145
órbitas de un átomo **2:**147
órbitas frontales **6:**249
Orbiter **10:**43
orca 10:232
foca **6:**187
Orcadas **2:**136; **7:**32, 34
Órcadas del sur 10:233
Antártida **1:**302
Argentina, República **2:**13
Atlántico, océano **2:**136
pingüino **11:**93
Orcomene **7:**151
Orcómeno **12:**247
Orczy, Emmusku, Baronesa de 10:233
bibliografía **10:**233
ordalías 10:233
Ordaz, Puerto **4:**101
Ordaz, u Ordás, Diego de 10:233
biografía **10:**233
Orinoco, río **10:**251
Popocatépetl **11:**168
orden religiosa 10:233
— Carmelitana **13:**165
— carmelitas y cartujos **10:**237
— de los Benedictinos **2:**293
— de Predicadores **13:**153
— de preferencia o de prioridad **14:**15
— de San Juan **2:**241; **13:**155
— de Santo Domingo **13:**125
— del Carmelo **13:**165
— El Císter **10:**235
— el siglo de san Vicente **10:**239
— escrita **14:**140
— influencia de las ordenes medicantes **10:**237
— jónico **5:**274
— la reforma y san Ignacio **10:**238
— la regla benedictina **10:**234
— moral **8:**277
— nacimiento de las órdenes monásticas **10:**233
— órdenes femeninas **10:**237
— órdenes mendicantes **10:**236
— órdenes militares **10:**235
— político **8:**277
— reforma de Cluny **10:**235
abadía **1:**18
dote **5:**167
orden sagrado 10:240
sacramento **12:**159
orden teutónica **3:**132
orden y orden público 10:233
ordenación del territorio 10:240
ordenada **1:**36
ordenador 10:240
ordeñadoras mecánicas **8:**204
ordenanzas **8:**212
Ordenanzas del Noroeste **7:**271
ordenas **6:**314
órdene arquitectónico árabe **1:**129
órdene arquitectónico gótico **1:**129
órdene arquitectónico románico **1:**129
órdenes **11:**336
ordeño **14:**7
Ordesa, valle de **7:**240
ordinarias **11:**31; **14:**16
Ordine nuovo **13:**210
Ordino, Valira d' **1:**270
ordivícico **6:**309
Ordoñez, Bartolomé 10:240
Ordóñez **2:**289
Belloni, José Leoncio **10:**240
Uruguay **13:**330
Ordóñez, Cayetano (*Niño de la Palma*) **13:**127
Ordoño I **11:**295
Ordoño II **6:**266; **11:**295
Ordoño III **11:**295
Ordos, Depresión de **4:**47
ordovícico 10:240
braquiópodos **3:**68
geología **6:**308
Orduña, Juan de 10:240
obra **10:**240
Ordway Music, teatro **9:**229
oréadas **10:**103
Oreb **9:**265
Orebro **13:**69
orégano 10:241
Oregon 10:241
— actividad económica **10:**241
— clima **10:**241
— hidrografía **10:**241
— recursos minerales **10:**241
— tierra **10:**241
— turismo **10:**242
— vegetación y vida animal **10:**241
platos voladores **11:**135
Rocosas, montañas **12:**88
Estados Unidos **6:**32
Eutanacia **6:**85
Oregon, Universidad de **10:**241
orejón **7:**310
Orejón y Aparicio, José **11:**63
orejones **7:**290
Orellana, Francisco de 10:242
Amazonas, río y Amazonia **1:**220
América del Sur **1:**244
biografía **10:**242
Orellana, Francisco de descubrimientos y exploraciones geográficas **5:**73
Guayaquil **7:**82
Oremburgo **5:**75
orenda 10:242
Orense 10:242
Orense **4:**334
Orense u Ourense 10:242
Orestes 10:242
Agamenón **1:**99
Alfieri, Vittorio, conde de **1:**172
Electra **5:**236
Ifigenia **7:**266
Micenas **9:**212
Odoacro **10:**186
Polícrates **11:**151
Orestia **1:**75
Oretana, cordillera **5:**304
oretanos **7:**257
orfanato 10:242
Huérfano **7:**237
Orfani, golfo de **7:**55
orfebrería 10:242
— bizantina **6:**154
— colombiana **10:**243
— mayor **10:**242
— menor **10:**242
artes industriales **2:**69
filigrana **6:**154
hispanocolonial **7:**190
jaspe **8:**90
joyería **8:**112
taráscos **13:**118
Orfeo 10:243
Anitúa, Fanny **1:**299
argonautas **2:**28
cancerbero **3:**211
Eurídice **6:**74
ópera **10:**14
orfeón 10:243
— Catalán **14:**110
Orff, Carl 10:244
obra **10:**244
Orfila, Mateo José Buenaventura 10:243
España **5:**318
bibliografía **10:**243
orfismo 10:244
pintura **11:**98
Pitágoras **11:**112
orgánicos, compuestos 10:244
— ácidos radicales **14:**149
— compuestos organometálicos **10:**244
— compuestos organonitrogenados **10:**244
— compuestos organooxigenados **10:**244
— estilo **14:**155
— heterocíclicos **10:**244
— hidrocarburos **10:**244
— polímeros orgánicos **10:**245
— síntesis **10:**200
— tratamiento **11:**225
organigrama 10:245
dependencia **5:**52
organillo 10:245
organismo
— constitucional **11:**193
— humano **6:**332
— Internacional de Energía Atómica (OIEA) **7:**29; **10:**28
— microscópicos **8:**273
— para la Proscripción de las Armas (OPANAL) **13:**208
animal **1:**293
desarrollo **5:**66
educación física **5:**220
enfermedad **5:**260
fibrina **6:**146
fluorocospia **6:**185
glándula **6:**330
hidropesia **7:**168
inteligencia artificial **8:**15
lombriz intestinal **8:**302
parásito **10:**325
planta **11:**120
organización
— comunal **11:**227
— de Aviación Civil Internacional (OACI) **10:**28
— de Ayuda a las Personas Desplazadas **11:**107
— de Cooperación Económica (OCE) **13:**99
— de Cooperación y Desarrollo Económico (OCDE) **11:**160
— de Estados del Caribe Oriental (OECO) **1:**306
— de la Conferencia Islámica **5:**229; **13:**115
— de la Unidad Africana (OUA) **1:**67
— feudal **1:**105
— Internacional de Refugiados **11:**328
— Internacional del Comercio (OIC) **1:**61
— Internacional del Correo **4:**255
— Marítima Intergubernamental

(OMI) **10**:28
— Meteorológica Mundial (OMM) **10**:28
— monopolística **7**:210
— Mundial de la Propiedad Intelectual (OMPI) **10**:28
— Mundial de la Salud (OMS) **10**:28; **12**:180
— Mundial del Turismo (OMT) **5**:311
— Mundial Sionista **14**:145
— para la Defensa contra Misiles Balíst **10**:146
— para la Liberación de Palestina (OLP) **1**:339; **8**:108, 257; **11**:44
— política **5**:128, 312; **6**:219; **7**:39, 299
— Popular de África del suroeste (SWAPO) **10**:34
— Republicana Gallega Autónoma (ORGA) **3**:271
cabildo **3**:140
racionamiento **11**:273
votación **14**:133
Organización de Estados Americanos (OEA) 10:245
Alianza para el Progreso **1**:184
Chamorro, Violeta Barrios de **4**:18
Chapultepec, acta de **4**:21
conferencias panamericanas **4**:204
Cuba **4**:315
diplomacia **5**:136
Dominicana, Repñublica **5**:161
Jamaica **8**:77
Lleras Camargo, Alberto **8**:292
Punta del Este **11**:243
Surinám **13**:86
Uruguay **13**:328
Washington D.C. **14**:140
Organización de Estados Centroamericanos (ODECA) 10:246
Organización de las Naciones Unidas (ONU) 10:245
— para el Desarrollo Industrial (ONUDI) **10**:28
— para la Agricultura y la Alimentación (FAO) **10**:28
— para la Educación (UNESCO) **13**:20, 303
— para la Educación, la Ciencia y la cultura (UNESCO) **10**:28
— Primera Asamblea General de la **13**:47
acróstico **1**:57
Andorra **1**:271
Arabia Saudita **1**:335
Batlle y Ordóñez, José **2**:267
bloqueo **3**:8
Bután o Bhután **3**:124
Butros Gali, Butros **3**:127
cascos azules de la ONU en Croacia **4**:294
Céspedes, Angel María **4**:11
Chipre, República de **4**:61
Consejo de Seguridad de la ONU **4**:213
Consejo Económico, New York **4**:212
Croacia **4**:295
derecho internacional **5**:61
diplomacia **5**:136
Dulles, John foster **5**:177
Egipto **5**:229
Eslovenia **5**:301
Irak **8**:42
Irán e Irak, Guerra de **8**:35
Israel **8**:57
Kuwait **8**:151
Lleras Restrepo, Carlos **8**:293
México **9**:200
New York **10**:91
Orr, John Boyd **10**:258
pacifismo **10**:281
paz **11**:19
prisión **11**:203
refugiado **11**:328
región y regionalismo **11**:331
réplica, derecho de **12**:22
Organización de los Juegos Olímpicos 10:205
Organización de Paises Esportadores de Petróleo (OPEP)
Ecuador **5**:197
Nigeria **10**:100
petróleo **11**:71
Tercer Mundo **13**:164
Organización de Unidad Africana **7**:120
Organización del imperio 2:199
Organización del Tratado del Atlántico Norte (OTAN) 10:246
Luxemburgo **8**:329
Acheson, Dean Gooderham **1**:51
Polonia **11**:160
Varsovia, pacto de **14**:27
Eslovenia **5**:301
Organización Internacional del Trabajo (OIT) 10:247
Liga de las Naciones **8**:258
Naciones Unidas **10**:28
Organizaciones políticas **11**:238
trabajo **13**:237
órgano 10:247
— de Actopan **7**:163
— de Corti **10**:196
— de fonación **4**:325
— eléctrico **10**:248
— electrónico **8**:12
— genitales **6**:93
— glandular **7**:174
— hidráulico **10**:248
— manuales **10**:248
— transitorios **14**:134
animal **1**:293
armonía y acorde **2**:46
contrabajo **4**:227
corazón **4**:236
cuerpo humano **4**:325
embriología y embrión **5**:249
endoscopio **5**:256
erizo de mar **5**:275
hígado **7**:175
insecto **8**:5
monocotiledóneas **9**:278
Órganos, Sierra de los **4**:311; **11**:91
Química **11**:259
organógenas **12**:257
organografía **3**:56
organometálico **6**:163
Organón **2**:33
organoterapia **10**:227
organum o diafonía **2**:62
Orgãos, Serra do **10**:325
orgasmo **6**:93
Orgesta Sinfónica de Baltimore **2**:230
orgullo 10:248
Orgullo y prejuicio **2**:161
Oriani, Alfredo 10:248
bibliografía **10**:248
Oribe, Emilio 10:248
berro, Bernardo Prudencio **2**:305
bibliografía **10**:248
literatura hispanoamericana **8**:283
Paz, José María **11**:20
Rodó, José Enrique **12**:90
Uruguay **13**:329
Oribe, Manuel 10:248
biografía **10**:248
orientación 10:248
— sentido de **10**:248
orientación profesional 10:249
orientalismo 10:249
oriente 10:249
Oriente 10:250
— europeo **4**:166
— Extremo **10**:249
— o Real, palacio de **9**:19
— provincia de **9**:64
— y Occidente, iglesias de **6**:187
Oriente, imperio de 10:250
oriflama **2**:242
origen **1**:290
origen común **6**:300
origen de las ferias **6**:131
origen funcional **11**:225
origen judío **13**:155
origen orgánico **11**:225
Origen y desarrollo de las bandas **2**:237
Orígenes 10:250
— medievales **13**:162
— revista **11**:101
arte de vender **2**:64
indios americanos **7**:308
Lezama Lima, José **8**:239
Patrología **11**:15
Orihuela 10:250
España **5**:307
Hernández, Miguel **7**:155
orín 10:250
orina 10:250
glándula **6**: **6**:330
Orinoco, Río 10:250
— Bajo **10**:251
— delta del **5**:45
— historia **10**:250
— llanos **11**:178, 182; **14**:45
— medio **10**:251
agricultura **1**:107
Amazonas, río **1**:220
América del Sur **1**:241
Apure **1**:330
Bolivar **3**:22
Ciudad Bolivar **4**:101
Colombia **4**:137
Crevaux, Jules **4**:282
Guanare **7**:75
Llanos, los **8**:290
Negro, río **10**:69
Robinson Crusoe **12**:84
Venezuela **14**:42
Vichada **14**:78
vivienda **14**:115
oriólidos **10**:256
orión (constelación) **10**:251
— vista telescópica **2**:125
astronáutica **2**:112
astronomía **2**:125
constelación **4**:218
Pléyades **11**:138
Vía Láctea **14**:73
Orión (mitología griega) **10**:251
folklore o folclor **6**:189
Orión, tahalí de **10**:251
Orissa (Bhubaneswar) **7**:298, 299
órix 10:251
antílope **1**:307
oriya **7**:300; **12**:209
Orizaba 10:251
— Escuela Industrial de **10**:256
Veracruz **14**:52
Orizaba, Pico de 10:251
América **1**:230
México **9**:193
montañismo **9**:285
popocatepetl **11**:168
Puebla **11**:226
Veracruz **14**:52
Volcánico transversal, eje **14**:128
Orján **13**:295
Orkshire **5**:*293*
Orlan, Mac **2**:265
Orlando (Roland, Roncesvalles) **2**:223
Orlando 10:252
— Cabo **12**:93
— *enamorado* **2**:30
— Florida **10**:43
— *furioso* **2**:30
Florida **6**:183
West Palm beach **6**:182
Woolf, Virginia **14**:154
Orlando, Victor Manuel 10:252
biografía **10**:252
Orlando, Vittorio **10**:329
Orleans 10:252
— isla de **4**:231
Francia **6**:222
Valois, familia **14**:15
Orléans 10:252
— Carlos de **9**:92; **14**:66
— casa de **12**:54
— doncella de **8**:115
— Felipe de **8**:318
Dumas Alejandro **5**:177
Francia **6**:223
Juana de Arco, santa **8**:115
Orleans-Borbón **10**:252
Orlich, Francisco José **4**:270
Orlón 10:32
Orlowski **11**:161
Orly, en París **1**:89
Ormáiztegui (Guipúzcoa). **14**:191
Ormandy, Eugene 10:252
biografía **10**:252
Ormuz 10:252
— estrecho de **10**:209, 252
ahriman **1**:120
Andrade, Simón de **1**:273
cosmogonía **4**:264
Polo, Marco **11**:157
ruta comercial **12**:151
ornamentación 10:252

terracota **13:**170
hispanocolonial **7:**191
ornamental **1:**346; **7:**27
ornamento **1:**292
ornamento **10:**253
Ornato **4:**138
Orne **10:**130
ornitología 10:253
zoología **14:**181
Jenner, Eduardo **8:**94
ornitópodos **5:**133
ornitópteros **2:**186
ornitorrinco 10:253
zoología **14:**186
monotrema **9:**280
ornituras **11:**5
oro 10:254
— aplicaciones **10:**255
— aplicaciones **10:**255
— blanco **10:**255; **11:**134
— en hojas **10:**255
— extracción **10:**255
— extracción **10:**255
— historia **10:**254
— historia **10:**254
— negro **9:**232
— producción **10:**254
— producción **10:**254
— purificación **10:**255
— purificación **10:**255
— quimera del **10:**255
— río de **10:**131
alambre **1:**132
amalgamación **1:**217
amateurismo **1:**219
América del sur **1:**243
arena **2:**5
arequipa **2:**8
Arfe **2:**9
Arizona **2:**34
armadura **2:**42
artes industriales **2:**69
ártica, región **2:**71
átomo **2:**146
dinero **5:**131
Ecuador **5:**198
electroscopio **5:**242
elemento químico **5:**245
Guyana **7:**111
iones, intercambio de **8:**32
joyería **8:**112
Laos **8:**173
Las Vegas **8:**180
Latón **8:**197
lingotes **5:**191
moneda **9:**275
Mongolia **9:**276
Montana **9:**282
peso **11:**68
Punta Arenas **11:**243
Unión Sudafricana **13:**312
vidrio **14:**85
Oro del Rin, el 10:256
Oro, El 10:256
Oro, Justo de Santa María de 10:256
biografía **10:**256
orogénesis **9:**266
orogenia 10:256
diastrofe **5:**106
orografía 10:256
— Europa **6:**75
Asia **2:**84
Estados Unidos **6:**31
Finlandia **6:**159
Grecia **7:**76
Holanda **7:**205
Honduras **7:**218
India **7:**295
Orografía **7:**54
Tristán, Fidel J. **13:**269
orográfico **9:**71; **14:**19
Orohena **13:**100
oronja **1:**218
oropéndola 10:256
ave **2:**179
oropéndola posada en un ocotillo **10:**256
poseriformes **11:**5
Oropesa **14:**18
Orosí, volcanes **4:**267
Orosio, Paulo 10:256
biografía **10:**256
España **5:**314
Orotava **13:**139
Orotava, valle de La **13:**156
orovar **10:**180
Oroya **1:**269
Oroya, Fiebre de 10:256
Orozco y Berra, Manuel 10:257
bibliografía **10:**257
México **9:**202
Orozco, José Clemente 10:256
caricatura **3:**247
Coronel, Pedro **4:**252
Cuevas, José Luis **4:**326
Latinoamérica **8:**194
México **9:**206
Montenegro y Nervo, Roberto **9:**287
mural, pintura **9:**335
obra **10:**256
Sabogal, José **12:**156
Orozco, Pascual **7:**238; **9:**16
orozuz 10:257
Orpheum Theatre **10:**61
Orpington **2:**189
orquesta 10:257
— Filamónica de Londres **2:**275
— Filarmónica de La Habana **11:**41
— Filarmónica de New York **1:**267; **2:**304; **13:**129
— Hofburg **10:**12
Cui, César **4:**227
teatro **13:**131
orquestación **8:**10
orquidáceas **6:**179
orquídeas 10:257
— color durazno **10:**258
— Cypripedium **10:**258
— paphiopedilum **10:**258
— Vanda **10:**258
— Warcewiczii **10:**258
flor **6:**180
Panamá **10:**300
Venezuela **14:**43
orquitis 10:258
— aguda **10:**258
— crónica **10:**258
Orr, John Boyd 10:258
biografía **10:**258
Orrantia **9:**227
Orrego Luco, Augusto **4:**44
Orrego Salas, Juan **4:**44; **8:**196
Ors, Eugenio d' 10:258
bibliografía **10:**258
Orsay **5:**38
Orsini, Familia 10:259
— Ana María **10:**259
— Felice **10:**259
— Fulvio **10:**259
— Gaetano, Giovanni **10:**259
— Pietro Francesco **10:**259
Orsini **12:**99
Orsk **13:**320
Ortega Saavedra, Daniel 10:259
biografía **10:**259
Ortega y Gasset, José 10:259
bibliografía **10:**259
ensayo **5:**266
España **5:**320
Gaos, José **6:**281
Generación del 27 **6:**299
historicismo **7:**194
Marías, Julián **9:**95
Pérez de Ayala, Ramón **11:**45
Quijote, don **11:**257
Rivera Chevremont, Evaristo **12:**61
Zubiri, Xavier **14:**190
Ortega, Domingo **13:**127
Ortega, Humberto **10:**95
Ortego **3:**247
Ortelius, A **2:**138; **6:**305
Orthys, montes **7:**55
orticón
televisión **13:**150
iconoscópio **7:**261
ortiga 10:259
— blanca **10:**259
Ortigao, Ramalho **3:**65
ortigas de mar **1:**42; **9:**155
Ortiz Cofer, Judith **11:**238
Ortiz de Domínguez, Josefa 10:260
biografía **10:**260
Ortiz de Montellano, Bernardo 10:260
bibliografía **10:**260
Ortiz de Vargas, Luis **11:**63
Ortiz de Zárate, Juan 10:260
biografía **10:**260
Ortiz de Zárate, Juan **6:**282; **11:**115
Ortiz de Zárate, Manuel **4:**43
Ortiz Fernando **4:**316
Ortiz Guerrero, Manuel **10:**322
Ortiz Monasterio **5:**295; **9:**205
Ortiz Rubio, Pascual 10:260
México **9:**200
biografía **10:**260
Ortiz, Alfonso 10:259
biografía **10:**259
Ortíz, bancos **11:**133
Ortiz, Carlos 10:259
bibliografía **10:**259
Ortiz, Diego de **14:**26
Ortiz, Fernando 10:260
bibliografía **10:**260
Ortiz, José Joaquín 10:260
bibliografía **10:**260
Ortiz, Roberto M. **2:**24; **3:**284
Ortiz, Simón **11:**63
Ortler **11:**18; **13:**202
orto **2:**123
ortocentro **13:**260
ortoclorofenol **5:**5
ortocromáticas **11:**31
ortodiagrafía **11:**308
ortodoxa, Iglesia 10:260
— etíope, iglesia **6:**68
— monjes **2:**135
cristianismo **4:**292
Croacia **4:**294
desocupación **5:**91
eritrea **5:**274
Europa **6:**81
Georgia **6:**317
Lituania **8:**288
patrología **11:**15
Santayana, George Ruíz de **12:**217
Suiza **13:**79
viernes santo **14:**90
ortoedro 10:260
— área **10:**260
— desarrollo **10:**260
— volumen **10:**260
cubo **4:**317
ortofosfato **1:**68; **6:**199
ortofosfórico **6:**199
ortogonal **6:**302; **11:**221
ortografía 10:261
composición y redacción **4:**175
español, idioma **6:**5
gramática **7:**30
manuscritos **9:**64
ortohidrógeno **6:**321
ortopedia 10:261
— científica **7:**197
educación física **5:**222
ortóptero 10:261
cucaracha **4:**317
grillo **7:**66
insecto **8:**9
tijereta **13:**195
ortoscópicos **10:**174, 184
ortotanasia **6:**84, 85
oruga 10:261
— babosa de los frutales **10:**261
— blanca **9:**37
— de cuerpo segmentado **10:**261
— de pino Hyloicus pinastri **8:**8
— militares **10:**261
— tigre amarilla **8:**8
excavadora **6:**90
larva **8:**177
Oruro 10:262
— Bolivia **1:**269
— distrito minero **6:**47
Paz, La **11:**21
Orvieto 10:262
— catedral de **12:**322
Orville **13:**252
Oryza **2:**60
orza **10:**56
orzuelo 10:262
Osa Mayor y Osa Menor 10:262
Astronomía **2:**125
constelación **4:**218
Estrella Polar **6:**62
Osage río **9:**243
Osaka 10:262
— bahía de **8:**145
— Japón **6:**101, 141
Asia **2:**93
Japón **8:**80
puerto **11:**229
osazonas **6:**163
Osborne, John **7:**44
Óscar 10:263
Oscar II **7:**137
OSCE **13:**99
oscilación 10:263
— mecánicas **1:**253
— periodo **10:**263
física **6:**168
Luna, La **8:**322
ola **10:**200

paracaídas **10:**319
péndulo **11:**36
oscilador 10:263
— electrónico **13:**143
— movimiento **14:**75
Hertz, Heinrich Ruddph **7:**160
magnetrón **9:**29
radiotelefonía y radiotelegrafía **11:**283
oscilógrafo 10:263
electroencefalografía **5:**239
fluorescencia **6:**185
osciloscopio 10:263
osculador **6:**302
Osculati, Cayetano 10:263
biografía **10:**263
oscurantismo **8:**238
oscuridad **8:**335
Oseas 10:263
Biblia **2:**309
oseína **4:**324; **7:**241
Osel, isla **2:**230
óseo, sistema **7:**334; **12:**28; **13:**139
oseta **8:**37
Osetia del Sur **6:**317
Osetia Meridional **6:**317
osetios **6:**317
Osheroff, Douglas D 10:263
Lee, David M 8:209
Richardson, Robert C **12:**63
biografía **10:**263
Oshogbo **10:**101
Osián 10:263
Osías **8:**106
osificación 10:263
— centros de **10:**264
— vasos **10:**263
dentadura **5:**50
Osio **5:**314
Osiris 10:264
— tumba de **2:**52
adoración del sol **1:**74
Amón-Ra **1:**252
Apis **1:**325
dioses paganos **5:**136
estela **6:**48
Horus **7:**231
Isis **8:**51
Libro de los muertos **8:**254
momia **9:**271
Sethi I **12:**297
Osiuerga, río **12:**326
Oskar Levertin **13:**71
Osler, Sir William 10:264
bibliografía **10:**264
Oslo 10:264
— Noruega **10:**133
— Palacio Real de Slottet **10:**133
— parque Frogner **10:**136
— Universidad de **8:**222, 255
— Vista panorámica **10:**134
Córdoba **4:**241
puerto **11:**229
universidad **13:**316
Osma, Leonor de **4:**13
Osmán, dinastía **5:**129; **13:**288, 295
osmanlíes **2:**94; **13:**288
Osmeña, Sergio **6:**155
Osmín el Cojo **1:**26
osmio 10:264
ósmosis 10:265
— inversa **5:**66
— membrana semipermeable **10:**264
hoja **7:**203
Osnabruck **7:**87; **12:**14; **14:**147
oso 10:265
— bezudo **10:**266
— blanco o polar **2:**71, 91; **10:**266
— canelo **10:**266
— colmenero **10:**267
— común o pardo **10:**265
— de Alaska **10:**266
— de los cocoteros **10:**266
— de Plata **10:**87
— gris **10:**266
— grizzly **10:**265
— grizzly **14:**141, 156
— malayo **10:**266
— negro **2:**36; **10:**266
— sirio **10:**266
— tibetano **10:**266
Arizona **2:**35
lago **8:**164
oso hormiguero 10:266
osos hormigueros **2:**17
Osorio Lizarazo, José A. **4:**141
Osorio, Carlos **11:**241
Osorio, Diego de **7:**73
Osorio, Elena **14:**32
Osorio, Luis Enrique **4:**141
Osorio, Mariano **9:**34; **10:**192
Osorio, Miguel Ángel 10:267
Barba Jacob, Porfirio **2:**251
Véase Barba Jacob, Porfirio
Osorio, Oscar **12:**183
Osorio, Paulo **7:**192
Osorno 10:267
O´Higgins, Ambrosio **10:**191
Llanquihue **8:**290
Todos los Santos, lago de **13:**210
Chile **4:**40
Ospina Pérez, Mariano 10:267
biografía **10:**267
Ospina Pérez, Mariano **4:**144
Ospina, Diego de **10:**69
Ospina, Mariano **9:**310
Ospina, Pedro Nel 10:267
biografía **10:**267
Ospina, Rodríguez Mariano 10:267
bibliografía **10:**267
Ossendovski **11:**161
Ossendowski, Fernando 10:267
bibliografía **10:**267
Ossietzky, Karl von 10:267
biografía **10:**267
Ossorio y Gallardo, Ángel 10:267
bibliografía **10:**267
Ossorio, Miguel Angel **8:**282
Ostade, Hermanos Van 10:267
Isaac **10:**267
obra **10:**267
Ostende 10:268
osteoartritis tuberculosa **6:**171
osteoblastos **7:**241; **10:**263
osteógena, capa **10:**263
osteogénesis **7:**241
osteología **6:**264
osteomielitis 10:268
osteopatía 10:268
Osterö **6:**136
Osterreich (Reino del Este) **2:**166
Ostfrison, raza **6:**278
Osthoff, Hermann **8:**266
Ostia 10:268
— puerto de **12:**98
arqueología **2:**52
foro **6:**197
imperio romano **7:**275
Mónica, santa **9:**277
ostiacos **2:**70, 94
ostiacoyaniseica **2:**96
ostmark **9:**87
Ostpolitik **1:**162
ostra 10:268
— de la isla Carolina **10:**269
— del tipo Lopha cristagalli **10:**268
madreperla **9:**18
ostracismo 10:269
Tucídides **13:**280
Grecia **7:**59
Napoleón III, Luis Napoleón Bonaparte **10:**39
ostracodermos **6:**308
óstrakon **10:**269
Ostrava, cuenca de **3:**18; **4:**25
Ostrava-Moravska **4:**26
ostreidos **10:**268
ostricultura **10:**269
Ostriensis **3:**286
ostrogodo 10:269
bárbaros **2:**251
Croacia **4:**295
godos **7:**11
inmigración y emigración **7:**335
Italia **8:**62
Nápoles **10:**39
Ostrolenka **12:**54
Ostrovski, Alexander **12:**141
Ostwald, Wilhelm 10:269
ácido **1:**52
bibliografía **10:**269
materialismo **9:**131
Osty, Eugene **9:**185
Osuna 10:269
Cruz, Ramón de la **4:**305
Moncada, Francisco de **9:**274
Quevedo y Villegas, Francisco de **11:**253
Ribera, José de **12:**61
Tartesio **13:**123
Téllez-Girón, Pedro Alcántara **13:**153
Otago **10:**158
Otakar II, rey de Bohemia **12:**91
Organización del Tratado del Atlántico Norte (OTAN)
— bandera de **2:**243
Dinamarca **5:**126
Eslovenia **5:**301
González Márquez, Felipe **7:**21
Holanda **7:**209
Malta **9:**46
neutrones, bomba de **10:**82
Otaria **8:**227
otarios **6:**185
Otavalo 10:269
Ecuador **5:** 199
Otelo 10:269
drama **5:**170
música **10:**15
Robeson, Paul **12:**82
Rossini, Giacchino **12:**116
Shakespeare, William **12:**304
Verdi, Giuseppe **14:**55
Otero Silva, Miguel 10:269
bibliografía **10:**269
Otero Silva, Miguel **14:**46
Otero, Blas de **5:**320
Othmán **4:**236
Othón, Manuel José 10:270
biografía **10:**270
Othón, Manuel José **9:**202
otitis 10:270
sarampión **12:**226
Oto **10:**61
Otocorys alpestris **1:**198
otognéis **6:**336
Otokar I **3:**18
otomaco **7:**310
otomano
— imperio **8:**240; **12:**299
adrianópolis **1:**75
Armenia **2:**45
imperio **7:**274
Turquía **13:**295
otomazahua **10:**270
otomí 10:270
Estado de México **6:**30
indios americanos **7:**309
México **9:**197
Querétaro **11:**250
Veracruz **14:**52
Otomo, Katsuhiro **4:**171
Otompan **10:**271
Otón
Grecia **7:**61
Suetonio Tranquilo, Cayo **13:**73
Tácito, Cayo Cornelio **13:**97
Otón I el Grande 10:270
— de Sajonic **12:**160
abdicación **1:**20
Alemania **1:**159
biografía **10:**270
Edad Media **5:**207
Italia **8:**63
Nassau, casa de **10:**44
occidente, imperio de **10:**178
Sacro Imperio Romano Germánico **12:**160
Otón IV **6:**127, 221
Otón IV **7:**335
otoño 10:270
— árboles en **1:**21, **1:**346
hoja **7:**203
jardinería **8:**89
otoño **6:**28
otorrinolaringología 10:270
oído **10:**197
medicina **9:**150
otoscopio **10:**270
Otsego Lake **4:**231
Ottavia **1:**172
Ottawa 10:270
— Canadá **4:**255, 281; **10:**271
— Galería Nacional de **10:**271
Adwood, Margaret Ileanor **2:**155
geología **6:**311
Otto Leopold **13:**182, 269
Otto Runge, Philipp **1:**166
Otto von Bismarck **2:**331
Ottoboni, cardenal **4:**247
otuki **7:**309
Otumba, Batalla de 10:271
Olid, Cristobal de **10:**202
Estado de México **6:**30
México, Estado de **9:**207
Cortés, Hernán **4:**261
OUA, bandera de **2:** 243
Ouachita, bosque **2:**36; **6:**31; **10:**199
Oud, Jacobus **12:**119
Oudenarde **9:**103
Oudney **4:**17; **5:**75

Oudrid **14**:175
Oudtshorn **4**:326
Oughtred, William **11**:332; **12**:327
Ouida 10:271
ouija 10:271
Ourcq, canal del **1**:60
Ourense **6**:266
Ourique **11**:176
Ouro Priêto **2**:289; **9**:227
ousía **13**:88
Ousmane, Mahamane **10**:100
out (fuera) **2**:278
Outcault, Richard F. **4**:169; **7**:194
Ovahran **10**:230
ovales **7**:203
Ovalle, Alonso Ortiz de 10:272
bibliografía **10**:272
Chile **4**:44
Coquimbo **4**:235
Ovalle, José Tomás **11**:197
óvalo 10:271
curva **4**:334
Ovando **4**:150
Ovando, Alfredo **3**:30
Ovando, Nicolás de **3**:11; **5**:159; **11**:166
ovárica, corteza **10**:272
ovárico, dolor **10**:272
ováricos, tejidos **10**:272
ovario 10:272
— tumores de **10**:272
andrógenos **1**:273
esteroide **6**:51
flor **6**:177
planta **11**:123
ovatas **3**:317
oveja 10:272
— domésticas **10**:274
aceite **1**:45
Arizona **2**:35
Asia **2**:91
fiebre de malta **6**:149
oveja **4**:321; **8**: 168, 169; **10**:273, 274
Overbeck, Friedrich **1**:166
overdrive **2**:173
Overmyer, Robert **13**:243
Overyseel **7**:207
Ovide Decroly **5**:216, 290
Ovidio Nasón, Publio 10:275
Augusto, Cayo Julio César Octaviano **2**:160
bibliografía **10**:275
Fastos **6**:120
Filemón y Baucis **6**:154
Hidra **7**:164
hombre lobo **7**:213
metamorfosis **9**:184
Píramo y Tisbe **11**:106
Tíbulo, Albius **13**:186
Ovidio García, J. **5**:163
Oviedo 10:275
— provincia de **4**:274: **10**:33
Arias Dávila, Pedro (pedrarios) **2**:29
Asturias **2**:130
Gijón **6**:323
Núñez de Balboa, Vasco **10**:165
Ochoa Albornoz, Severo **10**:182
Onís, Federico de **10**:212
Pérez de Ayala, Ramón **11**:45
Queipo de Llano Ruíz de Saravia, José María, conde de Toreno **11**:248
universidad **13**:316
Oviedo y Baños, José de **14**:46
ovimbundo **1**:284
ovinbondu **1**:287
ovino **6**:275, 277
ovinos, ganadería **6**: 277
ovíparo
huevos **7**:241
incubación **7**:293
monotrema **9**:280
nemátodos **10**:70
petroquímica **11**:75
reptil **12**:26
saurio **12**:244
vivíparo **14**:118
zoología **14**:186
Ovis **10**:272
oviscapto **8**:6, 171
OVNIS **11**:135
ovocito **9**:169
ovocitos **10**:272
ovoforectomía **9**:168
ovoscipio **7**:293
ovovivíparos **12**:26; **14**:74
Ovra fascista **11**:150
ovulación 10:275
ovario **10**:272
contracepción **4**:228
menstruación **9**:169
óvulo 10:275
animal **1**:293
control de la natalidad **4**:229
Down, Síndrome **5**:167
embriología y embrión **5**:248
espermatogénesis **6**:13
fecundación **6**:124
flor **6**:177
ovario **10**:272
Owari **11**:170
Owen Stanley **10**:317
Owen, Daniel 10:275
biografía **10**:275
Owen, Gilberto 10:275
bibliografía **10**:275
Owen, Robert 10:275
biografía **10**:275
comunidad **4**:188
cooperativa **4**:232
escuela maternal **5**:291
Owens **14**:105
Owens, Jesse **2**:140
Owosso (Michigan) **4**:335
oxálico, ácido 10:275
Oxapampa **11**:61
Oxenstiern **4**:293
Oxford 10:275
— biblioteca **2**:312
— estatutos de **5**:207
— Movimiento de **10**:86
— raza **6**:278
anglicanismo **1**:283
Bacon, Roger **2**:209
beca **2**:273
Bridges, Robert **3**:81
Constant, De Rebecque, Benjamin Henri **4**:216
Cornforth, John Warcup **4**:250
deporte **5**:55
Duns Scotus, John **5**:179
Edad Media **5**:209
Eduardo VII **5**:213
Golding, William Gerald **7**:14
Halley, Edmund **7**:124
Hicks, sir John Richard **7**:163
Jeans, James Hopwood **8**:92
Jorge I **8**:108
Oxford, Universidad de **9**:166; **10**:5, 178, 182, 206, 275
Pearson, Lester Bowles **11**:22
penicilina **11**:38
Porter, Rodney R. **11**:172
Robinson, sir Robert **12**:84
Schöidinger, Erwin **12**:249
Young, Edward **14**:165
oxhídricos **5**:242
oxibases **7**:169
oxidación 10:276
petroquimica **11**:74
reducción **11**:321
Szent-Györgyi Albert von **13**:92
combustible **4**:258
hipoglucemia **7**:185
laca **8**:158
latón **8**:197
Leloir, Luis Federico **8**:214
oxidante **13**:82
oxidante, agente **10**:276
óxido 10:276
— de cobalto **14**:85
— de hierro **1**:350; **14**:85
— de magnesio **9**:26
— de manganeso **1**:219; **4**:309
— de nitrógeno **4**:302
— de plomo **4**:289; **8**:223
— de potasio **14**:84
— de sodio **14**:84
— de titanio **4**:309
— de Vario **2**:275
— férrico **4**:309; **7**:172; **10**:277; **13**:320
— férrico hidratado **7**:172
— férrico-ferroso **10**:277
— metálicos **7**:48; **14**:85
bario **2**:254
calcio **4**:289
esmalte **5**:301
hidrato **7**:164
metales **9**:181
refractario **11**:326
tostación **13**:233
óxido de carbono 10:276
asfixia **2**:83
explosivos **6**:99
lente **8**:223
óxido de hierro 10:277
jaspe **8**:90
ladrillo **8**:160
oxido de manganeso
óxido de nitrógeno 10:277
óxido nitroso **1**:277; **10**:277
óxidorreducción 10:277
oxidrilo **13**:112
oxígeno 10:277
— libre **2**:210
absorción **1**:37
aire **1**:123
antimonipo **1**:310
planta **11**:121
plásticos
Priestley, Joseph **11**:196
tiempo **13**:187
Tierra **13**:192
vida **14**:80
biología **2**:326
astronáutica **2**:111
atmósfera **2**:141
átomo **2**:144
azúcar **2**:204
clorofila **4**:116
cuarzo **4**:309
oxígeno **5**:36
educación física **5**:221
electroquímica **5**:242
fotosíntesis **6**:204
fuego y sus consecuencias **6**:242
gas **6**:287
hemoglobina **7**:145
hidrógeno **7**:166
hierro **7**:172
hoja **7**:203
Lavoisier, Antoine-Laurent **8**:201
luz electrica **8**:334
oxiliciferina **6**:199
oximuriático, ácido **4**:115
oxitocina **10**:334; **14**:91
oxiuro 10:278
nematelmintos **10**:70
zoología **14**:184
enfermedades parasitarias **5**:262
oxiuros o vermes **7**:143
Oxley, John **5**:77
Oxus **1**:254
Oyama, Ivao **7**:99
oyampí **7**:310
O-Yar-Kandal **12**:173
Oyola Cuéllar, Mamerto **3**:31
Oyuela, Calixto 10:278
bibliografía **10**:278
Oz, país **2**:267
Ozama, río **5**:157, 159; **12**:221
Ozanam, Antonio Federico 10:278
bibliografía **10**:278
Ozark **2**:36; **9**:245
Ozark, meseta de **10**:199
Ozark, región **9**:243
Ozenfant, Amédée **8**:210
ozono 10:278
— capa de **4**:114
— evolución de la capa de **10**:278
rayos ultravioletas **11**:307
atmósfera **2**:142
crustáceos **4**:302
freón **6**:235
Molina, Mario **9**:268
ozonosfera **6**:60
Ozores, R. **10**:303

P

P 10:279
Paap, Desiderio 10:317
bibliografía **10**:317
Paasikivi, Juho K 10:279
biografía **10**:279
Paasilinna, E. **6**:161
Paavo Nurmi **2**:140
Pabellón Rampart en Zwinger, Dresden, Alemania **1**:159
Pabli I **7**:61
Pablo **7**:136
Pablo I **10**:96
Pablo I de Grecia **13**:24
Pablo I, zar de Rusia **1**:157
Pablo II, papa Juan **13**:67, 268
Pablo III **3**:314
Pablo III **5**:273
Pablo III, Papa **10**:238
Pablo IV, papa **7**:307
Pablo VI **5**:252
Pablo, san 10:279
biografía **10**:279

cristianismo **4**:291
Éfeso **5**:223
España **5**:314
Malta **9**:46
Misiones y misioneros **9**:242
Pedro, san **11**:26
redención **11**:321
Pablo de Tebas, san **5**:275
Pablo y Antón, Joaquín 10:279
biografía **10**:279
Pablo, Luis de **5**:319
paca 10:279
pacaguará **7**:309
Pacaje
indios americanos **7**:309
Oeste **10**:187
Pacaji **2**:193
pacas **13**:180
pacasa
aymaras **2**:193
indios americanos **7**:310
Pacaya, volcán **7**:77
Paccard **1**:202
Paccard, Michel **9**:284, 285
Pacciolo, Luca **4**:223
Pacelli, Eugenio **11**:102
Pachacámac 10:281
— plataformas de **11**:188
incas **7**:292
Sol **13**:27
Pachacútec, Inca Yupanqui 10:281
incas **7**:289
Pacheco, Alonso de **5**:180; **9**:85
Pacheco, Francisco **11**:173; **14**:37, 191
Pacheco, Gregorio 10:281
biografía **10**:281
Pacheco, Johny **11**:240
Pacheco, José Emilio 10:281
bibliografía **10**:281
literatura hispanoamericana **8**:283
México **9**:202
Pacheco, María Luisa **3**:31
Pacher, Michael **1**:118
Pachic **4**:295
Pachuca de Soto 10:281
— Sierra de **10**:281
Hidalgo **7**:163
plata **11**:132
paciente **10**:79
Pacific Union Club **4**:118
Pacífico y el Golfo de California **2**:218
Pacífico, cinturón de fuego del **14**:127
Pacífico, costa del **10**:280
Pacífico, costa del **10**:304
Pacífico, Faro del **12**:182
Pacífico, guerra del 7:87
Véase Guerra del Pacífico
Latinoamérica **8**:186
Matto de Turner, Clorinda **9**:133
Prat, Arturo **11**:183
Sáenz Peña, Roque **12**:162
Pacífico, islas del
— canoas de las **5**:69
guano **7**:75
London, Jack **8**:302
negro **10**:65
Oceanía **10**:178
pingüino **11**:92
Pacífico, océano 11:280
Balboa, Vasco Núñez de **2**:223
ballena **2**:232
Bering, mar de **2**:298
Carolinas, islas **3**:255
Chinandega **4**:59
Colombia **4**:137
comercio **4**:166
Comunidad Económica Europea **4**:189
Conrad, Joseph **4**:212
Cook, James **4**:231
Coquimbo **4**:235
Corea **4**:243
corriente de Humboldt **4**:256
corrientes marinas **4**:257
Costa Rica **4**:266, 267
Curicó **4**:332
Dampler, William **5**:9
Defoe, Daniel **5**:37
descubrimientos y exploraciones geográficos **5**:73
Ecuador **5**:196
Escuintla **5**:292
Estados Unidos **6**:30
Gilbert y Ellice, islas **6**:324
hidrógeno, bomba de **7**:167
hipogloso **7**:185
Magallanes, estrecho de **9**:22
Marshall, islas **9**:110
México **9**:193
Molucas **9**:270
Pacífico, Océano **9**:83
Pascua, o Rapa Nui **11**:5
Perú **11**:58
Pitcairn, isla **11**:112
Piura **11**:114
Puerta de Oro **11**:228
Santos, Los **12**:223
satélite artificial **12**:240
Schirra, Walter M. **12**:247
pacifismo 10:281
Ducommun, Élie **5**:176
Tagore, Rabindranath **13**:100
Pacinotti **8**:66
pack-ice **2**:70
pacochas **1**:199
Pacomio, san
orden religiosa **10**:234
Tebaida **13**:133
Pacora, río **10**:300
Pácoro **2**:160
pacto 10:281
— Andino de Integración **1**:270; **3**:266
— de Familia **11**:113
— de Munich **13**:307
— de Varsovia **1**:138, 163
— de Viena **1**:331
— del Amazonas **5**:201
— del Atlántico Septentrional **5**:231; **13**:276
— Federal **13**:81
— lateranenses **11**:167
pacto internacional **10**:281
Pactolo, río **4**:281
Pacuare, río **4**:267
paddok 7:183
Paderewski, Ignacy Jan 10:282
bibliografía **10**:282
Polonia **11**:161
Rubinstein, Arthur **12**:123
Padilla Arancibia, David **3**:30
Padilla, Heberto **4**:316
Padilla, José **9**:85; **12**:27
Padilla, Juan de 10:282
biografía **10**:282
Carlos I de España **3**:248
comuneros **4**:181
Padilla, Manuel Asencio 10:282
biografía **10**:282
Padilla, María de **4**:180
padre 10:282
— del linaje humano **9**:62
bautismo **2**:268
Jesucristo **8**:100
minoría de edad **9**:235
Padre Nuestro 10:282
padres blancos **10**:237
padres de la Iglesia 10:283
cuerpo **4**:323
padres del mundo **4**:277
Padres e hijos **10**:101
Padres Peregrinos **9**:144
padrillo **3**:134
padrino y madrina 10:283
Padró, José de Diego **10**:292
Padua 10:283
— de Guayama, San Antonio de **7**:81
— Universidad de **6**:267; **14**:60
Achillini, Alessandro **1**:51
Antonio de, san **1**:316
Harvey, William **7**:131
Livio, Tito **8**:289
Palladio, Andrea **10**:293
universidad **13**:316
Paducah-Calvert, área de **8**:139
paella 10:283
paellera **10**:283
paenula **14**:64
Paéz **13**:321
Páez de Santa maría, Alonso **2**:99
Páez, Federico **5**:200, 266; **11**:166
Páez, Jorge **13**:329
Páez, José Antonio 10:283
biografía **10**:283
Apure **1**:330
González, Juan Vicente **7**:20
Latinoamérica **8**:187
Llanos, los **8**:290
Salom, Bartolomé **12**:176
Tovar, Manuel Felipe de **13**:234
Venezuela **14**:47
Páez, llaneros de **14**:25
Pafos **11**:87
Pagala, islas de **7**:106
Pagalu **7**:106
Paganini, Niccoló 10:283
obra **10**:283
Sarasate y Navascués, Martín **12**:226
Tartibi, Giuseppe **13**:123
violín, violón y violoncelo **14**:98
paganismo 10:284
masonería o francmasonería **9**:120
Tiziano Vecellio **13**:208
pagaré 10:284
banco **2**:236
crédito **4**:279
Pagel Thomson, George **13**:183
Pagliaci, Il 10:284
Véase Ópera
Leoncavallo, Ruggero **8**:228
Pagnol, Marcel 10:284
bibliografía **10**:284
Pago chico **2**:26
Pago Pago, islas **2**:117
pagoda 10:284
— budista **10**:284
— budista **11**:299
— Dali, Yunan **2**:100
— japonesa **10**:284
Pekín o Beijing **11**:29
pagos, balanzas de **10**:65
pagos, Unión Europea de **6**:84
pagro **10**:327
Pagus **5**:302
Pah o Ptah **13**:100
Pahang **10**:65
Pahissa **12**:228
Pahlavi I **8**:39
Pahlevi, Mohammed Riza **12**:81
paí mini **9**:241
paí tuyá **9**:241
Paias Wingti **10**:318
paiconeca **7**:309
paidología 10:284
zurdo **14**:192
pailebote 11:284
Pailleterie, marqués de La **5**:177
Paine, Tomás 10:284
bibliografía **10**:284
Adams, John Quincy **1**:65
deísmo **5**:39
Paine, Torres del **1**:269
Painlevé, Paul 10:285
biografía **10**:284
país 10:285
— de los Monegros **1**:340
— del hielo **8**:52
— del sol de medianoche **10**:133
— Negro **7**:36
— Vasco **2**:161; **14**:28, 117
Paisà **12**:116
paisaje 10:285
— bucólico holandés **7**:208
— nevado en Tasmania **13**:124
— otoñal de Sisley **7**:287
— urbano **2**:79
Paisaje de Juan Constable **4**:216
estilización **6**:53
viento **14**:89
paisajista **10**:285; **14**:36
Países Bajos 10:285
— bandera de **2**:241
Alemania **1**:158, 160
Bélgica **2**:281, 284
comuneros **4**:180
Euratom **6**:73
Europa **6**:80, 81
eutanasia **6**:85
Felipe I *el Hermoso* **6**:126
Felipe III **6**:127
ferrocarril **6**:141
Flandes **6**:172
Guillermo III **7**:104
Holanda **7**:204
Juliana, reina **8**:125
Maastricht **9**:5
maíz **9**:35
Patinir o Patenier, Joachin **11**:11
queso **11**:252
Siegbahn, Kai Manne **12**:316
Sumatra **13**:84
Surinam **13**:86
Países Balcánicos **8**:171
Países Exportadores de Petróleo (OPEP), Organización de **6**:260
países federales **11**:220
países no occidentales **11**:217
países republicanos **11**:193
Paisiello, Giovanni **6**:150
Paita, puerto de **11**:114

Paiva d'Andrade **1**:287
Paiva, Heliodoro de **11**:178
paja 10:285
— Mar de la **11**:173
— toquilla **13**:34
Arkansas **2**:36
Pasto **11**:9
Pajares, pico **2**:130
pajarita de las nieves **10**:98
pájaro 10:286
— albañil **10**:98
— conirrostro **11**:104
— *de barro* **5**:230
— fringílido **7**:231; **11**:100
— mosca **10**:98
— sastre **2**:179; **10**:98
avión **2**:190
hornero **7**:229
pájaro bobo 10:286
Véase Pingüino
pájaro carpintero 10:286
pájaro culebra 10:286
Pájaros de América **2**:159
paje 10:286
caballería, órdenes de **3**:131
Pajou, Augustin **6**:229
Pak Chong-hwa **4**:247
Pakistán 10:286
— bandera de **2**:241
— Oriental **2**:245
— Occidental **2**:245
Afganistán **1**:90
algodón **1**:182
Beluchistán **2**:287
Bhutto, Benazir **2**:307
Bengala **2**:292
dravidiano, lenguaje **5**:172
Egipto **5**:225
Gandhi, Mohandas **6**:279
Gujarat **7**:108
hinduísmo **7**:180
India **7**:301
Indostán **7**:316
Irán o Persia **8**:35
Jinnah, Mohammed Alí **8**:103
Karachi **8**:134
Lahore **8**:165
Pamir, Meseta de **10**:297
Penjab o Punjab **11**:38
pakoyoqs **7**:290
palabra 10:287
— aguda **1**:47
— esdrújula **1**:47
— grave **1**:47
— sobreesdrújula **1**:47
acento gramatical **1**:47
gramática **7**:30
primario **11**:198
propaganda **11**:214
verso **14**:59
Palabras de un combatiente (Paroles d'un combattant) **2**:252
palacio 10:287
— de Ajuda **11**:177
— de Ámbar **5**:244
— de Augusto **13**:121
— de Bellas Artes de México **13**:109
— de Bogor **13**:24
— de Buckingham, residencia de los monarcas británicos **7**:33
— de Cassel **2**:277
— de Cnossos **7**:59
— de Guimaraes **11**:177
— de Jaipur, India **2**:93
— de Kyongbokkung **4**:243
— de la ciudad de Amberes, Bélgica **1**:224
— de la Franesina **11**:102
— de la Paz **7**:134
– de la Sociedad de las Naciones **6**:325
— de las Naciones Unidas en Ginebra, Suiza **6**:325
— de las Tullerías **5**:45
— de Letrán **13**:12
— de Linderhof en Oberammergau **10**:172
— de los Abades **1**:143
— de los sarcófagos **13**:206
— de Mármol de Djahán **1**:101
– de Minería 13:214
— de Nabucodonosor, Babilonia **2**:208
— de San José **13**:325
— de Sans Sonci (Potsdam) **6**:125
— de Torre Tagle **8**:260
— de Versalles **5**:209
– del Escorial **7**:26
— del Maharajá de Rajastán **2**:89
— Ducal, Gran Consejo del **13**:199
— en Aviñón, Francia **2**:190
— Fez, Marruecos Palacio y Sojo, Feliciano **3**:23
— Holfburg, Austria **2**:165
— Legislativo **13**:328
— Municipal de Tlaxcala **7**:190
— Municipal, Mérida **9**:174
— Nacional de Madrid **9**:167
— Nacional de México **9**:204, 206
— Pitti **3**:90
— pontificio **8**:234
— Potala **2**:95; **8**:239; **13**:185
— Presidencial **7**:114
— Real de Slottet **10**:133
— Real, Madrid **9**:20
— Rusia zarista **10**:288
— Shounbroune, Viena, Austria **2**:168
— Torre Tagle, Lima, Perú **7**:187
— Torres Tagle **8**:260
— Viejo **2**:48
— Wadi Dhar **14**:162
Monte Albán **9**:286
Pekín o Beijing **11**:29
Palacio Fajardo, Manuel 10:288
biografía **10**:288
Palacio Valdés, Armando 10:288
bibliografía **10**:288
España **5**:320
Palacio, Pablo **5**:201
Palacios Salazar y Vozmediano, Catalina **4**:6
Palacios y Blanco, María Concepción de **3**:22
Palacios y Sojo, Pedro **14**:47
Palacios, Alfredo L 10:288
biografía **10**:288
Palacios, Pedro Benjamín 10:288
Véase Almafuerte **10**:288
Argentina, República **2**:25
paladar 10:288
Palade, George Emil **4**:97, 108; **12**:132
paladio 10:288
palafito 10:288
Véase Vivienda
vivienda **14**:111
Palafox, José 10:288
biografía **10**:288
Palaiápolis **1**:253
Palais Royal
Moliére **9**:268
París **10**:328
Palamas, Kostes **7**:62
Palamedes **13**:96
palanca 10:289
— tipos de **10**:289
Arquímedes **2**:53
física **6**:167
freno **6**:234
máquina **9**:72
Palancia, río **12**:164
palanquín 10:289
Palaos, isla de **10**:179
Palas (asteroide)
asteroides **2**:105
astronomía **2**:124
Palas (monstruo) **7**:164
Palas Atenea (diosa)
bandera **2**:238
búho **3**:101
Minerva **9**:233
Palas Atenea **9**:233
victoria **14**:77
palas o paletas **7**:140
palatina **3**:11; **7**:276
Palatinado 10:289
— alemán **14**:131
— del Rin **9**:59
— Renano o Bajo Palatinado **10**:289
— RenanoHessen **2**:213
— territorio **2**:269
Palatino
arco de triunfo **1**:351
imperio romano **7**:275
Otón I *el Grande* **10**:270
Quirinal **11**:267
Roma **12**:97
Palau, islas 10:289
— bandera de **2**:241
— ostra en **10**:269
Carolinas, islas **3**:255
Palawan **6**:155
Palazzeschi **8**:65
Palazzo Chiericatti **10**:293
palé **10**:204
Paleártica, región **8**:36; **14**:180
Palembang **13**:83
Palena **8**:165
Palena, río **4**:37
Palencia ciudad **10**:290
Palencia provincia **10**:290
España **5**:309
León **8**:224
Ponce de León, Juan **11**:166
universidad **13**:316
Palencia, Alonso de **8**:49
Palenque 10:290
Véase Mayas
adoración del Sol **1**:74
arqueología **2**:52
Chiapas **4**:31
mayas **9**:140
pirámides de México y América Central **11**:106
paleoacantocéfalos **1**:42
Paleoasiático **2**:70, 96; **8**:216
paleobotánica **3**:56
paleoceno 10:290
Véase Geología
— animales del **6**:309
Paleocrístico, Mar **6**:25
Paleogeografía **10**:290
paleognatos **10**:253
paleografía 10:290
abreviatura **1**:33
arqueología **2**:50
paleolítico 10:290
— inferior **2**:50
— europeos **6**:219
— superior **7**:66
comunicaciones **4**:182
Lascaux **8**:178
pintura **11**:95
prehistoria **11**:186
puntas de flecha **6**:175
Véase Prehistoria
Paleólogo, Constantino **2**:333
Paleólogo, Manuel, emperador, Bizancio **2**:269
Paleólogo, Miguel **2**:333
paleontología 10:290
— anfibios **10**:291
— aves **10**:291
— clasificación **10**:291
— estudio de los fósiles **10**:291
— invertebrados **10**:291
— mamíferos **10**:291
— reptiles **10**:291
— vegetales **10**:291
— vertebrados **10**:291
Cuvier, George **4**:335
Evolución, teoría de la **6**:89
filogenia **6**:156
gigante **6**:323
Teilhard de Chardin, Pierre **13**:139
yacimiento **14**:159
Paleontológico Botet, museo, Valencia **9**:155
paleontólogos **8**:5
Paleotectónica y geografía **5**:98
Paleozoica, Era 10:291
eras **5**:273
extinción **6**:104
geología **6**:308, 309
paleontología **10**:291
Véase Geología
paleozoicos **4**:311
Palermo 10:291
— golfo de **10**:291; **12**:314
— Sicilia **12**:90
Buenos Aires **3**:97
hipódromo **7**:184
Italia **8**:62
unversidad **13**:316
Palés Matos, Luis 10:292
bibliografía **10**:292
Latinoamérica **8**:190
Puerto Rico **11**:237
Palés, Vicente **11**:237
Palestina 10:292
— pacificación de **7**:336
Abdullah, Ibn-Hussein **1**:21
acueducto **1**:59
Agnon Semuel Yosef **1**:100
arqueología **2**:51
Asch, Sholem **2**:80
asfalto **2**:82
Asia **2**:96
Begin, Menaheim **2**:277

Ben–Gurion, David **2**:289
Bernadotte, conde Folke **2**:302
comerciantes palestinos **10**:293
cristianismo **4**:291
Cruz Roja **4**:304
ermitaño **5**:275
Ezequiel **6**:106
fariseos **6**:117
Filisteo **6**:156
Galilea **6**:267
Gaza, franja de **6**:295
Hechos de los Apóstoles **7**:137
Herodes **7**:155
Israel **8**:55, 56
Jericó **8**:95
Jerusalén **8**:96
Jesucristo **8**:98
Jordán **8**:107
Jordania **8**:108
Josué **8**:110
judaísmo **8**:118
Judea **8**:119
Lagerlöf, Selma **8**:163
Macabeos **9**:5
Muerto, mar **9**:323
Peres, Shimon **11**:44
Sinaí **12**:330
sionismo **12**:336
Siria **13**:7
Sodoma **13**:24
Tabor **13**:96
Talmud **13**:108
Tierra Santa **13**:193
vestido **14**:66
Zweig, Arnold **14**:192
Palestrina, Giovanni Pierluigi da 10:293
Italia **8**:66
motete **9**:312
palheiro **14**:117
palí **8**:217
paliativo anticanceroso **1**:274
Palikir **9**:216
palillo caminador **9**:226
palimpsesto 10:293
Palindroma **2**:59
palio **2**:79
Palisandro **9**:15
Palissy, Bernard 10:293
biografía **10**:293
Tapia y Rivera, Alejandro **13**:115
Palk, Estrecho de **7**:295
palla **14**:64
Palladio, Andrea 10:293
obra **10**:293
Jones, Íñigo **8**:106
Palladio, estilo ordenado de **7**:44
Palladlo **8**:66
pallidum **10**:330
pallium **14**:64
pallta **1**:113
palma **10**:294
palma brava **9**:12
palma datilera **2**:10, 91; **8**:36
palma de babasú **1**:221
Palma de Mallorca 10:294
baño **2**:248
Jovellanos, Gaspar Melchor de **8**:111
Mallorca **9**:44
reja **12**:5
Weyler, Valeriano **14**:147
Palma de Oro, Cannes, Festival de **9**:44
Palma di Cesnola, Luigi **9**:192
Palma *el Joven* **12**:194
palma o palmo **9**:190
Palma, Álvaro da **11**:178
Palma, Andrea **9**:203
Palma, Arturo Alessandri **4**:42
Palma, Iacopo d'Antonio Nigretti 10:294
obra **10**:294
Palma, José Joaquín **12**:184
Palma, Ricardo 10:293
bibliografía **10**:293
Quirós, Ángel Fernando de **11**:269
Perú **11**:62
romanticismo **12**:106
Soto, Hernando de **13**:44
palmáceas **4**:124; **10**:295; **11**:289
palmacristi **12**:64
palmas **5**:12
palmas de cocos **7**:121
Palmas de Gran Canaria, Las 10:294
Palmas, Las 10:294
palmatinervadas **7**:203
palmella **7**:309, 310
Palmella, George Louis **5**:178
Palmer **4**:254; **9**:216
palmera 10:294
— de cocos **4**:124
aceite **1**:46
árbol **1**:345, 346
copra **4**:234
papaya **10**:314
Palmerin de Inglaterra **8**:253
Palmerines **8**:253
Palmerston, Henry John Temple, Vizconde de 10:295
biografía **10**:295
Victoria I **14**:77
palmiche **10**:295
Palmieri, Charlie **11**:240
palmípeda
alcatraz **1**:146
biguá **2**:321
colimbo **4**:135
golondrina de mar **7**:17
mergo **9**:174
sula **13**:82
Palmira ciudad antigua **10**:295
— ruinas de **10**:295
— Reina de **14**:176
Palmira ciudad (Colombia) **10**:295
Palmira municipio (Cuba) **10**:295
acueducto **1**:59
Arabia Saudita **1**:335
Valle del Cauca **14**:20
Palmireno **5**:112
palmitina **1**:46; **9**:91
palmito 10:295
Palmos, isla de
Juan Evangelista, san **8**:114
Nuevo Testamento **10**:160
palni, montes **7**:296
Palntagenet, Enrique de **6**:221
palo **9**:12
Palo Blanco **13**:138
palo borracho o bitaca 10:296
palo de campeche 10:296
extracto **6**:105
Palo de hierro **9**:15
palo de rosa 10:296
madera **9**:15
mobiliario y mueble **9**:255
palo dulce **10**:257
Palo Hincado **5**:160
Palo santo **9**:15
palo verde **2**:35
Palo Verde **5**:257
paloma 10:296
— en su nido **10**:97
— isla de **10**:251
— Virgen de la **9**:19
ave **2**:182
avicultura **2**:189
Palomar, monte, California **14**:86
palometa **11**:107
palomita de maíz **9**:36
Palomo, Cerro del **10**:193
Palos de la Frontera 10:296
Palos de Moguer, puerto de **1**:134; **10**:297
Palos, puerto de **4**:147; **11**:100
Palouse **7**:262
Palovic, Cehor Anton **4**:163
palpos **9**:102
palta 10:297
indios americanos **7**:310
Véase Aguacate
palto **1**:113
paludamentum **14**:64
paludismo 10:297
— ciclo biológico del plasmodio del **10**:297
animal **1**:296
Cruz, Oswaldo **4**:305
enfermedades de la infancia **5**:261
enfermedades parasitarias **5**:262
epidemia **5**:269
Golgi, camillo **7**:16
kala–azar **8**:131
Laveran, Charles–Louis–Alphonse **8**:201
Liverpool **8**:289
Loeffler, Friedrich **8**:299
mosquito **9**:311
Sydenham, Thamas **13**:91
Wagner von Jauregg, Julius **14**:138
Paluviole **7**:106
Pamir, Meseta de 10:297
— meseta de, o *tejado del mundo* **2**:84
— sistemas orográficos de **12**:136
agricultura **1**:107
Amú–Daria **1**:254
Asia **2**:85
Rusia **12**:137
Sinkiang **12**:335
Pamoranes **13**:108
pampa 10:297
— seca **2**:15
América del Sur **1**:240
Güiraldes, Ricardo **7**:107
Pampa, La 10:298
— del Tamarugal **13**:118
— ganado en **2**:19
— Grande, combates de **6**:52
— historia **10**:298
América del Sur **1**:239
araucanos **1**:344
Argentina, República **2**:25
pámpano 10:298
Pampas **2**:192; **6**:292
pampas argentinas **2**:185
pampas de Ayacucho **2**:193
pampeanos **7**:311
pamplemusa **13**:225
Pamplona (Colombia) **10**:298
Ramírez Villamizar, Eduardo **11**:294
Pamplona (España) **10**:298
Rodrigo, don **12**:91
Sarasate y Navascués, Martín **12**:226
Zumalacárregui, Tomás de **14**:191
Pamyat **10**:71
pan 10:298
— clases de **10**:299
— de centeno **3**:*322*
— fabricación de **10**:299
— formas de **10**:299
harina **7**:129
levadura **8**:235
mijo **9**:221
Pan 10:298
Dafnis y Cloe **5**:6
Dionisios **5**:135
dioses paganos **5**:136
fiesta **6**:149
flauta **6**:174
máscara **9**:119
Midas **9**:218
pana **7**:202; **13**:164
Panadés **13**:122
panadizo 10:300
Panafricano, Congreso **10**:108
Panainos **1**:220
Panait Istrati **12**:132
panalemanas **4**:293
panales **1**:*22*
Panamá 10:300
— arte **10**:303
— bandera de **2**:242
— Batallones de la dignidad **10**:302
— Bocas del Toro **10**:300
— Chiriqui **10**:300
— Chitré **10**:300
— ciudad de **10**:300, 304
— clima **10**:300
— Coclé **10**:300
— Comarca de San Blas **10**:300
— comunicaciones **10**:300
— costas e islas **10**:300
— Declaración de **10**:306
— descubrimiento y conquista **10**:301
— división política **10**:300
— economía **10**:300
— educación **10**:300
— *El Porvenir* **10**:300
— estado de **2**:48
— flora y fauna **10**:300
— fundación de ciudades **10**:301
— gobierno **10**:300
— Golfo de **12**:223
— hidrografía **10**:300
— historia **10**:301
— Indígena cuna de **10**:303
— la Colonia **10**:301
— la República **10**:302
— la Vieja **10**:301
— Las Tablas **10**:300
— literatura **10**:303
— Los Santos **10**:300
— María Olimpia de **10**:171
— música **10**:303
— otros Gobiernos **10**:302
— Penonomé **10**:300
— primeros pobladores **10**:301

Panamá

— Tomás Herrera, precursor de la República **10**:302
— Universidad Nacional de **10**:300
— Vasco Núñez de Balboa **10**:301
— y Coiba **2**:223
— y la República de la Gran Colombia **10**:301
— zona del Canal de **10**:301, 304
agricultura **1**:107
América central **1**:234
Arias Dávila, Pedro **2**:29
audiencia **2**:157
Belalcázar, Sebastián de **2**:279
Bocas del Toro **3**:12
Chiriquí **4**:61
Coclé **4**:124
Colombia **4**:144
Colón **4**:145
comercio **4**:166
condecoración **4**:199
conferencias panamericanas **4**:203
congreso **4**:209
Contadora, grupo **4**:226
Costa Rica **4**:266
Delgadillo, Luis Abraham **5**:43
dirigible **5**:140
Drake, Francis **5**:169
educación **5**:218
escudo **5**:286
Espinosa, Gaspar de **6**:17
Esquivel Ibarra, Ascención **6**:26
Estados Unidos **6**:42
fiebre amarilla **6**:148
Gran Colombia, República de la **7**:45
Hernández, José **7**:154
Herrera, Tomás **7**:158
Hispanoamérica **7**:187
independencia **7**:295
indios americanos **7**:310
istmo **8**:58
Larrazábal, Antonio **8**:177
México **9**:200
Monroe, James **9**:281
Monteagudo, Bernardo **9**:285
perla **11**:53
Pizarro, Francisco **11**:115
Santa María la Antigua del Darién **12**:215
Santos, Los **12**:223
Sistema Económico Latinoamericano (SELA) **13**:8
sombrero **13**:34
Soto, Hernando de **13**:44
Suárez, Marco Fidel **13**:59
tamborito **13**:109
Tlatelolco, Tratado de **13**:208
Veragua **14**:53
Wheelwright, William **14**:147
Panamá, istmo de
América del Sur **1**:237
Drake, Francis **5**:169
Núñez de Balboa, Vasco **10**:164
Panamá, Canal de **10**:305
Veragua **14**:53
Panamá-Pacífico, exposición **6**:101
Panamá provincia 10:304
Panamá, Ciudad de 10:304
Latinoamérica **8**:192
Panamá, Zona del Canal de
10:305
Panamá, Canal de 10:305
— el paso del **10**:306
— en Centroamérica **1**:230
— ventajes del **10**:306
América **1**:229
Colombia **4**:140
Colón **4**:145
ruta comercial **12**:151
transportes **13**:251
Panamericana, Unión **4**:204
Panamericana, Carretera
Chiapas **4**:31
Coclé **4**:124
Colombia **4**:139
Costa Rica **4**:268
Honduras **7**:218
Otavalo **10**:269
Panamericana, Exposición **6**:101
Panamericana, IX Conferencia **10**:267
panamericanismo 10:306
Chapultepec, acta de **4**:21
Conferencias panamericanas **4**:204
Panamericano, movimiento **4**:204
panarabismo 10:306
Panateneas, fiestas de las
Fidias **6**:147
Herodoto **7**:156
Minerva **9**:233
Panay **6**:155
Pancalismo **11**:237
Panchatantra (Pantchatandra) **10**:307
Panchatandra **7**:303
panche **7**:310
panchen lama **13**:185
páncreas 10:307
— isletas de Langerhans en **7**:229
enfermedad **5**:261
glándula **6**:331
hipoglucemia **7**:185
obesidad **10**:173
pancreatina 10:307
pancromáticas **11**:31
panda 10:307
Pandectas **5**:59
pandemia **5**:269
pandero 10:308
danza **5**:12
pandero **8**:11
pandiónidas **2**:181
Pando 10:308
Pando, José María **8**:281
Pandora 10:308
Prometeo **11**:212
Vulcano **14**:136
Panedismo **11**:237
Panegírico **8**:54
Panel de control **13**:152
panel de instrumentos **1**:84
panenteismo **8**:147
panes **13**:265
Pánfilo de Cesarea **2**:312
Pánfilo de Narváez **1**:213
panfletos **1**:172
Pangea
extinción **6**:104
Pangea **10**:290
Pangim o Vila Nova de Goa **6**:336
pangolín 10:308
Panhadle **10**:200
Panhard **2**:171, 173
Pani, Mario
Latinoamérica **8**:195
México **9**:205
Paniagua, Cenobio 10:308
bibliografía **10**:308
Paniasis **7**:156
Panié, monte **10**:156
Panini **12**:209
Panizza, Héctor 10:308
bibliografía **10**:308
Pankhurst, Emelin **6**:128
pankration **10**:204
pano **7**:309, 310
panocho, lenguaje **9**:153
Panonia
Croacia **4**:295
ostrogodo **10**:269
Teodorico **13**:160
Panoptes **2**:28
Panormus **10**:292
Pantagruel 10:308
Véase Gargantúa y Pantagruel
pantalla **11**:323
pantalón 10:309
Pantalón **13**:205
Véase Vestido
pantanal **9**:132
pantano 10:308
— de Lerna **7**:164
Véase Embalse
Panteísmo 10:308
espiritualismo **6**:18
Giono, Jean **6**:326
Krause, Karl Christian Friedrich **8**:147
monoteísmo **9**:280
teosofía **13**:161
panteón 10:308
— del Tepeyac **7**:72
arquitectura **2**:56
Tito, Flavius Sabinus Vespacianus **13**:206
pantera
— leopardo negro **8**:229
Asia **2**:90
Laos **8**:173
Pantin **10**:328
pantocrátor 10:308
pintura **11**:96
pantógrafo 10:308
ferrocarril **6**:139
Pantoja de la Cruz, Juan 10:308
biografía **10**:308
pantomima 10:309
circo **4**:90
drama **5**:169
pantoténico, ácido 10:309
vitaminas **14**:108
pantufla **14**:70
Panua **10**:157
panucho 10:309
Pánuco, río
Ciudad Madero **4**:102
Mesoamérica **9**:177
México **9**:194
Tamaulipas **13**:108
Tampico **13**:110
Veracruz **14**:52
paños y telas 10:309
algodón **1**:182
pañuelo 10:309
vestido **14**:66
Paoli Marcano, Amalia **11**:239
Papá Doc **5**:182
Papá Goriot (Le Pere Goriot) *2:231*
Papá Noel 12:211
Papá piernas largas **2**:105
papa o patata 10:309
dorífora **5**:165
— del aire **10**:167
Papadiamandis, A. **7**:62
papado 10:310
— estatua del papa **10**:312
— lista cronológica de papas y antipapas **10**:312
Armenia **2**:46
arzobispo **2**:79
bula **3**:102
catolicismo **3**:297
derecho internacional **5**:61
Edad Media **5**:207
encíclica **5**:252
iglesia **7**:266
Orvieto **10**:262
papa
— Alejandro III **2**:274; **6**:124
— Alejandro VI **6**:137
— Benedicto XIII en su residencia **2**:291
— Bonifacio VIII **3**:329
— Bonifacio VIII **6**:30
— castillo de los **10**:310
— Clemente VII **3**:21, 314
— Gregorio II **3**:44
— Inocencio IV **3**:225; **6**:46
— Inocencio XII **6**:129
— Juan XXII **2**:190
— León III **3**:255
— Nicolás I **6**:187
— Paulo III **6**:5
— Paulo IV **6**:126
— Sergio **2**:275
— Silvestre II **6**:48
— Sixto IV **3**:59
— V. Benedicto XV **3**:218
papafigo 10:314
papagayo **8**:309
Papagayo, Golfo de **4**:267
Pápagos
Indios americanos **7**:309
Sonora **3**:41
papaína **10**:314
Papaloapan, río **9**:194
Papaloteca, río **7**:218
papamoscas 10:314
paseriformes **11**:5
Papandreus, Andreas **7**:61
Papanicolau, George Nicholas **3**:211
Papanin, Iván **6**:97
Papantla, México
Pirámides de México y América Central **11**:106
Tajín **13**:103
Veracruz **14**:52
Papantoniou, Zacarías **7**:62
paparegopoulos **7**:62
Papasquiaro, Santiago **5**:179
Papaver **1**:218
Papaver rhoeas **1**:218
Papaver somniferum **1**:74
papaveráceas **1**:74; **6**:179
papaya 10:314
Papeete
Polinesia Francesa **11**:153
Tahití **13**:100
papel 10:314
— diagrama del proceso de fabricación del **10**:315
— fábrica de **10**:315
— fotográfico **6**:203

— reciclado **10:**315
— sellado **12:**269
algodón **1:**182
Arecibo **1:**350
Asia **2:**98
celofán **3:**315
celulosa **3:**319
comunicaciones **4:**183
invernadero, efecto de **8:**28
madera **9:**13
Mesoamérica **9:**177
vocación **14:**124
papel moneda 10:316
conversión **4:**230
Papen, Franz von 10:316
biografía **10:**316
Rundstedt, Karl Rudolf Gerd **12:**134
paperas 10:316
parótida **10:**330
Papias **5:**111
Papila
— gustativas **7:**109
gusto **7:**109
ojo **10:**198
pelo **11:**31
piel **11:**85
papilionáceas **14:**153
papiliónidos **9:**102
Papillons **11:**239
Papin, Denise 10:316
Francia **6:**230
máquina de vapor **9:**75
técnica y tecnología **13:**136
obra **10:**316
Papin, Denise **10:**316
Papin, marmita de **5:**184
Papini, Giovanni 10:316
bibliografía **10:**316
Italia **8:**65
Papiniano **12:**103
Papiniano, Emilio 10:316
biografía **10:**316
papión 10:317
Véase Mono
papiro 10:317
— Chester Beatty **7:**137
— de Ahmés **1:**180
— de Ebers **13:**163
— Harris **1:**251
Asia **2:**91
Herculano **7:**151
jeroglífico **8:**96
loto **8:**310
manuscritos **9:**63
temple **13:**155
papo **1:**24
papúa **8:**216
Papua Nueva Guinea 10:317
— bandera de **2:**242
— Golfo de **10:**317
— familia **8:**216
Comunidad Británica de Naciones **4:**189
imperio británico **7:**275
Nueva Guinea **10:**157
Oceanía **10:**180
Salomón, islas **12:**177
papúas **14:**113
Papuasia **10:**317
pápulas **13:**194
papyrus **8:**251
paquetes o canutos **8:**171
paquidermo 10:318
tapir **13:**115
Paquier, Claudio du **11:**170
paquimeningitis **9:**167
Paquin **9:**259
Paquistán **13:**181
paquistaníes **13:**90
Paquita, río **4:**267
par 10:318
Pär Lagerkvist **13:**71
Par, teoría del **4:**231
Pará o Grão Pará 10:318
— río **10:**318
América del Sur **1:**241
Jiménez de la Espada, Marcos **8:**103
Tocantins **13:**209
parábola narración **10:**318
fábula **6:**109
usura **13:**331
parábola curva **10:**318
— trayectoria **10:**318
deporte **5:**52
paraboloide hiperbólico **9:**127
paracaídas 10:318
paracaídas **10:**319
Paracaima, sierra **14:**43
Paracas 10:319
— arte de **11:**188
— bahía de **11:**64
— tierras de **10:**320
preincaico, arte **11:**187
Paracelso, Felipe Aurelio Teofrasto Bombast von Hohenheim 10:320
biografía **10:**320
Alemania **1:**167
alquimia **1:**203
láudano **8:**197
medicina **9:**149
química **11:**261
teosofía **13:**161
paradigma **5:**214
Paradip **7:**295
Paradis, María Teresa von **3:**311
paradiseidas **10:**253
paradoja 10:320
— de D'Alembert **1:**168
Zenón de Elea **14:**177
Paradox rey 2:255
parafernales 10:320
parafina 10:320
hidrocarburo **7:**165
impermeabilización **7:**282
mimeógrafo **9:**226
paragnéis **6:**336
paragoge 10:320
Véase Figuras de Lenguaje
Paragua (Filipinas) **6:**155
Paraguaná, Península de **14:**42
Paraguarí 10:320
— batalla de **10:**320
Belgrano, Manuel **2:**285
Paraguay **10:**321
paraguas 10:320
Véase Sombrilla y Paraguas
Paraguay 10:320
— bandera de **2:**242
— división política y organización estatal **10:**321
— educación, idioma y religión **10:**321
— flora, fauna y clima **10:**321
— historia **10:**322
— patrimonio cultural **10:**322
— puerto en **12:***198*
— recursos económicos **10:**321
— vías de comunicación **10:**321
— y Bolivia, repúblicas de **7:**97
— y Río de la Plata **2:**194
academia **1:**41
agricultura **1:**108
ALALC **1:**131
algodón **1:**182
Alto Paraná **1:**208
Amambay **1:**217
América del Sur **1:**237, 242
arbitraje **1:**345
Argentina, República de **2:**19
Armendáriz, José **2:**45
Artigas, José Gervasio **2:**73
Azara, Félix de **2:**194
Belgrano, Manuel **2:**285
Bolivia **3:**26
Boquerón **3:**46
Caazapá **3:**129
Central **3:**323
chaco **4:**16
comercio **4:**167
Concepción **4:**193
Corrientes **4:**257
encaje **5:**251
escudo **5:**286
Falkner, Thomas **6:**114
Guerra Paraguayo–Boliviana **7:**98
Gutiérrez, Ricardo **7:**110
Hernandarias **7:**154
Hispanoamérica **7:**187
independencia **7:**295
indios americanos **7:**310
Irala, Domingo Martínez de **8:**34
Itapúa **8:**67
jardinería **8:**88
labranza **8:**157
Luque **8:**325
margay **9:**92
ñandú **10:**167
Olimpo **10:**205
Plata, Río de la **11:**133
Presidente Hayes **11:**193
Roa Bastos, Augusto **12:**82
Rocha, Dardo **12:**86
Rodríguez Francia, José Gaspar **12:**92
Santa cruz **12:**211
Sarmiento, Domingo Faustino **12:**229, 230
Sistema Económico Latinoamericano (SELA) **13:**8
Somoza Debayle, Anastasio **13:**36
tatú **13:**125
timbó **13:**196
Villarrica **14:**94
Zabala o Zavala, Bruno Mauricio **14:**169
Paraguay, guerra de
Flores Venancio **6:**181
globo aerostático **6:**334
Guerra del Paraguay **7:**88
Guerra Paraguayo–Boliviana **7:**97
Mansilla, Lucio Víctor **9:**60
Paraguay, río 10:323
Asunción **2:**131
Corrientes **4:**257
Formosa **6:**196
Paraguay **10:**320
Presidente Hayes **11:**193
Parahiba **1:**107
parahidrógeno **6:**321
Paraíba 10:323
paraíso 10:323
— de Mahoma **10:**93
— Terrenal **6:**240; **10:**323
Corán **4:**236
Adán, Eva y la serpiente **5:**205
Historia Sagrada **7:**194
Paraíso, El 10:323
paraje **2:**302
paralaje 10:323
— solar **13:**26
paralelas 10:323
Véase Línea
paralelepípedo 10:323
Paralelepípedo **8:**160
Véase Ortoedro
paralelinervadas **7:**203
paralelogramo 10:323
— área **10:**324
— articulado **10:**324
— de fuerza **10:**324
cuadrado **4:**307
cuadrilátero **4:**308
geometría **6:**315
prisma **11:**203
paralelos 10:324
geografía **6:**304
mapa **9:**70
parálisis 10:324
— espásticas **4:**332
almendra **1:**195
atáxia **2:**132
enfermedades mentales **5:**262
locomoción **8:**297
tabes dorsal **13:**95
parálisis infantil 10:324
Véase Poliomielitis
paralogismo **13:**24
Paramaribo 10:324
Surinám **13:**86
paramilitares, grupos **9:**223
Páramo de Cendé **8:**176
Páramo de las Gapas **9:**24
Páramo, Santiago **10:**95
Paramonga, fortaleza **11:**188
Paramount Films **5:**46
Paramusir **8:**150
Paramusir, isla **8:**150
Paraná ciudad (Argentina) **10:**325
Paraná estado (Brasil) **10:**325
agricultura **1:**108
América del Sur **1:**242
comercio **4:**166
corrientes **4:**257
curitiba **4:**333
Entre Rios **5:**268
Obligado, Rafael **10:**175
Plata, Rio de la **11:**133
San Martín, José de **12:**195
Santa Catarina **12:**210
Santa Fe **12:**214
Satiago del Estero **12:**220
Paraná, río 10:324
— de las Palmas, canal **2:**16; **10:**325
— Guazú, canal **10:**325
— Inferior, río **10:**324
— Medio, río **10:**324
— Miní, canal **2:**16; **10:**325
— Superior **7:**75
Argentina, República **2:**13
Chaco, El **4:**16

Garay, Jaun de **6**:282
Goya **7**:25
Mato Grosso **9**:132
Neembucú **10**:168
Paraguay **10**:320
Santa Fe **12**:214
Sao Paolo **12**:224
Sastre, Marcos **12**:232
Zárate **14**:174
Paranaguá **4**:333
Paranaíba, río **10**:324
Paranapanemá e Iguazú, río **10**:324
Paranayba **9**:287
Parangaricutiro **10**:327
Parangul, montes **12**:129
paranoia 10:325
electrochoque **5**:239
Monis, Antonio Cayetano de Abreu Freyre Egas **9**:277
Véase Demencia
parantihelios **10**:327
Parapití, río **7**:97
paraplejía **10**:324
parapsicología 10:325
metapsíquica **9**:185
Véase Metafísica
pararrayos 10:325
— de línea eléctrica **10**:325
— doméstico **10**:325
— portátil **13**:35
cometa **4**:168
Franklin Benmjamín **6**:233
Paraschos, A. **7**:62
parasitaria **2**:80
parasitismo
cuclillo o cuco **4**:318
degeneración **5**:38
parásito 10:325
— carcinógeno **6**:145
— intracelulares **12**:64
— temporarios **10**:326
animal **1**:296
dorifora **5**:165
elefante **5**:243
enfermedades parasitarias **5**:262
esporozoo **6**:21
fasciola **6**:120
garrapata **6**:286
gorgojo **7**:22
gusano **7**:109
helmintiasis **7**:143
insécto **8**:7
pez limpiador **10**:326
raíz **11**:290
sarna **12**:230
zoología **14**:182
parasitología
higiene **7**:175
Lent, Hermann **8**:222
medicina **9**:150
parasitosis **5**:105
parasol **14**:72
paratiroides **5**:256
parazoarios **9**:186
Parcas 10:326
adas y gnomos **7**:116
Parcerisa **11**:245
pardales **10**:98
Pardavé, Joaquín **9**:203
pardesú **14**:69
pardillo 10:326
paseriformes **11**:5
Pardo Aliaga, Felipe **8**:281
Pardo Bazán, Emilia, Condesa De 10:326
bibliografía **10**:326
cuentos infantiles **4**:320
feminismo **6**:128
Galicia **6**:266
literatura **8**:279
mujer **9**:327
Zeno Gandía, Manuel **14**:176
Pardo y Aliaga, Felipe **11**:62
Pardo, Manuel 10:326
biografía **10**:326
Pardo, monte del **9**:19
Paré, Ambroise 10:327
biografía **10**:327
cirugía **4**:94
Francia **6**:229
hortopedia **10**:261
pareado **9**:188
Pared con cráneos de piedra **2**:197
Paredes de Nava **9**:60
Paredes, Diógenes **5**:202
Pareja Díez-Canseco, Alfredo **5**:201
Pareja y Gaínza **9**:9
Pareja, Antonio **10**:192
Pareja, Juan de **14**:37
Parellano, Arturo **5**:162
parénquima **7**:174
parénquima clorofílico **7**:202
parentesco espiritual **10**:283
paréntesis 10:327
Véase Puntuación
puntuación **11**:243
Parera, Blas 10:327
Argentina, República **2**:21
biografía **10**:327
pares de Cooper **13**:85
paresia 10:324, 327
paressí **7**:310
parestesias **5**:274
Pareto **10**:188
Pareto, Vilfredo **1**:192
Parga, Fernández de **13**:273
pargo 10:327
— común (Pargus vulgaris) **10**:327
parhelio 10:327
altocúmulo **1**:208
Pari **14**:140
Paria **4**:150
Paria, golfo de
Orinoco, río **10**:251
Venezuela **14**:47
Paria, Península de **14**:42
parias **2**:96
Pariatges **1**:271
Paricutín 10:327
Michoacán **9**:214
Volcán **14**:126
parillina **14**:175
Parimá **3**:69
Parima, sierra de **10**:250; **14**:43
Parinacotta, volcán **1**:242
París 10:327
— Academia de Ciencias de **10**:187
— Asistencia Pública de **10**:239
— Biblioteca Nacional de **12**:57
— Casa de la Ópera en **10**:215
— comuna de **4**:180, 273
— Comuna de **6**:223
— Conferencia de **12**:22
— Conservatorio de **12**:167; **13**:182, 183
— Declaración de **10**:329
— Exposición de **1**:59, 211
— Exposición Internacional de **1**:214
— Exposición Universal de **1**:226
— Instituto de Matemáticas de **10**:187
— Instituto de Paleontología Humana de **10**:172
— Nuestra Señora de **14**:99
— Ópera de **14**:138
— Panteón de **11**:244
— Sorbona de **6**:320
— Universidad de **6**:231
Acosta, Joaquín **1**:54
Aeroplano **1**:87
aluminio **1**:212
Amiens **1**:249
Arago, Dominique François **1**:339
Arco del Triunfo **13**:257
artillería **2**:75
atlas **2**:138
aventura **2**:184
Bacon, Roger **2**:209
banco **2**:235
Bernstein, Enrique León Gustavo **2**:304
caballo de Troya **3**:136
comunicaciones **4**:184
congreso **4**:209
conservatorio **4**:215
correo **4**:255
Danvila, Alfonso **5**:12
Degás, Edgard **5**:38
Delius, Frederick **5**:45
Descartes, René **5**:68
Dior, Christian **5**:135
Domeyko, Ignacio **5**:154
Dumas, Alejandro **5**:177
Eça de Queiroz, José María **5**:184
Edad Media **5**:209
Eduardo VIII **5**:213
Eiffel, torre **5**:230
Epstein, Jacob **5**:271
Escobar, Marisol **5**:281
Espronceda y Delgado, José de **6**:22
Europa **6**:81
evaporación **6**:85
exposición **6**:101
Fauchard, Pierre **6**:121
ferrocarril **6**:141
Foucault, Jean Bernard Léon **6**:205
Frade de León, Ramón **6**:210
France, Anatole **6**:211
Francia **6**:13
Freud, Sigmound **6**:237
Gauguin, Paul **6**:293
gótico **7**:25
Guridi, Jesús **7**:108
Hahnemann, Christian Frederich Samuel **7**:120
Havre, el **7**:132
Heine, Heinrich **7**:139
Helena de Troya **5**:245
hemeroteca **7**:144
Herculano, Alejandro **7**:151
hipnotismo **7**:183
Hobbs, Thomas **7**:196
Houdon, Jean Antoine **7**:233
Huidogro, Vicente **7**:245
India **7**:304
jardín zoológico **8**:86
La Condamine, Charles Marie de **8**:159
La Corbusier **8**:203
Laënns, René Theophile Hyacinthe **8**:161
Lagerkvist, Pãr Fabián **8**:163
Lam, Wilfredo **8**:166
lápiz **8**:174
Larousse, Pierre-Athanase **8**:177
Lavoisier, Antoine Laurent **8**:201
Le Mans **8**:214
Leger, Fernend **8**:210
legión de honor **8**:211
Lumiere, Auguste Marie y Louis Jean **8**:320
Lwoff, André **8**:335
Marsellesa, La **9**:110
Maugham, William Somerset **9**:133
Melva, Nellie **9**:158
Menelao **9**:166
Michelson, Alberto Abraham **9**:213
Millet, Jean Françios **9**:224
Molliere **9**:268
Monet, Claude **9**:275
Montenegro y Nervo, Roberto **9**:287
Montesquieu, Charles de Secondat, baron de **9**:288
París **4**:322; **12**:6
Pasteur, Louis **11**:8
Patton, George Smith **11**:16
Paz, tratado de **11**:20
Pérez Galdós, Benito **11**:47
porcelana **11**:170
Proust, Louis Joseph **11**:220
radio **11**:277
Reclus, Elisée **11**:315
Regnault, Henri **11**:333
Reuchlin, John von **12**:36
Reuter, agencia **12**:37
revista **12**:39
revoluciones de 1830 **12**:53
Rizal, José **12**:81
Rnault, Louis **12**:19
Robert, Nicolás Luis **12**:82
Robespierre, Maximilien Maria Isidore de **12**:83
Santa María, Andrés de **12**:215
Santoro, Claudio **12**:223
Sarasate y Navascués, Martín, llamado de **12**:227
Sas, Andrés
sastrería e industria de la confección **12**:234
Saussure, Ferdinand de **12**:244
Schweitzer, Albert **12**:250
Sena **12**:276
sitio **13**:10
Sivori, Eduardo **13**:11
sorbona **13**:42
Sors, Fernando **13**:43
Soto Jesús, Rafael **13**:44
Stein, Gertrude **13**:53
Strauss, Johann **13**:57
submarino **13**:60
tapíz **13**:116
Tárrega, Francisco **13**:122
Tébas **13**:133
Tito, Josip Broz, llamado **13**:206
Torre Eiffel **1**:209
UNESCO **13**:303

Ungaretti, Giuseppe **13:**304
Unión Europea Occidental **13:**310
Unión Postal Universal **13:**311
universidad **13:**315
Urdaneta, Rafael **13:**324
vestido **14:**67
Vicente de Paul, san **14:**75
Vigas Linares, Oswaldo **14:**91
París, Gabriel **4:**144
París, Tratados de 10:329
— 1259 **10:**329
— 1763 **10:**329
— 1783 **10:**329
— 1814 **10:**329
— 1815 **10:**329
— 1856 **10:**329
— 1898 **10:**329
— 1919 **10:**329
Congreso de Viena **4:**209
Cuba **4:**314
Estados Unidos **6:**41
Filipinas, República de **6:**155
Florida **6:**184
Francia **6:**222
Menorca **9:**169
Oceanía **10:**179
Puerto Rico **11:**231
Quebec **11:**247
Saint Pierre y Miquelón **12:**167
Paris (héroe) **10:**329
Parisatis **4:**93
parisii **10:**328
Paris-Soir **11:**51
Parita, bahía de **7:**157
Park Chung-Hee **4:**247
Park, Battery **10:**89
Park, Mungo 10:329
biografía **10:**329
Parker, Matías **8:**48
Parkinson, enfermedad de 10:329
parlamentaria **7:**335
parlamento
— británico **7:**304
— de Londres **7:**301
— en Accra, Ghana **1:**44
— Nacional, Viena, Austria **2:**168
— Socialista Unificado (SED) **7:**220
parlamento **8:**137
Véase Legislativo, Poder
Parma
— y de Plasencia, duques de **6:**118
— catedral de **2:**131
— duque de **13:**323
— María Luisa de **6:**136
conservatorio **4:**215
Po **11:**143
Pontificios, Estados **11:**167
Revoluciones de 1830 **12:**54
universidad **13:**316
victor Manuel II **14:**76
vid **14:**78
Parménides 10:330
India **7:**303
metafísica **9:**180
Platón **11:**135
Zenón de Elea **14:**177
Parmenio **1:**156
Parmeno **5:**171
Parmentier, Antonio Agustín 10:330
biografía **10:**330
Parmigiano **9:**58
parnasianismo
Díaz, Leopoldo **5:**107
France, Anatole **6:**211
Francia **6:**227
Sully Prudhomme, René François Armand, llamado **13:**83
Parnaso 10:330
Delfos **5:**42
Grecia **7:**55
Parnell, Carlos Stewart 10:330
biografía **10:**330
feniano **6:**129
Parnes **1:**59; **7:**55
Parnón y Taigeto, montes **6:**7
Pärnu **6:**57
parodia 10:330
Paros, isla de
Escopas **5:**282
Milcíades **9:**223
parótida 10:330
— glándulas **10:**316
sapo **12:**225
parotiditis 10:330
Véase Paperas
Parpalló, cueva del (Valencia) **12:**134
parque de atracciones 10:330
parques 10:330
— Ariadna **6:**325
— Batlle **2:**289
— de Asakusa **13:**211
— de Saint James **8:**303
— estatales **10:**61
— del Pionero **2:**36
— Fairmount en Philadelphia **1:**59
— forestales **6:**194
— Morazán **13:**138
— Stadt en Freiburgo, Europa **1:**128
— Taronga **1:**59
— zoológico Hagenbeck **7:**126
parque **10:**330
parques nacionales 10:331
— Atitlán **7:**77
— Banff **8:**164
— de Badland **13:**46
— de Daniel Boone **8:**139
— de Hotsprings **2:**37
— de la Cueva del Mamut **8:**139
— de las montañas Great Smoky **13:**158
— de los Alpes, Francia **6:**229
— del Gran Cañón **2:**35; **7:**45
— Katmai en Alaska **1:**136
— Petrified Forest **2:**35
Tenessee **13:**158
Parr, Thomas **1:**263
Parra Pérez, Coracciolo 10:331
bibliografía **10:**331
Parra, Félix **9:**206
Parra, Nicanor **4:**44; **8:**191
Parra, Vicente de la **7:**220
Parral, río **4:**35
Parras, Coahuila **9:**15
Parrasio 10:331
biografía **10:**331
Grecia **7:**63
pintura **11:**96
Zeuxis **14:**178
parricidio
asesinato **2:**81
homicidio **7:**214
Parrita, río **4:**267
párroco 10:332
Véase Sacerdote
parroquia de Dolores (en Guanajuato) **7:**163
Parry Murphy, William **14:**148
Parry, archipiélago de **6:**25
Parry, Milman **10:**230
Parry, sir William Edward 10:331
biografía **10:**331
Ross, sir James Clark **12:**115
Parseval **5:**139
parsi **8:**217; **14:**63
Parsifal 10:332
Grial o Graal **7:**65
ópera **10:**221
tabla o mesa redonda **13:**96
Véase Ópera
parsis 10:332
Bombay **3:**41
Zoroastro **14:**187
partenogénesis 10:332
insecto **8:**7
reproducción **12:**25
Partenón 10:332
— de Atenas **6:**147, 239
— de Nashville **13:**158
Atenas **2:**133
Grecia **7:**59
Minerva **9:**233
relieve **12:**10
partes de la oración 10:332
gramática **7:**31
Véase Oración Gramatical
Parthenos, Niké **14:**77
participación en los beneficios 10:332
participio 10:333
género gramatical **6:**301
infinitivo **7:**325
modo gramatical **9:**264
partícula
— acelerador de **1:**46
— alfa **2:**147
— alfa, energía de las **1:**170
— antinucleares **1:**292
— atómicas **1:**46; **8:**17; **11:**181, 275
— *beta* **2:**51
— contador de **14:**105
— de polvo **8:**331
— elementales, teoría de las **6:**323
— fundamentales **8:**208
— Gran unificación, teoría de las **7:**50
— Meer, Simón Van Der **9:**155
— nucleares **6:**298
— subatómicas **9:**130
— Ting, Samuel Chao Chung **13:**197
electrólisis **5:**240
positrón **1:**311
partida doble 10:333
Véase Contabilidad
partidas, las 10:333
Partido Blanco 10:333
Partido de futbol, estadio de Niedersachen **6:**256
Partido Judicial 10:333
partido político 10:333
— inconvenientes de los partidos **10:**333
— ventajas de los partidos **10:**333
partitura **4:**197
partituras **9:**159
parto 10:334
— múltiple **10:**334
Asia **2:**98
Craso, Marco Lisinio **4:**276
Mesopotamia **9:**178
Trajano, Marco Ulpio **13:**240
parvovirus 10:335
Pas de Calais, Francia **1:**106
pasa 10:335
— de Málaga **10:**335
pasacalle 10:335
Pasagarda **4:**93
Pasaje de Hoces **12:**309
pasamanería **14:**71
Pasan **4:**246
pasaporte 10:335
visado **14:**105
Pasarell, Arturo **11:**239
pasatiempo 10:335
— coleccionismo **10:**335
— construcción **10:**335
— estudio **10:**335
— juegos y deportes **10:**335
crucigrama **4:**301
curación por el trabajo **4:**331
historietas **7:**194
Pascal, Blaise 10:336
Andrik, Ivo **1:**273
biografía **10:**336
computadora **4:**179
Francia **6:**226
hidraulica **7:**164
hombre **7:**212
Huygens, Christian **7:**254
literatura **8:**274
matemáticas **9:**127
Rosellini, Roberto **12:**116
técnica y tecnología **13:**136
Pascal, principio de **10:**336
Pascasio **8:**315
Pasccucio, Donato di **8:**125
Pasco 10:336
— cerro de **10:**336
Cerro de Pascua **3:**336
Junín **8:**126
Pascoli, Giovanni
Italia **8:**65
Montale, Eugenio **9:**281
Pascua (de Resurrección) 11:5
abril **1:**35
cuaresma **4:**308
fiesta **6:**149
salmo **12:**175
Pascua, o Rapa Nui 11:5
— rebelión de **5:**97
Chile **4:**35
Hansa **7:**128
indios americanos **7:**308
lengua **8:**216
Oceanía **10:**180
Polinesia **11:**153
Pascual II **8:**29; **9:**46
Pascuccio Bramante, Donato di
estilo **6:**53
Italia **8:**65
Roma **12:**100
Paseo de la Reforma **9:**206
Paseo del Prado **8:**88
paseriformes 11:5
ornitología **10:**253
pájaro **10:**286
petirrojo **11:**70
Pasha, Emin **5:**76

Pashá, Tsmail **10:**216
Pashed, tumba (Egipto) **10:**264
Pashupatinath, templo de **10:**73
Pasifae **9:**235
Pasig, río **9:**58
Pasión de Cristo 11:5
Oberammergau **10:**172
Pasión de Cristo **11:**6
Fierabrás **6:**149
gethsemaní **6:**320
pasionaria 11:7
Paskevic, Aloiza **12:**149
Pasmore **7:**45
Paso
— Aguirre **8:**306
— Apache **9:**57
— de Calais **10:**130
— de Cortés **11:**168
— de Dover **7:**32
— de los Libres **4:**257
— de los Vientos **4:**310
— de Uspallata **1:**53
— del Norte **4:**102; **8:**116
Paso, El 11:7
Paso, Alfonso **5:**172, 320
Paso, Fernando del 11:7
bibliografía **11:**7
Paso, Juan José 11:7
biografía **11:**7
Argentina, República **2:**20
Paso y Cano, Antonio 11:8
biografía **11:**8
Paso y Troncoso, Francisco del 11:7
biografía **11:**7
matritenses, códices **9:**133
Pasolini, Pier Paolo
Bertolucci, Bernardo **2:**305
Mangano, Silvana **9:**56
Pasos, Joaquín 11:7
bibliografía **11:**7
Nicaragua **10:**95
pasos del noroeste y del noreste 11:7
Nordenskjöld, Nils Adolf Erik barón de **10:**129
pasodoble 11:8
Passaic, lago **10:**86
passé **7:**310
passepied **13:**75
Passeriforme **7:**24
Passy, Federico 11:8
biografía **11:**8
pasta
— de papel **10:**315
— dulce **10:**174
lacre **8:**159
pan **10:**298
pastas **6:**147; **7:**129
Pastaza 11:8
Puyo **11:**244
Loreto **8:**308
Pastaza, río **13:**286
Pasteaur, Louis **2:**305
Pastejé **13:**126
Pasteles, Guerra de los 11:8
Pasternak, Boris Leonidovich 11:8
biografía **11:**8
Pasteur, Luis 11:8
— Instituto **10:**96
— Liceo **12:**231
— vacunación de **7:**335
abiogénesis **1:**28
aerobiosis y anaerobiosis **1:**79
ántrax**1:**317
asépcia **2:**81
bacteria y bacteriología **2:**211
biografía **11:**8
biología **2:**327
bioquímica **2:**328
cirugía **4:**94
conservas **4:**215
enfermedad **5:**260
estereoquímica **6:**50
esterilización **6:**51
Ferran y Clúa, Jaime **6:**136
Francia **6:**230
generación espontánea **6:**299
hidrofobia **7:**166
instrumentos de laboratorio **11:**9
medicina **9:**150
Metchnikov, Elie **9:**186
microliología **9:**215
química **11:**262
rayos X **11:**307
Roux, Pierre Paul Emilie **12:**120
Schwan, Teodore **12:**250
técnica y tecnología **13:**136
terapéutica **13:**163
vacunas y sueros **14:**5
vida **14:**80
vinagre **14:**95
pasteurización 11:9
esterilización **6:**51
Pasto 11:9
— Colombia **13:**66
loreto **8:**308
Putumayo **11:**244
Pasto, región de **4:**138
Pasto, volcán **1:**268
Pastor africano cuidando el ganado caprino **6:**277
Pastor Benítez, Justo **10:**322
Pastor, Vicente **13:**127
Pastora, Edén 11:9
biografía **11:**9
pastoral 11:9
pastorales **13:**197
pastorela 11:10
pastoreo 11:10
— nómada **7:**198
— trashumante **10:**274
animal doméstico **1:**297
oveja **10:**274
pastores, adoración de los **10:**294; **14:**31
Pastrana Borrero, Misael 11:10
biografía **11:**10
Colombia **4:**144
Rojas Pinilla, Gustavo **12:**95
pastusos **9:**6
Patagones, Carmen de **10:**69
Patagonia (provincia) **11:**10
— provincia de **13:**172
Patagonia (región) **11:**10
agricultura **1:**108
Ameghino, Florentino **1:**227
América **1:**230
América del Sur **1:**239
animal doméstico **1:**297
araucanos **1:**343
Argentina, República **2:**13
culto **4:**329
Elcano, Juan Sebastian **5:**235
Fitzroy, Robert **6:**171
geología **6:**309
Malvinas, islas **9:**47
Negro, río **10:**69
pampa **10:**297
Patagonia **2:**23
Patamban, pico de **9:**214
Patanjali 11:11
Patapalo **13:**29
Patapsco, río **2:**230; **9:**117
patata 11:11
agricultura **1:**106
Arequipa **2:**8
batata **2:**265
Latacunga **8:**180
patatas **10:**309
patatas **10:**310
tubérculo **13:**279
Véase Papa o Patata
Patavium **10:**283
Patay, batallas de **8:**115
Patayan **10:**169
patente 11:11
cuarentena **4:**308
registro de la propiedad **11:**331
Véase Marcas y Patentes
pater **7:**276
pater familias **7:**276
Pater, Walter
esteticismo **6:**51
Wilde, Oscar **14:**150
Paternoster **10:**282
Patética **13:**129
Pathé, Charles **10:**137
Pathet Lao **8:**173
Patía, río **4:**137
patinaje 11:11
— de figura **11:**11
— de velocidad **11:**11
— sobre el hielo **11:**11
— sobre ruedas **11:**11
hielo **7:**170
patines
hockey sobre hielo **7:**197
mobiliario y mueble **9:**253
patinaje **11:**11
Patinir o Patenier, Joachin 11:11
obra **11:**11
escuela artística **5:**290
Patiño Ixtolinque, Pedro 11:11
obra **11:**11
Patiño, Simón Ituri 11:12
biografía **11:**12
patio 11:12
patio, método de **10:**282
Patmos, isla de **8:**171
Patna **6:**279
pato (ave) **11:**12
— blanco **11:**13
— de cresta roja **11:**13
— de eider **8:**53
— salvaje **2:**189
— silvestre **11:**13
— torcaz **11:**13
Arkansas **2:**36
ártica, región **2:**71
ave **2:**179
avicultura **2:**188
pato (juego) **11:**13
Patogenia
enfermedad **5:**260
germicidas **6:**319
patología 11:13
— celular **14:**99
— comparada **13:**14
— de las plantas **3:**56
— médica **9:**150
— mental **7:**332
— vegetal **11:**13
Cuatrecasas, Juan **4:**310
Down, sindrome **5:**167
Florey, sir Howard Walter **6:**182
higiene **7:**175
insuficiencia **8:**13
neurología **10:**80
Novoa Santos, Roberto **10:**143
teratología **13:**163
vector **14:**32
Paton, Charlie **3:**8
Patos, bahía de los **4:**150
Patos, laguna **4:**35
Patou, modista **9:**259
Patrás
— golfos de **11:**32
Andrés, san **1:**273
Grecia **7:**56, 58
patres **11:**14
patria 11:13
— Boba **6:**135
— potestad **1:**71; **9:**17
Patria Vieja, campañas de la **11:**197
patriarca 11:14
— armenio **10:**75
— cismáticos **1:**311
— testamento de los 12 **1:**325
Asia **2:**96
familia **6:**115
ganadería **6:**275
gobierno **7:**5
Grecia **7:**57
mujer **9:**324
Patricio, san 11:14
— fuente de **10:**262
biografía **11:**14
Dublín **5:**176
flor **6:**180
Irlanda (Eire) **8:**45
misiones y misioneros **9:**242
trébol **13:**258
patricios y plebeyos 11:14
curia **4:**332
imperio romano **7:**276
patriciado, decadencia del **7:**278
patrimonio 11:15
— Cultural de la Humanidad **6:**321
— Mundial **6:**300
— Natural de la Humanidad (islas Galápagos) **6:**263
contabilidad **4:**221
Véase Bienes
Patriotas de Salta, regimiento **7:**83
patriotería **11:**15
patriotismo 11:15
América del Sur **1:**245
Dorrego, Manuel **5:**166
etnocentrismo **6:**70
patrística **11:**15
Patrocio **7:**268
Patroclo **1:**99, 331
patrología 11:15
patrón o pie de injerto **7:**334
patrón oro 11:15
oro **10:**255
patrón sintomático **7:**181
patronato 11:15
Patsayev, Viktor **2:**113
Patterson, Floyd **3:**63
Patti, Adela Juana María 11:16
biografía **11:**16
Patton, George Smith 11:16
biografía **11:**16
Patuca,río **7:**218
patulina **14:**154
Patuxent, río **9:**117
Pátzcuaro 11:16

indios americanos **7**:312
México **9**:194
Michoacán **9**:214
Quiroga, Vasco de **11**:269
Tariácuri **13**:119
UNESCO **13**:304
Pau (Francia)
Bernardotte, Juan B. **2**:302
Desmaisieres, Micaela **5**:89
Francia **6**:216
Pauácume **13**:119
pauderna **7**:309
paují **11**:16
Paul Wigner, Eugene **8**:94
Paul-Bunnell, pruebas de **9**:279
Pauli, Mateo **4**:289
Pauli, Wolfgang E. **11**:16
— principio de exclusión de **11**:16; **13**:49
biografía **11**:16
Austria **2**:168
paulicianos **3**:18
Pauling, Linus Carl **11**:17
biografía **11**:17
Paulino, Suetonio **1**:102
Paulo Alfonso **11**:17
Paulo de Egina **10**:186
Paulo Emilio **7**:280; **11**:150
Paulo II **12**:100
Paulo III **11**:17
biografía **11**:17
Contrarreforma **4**:228
Farnesio **6**:118
Fracastoro, Girolano **6**:205
Ignacio de Loyola, san **7**:267
Roma **12**:100
San Pedro de Roma **12**:198
Sixtina, Capilla **13**:12
Trento, Concilio de **13**:259
Volterra, Daniel da **14**:130
Paulo IV **11**:101
Paulo IV **13**:131
Paulo IV, Papa **1**:312; **13**:259
Paulo V, papa **12**:19; **13**:165; **14**:29
Paulo VI **11**:17
abstinencia **1**:38
biografía **11**:17
concilio **4**:196
Sacro Colegio Romano **12**:160
Vaticano, Ciudad del **14**:30
Paulo, Lucio Emilio **5**:280
Paulus, Friedrich von **13**:52
paumarí **7**:310
Paunero **9**:250
Pausanias
arqueología **2**:51
Filipo de Macedonia **6**:156
Guerras Médicas **7**:99
Olimpia **10**:203
Rianos de Creta **12**:60
pauserna **7**:310
Paute, Girón **2**:203
Paute, río **2**:203
pavana **5**:13
Pavía
— batalla de **8**:63; **14**:11
— Universidad de **9**:61
Esmalcalda, Liga de **5**:301
ferias **6**:132
universidad **13**:316
Pavlov, Iván Petrovich **11**:17
biografía **11**:17
acción refleja **1**:44
comportamiento animal **4**:174
perro **11**:56
reflejo **11**:323
Pavlova, Ana **11**:17
biografía **11**:17
danza **5**:16
mujer **9**:326
Rusia **12**:142
Pavlovich Diaghilev, Sergei **13**:57
pavo **11**:17
Arkansas **2**:36
avicultura **2**:189
guaco **7**:71
Iowa **8**:32
pavo real **11**:18
Asia **2**:91
ave **2**:178
vestido **14**:66
Pavón, batalla de **11**:18
Pawnee, indios **7**:309; **10**:61
Pawtucket, Slater Mill de **12**:59
Pawtuxet, río **12**:58
Pax Augusta **2**:212
paya **7**:218
payacu **13**:118
Payador **11**:18
Santos Vega **12**:223
payagua **7**:310
payaguaes **8**:34
paya-lenca **7**:309
Payán, Eliseo **11**:18
biografía **11**:18
Payer, Julio von **11**:18
biografía **11**:18
Payette, río **7**:262
Payne, John Howard **11**:18
biografía **11**:18
Paynetownshend, Charlotte **12**:308
Payno, Manuel **11**:18
bibliografía **11**:18
México **9**:202
Payns, Hugo de **10**:236; **13**:154
Payot, Jules **1**:73
Payro, Roberto Jorge **11**:18
bibliografía **11**:18
Argentina, República **2**:26
Paysandú **11**:19
— puerto de **13**:326
Uruguay **13**:327
Payssé Reyes, Mario **13**:328
Payta **4**:166
Paz (la), Conferencia de **14**:48
paz **11**:19
— de Augsburgo **2**:159
— de Riga **2**:279
— de Shimonoseki **8**:67
Ecuador **5**:201
tratado **13**:257
UNESCO **13**:304
paz, tratado de **11**:19
— Amiens **11**:19
— Andrinópolis **11**:19
— Baden **11**:19
— Berlín **11**:19
— Brest-Litovsk **11**:19
— Carlowitz **11**:19
— Constantinopla **11**:19
— de Ciudad Juárez **9**:16
— de Addis Abeba **9**:166
— Gante **11**:20
— Lisboa **11**:20
— Londres **11**:20
— Luneville **11**:20
— Munster **11**:20
— París **11**:20
— Pleswitz **11**:20
— Ports-mouth **11**:20
— Río de Janeiro **11**:20
— Safwan **11**:20
— San Petesburgo **11**:20
— San Stefano **11**:20
— Shimonoseki **11**:20
— Versalles **6**:161; **11**:20
— Washington **11**:20
— Westfalia **11**:20
Paz Barahona, Miguel **11**:21
biografía **11**:21
Paz del Río **11**:21
Paz Estenssoro, Víctor **11**:21
biografía **11**:21
Paz Estenssoro, Víctor **3**:30
Paz Lozano, Octavio **11**:21
bibliografía **11**:21
Henestrosa, Andrés **7**:146
Latinoamérica **8**:191
literatura hispanoamericana **8**:282
México **9**:202
Michaux, Henri **9**:212
paz romana **7**:282
Paz Soldán, Mariano Felipe **11**:21
bibliografía **11**:21
Paz Soldán y Unanue, Pedro **11**:21
bibliografía **11**:21
Paz y Toledo, Alonso de la **11**:22
obra **11**:21
Paz Zamora, Jaime **3**:31
Paz, José Camilo **11**:20
biografía **11**:20
Paz, José María **11**:20
biografía **11**:20
Argentina, República **2**:23
Córdoba **4**:241
López, Estanislao **8**:306
Urquiza, Justo José de **13**:325
Paz, Juan Blanco de **4**:6
Paz, Juan Carlos **2**:27
Paz, La (Bolivia) **11**:20
Paz, La **1**:228
— Museo Arqueológico de Antropología y Etnografía de **11**:179
Paz, La (Honduras) **11**:21
Paz, La (El Salvador) **11**:21
Paz, río de la **7**:76
paz, zona de **10**:73
Pazniak, Zianon **12**:148
Pazuela, virrey **6**:273
Pazzi, la congiura de **1**:172
Pazzi **13**:12
PCUS **13**:309
Pea Patch, isla de **5**:41
Peabody Museum of Archaeology and Ethnology **9**:123
Peace, río **6**:182; **9**:9
peaje **11**:22
Pean **4**:94
Peania **5**:47
Peano, Giuseppe
Axioma **2**:192
lenguaje artificial **8**:220
Russell, lord Bertrand Arthur William **12**:150
Peanuts **4**:170
Pearl Harbor **11**:22
— bahía de **14**:160
— destructor americano en **11**:22
armada **2**:39
Asia **2**:98
Esatdos Unidos **6**:42
Guerra Mundial, Segunda **7**:95
Japón **8**:84
Roosevelt, Franklin Delano **12**:110
portaaviones **11**:172
Tōjō, Hideki **13**:211
Pearson, Lester Bowles **11**:22
biografía **11**:22
Peary **2**:71
Peary, Robert Edwin **11**:22
biografía **11**:22
descubrimientos y exploraciones geográficos **5**:78
exploraciones polares **6**:96
Peary, Tierra de **11**:301
peba **7**:310
peca **11**:23
pecado **11**:23
— original **3**:294; **11**:23, 321
Lutero, Martín **8**:326
pécari **11**:23
Argentina, República de **2**:17
artiodáctilos **2**:77
pecblenda **11**:23
actinio **1**:57
plutonio **11**:142
radio **11**:277
uranio **13**:320
Pecci, Vicenzo Gioacchino **8**:227
peces abisales **1**:28
peces *Gambusia* **9**:311
pechblenda u óxico de uranio
átomo **2**:145
bario **2**:254
Curie, Pierre y Marie **4**:332
Péchelbronn **6**:216
Pechili,Golfo de **2**:88, 98; **11**:28
Pechora **6**:75
Pecos **11**:23
— río **6**:32; **10**:87
Pecs, monte **7**:251
pectina **11**:24
jaleas y mermeladas **8**:76
pecunia **5**:131
pecus **9**:274
pedagogía **11**:24
creatividad **4**:278
cuentos infantiles **4**:320
educación **5**:214, 216
escuela **5**:288
escuela de párvulos **5**:290
Guerra Sánchez, Ramiro **7**:99
Herbart, Johann Friedrich **7**:150
Hill, Rowland **7**:178
interés **8**:16
Itten, Johannes **8**:67
Jaques–Dalcroze, Émile **8**:85
Lafinur, Juan Crisóstomo **8**:162
lectura **8**:206
Montaigne, Miguel **9**:281
paidología **10**:284
sordomudo **13**:42
Tello, Manuel C. **13**:153
vista, educación por medio de la **14**:106
pedaliáceas **1**:129
Pedang **13**:83
pedernal **11**:24
cuarzo **4**:309
Véase Sílex
Pedernales, provincia, República Dominicana **2**:250
Pedernales, río **5**:156
Pedersen **4**:275; **8**:214
Pedersen, Charles John **11**:24
biografía **11**:24

Cram, Donald James **4**:275
Lehn, Jean–Marie **8**:213
pediatría 11:24
infancia **7**:319
medicina **9**:150
Pediculus humanus **11**:102
pedigree 11:24
pedología 11:24
suelo **13**:72
Pedrarias 11:24
Véase Arias Dávila, Pedro
Pedraza, Carlos **4**:43
Pedregalejo, Málaga **9**:40
Pedreira, Antonio S. 11:24
bibliografía **11**:24
Pedreira, José Enrique **11**:239
Pedrell, Carlos **13**:328
Pedrell, Felipe 11:25
obra **11**:25
Pedro Blanes Viale **13**:329
Pedro Celestino, san **3**:314
Pedro Claver, san 11:26
biografía **11**:26
Picón Salas, Mariano **11**:82
Pedro de Le Fèvre **10**:238
Pedro de Roma, san **8**:69
Pedro *el Católico* **10**:236
Pedro *el Ceremonioso* **4**:254
Pedro *el Cruel* **1**:146, 214; **5**:177
Pedro *el Ermitaño* 11:26
Amiens, Pedro de **1**:250
cruzadas **4**:306
Edad Media **5**:207
Pedro Figari **13**:329
Pedro Flores **11**:240
Pedro González, isla **10**:300
Pedro I 11:25
biografía **11**:25
Pedro II 11:25
biografía **11**:25
Pedro I **8**:186, 189, 306
Pedro I de Servia **14**:167
Pedro I *el Cruel* **12**:298
Pedro I *el Grande* 11:25
— litografía de Pedro *el Grande* **5**:93
Palacio de Pedro el Grandde en Rusia **12**:137
biografía **11**:25
cosacos **4**:263
despotismo **5**:93
Kazán **8**:136
Mazepa, Iván Stepánovich **9**:145
Moscú **9**:309
Negro, Mar **10**:69
Nevski, Alejandro **10**:84
Rusia **12**:141
Sverdlovsk **13**:89
Tolstoi, Alek **13**:214
Pedro I, de Francia **1**:272
Pedro I, islas de
descubrimientos y exploraciones geográficos **5**:79
exploraciones polares **6**:98
Noruega **10**:133
Pedro II 11:25
biografía **11**:25
Pedro II **2**:252; **8**:261; **14**:167
Pedro II, emperador de Brasil **12**:301
Pedro II, rey **9**:220
Pedro III **5**:316
Pedro III de Aragón **10**:292; **12**:93; **14**:92
Pedro IV **9**:45; **11**:144
Pedro Juan Caballero **10**:321
Pedro Juan Caballero, ciudad de **1**:218
Pedro Mártir de Anglería **7**:193
Pedro Menéndez de Avilés **6**:40, 184
Pedro Miguel **10**:306
Pedro Moreno *el Insurgente* **2**:205
Pedro Nolasco, san **10**:238
Pedro Páramo **9**:202; **12**:129
Pedro Pazman **7**:253
Pedro Simón, fray **14**:46
Pedro V **11**:176
Pedro y el lobo **11**:211; **12**:142
Pedro y Pablo, catedral de **12**:200
Pedro y San Blas **13**:129
Pedro, príncipe don **14**:165
Pedro, san 11:26
biografía **11**:26
Andrés, San **1**:273
credo **4**:279
cristianismo **4**:293
cúpula **4**:331
Marcos, san **9**:88
Pablo, san **10**:279
papado **10**:310
Vaticano, Ciudad del **14**:29
Pedrolino **11**:86
pedúnculo
— bucal **1**:42
hoja **7**:202
Pee Dee **13**:45
Peel **14**:77
Peel, ministerio de **6**:330
Peel, sir Robert 11:26
biografía **11**:26
Peele, J. **7**:43
Peer Gynt **7**:65
pega reborda 11:27
Véase Alcaudón
Pegaso 11:27
Pegaso **2**:186
Perseo **11**:57
Piscis **11**:110
Quimera **11**:258
Pegnitz, río **10**:165
Péguy, Charles **6**:227
Pehoe, lago **1**:*269*
pehuelches **10**:298
pehuén 11:27
pehuenche
araucanos **1**:343
indios americanos **7**:309
Pei Ho, río **13**:190
Pei, río **4**:49
peinado 11:27
peinado **13**:180
peinadora 11:28
peines **11**:128
Peiping 11:28
Mao Tse–tung **9**:66
Véase Pekín **11**:28
Peipius
descubrimientos y exploraciones geográficas **5**:71
Rusia **12**:138
Peirce, Charles Sanders **12**:275
pejerrey 11:28
pejesapo 11:28
Pekín o Beijing 11:28
Asia **2**:97
autógrafo **2**:169
avicultura **2**:189
boxers, sublevación de los **3**:63
Deng Xioping **5**:49
descubrimientos y exploraciones geográficas **5**:75
enciclopedia **5**:252
Kublai Kan **8**:149
lengua **8**:216
mongol, imperio **9**:276
pato **11**:13
Tiananmen **11**:29
Polo, Marco **11**:156
ruta comercial **12**:151
Sun Yat–Sen **13**:84
Tien–Tsin **13**:190
universidad **13**:317
Pekín, hombre de 11:29
hombre **7**:212
Homo erectus **7**:215
Véase Prehistoria
pekoe **13**:130
pekoe simple **13**:130
Pelada, montaña **9**:115
peladillas **1**:195
pelagianismo **11**:15
pelagra 11:29
enfermedad **5**:261
vitaminas **14**:107
Pelamydrus plauturus **7**:164
Pelasgos
Arcadia **1**:349
Grecia **7**:58
Tesalia **13**:174
Pelayo, don 11:29
biografía **11**:29
Asturias **2**:130
Pelayo, Menéndez y **10**:208
Pelecanoididae **11**:70
Peleliu **10**:289
Peleo
Aquiles **1**:331
argonautas **2**:28
Tetis **13**:178
peletería 11:30
peletero **5**:208
Pelgrave, W. S. **5**:75
Pelias
Alcestis **1**:148
argonautas **2**:28
Medea **9**:147
pelicaniformes **10**:253
pelícano 11:30
— café **11**:31
pelícano **2**:179
plumaje **11**:141
película 11:31
— cinematográfica **4**:184
— coriácea **6**:240
— flexible en rollo **6**:203
— fotográfica **1**:182; **2**:107; **4**:184; **10**:184
audiovisual, educación **2**:158
fotograbado **6**:200
Monroe, Marilyn **9**:281
pelífera, especie **2**:17
Peligot, Eugene **9**:188
pelitre 11:31
Pella **1**:155
Pellaert, Guy **4**:170
Pellegrini, Carlos 11:31
biografía **11**:31
Argentina, República **2**:23
López, Vicente Fidel **8**:306
Roca, Julio Argentino **12**:86
Pellein, J. Ch. **4**:169
Pelletier **13**:215
Pelletier, Pierre **11**:264
Pellew, Eduard, Exmouth lord de **2**:11
Pellicer, Carlos 11:31
bibliografía **11**:31
literatura hispanoamericana **8**:282
México **9**:202
Pellico, Silvio 11:31
bibliografía **11**:31
Italia **8**:65
pelliza **14**:69
pelo 11:31
— corte sagital de un **11**:32
Pélope **13**:113
Pélope, isla de **11**:32
Pelópidas 11:32
Epaminondas **5**:269
Filipo de Macedonia **6**:156
Tebas **13**:134
Peloponeso o Morea 11:32
— Liga del **11**:33
Arcadia **1**:349
Corinto **4**:248
deporte **5**:54
Esparta **6**:7
Estigia **6**:52
Grecia **7**:54
Hidra **7**:164
jonios **8**:107
Laconia **8**:159
Micenas **9**:212
Olimpia **10**:203
Pelópidas **11**:32
Santa Alianza **12**:210
Peloponeso, guerra del
Atenas **2**:134
Esparta **6**:7
Grecia **7**:59
Jenofonte **8**:94
Isócrates **8**:54
Milo **9**:224
Peloponeso o Morea **11**:32
Rodas **12**:89
Sicilia **12**:314
Peloritani, montes **12**:313
pelota 11:33
— juego de **7**:197
— de tenis **11**:34
— vasca **11**:33
futbol **6**:255
handball **7**:127
Pelton **13**:287
peltre 11:34
Peltrón, Guillermo **3**:23
pelvis 11:35
— oval **10**:177
abdomen **1**:21
esqueleto **6**:23
pelvis **11**:34
Pelvoux **6**:213
Pemán, José María 11:35
bibliografía **11**:35
España **5**:320
Pemba, isla **14**:172
Pembina, montes de **10**:132
pemmican 11:35
Véase Tasajo
Pen Club Internacional 11:35
pena 11:35
— corporales **11**:35
— pecuniarias **11**:35
pena **5**:249
pena de muerte 11:35
criminología **4**:284
penacho **2**:66

penacho piloso **9**:226
penal de Alcatraz **11**:203
Penang **12**:334
Penang, Malaca **9**:39, 42
Penas, Golfo de **4**:37
Penaud (Francia) **2**:187
Pend Oreille, lago **7**:262
Pender, Juan 11:35
biografía **11**:35
pendiente 11:35
pendiente **1**:219
pendientes **11**:36
Pendjab **2**:95
péndulo 11:36
— diferentes tipos de **11**:37
— hidráulico **7**:168
abscisión **1**:36
compensador **4**:173
electroscopio **5**:242
escape **5**:278
Foucault, Jean Bernard Léon **6**:205
frecuencia **6**:234
metrónomo **9**:192
plomada **11**:138
reloj **12**:12
Peneda **11**:173
Penella, Manuel 11:37
obra **11**:37
Penelo **9**:334
Penélope 11:37
— ninfa **10**:299
Odisea **10**:185
Telémaco **13**:147
Peneo **5**:6
Peneo, río **11**:32
Peng Chen **12**:43
Penha, castillo de **11**:177
Penibético, Sistema 11:37
Penibética (España), cordillera **6**:76
Penibético, Sistema **10**:83
Peniche **11**:173
penicilina 11:37
— Fleming, descubrió la **6**:176
antibiótico **1**:305
Australia **2**:164
bacteria y bacteriología **2**:211
Chain, Ernst Boris **4**:17
corazón **4**:238
droga **5**:173
erisipela **5**:274
estreptomicina **6**:63
Fleming, sir Alexander **6**:176
Florey, sir Howard Walter **6**:181
Hodgkin, Dorothy Mary **7**:197
invenciones y descubrimientos **8**:25
plásticos **11**:130
química **11**:259
vacío **13**:336
penicillinm notatum **1**:305
penillanuras
geografía **6**:306
meseta **9**:176
península 11:38
— Antártica **1**:301, 302
— Arábiga **1**:331, 335; **2**:86
— Balcánica **2**:98
— de Adén **1**:67
— de Apscheron **2**:195
— de Arabia **8**:151
— de Asia **2**:100
— de Athos, Longos y Kasandra **7**:55
— de Avalón **13**:171
— de Baja California **2**:218
— de Boothia **1**:227
— de Cornualles **1**:350
— de Crimea **2**:195
— de Florida **1**:228, 229
— de Guajira **1**:238, 268
— de Kamchatka **2**:85
— de Katar **2**:217
— de Kola **2**:335; **8**:175
— de Malaca **2**:88
— de Paraguaná **1**:238
— de Salónica **2**:135
— de Taimir **2**:88
— de Yamal **8**:134
— de Yucatán **1**:134, 234
— del Indostán **1**:338
— del Labrador **1**:232
— Escandinava **2**:70
— exploradores en el Labrador **8**:154
— Helénica **8**:211
— Ibérica **1**:32, 291; **2**:223, 321; **8**:185, 325
— Ibérica **13**:73, 112, 123, 212
— Itálica **8**:216, 221
— Malaya **2**:234, 297; **13**:101
— siberiana de Kamchatka **8**:150
penitencia 11:38
— o confesión **12**:159
penitencia **8**:94
Penjab o Punjab 11:38
Penn, Sean **9**:16
Penn, William 11:38
biografía **11**:38
cuáqueros **4**:308
delaware **5**:40
Delaware **5**:41
Pennsylvania **11**:38
Revolución Estadounidense **12**:43
torre de Londres **13**:228
pennacooks **7**:309
Pennsylvania 11:38
— Capitolio del estado de **11**:39
— clima **11**:39
— economía **11**:39
— educación **11**:39
— historia **11**:39
— población **11**:39
— recursos **11**:39
— templo masón en **1**:351
— tienda *Wannamaker* en **4**:176
— tierra y recursos **11**:38
— turismo y recreación **11**:39
— Universidad de **11**:39
— vegetación y vida animal **11**:39
autopista **2**:177
cuáqueros **4**:308
delaware **5**:39
Estados Unidos **6**:33, 39
Grandes Lagos **7**:49
portaaviones **11**:172
Revolución Estadounidense **12**:43
universidad **13**:316
Penonomé **4**:124
Penrose, Roger **7**:53
pensamiento 11:40
— cristiano **9**:103
— filosófico **5**:114
— medieval **1**:176
— primitivo **11**:201
— leyes del **7**:150
educación **5**:213, 215
esencia **5**:295
lenguaje artificial **8**:219
pensamiento, flor **6**:180
Pensamientos **10**:336
Pensamiento de la nación **2**:228
Pensilvania **5**:153
pensión 11:40
desocupación **5**:91
pensiones **7**:233
pensiones militares **11**:40
pentagonales **11**:105
Pentágono
cómic **4**:170
Haig, Alexander Meigs, Jr. **7**:120
Washington, D.C. **14**:140
pentalofodonto **5**:38
Pentápolis **11**:104
Pentateuco 11:40
escriba **5**:283
judaísmo **8**:118
Moisés **9**:265
Talmud **13**:108
Torah **13**:222
pentatlón 11:40
— moderno **11**:40
olimpiada **10**:204
Pentecostés 11:41
fiesta **6**:150
octava **10**:183
salmo **12**:175
pentodo 11:41
pentodo **11**:40
pentonas **11**:263
pentotal sódico 11:41
pentóxido de fósforo **6**:199
pentóxido de nitrógeno **10**:277
Pentsao-Cang **11**:125
penumbras **5**:208
Penzias, Arno A. 11:41
biografía **11**:41
Kapitza o Kapica, Pëtr Leonidovic **8**:134
Wilson, Robert Woodrow **14**:151
Peña Morel, Esteban 11:41
obra **11**:41
Dominicana, República **5**:163
Peña Nevada
Nuevo León **10**:159
Tamaulipas **13**:108
Peña Vieja, pico **2**:130
Peña, Federico **7**:189
Peña, Rosario de la **1**:63
Peñafort, Raimundo de
Merced, Nuestra Señora de la **9**:172
orden religiosa **10**:238
Peñalara, Nudo de **9**:20
Peñalara, Pico de **7**:73
Peñalba, Rodrigo **10**:95
Peñalver, Juan **9**:191
Peñaranda **14**:94
Peñaranda, conde de **13**:163
Peñaranda, Enrique **3**:30
Peñarol **2**:73
Peñarroya **4**:242
Peñiscola **2**:291
Peñón **6**:322
Peñón de Maraguaca **1**:220
peón **13**:271
Peón y Contreras, José 11:41
— teatro **9**:174
biografía **11**:41
México **9**:203
peonía 11:41
peonza 11:41
Peoria **7**:270
Pepe Hillo **7**:26; **13**:126
Peperi **13**:326
pepinillo de mar 11:41
pepino 11:41
cucurbitáceas **4**:318
Pepirí Guazú, río **2**:13
pepita o semilla **11**:104
pepitas **10**:255
peplo 11:41
peplos **14**:63
pepónide **4**:318
pepsina 11:41
digestión **5**:119
enzimas **5**:269
fermentación **6**:133
Schwann, Teodoro **12**:250
peptasa **4**:9
pépticas **13**:301
péptidos **9**:175
peptona 11:41
alimentación **1**:186
enzimas **5**:269
pequeña industria **7**:317
Pequeña Polonia **11**:157
pequeña, buena ponedora, **2**:189
Pequeñas Antillas
— Neerlandesas **2**:78
Antillas **1**:308
Guadalupe **7**:72
Indias Occidentales, Estados Asociados de las **7**:306
San Vicente y las Granadinas **12**:200
Pequeño Atlas **2**:138; **12**:67
pequeño cultivo **7**:198
Pequeño Ermitage **12**:143
Per Abbat **4**:70
Per Borten **10**:136
per capita **5**:156; **12**:214
pera 11:42
Perak **9**:42
Peral **9**:15
peral espinoso **2**:35
Peral y Caballero, Isaac 11:42
obra **11**:42
perales **1**:346
Peralonso **13**:324
Peralta Ramos, Patricio **9**:84
Peralta y Barnuevo, Pedro 11:42
bibliografía **11**:42
literatura hispanoamericana **8**:280
Perú **11**:62
Peralta, Ángela 11:42
biografía **11**:42
Peralta, Bertalicia **10**:303
Peralta, Manuel **11**:91
peras orientales **11**:42
perca 11:43
Arkansas **2**:36
percebe 11:43
artrópodo **2**:78
Perceforest **13**:96
percepción 11:43
Perceval **8**:253; **13**:96
Perche **6**:216
pércidos **9**:175; **11**:43
Percie, Charles **6**:228
Percival Hillar, Edmundo, sir **6**:86
Percival, Archibald **12**:108
percusión

— de pedernales **1**:343
física **6**:164
fuego y sus consecuencias **6**:242
orquesta **10**:257
perforación **11**:48
sonido **13**:40
percusivos **8**:195
percutor **7**:157
Pérdicas **13**:213
perdices blancas **2**:71
Perdido, monte **11**:108
Perdido, río **6**:182
perdigón **5**:282
perdiz 11:43
— copetona **9**:114
ave **2**:179
Perdix **12**:318
Perdomo, Ángel María **5**:162
perdón 11:43
— de los pecados **11**:43
— Puerta del **7**:47
indulgencia **7**:317
Perdriel, chacras de **11**:316
Pére Lachaise, cementerio del **4**:63
Perea, Clarissa **11**:240
Pereda Asbun, Juan 11:44
biografía **11**:44
Bolivia **3**:30
Pereda, José María de 11:43
bibliografía **11**:43
España **5**:320
literatura **8**:279
Palacio Valdés, Armando **10**:288
Peregrinaciones de una paria **13**:269
peregrini **7**:278
peregrino (*Falco peregrinus*) **7**:123
peregrino **2**:181
peregrinos **13**:52
Pereira 11:44
Pereira dos Santos, Nelson **3**:77
Pereira, Aristides **3**:142
Pereira, Beato Nuno Alvares 11:44
biografía **11**:44
Pereira, Gabriel **5**:107
perejil 11:44
Perekof, istmo de **4**:283
Perelada (Gerona) **9**:331
Perelló, Canal del **1**:142
perenne **1**:276
perenne poligonácea **1**:45
perennes **8**:89; **10**:297
perénquima esponjoso o lagunoso **7**:203
Peres de Andrade, Fernao **4**:54
Peres, Shimon 11:44
biografía **11**:44
Israel **8**:58
Perestrello **4**:54, 146
Perestrello, Rafael **4**:148; **5**:75
Perestroika
comunismo **4**:191
Estonia **6**:58
Europa **6**:84
Letonia **8**:234
privatización **11**:204
Tadjikistán **13**:99
Unión de Repúblicas Socialistas Soviéticas **13**:309
Peret y Alcázar, Luis **3**:193
Peret, Benjamin **13**:87
Peretti, Felice **13**:12
Pereyns, Simón **8**:192
Pereyra, Carlos 11:44
biografía **11**:44
Camarillo de Pereyra, María Enriqueta **3**:182
leyenda negra **8**:238
México **9**:202
Pérez Balladares, Ernesto **10**:303
Pérez Barradas, Rafael **13**:329
Pérez Bonalde, Juan Antonio 11:45
bibliografía **11**:45
González Prada, Manuel **7**:21
Venezuela **14**:46
Pérez Carrillo, Francisco **10**:95
Pérez Casas, Bartolomé **12**:173
Pérez de Almarza, Andrés **9**:85
Pérez de Ayala, Ramón 11:45
bibliografía **11**:45
España **5**:320
literatura **8**:280
Ortega y Gasset, José **10**:259
Pérez de Cuéllar, Javier **6**:320
Pérez de Guzmán, Fernán 11:45
antología **1**:315
bibliografía **11**:45
España **5**:319
Pérez de Hita, Ginés 11:46
abencerrajes **1**:26
bibliografía **11**:46
Pérez de Holguín, Melchor 11:46
obra **11**:46
Pérez de la Serna, Juan **3**:264
Pérez de Montalbán, Juan 11:46
bibliografía **11**:46
Pérez de Olguín, Melchor **3**:31
Pérez de Pulgar, Hernán **13**:212
Pérez de Ribera, Ruy **10**:309
Pérez de Robles, Francisco **4**:268
Pérez de Villagrán, Gaspar **7**:189
Pérez de Zorita, Juan 11:46
biografía **11**:46
Pérez del Pulga, Hernán **8**:50
Pérez Escrich, Enrique 11:46
bibliografía **11**:46
folletín **6**:191
Pérez Esquivel, Adolfo 11:46
obra **11**:46
Pérez Galdós, Benito 11:46
bibliografía **11**:46
Electra **5**:236
España **5**:320
Gerona o Girona **6**:319
literatura **8**:279
Macho, Victoria **9**:9
Xirgu, Margarita **14**:158
Pérez Holguín, Tito **11**:180
Pérez Jiménez, Marcos 11:47
biografía **11**:47
Suárez Flammerich, Germán **13**:59
Pérez Mújica, Andrés **14**:47
Pérez Petit, Victor 11:47
biografía **11**:47
Pérez Ramírez, Juan **8**:280
Pérez Rodríguez, Carlos Andrés 11:47
biografía **11**:47
Pérez Villamil **9**:312
Pérez, Alonso **11:46**
Pérez, Antonio
Argensola, Lupercio Leonardo y Bartolomé Leonardo de **2**:12
Felipe II **6**:127
Medoza y de la Cerda, Ana de **9**:166
Pérez, Candelaria 11:45
biografía **11**:45
Pérez, Carlos Andrés
Pérez Jiménez, Marcos **11**:47
Sistema Económico Latinoamericano (SELA)**13**:8
Venezuela **14**:48
Pérez, Ernestina **4**:40
Pérez, Felipe 11:45
biografía **11**:45
Pérez, fray Juan **8**:50
Pérez, Gonzalo **11**:45
Pérez, H. Amodio **13**:286
Pérez, José Joaquín 11:45
bibliografía **11**:45
Chile **4**:42
Dominicana, República **5**:162
Vicuña Mackenna, Benjamín **14**:78
Pérez, José Julián **2**:21; **8**:177
Pérez, Juan, fray **11**:100, 272
Pérez, M. J. **10**:303
Pérez, Silverio **13**:127
Pérez, Toribio **10**:95
pereza 11:47
Pérez-Chanis, Efraín **11**:240
perezoso 11:47
— gigante **6**:309
perfectibilidad, doctrina de la **11**:211
perférica **2**:132
perfil del pozo **11**:73
perforación 11:47
— de pozos **11**:181
— mecánica **7**:157
minería **9**:232
perforadora **11**:48
perforadora **9**:76
perforantes **2**:76
performance 11:48
perfume **7**:143
perfumería 11:48
— perfumes de orígen animal **11**:48
— perfumes de orígen vegetal **11**:49
— perfumes sintéticos **11**:49
fijador **6**:151
Habana, Ciudad de la **7**:114
lavándula **8**:200
vinagre **14**:95
pergamena **8**:251
Pergamino 11:49
pergamino 11:49
cuero **4**:323
encuadernación **5**:255
libro **8**:251
manuscritos **9**:63
palimpsesto **10**:293
pluma **11**:140
Pérgamo 11:49
— en Asia Menor **7**:140
— escuela de **11**:96
arqueología **2**:51
Galeno, Claudio **6**:264
Grecia **7**:63
libro **8**:251
Neoplatonismo **10**:72
Pergolesi, Giovanni Battista 11:49
biografía **11**:49
Italia **8**:66
Peri, Jacopo **10**:215; **13**:82
Peri, Martín L. **11**:335
Periandro de Corinto **12**:321
Peribañez y el comendador de Ocaña **14**:33
periblástula **3**:6
periblémata **14**:63
pericardio 11:49
corazón **4**:236, 238
pericarditis **4**:238
pericarpo 11:49
pericarpio
semilla **12**:273
trigo **13**:263
fruto **6**:239
Pericles 11:49
Acrópolis **1**:56
alcmeónidas **1**:149
Anaxágoras **1**:262
biografía **11**:49
Atenas **2**:134
arquitectura **2**:56
Fidias **6**:147
Grecia **7**:59, 62
Hécate **7**:136
helenismo **7**:140
odeón **10**:184
Partenón **10**:332
Sófocles **13**:24
vestido **14**:63
perico 11:50
— australiano **2**:178; **2**:179
pericón 11:50
peridótica **6**:312
perieco 11:50
antiecos y periecos **1**:303
Esparta **6**:7
Grecia **7**:59
Périer Dumouriez, Charles François du **12**:49
Perier, Dunourier de **3**:41
periférico **3**:6
perífrasis 11:50
— gramaticales **11**:50
— literarias **11**:50
— verbales **11**:50
eufemismo **6**:72
perigeo
astronáutica **2**:110
Glenn, John R. **6**:332
mes **9**:175
órbita **10**:232
Périgord **10**:329
Périgord, Charles Maurice Talleyrand **1**:251
Perigord, comarca de **6**:219, 220
Perigueux **9**:281
perihelio
cómic **4**:169
Marte **9**:111
órbita **10**:232
satélite artificial **12**:238
sistema solar **13**:9
Perijá, Sierra de
Andes **1**:268
Colombia **4**:137
Zulia **14**:190
perilinfa, oído **10**:195
perímetro **11**:152
periódica **1**:251
periódico **2**:182
periódico **6**:191, 295
periódico *Daily Times* **8**:321
periódico *El hombre encadenado* **4**:110
periódico *El hombre libre* **4**:110
periódico *El Orden* **2**:322
periódico *El Universal* **8**:126
periódico *Excélsior* **13**:49
periódico *La Democracia* **12**:61

periódico *La Opinión* **14:**176
periódico *Pravda* **8:**132
periódico, movimiento **14:**75
periódicos **8:**275, 336
periodismo 11:50
— electrónico **14:**82
— en golfo Pérsico **14:**123
— político **14:**174
comunicaciones **4:**185
Eliot, Thomas Steans **5:**246
Moneta, Ernesto T. **9:**275
periodismo **11:**51
Urbina, Luis G. **13:**323
periodista
Angell, sir Norman **1:**282
Guareschi, Romano **7:**76
Lamas, Andrés **8:**166
Leguizamón, Martiniano **8:**213
London, Jack **8:**302
periodística, literatura **8:**276
periodo 11:52
— Carbonífero **1:**350
— colonial **8:**191
— cretácico **2:**136
— cuaternario **4:**202
— de crudeza **3:**290
— de Tiahuanaco I **1:**121
— de Tiahuanaco II **1:**121
— devoniano **10:**291
— Holoceno **1:**213
— Jurásico **1:**199; **2:**136, 139; **8:**35
— medieval. Nacimiento de la nación **7:**6
— Permiano **6:**104
— pérmico **6:**308
— pliosenico **2:**136
— siluriano **10:**291
— volcánico **12:**88
— geológicos **12:**88
geología **6:**307
sonido **13:**37
periostio **7:**241; **13:**156
peripatético 11:52
Aristóteles **2:**32
periscopio 11:52
ocular **10:**184
submarino **13:**62
periscopio infrarrojo 11:52
perisodáctilo 11:52
artiodáctilos **2:**77
caballo **3:**133
mamífero **9:**49
ungulados **13:**304
perispermadas **12:**273
peristilo **14:**118
peritoneo y peritonitis 11:53
helioterapia **7:**142
hipo **7:**183
intestino **8:**21
peritoneo y peritonitis **11:**52
peritos **7:**149
perjurio **13:**177
Perkin, William Henry 11:53
biografía **11:**53
tintorería **13:**198
Perkins, Jacob **7:**170
Perkins, Peter **11:**156
Perl, Martin L. 11:53
biografía **11:**53
perla 11:53
— gris **11:**53
Asia **2:**92
concha **4:**195
madreperla **9:**18
perla **8:**112
Perla de Occidente **7:**71
Perla del Sur **11:**165
Perlas, archipiélago de las **10:**300; **11:**115
Perlas, islas de las **2:**29; **10:**301
perlesía **3:**127
Perlis **9:**42
Perm, ciudad **12:**140
permaleación 11:53
permalloy **11:**54
permanganato de potasio **6:**253
permanganato potásico **1:**314
permeabilidad 11:54
— celular **11:**54
— del suelo **11:**54
— magnética **11:**53
porosidad **11:**171
textiles **13:**181
pérmico 11:54
— periodo **6:**308
braquiópodos **3:**68
permuta 11:54
cambio **3:**183
Permuta, Tratado de **9:**241
permutación 11:54
afinidad **1:**92
combinatoria **4:**160
Pernambuco 11:54
agricultura **1:**107
América del Sur **1:**242
Monteiro Lobato, José Benito **9:**287
Recife **11:**314
perné **2:**76
Perón, Juan Domingo 11:54
Aramburu, Pedro Eugenio **1:**340
Argentina, República **2:**24
bibliografía **11:**54
Latinoamérica **8:**187
Peronai, río **12:**168
peroné 11:54
esqueleto **6:**24
Perote, Cofre de **14:**52, 128
Perotti, José **4:**43
peróxido de hidrógeno **2:**336
perpendicular **10:**318
Perpendicular, estilo **7:**44
perramus **14:**70
Perrault, Charles 11:54
bibliografía **11:**54
Barba Azul **2:**250
Caperucita Roja **3:**225
Cenicienta, La **3:**320
cuentos infantiles **4:**320
Doré, Paul Gustav **5:**165
Perrault **8:**283
literatura infantil **8:**283
Monteiro Lobato, José Benito **9:**287
Perrault, Claude **6:**228, 230
Perret, Auguste **3:**214
Perrier y Segrè **13:**134
Perrin, Jean Baptiste 11:54
— experimento de **5:**241
bibliografía **11:**54
Boltzmann, Ludwig **3:**35
Francia **6:**230
Perrin, Pierre **6:**229
perro 11:54
— esquimal **2:**91
— lazarillos **3:**311
animal doméstico **1:**297
galgo **6:**265
hidrofobia **7:**166
pastoreo **11:**10
perro **4:**174; **11:**55, 56
perro de las praderas 11:56
perrotina **6:**45
Perry, almirante **2:**100
Perry, Bliss **6:**43
Perry, comodoro **14:**164
persas
— antiguo **8:**217
— imperio **9:**276
— moderno **8:**217
— sasanidas **1:**335
Afganistán **1:**90
ario **2:**30
Armenia **2:**45
arqueología **2:**50
artes industriales **2:**69
Asia **2:**94
Asunción **2:**131
Creso **4:**281
crucifixión **4:**301
cuneiforme **4:**329
drusos **5:**175
ejército **5:**232
Fenicia **6:**130
ebreo **7:**135
imperio **7:**274
indoeuropeo **7:**315
invasión **8:**22
Iraq **8:**40
Mesopotamia **9:**178
taquigrafía **13:**117
Temístocles **13:**154
Tracia **13:**238
túnica **13:**286
turquesa **13:**293
Valente, Flavio **14:**14
Perse, Saint-John 11:56
bibliografía **11:**56
persecución 11:57
— delirio de **11:**57
Latinoamérica **8:**191
Perséfone
Dionisos **5:**135
Plutón **11:**142
Proserpina **11:**216
vegetación **14:**34
Perséjone **2:**30
Perseo 11:57
Andrómeda **1:**274
concepción viginal **4:**193
constelación **4:**218
disco, lanzamiento de **5:**140
estrella **6:**61
Gorgonas **7:**22
imperio romano **7:**280
Micenas **9:**212
Vía Láctea **14:**73
Persépolis
Alejandro III **1:**156
árabes **1:**332
Irán o Persia **8:**38
libro **8:**251
Pershing, expedición militar de **14:**152
Pershing, general **14:**92
Persia 11:49
— guerra con **2:**63; **10:**96
— rey de **2:**63
— Shahriar, sultán de **9:**225
acueducto **1:**59
Aga Khan I **1:**98
Alejandro III **1:**157
árabes **1:**332
Atenas **2:**134
Avicena Abú'Ali Husayn b Sína **2:**188
azulejos y baldosas **2:**206
Baltazar **2:**230
comercio **4:**165
construcción **4:**218
Córdoba **4:**241
correo **4:**253
cristianismo **4:**291
cuneiforme **4:**329
durazno **5:**180
Edad Antigua **5:**202
escuela **5:**287
estampado **6:**45
Ester **6:**49
Firdausi, Firdusi o Firdawsi **6:**162
gacela **6:**260
gato **6:**291
Gengis Khan o Gengis Jãn **6:**301
Georgia **6:**317
hachís **7:**116
Hafez, Mohammed **7:**119
Hammurabi **7:**127
hiena **7:**170
hipódromo **7:**184
historia **7:**192
jazmín **8:**92
Jerjes II **8:**95
Kurdistán **8:**150
lapislázuli **8:**174
león **8:**226
limón **8:**261
membrillo **9:**160
mobiliario y mueble **9:**252
miniatura **9:**233
Osculati, Cayetano **10:**263
plaga **11:**116
Polo, Marco **11:**156, 157
Razin, Stenka **11:**311
religión **12:**11
retirada **12:**33
Semírames **12:**275
Siria **13:**6
Tamerlán **13:**109
tapiz **13:**116
Temístocles **13:**154
vestido **14:**62
vivienda **14:**112
Zendavesta o Avesta **14:**176
Zoroastro **14:**187
Persichini **12:**126
Pérsico, Golfo 11:57
— guardián del Golfo **10:**209
— guerra del Golfo **10:**307
Andrade, Ruy Freire de **1:**273
Arabia **1:**334
Arabia Saudita **1:**335, 336, 337, 338
Arábico, Mar **1:**338
Asia **2:**85, 87
Bagdad **2:**216
Bahrein **2:**217
Basora **2:**261
descubrimientos y exploraciones geográficas **5:**71
Emiratos Árabes Unidos **5:**249
Irán e Iraq, Guerra de **8:**34
Iraq **8:**40, 42
Kuwait **8:**151
Mesopotamia **9:**178
Omán **10:**208
perla **11:**53
Pérsico, Golfo **1:**79; **4:**159

petróleo **11**:71
Qatar **11**:245
Russell, lord Bertrand Arthur William **12**:151
semita **12**:275
Persio Flaco, Aulo 11:57
bibliografía **11**:57
persona 11:57
— persona de derecho **11**:57
— persona gramatical **11**:58
— pública **9**:54
personal **4**:279
personalidad
— geográfica **11**:331
carácter **3**:230
test **13**:175
personalización **13**:17
perspectiva 11:58
Mantegna, Andrea **9**:61
pintura **11**:94
Perspectivas 2:41
Persson, Göran **13**:71
Persuasión **2**:161
Perth **2**:162
pértiga **3**:58
Pertigalete, puerto **1**:319
pértigas **13**:250
Pertinax **12**:298
Pertini, Sandro **8**:64
Pertti Niemen **6**:161
perturbación 11:58
— del mar **9**:90
— electromagnética **6**:47
— mental **11**:224
— teóricas **7**:54
disociación (psicología) **5**:144
yodo **14**:163
pertusis **13**:232
Perú 11:58
— Alto **2**:193, 285; **8**:308; **14**:140
— arquitectura **11**:63
— bahía de **10**:319
— bandera de **2**:242
— campaña de **4**:203
— clima **11**:60
— conquista del **7**:235; **14**:18
— Corriente de **4**:256
— departamento de **7**:235
— educación **11**:61
— escudo nacional de **5**:286
— escultura **11**:63
— gobierno **11**:61
— hidrografía **11**:60
— historia **11**:64
— la costa **11**:58
— la montaña **11**:60
— la sierra **11**:59
— literatura **11**:62
— música **11**:62
— pintura **11**:63
— recursos naturales y economía **11**:60
— tradiciones **10**:293
— transportes y comunicaciones **11**:61
— virreinato de **2**:44; **4**:152; **14**:102
— virrey de **6**:323; **7**:253
academia **1**:41
acueducto **1**:61
adoración del Sol **1**:74
Aguirre, Francisco de **1**:116
agutí **1**:118
aimara **1**:121
ALALC **1**:131
Alessandri Palma, Arturo **1**:170
algodón **1**:182
Amat y Junyet, Manuel **1**:218
Amazonas **1**:220
Amazonas, río **1**:222
América **1**:229, 233
América del Sur **1**:237
Ampudia, Juan de **1**:253
Ancash **1**:263
Ancón, cultura de **1**:264
Andes **1**:268
anexión **1**:277
Ángeles, Los **1**:280
Apurímac **1**:330
arbitraje **1**:345
ardilla **1**:352
Atahualpa **2**:132
Atlántico, océano **2**:137
aymaras **2**:193
Belalcázar, Sebastián de **2**:279
Belaúnde, Víctor Andrés **2**:280
Cajamarca **3**:156
Callao **3**:176
Cerro de Pasco **3**:336
cobre **4**:121
comercio **4**:166, 167
condecoración **4**:199
cóndor **4**:200
conferencias panamericanas **4**:203
contadora, grupo **4**:226
corriente de Humboldt **4**:257
corrientes marinas **4**:258
criollo **4**:285
cuentos infantiles **4**:320
Cuzco **4**:336
docimasta **5**:152
Dorado, El **5**:165
Echenique, José Rufino **5**:185
Ecuador **5**:200
encomienda de indios **5**:253
escultura **5**:295
Fernández de Cabrera y Bobadilla, Luis Jerónimo (cuarto conde de Chinchón) **6**:134
Fujimori, Alberto Kenyo **6**:248
Gamarra, Agustín **6**:273
Garay, Juan de **6**:282
Garcilaso de la Vega, El Inca **6**:285
guano **7**:75
guaraníes **7**:76
Guerra del Pacífico **7**:87
Haya de la Torre, Víctor Raúl **7**:134
hierro **7**:172
Hispanoamérica **7**:187
hispanocolonial **7**:190
Huancavelica **7**:234
Huáscar o Tupac Cusi Hualpa **7**:235
Ica **7**:260
indios americanos **7**:308, 310
intendencia **8**:15
irrigación **8**:46
Junín **8**:126
Kalasasaya **8**:132
La Condamine, Charles Marie de **8**:159
lago **8**:164
Lamadrid, Gregorio Aráoz de **8**:166
Latinoamérica **8**:191, 192
lauricocha, cultura **8**:198
Lautaro, logia **8**:199
Lavalle, Juan Galo **8**:200
Leguía, Augusto Bernardino **8**:213
Libertad, La **8**:247
literatura hispanoamericana **8**:281, 283
llama **8**:289
Mackenna, Juan **9**:9
Madre de Dios **9**:18
Manco Inca **9**:54
Marañón, río **9**:85
Mello Franco, Afranio de **9**:159
Mendoza, Antonio de **9**:165
Misti **9**:245
mita **9**:246
momia **9**:271
montañas **9**:285
Perú **1**:238; **4**:108; **6**:189; **11**:59, 60, 61, 63, 64, 65; **13**:206
Piura **11**:114
Pizarro, Francisco **11**:114
Pizarro, Gonzalo **11**:116
plomo **11**:140
Prado, Mariano Ignacio **11**:182
Prado Ugarteche, Manuel **11**:183
Puno **11**:243
quena **11**:249
quichuas o quechuas **11**:254
quina **11**:264
republiquetas, Las **12**:27
Rodríguez, Martín **12**:91
Rodríguez Peña, Nicolás **12**:92
rumiñahui **12**:133
Santa Cruz, Andrés **12**:212
Sas, Andrés **12**:231
Sistema Económico Latinoamericano (SELA) **13**:8
soto, Hernando de **13**:44
Stuebel, Alfons Maritz **13**:58
Suárez Flammerich, Germán **13**:59
Sucre, Antonio José de **13**:65
Tacna **13**:97
Tarapoto **13**:118
tigridia **13**:195
Tlatelolco, Tratado de **13**:208
Velasco, Luis de **14**:36
vicuña **14**:78
vid **14**:79
Vilcamba **14**:92
yaraví **14**:160
Peruanoboliviana, Confederación **14**:168
Perugia **13**:184, 255
Perugino, Pedro Vannucci, el 11:65
escuela artística **5**:289
Medici **9**:149
obra **11**:65
Peruglino **14**:58
Perusa **6**:71; **13**:316
Perutz, Max Ferdinand 11:65
biografía **11**:65
Kendrew, sir John Cowdery **8**:137
Peruzzi, Baldassare **12**:105
pesado **2**:139
Pesaro **12**:116
Pésaro-Urbino **12**:193
Pesas, sistemas de **9**:190
pesca 11:66
— de la ballena **2**:232
— deportiva **11**:67
— Europa **6**:79
— industrial **11**:66
— preservación de especies **11**:67
ancla **1**:264
Asia **2**:91
lombriz **8**:301
pesca **5**:197; **11**:67
plancton **11**:118
Portugal **11**:174
red **11**:320
pescador **1**:193
Pescador **4**:315; 9:42
pescadores de atún, Canadá **2**:155
Pescara **1**:300
Pescara, Victoria Colonna, marquesa de **9**:220
pescozada **3**:131
Pesebre **4**:206
peseta 11:67
Peshkov, Aleksej Maksimovich **1**:51; **7**:23
pesimismo **8**:130, 228
peso 11:67
— medidas de peso **11**:67
átomo **2**:144
fuerza **6**:246
gravedad **7**:51
gravitación **7**:52
peso atómico 11:68
átomo **2**:144, 148
constante **4**:217
electrónica **5**:241
elemento químico **5**:244
helio **7**:142
hidrógeno **7**:166
hierro **7**:172
indio **7**:308
isótopos **8**:55
molibdeno **9**:267
peso específico 11:68
— relativo **11**:68
peso molecular **7**:166
peso troy 11:68
pesos **3**:220
Pessagno, Emanuele **5**:72
Pessoa, Fernando **11**:177
Pessoa, João **10**:323
Pest **8**:146
Pestalozzi, Juan Enrique 11:68
bibliografía **11**:68
Bakule, Frantisek **2**:221
deporte **5**:55
didáctica **5**:114
educación **5**:216, 217, 218
educación física **5**:221
escuela **5**:288
Frõbel, Friedrich **6**:239
Herbart, Johann Friedrich **7**:150
pedagogía **11**:24
Rousseau, Jean Jacques **12**:119
Suiza **13**:82
peste **4**:310; **5**:89
peste bubónica 11:69
cuarentena **4**:308
enfermedad **5**:260, 261
epidemia **5**:269
Kitasato, Shibasaburo **8**:143
rata **11**:302
peste negra 11:69
plaga **11**:116
peste vacuna **8**:93

pestíferos **4**:308
pestilenciales **13**:194
Pétain, Henry Philippe 11:69
ABD el-Krim, Mohamed ibn **1**:20
biografía **11**:69
Francia **6**:224
Gaulle, Charles de **6**:294
Guerra Mundial, Primera **7**:91
Verdún **14**:55
pétalo **6**:177; **8**:335
pétalos **6**:179; **8**:292; **11**:123
petaso **13**:34
pétasos **14**:63
Petatlán **10**:108
Petén 11:70
Itzá **8**:68
lacandón **8**:158
mayas **9**:137
quiché **11**:254
Petén Itzá, lago **7**:77
Petén, río **1**:234
Peter el Joven **3**:88
Peter Kapitsa **11**:41
Peter Kenilorea **12**:176
Peter Pan **8**:285; **11**:274
Peter Paul Rubens **12**:122, 163
Peter Paul Rubens **12**:163
Peters, C. **5**:76
Petersen **13**:82
Peterson, Donald **13**:243
petición de gracia **12**:27
Petilla de Aragón **11**:296
Petion **2**:306
Petion, Alejandro Sabés 11:70
biografía **11**:70
Boyer, Jean Pierre **3**:64
Petipa, Marius **3**:34
Petipa, Maximo **5**:16
petirrojo 11:70
ave **2**:180
petiso de polo **11**:156
Petit Bourbon **9**:268
Petit de Murar, Ulises 11:70
bibliografía **11**:70
Petit Trianon **9**:94
Petite Martinique **7**:45
Petite suite **11**:114
petit-maítre **14**:68
Petitot **13**:82
PETN **6**:100
peto **2**:43
Petöfi, Sándor 11:70
bibliografía **11**:70
Petorca **8**:199
Petra, Jordania **1**:334; **8**:107
Petra, Jordania **1**:335
Petrarca, Francesco 11:70
bibliografía **11**:70
arqueología **2**:51
Aviñón **2**:190
Balbuena, Bernardo de **2**:223
Betances, Ramón E. **2**:306
Boccaccio, Giovanni **3**:13
gato **6**:292
humanismo **7**:247
Italia **8**:65
italiano, idioma **8**:66
itálica, letra **8**:67
literatura **8**:277
madrigal **9**:20
March, Ausias **9**:86
Novés, Laura de **10**:142
numismática **10**:163
Padua **10**:283
Petrarca, Francesco **11**:70
Rienzi, Cola di **12**:67
Sade, Donatien Alphonse Françoise, marquez de **12**:161
soneto **13**:37
Toscana **13**:233
Vaticano, Ciudad del **14**:30
vestido **14**:66
petreles 11:70
mar **9**:81
Petrés, Domingo de **4**:142
petrobrusianos **11**:57
Petrodvorest **12**:143
petroglifos **4**:313; **11**:240; **14**:46
Petrogrado **13**:46, 306; **14**:131
petrografía **6**:313
Petrohué, río **4**:37
petróleo 11:70
— asfáltico **2**:82
— características **11**:72
— crudo **2**:82; **10**:320
— destilación del **6**:289
— distribución geográfica **11**:71
— elaboración **11**:72
— explotación y medios de transporte **11**:71
— formaciones petrolíferas **11**:71
— la gasolina y otros productos **11**:72
— perforación y extracción **11**:72
Abadán **1**:18
Angola **1**:285
Arabia Saudita **1**:337
Argelia **2**:10
Arkansas **2**:36
Asia **2**:92
átomo **2**:153
automóvil **2**:171
combustible **4**:162
Diesel, motor **5**:115
Edmonton **5**:212
energía **5**:257
España **5**:309
etano **6**:66
fuel oil **6**:244
gas oil **6**:289
gasolina **6**:289
gasolina sintética **6**:289
geología **6**:311
invensiones y decubrimientos **8**:28
Irán o Persia **8**:36
lámpara **8**:167
linterna **8**:268
lubricante **8**:314
mar **9**:83
Montana **9**:282
petróleo **5**:194; **8**:331; **11**:72, 73
Pittsburg **11**:114
plásticos **11**:126
Qatar **11**:245
queroseno **11**:251
Santander **12**:217
Trinidad y Tobago **13**:268
vaselina **14**:29
Venezuela **14**:44
petrolera, riqueza **9**:85
petrolero 11:73
Petronila **5**:315
Petronio, Cayo 11:73
bibliografía **11**:73
Roma **12**:103
petronita **14**:21
Petropavlovsk **8**:132, 136
Petrópolis 4:204
petroquímica 11:73
— derivados de acetileno **11**:74
— hidrocarburos aromáticos **11**:74
— los procesos petroquímicos y productos **11**:74
— subproductos sulfurados, oxigenados y nitrogenados **11**:74
petroquímica **11**:74
Petrosian, Tigran **1**:128
Petrovich Pavlov, Ivan **11**:17
Petrovich Semoro, P. **5**:75
Petrovichi **2**:100
Petrozavodsk **3**:243
Petrushka **12**:142; **13**:57
Petsamo, puerto de **6**:161
Petsamo, región septentrional de **7**:98
Petterson **9**:215
Pettoruti, Emilio **2**:27
petuntse **11**:169
Peú **7**:143
Peuerbach, Georg von **1**:167; **9**:67
Pevsner, Antoine **4**:220; **12**:144
Peynado, Jacinto B. **5**:161
peyote **3**:149
pez 11:74
— características **11**:74
— ciclóstomo **8**:168
— escómbrido **12**:17
— fisóstomo **6**:325; **11**:107
— gato **2**:35
— líquida **1**:203
— perico 4:271
lepidosirena **8**:230
pez ballesta 11:75
pez erizo 11:75
pez erizo **11**:76
pez espada 11:75
marlín **9**:103
pez espada **11**:76
pez luna 11:75
pez martillo 11:75
pez sierra 11:76
pez volador 11:76
Peza, Juan de Dios 11:76
bibliografía **11**:76
Pezet, Juan Antonio **11**:182
Pezuela, general **2**:285; **3**:29
pezuña 11:77
uña **13**:319
Pfandl, Ludwing 11:77
bibliografía **11**:77
Pfefferkorn **12**:36
Pforzheim **2**:213
pH 11:77
— definiciones **11**:77
— medición **11**:77
— pHímetro **11**:77
potenciometría **11**:180
Phalaenopsis **10**:258
Phares **2**:230
Phi Persei **5**:150
Philadelphia **11**:77
Philidor, François, André **6**:229
Philip Freneau **6**:43
Philip, Louis **12**:54
Philipon, Marie Jeanne **12**:*96*
Philippe de Commynes **6**:226
Philippi, Rodolfo Amado **4**:44
Phillips Feymman, Richard **13**:218
Phillips, curva de **8**:314
Phipps, J. C. **5**:78
Phnom Penh **3**:184
Phoenix **2**:34
Phoenix **2**:36
Phonetic Journal **11**:113
Phonographic teacher **11**:113
phot **6**:204
Phoumsavan, Novhak **8**:173
Phra Pathama **13**:103
Phrynosoma **8**:163
Physics **1**:267
pi ( ) **1 1**:78
círculo y circunferencia **4**:92
Pi y Margall, Francisco 11:78
biografía **11**:78
Pi y Suñer, Augusto 11:78
bibliografía **11**:78
pía máter **3**:332
Piacenza **13**:316
Piacoa **10**:251
Piadoso, Luis el **6**:221
Piaget, Jean 11:78
bibliografía **11**:78
piamadre **9**:167
Piamonte 11:78
América **1**:229
arroz **2**:62
comercio **4**:165
lombardos **8**:301
Montemayor, Jorge de **9**:287
North Carolina **10**:131
París, Tratados de **10**:329
Po **11**:142
Simplón **12**:329
vestido **14**:69
Pian de Carpini, Juan **5**:71
pianacotó **7**:310
pianissimo **13**:195
pianista **14**:138
Pianka-sha, mar de **5**:98
piankashaws **7**:309
piano 11:78
armonía y acorde **2**:46
armonio **2**:46
instrumento **8**:12
piano **11**:79
piapoco **7**:310
Piar, Carlos Manuel 11:79
biografía **11**:79
Ribas, José Félix **12**:61
Piast, dinatía de los **11**:159
Piauí 11:79
Piave, río **5**:154
Piave, San Donà di **14**:39
Piaxtla, río **12**:330
Piazza Venezia **12**:101
Piazzi, Giuseppe **2**:105; **3**:334
Piazzola, Ástor 11:79
obra **11**:79
PIB **5**:274; **9**:195
pica **13**:200
Picabia, Francis 11:79
biografía **11**:79
dadaísmo **5**:6
Picadilly, Jim de **14**:154
Picado Michalski, Teodoro 11:79
biografía **11**:79
picadores **13**:126
picaduras **11**:199
picamaderos 11:79
picapedrero **12**:257
Picard, Émile **6**:230
Picard, Jean **6**:305; **12**:92
picarescas 11:79

Picasso, Pablo 11:79
obra 11:79
aguatinta 1:114
art deco 2:63
bateau-lavoir, Le 2:265
Braque, Jorge 3:68
caricatura 3:246
circo 4:90
cubismo 4:317
España 5:319
González, José Victoriano 7:20
Grau, Enrique 7:51
Gris, Juan 7:67
Modernismo y arte moderno 9:263
Picasso, Pablo, *Las señoritas de Aviñón* 11:80
picazón 11:221
Piccard, Auguste y Jean Felix 11:80
aerostación 1:89
batisfera 2:266
biografía 11:79
Piccoli 13:205
Piceno 11:164
Pichardo, Esteban 5:162
Pichegru 5:234
pichi ciego 11:80
armadillo 2:42
Pichicncha, batalla de 11:80
Checa, Feliciano 4:24
Ecuador 5:200
Perú 11:64
Sáez, José María 12:162
Santa Cruz, Andrés 12:212
Sucre, Antonio José de 13:65
Pichicncha, volcán 11:80
Quito 11:270
Pichincha 11:80
batalla 2:264
Córdoba, José María 4:242
pichón 2:180
Pickel-Herringe, Jan 13:205
Pickering, Edward Charles 11:81
Pickering, hermanos 11:81
— William Henry 11:81
biografía 11:81
Pickford, Mary 11:81
biografía 11:81
Fairbanks, Douglas 6:112
Pickford, Mary 11:81
Pickton 4:137
pickup 11:81
gramófono 7:32
picnic 11:81
Picnic 10:87
pico 8:309
pico articulado 7:144
pico de Jajuya 11:230
pico de Kalomo 9:224
Pico de la Mirándola, Juan 11:81
bibliografía 11:81
Medici 9:149
pico Kaufmann 8:221
Pico Nevis 12:166
pico tijera 11:81
pico zapato 11:81
Pico, en el centro 2:196
Pico, isla de 10:182
Picoaga, brigadier 6:284
Picón Febres, Gonzalo 11:82
bibliografía 11:82
Venezuela 14:46
Picón Salas, Mariano 11:82
bibliografía 11:82
literatura hispanoamericana 8:283
Venezuela 14:46
Picón, Gabriel 11:82
biografía 11:82
picota y cepo 11:82
pícrico, ácido 11:82
picta 13:210
pictografía 11:82
alfabeto 1:170
gráfica 7:30
pictográfico 5:283
pictográfico mesoamericano 8:197
pictórica bizantina, escuela 6:53
pictórica gótica, escuela 6:53
pictórica románica, escuela 6:53
pictórico, movimiento 7:286
Pictorius 5:112
picunches, indios 1:343; 7:310; 14:11
Pidgeon, Walter 11:82
biografía 11:82
pidgin 8:266
pidgin-english 2:246
pie 11:82
— cúbico 4:316
distancia 5:145
imprenta 7:283
pie 11:83
pie de atleta 11:83
pie de león 11:83
pie de puente 9:254
Pieck, Wilhelm 1:163
piedad 9:277
Piedmont 9:116; 10:86; 13:45
Piedmont, meseta 6:315; 14:100
piedra amatista 1:219
piedra caliza 7:173
piedra de alumbre 1:213
piedra de ámbar báltico 1:222
piedra de la yjada 8:73
piedra de obispo 1:219
Piedra de Rosetta 2:52; 8:96, 303
Piedra del Sol 2:202
piedra del Sol 2:297; 3:164; 8:228
Piedra del Sol o Calendario Azteca 2:201
piedra filosofal 11:83
alquimia 1:202
oro 10:254
química 11:261
transmutación 13:247
piedra litográfica 8:286
Piedra Negra 3:129
piedra pómez 11:83
geología 6:313
Piedra preciosa 13:220
Piedra, edad de 11:83
Piedrabuena, Luis 11:83
biografía 11:83
Piedrahita 2:189
Piedras (Las), batalla de 14:140
piedras de río 1:178
piedras grabadas 2:50
Piedras Negras 11:83
mayas 9:141
pirámides de México y América Central 11:106
Piedras Partidas, cerros de 10:321
piedras preciosas 11:83
— diamante 11:83
— esmeralda 11:84
— piedras semipreciosas 11:84
— rubí 11:83
— zafiro 11:84
Laos 8:173
Piedras, bancos 11:133
piel 11:84
— humana 8:168
animal 1:294
corión 4:249
cuerpo humano 4:324, 325
embriología y embrión 5:249
epitelio 5:271
gamuza 6:274
infancia 7:320
piel 11:85
psoriasis 11:225
tacto 13:98
Piel de asno 11:54
Piel roja, Arizona, EE.UU 11:86
pieles 4:322; 10:309; 11:30
pieles rojas 11:85
aborigen 1:32
indios americanos 7:310
razas humanas 11:311
pielitis 11:86
Pien-Chou 11:170
pienso 11:86
piéridos 9:102
Pierlugi, Giovanni 12:27
Piero 11:156
Pierrard 12:162
Pierre Simon 8:323; 13:90
Pierre Werner 8:329
Pierrefonds, castillo de 14:99
Pierre-Simón 8:211
Pierrot 11:86
biografía 11:86
mímica y pantomima 9:226
pantomima 10:309
vestido 14:69
pietismo 1:166
Pietri, Pedro 11:238
Pietro, Guido di 12:100
piezas 7:149
piezas industriales 1:153
piezas o figuras 7:150
piezoelectricidad 11:86
electricidad 5:238
ultrasonido 13:302
piezoquímica 11:87
pífano 11:87
Piferrer, Pablo 11:87
biografía 11:87
Piferres 11:245
Pigafetta, Francisco Antonio de 11:87
biografía 11:87
literatura hispanoamericana 8:280
Magallanes, Fernando de 9:23
Pigalle, Jean Baptiste 6:229
Pigalu 1:300
Pigeon, río 9:228
Piggs Peak 13:90
Pigmalión 11:87
Cartago, Ciudad antigua 3:266
Dido 5:114
Shaw, George Bernard 12:308
pigmento 11:87
linóleo 8:268
peca 11:23
piña 11:99
pigmeo 11:87
— África ecuatorial 7:198
— Mbuti 4:276
economía 5:191
enano 5:251
Guerra Ruso-Finlandesa 7:98
hipopótamo 7:186
negro 10:66
Nueva Guinea 10:157
razas humanas 11:310
vivienda 14:116
Pigneau de Behaine, padre 7:314
pignoraticios 9:287
Pigon, efecto 5:37
pihuelas 7:123
pijama 11:88
vestido 14:70
pijao 7:310
Pijoan, José 11:88
bibliografía 11:88
Pike 8:305
Pike, Zebulon M. 5:74
pila atómica 11:88
átomo 2:149
pila de carbón 11:333
Pila de troncos recien cortados 6:195
pila eléctrica 11:88
— de Volta 11:298
flash fotográfico 6:169
Volta, Alessandro 14:129
pila termoeléctrica 11:89
astrofísica 2:107
pilagá 7:309
pilagás 4:21
Pilar 10:168, 321
pilar 8:175
pilar de Pompeyo 1:154
Pilar multitud de milagros 11:91
Pilar, batalla de 1:152
Pilar, Nuestra Señora del 11:89
Pilar, tratado del 2:73
pilares 1:351
pilas 1:62
pilas de Daniell y Bunsen 11:88
pilas holandesas 10:315
pilas líquidas 1:63
pilastra 11:89
— de Pompeyo 1:155
Pilato, Poncio 11:89
biografía 11:89
catolicismo 3:295
Jesucristo 8:100
Pilcher (Inglaterra) 2:187
Pilcher, Percy 11:118
Pilcolmayo, Pacto de 11:89
Pilcomayo 11:89
América del Sur 1:240
Argentina, República 2:13
Ayolas, Juan de 2:193
Ballivián, José 2:234
Crevaux, Jules 4:282
Formosa 6:196
Paraguay 10:320
Paraguay, río 10:323
Subandinas, sierras 13:59
Sucre 13:65
Tarija13:120
tobas 13:209
píldora 11:89
— analgésicas 1:258
control de la natalidad 4:229
Pilgrim 5:10
pilíferos 14:186
pillalli 2:200
Pillán 1:343
Pilmaiquén, río 4:37
Pilón 4:312
Pilon, Germain 6:229
Pilon, I. 12:224
píloro 5:262; 6:56

pilos **14**:63
pilot boat **10**:284
pilotaje 11:89
pilotaje **11**:90
piloto **14**:70
piloto 11:90
Herrera y Gutiérrez de la Vega, Juan de **7**:159
transbordador **13**:242
piloto automático 11:90
radiocontrol **11**:278
pilotos giroscópicos o giropilotos **6**:328
Pilsen o Plzen 11:90
— cuenca de **4**:25
bebidas **2**:272
Bohemia **3**:18
cervaza **4**:9
Pilsudki, Józef 11:91
biografía **11**:91
pimana **7**:309
pimas **7**:309; **13**:41
pimenteira **7**:310
Pimentel, Antonio de 11:91
obra **11**:91
Pimentel, Francisco **14**:46
Pimentel, Pedro **5**:161
pimentón **6**:8
Pimichin **10**:69
pimienta 11:91
especias **6**:8
pimiento 11:91
Pimlico **7**:184
Pimpinellanisum **1**:299
piña 11:100
— de América **1**:260
agricultura **1**:107
fibra **6**:146
piña **4**:215
piña partida 11:100
Pina, José Salomé **9**:206
Pinacoteca **12**:225; **14**:30
Pinar del Río 11:91
Habana, La **7**:115
Pinar del Río, Cuba **4**:312
tabaco **13**:94
pinatinervadas **7**:203
Píndaro 11:91
Alejandro III el Magno o el Grande **1**:155
Gray, Tomás **7**:54
obra **11**:91
oda **10**:184
olimpiada **10**:204
poesía **11**:147
Simónides de Ceos **12**:329
Tebas **13**:134
Pine Barrens **10**:86
Pine Bluff **2**:37
Pine Ridge **13**:46
Pine, Clarence **3**:9
Pineda, Mariana 11:91
biografía **11**:91
Pinedo, Francesco de **1**:87; **12**:217
Piñera Llera, Virgilio 11:101
bibliografía **11**:101
Cuba **4**:316
Piñero, Jesús Toribio **11**:231
Pineta **11**:303
Piñeyro, Enrique **4**:315
ping pong 11:91
ping pong **11**:92
pingüino 11:92
— Humboldt **10**:97
Chile **4**:40
pingüinos **6**:186
Pinheiro **9**:85
Pinheiro Columbano, B. **11**:177
Pinilla, José María **10**:302
Piniolo **11**:295
Pinkerton, Allan 11:93
biografía **11**:93
Pinkerton, Allan **12**:297
Pinkerton, hombres de **11**:93
pinnípedos **3**:253; **6**:185, 186
pino 11:93
— cultivo forestal **11**:93
— siembra y plantación **11**:93
— principales usos **11**:93
árbol **1**:345, 346
Arkansas **2**:36
ártica, región **2**:71
ave **2**:180
lápiz **8**:175
madera **9**:12, 15
pino **9**:14
piña **11**:100
Pino Suárez, José María **9**:16
Pino tea **3**:258
Pino, Joaquín del **8**:267
Pino, Rosario 11:94
biografía **11**:94
Pinochet, Ugarte Augusto 11:94
Allende Gossens, Salvador **1**:216
biografía **11**:94
Chile **4**:43
Pinocho **8**:285, 308
pinole 11:94
piñón **2**:172; **4**:280; **5**:117; **14**:72
piñón helicoidal **2**:173
piñón llamado planetario **2**:174
piñones **11**:101, 104
Pinos, isla de 11:94
Cuba **4**:310
Nueva Caledonia **10**:155
Pinsker, Leo **1**:313
Pinta **4**:148
pintadas **2**:188
Pintasilgo, María de Lourdes **11**:177
Pintat, Josep **1**:271
Pinter, Harold **7**:44
Pinto **1**:95
Pinto Balsemao, Francisco **11**:177
Pinto, Aníbal **4**:42
Pinto, Joaquín 11:94
bibliografía **11**:94
Ecuador **5**:202
Pinto, Serpa **1**:285, 287
pintor callejero **1**:58
Pintos, Salustiano **13**:329
pintura 11:94
— abstracta latinoamericana **9**:174
— académica **8**:194
— al óleo **14**:23
— clasicista **4**:23
— *Desayuno en el jardín*, Claude Monet **11**:95
— *El molino rojo*, Toulouse-Lautrec **11**:95
— *El pintor y su esposa*, Rembrandt **11**:94
— en aerosol **1**:89
— española **5**:318
— histórica **13**:323
— Ibsen por Erik Werenskjold **7**:260
— *La anunciación* **1**:319
— manuscrita **8**:191
— mural **4**:24; **6**:236; **8**:194; **13**:5
— mural azteca **2**:198
— Premio Nacional de **13**:87
— romántica **4**:23
— rupestre **1**:204, 297; **6**:53, 82
Siqueiros, David Alfaro **1**:5
arqueología **2**:50
artes industriales **2**:68
Asiria **2**:102
Coronel, Pedro **4**:252
Edad Media **5**:206
escuela artística **5**:289
estilización **6**:53
Francia **6**:228
Gran Bretaña **7**:45, 46
Grecia **7**:63
Guatemala **7**:79
Herculano **7**:151
hispanocolonial **7**:190
Holanda **7**:209
Japón **8**:84
Latinoamérica **8**:191
pintura **11**:95, 96, 94, 98, 99; **13**:204
Portugal **11**:177
Puerto Rico **11**:241
Quevedo y Villegas, Francisco de **11**:254
temple **13**:155
Pinturicchio, Bernardino di Bettoi, llamado el 11:99
bibliografía **11**:99
Pinturicchio **5**:289
Pinza, Ezio **2**:220
pinzón 11:99
Pinzón, hermanos **4**:148; **10**:251, 297
Pinzón, Martín Alonso Yáñes 11:100
biografía **11**:100
Colón, Cristobal **4**:147
Pinzón, Vicente Yáñez 11:100
biografía **11**:100
Orellana, Francisco de **10**:242
pinzones **11**:5
Pío Antonio **2**:189
Pío Baroja **6**:299; **8**:280
Pío Clementino, museo **14**:30
Pío II, papa **4**:196; **9**:42; **12**:194
Pío IV 11:101
biografía **11**:101
Farnesio **6**:118
Requesens i de Zúñiga, Lluís de **12**:27
Trento, concilio de **13**:259
Pío V, san 11:101
biografía **11**:101
Cervantes Saavedra, Miguel de **4**:5
contrarreforma **4**:229
Lepanto, batalla de **8**:229
Tomás de Aquino, santo **13**:216
Pío VI 11:101
biografía **11**:101
San Pedro de Roma **12**:199
Pío VII 11:101
biografía **11**:101
Aguirre, Juan Bautista **1**:116
Ángela de Mérici, santa **1**:279
Pontificios, Estados **11**:167
Ramolino, María Leticia **11**:295
Pío VIII **11**:167
Pío IX 11:101
biografía **11**:101
Hermanitas de los Pobres **7**:154
Inmaculada Concepción **7**:334
León XIII **8**:227
Malta, orden de **9**:46
Pontificios, Estados **11**:167
Revoluciones de 1848 **12**:54
syllabus **13**:92
Vaticano, Ciudad del **14**:30
Víctor Manuel II **14**:76
Pío Latino Americano, Colegio **12**:101
Pío Tristán, Juan **12**:177
Pío X, san 11:101
biografía **11**:101
Benedicto XV **2**:291
encíclica **5**:252
Guadalupe Hidalgo **7**:72
María de los Buenos Aires, santa **9**:94
syllabus **13**:92
Vulgata **14**:136
Pío XI 11:102
biografía **11**:102
acción católica **1**:44
Antonio María Claret, santa **1**:317
encíclica **5**:252
Fátima, Nuestra Señora de **6**:121
Juan Bosco, san **8**:113
Mater et magistra **9**:130
papado **10**:311
Sacro Colegio Romano **12**:160
Spellman, cardenal Francis Joseph **13**:47
Teresa del Niño Jesús, santa **13**:165
Vaticano, Ciudad del **14**:30
Pío XII 11:102
Año Santo **1**:321
biografía **11**:102
Asunción **2**:131
encíclica **5**:252
familia **6**:114
Juan XXIII **8**:113
María Goretti, santa **9**:95
mariología **9**:100
Maurras, Charles **9**:135
Sacro Colegio Romano **12**:160
Torre, Carlos María de la **13**:227
piocitos **11**:244
piodermitis **5**:262
piojo 11:102
tifus exantemático **13**:194
Piombo, Sebastian Luciani, llamado del 11:102
bibliografía **11**:102
Volterra, Daniel da **14**:130
Pioneer **7**:262
Pioneer 10 **11**:103
Pioneer 10 **11**:103
Pioneer, compañía **14**:83
Pioneer, sondas espaciales 11:102
— las misiones lunares **11**:102
— las misiones planetarias **11**:103
— las misiones solares interplanetarias **11**:103
Luna, la **8**:324
piones **1**:292
piorrea alveolar 11:103
odontología **10**:187
pioye **7**:310
pipa 11:104
— de barro **8**:176
vestido **14**:68

pipa de la paz 11:104
pipas de agua 1:337
piperáceas 2:306; 11:91
pipián 11:104
pípidos 11:299
Pípila 11:104
biografía 11:104
pipiles 12:183
Pipino el Breve 11:104
Alpes 1:201
biografía 11:104
Carlomagno, Carlos I llamado 3:248
Carlos Martel 3:249
Carolingios 3:255
Italia 8:62
Ludovico Pío 8:316
merovingios 9:175
Pontificios, Estados 11:167
Roma 12:99
Pipiolos y pelucones 2:259
pipirigallo 11:104
Piquer, Conchita 11:104
biografía 11:104
Piqueras, Jorge 11:64
piquet 11:104
Piquet, Nelson 2:169
piquituerto o pico curvado 11:104
piragua 11:104
bote 3:57
canoa 3:217
pirámide 11:105
— área 11:105
— cuadrangulares 11:105
— de Meroe 5:302
— desarrollo 11:105
— volumen 11:105
arquitectura 2:54
desierto 5:88
pirámide 4:233; 5:225
Monte Albán 9:286
pirámides de Egipto 11:105
— Dashur 5:229
— de Gizeh 8:136
— de Keops 5:227
— mastaba o escalonada, Egipto 9:124
pirámides de México y América Central 11:106
— azteca, México 9:200
— de la Luna 2:52
— de los nichos, Tajín 13:104
— de Quetzalcoatl 13:163
— del Sol en Teotihuacán, México 1:74
— Mayor, Uxmal 13:334
piramidión 10:171
piramidón 6:148
Píramo y Tisbe 11:106
piraña o piraya 11:107
Pirandello, Luigi 11:106
biografía 11:106
cuento 4:319
drama 5:171
humorismo 7:250
Italia 8:65
pasatiempo 10:336
Pirandello, Luigi 11:107
Pirapó, río 10:324
piraruco o ballena de río 1:221
pirata 7:133
pirata Drake 7:133
piratas 9:97; 10:93, 130; 12:221
piratas berberiscos 11:300
piratas turcos 6:127
piratería 11:107
Piratinga 13:45
Piray, río 12:212
Piray-Guazú, río 10:324
Pire, Dominique-Georges 11:107
biografía 11:107
pirectoterapia 13:95
pirenaica occidental 14:28
pirenaico 5:311
Pirenne, Henri 11:107
biografía 11:107
Pirenne, Jacques 11:108
biografía 11:108
Pireo, El 11:108
Atenas 2:133
Hécate 7:136
Pires, Álvaro 11:177
piretoterapia 5:239
piretro 11:31
Piria 12:174
Piriápolis, Uruguay 11:136; 13:327
Piridoxina 14:108
piriforme 12:*34*
Pirineo español 6:13
Pirineo, Valle y desfiladero del 12:108
Pirineos 11:108, 110
— Paz de los 4:198; 6:127
— Occidentales 10:298
— Orientales 6:216
— tratado de 6:222
Andes 1:268
Andorra 1:272
Aneto, pico de 1:277
Aníbal 1:291
áspid 2:104
Asia 2:84
Edad Media 5:206
España 5:303, 306
Europa 6:75
Figueras 6:150
Francia 6:212, 213
Gerona o Girona 6:319
glaciar 6:329
Guerras Púnicas 7:100
Jiménez de Cisneros, Francisco 8:102
Lourdes 8:312
marmota 9:104
mistral 9:245
Obermaler, Hugo 10:172
Pirineos 5:309
Taine, Hyppolite Adolf 13:103
pirita 11:109
arena 2:5
azufre 2:205
hierro 7:172
mineralogía 9:230
pirita 11:108
Piritoos 13:174
piro 7:310
piroarsénico 2:63
pirocloro 10:104
piroelectricidad 11:109
pirofosfato 1:68; 6:199
pirograbado 11:109
pirólisis 5:92; 11:74
pirolusita 9:56
pirometalúrgico, proceso 11:321
pirómetro 11:109
termoelectricidad 13:167
termómetro 13:168
Pironio, Eduardo 3:241
piropo 7:48
pirosfera 6:312
pirotecnia 11:109
— militar 9:27
halógenos 7:125
piroxeno 1:79; 9:62, 230
piroxilina 7:282; 11:126
Pirquet, Clemens Peter Von 1:169
Pirro 11:109
Andrómaca 1:274
elefante 5:243
pirrófitos 11:109
Pirrón 5:280
Pírtu, iglesia de 14:46
pirú 9:269
Pis Pis 10:92
Pisa 11:110
— catedral de 12:105
— Pedro de 13:315
— púlpito de 11:110
— Rusticiano de 11:157
— Universidad de 6:267
Averroes 2:184
Génova 6:301
Italia 8:62
universidad 13:316
Pisac 7:292
Pisagua, puerto 4:37
Pisan 8:66
Pisanello 9:254; 11:97, 110
Pisania 10:329
Pisano, Andrea 11:110
bibliografía 11:110
Pisano, Antonio 11:110
obra 11:110
Pisano, Nicolás 11:110
bibliografía 11:110
escultura 5:294
Florencia 6:181
piscicultura 11:110
piscicultura 11:111
Piscis 11:110
astronomía 2:125
constelación 4:218
febrero 6:123
zodiaco 14:179
piscívoras 6:186
Pisco 12:197
pisco 2:272; 10:319; 11:59
Pisco, acción de 10:201
Pisco, río 7:260
Pishona Ramaema, Elías 8:232
pisingallo 9:35
Pisístrato 11:111
— de Atenas 7:59
acueducto 1:59
alcmeónidas 1:149
biografía 11:111
Atenas 2:133
biblioteca 2:311
Grecia 7:59, 62
Solón 13:31
teatro 13:131
Pisón 8:314
Pissarro, Camille 11:111
bibliografía 11:111
Cézanne, Paul 4:15
Francia 6:228
impresionismo 7:286
Monet, Claude 9:275
Oller y Cesteros, Francisco 10:208
Pissarro, Camille 10:285
Sisley, Alfred 13:8
pista 11:111
— de aterrizaje 2:227
— de hielo 7:197
aterrizaje 2:134
pistache 11:111
pistacho 3:146
pistilo 6:177, 178, 179; 11:123, 154
pistola 11:111
— alemana Walther 2:220
pistola 4:297; 11:112; 13:201
armas 2:43
pistola neumática 11:112
aerógrafo 1:79
Pistola, concilio de 12:163
pistón 11:112
automóvil 2:171
pistón 5:115
locomotora 8:298
máquina de vapor 9:75
trombón 13:270
Piston, Walter 2:304
Pistoya 11:111
Pisuerga, Cervera de 10:290
Pisuerga, río 10:290; 14:19
pita 11:112
agave 1:100
cestería 4:12
Pita, María 11:112
biografía 11:112
Pitaco de Mitilene 12:321
Pitágoras 11:112
— teorema de 6:314
astronomía 2:123
biografía 11:112
ciencia 4:75
disonancia 5:144
geografía 6:304
metafísica 9:180
transmigración 13:247
triángulo 13:260
Pitágoras de Regio 7:63
Pitalito 7:245
Pitcairn, isla 11:112
imperio británico 7:275
Polinesia 11:153
Pite 13:68
Piteas 11:112
biografía 11:112
exploraciones polares 6:95
iberos 7:256
teutones 13:178
pitecantropo 11:113
Véase Prehistoria
Pithecanthropus erectus 7:214; 8:92; 11:185
pitirre real 2:180
Pitman, Isaac 11:113
obra 11:113
taquigrafía 13:117
Pitman, Jacob 11:113
pito 11:87
pitón 11:113
Asia 2:91
Laos 8:173
pitón africano 11:113
pitonisa 11:113
adivinación 1:70
cuervo 4:325
Delfos 5:43
Parnaso 10:330
Pitsburgh, *Musseum of Natural History and Art* de 11:39
Pitt, vizconde de 11:114
Pitt, William 11:113
biografía 11:113
Gran Bretaña 7:41
Pitt, William (conde de Chatham) 11:113

biografía **11:**113
Pittaluga, Gustavo 11:114
bibliografía **11:**114
danza **5:**17
Pittier, Henri **10:**331
Pitts, hermanos **9:**76
Pittsburgh 11:114
— Universidad de **11:**114
comunicaciones **4:**184
hierro **7:**173
Pittsburgh, Pennsylvania **11:**38
universidad **13:**316
Pitty, D. Lidio **10:**303
pituitaria 11:115
ACTH **1:**57
cortisona **4:**262
droga **5:**173
estrógenos, hormonas femeninas **6:**64
glándula **6:**331
hipoglucemia **7:**185
menstruación **9:**170
obesidad **10:**173
Piura 11:114
Lambayeque **8:**166
Piura, río **11:**114
Piva, río **9:**287
Piwonka, Alberto **4:**43
pixel **5:**121
pizarra 11:114
— bituminosas **6:**290
— silúricas **13:**267
geología **6:**314
roca **12:**86
Pizarro, Catalina **4:**260
Pizarro, Francisco 11:114
Aguirre, Francisco de **1:**116
Almagro, Diego de **1:**193
Alvarado, Alonso de **1:**213
América **1:**233
Arequipa **2:**8
Ayacucho **2:**192
biografía **11:**114
Balboa, Vasco Núñez de **2:**223
caballo **3:**135
Colombia **4:**143
descubrimientos y exploraciones geográficas **5:**73
Ecuador **5:**200
Espinosa, Gaspar de **6:**17
Felipillo **6:**128
Gallo, isla del **6:**271
Huáscar o Tupac Cusi Hualpa **7:**235
incas **7:**289
Latinoamérica **8:**183
Libertad, La **8:**247
Lima **8:**260
Manco Inca **9:**54
Mendoza, Pedro de **9:**165
Núñez de Balboa, Vasco **10:**164
Orellana, Francisco de **10:**242
Palma, Ricardo **10:**294
quichuas o quechuas **11:**255
quipo **11:**266
Quito **11:**270
rumiñahui **12:**133
Soto, Hernando de **13:**44
textiles **13:**180
Trujillo **13:**276
Valdivia, Pedro de **14:**11
Valverde, Vicente de **14:**18
virreinatos **14:**103
Pizarro, Gonzalo 11:114
Amazonas, río y Amazonia **1:**220
biografía **11:**114
Ecuador **5:**200
La Gasca, Pedro de **8:**163
Orellana, Francico de **10:**242
Pizarro, Hernando **11:**116
Valdivia, Pedro de **14:**12
Villagra, Francisco de **14:**93
virreinatos **14:**103
Pizarro, Hernando 11:115
biografía **11:**115
Atahualpa **2:**132
Pizarro, Juan **11:**116, 117; **12:**161
pizoleta **10:**98
Pizzetti **8:**66
pizzicato **13:**123
Pjarnu, puertos **6:**57
Pla y Beltrán, Pascual 11:116
bibliografía **11:**116
Plá, Josefina **10:**322
placa **1:**300
placa de cristal **6:**200
placa fotográfica **2:**144
placa litosférica 11:116
placas **4:**267
placas de asiento **6:**139
Place, Víctor **10:**103
placenta **4:**249; **6:**51; **10:**334; **12:**226
placenta previa **10:**177
placer **5:**250, 269
placismo **11:**137
plaga 11:116
— blanca **13:**279
— de egipto **11:**116
insecticidas **8:**5
jardinería **8:**89
plagio 11:116
plaguicidas **4:**227
Plaka **9:**224
plamípeda **6:**211
plan Dawes **5:**96
Plan de Ayutla **1:**214; **8:**116
Plan de Dumbarton Oaks **5:**178
plan de estudios 11:117
Plan de Iguala **8:**67
Plan de San Luis **5:**107
Plan de Tuxtepec **5:**107
Plan Marshall **6:**84
plan quinquenal **13:**307
plan Young **5:**96
planaltos **3:**69
planarias **14:**184
Planasia **5:**165
plancha **4:**272; **6:**45; **10:**299
plancha de cinc **7:**142
plancha metálica **6:**50
planchado **8:**199
Planchon, J. **13:**260
Planck, Max Karl Ernest 11:117
Alemania **1:**168
biografía **11:**117
ciencia **4:**76
electrónica **5:**241
luz **8:**331
Meitner, Lise **9:**156
Poincaré, Henry **11:**148
quanta, teoría de los **11:**245
Sakmann, Bert **12:**168
Sandoval Vallarta, Manuel **12:**204
plancton 11:117
plancton **11:**118
ártica, región**2:**70
mar **9:**79
planeación **6:**94
planeador 11:118, 120
planeador Hawksbury **1:**85
planeador ultraligero **1:**80
planeadora 11:119
planeadores **2:**187; **8:**259; **9:**261; **14:**135
Planer, Minna **14:**137
Planet, fosa de **2:**88
planeta 11:119
astrogeología **2:**107
equinoccio **5:**272
estrella **6:**61
luz **8:**329
metrología **9:**191
satélite **12:**235
sistema solar **13:**9
planeta exterior 11:119
planeta interior 11:119
Planeta X **11:**142
planetario 11:119
orogenia **10:**256
planetario **11:**120
planetesimal, teoría **6:**310
planetoide **12:**238
planicie costera **9:**116
plañideras **6:**252
planificación económica 11:120
planificado, excedente económico **6:**91
planigrafía **11:**308
planimetría 11:120
topografía **13:**221
planisférico **2:**108
planisferio **9:**71
planisferios **4:**217
plano 11:120
— a escala **11:**120
— inclinado **2:**53
ángulo **1:**289
planos **4:**219
geodésica **6:**302
geometría **6:**315
proyección **11:**221
planta 11:120
— adaptabilidad de los vegetales **11:**123
— aspecto y estructura **11:**122
— crucífera **11:**271
— de Salomón o lirio de los valles **9:**323
— disecadas **7:**150
— diversas clases **11:**121
— el tallo **11:**122
— elaboración de alimentos. Fotosíntesis **11:**123
— escrofulariácea **14:**58
— forrajera **11:**104
— herbácea **7:**181; **11:**300
— hojas **11:**122
— importancia de **11:**121
— medicinal **6:**298
— multiplicación por polinización **11:**123
— muscínea **7:**147
— ninfeácea **8:**310
— pasiflorácea **11:**7
— perjudiciales **9:**43
— raíces **11:**122
— reproducción de los vegetales **11:**123
— sudafricana **2:**182
— tintórea **9:**57
— trepadora **7:**169
angiospermas **1:**282
clorofila **4:**116
filotaxia **6:**158
heliotropo **7:**143
invernadero **8:**28
lenteja **8:**223
planta **11:**121, 122, 123, 124
vegetación **14:**33
planta de energía **5:**258
planta de ensamblaje **1:**86, 87
planta de luz **8:**330
planta de tratamiento de aguas **1:**110, 111
planta desalinadora **5:**65
planta hidroeléctrica, condiciones para instalación de **5:**260
planta química **7:**318
plantación **8:**180
plantación de zanahorias **1:**108
plantaciones de arroz **1:**105
Plantagenet, dinastía **5:**265; **12:**61; **14:**164
Plantagenet, Enrique de **5:**207
plantas carnívoras 11:124
plantas comestibles 11:124
plantas medicinales 11:125
plantas textiles **2:**91
plantas venenosas 11:125
Planté, Francis **13:**330
plantígrado **10:**265
plantillas **3:**114
Plantin, Christoph 11:125
Amberes **1:**224
biografía **11:**125
plántulao germen **6:**319
plaomas **2:**189
plaquetas **1:**101; **6:**335; **7:**143
Plasencia **2:**253; **6:**106
Plasencia, concilios de **13:**323
Plasey, batalla de **2:**292
plasma 11:125
— sanguíneo **7:**145; **12:**226
sangre **12:**208
transfusión de sangre **13:**245
vacío **13:**336
plasmapausa **10:**190
Plasmodio **10:**297; **14:**182
plástica **2:**46
plásticas, artes **10:**71
plásticos 11:126
— acetato de celulosa **11:**127
— celulosa **11:**127
— cómo se hacen los **11:**129
— elementos de los plásticos **11:**126
— etilcelulosa **11:**127
— extrucción **11:**129
— fenólicos **11:**127
— fusión **11:**130
— historia **11:**126
— laminado **11:**130
— melamina **11:**127
— moldeo por compresión **11:**129
— moldeo por inyección **11:**129
— moldeo por transferencia **11:**129
— nilon **11:**128
— otras aplicaciones de los plásticos **11:**130
— poliestireno **11:**127
— polietileno **11:**127
— poliisobutileno **11:**129
— polímero-s **11:**129
— procesos de producción **11:**129

— rellenos **11**:129
— resinas acrílicas **11**:127
— silicón **11**:128
— soplado **11**:130
— teflón **11**:129
— urea **11**:127
— vinilo **11**:127
algodón **1**:182
plástico **11**:127, 128, 129, 130
plastificación **11**:131
plastrón **14**:70
plata **11**:131
— alemana **10**:104
— sales de **6**:201, 204
alambre **1**:132
América del Sur **1**:243
Australia **2**:164
plata **1**:217; **4**:316; **8**:111
dinero **5**:132
elemento químico **5**:245
Harz, montes **7**:131
joyería **8**:112
Mongolia **9**:276
peso **11**:68
veneno **14**:41
vidrio **14**:85
Plata cuenca del **2**:195
Plata, La **11**:132
Sucre **13**:65
Plata, Mar del **2**:14, 228; **3**:98; **9**:84; **11**:136; **13**:56
Plata, Río de la **11**:133
— historia **11**:133
Argentina, República **2**:12
plata martillada **11**:133
Plata, Sierra de la **9**:165
plataforma continental **10**:181
plataformas **10**:333
plataformas espaciales **2**:110
Platani **12**:314
plátano **11**:133
— de Bujukderé **1**:347
abacá **1**:17
Platea **6**:7; **7**:99; **9**:212; **13**:134
Platea, batalla de **2**:31; **8**:95
plateado **14**:189
platelmintos **11**:134
invertebrados **8**:29
trematodo **13**:258
zoología **14**:183
plateresco **11**:134
— español, estilo **6**:54
— estilo **5**:317
arquitectura **2**:58
hispanocolonial **7**:190
Latinoamérica **8**:192
Osuna **10**:269
relicario **12**:9
Platero y yo **4**:175; **8**:285
Pláticas Para la Reducción de Armas Estratégicas (START) **10**:150
platillos **11**:134
tiro al vuelo **13**:201
platino **11**:134
— grupo del **10**:264; **12**:90
iridio **8**:42
luz **8**:333
platirrinos **9**:278
Platón **11**:135
— Academia de **2**:32
— ideal de **9**:87
academia **1**:40
árabes **1**:333
aristocracia **2**:31
Atenas **2**:134
bibliografía **11**:135
ciencia **4**:73
creación **4**:277
danza **5**:12
Eratóstenes **5**:273
Euclides de Alejandría **6**:72
filosofía **6**:157
gobierno **7**:6
idealismo **7**:265
metemsicosis **9**:186
mónada **9**:272
psicología **11**:224
sociología **13**:22
Tirteo **13**:203
Platonismo **2**:33
platos voladores **11**:135
Platt, Enmienda **11**:136
Plattee, río **10**:60
Plauto, Tito Maccio **11**:136
bibliografía **11**:136
cocina **4**:123
latina, literatura **8**:181
manuscritos **9**:64
Terencio Áfer, Publio **13**:164
playa **11**:136
— Cane Garden **1**:308
— Cerritos, Baja California Sur **9**:80
— del Carmen, Quintana Roo **9**:196
— Los Arcos en la península de Baja California **2**:219
— Los Muertos **8**:76
— y bahía de Mangrove, Bermudas **2**:301
Plaza de Panamá **10**:302
Plaza de Armas, Lima, Perú **11**:59
Plaza de Buenos Aires **2**:195
Plaza de España **5**:305
plaza de Gerona **1**:214
Plaza de la Estrella **1**:351
Plaza de las Tres Culturas ciudad de México **2**:199; **9**:199
Plaza de San Pedro **8**:115
Plaza de toros, Málaga **9**:40
Plaza de Trafalgar **13**:239
Plaza del mercado de Bernkastel-Kues, Alemania **1**:162
Plaza Gutiérrez, Leónidas **11**:137
biografía **11**:137
García, Lisardo **6**:283
Plaza Lasso, Galo **5**:200; **11**:137
Plaza pública con el Palacio de los Papas **2**:190
Plaza Roja de Moscú **8**:148, 221; **9**:309
Plaza Romerberg, Frankfurt, Alemania **6**:233
Plaza San Martín, Lima, Perú **11**:59
Plaza Victoria en Birmingham **2**:330
Plaza, Luis Martín de **9**:20
Plaza, Nicanor **11**:136
obra **11**:136
Plaza, Victorino de la **11**:137
Argentina, República **2**:23
biografía **11**:137
Sáenz Peña, Roque **12**:162
plazo **8**:16
plazos **4**:178
pleamar **9**:89
plebe **11**:14
plebeyos **11**:137
imperio romano **7**:276
plebiscito **11**:139
elección **5**:236
imperio romano **7**:277
Legislativo, poder **8**:212
votación **14**:133
plebisticio **11**:137
plecópteros **8**:9
plectognato **10**:231; **11**:75
plectópteros **8**:9
plectro **9**:55
plegamiento **11**:137
— alpino **7**:55
— caledoniano **2**:84
— herciniano **2**:84
plegaria **10**:283
pleistoceno **11**:137
geología **6**:310
glaciar **6**:328
pleisctoceno **6**:309
pleito **11**:137
Plejánov **11**:169
Plencis **2**:211
Plenck **5**:262
plenilunios **5**:186
plenipotenciario **5**:245; **13**:256
pleonasmo **11**:137
figuras de lenguaje **6**:151
plesiosauro **11**:137
paleontología **10**:291
Plessis, Armand Jean du **1**:40
Plessis, Emmanuel du **3**:283
Pleswitz **11**:20, 21
pleura y pleuresía **11**:137
pleural, cavidad **10**:78
Pleureuses **2**:252
pleurodiros **11**:248
pleuronéctidos **7**:185; **8**:218
plexo **11**:138
— cervical **11**:138
Plexus y Nexus **9**:224
Pléyades **11**:138
— grupo de la **6**:226
congelación **4**:206
Pléyades **2**:123
Tauro **13**:126
Pleyel, Camilo **11**:138
biografía **11**:138
Pleyel, Ignacio José **11**:138
Pleyonea, ninfa **11**:138
pliego **6**:188
pliegue **11**:138
Plinio el Joven, Cayo Plinio Cecilio Segundo **11**:138
abogado **1**:30
biografía **11**:138
comunicaciones **4**:184
geografía **6**:304
jardinería **8**:87
Suetonio Tranquilo, Cayo **13**:73
volcán **14**:128
Plinio el Viejo, Cayo Plinio Segundo **11**:138
bibliografía **11**:138
albinismo **1**:141
botánica **3**:56
enciclopedia **5**:252
rubia **12**:123
plioceno **11**:138
— superior **2**:77
geología **6**:309
Plisetskaya, Maya **3**:34
plomada **11**:138
plomería (fontanería) **11**:138
— desagües **11**:139
— instalación de tuberias **11**:139
— reparaciones **11**:139
— soldaduras **11**:139
Latinoamérica **8**:193
plomiza **6**:287
plomo **11**:139
acumulador eléctrico **1**:62
América del Sur **1**:243
Argelia **2**:10
Asia **2**:92
densidad **5**:50
Ecuador **5**:198
Grecia **7**:56
hierro **7**:173
latón **8**:197
Montana **9**:282
plomo **1**:311
radiactividad **11**:276
saturnismo **12**:242
veneno **14**:41
Plotino **11**:140
bibliografía **11**:140
Filón de Alejandría **6**:157
Grecia **7**:62
plotter **11**:140
pluma **11**:140
pluma **13**:197
plumaje **11**:140, 141
plumas eréctiles **8**:309
Plumerillo, campamento del **12**:196
Plumier, Carlos **11**:141
bibliografía **11**:141
plumón **9**:320; **11**:140
plúmula **11**:141
germinación **6**:319
mangle **9**:57
pluralidad **13**:305
pluralismo **9**:180
pluricelulares **5**:38
plusvalía **11**:141
excedente económico **6**:91
utilidad **13**:333
Plutarco **11**:141
bibliografía **11**:141
biografía **2**:325
Champollion, Juan Francisco **4**:19
Corday, Carlota **4**:240
Grecia **7**:62
Guadalajara **7**:71
Queronea **11**:251
refrán y refranero **11**:326
Tebas **13**:134
Timoleón **13**:196
Pluto **11**:141
biografía **11**:141
Tántalo **13**:113
Pluto, perro **5**:110, 143
Plutón **11**:141
astronomía **2**:124
Ceres **3**:333
dioses paganos **5**:136
Eurídice **6**:74
Hércules **7**:152
Lowell, Percival **8**:313
Neptuno **10**:74
Proserpina **11**:216
Teseo **13**:174
plutónicas **6**:312
plutonio **11**:142
átomo **2**:151
bomba atómica **3**:36
combustible **4**:163
Nier, Alfred Otto Charles **10**:99
Seaborg, Glenn Theodore **12**:251

pluviómetro y pluviometría **11:**142
Hooke, Robert **7:**223
lluvia **8:**294
meteorología y meteoro **9:**187
Plymouth **1:**60, 309; **3:**207; **7:**34; **13:**52
Plymouth Rock **2:**189
Plympton, Devonshire **12:**58
PNB **5:**156, 226
PNM **9:**24
Pnom Penh **7:**313; **9:**156
Po **11:**142
Adriático **1:**76
Europa **6:**75
Mediterráneo, Mar **9:**153
Piamonte **11:**78
Suiza **13:**77
Pó, Fernao do **3:**186
Po, llanura del **8:**60
Po, valle del **4:**165; **6:**71; **14:**117
Poás, volcan **4:**267
población **11:**143
— e inmigración **6:**34
— vetona **2:**189
Poblet, monasterio de **11:**144
Poblet, Universidad de **2:**313
pobreza **11:**144
Pocahontas **11:**144
Pocatello **7:**263
pochtecas **11:**144
— tleteloltecas **11:**145
aztecas **2:**199
Pocito, La capilla del **7:**72
Pocomoke, pantano **5:**40
poda **11:**145
poder **2:**177; **5:**201, 257; **6:**30, 36
poder adquisitivo **11:**145
poder compensador **11:**145
poder de resolución **11:**145
poder germinativo **11:**145
poder moderador **11:**145
poder monárquico **7:**276
poder político **11:**146
poderes, Los tres **11:**146
Estado **6:**30
presidente de la república **11:**193
Podestá, familia **2:**26
Podgorica **9:**287
Podgorny, Nikolai V. **13:**309
podómetro **11:**146
Podreca, Vittorio **13:**205
podzol **9:**228; **13:**72
Poe, Edgar Allan, **11:**146
arte **2:**64
bibliografía **11:**146
Barba Jacob, Porfirio **2:**251
Cortázar, Julio **4:**258
cuento **4:**319
Lindsay, Nicolás Vachel **8:**264
literatura infantil **8:**285
Mallarmé, Stéphane **9:**44
Pérez Bonalde, Juan Antonio **11:**45
Romanticismo **12:**106
Poe, Lugne **4:**297
poema **11:**147
— caballeresco **6:**226
— cíclicos **7:**61
— sinfónico **8:**273
Poema de Gilgamesh **2:**101
Poema de los Argonautas **7:**62
Poema del Cid **6:**319
Poemario **5:**10
poesía **11:**147
— concreta **4:**197; **8:**190
— dramática **11:**147
— épica **5:**208; **11:**147
— gauchesca **2:**25; **8:**281
— lírica **8:**275; **11:**147
— mexicana **8:**282, 308
— modernista **8:**317
— negra o afrohispanoamericana **10:**292
— pastoril **14:**93
— pura **9:**44
— sepulcral **7:**54
— social **7:**26
composición y redacción **4:**175
comunicaciones **4:**182
Eliot, Thomas Stearns **5:**246
épica **5:**269
epopeya **5:**271
folklore o folclor **6:**189
lenguaje **8:**219
literatura **8:**275
poet imperial **9:**185
Poetas de España y América **13:**227
poetas épicos **7:**191
poetas malditos **1:**129
poética **11:**147
Poética de Aristóteles **13:**133
Poets **11:**35
Pogo **4:**170
Pogson, Norman Robert **9:**29
Poguedin, Moliére Baptiste **2:**231
Poh Chang **13:**101
Pohang **4:**246
Poher, Alain **6:**225
Pohnpei (Ponaple), isla **9:**216
Poícrates **11:**112
Poil de Carotte **12:**19
Poincaré, Henry **11:**148
bibliografía **11:**148
Francia **6:**230
Painieve, Paul **10:**285
Poincaré, Raymond **11:**148
biografía **11:**148
Point, Hinkley **10:**149
Pointe-Indienne **4:**207
Pointe-Noire **4:**207
poiquilotermos **11:**148
pez **11:**75
rana **11:**298
Poiré, Emmanuel **3:**246
Poitiers
Gascuña **6:**289
trovador **13:**273
universidad **13:**316
Poitiers, Francia **12:**230
Poitoi, raza **6:**277
Poitou
asno **2:**103
Francia **6:**216
Pokrowskoja **11:**301
po-kual **14:**62
Pol de Mont y Pirmez **2:**284
Pola, La **11:**148
Polaco, Consejo Nacional **10:**282
polacos **13:**69
polainas **14:**65
Polanco **11:**44
Polanco, Gaspar **5:**161
poland China, raza **6:**278
Polanyi, John Charles **11:**148
biografía **11:**148
Lee, John Tseh **8:**209
Polar (Alfa) **10:**263
Polar Ártico, círculo **10:**133, 324
polarímetro **11:**148
polarización **11:**149
Polaris **13:**62
polariscopios **11:**149
polarización **11:**148
— eléctrica **11:**109
electricidad **5:**238
pila eléctrica **11:**88
polarografía **11:**149
Heyrovski, Jaroslav **7:**161
polca **11:**161
Polder del nordeste **7:**207
polea **11:**149
— fija **11:**149
física **6:**167
freno **6:**234
máquina **9:**73
polea **11:**155
polemarca **1:**352
Polémica **13:**53
Polemis, J. **7:**62
polemista **5:**145
polen y polinización **11:**149
abeja **1:**22
flor **6:**177
estambres de una flor **11:**150
polenta **9:**38
poleo **11:**150
Polesia, río **12:**147
Poletown **9:**214
Poli **12:**93
poliácido **7:**169
Poliakov, V **2:**123
poliatómicas **9:**267
Polibio **11:**150
biografía **11:**150
falange **6:**113
Grecia **7:**62
historia **7:**192
legión **8:**210
Policarpo y Valdés, José **4:**315
Polichinela **13:**204; **14:**69
Polichinelle **13:**205
policía **11:**150
— secreta **12:**296
— Secreta de Estado **6:**320
— servicio público **12:**295
Policía Montada del Canadá, Real **11:**150
— canadiense **2:**43
Policía Montada del Canadá, Real **11:**151
Policleto **11:**151
bibliografía **11:**151
escultura **5:**294
Grecia **7:**63
policlínicas **7:**176
policloruro de vinilo **11:**74
Polícrates **11:**151
Polícrates **1:**257
biografía **11:**151
Policrates de Samos **7:**59
policromadas **8:**191
Polidectes, rey **11:**57
polidipsia **5:**99
Polidoro **7:**137
poliedro **11:**151
poliédricas **7:**174
poliédrico **1:**177
poliéster **5:**5
polietileno
dacrón **5:**5
petroquímica **11:**74
plásticos **11:**127
polifagia **5:**99
Polifemo **11:**151
Odisea **10:**185
poliformismo **11:**152
polígala **11:**151
poligamia **11:**151
Corán **4:**236
Dominicana, república **5:**159
familia **6:**115
hogar **7:**199
indios americanos **7:**312
Islam e Islamismo **8:**52
monogamia **9:**279
Smith, Joseph **13:**14
Young, Brigham **14:**165
poligenismo **7:**308
poliginia **9:**279
Polignac **5:**176
Polignac, Pierre de **11:**290
Polignoto **7:**63
poligonáceas **1:**177
poligonal **1:**17
polígono **11:**152
— área **11:**152
— industriales **12:**214
— polígonos regulares **11:**152
cuadrilátero **4:**308
polígrafo de Keeler **5:**94
polilla **11:**152
polilla-halcón **1:**22
lepidópteros **8:**230
maripposa **9:**102
polimerasa **13:**14
polimerización **11:**152
Flory, Paul John **6:**184
Formol **6:**196
plásticos **11:**129
polimerización del cloruro de vinilo **11:**153
Ziegler, Karl **14:**178
polímero **5:**5,
Polímeros **7:**332
polímeros orgánicos **9:**10
polimícticos **4:**206
polimorfismo **11:**152
Polinesia (muchas islas) **10:**179
Polinesia **11:**152
corteza **4:**262
indios americanos **7:**308
Kon-Tiki **8:**145
labranza **8:**157
Polinesia **10:**280
pacífico, océano **11:**144
Polinesia **11:**153
Tahiti **13:**100
tapíz **13:**117
Polinesia Francesa **11:**153
Francia **6:**219
Polinesia Francesa **10:**178
polinésicos, dialectos **8:**216
polinesios
polinesio **5:**69
Fidji, islas **6:**152
Maori **9:**65
mapa **9:**67
Oceanía **10:**179
Pascua o Rapa Nui **11:**5
Polinice **1:**305; **5:**211
polinios **11:**154
polinización **11:**153
— en las gimnospermas **11:**154
— en las plantas con flores **11:**154
coníferas **4:**209
flor **6:**177

polinización **11:**150
sauce **12:**243
polinomio
álgebra **1:**179
división **5:**148
polinucleótidos **5:**151
poliomielitis 11:154
asfixia **2:**83
enfermedad **5:**260
enfermedades de la infancia **5:**262
poliomielitis **10:**324
poliorcética **13:**9
polipasto 11:155
parálisis **2:**53
polipéptidos
alimentación **1:**187
Fischer, Emile **6:**163
Merrifield, R. Bruce **9:**175
Schali, Adrew Victor **12:**246
polípero **14:**183
pólipo 11:155
anémona marina **1:**276
coral **4:**235
tentáculo **13:**160
zoología **14:**183
pólipos luminosos **1:**29
poliquetos
— errantes **1:**275
— libres **14:**184
anélidos **1:**276
polis 11:155
polisacáridos **2:**204; **7:**164
Polisario **12:**165
poliscopio eléctrico **5:**256
polisurcos **1:**339
Politburó **12:**131
Politécnica, Escuela **10:**285
Politécnico, Instituto **10:**191
Politécnico, Museo, Kremlin **9:**309
politeísmo 11:155
monoteísmo **9:**280
religión **12:**11
politeísta **10:**284
política 11:155
— agraria **4:**188
— de Buena Vecindad **4:**204
— de *puertas abiertas* **7:**335
— estalinista **4:**220
— internacional **13:**170
— personalista **13:**299
— social **7:**175
— sociedad **6:**30
civismo **4:**106
negocios extranjeros **10:**65
político
Edén, Anthony **5:**210
Herriot, Edouard **7:**159
Hess, Rudolf **7:**161
impuesto **7:**288
Laferrere, Gregorio de **8:**162
Lamas, Andrés **8:**166
Laprida, Francisco Narciso **8:**175
Larreinaga, Miguel **8:**177
Laski, Harold Joseph **8:**179
Lerdo de Tejada, Sebastian **8:**231
propaganda **11:**214
refugiado **11:**328
región y regionalismo **11:**331
Politzer, Adam **2:**250
poliuria **5:**99
póliza 11:156
Poliziano, Angelo **8:**65
Polk, James K. **13:**146
Pollaiuolo, Antonio 11:156
bibliografía **11:**156
escuela artística **5:**289
Médici **9:**149
orfebrería **10:**243
Sansovino, Adrea Contuchi, llamado Iri **12:**209
Pollensa **9:**44
Pollina **12:**314
Pollo
Pollo **1:**187
Arkansas **2:**36
Pollux Antares, estrella **6:**61
polo 11:156
dípolos **5:**137
electrodo **5:**239
electroquímica **5:**242
espiral **6:**17
física **6:**169
polo juego **11:**156
— acuático **14:**143
polo (música) **14:**47
Polo de Inaccesibilidad **6:**98
polo frío **2:**89
Polo magnético **6:**97, 98
Polo Norte
— Círculo Polar Ártico **2:**70
— conquista del **6:**95
— descubrimiento del **11:**23
aeroplano **1:**87
exploraciones polares **6:**94
física **6:**169
Peary, Robert Edwin **11:**22
Ross, sir James Clark **12:***115*
sol de media noche **13:**28
Spitzberg **13:**49
submarino **13:**62
Sverdrub, Ottto Newmann **13:**89
Wegener, Alfred Lothar **14:**144
polo pony **11:**156
Polo Sur
antártico, océano **1:**301
aoeroplano **1:**87
aurora boreal **2:**161
Chile **4:**37
descubrimientos y exploraciones geográficos **5:**77
exploraciones polares **6:**94
geología **6:**311
sol de media noche **13:**28
polo, jinetes 11:156
Polo, Marco 11:156
biografía **11:**156
China (Hong Kong) **4:**46
China **4:**54
Colón, Cristobal **4:**146
correo **4:**253
descubrimientos y exploraciones geográficos **5:**71
Edad media **5:**209
ferias **6:**132
geografía **6:**305
Hangchow **7:**127
indochina **7:**314
Japón **8:**83
Kublai Kan **8:**149
Mongol, imperio **9:**276
palmera **10:**295
petróleo **11:**71
pólvora y polvorín **11:**162
Preste, Juan **11:**194
ruta comercial **12:**151
sal común **12:**169
Toscanelli Daslpozzo, Paolo **13:**233
vestido **14:**70
Polo, Mateo **11:**156
Polo, meseta del **11:**162
Polochic
Guatemala **7:**77
Izabal **8:**70
polonesa 11:157
mobiliario y mueble **9:**255
Polonia 11:157
— agricultura y ganadería **11:**158
— Augusto III de **9:**166
— bandera de **2:**242
— ciudades **11:**159
— clima **11:**157
— comunicaciones **11:**158
— costas **11:**157
— economía **11:**158
— educación **11:**159
— Estanislao Lesczynski, rey de **9:**145
— flora y fauna **11:**157
— geología y relieve **11:**157
— gobierno y división administrativa **11:**159
— hidrografía **11:**157
— historia **11:**159
— industria **11:**158
— Juan Casimiro, rey de **9:**145
— literatura y bellas artes **11:**160
— minerales **11:**158
— población **11:**158
— Sajonia **13:**70
abreviatura **1:**34
Alemania **1:**158
Asch, Scolem **2:**80
Austria **2:**166
azúcar **2:**204
Bernadotte, Juan **2:**302
Brest Litovsk, paz de **3:**79
cobre **4:**121
concentración, campos de **4:**193
Congreso de Viena **4:**209
Conrad, Joseph **4:**212
Corea **4:**246
Cracovia **4:**275
criogenia **4:**285
Cristina de Suecia **4:**293
Danzig **5:**17
Enrique III de Francia **5:**264
eslavos **5:**297
Estanislao, san **6:**46
Europa **6:**75
Federico II, el grande **6:**125
Fedrico I, Barba Roja **6:**124
ferrocarril **6:**141
geología **6:**310
Gidynia **6:**295
guerra mundial, primera **7:**92
Gustavo II **7:**109
Hitler, Adolfo **7:**196
Juan Pablo II **8:**115
Jurazelski, Wojciech Witold **8:**90
Letonia **8:**233
Lituania **8:**287
Luxemburg, Rosa **8:**328
militarismo **13:**314
mongol, imperio **9:**276
Oder **10:**185
Ossendowski, Fernando **10:**267
Padereuski, Ignaci Jean **10:**282
paz, tratado de **11:**19
Pedro I, el grande **11:**25
Pérez, Shimón **11:**44
Pinsudski, Józef **11:**91
plebiscito **11:**137
Polonia **1:**58, 306; **11:**158, 159, 161
Poznan, Posnen **11:**181
queso **11:**252
revoluciones de 1830 **12:**54
Ribbentrop, Joachin von **12:**61
Silesia **12:**323
socialdemocracia **13:**17
solidaridad (Solidarnost) **13:**29
Stettin **13:**55
tamerian **13:**109
Timoxhenko, Semión Konstantinovich **13:**197
Unión de repúblicas socialistas soviéticas **13:**307
universidad **13:**316
Polonices **1:**305
polonio 11:161
elemento químico **5:**244
Polonio (cabo) **12:**86
polos 11:161
— geográficos **9:**27
latitud y longitud **8:**196
viento **14:**88
Polotsk **12:**148
Pólux 11:162
Véase Cástor y Pólux
Agrigento (Girgenti) **1:**109
argonautas **2:**28
géminis **6:**298
Pollux (estrella) **6:**61
Pólux, Julius **5:**111
Polvlas, Iakovos **7:**62
polvo 11:162
— cósmico **2:**141
ábaco **1:**17
yerbicida **14:**162
polvo de moldeo 11:162
pólvora y polvorín 11:162
— blanca **11:**163
— clases de pólvoras **11:**162
— de caza **11:**163
— de guerra **11:**163
— de mina **11:**163
— historia **11:**162
armas **2:**44
artillería **2:**74
Asia **2:**98
dinamita **5:**127
explosivos **6:**99
invenciones y descubrimientos **8:**28
Santa Bárbara **12:**216
polvos explosivos **11:**162
Polyforum Cultural **13:**5
Polymja **12:**150
pomadas **1:**144; **7:**171
Pomar, Arturo **1:**128
Pomarrosa **5:**114
Pombal, Carvalho, José de, marqués de **11:**176
Pombal **1:**287; **8:**272
Pombo, Rafael 11:163
bibliografía **11:**163
bambú **2:**234
Colombia **4:**141
traducción **13:**239
pomelo 11:163
Véase Toronja
toronja **13:**225
Pomerania 11:163

— bahía **2**:230
— duques de **13**:55
— Golfo de **1**:164
Polonia **11**:157
Suecia **13**:70
Pomocoke, ríos **5**:40
Pomona **9**:32
Pompadour, Jeanne Antoinette Poisson, marquesa de **11**:163
biografía **11**:163
carpa dorada **3**:256
Vanloo **14**:24
Pompaelo **10**:298
Pompeya **11**:163
— ruinas de **11**:164
anfiteatro **1**:279
antiguedades **1**:306
arqueología **2**:50
baño **2**:248
César, Cayo Julio **4**:9
cocina **4**:123
estilo **6**:53
foro **6**:198
grafitti **7**:29
Herculano **7**:150
llave **8**:292
mobiliario y mueble **9**:255
patio **11**:12
Plinio, el viejo, Cayo Plineo II **11**:138
Pompeya **11**:164; **11**:165
Rusia **12**:143
Tito, Flavius Sabinus Vespacianus **13**:206
vesubio **14**:72
Pompeyo, Cneo **11**:165
Agripa, Marco Vipsanio **1**:109
baco **2**:209
batalla **2**:264
biografía **11**:165
Bruto, Marco Junio **3**:92
César, Cayo Julio **4**:9
Cicerón, Marco Tulio **4**:68
Craso, Marco Lisinio **4**:276
España **5**:313
Farsalia **6**:120
gladiadores **6**:330
imperio romano **7**:281
Marco Antonio **9**:87
Mitrídates **9**:251
Pamplona **10**:298
Roma **12**:103
tribuno **13**:262
triunvirato **13**:270
Varrón, Marco Terencio **14**:27
Zeléucida **12**:269
Pompeyo el Grande **8**:97; **8**:326
Pompidou, Georges Jean Raymund **11**:165
biografía **11**:165
Francia **6**:225
Mairaux, André **9**:45
Pompilio **10**:299
Pompilio, Numa **12**:97
Pomponia **1**:110
Pomponio Ático
Agripa, Marco Vipsanio **1**:110
Nepote, Cornelio **10**:74
Pomponio Mela **13**:119
Ponca **10**:61
Ponce **11**:165
Ponce de León, Hernán **4**:269
Ponce de León, José María **11**:166
biografía **11**:166
Ponce de León, José María **4**:143
Ponce de León, Juan **11**:166
biografía **11**:166
Alaminos, Antonio **1**:134
América **1**:233
Ballamón **2**:269
descubrimientos y exploraciones geográficos **5**:73
Dominicana, república **5**:159
Golfo, Corriente del **7**:15
Puero Rico **11**:231
Ponce de León, Pedro **3**:230
Ponce Enríquez, Camilo **11**:166
biografía **11**:166
Ponce y de Ogazón, Manuel María **4**:24
Ponce, Federico **1**:344
Ponce, Hernán **2**:29; **10**:93
Ponce, Manuel M. **11**:165
biografía **11**:165
México. **9**:203
latinoamérica **8**:196
Segovia, Andrés **12**:259
Poncelet, Jean Victor **12**:126
Ponchielli, Amílcare **11**:166, 226
obra **11**:165
poncho **11**:166
alpaca **1**:199
arauccános **1**:343
costura **4**:271
vaquero **14**:25
Poncio Pilato **11**:6
Pondal **6**:266
Ponderosa **2**:35
Pondicherry **7**:299, 300
pondopo **14**:113
*Ponéridos 7:*225
Poniatowska, Elena **8**:283
Poniatowski, Estanislao, rey **11**:159
Ponla Grossa **4**:333
Pons, Antonio **11**:166
biografía **11**:166
Pons, Jaime **5**:296
Pons, Paul **8**:315
Ponson du Terrail, Pierre Alexis **11**:166
bibliografía **11**:166
Ponsul **11**:173
Pont Du Gard, río Gardon, Francia **6**:224
Pont, Francisco Marcó del **4**:42
Pontano Poliziano **8**:65
Pontavedra **6**:266
Pontaza, Miguel **7**:79
pontazgo **11**:22
Pontchartrain, lago **10**:88
Ponte, Antonio Da o Antonio Bassano **2**:262
Ponte, Francesco da
— el Joven **2**:262
— el Viejo **2**:262
Ponte, Francesco da, hijo **2**:262
Ponte, Gerolamo da, hijo **2**:262
Ponte, Jacopo da, hijo **2**:262
Ponte, Leandro da, hijo **2**:262
Ponte, Marina da, hija **2**:262
Ponte-a-Pitre **7**:72
Ponte-Corvo, príncipe **2**:302
pontederiáceas **3**:180
Pontevedra ciudad **11**:166
— España, defensa de **11**:166
Pontevedra provincia **11**:167
Vigo **14**:91
Ponthieu, conde de **6**:135
Pontianak **3**:49
pontiense **2**:77
Pontifex Maximus **5**:205
Pontificado
concordato **4**:197,
contrarreforma **4**:228
Julio II **8**:125
pontífice **8**:326
pontífices romanos **7**:318
Pontificia Universidad de Santo Tomás de Aquino **2**:316
Pontificia y Real, Universidad **4**:241
Pontificios, Estados **11**:167
— la edad contemporánea **11**:167
— la edad moderna **11**:167
— los siglos de teocracia **11**:167
— pactos lateranenses **11**:167
contrarreforma **4**:229
vestido **14**:69
Pontinas, lagunas **4**:10
Ponto **6**:295
Ponto Euxino **9**:223
Ponto, Mitrídates, rey del **6**:58
Ponto, Mitrídates del **12**:322
Ponto-Euxino (Mar Amigo) **10**:69
pontón **11**:167
Pontoppidan, Henrik **11**:168
bibliografía **11**:168
Gjellerup, Karl Adolph **6**:328
Ponz, Antonio **11**:168
bibliografía **11**:168
Ponza
— batalla naval de **1**:175
Roger de Lauria **12**:93
Poo, Fernando **11**:168
biografía **11**:168
decubrimientos y exploraciones geográficos **5**:72
Guinea ecuatorial, república del **7**:106
Pooecetes gramineus **7**:24
pool **2**:324
Poole, Robert **11**:203
Poona **7**:299
Poopo, lago
Bolivia **3**:26
Puna, cultura del **11**:243
Poor Laws o Leyes de los Pobres **11**:168
pop art
cómic **4**:170
minimal, arte **9**:233
pintura **11**:95
popa
corredera **4**:252
junco **8**:125
marina mercante **9**:98
Popayán **11**:168
— provincia de **9**:6
Colombia **4**:140
Legarda, Bernardo de **8**:210
Maya, Rafael **9**:136
Quijano, Manuel María **11**:256
Pope, Alexander **11**:168
biografía **11**:168
Clasicismo **4**:107
funcionarios **6**:251
Gran Bretaña **7**:43
Melendez Valdez, Juan **9**:158
neoclasicismp **10**:70
Voltaire, Francisco Maria Arouret, llamado **14**:129
Popea **10**:75
Popeye **5**:110
Popham, George **5**:74
Popocatépetl **11**:168
América **1**:230
iztaccihuatl **8**:70
México **9**:193
México, estado de **9**:207
montañismo **9**:285
volcán **14**:128
Yecapixtla **14**:161
Estado de México **6**:30
Popol Vuh **11**:168
Véase Mayas
Concepción virginal **4**:193
indios americanos **7**:311
latinoamérica **8**:188
mayas **9**:139
México **9**:202
Popolo Vicente, Manuel de **6**:283
popoloca **7**:309
Poponomyrmex **7**:227
Popotla **9**:209
Popotla, Instituto de Higiene de **14**:93
Popov, Dimiter **3**:104
Popovich, Pavel R. **11**:168
biografía **11**:168
astronáutica **2**:111
Nicolayev, Adrian G. **10**:102
Pöppelmann, Matthäus **1**:166
Popular de Libertação de Angola (MPLA) **10**:76
Popular, museo **10**:264
popularismos **6**:7
populismo **11**:169
populistas **13**:173
Populorum Progressio **11**:17
Populus canadensis **1**:134
Poquelin, Jean Baptiste, llamado *Moliére*
comedia **4**:163
Iriarte, Tomás de **8**:42
Jouvet, Luis **8**:111
Lully o Lulli, Jean Baptiste **8**:320,
Moliére **9**:268
teatro **13**:133
Por el decoro **2**:258
Pörbandar **6**:279
porcelana **11**:169
— china **4**:49
— historia **11**:169
China **4**:49
feldespato **6**:125
Porcia **2**:260
porcino **6**:278
Pordenone, Odorico **2**:99
pórfido **11**:170
arena **2**:5
Porfiras, L. **7**:62
porfiriato **11**:170
Porfirio **10**:72
poríferos **8**:29
Porkkala, península de **7**:98
pornografía **11**:171
pornos **6**:240
poro **11**:85
Porón **14**:45
porongo **9**:126
pororoca **1**:242
poros **4**:324
porosidad **11**:171
física **6**:164
poroto **1**:210
porra **7**:15
Porras Barrenechea, Raúl **11**:171

bibliografía **11**:171
Porras, Belisario **10**:302
Porson, familia **7**:322
Port Arthur **12**:145
Port Blair **1**:266
Port Bou **4**:266
Port Egmont **9**:47
Port Fuad **13**:74
Port Gentil **6**:259
Port Huron **5**:211
Port Jackson **13**:91
Port Louis **9**:47, 134
Port Moresby **10**:158, 317
Port Royal **8**:142
Port Royal, monasterio **10**:336
Port Said 11:171
Suez **13**:73
Port Stanley **9**:47
Port Sudan **1**:170
Port Tewfik **13**:74
Porta Coeli, iglesia de **9**:136
Porta Pía **12**:100
Porta, Baccio della **2**:259
Porta, Giacomo della **12**:198
Porta, Juan de la **4**:287
portaaviones 11:171
armada **2**:39
destructor **5**:94
infantería de marina **7**:324
portaaviones **1**:83
portaaviones estadounidense **2**:39
portaaviones USS Ranger **11**:172
Portabelo **10**:304
portada de la primera edición de *Almas Muertas*, diseñada por el propio Gogol **7**:13
Portada del *Tratado sobre la naturaleza humana* de David Hume **7**:248
portador **14**:16
Portales, Diego 11:172
biografía **11**:172
Chile **4**:42
portaobjetos 9:217
portátiles **8**:172
portazgo **11**:22
porte **4**:254
Portela de Sacavem, aeródromo internacional **11**:174
Port-Elizabeth **13**:313
Porter Mitchell, Helen **9**:158
Porter, C. **7**:45
Porter, comodoro **6**:119
Porter, Rodney R. 11:172
biografía **11**:172
Edelman, Gerald **5**:210
Porter, sir George 11:172
biografía **11**:172
Porter, William Sydney **10**:191
Portes Gil, Emilio 11:172
biografía **11**:172
cristero **4**:290
México **9**:200
Portete de Tarqui, batalla de **8**:166
Pórtico con una lámpara de Antonio Canaletto **3**:207
pórtico en Atenas **6**:55
Portillo, Alvaro del **10**:228
Portinari, Beatriz 11:172
biografía **11**:172
Portinari, Cándido 11:172
biografía **11**:172
Brasil **3**:76
Portland **9**:32
Portland, Oregon **6**:32
Porto **11**:175
Porto Alegre 11:173
Vargas, Getulio Dornelles **14**:26
Porto Marghera **14**:39
Porto Novo **2**:293
Porto Viejo **5**:197
Porto, Silva **5**:76
Portobelo **4**:166
Portobelo, plaza de **11**:107
Porto-Cale conde de **11**:176
Portocarrero, Pedro de **10**:164
Portocarrero, René **4**:316
Portogruaro **14**:39
Portolá, Gaspar de **1**:281
Portolu, Elías **5**:42
Portón de la India **7**:298
Portormo **9**:58
Portoviejo 11:173
manabí **9**:50
Portrush **12**:316
Ports de Beceit **7**:133
Port-Said **5**:225
Portsmouth 11:173
— base naval en, **11**:172
— tratado de paz **12**:111
canal **3**:207
Gran Bretaña **7**:34
New Hampshire **10**:84
Port-Tawfik **5**:225
Portugal 11:173
— agricultura, ganadería y minería **11**:174
— arquitectura **11**:177
— ciudades **11**:175
— clima **11**:173
— colonias **11**:175
— comercio **11**:174
— comunicaciones **11**:174
— costas **11**:173
— en América **6**:137
— Enrique de **13**:221
— enseñanza **11**:175
— escultura **11**:177
— flora y fauna **11**:174
— geología y relieve **11**:173
— gobierno y divisiones administrativas **11**:174
— hidrografía **11**:173
— historia **11**:175
— idioma y religión **11**:175
— Isabel de **6**:126
— Juan II, rey de **2**:277
— Juan III, rey de **6**:126
— Leonor, de **9**:135
— literatura **11**:177
— María de **8**:114
— música **11**:178
— pesca **11**:174
— pintura **11**:177
— población **11**:174
Abreu, Casimiro de **1**:33
academia **1**:137
alcornoque **1**:151
América **1**:232
América del sur **1**:245
Andalucía **1**:265
Andrade, Simón de **1**:273
Antonio de Padua, San **1**:316
arábigo, mar **1**:338
arbitraje **1**:344
Argentina, república **2**:24
Artigas, José Gervasio **2**:72
astillero **2**:106
atlántico, océano **2**:137
átomo **2**:151
Azores **2**:196
Badajóz **2**:213
bebidas **2**:272
bloque ibérico **3**:7
Ciudad-Rodrigo **4**:102
Coimbra **4**:130
Colón, Cristobal **4**:146
colonización **4**:153
comercio **4**:165
comuneros **4**:180
Comunidad Económica Europes **4**:189
corcho **4**:240
cortes **4**:259
Cosa, Juan de la **4**:263
Daéoiz y Velarde **5**:18
Duero, río **5**:176
ébano **5**:183
Elío, Francisco Javier **5**:246
Enrique el navegante **5**:265
escudo **5**:287
España **5**:303
Espronceda y Delgado, José de **6**:21
EURATOM **6**:73
Europa **6**:80
Extremadura **6**:105
Fátima, nuestra señora de **6**:121
Felipe II **6**:126
Ferrer, Bassa, Jaime **6**:137
ferrocarril **6**:141
Florida Blanca, José Monhino y Redondo conde de **6**:184
Funchal **6**:251
gobierno **7**:73
Guzmán y Pimentel, Gaspar de **7**:112
hipódromo **7**:184
hispanoamérica **7**:187
Ibérica, península **7**:255
independencia **7**:294
India **7**:304
indigenismo **7**:307
Indonesia, república de **7**:315
inundación **8**:22
Juan Pablo II **8**:115
Lecor, Carlos Federico **8**:203
lenguas romances **8**:221
madera, islas **9**:15
maíz **9**:35
Paulo VII **11**:17
paz, tratado de **11**:20
Pedro I **11**:25
Pereira, Beatonuno Álvarez **11**:44
Portugal **4**:239; **11**:174, 175, 176, 177
radio **11**:277
Reconquista **11**:316
Reparaz, Gonzalo de **12**:22
santuario **12**:224
Sonda, islas de la **13**:36
tabaco **13**:93
Timor **13**:196
universidad **13**:316
Urbano VIII **13**:323
usurpación **13**:331
Uti Possidetis, principio del **13**:333
vivienda **14**:117
Zamora **14**:172
Portugués de Angola, reino **1**:286
Portugués de Benguela, reino **1**:287
portugués, idioma 11:178
Portugués, río **11**:165
Portuguesa 11:178
— estado de **4**:250
— República **11**:173
portulano 11:178
portulanos **6**:305
Port-Vendres **6**:217
Posad, Sergiyev **4**:230
Posada Amador, Carlos 11:178
bibliografía **11**:178
Colombia **4**:143
Posada, José Guadalupe 11:178
biografía **11**:178
caricatura **3**:247
México **9**:206
Posadas 11:178
Posadas, Antonio de **12**:230
Posadas, Gervasio Antonio de 11:179
Argentina, república **2**:22
Artigas, José Gervasio **2**:73
biografía **11**:179
Larrea, Juan **8**:177
posbíblico o rabínico **7**:135
Poscharski **12**:143
posclásico, ciudades del periodo **9**:142
posdeterminismo **8**:244
Poseidón 11:178
Acrópolis **1**:56
Andrómeda **1**:275
Eolo **5**:269
Gea **6**:296
Laooconte **8**:173
Minos y Minotauro **9**:235
nereidas **10**:74
Plutón **11**:142
Poseidón **9**:248
Proteo **11**:218
Saturno **12**:242
Tetis **13**:178
Tritón **13**:269
Zeus **14**:177
posencéfalo **5**:252
poshipnóticas **7**:183
posimpresionismo **14**:23
positivismo 11:178
— doctrina **4**:292
— escuela **4**:180; **6**:137
— lógicos **14**:56
Comte, Auguste **4**:180
Francia **6**:227
Mill, John Stuart **9**:223
Spencer, Herbert **13**:47
positivista **3**:164
positrón
Anderson, Carl Davis **1**:267
átomo **2**:150
leptón **8**:230
positrones
aniquilación **1**:299
antimateria **1**:310
antipartícula **1**:312
física **6**:169
positrón **1**:311
positronomio **1**:292
Posledovic, M. **12**:150
posmodernismo **5**:116
Posnania **1**:161
Posnansky, Arturo 11:179
bibliografía **11**:179
posromanticismo **12**:248
Posselt **10**:96
Possoz **10**:275

Post, Wiley
aeroplano **1**:87
Roger, Will **12**:94
transportes **13**:253
Postdam
Brandemburgo **3**:67
Stalin, Jose **13**:51
Posternak **6**:171
postestructuralismo **6**:65
postimpresionismo **6**:294
potabilidad 11:179
potamología **7**:168
potasa 11:179
— cáustica **2**:233
cristalería **4**:289
huerta y horticultura **7**:239
lente **8**:223
potasio 11:179
abono **1**:31
biología **2**:326
esmalte **5**:301
Gay-Lussac, Joseph-Louis **6**:295
Tierra **13**:192
potawatomis **7**:309
Potëmkin, acorazado ruso **10**:185
Potëmkin, Grigorij Aleksandrovic
Catalina II, la grande **3**:287
Dnepropeerovsk **5**:149
Sebastopol **12**:252
potencia 11:179
física **6**:167
locomotora **8**:299
multiplicación **9**:329
potenciación 11:179
aritmética **2**:34
logaritmo **8**:300
potenciometría 11:179
potenciómetro de precisión **13**:168
potestas **8**:255
Potiemkin, acorazado **12**:41
Potocnik **6**:28
Potomac, río
Potos flavus **11**:264
Potosí 11:180
— cerro **1**:268
— distrito minero **6**:47
comercio **4**:166
Sucre **13**:75
Potrerillo, pico de 4:311
Potrerillos **4**:121
Potrerillos, planta de **2**:132
Potsdam 11:180
Potter, Beatriz **14**:144
Potter, Humphrey **9**:75
Pou, Miguel **11**:241
Pouillet **10**:194
Poulenc, François
Honegger, Arthur **7**:220
Milhaud, Darius **9**:223
seis, grupo de los **12**:268
Poulsen, Valdemar
alambre **1**:133
cinta magnetofónica, grabadora de **4**:87
radiotelefonía y radiotelegrafía **11**:284
Poulies **12**:32
Pound, Ezra **7**:273
Pourbous **8**:313
Poussin, Nicolás 11:181
bibliografía **11**:181
Poussin **5**:289
escuela artística **6**:228
Francia **8**:313
neoclasicismo **10**:71
parnaso **10**:330
pintura **11**:97
Poveda Burbano, Alfredo **5**:201
Poverty Point **8**:312
Powder, río **14**:156
Powell, Cecil Frank 11:181
biografía **11**:181
Powell, Eleanor **2**:105
Powell, John Wesley **5**:74
Powhatan
mocasín **9**:257
Pocahontas **11**:144
Poyang, lago **4**:49
Poznan (Posen) 11:181
pozo 11:181
— artesianos **2**:163; **6**:244
— de la Península de Apscheron **2**:195
hierro **7**:173
meandro **9**:146
minería **9**:231
riego **12**:66
Pozo Amargo **13**:212
Pozo, Francisco del **4**:142
Pozo, Ismael **11**:63
pozole 11:181
maíz **9**:37
pradera 11:182
Prado Ugarteche, Manuel 11:183
biografía **11**:183
Prado, dioses en el **5**:116
Prado, Leoncio 11:182
bibliografía **11**:182
Prado, Mariano Ignacio 11:182
biografía **11**:182
Balta, José **2**:229
Castilla, Ramón **3**:282
Prado, museo del 11:182
Madrid **9**:19
Memling, Hans **9**:161
Palma, Lacopo de´Antonio Migretti **10**:294
Ricci, Fray Juan Andrés **12**:81
Ruizdael, Jacob Isaac van **12**:152
Prado, Pedro 11:182
bibliografía **11**:182
Prados, Emilio 11:183
bibliografía **11**:183
Praga 11:183
— primavera de **12**:268; **14**:28
Bohemia **3**:18
Checa, república **4**:25
conservatorio **4**:215
cubiertos **4**:317
cuento **4**:320
defenestración **5**:35
Descartes, René **5**:68
Dvorak, Antonin **5**:182
Edad Media **5**:209
Einstein, Albert **5**:230
Eslovaquia **5**:299
Europa **6**:81
Ghetto **6**:321
Praga **1**:203; **13**:205
revoliciones de 1840 **12**:54
Smetana, Friedrich **13**:13
Suttne, Berta kinsky, baronesa **13**:89
universidad **13**:316
pragmática 11:183
pragmatismo 11:183
Chapek, Karel **4**:20
espiritualismo **6**:18
estética **6**:51
verificación **14**:56
Praia **3**:142
Prajadhipok (Rama VII) **13**:102
Prat de Dalt **2**:228
Prat, Arturo 11:183
biografía **11**:183
Prat, río **9**:266
praticultura 11:183
Prato **2**:292
Pratolini, Vasco **10**:72
Pratzen, meseta de **2**:161
Pravda (Verdad)
Moscu **9**:309
periodismo **11**:51
praxeología 11:184
Praxíteles 11:186
obra **11**:186
Baco **2**:209
escultura **5**:294
Grecia **7**:63
helenismo **7**:140
neoclasicismo **10**:71
siete maravillas del mundo **12**:321
Prealpes de Friburgo **13**:76
Préault, Augustin **6**:229
Preboste, Francisco **13**:182
Precámbrico
extinción **6**:104
Finlandia **6**:160
precapitalista 11:184
preceptiva literaria 11:184
precepto coránico **1**:333
preceptos **10**:171
precesión 11:184
— movimiento de **10**:166
precio
— política de **14**:49
— problema del **4**:176
comprador y arte de comprar **4**:178
Smith, Adam **13**:14
valor **14**:15
preciosismo
Jiménez, Juan Ramón **8**:102
La Roche, Fracoise duque de **8**:177
precipitación radiactiva local **8**:295
precipitado 11:184
precipitrón 11:184
preclásico o formativo, periodo **9**:136
precolombina, época **14**:173
precolombinas **7**:190
predávidas **2**:95
predestinación 11:185
predeterminismo **8**:244
predicado 11:185
oración gramatical **10**:228
Preece, William H. **11**:283
preexistencialismo **4**:278
prefecto 11:185
— de Arcadia **8**:159
— del Pretorio **10**:316
prefijo 11:185
Pregl, Fritz 11:185
biografía **11**:185
Austria **2**:168
pregnenolona **1**:274
Pregón **12**:97
prehipófisis **7**:104
prehistoria 11:185
— cronología prehistórica **11**:186
— cuevas **10**:172
— Edad de Hierro **11**:187
— Edad de Piedra **11**:186
— Edad del Bronce **11**:187
— el hombre fósil **11**:185
— la vivienda **11**:187
— religión prehistórica **11**:187
conejo **4**:202
danza **5**:14
prehistoria **11**:185
sastrería e insustria de la confección **12**:233
preincaico, arte 11:187
Ecuador **5**:199
Pachacamac **10**:281
prejuicio **5**:142
Prelog, Vladimir 11:188
biografía **11**:188
preludio 11:188
obertura **10**:172
Prem Tinsulanonda **13**:102
Premiano **6**:104
Preminger, Otto 11:188
biografía **11**:185
premio
— Briand del Instituto de Francia **6**:161
— Carabela de Oro de Barcelona (España) **12**:184
— Cervantes **6**:245
— Cervantes de la lengua española **12**:226
— Cervantes de Literatura **12**:*82*, 155
— de la Academia de Ciencias de París **9**:234
— Erasmo **2**:296
— extraordinario Sarasate **12**:97
— Fémina **12**:166
— Internacional Alfonso Reyes **6**:245
— Internacional Menéndez y Pelayo **6**:245
— Juan Rulfo de Literatura **12**:61
— Lenin de Economía **8**:134
— Lenin de la Paz **2**:290; **10**:108
— Miguel de Cervantes **1**:140
— Nacional de Ciencias Exactas **12**:204
— Pedro Bargueño de Granada, España **12**:184
— Profesor Higgins de Física **6**:332
— Profesor Mellon de Ciencias **6**:332
— Stalin **6**:232; **13**:31, 214
— Volta **2**:288
— Strega **5**:187
Premio Príncipe de Asturias 2:130
Premio Pulitzer
Auden, Wystan Hugh **2**:156
Book, Pearl S. **3**:93
Falukner, William **6**:121
Kennedy, John Fitzgerald **8**:138,
Lippman, Walter **8**:269
Malamuth, Bernard **9**:40
Miller, Arthur **9**:224
Mitchel, Margarita **9**:246
Sinclair, Upton **12**:331
Tarkington, Newton Booth **13**:121
premonición **9**:185

Preneste **6:**199
prensa 11:189
— cilíndricas **8:**268
— de imprimir **7:**284
— de mano **7:**284
— de rotograbado **12:**118
— nuevas tecnologías **11:**190
— rotativa **7:**283
— tipográficas **9:**241; **11:**188
prensa (información) 11:189
— británica **10:**132
— chilena **7:**146
— clandestina **11:**189
— gráfica **11:**190
— Latina **11:**51
— popular **11:**190
prensa hidáulica 11:189
— portátil **11:**139
hidrostática **7:**168
Prepuna **13:**59
prerrafaelista 11:190
— escuela **9:**224
prerrafaelistas **13:**91
Prés, Josquin Des **6:**229
presa de Assuán **5:**228
presa de Dneprostroi **5:**149
presa de Toledo **8:**311
presa del Oviáchic **13:**41
presa hidroeléctrica Acozombo **1:**111
presa hidroeléctrica **5:**259
presa Hoover **5:**138
presa Presidente Miguel Alemán **9:**195
presa Solís **8:**231
presa Tepuxtepec **8:**231
presbiteriana, Iglesia 11:190
presbiteriana, Iglesia **10:**85
reforma **11:**325
Unión sudafricana **13:**313
Presbíteros, cardenales **10:**311
Presburgo
— tratado de **3:**77
Austerlitz **2:**161
Checa, república **4:**26
Prescott, Guillermo Hickling 11:190
bibliografía **11:**190
Prescott, William **6:**43
prescripción 11:190
presentación 11:190
— en el Templo **9:**93
preservación 11:191
— de las especies **11:**67
— los recursos naturales **11:**191
preservación **11:**192
conservas **4:**214
preservativo **4:**228, 229
presidente de la república 11:193
Presidente Hayes 11:193
Paraguay **10:**321
Presidio, río **12:**330
Presídium 11:193
presión 11:193
— atmosférica **2:**111; **8:**54; **13:**16
— barométrica **14:**88
— diferencia de **14:**51, 87
— estática **14:**51
— hidráulica **7:**168
— osmótica **10:**265
anemómetro **1:**276
corredera **4:**253
elasticidad **5:**235
fuelle **6:**244
gas **6:**287
geología **6:**313
lámpara **8:**167
presión **10:**290
presión sanguínea **11:**193
Presley, Elvis **3:**9
préstamo 11:194
— y arriendo **13:**307
hipoteca **7:**186
interés **8:**16
Preste Juan 11:194
Etiopía **6:**69
Prestes, Luis Carlos **1:**217
prestidigitación 11:194
juego **8:**120
prestidigitador **11:**194
magia **9:**25
presupuesto 11:194
Prete, Carlo P. del **1:**87
Prete, Juan del 11:195
bibliografía **11:**195
pretérito 11:195
infinitivo **7:**325
Preto, Ouro **8:**193
pretor 11:195
vicario **14:**75
pretores **5:**59
Pretoria 11:196
Unión sudafricana **13:**313
pretoriales **2:**157
Pretoriana, Guardia 11:195
Pretorius, Andrés Guillermo Jacobo 11:195
biografía **11:**195
Pretorius, Martín Wessels 11:195
biografía **11:**195
Unión sudafricana **13:**313
Preuilly, Godofredo de **8:**129
previsión social 11:195
Prevost D'Exiles, Antoine Francois 11:196
bibliografía **11:**196
Prévost, Abate **6:**226
Prevost, Marcel 11:196
bibliografía **11:**196
Príamo 11:196
Casandra **3:**271
Iliada **7:**268
París **10:**329
Troya **13:**273
Pribilof, islas 11:196
Price, George Cadle 11:196
biografía **11:**196
Belice **2:**286
prickers **3:**89
Prielom, monte **5:**298
Prien, Gunther **13:**61
Priena (Jonia) **2:**307
Priene, Bías de **12:**321
Priest, lago **7:**262
Priestley, John Boynton 11:196
bibliografía **11:**196
Priestley, Joseph 11:196
biografía **11:**196
bebidas **2:**272
caucho **3:**299
clorihídrico, ácido **4:**115
clorofila **4:**116
Lavoisier, Antoine-Laurent **8:**201
oxígeno **10:**277
Schieel, Carl Wilheim **12:**246
Prieto y Tuero, Indalecio 11:197
biografía **11:**197
Prieto, Guillermo 11:196
bibliografía **11:**197
Prieto, Jenaro 11:197
bibliografía **11:**197
Prieto, Joaquín 11:197
biografía **11:**197
Prieto, Luis J. 11:197
bibliografía **11:**197
Prieto, Raúl 11:197
biografía **11:**197
Prievalski, Nicolai M. **5:**75
Prignano, Bartolomé **13:**323
Prigogine, Ilya 11:197
biografía **11:**197
Prilep **9:**7
Prim, Juan 11:197
biografía **11:**197
España **5:**318
Reus **12:**37
primado 11:197
primario 11:197
primates 11:198
chimpance **4:**46
hombre **7:**212
mamífero **9:**49
mono **9:**277
primavera 11:198
febrero **6:**123
jardinería **8:**89
lechuga **8:**205
Primer ayuntamiento de Saint Louis, Missouri **9:**245
primer encuentro internacional feminista **6:**129
primer imperio francés **7:**274
Primer Triunvirato **8:**177; **11:**165
primera Cruzada **4:**306; **13:**323
Primera Iglesia Bautista de América **12:**59
primera infancia **7:**319
Primera Internacional
Bukinin, Mikhail **2:**221
Bebel, Auguste **2:**272
internacional **8:**19
socialdemocracia **13:**17
Primera Junta 11:198
Primera República Española **6:**150
Primera Guerra Mundial
Véase Guerra Mundial, Primera
Primero de Mayo 11:199
primeros auxilios 11:199
— asfixia **11:**200
— ataques y pérdida de conocimiento **11:**200
— botiquín y equipo **11:**201
— congelación **11:**200
— contusiones **11:**199
— cuerpos extraños **11:**200
— envenenamientos **11:**200
— fracturas, luxaciones y torceduras **11:**200
— hemorragias **11:**199
— heridas **11:**199
— insolación **11:**200
— inyecciones **11:**201
— mordeduras **11:**199
— picaduras **11:**199
— quemaduras **11:**200
— shock **11:**200
enfermero **5:**263
primeros auxilios **11:**200
primina **12:**273
primitivismo **8:**70, 144
primitivo 11:201
Edad Media **5:**206
imprenta **7:**283
nombre **10:**128
oblación **10:**174
Primo Carnera **13:**334
Primo de Rivera y Orbaneja, Miguel, segundo marqués de Estella 11:201
biografía **11:**201
Primo de Rivera, golpe de Estado de **1:**137
Primo de Rivera, José Antonio 11:201
biografía **11:**201
primogenitura 11:201
primuláceas **11:**198
Prince Edward Theater **5:**169
Prince, Jean-Baptiste le **1:**114
Princesse Alicie, yate **9:**272
Princeton, Universidad de
Smalley, Richard **13:**13
Taylor, Joseph **13:**128
universidad **13:**316
Principal, Teatro, México **9:**203
Principales partes y mecanismos de un fusil moderno 6:255
Principales tipos de fractura completa 6:209
príncipe 11:202
príncipe de Asturias 11:202
príncipe de Gales 11:204
— Cabo del **1:**228
— isla del **11:**161
Príncipe Eduardo, isla
Acadia **1:**41
zorro **14:**189
Príncipe, Colegio del **10:**191
Príncipe, El **3:**47
principio
— de contradicción **7:**150
— de lo justo **8:**245
— de refuerzo **7:**167
— de sobreposición **8:**18
principios
— *de biología* **13:**47
— *de dinámica atómica* **13:**52
— *de educación* **13:**153
— *de mecánica* **2:**53
— *de psicología* **13:**47
— *de sociología* **13:**47
— MacBride, código antiterrorista **9:**6
— religiosos y morales **1:**44
pringitan **14:**113
Pringles, Juan Pascual 11:202
biografía **11:**202
Prinzapolka, río **10:**92
Prío Socarrás, Carlos 11:202
biografía **11:**202
Priorato **13:**122
prioridad 11:202
Pripet, río **2:**279
Prisciano **11:**147
prisión 11:202
— medieval, La Haya **7:**134
criminología **4:**284
prisioneros de guerra 11:203
prisma 11:203
— de cuarzo **6:**10
— hexagonales **8:**175
dispersión **5:**144
esmeralda **5:**302
luz **8:**330
tecnicolor **13:**137
prismáticos **6:**92

Pritaneo **10**:204
privatización 11:203
— la tendencia gloval **11**:204
— los fundamentos **11**:204
privilegio 11:204
Prix des Nations **10**:205
proa **9**:98
probabilidades 11:204
— leyes de **3**:34
— teoría de la **9**:127
combinatoria **4**:161
problema 11:205
probóscide **9**:306
proboscidio 11:205
mamífero **9**:49
procariotas **10**:223
procedimiento 11:205
— científico **11**:205
acero **1**:48
lápiz **8**:174
talla y tallado **13**:106
proceláridas **1**:139
procelariformes **10**:253
procesión 11:205
— de Pascua **1**:265
— peregrinos, Jerusalén **11**:206
procesión **10**:237
Proceso **11**:197
proceso 11:206
— continuos **10**:105
— controlado de meteorización **9**:186
— de alteración **9**:187
— de desarrollo **7**:322
— de Hooker **6**:106
— de la competencia **8**:249
— de obtención de copias por galvanoplastia 6:272
— de separación de los componentes **2**:291
— legislativos **7**:8
— productivo **12**:6
— volitivo **12**:29
Proceso de Bergius 2:296
proceso de Nuremberg 11:206
prociónidos **11**:264
Próclidas **6**:7
Proclo **10**:72
Procopio
Teodora **13**:160
Valente, Flavio **14**:14
Procuna, Luis **13**:127
procurador 11:206
Procyon, estrella **6**:61
Pródico **13**:24
producción 11:206
— comercial **7**:264
— de materiales **7**:332
— en gran escala **12**:51
— en masa **12**:50
— fónica **13**:122
— industria y ganadería **7**:206
— medios de **4**:190
— proceso de **11**:129, 208
— agrícola **1**:103
— mundial **2**:61
desocupación **5**:90
economía **5**:189
estandar **6**:46
exedente económico **6**:90
explotación **6**:100
helio **7**:142
Holanda **7**:206
sobreacumulación **13**:16
producción en serie 11:207
productividad 11:208
grupo, dinámica de **7**:69
producto interno bruto (PIB) 11:208
producto líder **8**:255
producto nacional 11:208
producto Nacional Neto (PNN) **11**:208
producto social 11:208
Productos
— de la ballena **2**:233
— finales **11**:208
— industriales **7**:172
— manufacturados **9**:63
— químicos **7**:114
— volátiles **10**:105
profecía 11:208
— mesiánicas **9**:176
profetas
— hebreos **8**:50
— menores **9**:41; **14**:169
profilaxis 11:208
— mental **7**:176
laringe y laringitis **8**:176
progesterona 11:208
contracepción **4**:228
menstruación **9**:170
ovario **10**:272
progestrina **9**:168
programa (computación) 11:209
programación 11:209
programación **11**:210
programadores **11**:209
programas **11**:280
progresión 11:210
progresiva **1**:251
progresismo **4**:201
Progreso 11:211
— técnico **9**:232; **13**:237
Codorcet, Marie Jean Antoine Nicolas de Caritat, marqués de **4**:201
Progreso, El 11:211
Progreso, puerto **9**:207
prohibición 11:211
Projorov, Aleksandr M. 11:211
biografía **11**:211
Basov, Nicolaj Gennaievich **2**:261
Projorov, A.V. **2**:261
Prokofiev, Iván **12**:143
Prokofiev, Sergio Sergeievich 11:211
bibliografía **11**:211
Bolshoi, ballet **3**:34
Khachaturian, Aram Ll´ic **8**:140
Prole, isla de **12**:105
proletariado 11:211
bolchevique **3**:21
proletariado **4**:105
Rusia **12**:143
socialismo **13**:19
prolina **4**:131
prólogo 11:212
epílogo **5**:271
promancaes **7**:310
promedio 11:212
Prometeo 11:212
Atlas **2**:138
biografía **11**:212
cerillos **3**:334
fuego y sus consecuencias **6**:241
Hércules **7**:152
Pandora **10**:308
Parrasio **10**:331
Quirón **11**:269
promulgación 11:212
ley **8**:237
pronombre 11:212
análisis gramatical **1**:258
lenguaje **8**:219
pronóstico 11:212
— del tiempo **9**:188
enfermedad **5**:260
prontosil **5**:154
Pronuba **14**:165
pronunciación 11:212
fonética **6**:191
lengua **8**:215
propagación
— de la Fe, Congregación de la **10**:311
— del sonido **13**:38
— línea de **10**:212
propaganda 11:213
— política **8**:206
— católica **7**:158
ferias **6**:131
propaganda **11**:214
propano **6**:332; **7**:165
propeno **6**:332
Propercio **9**:147
Propercio y Tibulo, Sexto **8**:181
propiedad 11:214
— de la tierra **11**:325
— feudal **11**:15
— territorial **8**:238
propiedad **6**:250
propiedades
— y métodos de refinación **2**:82
— de la materia **6**:164
— de los cuerpos **6**:164
— narcóticas **7**:172
propilenglicol **13**:42
Propileo **2**:56
proporción 11:214
— continua **11**:215
proporción aritmética 11:215
Véase Equidiferencia
Propulsión 2:174
— sistema de **14**:161
propulsión **4**:129
propulsión a chorro 11:215
Proquois **11**:39
prosa 11:216
— modernista **8**:282
literatura **8**:275
López Velarde, Ramón **8**:308
novela **10**:138
Voltaire, Francisco María Arouet, llamado **14**:130
Prosas Profanas
Nicaragua **10**:95
Uruguay **13**:329
prosencéfalo **5**:252
prosénquima **9**:12
Proserpina 11:216
Ceres **3**:333
dioses paganos **5**:136
Sisifo **13**:8
Teseo **13**:174
trigo **13**:266
prosistas de la emancipación **8**:281
prosodia **7**:30
prospección 11:216
— geofísica **11**:216
— geoquímica **11**:216
Prosper Messager, André Charles **6**:229
próstata **1**:139
prostitución 11:216
— en las sociedades comtemporáneas **11**:216
— en los países no occidentales **11**:216
— historia en las sociedades occidentales **11**:216
marginación social **9**:92
prostomio **1**:275
protactinio
átomo **2**:151
Hahn, Otto **7**:119
Meitner, Lise **9**:156
Protágoras 11:217
biografía **11**:217
Eurípides **6**:74
humanismo **7**:247
Platón **11**:135
sofista **13**:24
protalo **7**:140
protaminas **6**:14
protargol **10**:105
protección contra accidentes 11:217
Véase Seguridad
protección legal de las minorías **8**:242
proteccionismo 11:217
Véase Librecambio
protector de indios 11:217
protectorado 11:217
— británico de Adén **1**:68
— de Arabia del Sur **13**:23
— de Cromwell **7**:41
proteínas 11:218
— animales **1**:189
— G **12**:89
— química de las **6**:163
— vegetales **1**:189
alimentación **1**:186
animal **1**:293
enzimas **5**:268
Glaever, Ivar **6**:321
globulina **6**:334
insulina **8**:14
leche y lechería **8**:203
lenteja **8**:224
Monod, Jaques Lucien **9**:279
Northrop, John Howard **10**:133
plantas comestibles **11**:125
Smith, Michael **13**:14
Ticelius, Arne Wilhelm Kaurin **13**:204
protélidos **8**:296
Proteo 11:218
Menelao **9**:166
proteosas **11**:41
proteroglifos **12**:291
proterozoica, era 11:218
Véase Geología
geología **6**:307
paleontología **10**:291
prótesis 11:218
figuras del lenguaje **6**:151
gramática **7**:31
odontología **10**:187
sordera **13**:42
protestantismo 11:218
— calvinista **11**:324
anglicanismo **1**:283
Cristina de Suecia **4**:293
Europa **6**:81
Felipe II **6**:126
Finlandia **6**:160
Francia **6**:222

Gran Bretaña **7**:39
Gustavo II **7**:109
historia **7**:193
iglesia **7**:266
Knox, John **8**:144
Lutero, Martín **8**:326
Reforma **11**:323
Suiza **13**:79
Surinam **13**:86
Tyndale, William **13**:298
Proteus, Charles **13**:53
protio **8**:55
protoagrícola, periodo **9**:178
protocolo 11:218
— de Londres **7**:61
notario **10**:137
protoindoeuropeo **6**:81
protoliberos **7**:256
protón 11:219
anihilación **1**:292
átomo **2**:148
carga eléctrica **3**:244
deuterio **5**:97
Dunning, john Ray **5**:179
electrónica **5**:241
física **6**:169
Friedman. Jerome Isaaac **6**:237
helio **7**:142
hidrógeno **7**:166
isótopos **8**:55
Jensen, Hans Daniel **8**:94
Kendall, Henrry W. **8**:137
materia **9**:130
neutrón **10**:82
química **11**:261
radiactividad **11**:276
rayos cósmicos **11**:307
protón-sincrotón **2**:150
proto-oncogenes **10**:210
protoplasma 11:219
biología **2**:326
diatomea **5**:106
hidrátos de carbono **7**:164
mar **9**:79
membranas **9**:160
neurona **10**:80
vida **14**:80
protoplasmática **1**:249
protórax **9**:62
protostomas **1**:42, 275
protozoarios 11:219
animal **1**:293
ectoplasma **5**:195
encefalitis letátgicas **5**:251
faocitosis **6**:112
foraminífero **6**:192
invertebrados **8**:29
metazoario **9**:186
noctiluca **10**:126
paludismo **10**:297
Protozoario **13**:268
regeneración **11**:329
zoología **14**:182
protozoología **9**:215
protozoos
enfermedad **5**:260
rizópodos **12**:81
protrombina
coagulación **4**:118
vitaminas **14**:108
Prottier **10**:188
protuberancias solares **14**:162
proturos **8**:9
Proudhon, Pierre Joseph 11:219
anarquía **1**:260
bibliografía **11**:219
socialismo **13**:18
Proust, Louis Joseph 11:220
biografía **11**:220
Proust, Marcel 11:220
bibliografía **11**:220
literatura **8**:275
memoria **9**:162
Provenza 11:220
— Alpes de **6**:213
— costa de **6**:215
— ducado de **6**:222
Lyon **8**:336
soneto **13**:37
vid **14**:79
vivienda **14**:117
provenzal
español, idioma **6**:5
germanías **6**:318
italiano, idioma **8**:67
lenguas romances **8**:220
proverbio 11:220, 326
providencia 11:220
— islas de **4**:137
provincia 11:220
— de Corrientes **13**:325
— de Cuenca **8**:166
— de Guayaquil **8**:166
— de Salta **8**:125
— de Samneua **8**:173
— de Santa Fe **8**:306
— Huamanga, Perú **2**:192
Provincia, España **2**:189
Provincias Unidas del Río de la Plata 11:221
Provisiones de Oxford **7**:40
Provo **13**:332
Próximo Oriente **7**:95
proyección 11:221
— cónica **11**:221
— cónica, paralelos, meridianos **9**:70
— discontinua **9**:69
— infrarroja **2**:120
— policónica **9**:69
— sistemas de **9**:68
— conformes **9**:68
— diapositivas **11**:221
— equivalentes o equiáreas **9**:68
— ortográfica y estereográfica **9**:67
objetivo **10**:174
proyectil 11:221
— atómicos **13**:147
— autopropulsores **11**:278
— cohete **2**:142
— cohete **2**:270
— explosivo **7**:45
— teleguiados **11**:278
artillería **2**:75
balística **2**:226
tiro **13**:201
torpedo **13**:226
proyecto 11:221
— Internacional de Estación Espacial **6**:28
proyecto Manhattan
Estados Unidos **6**:42
Feynman, richard Phillips **6**:144
proyector luminoso **11**:42
proyectores de nubes **13**:134
Prozac **5**:56
Prud'hon **10**:71
prudencia 11:221
justicia **8**:129
Prudencio Bustillos, Ignacio **3**:31
Prudencio Clemente, Aurelio 11:221
bibliografía **11**:221
Prudencio, Roberto **3**:31
Prudencio, San **7**:180
Prudhoe, bahía de **2**:72
Prudhomme, Sully **6**:227
Prudhon, Pierre Paul **8**:313
prueba
— de aros, competencia de gimnasia olímpica masculina **6**:324
— de la adición **1**:69
— de sangre, laboratorio **12**:206
— finales **3**:116
— nucleares **7**:167
— policiaca **1**:150
— y acabado **9**:259
prunoideas **1**:139
prurito 11:221
— esencial **11**:221
Prusia 11:221
— Alemania **2**:272
— duque de **6**:125
— Federico de **14**:129
— Federico Guillermo IV, rey de **9**:164
— Oriental **7**:133; **9**:161
alce **1**:147
Alemania **1**:160
Bernadotte, Juan de **2**:302
Bismark, Otto Von **2**:330
Brandemburgo **3**:67
condecoración **4**:199
Congreso de Viena **4**:209
correo **4**:254
Cristian IX **4**:290
Danzig **5**:18
Domeyko, Ignacio **5**:154
Dresde **5**:173
educación **5**:216
estrechos **6**:60
Europa **6**:83
Federico Guillermo, El Gran Elector **6**:125
Gdynia **6**:295
Habsburgo, casa de **7**:116
Hohensolern **7**:202
Huboldt, Wilhelm von, barón de **7**:248
Kalingrado **8**:132
Krupp **8**:149
lancero **8**:169
Lutuania **8**:288
Lützen **8**:327
Memel, territorio de **9**:161
Monroe, James **9**:280
París, tratados de **10**:329
Pio XII **11**:102
Pitt, William **11**:113
Polonia **11**:160
Pomerania **11**:163
Potsdam **11**:180
Prusia **11**:222
revoluciones de 1848 **12**:54
Rusia **12**:144
Schleswig-Holstein **12**:247
servicio militar **12**:295
Suecia **13**:70
zollverein **14**:180
Prusiana, Dieta **10**:316
prúsico, ácido 11:222
Véase Cianhídrico, ácido
Prut, río **2**:305; **5**:11; **12**:129
psicoanálisis 11:222
complejo **4**:173
compulsión **4**:179
Freud, Sigmund **6**:237
Hesse, Herman **7**:161
Jung, Karl Gustav **8**:126
medicina psicosomática **9**:152
psicoanálisis **6**:237
psicología **11**:224
psicodiagnóstico de Rorschach **13**:176
psicodinámica **7**:70
psicodrama **7**:70
psicogalvanómetro **5**:95
psicoléptico **13**:241
Psicología 11:223
— animal **6**:70
— científica **7**:150
— comparada **4**:174
— de la estructura **11**:224
— de las costumbres **8**:158
— del arte **9**:45
— elementos **14**:16
— estímulo **6**:54
— experimental **7**:150; **14**:155
— racional **9**:180
— social, estímulos **6**:54
— tratamiento **11**:225
ansiedad **1**:301
Dumas, Alejandro **5**:178
espectro **6**:10
espiritualismo **6**:18
exhibicionismo **6**:93
facultad **6**:111
fetiche **6**:143
fonética **6**:191
jucio **8**:124
Linch, Benito **8**:336
necesidad **10**:63
pedagogía **11**:24
psicometría **1**:70
psiconeurosis **5**:262
Psicosis **7**:195
psicosis 11:224
— anfetamínica **1**:278
anfetamina **1**:278
delusión **5**:45
discociación **5**:144
exhibicionismo **6**:93
psicotecnia **14**:120
psicoterapia
grupo, terapia de **7**:70
nerastenia **10**:78
psicrómetro
estacion meterológica **6**:29
humedad **7**:249
psilocibina **5**:175
Psique 11:224
religión **12**:11
Romaints, Jules **12**:104
Thorvaldsen, Bertel **13**:183
psiquiatría 11:224
— técnicas **10**:81
higiene mental **7**:176
hiperactividad **7**:181
homosexualidad **7**:216
medicina **9**:150
neurología **10**:80
psíquico, trauma **11**:223
psíquicos
herencia biológica **7**:152
objeto **10**:174
psiquis
curación por el trabajo **4**:331
patología **11**:13

pedagogía **11**:24
Psique **11**:224
psitácidas
loro **8**:309
perico **11**:50
psitacosis **11**:225
aureomicina **2**:160
loro **8**:309
Pskov **12**:144
Psmith **14**:154
psocópteros **8**:9
psoriasis **11**:225
enfermedades de la piel **5**:262
pterodáctilo **11**:225
pterosaurios **11**:225
ptialina
alimentación **1**:187
enzimas **5**:268
estómago **6**:56
Ptolemaida **1**:55
Ptolemais **1**:55
Ptolomeo **11**:225
Véase Tolomeo
magnitud **9**:29
ptomaína **11**:225
Véase Tomaína
Pu Yi, Henry **11**:244
biografía **11**:244
Manchukuo **9**:52
púa **9**:55 **13**:271
Puaún, playa de **10**:168
pubertad
convulsión **4**:231
epistaxis **5**:271
juventud **8**:130
publicano **10**:318
publicidad **11**:225
comprador y arte de comprar **4**:177
economía doméstica **5**:195
ferias **6**:131
venta **14**:49
Publio Cornelio **5**:280, 313
Publio Cornelio Escipión **7**:279
Publio Elio Adriano **2**:160
Publio Escipión **5**:313
Publio Escipio **7**:306
Publio Escipión Emiliano **13**:9
Publio Terencio **12**:129
Pucallya **11**:61
Pucará **11**:188
Pucarai **2**:192
Puccini, Giácomo **11**:226
bibliografía **11**:226
Italia **8**:66
ópera **10**:218
Pudingas **6**:313
pudor **4**:271; **5**:274
Pudovkin, Vsevolod Ilarinovic **4**:84
Pudupet **9**:16
Puebla estado **11**:226
— ciudad, México **2**:290
— historia **11**:226
— Intendencia de **13**:208
— México **2**:190
educación **5**:218
Hidalgo **7**:163
intendencia **8**:15
latinoamérica **8**:192
Lombardo Toledano, Vicente **8**:301
México **9**:195
Tehuacán **13**:138
Puebla-Tlaxcala **8**:197
Puebla de Zaragoza **11**:226
— azulejos de **7**:191
— catedral de **9**:204
— de Montalbán **5**:170
— historia **11**:226
azulejos y baldosas **2**:206
intervención francesa en México **8**:20
universidad **13**:318
Zaragoza, Ignacio **14**:174
pueblo
— cazadores **7**:198
— de Ngwane **13**:90
— de Paricutín **14**:126
— de Volendam, Holanda **7**:206
— escandinavos **10**:130
— hebreo **6**:129
— indígena **14**:173
— judío **1**:70
— reciente **1**:261
— regresivo **1**:261
— vasco **5**:311
Anasasi, cultura **1**:260
Austria **2**:166
estado **6**:30
himno nacional **7**:180
historia **7**:191
pueblo **8**:219
Pueblo Bonito **11**:226
arqueología **2**:52
pueblo, indios **11**:226
vivienda **14**:114
puelche **7**:309, 311
puelches **11**:249
Puelles, Pedro de **4**:143
puente **11**:227
— Auray en Bretaña, Francia **3**:79
— Calderón **8**:307
— de acero **11**:227
— de hormigón **11**:228
— de mando, submarino **13**:62
— de Márquez **2**:23
— de Menai **13**:54
— de Segovia **7**:159
— del Arzobispo **13**:213
— del Diablo **1**:60
— del este en Brooklyn, EE. UU. **3**:86
— del Inca **1**:53
— del Rialto **8**:64
— London **2**:36
— Tito **11**:240
— Untertorbrucke, Berna, Suiza **13**:*78*
Puente **13**:211
Puente Calderón, batalla de **7**:164
Puente de los Suspiros **11**:228
Puente Sampayo, combate de **6**:266
Puente trasero **2**:173
Puenteareas, Pontevedra **13**:46
puerco **11**:228
Véase Cerdo
puerco espín **11**:228
puericultura **11**:228
infancia **7**:319
puerperio **10**:177
puerro **11**:228
puerta **11**:228
— Angélica **11**:101
— de Damasco **8**:97
— de David **8**:97
— de Esteban **8**:97
— de Ishtar **2**:207
— de Jaffa **8**:74
— de la India en Bombay **3**:40
— de San Petronio **11**:250
— de Trípoli, Jaipur, India **7**:303
— principales de Boston **3**:54
Puerta de Oro **11**:228
Puerta del Sol
aimara **1**:121
mudéjar **9**:321
Titicaca **13**:206
puerto **11**:228
— Antillas **7**:114
— Arcángel **2**:335
— Belgrano **2**:217
— Berrio **9**:148
— Bolívar **9**:8
— Bradden **8**:44
— Cabezas **10**:94
— Casado **7**:98
— Colombia **2**:135, 257
— Cortés **7**:219; **12**:199
— Darling en Sydney, Australia **1**:53; **13**:92
— de Joló **8**:106
— de la isla Gran Bahama **2**:217
— de Leith **5**:210
— de Memel **8**:287
— de Mena Al Ahmadi **8**:151
— de Monrovia **8**:243
— de San Julián **5**:235
— de Santa María de los Buenos Aires **3**:97
— de Veracruz **14**:52
— del Ártico **10**:134
— Felipe, bahía de **9**:158
— Liévano **2**:257
— Limón **7**:15
— Maldonado **9**:18
— Mombasa **8**:138
— Ostia **6**:134
— Rostock **1**:164
— Santo **9**:15
— St. Tropez, Francia 6:213
— Vallarta, Jalisco **8**:76
— Viejo **9**:109
— Viejo, San Gregorio de **11**:173
— Vila **14**:24
— Villa Real (Portugal) **7**:73
fortaleza **6**:198
Haifa **7**:120
Londres **8**:302
puerto **1**:211
Puerto Arturo
bloqueo **3**:8
guerra Ruso Japonesa **7**:99
Manchukuo **9**:52
Manchuria **9**:53
Siberia **12**:313
sitio **13**:10
Puerto Baquerizo Moreno **11**:229
Puerto Barrios **11**:229
Guatemala **7**:77
Izabal **8**:70
Puerto Cabello **11**:229
Barquisimeto **2**:256
Puerto España **11**:229
Puerto Montt **11**:229
Llanquihue **8**:291
Lagos, los **8**:165
Puerto Plata **11**:229
Puerto Príncipe **11**:229
Artistide, Jean Bertrand **2**:31
Cuba **4**:313
Haití **7**:121
piratería **11**:107
Puerto Rico **11**:231
Puerto Rico **11**:229
— agricultura **11**:233
— arquitectura **11**:240
— aspecto físico **11**:229
— bandera de **2**:242
— ciudades **11**:235
— clima **11**:230
— educación **11**:235
— *El Yunque* **12**:269
— escultura **11**:241
— estructura económica **11**:233
— forma de gobierno **11**:234
— geografía económica **11**:230
— geografía humana **11**:230
— historia **11**:230
— indicadores básicos (1997) **11**:237
— información **11**:236
— *La Gaceta* **11**:51, 236
— Ley de Abolición de la Esclavitud **11**:266
— literatura **11**:237
— manufacturas **11**:233
— música **11**:238
— organizaciones políticas **11**:235
— Orquesta Sinfónica de **11**:240
— pintura **11**:241
— ríos **11**:230
— transporte y comunicaciones **11**:234
— turismo **11**:234
— Universidad de **4**:302; **10**:212; **11**:236
adjuntas **1**:71
aguadilla **1**:113
Albizu Campos, Pedro **1**:142
América **1**:228
ananás **1**:259
antillas **1**:308
arecibo **1**:352
atlántico, océano **2**:136
azúcar **2**:204
Blanco Geigel, Tomás **2**:335
Caguas **3**:154
Carolina **3**:254
Ceiba **3**:312
Colón Cristobal **4**:149
Cuba **4**:314
cuentos infantiles **4**:320
derechos humanos **5**:62
descubrimientos y exploraciones geográficos **5**:73
dirigible **5**:140
Dominicana, república **5**:156
España **5**:318
español, idioma **6**:7
Estados Unidos **6**:38
Fernando VII **6**:136
guerra hispano-norteamericana **7**:89
Hernandez Colón, Rafael **7**:155
hipsnoamérica **7**:187
Iglesias Patín, Santiago **7**:266
independencia **7**:295
labranza **8**:157
Mayagües **9**:136
novela **10**:142
Ostos, Eugenio María de **7**:233
París, tratados de **10**:329
paza, tratado de **11**:20
Pedreira, Antonio S. **11**:24
Ponce **11**:165
Puerto Rico **11**:233, 234, 235,

236, 237, 238, 239
Santo Domingo, isla de **12**:221
Suiza **14**:76
Valbuena, Bernardo de **14**:10
Vírgenes, islas **14**:99
Pueyrredón, Juan Martín de 11:241
biografía **11**:241
Pueyrredón, Prilidiano 11:241
biografía **11**:241
Puget, estrecho de **14**:141
Puget, Pierre **6**:229
Pugwash, Conferencias de Ciencias y Asuntos Mundiales 11:241
Rotblat, Joseph **12**:118
Puig, Ignacio 11:241
biografía **11**:241
Puig, Manuel 11:241
bibliografía **11**:241
Latinoamérica **8**:190
Puigcerdá **6**:319
Puigmal, pico de **6**:319
puinabos **1**:220
pujunana **7**:308
Pukaki, lago **10**:158
Pulacayo, mina **11**:12
Pulaski **8**:150
Pulaski, condado **2**:37
Pulci **8**:65
Pulcinella **13**:205
pulga 11:241
pulgada
— cúbicas **4**:316
distancia **5**:145
metro y sistema métrico **9**:190
Pulgar, Hernando del 11:241
bibliografía **11**:241
pulgón 11:241
crisopa **4**:289
hemípteros **7**:144
pulícidos **10**:101
Pulitzer, Joseph 11:241
obra **11**:241
comic **4**:169
Missouri **9**:244
Pulitzer, Premio
Véase Premio Pulitzer
Pulkova **12**:200
Pullman, George Mortimer 11:242
biografía **11**:242
pullover o pulóver **14**:70
pulmón 11:242
asfixia **2**:83
corazón **4**:236
costilla **4**:271
curpo humano **4**:324
traquea **13**:255
pulmón artificial 11:242
pulmones de acero **2**:83
pulmonados 11:242
pulmonía
encefalitis letárgica **5**:251
tifus exantemático **13**:194
pulpo 11:242
argonauta **2**:27
pulque
agave **1**:100
bebidas **2**:272
latinoamérica **8**:194
mesoamérica **9**:177
otomí **10**:270
toltecas **13**:215
pulsares
astronomía **2**:127
pulsiones **10**:63
pulso 11:242
corazón **4**:237
Pulu **13**:194
pulverización 11:242
jardinería **8**:89
molino **9**:268
puma 11:242
América del sur **1**:240
felino **6**:126
zoología **14**:181
Pumacahua 11:242
Véase García Pumacahua, Mateo
puna 11:242
— región montañosa **2**:13
Argentina, República **2**:13
Atacama **2**:132
puna, cultura de 11:243
Puna, isla de la **11**:115
Punch **13**:181, 205
punción esternal **7**:143
punctum contra punctum **2**:62
Pundel **10**:101
Púnicas, guerras 7:100
comercio **4**:165
imperio romano **7**:279
guerra **7**:84
Mallorca **9**:44
reloj de sol **12**:13
Sagunto o Sagunt **12**:164
Púnica, segunda guerra **1**:291
púnico **1**:171
Punjab (Chandigarh)
descubrimientos y exploraciones geográficos **5**:75
India **7**:296
Indo, río **7**:312
Lahore **8**:165
punjabí **12**:209
Puno 11:243
Cuzco **4**:336
titicaca **13**:206
Toldeo, Francisco de, conde de oropoeza **13**:213
Punt **5**:69
Punta Alta 11:243
Punta Angamos **1**:315
Punta Arenas 11:243
América del sur **1**:240
Magallanes, estrecho de **9**:22
Punta Ausella **11**:108
Punta Banda **13**:210
Punta das Palmeirinhas **1**:284
Punta de Mosquitos **10**:301
Punta de Talca **13**:105
Punta del Este 11:243
blaneario **2**:228
conferencias panamericanas **4**:204
Maldonado **9**:43
Uruguay **13**:327
Punta del Este, Carta de **4**:204
Punta del Este, conferencias de 11:243
Punta Delgada **11**:175
punta Espada **1**:238
Punta Gallinas **1**:237
Punta Gorda, ciudad, Belice **2**:286
punta Marroquí **11**:37
Punta Mogotes **11**:136
Punta Pariñas **1**:237
Punta Piedras **11**:133
Punta Porá, cerro de **10**:321
Punta, Arenas puerto **4**:37
Puntarenas 11:243
— puerto de **4**:270
Costa Rica **4**:266
Golfito **7**:15
Puntiagudo, Cerro **10**:267
puntillero o cachetero **13**:127
puntillismo
impresionismo **7**:287
pintura **11**:98
punto
— cardinales **10**:249
— ciego **9**:100
— de aplicación **6**:165
— de apoyo palanca; polea móvil **9**:73
— móvil **9**:315
— vernal **1**:320
ángulo **1**:289
geodésica **6**:302
geometría **6**:315
tipo **13**:200
puntuación 11:243
punzón 11:243
Véase Pluma
manuscritos **9**:63
pirograbado **11**:109
pupa
insecto **8**:7
larva **8**:177
mosca y moscón **9**:307
pupila 11:243
Véase Ojo
anteojos **1**:304
ojo **10**:197
Pupin, Michael **13**:143
Puqueldón **4**:44
Puracé, volcán
Andes **1**:268
Colombia **4**:137
Popayán **11**:168
Puranas **12**:209
Purapel, tratado de **8**:302
Purbach **11**:331
Purcell, Edward Mills 11:243
biografía **11**:243
Purcell, Henry 11:243
bibliografía **11**:243
pure, llanuras del **8**:290
purecramecrán **7**:310
purépechas
Aztecas **2**:197
pátzcuaro **11**:16
purgante 11:243
almendra **1**:195
hierba **7**:171
ipecacuana **8**:34
jalapa **8**:75
sen **12**:276
purgatorio 11:244
Lutero, Martín **8**:326
paraíso **10**:323
Purgatorio de San Patricio, isla del **5**:70
Puri **8**:122
Purificación 11:244
ascetismo **2**:80
María, virgen **9**:93
tormento y tortura **13**:224
purinas **6**:163
Purísima Concepción **12**:81
puritanismo 11:244
anglicanismo **1**:283
inmigración y emigración **7**:335
Isabel I **8**:48
Milton, John **9**:225
presbiteriana, Iglesia **11**:190
Richardson, Samuel **12**:63
Purkiné, Johannes Evangelista **4**:154
Purkyne, Jan E. **4**:28
Purmamarca **2**:17
puros **4**:316
púrpura 11:244
Purrón **13**:138
Puruándiro **9**:214
purufucación **11**:259
puruguay **5**:199
Puruhá, reino **4**:45
purupurú **7**:310
Purús, río **1**:54, 221
pus 11:244
absceso **1**:36
enfermedad **5**:261
flemón **6**:177
furúnculo **6**:254
Pusan **4**:247
Pushkin, Aleksandr 11:244
bibliografía **11**:244
Gogol, Nicolai **7**:13
Lermontov, Mihail Jurevich **8**:231
Rusia **12**:141
Putífar **8**:109
Putnam, George Palmer **5**:183
Putomayo (Mocea), **4**:140
Putrajaya **9**:42
putrefacción 11:244
asepsia **2**:81
cuero **4**:323
olfato y olor **10**:202
Putumayo 11:244
Colombia **4**:137
Ecuador **5**:196
Pasto **11**:9
Puuc **13**:334
Puvis de Chavannes, Pierre 11:244
bibliografía **11**:244
Puy de Dome **4**:112
Puyehue, lago **4**:37
Puyo 11:8, 244
Puys **5**:177
Puzo, Mario 11:244
bibliografía **11**:244
PVC **11**:74, 131
pygmé **10**:204
Pyle, Ernie **4**:256
Pyle, Howard **4**:320
Pyongyang **4**:245
Pyramid Lake **10**:83
pyrex **4**:290
Pyrgos **11**:32

Q

Q 11:245
qarmang **14**:114
qarmatas **1**:336
Qatada b Idns **1**:336
Qatar 11:245
— bandera de **2**:242
Arabia **1**:334
Arabia Saudita **1**:335
qaysi antiomeya **1**:336
qaysíes **1**:336
Qeman **1**:316
qhaluyu **11**:255

Qhapaq apo **7**:290
qháshwa **11**:255
Qingdao, puerto de **4**:51
Qito **2**:132
quad **14**:82
Quadrado y Nieto, José María **11**:245
bibliografía **11**:245
quadrivium **11**:117
Quadros, Janio **3**:76
Quadros, Jânio da Silva **11**:245
biografía **11**:245
Quai d'Orgay, Museo **12**:12
Quanery, río **5**:156
Quani **4**:172
Quanta Cura **13**:92
quanta, teoría de los **11**:245
— principios de la mecánica de los **5**:138
Alemania **1**:168
Born, Max **3**:49
compton, efecto **4**:179
cuantos, teoría de los **4**:308
éter **6**:66
luz **8**:331
Pauli, Wofgang E. **11**:16
Planck, Max Karl Ernest **11**:117
Urey, Harold Clayton **13**:324
quantum **6**:204; **11**:117, 245
— de campos, teoría **6**:323
quark **11**:246
carga eléctrica **3**:244
Friedman, Jerome Isaac **6**:237
Gell-Mann, Murray **6**:298
gran unificación, teoría de las **7**:50
Kendall, Henry W. **8**:137
materia **9**:130
Perl, Martin L. **11**:53
Taylor, Richard **13**:129
Quarnaro, golfo de **6**:171
Quarterly Journal of Science **4**:299
Quartrefagues de Bran, Jean Louis Armond de **6**:230
Quasimodo, Salvatore **11**:246
bibliografía **11**:246
Ungaretti, Giuseppe **13**:304
quasi-stellar sources (fuentes casi estelares) **2**:127
Quatrefages de Breau, Jean Louis Armand de **11**:246
Quatrivium **1**:176
Quebec **11**:229, 246
— bloqueo de **4**:231
— estatua de Napoleón **10**:37
Acadia **1**:41
Hispanoamérica **7**:188
Labrador, península y corriente del **8**:154
Revolución estadounidense **12**:44
Roosevelt, Franklin Delano **12**:110
quebrachamina **11**:247
quebrachina **11**:247
quebracho **11**:247
carpintería **3**:258
Rosario **12**:113
Santiago del Estero **12**:220
Quebrada de Huamahua **2**:27
quebrados **11**:249
quebrantahuesos **11**:247
quebrantahuesos **11**:246
Quechisla, distrito minero **6**:47
quechuas **11**:247
América del Sur **1**:244
Argentina, República **2**:17
Arguedas, José maría **2**:28
Bolivia **3**:28
indios americanos **7**:309
Manco Cápac **9**:54
pampa **10**:298
Queen Elizabeth **3**:112
Queen Elizabeth, trasatlántico **9**:99
Queen Kelly **13**:89
Queen Mary, trasatlántico **9**:99
Queens **10**:89
Queensberry, John Sholto Douglas, marqués de **11**:247
biografía **11**:247
boxeo **3**:62
Queensbury Rules **11**:247
Queensland **11**:247
— vista aérea de **8**:50
Australia **2**:163
vivienda **14**:114
Quefrén o Kefrén **11**:247
Queguay **13**:326
Queilén **4**:44
Queipo de Llano, Gonzalo **11**:247
biografía **11**:247
Queipo de Llano Ruiz de Saravia, José María, conde de Toreno **11**:248
bibliografía **11**:248
Queiros, Raquel de **8**:190
Queiroz, Eca de **3**:65
Queiroz, Pedro Fernández de **10**:179
quejigo **11**:248
madera **9**:15
quelíceros **1**:341
Quellón **4**:44
quelónidas **3**:243
quelonios **11**:248
Galápago **6**:262
tortuga **13**:231
zoología **14**:186
Quemada, La **11**:248
Quemado, Puerto **11**:115
quemadura **11**:249
— de sol **12**:263
primeros auxilios **11**:200, 201
seguridad **12**:261
Quemchi **4**:44
quena **11**:63, 249
Queneau, Raymond **9**:44
quenopodiáceas **1**:47; **3**:150; **12**:17
Quental, Antero de **11**:249
bibliografía **11**:249
Quer Martínez, José **11**:249
bibliografía **11**:249
querandíes **11**:249
Garay, Juan de **6**:282
indios americanos **7**:309
vivienda **14**:115
queratina **11**:250
cuerno **4**:322
Quercia, Iacobo di Pietro d'Agnolo **11**:250
obra **11**:250
Quercus lusitánica **11**:248
querella de las Investiduras **1**:159; **8**:234
Queremel, Ángel Miguel **11**:250
bibliografía **11**:250
Querétaro (ciudad) **11**:250
— Corregidora de **10**:260
— historia **11**:250
Querétaro (estado) **11**:250
— historia **11**:250
— Universidad de 250
acueducto **1**:60
Allende, Ignacio María de **1**:216
alunita **1**:213
Bajío, el **2**:220
Díaz de Armendáriz, Lope **5**:107
Escobedo, Mariano **5**:281
Hidalgo y Costilla, Miguel **7**:163
Intervención francesa en México **8**:20
Juárez, Benito **8**:117
San Luis Potosí **12**:193
tarascos **13**:118
quermes **11**:250
Querol, Agustín **11**:251
obra **11**:251
escultura **5**:295
queromorfos **7**:186
Queronea **11**:141, 251
— batalla de **1**:156; **6**:156
— combate de **8**:94
Demóstenes **5**:48
Grecia **7**:60
Sagradas, guerras **12**:163
queróptero **9**:49
queroseno **11**:251
— lámpara de **11**:71
conservas **4**:215
Quersoneso **9**:223
Quersoneso Táurido **4**:283
querubín **11**:251
Quesada, Cristóbal de **11**:251
biografía **11**:251
Bello, Andrés **2**:288
México **9**:206
Quesada, Ernesto **11**:251
bibliografía **11**:251
Quesada, Gonzalo de **11**:251
bibliografía **11**:251
Quesada, José María de **11**:251
biografía **11**:251
Quesada, Juan Isidro **11**:251
biografía **11**:251
Quesada, Vicente García de **11**:251
bibliografía **11**:251
Quesnay, François **11**:252
bibliografía **11**:252
Quesnel **6**:228
queso **11**:252
— Roquefort **4**:213
leche y lechería **8**:204
Quételet, Lambert-Adolphe-Jacques **11**:252
bibliografía **11**:252
estadística **6**:29
Quetta, Capital, Beluchistán **2**:287
quetzal **11**:252
Quetzalchatl **13**:159
Quetzalcóatl **11**:253
— pirámide de **2**:52
— Templo de **8**:69
— Kukulcán **8**:68
aztecas **2**:197, 201, 202
dioses paganos **5**:136
mayas **9**:137
México **9**:205
México–Tenochtitlan **9**:208
Moctezuma II **9**:258
religión **12**:11
Tezcatlipoca **13**:181
Tula **13**:281
quetzales **2**:66
Quetzaltenango **11**:253
Guatemala **7**:78
Quetzapapalotl, México **9**:250
Quevedo **7**:28; **8**:90, 95, 275
Quevedo Arvelo, Julio **4**:143
Quevedo y Villegas, Francisco de **11**:253
bibliografía **11**:253
conceptismo **4**:193
culteranismo **4**:328
España **5**:320
Lazarillo de Tormes **8**:202
literatura **8**:274, 276
vestido **14**:68
Quevedo, Francisco Gómez de **4**:107
queya, cerámica **11**:188
Quezaltenango **11**:253
Barillas, Manuel Lisandro **2**:254
Guatemala **7**:77
Quezaltepec, volcán San Salvador **12**:200
Quezón, ciudad **6**:155
Quezón, Manuel Luis **11**:254
biografía **11**:254
Quibdó **11**:254
Atrato, río **2**:154
Chocó, Colombia **4**:62
Quiberon **12**:119
Quibián **14**:53
quibla **1**:332
quiché **11**:254
aborigen **1**:32
América Central **1**:234
Belejep–Tzi **2**:280
Cakchiquel **3**:156
Guatemala **7**:78, 80
indios americanos **7**:309
Menchú, Rigoberta **9**:163
quichés **14**:15
Quiché, El **11**:254
quichuas o quechuas **11**:254
— literatura **11**:255
aborigen **1**:32
cóndor **4**:200
Cordero, Luis **4**:240
diaguitas **5**:101
incas **7**:289
indios americanos **7**:311
lengua **8**:217
mita **9**:246
transportes **13**:248
vivienda **14**:115
Quidde, Ludwig **11**:255
bibliografía **11**:255
quiebra **11**:255
quiebrabachas **11**:247
Quietismo 9:269
Quijada Urías, Alfonso **12**:184
Quijano, Manuel María **11**:256
biografía **11**:256
Quijote, don **11**:256
humorismo **7**:250
literatura **8**:274
Mancha, La **9**:51
tabla o mesa redonda **13**:96
Tieck, Johan Ludwing **13**:187
quijotismo **11**:257
Quikab **11**:254
quilate **11**:258
aleación **1**:153
gramo **7**:31
oro **10**:254
Quilito **2**:25

quilla 3:58; 8:125; 10:55
Quillaca o Quillagua 2:193
quillangos 1:199, 343
quillay 11:258
Quiller-Couch, sir Arthur 11:258
bibliografía 11:258
Quilmes 11:258
— playas de 2:19; 11:316
diaguitas 5:101
vivienda 14:115
quilo 11:258
digestión 5:119
Quilo, Alto del 10:192
Quilón de Lacedemonia 12:321
Quimal, cerro 1:314
quimbayas 11:258
cerámica 3:328
escultura 5:295
indios americanos 7:310
Quimera 11:258
folklore o folclor 6:189
Pegaso 11:27
química 11:258
— armas 2:43
— atmosférica 9:268
— biológica, experimentos de laboratorio en 13:84
— celular 8:146
— compuestos 11:261
— disgregación 10:315
— divisiones 11:260
— elementos 11:260
— estabilidad 1:72
— fórmulas de los compuestos 11:261
— historia 11:261
— importancia de 11:258
— industrial 4:234; 11:262
— la química y la energía 11:259
— la química y la salud 11:259
— la química y las sustancias 11:260
— mediciones 11:262
— moderna 8:201
— Nuclear Gustav Werners 13:89
— orgánica 10:104
— procesos 11:328
— quimioterapia 11:261
— Quimurgia 11:263
— Radiactividad 1:57
— sustancia 10:81; 11:270
— transformación 10:277
— reacción 2:211
abono 1:31
absorción 1:37
aceite 1:45
acero 1:49
Aston, Francis William 2:106
átomo 2:143, 153
Becquerel 2:274
Bergius, Friedrich Carl Rudolph 2:296
Berthelot, Marcelin 2:305
Berzelius, Juan Jacobo 2:305
bioquímica 2:328
benceno o benzol 2:290
ciclo de Krebs o del ácido cítrico 4:69
ciencia 4:72, 74
Claude, Jorge 4:108
combinación 4:160
constante 4:217
Corey, Carl Ferdinand 4:247
Debye, Peter 5:28
defensa 4:35
depresión 4:56
descomposición 4:68
desintegración 4:89
Faraday, Michael 6:117
fórmula 6:197
función 6:250
halógenos 7:125
higiene 7:175
Hodgkin, Dorothy 7:197
ingeniería 7:329, 332
jardinería 8:87
laboratorio químico 11:259, 260
Lehn, Jean–Marie 8:213
Niepce, Joseph–Nicéphore 10:98
Nobel, Alfred Bernhard 10:108
Pateur, Luis 11:8
pruebas de laboratorio 11:263
químico con máquina de medir 11:259
radiactividad 11:276
radical químico 11:276
talco 13:105
termoquímica 13:169
Wittig, Georg 14:154
Woodward, Robert Burns 14:154
Wöhler, Friedrich 14:154
Zernike, Frits 14:177
Ziegler, Karl 14:178
quimiclurura 7:168
químico, análisis 10:82
químico, elemento 10:71, 103, 106
químicos 1:199; 2:150
quimioluminiscencia infrarroja 11:148
quimioterapia 5:230; 9:124, 150; 10:211; 13:95
quimioterápicos 2:81
quimo 11:263
digestión 5:119
quimono 14:70
Quimper, marqués de 10:60
Quimsa, distrito minero 6:47
Quimurgia 11:263
Véase Química
quina 11:263
árbol 1:346
cañigua 3:223
lotería 8:310
Markham, Clement Robert 9:103
Quinatzin 4:34
Quinatzin, Mapa 11:264
Quinatzin Tlaltecatzin 11:264
biografía 11:264
quincajú 11:264
Quince Puntas 10:321
Quinceo 14:128
Quinceo, pico de 9:214
Quinchao 4:44
Quincy Adams, John 3:269; 6:41
Quindio (Armenia) 4:140
Quindío, valle del 4:137
Quinientos, Consejo de los 12:*321*
quinina 11:264
alcaloide 1:144
droga 5:173, 174
Fernández de Cabrera y Bobadilla 6:134
fiebre 6:148
glicerina 6:332
Java 8:91
Quino 11:264
biografía 11:264
quino 1:144
quinona 14:154
Quiñones Molina, Alfonso 12:183
Quinquela Martín, Benito 11:264
obra 11:264
quinquerreme 2:38
quinta 11:264
Véase Servicio Militar
Quinta Avenida 10:90
quinta Borghese 8:88
quinta columna 11:264
Quinta Cruzada 4:307
quintal 11:264
Quintana 10:71
Quintana del Puente 9:175
Quintana, Manuel José 11:264
bibliografía 11:264
Quintana Roo 11:265
— historia 11:265
Yucatán 14:166
Quintana Roo, Andrés 11:265
biografía 11:265
Apatzingán, constitución de 1:323
literatura hispanoamericana 8:281
Quintanar de la Orden 13:213
Quintanilla, Carlos 3:30
quintas, sistema de 12:294
Quintenz, balanza 2:222
Quintero, Humberto 3:241
Quintero, los 9:160
Quintiliano, Marco Fabio 11:266
bibliografía 11:266
Andalucía 1:265
España 5:313
hispanolatina, literatura 7:191
poética 11:147
quintillizo 11:266
Quinto Cecilio Metelo 9:44
Quinto Ennio 8:181
Quinto Horacio Flaco 8:90
Quinto Sertorio 8:326
Quinto, río 4:242; 9:172
Quintón, José Ignacio 11:239
Quiñones, Francisco Mariano 11:266
biografía 11:266
quiosco 11:266
quipo 11:266
ábaco 1:17
escritura 5:283
incas 7:289
quipus 4:221
Quiribiri 4:266
Quiriguá 11:267
juego de pelota 8:122
Quirinal 11:267
— colina del 12:100
— Palacio de 10:288
— Plaza del 12:97
victoria 14:77
Quirino, Elpidio 11:267
biografía 11:267
quirófano 11:267
cirugía 4:94
enfermero 5:263
quirófano 11:268
Quiroga, Facundo 11:20
Quiroga, Gaspar 11:268
biografía 11:268
Quiroga, Horacio 11:268
bibliografía 11:268
cuento 4:319
Latinoamérica 8:189
Uruguay 13:329
Quiroga, Juan Facundo 11:268
biografía 11:268
Quiroga, Vasco de 11:272
biografía 11:272
quiromancia 11:269
adivinación 1:70
Quirón (celeste) 11:269
Quirón (mitología) 11:269
Quirón, centauro 3:322
Jasón 8:90
quiropráctica 9:152
quiróptero 11:269
murciélago 10:5
Quirós, Ángel Fernando de 11:269
bibliografía 11:269
Quirós, Ignacio 11:269
biografía 11:269
Quirós, Pedro de 11:269
bibliografía 11:269
conceptismo 4:194
Quirós Segura, Juan Bautista 11:269
biografía 11:269
Quirpinchaca 13:65
quirquincho 11:269
Véase Armadillo
Quisling, Vidkun 11:269
biografía 11:269
Quispe Curo, Diego 3:31
Quispe, Diego 11:180
Quisquis 7:289
Quisquisacate 4:241
Quissimmee, río 6:182
quiste 11:270
— adventicio 11:270
— epidermoides 13:163
infusorios 7:329
ovario 10:272
páncreas 10:307
parásito 10:325
quistia 1:271
quitasol 14:72
Quitchac 9:276
quitina 11:270
artrópodo 2:78
dematoesqueleto 5:65
hormiga 7:225
insecto 8:6
termes 13:166
Quito 11:270
— catedral de 12:91
— Conservatorio Nacional de 12:173
— historia 11:270
— Historia del reino de, en la América Meridional 14:36
— Mapa del reino de 9:43
— Museo Colonial de 9:218
— población 11:270
— Primicias de la cultura de 12:213
— Universidad de 14:12
academia 1:41
Andes 1:268
Belalcázar, Sebastián de 2:279
cotopaxi 4:272
Díaz de Armendáriz, Lope 5:107
Ecuador 5:197, 200
Esmeraldas 5:302
Espejo, Eugenio de Santa Cruz 6:12

Gil Gilberto, Enrique **6**:323
La Condamine, Charles Marie de **8**:159
Lacunga **8**:180
Latinoamérica **8**:186
Legarda, Bernardo de **8**:209
México **9**:199
Pasto **11**:9
Pichincha **11**:80
Pizarro, Francisco **11**:115
Plaza Lasso, Galo **11**:137
Portoviejo **11**:173
Sucre, Antonio José de **13**:66
universidad **13**:319
Quitón, Guzmán **2**:79
Quneitra **7**:14
Quo Vadis? 11:270
Polonia **11**:161
quorateana **7**:308
quórum 11:270
Naciones Unidas **10**:27
quraysies **1**:336

R

R 11:271
R.A.F. 11:289
R.A.U. 11:303
Ra 11:271
adoración del sol **1**:74
Amóm Ra **1**:251
Fénix **6**:130
Rabal, puerto **9**:106
Rabani, Burhanudin **1**:91
rábano 11:271
Rabasa, Emilio 11:271
bibliografía **11**:271
Rabat 11:271
Fez **6**:144
Marruecos **9**:107
rabdomancia **11**:277
rabel **14**:98
Rabelais, Francois 11:271
bibliografía **11**:271
caricatura **3**:246
Doré, Paul Gustav **5**:165
Gargantúa y Pantagruel **6**:285
humorismo **7**:250
realismo **11**:313
Rabi, Isidor Isaac 11:271
biografía **11**:271
rabia 11:272
— virus de la **7**:166
enfermedad **5**:260
Ferrán y Clue, Jaime **6**:136
hidrofobia **7**:165
Rábida, La 11:272
Colón, Cristobal **4**:147
Palos de la Frontera **10**:297
Pinzón, Vicente Yáñez **11**:100
Rábida, monasterio de la **14**:31
Rabier, Benjamin **4**:169
rabihorcado 11:272
rabihorcado **2**:181
Rabin, Yitzhac 11:272
biografía **11**:272
Rabinal-Achí **9**:140
Rabindranath Tagore **7**:303; **8**:102
Rabínica **2**:313
rabino 11:272
hebreo **7**:135
Rabinowitz, Salomon **1**:154
Raccourci Old Rive, lagunas de **8**:311
Rachmaninoff, Sergei Vasilievich 11:274
bibliografía **11**:274
Racine, Jean 11:272
Andrómaca **1**:274
Bernhardt, Sara **2**:303
bibliografía **11**:272
composición y redacción **4**:175
Cruz, Ramón de la **4**:305
drama **5**:171
Eurípides **6**:74
Francia **6**:226
Ifigenia **7**:266
literatura **8**:278
Máiquez, Isidoro **9**:34
neoclasicismo **10**:71
oda **10**:184
Perrault, Charles **11**:54
poesía **11**:147,
Sévigné, Marie de Rabutin-Chantal, marquesa de **12**:298
Stendhal **13**:54
Racionalismo 11:272
deísmo **5**:39
Francia **6**:227
ilustración **7**:272
Lamennais, Felicité Robert de **8**:167
racionamiento 11:272
— organización **11**:273
raciovitalismo **9**:95
racismo 11:273
etnocentrismo **6**:70
discriminación **5**:143
Rackham, Arthur 11:274
obra **11**:274
rada 11:274
radaciones gamma **11**:278
Radamantis **6**:84
Radamanto **11**:142
Radamés **10**:216
radar 11:274
— el lorán **11**:275
— el sonar **11**:275
— submarino **2**:39
buque **3**:112
compton, hermanos **4**:179
comunicaciones **4**:184
educación **5**:219
electrónica **5**:242
Helmholtz, Hermann Ludwig Ferdinand von **7**:143
Hertz, Heinrich Ruddph **7**:160
invenciones y descubrimientos **8**:24
magnetrón **9**:29
navegación **10**:53
oñido **10**:196
reflector **11**:323
técnica y tecnología **13**:135
tiro **13**:201
visibilidad **14**:105
Radcliffe-Brown, Alfred R. **6**:70
radiación 11:275
— alfa **2**:146
— beta **2**:146; **5**:166
— bomba de **10**:82
— cósmica **2**:142; **14**:151
— de aniquilación **1**:299
— del cuerpo negro **14**:149
— eléctricas **11**:325
— gamma **2**:146
— instantánea **10**:152
— luminosa **11**:325
— nuclear **5**:166
— radiaciones corpusculares **11**:275
— radiaciones electromagnéticas **2**:145; **9**:29; **11**:275
— solar **11**:319; **13**:15
— térmica **10**:152
— ultravioleta **2**:142; **13**:163
astronáutica **2**:111
átomo **2**:145
conservación de la energía, ley de la **4**:213
infrarrojos, rayos **7**:329
Penzias, Arno A. **11**:41
radiación solar **8**:28
radio **11**:278
radiogoniómetro **11**:281
rayos alfa **11**:306
refracción **11**:325
radiactividad 11:275
— artificial **8**:201
— carbónica **2**:153
— cómo se han podido estudiar la radioactividad **11**:276
— del uranio **2**:145
— historia **11**:276
— mecánica de la radioactividad **11**:276
— su efecto en el cuerpo humano **11**:276
arqueología **2**:51
compresión y compresor **4**:179
dosímetro **5**:166
Geiger, Müller, contador **6**:296
radiactivos, materiales **10**:152
radiador **3**:162; **9**:314
radioactivo
americio **1**:247
átomo **2**:148
polonio **11**:161
radicación 11:276
aritmética **2**:34
hidrato **7**:164
radical químico 11:276
— orgánico **14**:164
Radicalismo 11:277
— islámico **8**:248
Radich **4**:295
radícula **6**:319; **12**:272
radiestesia 11:277
radio 11:277
— Corporation of America **4**:185; **14**:192
— de Schwarzchild **1**:117; **7**:53
— *Detection and Ranging* **11**:274
astronomía **2**:128
átomo **2**:145
audiovisual, educación **2**:157
radio **4**:181
comunicaciomnes **4**:185
condensador **4**:199
cono **4**:211
Curie, Pierre y Marie **4**:332
educación **5**:219
esqueleto **6**:23
invenciones y descubrimientos **8**:25
luz **8**:331
sordera **13**:42
televisión **13**:149
terapéutica **13**:163
radioaficionado 11:278
radioastronomía
Hewish, Antony **7**:161
Purcell, Edward Mills **11**:243
radiotelescópio **11**:288
radiobaliza **2**:134
radiocomunicaciones **6**:234
radiocontrol 11:278
radiodermitis **11**:308
radiodifusión 11:279
— clases de radiodifusoras **11**:279
— cómo se origina un programa de radio **11**:280
— expansión de la radiodifusión comercial **11**:279
— programas **11**:280
— radiodifusión en Latinoamérica **11**:280
radiogoniómetro **11**:280
comunicaciones **4**:184
Eiffel, torre **5**:230
kilociclo **8**:141
radioestrella pulsante **2**:128
radiofaro 11:281
radiofonía **4**:186, 189; **10**:211
radiogoniómetro 11:281
radiografía
— cerebrales **7**:176
— cinematográfica **11**:308
corazón **4**:237
odontología **10**:187
pulmón **11**:242
radiograma 11:281
radioinmunoensayo (RIA), **14**:159
radioisótopos **2**:153; **9**:151; **13**:163
radiolario 11:281
radiología 11:281
rayos X **11**:307
medicina **9**:150
oncología **10**:211
tecnecio **13**:134
radiómetro 11:281
astronáutica **2**:120
Crookes, William **4**:299
radiopropagación **5**:142
radiorreceptor 11:281
radiorreceptor **11**:282
radioscopia 11:282
corazón **4**:237
fluoroscopia **6**:185
pulmón **11**:242
rayos X **11**:308
radiosonda 11:282
radiotecnia 11:282
radiotelefonía y radiotelegrafía 11:282
— antena **11**:284
— detectores **11**:284
— estación transmisora radiotelefónica **11**:285
— intercontinental **11**:286
— la válvula termoiónica **11**:284
— micrófonos y altavoces **11**:285
— múltiples aplicaciones de la radiotelefonía **11**:287
— ondas continuas y amortiguadas **11**:284
— ondas electromagnéticas **11**:282
— transmisiones **11**:283, 285
aeropuerto **1**:88
antena de telecomunicaciones **11**:286

antena portatil **11**:287
circuitos telefónicos **11**:283
comunicaciones **4**:183
educación **5**:218
filtro **6**:159
galena **6**:264
Helmholtz, Hermann Ludwig Ferdinand von **7**:143
Hertz, Heinrich Ruddph **7**:160
ión **8**:31
modulación de frecuencia **9**:264
radioaficionado **11**:278
radiotelegráficas
latitud y longitud **8**:196
Marconi, Gugliermo **9**:88
satélite artifcial **12**:240
radiotelefónicos, aparatos **14**:18
radiotelescopio 11:287
— de Arecibo **11**:231
— de doble reflexión **11**:288
— Mark I **8**:105
Arecibo **1**:352
astrofísica **2**:107
astronomia **2**:128
radiotelescopio **2**:107; **11**:288
Radiotelescopio de Green Bank **7**:64
radiotelescopio,Canadá **2**:127
radioterapia 11:288
radioterapia **9**:150
leucemia **8**:234
rayos X **11**:308
radiotorio **7**:119
radiotransmisor 11:288
Radishchev, Alexander **12**:140
Radom, Nicolás de **11**:161
radón 11:288
Raeburn, sir Henry 11:289
bibliografía **11**:289
Raeder, Eric 11:289
biografía **11**:289
Rafael del Riego y Nuñez, Revolución de **10**:41
Rafael Sanzio 11:289
arqueología **2**:51
arte **2**:64
Bartolomeo, lo Baccio della Porta **2**:259
Ingre, Jean-Auguste-Dominique **7**:333
obra **11**:289
Vaticano, ciudad del **14**:29
Velázquez, Diego Rodríguez de Silva y **14**:37
vestido **14**:67
Rafael, arcángel **13**:209
Rafael, san 11:289
biografía **11**:289
Costa Azúl **4**:266
Estado de México **6**:30
Rafaela 11:289
Santa Fe **12**:214
Raffles, Stamford, sir **12**:334
rafia 11:289
cestería **4**:12
Rafinesque, Constantine **5**:40
Rafsanyani **8**:39
ragas **7**:304
raginis **7**:304
Ragusa 11:290
Adrático **1**:76
Cicilia **12**:314
Rahman (Mujib) **2**:245
Rahue, río **10**:267
Raiatea **13**:100
raíces árbol de mangle **9**:56
Raiding **8**:273
Raikes, Robert **5**:290
Railway, Stockton & Darlington **6**:138
Raimar, Freimund **12**:124
Raimondi, Marco Antonio 11:290
biografía **11**:290
descubrimientos y exploraciones geográficos **5**:74
grabado **7**:28
Raimundo de Peñafort, San 11:290
biografía **11**:290
Raimundo Lulio **1**:203; **8**:221
Rainier III 11:290
Estados Unidos **6**:31
biografía **11**:290
Kelli, Grace **8**:137
Mónaco **9**:272
Rainier, monte **8**:163
Rainier, Monte **10**:331; **14**:141
Rainwater, James 11:290
biografía **11**:290
Rainy, río **9**:228
raíz 11:290
raíz **4**:272
raíz cuadrada y cúbica 11:291
Raíz salvaje **13**:329
rajá 11:292
maharajá **9**:30
rajá Brooke **3**:49
Rajab, Zaruk **8**:248
Rajastán 11:292
Rajastán, India **2**:90; **11**:293
Rajendra Prasad **7**:301
Rajiv Gandhi **7**:301
Rajmonov, Emomali **13**:99
Rajputana **2**:86
rajputas **2**:95
Rakaihuatu **10**:158
Rakata, volcán **2**:86; **8**:146
Raleigh, sir Walter 11:292
América **1**:233
biografía **11**:292
club **4**:117
descubrimientos y exploraciones geográficos **5**:74
Dorado, el **5**:165
Estados Unidos **6**:40
Gran Bretaña **7**:41
North Carolina **10**:131
Orinoco, río **10**:251
Spencer, Edmund **13**:48
Torre de Londres **13**:228
Raleigh, sir Francis **8**:48
Ralik **9**:110
Rall, T. **7**:63
Rallis, George **7**:61
Rama de fucsia **6**:241
Rama IV **13**:101
Ramadán, mes de **8**:51; **9**:31
Ramajasthan **5**:244
Ramakrishna, Gadadhar Chatterji 11:293
biografía **11**:293
Ramakrishna, Misión **11**:293
Ramalho Eanes, Antonio **11**:177; **13**:15
Raman, sir Chandrasekhara Venkata 11:293
biografía **11**:293
Ramanantsoa, Gabriel **9**:11
ramasi **13**:183
Ramayana 11:293
Asia **2**:98
Edad Antigua **5**:203
fruto **6**:240
India **7**:303
jardinería **8**:87
literatura **8**:276
Mahabharata **9**:30
poesía **11**:147
Ramayana **12**:209
Valmiki **14**:15
Ramazanova, Larisa **2**:140
Ramblas **13**:205
ramblas **13**:228
Ramboullet **10**:274
Rambouillet, raza **6**:216
Rameau, Jean Philippe 11:293
biografía **11**:293
educación **5**:217
Rameau, Pierre **5**:15
Ramée, Marie Louise de la **10**:271
Ramganga **6**:280
Ramillies **9**:103
ramio 11:293
Ramírez de Arellano, Diego 11:294
biografía **11**:294
Ramírez de Velazco, Juan 11:294
biografía **11**:294
Ramírez Mercado, Sergio **10**:95
Ramírez Sánchez, Ilich **13**:67
Ramírez Vázquez, Pedro 11:294
biografía **11**:294
Ramírez Villamizar, Eduardo 11:294
obra **11**:294
Ramírez, Antonio 11:294
biografía **11**:294
Ramírez, Francisco 11:294
biografía **11**:294
Ramírez, Gregorio José **4**:269
Ramírez, Ignacio 11:294
bibliografía **11**:294
Ramírez, Javier **10**:191
Ramírez, Juan Andrés **13**:330
Ramírez, Pedro P **2**:24
Ramiro el Monje **11**:296
Ramiro I 11:295
biografía **11**:295
Ramiro II 11:295
biografía **11**:295
Ramiro III 11:295
biografía **11**:295
rammosa **6**:332
ramnáceas **6**:17
ramnáceo **3**:273
Ramolino, María Leticia 11:295
biografía **11**:295
Napoleón I, Bonaparte **10**:35
Bonaparte **3**:44
Ramón Berenguer I 11:295
biografía **11**:295
Ramón Berenguer II 11:295
biografía **11**:295
Ramón Berenguer III, *el grande* 11:295
biografía **11**:295
Ramón Berenguer IV 11:295
biografía **11**:295
Ramón Borrell III 11:296
biografía **11**:296
Ramón Nonato, san 11:296
biografía **11**:296
Ramón y Cajal, Santiago 11:296
biografía **11**:296
Célula **3**:317
comportamiento animal **4**:174
españa **5**:318
Ramón, José **10**:302
Ramos Carrión **12**:166
Ramos del Manzano **8**:239
Ramos Horta, José 11:296
bibliografía **11**:296
Ramos Martínez, Alfredo 11:296
obra **11**:296
Ramos Mejía, José María 11:297
bibliografía **11**:297
Ramos Morales, Flor **11**:240
Ramos y Buensont, Federico **11**:239
Ramos, Adolfo Heraclio **2**:229; **11**:239
Ramos, domingo de **10**:295
Ramos, **Fidel 1**:331
Ramos, Graciliano **3**:76
Ramos, Samuel 11:296
bibliografía **11**:296
Rams y Rubert, Esteban 11:297
biografía **11**:297
Ramsay, sir William 11:297
argón **2**:27
bibliografía **11**:297
kriptón **4**:287
neón **10**:71
Ramsay MacDonald, James **7**:146; **8**:154
Ramsden, J. **7**:44
Ramsés II 11:297
Abu Simbel **1**:39
biografía **11**:297
Egipto **5**:227
faraón **6**:117
hipogeo **7**:185
hitita, cultura **7**:195
obelisco **10**:171
Ramsés II **5**:202
Ramsés III **1**:252; **5**:227; **13**:133
Ramsey, Norman Foster 11:297
biografía **11**:297
Ramsos, Samuel **9**:202
Ramuz, Carlos Fernando 11:297
bibliografía **11**:297
rana 11:297
— *Goliat* **11**:297
rana **11**:298
renacuajo **12**:19
larva **8**:177
rana 11:298
rana arborícola 11:299
rana de Surinam 11:299
Ranavalona, reina **9**:11
Rancagua 11:299
O´Higgins, libertador general Bernardo **10**:193
Rancagua, Batalla de 11:299
Egaña, Juan **5**:223
Freire y Serrano, Ramón **6**:234
San Martín, José de **12**:195
Ranchería, río **9**:24
rand **13**:313
Randa **1**:210
RandallçThompson **2**:304
ranfástidas **13**:279
Rangeleys **9**:33
Rangún o Rangoon 11:299
ránidos **11**:297
Raniero III 11:299
Véase Rainier III
Ranjit Singh o Runjit Singh 11:299
biografía **11**:299

Rankapur **2**:54
Ranke, Leopold von 11:299
biografía **11**:299
historia **7**:193
ranquel **7**:309
Ranson, Academia, de París **7**:18
ranunculácea
acónito **1**:53
adonis **1**:73
anémona **1**:276
clemátida **4**:110
escuela de caballeros **6**:22
flor **6**:178
peonía **11**:41
ranúnculo 11:300
acónito **1**:53
adonis **1**:73
ranúnculo **6**:177
Rao **7**:301
Raoul de Verneull **11**:63
Raoul Picted **4**:285
Rapa **11**:153
Rapa Nui **11**:5
Rapaces aristocráticas y plebeyas 2:181
Rapallo 11:300
— tratado de **6**:171, 302; **12**:302
Croacia **4**:295
Riviera **12**:81
rapé 11:300
tabaco **13**:93
Rapel, río **10**:193
Rappahannock, río **14**:100
rapsodia 11:300
— *en azul* **14**:148
— *gallega* **14**:34
— *sinfónica* **13**:289
— *Vascongada* **13**:330
narración **10**:42
Rapto de Proserpina, Villa Borghese, Italia 11:216
Raque **2**:293
Raquel 11:300
biografía **11**:300
raqueta para nieve 11:300
raquianestesia 11:300
Raquin, Teresa **14**:179
raquis **2**:178
raquitismo 11:300
Eberth, Karl Joseph **5**:184
enfermedad **5**:261
lecitina **8**:202
Windaus, Adolf **14**:152
Rara Avis, cascada de **1**:233
rarámuri **13**:118
Ras al Kaimah **5**:249
Ras Tanura **2**:93; **1**:335
rascacielos 11:301
ascensor **2**:80
hierro **7**:174
Jenney, William Le Baron **8**:94
Raskolnikov **13**:331
Rasmussen, Knud Johan Victor 11:301
bibliografía **11**:301
Rasmussen, Poul Nyrup **5**:126
Raspe, Rudolf **9**:330
Rasputín, Grigory Yefimovich C. 11:301
Alejandra Fedorovna **1**:154
biografía **11**:301
Rusia **12**:145
Rassam **10**:103
Rastadt **11**:19
rastra **8**:157
rastras **13**:264
rastreadores estelares **7**:103
Rastrelli, Carlo **8**:148; **12**:143
rastreo 11:302
labranza **8**:156
rastrilladora 11:302
rastrillo nefoscópico **6**:29
rata 11:302
— austral **11**:11
Ratak, islas madrepóricas **9**:110
ratania 11:302
ratel 11:302
abeja **1**:25
Rath, Ernst von **7**:211
Rathenau, Walther 11:302
biografía **11**:302
Ratisbona o Regensburg 11:303
Alemania **1**:159
Baviera **2**:269
biblioteca **2**:312
Ratke, Wolfang **5**:114
ratón 11:303
— amizclero **2**:36
ratón **11**:302; **6**:309
ratón campestre 11:302
Ratsiraka, Didier **9**:11
Ratti, Aquiles **11**:102
Ratzel, Friederich **6**:302, 315
Rauch, Christian **1**:166; **12**:67
Raudales de Malpaso, México **9**:195
Rauschenberg, Robert **9**:233
Ravaillac **5**:265
Ravana **11**:293
Ravana, rey de Danka **14**:15
Ravardière, La **10**:318
Ravel, Maurice 11:303
impresionismo **7**:287
jazz **8**:92
música **10**:16
obra **11**:303
Seis, grupo de los **12**:268
vals **14**:18
Ravelo, José de Jesús **5**:163
Ravena 11:303
biblioteca **2**:315
Dante Alighieri **5**:11
odoacro **10**:186
ostrogodo **10**:269
Ravi, río **7**:296
Rawalpindi **5**:75; **8**:134; **10**:287
Rawlings, Jerry John **6**:320
Rawlinson Creswick, Henri **2**:52
Rawlinson, George 11:303
biografía **11**:303
Rawson 11:304
biografía **11**:304
Chubut **4**:63
Ray Milland **14**:156
raya 11:304
Rayleigh, John William Strutt, lord 11:304
obra **11**:304
Raymond, Alex **4**:170
Raymond, Aron **6**:228
Raynald **7**:209
rayo 11:304
— incidente **11**:323, 326
— láser **4**:95; **5**:141
— refractado **11**:326
ángulo **1**:290
cometa **4**:168
tormenta **13**:223
rayón 11:305
fibra **6**:146
nailon **10**:32
vestido **14**:70
rayos actínicos **6**:161
rayos alfa 11:306
alfa, partículas (a) **1**:170
rayos beta 11:306
betatrón **2**:306
rayos catódicos 11:306
Crookes, William **4**:299
electrón **5**:240
fluorescencia **6**:185
Hertz, Heinrich Ruddph **7**:160
televisión **13**:149
rayos cósmicos 11:306
radiación **11**:275
átomo **2**:149
Compton, hermanos **4**:179
luz **8**:331
rayos de Becquerel **2**:145
rayos gamma 11:307
anihilación **1**:292
dosímetro **5**:166
explorer **6**:99
luz **8**:331
radiación **11**:275
rayos infrarrojos 11:307
película **11**:31
periscópio infrarrojo **11**:52
electricidad **5**:237
luz **8**:331
rayos láser **1**:135
rayos luminosos **6**:204
rayos primarios **11**:306
rayos Roentgen **8**:170
rayos secundarios **11**:306
rayos solares **1**:351; **5**:260; **6**:162, 319; **7**:142; **8**:158
rayos ultravioletas 11:307
electricidad **5**:237
estratosfera **6**:60
freón **6**:235
luz **8**:331
quemadura **11**:249
radiación **11**:275
sol **13**:27
rayos visibles **11**:275
rayos X 11:307
— adelantos modernos **11**:308
— descubrimiento de las sombras y sus valores actuales **11**:308
— laboratorios de **11**:308
— peligros de los rayos X y medios de protección **11**:308
— radioterapia **11**:308
Alemania **1**:167
astronomía **2**:129
átomo **2**:145
Bragg, sir William Henry **3**:65
Compton, hermanos **4**:179
Cormack, Allan McLeod **4**:249
doble élice **5**:151
electricidad **5**:237
falsificación **6**:114
Fischer, Ernest Otto **6**:163
gravitacional, colápso **7**:54
Hodgkin, Dorothyn Mary Crowfoot **7**:197
instrumento **8**:13
Kendrew, sir John Cowdery **8**:137
Mosseley, Henry Gwyn-Jeffreys **9**:310
plomo **11**:140
radiación **11**:275
Rainwater, James **11**:290
rayos cósmicos **11**:306
rayos X **2**:152
terapéutica **13**:163
tomografía computarizada **13**:217
verruga **14**:58
Wilkins, Maurice Hugh Federick **14**:150
Raystown, lago **11**:39
rayuela 11:309
Cortázar, Julio **4**:258
coxcojilla, avión o pata coja **4**:274
tejo **13**:141
razas humanas 11:309
— África **11**:310
— América **11**:309, 311
— arábiga **13**:6
— Asia **11**:310
— báltica **11**:310
— esquimal **7**:67
— etiópica **11**:309
— Europa **11**:309
— germánica **10**:130
— malay **11**:309
— negra **7**:82
— Oceanía **11**:311
— turca **2**:94
razas humanas **11**:310
Raza de bronce **2**:28
Raza, Día de la **6**:150
Razés, médico árabe **9**:149
Razetti, Luis **14**:45
Razin, Stenka 11:311
biografía **11**:311
RDX **6**:100
Rea
Amaltea **1**:217
Ceres **3**:333
Neptuno **10**:74
Pioneer, sondas espaciales **11**:103
Saturno **12**:242
Titanes **13**:204
Rea Silvia **9**:111
Rea, Domenico **10**:72
reacción química 11:311
Herschbach, Dudley Robert **7**:159
reactividad **7**:181
reactor 11:311
— atómico **14**:150
— control del **10**:148
— de agua ligera **10**:148
— de agua pesada **10**:148
— de agua presurizada **10**:148
— de producción **10**:147
— nucleares **2**:110
átomo **2**:152
reactor **10**:147
reactor nuclear **11**:312
Read, Albert C 11:312
aeroplano **1**:87
biografía **11**:312
Reagan, Ronald 11:312
biografía **11**:312
Carter, James Earl, jr. **3**:267
CIA **4**:65
Estados Unidos **6**:42
Fuerzas de Paz de las Naciones Unidas **6**:248
liberalización económica **8**:242
Libia **8**:248
neutrones, bomba de **10**:82

privatización **11**:203
transbordador espacial **13**:243
Unión de Repúblicas Socialistas Soviéticas **13**:309
Real Academia de la Lengua Española **1**:199, 215; **2**:289; **3**:199; **4**:198; **5**:111; **7**:30; **8**:18, 179; **13**:59; **14**:11
Real Acuerdo de la Audiencia **4**:181
Real artillería canadiense **2**:75
Real cordillera **1**:263
Real de Minas, Taxco, Guerrero **12**:128; **13**:127
Real del Monte, Hidalgo **7**:163; **11**:132
Real Sitio de San Ildefonso **12**:259
Real Sociedad de Londres **1**:41; **7**:254; **8**:209; **13**:101
Real Sociedad Geográfica de Londres **1**:170; **2**:266; **8**:303; **11**:311
Real Villa de San Felipe de Austria **10**:262
Real y Pontificia, Universidad **9**:201
Realicó **10**:298
realismo 11:45, 271, 312
— cognoscitivo **10**:174
— crítico **9**:178
— escultórico **11**:110
— germánico **6**:328
— humano **9**:156
— socialista **4**:11; **13**:92
Chejov, Anton Pavlovich **4**:28
Coubert, Gustave **4**:273
drama **5**:171
escuela artística **5**:289
escultura **5**:294
español, idioma **6**:5
estilización **6**:53
Fioravanti, José **6**:161
Flaubert, Gustave **6**:174
Goytisolo, Juan **7**:26
Hogarth, William **7**:202
literatura **8**:279
Naturalismo **10**:48
objetivismo **10**:173
realista **4**: 141,212, 275; **5**:289; **11**:94
Réaumur, René Antoine Ferchault de 11:313
bibliografía **11**:313
rebec **14**:98
Rebeca 11:313
— of Sunny Brook Farm **13**:155
biografía **11**:313
Esaú **5**:277
Hitchcok, Alfred **7**:195
Pocahontas **11**:144
Temple, Shirley **13**:155
Rebecque, Benjamín Constant de **13**:50, 81
rebelión de Cataluña **7**:28
rebelión de los boxers **7**:98
rebelión puritana **12**:53
Rebelión de los Cipayos 11:313
Rebolledo, Pedro **10**:304
Rébsamen, Enrique **9**:201
Rebstock **4**:117
Récamier, Jacques **11**:313
Récamier, madame (Jeanne Françoise Julie Adelaide Bernard) 11:313
biografía **11**:313
Stael, madame de **13**:50
Recaredo I 11:313
biografía **11**:313
España **5**:314
godos **7**:11
Toledo **13**:212
receptor (catcher) **2**:278
receptor **7**:328
receptor sistema **11**:287
Recesvinto 11:313
biografía **11**:313
biblioteca **2**:312
Wamba **14**:139
receta 11:313
Recia **13**:202
recibo 11:314
recidiva 11:314
recién nacido 11:314
ictericia **7**:262
infancia **7**:319
Recife 11:314
recipiente esférico de Herón **13**:287
recitador 11:314
reclamo 11:314
reclinatorio 11:315
Reclus, Elisée 11:315
obra **11**:315
Reclus, Onésimo 11:315
bibliografía **11**:315
reclutamiento 11:315
recolectoras-prensadoras **8**:156
Reconquista 11:315
— guerras de **6**:245
Edad Media **5**:207
España **5**:316
Fernando II, el católico **6**:135
Gibraltar **6**:322
Isabel la Católica **8**:49
mudéjar **9**:320
Reconquista **11**:316
Reconquista de Buenos Aires 11:316
reconstrucción 11:316
recopilación 11:316
Recopilación de las leyes de los reinos de Indias **8**:239
récord 11:317
Recorde, Robert **12**:327
Recorrido turístico **13**:290
recreación 11:317
— humana **8**:205
— aprender a divertirse **11**:317
— parques, playas y paseos **11**:318
— recreación bien dirigida **11**:318
recreación **11**:318
recta base **11**:120
rectángulo 11:318
cuadrado **4**:307
cuadrilátero **4**:308
triángulo **13**:260
rectificador 11:319
maquina herramienta **9**:76
transformador **13**:244
rectilíneo unifromemente acelerado **9**:316
rector 11:319
Recuay **11**:188
Recu-Pichincha **11**:80
recurso 11:319
— económicos **2**:281
contaminación ambiental **4**:226
recursos naturales 11:319
geografía **6**:306
recursos proteccionistas **8**:249
red 11:320
— de comunicaciones **7**:74
— de relleno **11**:120
— Mundial **8**:20
— Nacional de Ferrocarriles de España **2**:293
— trigonométrica **11**:120
— cloacal **1**:145
red **4**:315; **7**:32
Red River **9**:228
redacción 11:320
redención 11:320
Redentor **8**:98, 99
Redentoristas, orden de los **1**:176
Redgauntlet **12**:251
Redgrave, Vannessa **6**:129
Redi **6**:299
redingote **14**:69
Redlinski, E. **11**:161
Redon, Odilon **11**:98
Redondo, José (Chiclanero) **13**:127
Redondo, Onésimo **11**:201
redox **13**:137
reducción 11:321
anilina **1**:292
funcionarios, números **6**:208
Latinoamérica **8**:184
óxido de nitrógeno **10**:277
reducto 11:321
reductor 11:321
transformador **13**:244
Reed, Ezequiel **4**:110
Reed, Thomas **4**:142
Reed, Walter 11:322
obra **11**:322
Gorgas, William Crawford **7**:22
reeducación 11:322
reencarnación del alma **1**:192
referéndum 11:322
— popular **7**:8
Unión Sudafricana **13**:314
elección **5**:236
Irlanda (Eire) **8**:46
refinación 11:322
asfalto **2**:82
refinería y tanques de almacenamiento de gasolina **6**:289
refinería de petróleo **1**:123; **11**:73
refinerías de petróleo **4**:227
reflector 11:322
— de rayos láser **2**:118 **2**:119
reflector **10**:184
reflejo 11:323
— adquiridos o condicionados **11**:323
reflexión 11:323
— de la luz **8**:332
— del sonido **13**:38
— ley de la **6**:133, 168
— telescopio de **10**:52
arcoiris **1**:351
Fermat, Pierre **6**:133
resonancia **12**:29
reforestación **6**:194
Reforma 11:323
— las causas **11**:323
— la rebelión de Lutero **11**:324
— la doctrina **11**:324
— Calvino y Enrique VIII **11**:324
— consecuencias **11**:325
— contrarreforma **11**:325
— humanitaria **5**:281
— liberal **7**:19
— protestante **1**:160; **4**:228, 292, 293; **5**:126; **13**:81
— leyes de **5**:281; **7**:19; **8**:116, 231; **10**:178; **14**:52
— Borbónica **8**:185
Reforma **11**:324
Clemente VII **4**:111
Coligny, Gaspar de **4**:134
Reforma **5**:209
Edad Media **5**:215
educación **6**:17
Goes, Damián de **7**:12
literatura **8**:278
Noruega **10**:135
prostitución **11**:217
santo **12**:221
Sorbona **13**:42
Wycliffe, John **14**:156
reforma agraria 11:325
Cremer, sir William Randal **4**:280
Elías Calles, Plutarco **5**:246
reformatorio 11:325
reforming **11**:74
refracción 11:325
— fenómeno de **10**:212
— ley de la **6**:169
— leyes de la **6**:133
— astronómica **8**:175
arcoiris **1**:351
crepusculo **4**:281
Fermat, Pierre **6**:133
lente **8**:222
oftalmoscópio **10**:190
refractario 11:326
refractómetro 11:326
refrán y refranero 11:326
refrigeración 11:326
— principios de la refrigeración artificial **11**:327
— funcionamiento **11**:327
— fabricas de hielo **11**:327
— refrigeradores para el hogar **11**:328
— aire acondicionado **11**:328
— depósitos frigoríficos **11**:328
congelación **4**:206
ingeniería **7**:331
refrigeración **11**:327
termosifón **13**:169
refugiado 11:328
— palestino **8**:240
regalismo **12**:*45*
regaliz 11:329
orozuz **10**:257
regata 11:329
— transoceánicas **14**:36
vela **14**:35
yate **14**:161
regatón o contera **2**:238
Regbault, Henri **11**:333
regencia, Consejo de **9**:94
regencia, estilo **6**:228; **9**:255
regeneración 11:329
— periódico **6**:181
Regent's Park **1**:58
regente 11:329
Reggio, Módena **2**:30
regicidio 11:330
asesinato **2**:81
regidor 11:330
Régil, Guipúzcoa **13**:334
régimen 11:330
— alimenticio **14**:34

— autoritario **2:**168
— de administración fiduciaria **6:**147
— de China **2:**98
— de fideicomiso **9:**55
— fascista **13:**20
— militar **5:**63
— patriarcal **7:**202
— republicano parlamentario **13:**86
— totalitario **13:**307
— zarista **11:**301; **13:**20
gramática **7:**31
regimiento 11:330
— de Ingantería de Galicia **2:**194
— de Royal-Piémont **8:**266
— motorizado **5:**234
— verde **11:**91
tercio **13:**164
regimiento de caballería de Londres **11:**330
Regina **13:**67
Regina, Saskatchewan **11:**151
Reginald Aubrrey Fessenden **11:**285
Reginaldo Polo **13:**259
Réginer, Henri de **6:**227
Regiomontanus, Johann Müller, llamado 11:330
biografía **11:**330
región y regionalismo 11:331
— Administrativa Especial (RAE) de China **7:**220
— americano **4:**141
— ártica **9:**9
— catalana **13:**121
— continental húmeda **1:**108
— continental seca **1:**108
— de Cantón **8:**150
— de Fezzán **8:**247
— de la Araucanía **8:**165
— de Tarapacá **2:**30
— del Amazonas **2:**280; **8:**308
— del Bluegrass **8:**139
— del Rif **2:**295
— montuosa **1:**163
— natural **11:**331
— oriental **2:**90
— paleártica **2:**90
— Pennyroyal **8:**139
— polar **7:**169
— VI Matagalpa **9:**125
— VII de Chile **9:**133
— X de Chile **8:**165
Atacama **2:**132
Azof, mar de **2:**195
Colombia **4:**141
Mejía Vallejo, Manuel **9:**156
región **13:**254
registro civil 11:331
registro de la propiedad 11:331
— inmobiliaria **13:**207
— intelectual **13:**207
Registro de un holograma **7:**211
registro espiral **14:**82
registro fósil **7:**215
registro kinescópico **13:**151
registro mercantil 11:331
contabilidad **4:**225
registro, sistema de **11:**287
regla **10:**53
regla áurea 11:331
regla de aligación 11:331
regla de cálculo 11:332
regla de compañía 11:332
— compuesta **11:**332
regla de interés 11:333
— compuesto **11:**333
regla de la adición **1:**69
regla de oro **4:**205
regla de tres 11:333
Regla Mota, Manuel **5:**160
regla pastoral, libro de la **7:**64
reglada **13:**85
reglaje **9:**262
Reglas 2:261
— futbol americano **6:** 258
— generales futbol **6:** 255
protocolo **11:**218
Regnault, Henri Victor 11:333
obra **11:**333
Regnier, Henri de 11:333
bibliografía **11:**333
Regoyos, Darío de **5:**318; **6:**299
Reguera Saumell, Manuel **4:**316
Reguera, Juan de la **11:**317
regulador 11:333
— eléctrico **11:**333
Regules, Elías 11:333
bibliografía **11:**333
Régulo, estrella **6:**61
Régulo, Marco Atilio 11:334
biografía **11:**334
rehén 11:334
Rehoboth **10:**33
Reich **2:**268; **6:**224; **7:**94
Reich Alemán **11:**222
Reich, canciller del **7:**196
Reich, Jefe Supremo de la Policía del **7:**180
Reichenbach **14:**56
Reichenbach, F. **5:**152
Reichenbach, Hans **4:**281
Reichenstein, Müller von **13:**153
Reichshoffen **3:**130
Reichstadt, duque de **10:**38
Reichstag 11:334
Alemania **1:**162
Evert, Friederich **5:**184
Goering, Hermann **7:**12
nacionalsocialismo **10:**25
Oncken, Guillermo **10:**210
Stinnes, Hugo **13:**55
Reichstein y Sarett **4:**262
Reichstein, Tadeus 11:334
biografía **11:**334
Reichwehr 11:334
Reid Cabral, Donald J. **5:**161
Reid, Thomas 11:334
bibliografía **11:**334
reidos **10:**167
Reil, Johan Cristian **4:**331
Reimann **10:**96
Reimarus, Hermann **5:**39
Reims 11:334
— Arzobispo de **12:**15
— Francia **2:**168
coronación **4:**251
gobelinos **6:**336
Juan Bautista de La Salle, san **8:**113
Saint Just, Luis Antonio de **12:**166
Reina Barrios, José María 11:334
biografía **11:**334
Reina
— Ana **1:**41
— Astrid **1:**302
— Carlota, isla **4:**157
— Católica **11:**272
— Claudia **5:**264
— Cristina de Suecia **5:**68
— Dido **5:**257
— Isabel **1:**255; **5:**169; **12:**217
— Isabel de Inglaterra **13:**165
— Isabel II **6:**8
— Juliana María **5:**123
— Leonor **11:**44
— Madre **1:**144
— María **1:**302
— Maud **1:**302
— Olimpia **1:**155
— Victoria de Inglaterra **5:**104, 145, 213, 246; **12:**56
abejas **1:**22
hormiga **7:**225
reina **1:**22
termes **13:**166
Reina y Montilla, Manuel 11:335
bibliografía **11:**335
Reinach, Salomon 11:335
bibliografía **11:**335
reincidencia 11:335
Reinecke **3:**88
Reinel, Pedro **9:**67
Reines, Frederick 11:335
Perl, Martín L. **11:**53
biografía **11:**335
Reinhard Heydrich **7:**211
Reinhardt, Max 11:335
biografía **11:**335
cabaret o cabaré **3:**137
Hofmannsthal, Hugo von **7:**198
reino
— africano **8:**231
— Antiguo **5:**226
— de Andalucía **12:**299
— de Aragón **5:**315
— de Dios **4:**291
— de Granada **5:**207
— de Judá **8:**117, 118
— de las Dos Sicilias **12:**314
— de los Cielos **2:**268
— de Navarra **5:**315
— español de Castilla **8:**114, 183
— Hashimita del Jordán **8:**107
— Medio **5:**227
Edad Media **5:**206
zoología **14:**182
Reino Unido
— bandera de **2:**242
Attlee, Clement Richard **2:**155
Comunidad (Británica) de Naciones **4:**188
Gran Bretaña **7:**32
Omán **10:**208
petróleo **11:**71
tarjeta de crédito **13:**120
Reino Unido de Libia **8:**248
reino vegetal, Clasificación del **3:**56; **8:**213; **14:**34
reinos bárbaros **7:**6
Reinos de Indias, leyes de los **11:**317
reinos de la naturaleza 11:336
reinos epígonos **7:**60
Reinoso, Félix José 11:336
bibliografía **11:**336
reis 11:336
cruzeiro **4:**307
Reis Antonio dos **4:**183
Reis, Johann Philipp **13:**142
Reisinger, Wenzel **3:**34
Reiss, Wilhelm **13:**274
Reissig **13:**329
Reissing, Helmut **1:**53
Reitdiep, río **7:**206
reitres tudescos **11:**111
Reitsch y Rohlfs **7:**142
Reizenstein, Leopold **12:**62
reja 12:5
— del arado **13:**135
reja **12:**6
Réjane, *Sapho* **12:**6
Réjane, seudónimo de Gabrielle Réju 12:6
biografía **12:**6
mujer **9:**326
Rejaule y Toledo, Pedro Juan de 12:6
bibliografía **12:**6
Rejcha, Antonin **4:**28
rejilla (electrónica) 12:6
rejón **12:**6; **13:**126
rejoneador 12:6
Réju **12:**6
Relación de las alteraciones populares en Zaragoza **2:**12
relación periodo-luminosidad **9:**24
relaciones de producción 12:6
relaciones internacionales 12:7
relaciones públicas 12:7
— técnicas de difusión y comunicación **12:**7
relámpago 12:7
tormenta **13:**223
viento **14:**89
relatividad 12:7
— espacial **12:**8, 9
— teoría de la **1:**168, 292, 299; **5:**210, 230, 303; **6:**169; **8:**170, 331; **9:**234; **13:**244; **14:**39
— teoría general de la **9:**172; **13:**10
física **6:**164
relatividad **12:**8
Relay **13:**144; **10:**43
relevamientos aerofotogramétricos **9:**231
relicario 12:9
relieve 12:9
— altorrelieve **12:**10
— bajorrelieve **12:**10
— mediorrelieve **12:**10
— físico y litoral **7:**205
— montañoso del Altai **12:**137
— montañoso el Tien Shan **12:**137
Argentina, República **2:**13
Belice **2:**286
Francia **6:**211
geografía **6:**302
grabado **7:**27
relieve **7:**291; **9:**251; **12:**10
viento **14:**88
religare **12:**10
religión 12:11
— adventista **8:**77
— antigua **9:**245
— bautista **8:**77
— brahmánica **13:**267
— católica **2:**17, 166, 183; **8:**62,77
— católica romana **8:**82
— cristiana **5:**245
— de Europa **6:**81
— de Zoroastro **14:**176

— hindú 7:161
— indígena 7:188
— islámica 6:115
— judía 2:17; 8:77
— lamaísta 8:166
— mahometana 5:226, 315; 8:94
— metodista 8:77
— mistérica 14:34
— monoteísta 12:12
— musulmana 2:10
— natural 12:12
— ortodoxa griega 5:297
— politeísta 12:12
— prehistórica 11:187
— presbiteriana 8:77
— protestante 2:17
— revelada 12:12
— sintoísta 8:82
— Tloque Nahuaque 12:11
África 1:96
Alemán, idioma 1:158
apostasía 1:328
Araucanos 1:343
Asia 2:96
Asiria 2:102
átomo 2:143
aztecas 2:202
dionisos 5:135
educación religiosa 5:222
Egipto 5:226
escuela 5:288
Estados Unidos 6:36
Feuerbach, Ludwig 6:144
filosofía 6:158
Gran Bretaña 7:39
Grecia 7:57
historia 7:193
Holanda 7:207
iberos 7:258
Incas 7:292
indios americanos 7:311
Marruecos 9:107
mayas 9:138
México 9:197
ministro 9:234
mitología y mitos 9:249
otomí 10:270
Portugal 11:175
turbante 13:286
religiosas, órdenes 6:128
religioso, motete 10:13
Religiosos y Seculares, Congregación de Institutos 10:311
religiosos, elementos 9:132
reloj 12:12
— de agua 12:13
— de bolsillo 12:13
— de cucú 12:13
— de pared 12:13
— historia 12:12
— mecanismo 12:12
clepsidra 4:111
escape 5:278
reloj 12:13, 14
reloj decorativo, Palacio Schonbrunn, Austria 7:224
reloj público en La Haya, Holanda 7:204
reloj, Greenwich 7:64
reloj, palacio de gobierno de Praga 7:224
tiempo 13:189
reloj de arena 12:13
reloj de sol 12:13
reloj de sol 12:14
reloj electrónico 12:14
Reloncaví, Golfo de 4:38
Remanganaguas 4:314
Remark, Erich Paul 12:14
Remarque, Erich Maria 12:14
bibliografía 12:14
Rembrandt 12:14
agua fuerte 1:112
caricatura 3:246
crucifixión 4:301
cupido 4:331
Dresde 5:173
estilo 6:54
grabado 7:28
Holanda 7:209
Leyden 8:238
Louvre 8:313
obra 12:14
pintura 11:94
Rembrandt 12:15
Rembrandt Harmensz Van Rijn 2:177
Ruydael o Ruisdael, Jacob Isaac van 12:152
Stuttgart 13:58
xilografía 14:157
Remeeus, David 14:131
Reményi, Eduardo 3:65
Remeros 2:63
Remigio, san 12:15
biografía 12:15
Remington Arms Company 12:15
Remington, Eliphalet 12:15
obra 12:15
fusil y rifle 6:254
Remington, Philo 12:15
Remington Rand 13:152
reminiscencia 12:16
remo 12:16
— historia 12:16
Eneas 5:257
marina mercante 9:96
Remo 9:111
remojadas 12:16
remolacha 12:17
azúcar 2:204
remolcador 12:17
remolino 12:17
remolque 12:17
— habitación 12:17
dragaminas o barreminas 5:168
rémora 12:17
remordimiento 12:17
remotos 13:151
Remsen 12:157
Remusat, François Marie Charles, conde de 12:18
biografía 12:18
Remusat, Jean Pierre Abel 12:18
biografía 12:18
renacentista clásico, estilo 6:53; 10:269; 12:9, 19
Renacimiento 12:18
— Alto 9:58
— el apogeo del 14:66
— italiano 6:236
ábaco 1:17
academia 1:40
Alberti, León Battista 1:140
Alfonso V de Aragón y IV de Cataluña 1:175
arca 1:349
Ario 2:30
arqueología 2:51
arquitectura 2:58
autorretrato 2:177
Bartolomeo, Lo Baccio Della Porta 2:259
biblioteca 2:312
bienal de Venecia 2:319
Bolonia, Juan de 3:32
campanario 3:192
carroza 3:265
China 4:58
Comunismo 4:190
cuero 4:323
Delorme, Philibert 5:45
escuela artística 5:289
escultura 5:294
español, idioma 6:5
Francia 6:226
Gargantúa y Pantagruel 6:285
Ghiberti, Lorenzo 6:321
Giotto di Bondone 6:327
Goethe, Johann Wolfgang 7:13
Gran Bretaña 7:44
hornamentación 10:253
humanismo 7:247
inglés, idioma 7:333
invenciones y descubrimientos 8:24
Latinoamérica 8:192
libros de caballerías 8:253
literatura 8:277
manierismo 9:58
modelismo 9:261
mujer 9:324
museo 10:9
paisaje 10:285
pantomima 10:309
patio 11:12
prótesis 11:218
Quersia, Iacobo di Pietro d´ Agnolo 11:250
Reforma 11:325
Renacimiento 4:105; 12:19
Tiziano Vesellio 13:207
urbanismo 13:322
usura 13:331
Vasali, Jorge 14:28
Vivienda 14:118
Volterra, Daniel da 14:130
renacuajo 12:19
anfibio 1:279
Renaissance Center 5:96
Renan, Ernest 12:19
nación 10:23
bibliografía 12:19
Renana 12:249
Renania 4:292; 5:182; 7:93
Renania del Norte-Westfalia 1:163; 14:147
Renania septentrional-Westfalia 1:331; 4:151
Renania-Palatinado 1:163
Renard, Jules 12:19
bibliografía 12:19
Renard, Rosita 12:19
biografía 12:19
Renault, Louis 12:19
biografía 12:19
Rendón, Francisco de Paula 12:19
bibliografía 12:19
Rendón, Manuel 5:202
Rendon, O. 14:78
Rendón, Ricardo 12:19
biografía 12:19
Rene Barrientos 11:21
René-Moreno, Gabriel 12:19
biografía 12:19
René Robert Cavalier 12:120
René, F. A. 12:302
René, Francois, vizconde de Chateaubriand 2:257
Renée Pélagie 12:161
Rengo 5:274
Reni, Guido 12:19
obra 12:19
aguafuerte 1:112
crucifixión 4:301
Quiniran11:267
renio 12:20
tecnecio 13:134
Rennell 9:68
Reno 10:83
Reno, Nevada 10:18
reno 12:20
— salvaje 12:20
ártica región 2:70
Asia 2:91
Laponia 8:175
trineo 13:268
Renoir, Jean 12:20
biografía 12:20
Renoir, Pierre Auguste 12:20
Francia 6:228
impresionismo 7:286
Monet, Claude 9:275
obra 12:20
Renoir, Auguste 2:63
Sisley, Alfred 13:8
Renouvier, Charles 9:273
renovación de aire 14:49
Renovales, Mariano 12:20
biografía 12:20
Rensch, Bernhard 12:21
biografía 12:21
Renshaw, Samuel 14:106
renta 12:21
— de la tierra 12:62
— del capital 12:21
— nacional 12:21
— nacional y gasto nacional 13:56
— perpetua 12:21
— pública 12:21
economía 5:191
reóstato 12:21
reparaciones de guerra 12:21
Reparaz, Gonzalo de 12:22
bibliografía 12:22
repartimiento de indios 12:22
Reparto negro 11:169
Repete 8:176
Répide, Pedro de 12:22
bibliografía 12:22
repisa 12:22
réplica, derecho de 12:22
repoblación forestal 12:22
repoblación forestal 12:23
repollo 12:23
reportaje y reportero 12:23
— Stanley 12:23
reposo 12:23
fuerza 6:245
repostería 12:24
Reppe, J. Walter 11:130
represalia 12:24
representación 12:24
— artística de una galaxia 6:253
— china del año del caballo 1:320

— de Chicomostoc **7**:193
— de los orbitales moleculares **9**:267
— de orbitales moleculares **9**:267
— esquemática de las meninges **9**:167
— legal **11**:206
— mitológica **1**:330
— proporcional **14**:134
— sagrada **13**:132
— teatral **1**:279
reproducción 12:24
— la reproducción en animales **12**:25
— formas de reproducción **12**:25
— cromática **6**:202
— sexual **5**:66
— sonora **6**:49
reproducción **12**:25
corán **4**:235
disco compacto **5**:142
fruto **6**:240
protozoarios **11**:219
reproductivo, ciclo **10**:202
reproductor, aparato, masculino **12**:24
reptación 12:25
reptil 12:25
— saurio **7**:267; **8**:162
— terrestre **11**:248
corión **4**:249
culebra **4**:327
geología **6**:308
ictiosauro **7**:262
muda **9**:320
pitón **11**:113
reptil **12**:26; **14**:186
tortuga **13**:231
vertebrados **14**:59
zoología **14**:185
república 12:26
gobierno **7**:7
imperio romano **7**:276
restauración **12**:31
República Árabe Unida, 12:27
Egipto **5**:228
Nasser Gamal Abden **10**:44
Siria **13**:7
Yemen, República del **14**:162
Republican, río **10**:60
republicano
calendario **3**:164
gobierno **7**:5
Revoluciones de 1830 **12**:54
Republiquetas **9**:334
republiquetas, Las 12:27
repujado 12:27
Requesens i de Zúñiga, Lluís de 12:27
biografía **12**:27
réquiem 12:27
— austriaco **12**:250
— *for a futurologist* **13**:46
— *in memorien patriae* **13**:24
Rere, ciudad **9**:96
Rérez Rosales, Vicente **11**:229
rerum novarum 12:27
León XIII **8**:227
resaca 12:27
rescisión 12:27
rescripto 12:27
resección 12:28
resedáceas **6**:179
reserva especial o territorial **9**:223
Reserva forestal, Javo, EE.UU. **6**:193
reservación navajo **9**:63
reservaciones indias 12:28
reservas bancarias 12:28
reservas forestales **7**:77
reservas monetarias 12:28
reservas mundiales **7**:173
reservones **13**:126
residencia de las nieves **7**:179
resiliencia 12:28
resinas 12:28
— acrílicas **8**:158; **7**:282; **8**:158; **11**:126 ;**13**:42
— fósil **1**:223
— sintéticas **1**:68
— termoplásticas **11**:162
— vinílicas **8**:158
asfalto **2**:82
barníz **2**:255
lápiz **8**:174
melamina **9**:156
papel **10**:315
perfumería **11**:49
resinox **11**:127
resistencia 12:29
— bobinadas **12**:29
— aglomeradas **12**:29
— de película depositada **12**:29
física **6**:164
fuerza centrifuga y centrípeta **6**:246
hidropónica **7**:168
resistencia 12:29
— antinazi **9**:45
Resistencia 12:29
— ciudad de **4**:257
resistencia de materiales 12:29
resolución 12:29
— judicial **11**:220
problema **11**:205
resonador 12:29
— de cristal **12**:14
— de cristal de cuarzo **12**:14
Helmholtz, Hermann Ludwig Ferdinand von **7**:143
Hertz, Heinrich Ruddph **7**:160
radiotelefonía y radiotelegrafía **11**:283
resonancia 12:29
sonido **13**:40
tono **13**:220
resorcina 12:30
resorte 12:30
— en espiral **7**:223
suspensión **13**:87
Respighi, Ottorino 12:30
bibliografía **12**:30
respiración 12:30
— artificial **2**:83
— en el reino animal **12**:30
— en el reino vegetal **12**:30
animal **1**:293
educación física **5**:221
hoja **7**:203
tartamudeo **13**:122
respiratorio, aparato **10**:41
responsabilidad 12:31
conducta **4**:201
resta 12:31
álgebra **1**:179
aritmética **2**:34
sustracción **13**:88
restauración 12:31
— nacionalista **12**:95
Béranger, Pierre Jean du **2**:294
Fouché, Joseph duque de Otranto **6**:205
Francia **6**:223
Nottingham **10**:137
restaurante 12:31
Reston, James **5**:212
Restrepo Herrera, arzobispo **3**:18
Restrepo, Antonio José 12:32
bibliografía **12**:32
Restrepo, Carlos Emilio 12:32
biografía **12**:32
Restrepo, José Félix de 12:32
biografía **12**:32
Restrepo, José Manuel 12:32
biografía **12**:32
resurrección 12:32
Cristianismo **4**:291
espíritu **6**:18
Lázaro **8**:202
Mendoza **9**:165
Theotokópoulos, Doménikos **13**:182
Reszké, Jean de **13**:160
retablo 12:32
— bolivianos **2**: 30
— de la Revolución **10**:191
— español **12**:95
temple **13**:155
Retalhuleu 12:33
retama 12:33
Retia **1**:159
rético o retorromano 12:33
retículo de diferenciación óptica **11**:304
retículo-endotelial, sistema 12:33
retina 12:33
ojo **10**:198
retirada 12:33
— de Dunkerque **12**:34
— de los Diez Mil **12**:33
— de Moscú **12**:33
Retógenes 12:34
sitio **13**:9
retórica 12:34
— Cicerón, **12**:34
— Longino **12**:34
— Quintiliano **12**:34
Agustín, san **1**:118
alegoría **1**:153
Apolonio de Rodas **1**:328
educación **5**:215
escuela **5**:288
Gorgias **7**:22
imágen **7**:273
latina, literatura **8**:181
universidad **13**:317
retorsión 12:34
retorta 12:34
destilación **5**:93
retracto 12:34
retraso escolar 12:35
retrato 12:35
— de Savonarola **2**: 259
— de Aldous Huxley **7**:254
— de Ana de Cleves, Hans Holbein, el Joven **7**:209
— de dos madres con sus niños **9**:17
— de Enrique VIII **12**:55
— de Francis Bacon **2**:209
— de mujer Yaroba en Benin **2**:292
— de Ricardo III **12**: 62
— de Rilke **12**:69
— de santa Teresa **12**:173
— de un hombre joven, Amadeo Modigliani **9**:263
— de Victor Hugo, por Félix Tournachon **7**:244
— del padre de Rembrandt **12**:15
— busto de Pericles **12**:35
arqueología **2**:50
retreta 12:35
retroactividad 12:35
retrocohetes **13**:242
retrogradación 12:36
retroperitoneales **5**:284
retropropulsión 12:36
retrovirus **7**:147
retruécano 12:36
Retz, Gil de 12:36
Barba Azul **2**:250
Retzius, Anders Adolf 12:36
biografía **12**:36
braquicéfalo **3**:68
Retzius, Anders Jean 12:36
bibliografía **12**:36
Reuchlin, John von 12:36
bibliografía **12**:36
reumatismo 12:36
fisioterapia **6**:170
insuficiencia **8**:14
luz negra **8**:335
miocardio y miocarditis **9**:235
reumatoide **2**:77
Reunión, isla de la 12:37
— Saint-Denis, **12**:37
Baudelaire, Charles **2**:267
Reus 12:37
— Casa Consistorial **12**:37
— conde de **11**:197
Fortuny y Carbó, Mariano José **6**:199
Tarragona **13**:122
Reuss, capilla de **4**:250
Reuss, río **6**:75
Reuter **13**:125
Reuter, agencia 12:37
Reuter, Comtelburo **12**:37
Reuter, Ludwig von 12:37
biografía **12**:37
Reuter's Telegram Company **12**:37
Reuters **11**:51
Reval **13**:107
reválida 12:37
revelación 12:37
— divina **12**:163
cuatro jinetes del apocalípsis **4**:310
Revelación **12**:38
reveladores de radio **13**:151
Reventlow, conde **10**:25
reverberación 12:38
sonido **13**:39
Reverdin, Albert **13**:202
Reverdy, Pierre **2**:265
Revere, Paul **9**:123
Reverón, Armando 12:38
obra **12**:38
revestimiento 12:38
Revesz, Andrés 12:38
bibliografía **12**:38
revienta caballo **7**:171
Revilla, Manuel **1**:145
Revillagigedo 12:38
— archipiélago de **4**:134
— Güemes Pacheco, Juan V. de,

segundo conde de **9**:199
revisionismo 12:38
Luxemburg, Rosa **8**:328
socialismo **13**:19
revisionistas **4**:191
revista 12:38
— *Acta Eruditorum* **12**:39
— *Acta Philosophica* **12**:39
— *Azul* **13**:323
— *crítica de la filosofía* **12**:246
— *de Cochabamba* **2**:335
— *del Globo* **14**:56
— *del Instituto de Cultura Puertorriqueña* **13**:44
— *Diálogo* **14**:158
— *Hesperia* **12**:115
— *Lasker* de Ajedrez **8**:179
— *literaria Tierra nueva* **4**:64
— *Philosophical Transactions* **12**:39
— *Time* **8**:315
— *Ulises* **14**:94
— *Vanguardia* **4**:307
— *Venezolana* **9**:112
editor y editorial **5**:212
lectura **8**:206
Lynch, Benito **8**:336
periodismo **11**:50
publicidad **11**:225
revolución 12:40
— agraria **1**:106; **13**:59
— Americana **14**:100
— copernicana **13**:18
— Chilena **8**:302
— de 1917 **4**:191
— de Bélgica **12**:54
— de Febrero **12**:54
— de Guayaquil **12**:162
— de los Comuneros **4**:181
— de Mayo **1**:140, 215; **2**:195; **7**:295; **8**:177, 179, 308
— de Octubre **13**:206; **14**:166
— de Texas **8**:186
— independentista estadounidense **13**:11
— política **12**:40
— Rusa **4**:263, 283; **6**:83; **8**:148, 234, 328; **13**:300
— sideral **8**:322
— sinódica **8**:322
— social **12**:40
— soviética **13**:89
— tecnológica y social **13**:249
— Plaza de la **7**:114
Azuela, Mariano **2**:205
Babeuf, François Noel **2**:207
Corday, Carlota **4**:240
Dumas, Alejandro **5**:177
Edad Contemporánea **5**:203
superficie **13**:85
Unión de Repúblicas Socialistas Soviéticas **13**:306
Revolución Bolchevique 12:41
Guerra Mundial, Primera **7**:92
Koljos **8**:145
socialdemocracia **13**:18
Revolución China 12:43
Stalin, José **13**:51
Revolución Cubana 12:42
Maceo y Grajales, Antonio **9**:7
Revolución Cultural Proletaria 12:42
comunismo **4**:191
Libia **8**:248
Revolución de los Gracos 12:49
Revolución Estadounidense 12:43
<u>Revolución Estadounidense</u> **12**:44
<u>Revolución estadounidense, actor</u> **12**:43
Revolución Fascista en Italia 12:45
Revolución Francesa 12:45
— antecedentes **12**:45
— Constitución de 1791 **12**:48
— el comienzo **12**:45
— el terror **12**:49
— la Comuna **12**:48
— los derechos del hombre **12**:47
— Montaña **6**:205
— Robespierre **12**:83
— romanticismo **12**:106
— Santa Alianza **12**:209
— servicio militar **12**:295
Adams, John Quincy **1**:65
agosto **1**:101
coalición **4**:119
Condé, familia **4**:198
Condorcet, Marie Jean Antoine Nicolás de Caritat marqués de **4**:201
congreso de Viena **4**:209
corporación **4**:252
cristianismo **4**:292
cronología **4**:299
Edad Moderna **5**:209
Eras **5**:273
escuela **5**:288
Estados Generales **6**:30
Europa **6**:83
Fichte, Johann Gottlieb **6**:147
Fragonard, Jean Honoré **6**:210
Francisco II **6**:230
Ghetto **6**:321
gobierno **7**:7
Haití **7**:121
independencia **7**:294
Italia **8**:63
Liniers y Bremond, santiago de **8**:267
literatura **8**:278
Luis XV **8**:318
Mesmer, Franz Anton **9**:177
Mónaco **9**:272
Montesquieu, Charles de Secondat, barón de **9**:288
<u>Revolución Francesa</u> **5**:60; **12**:46, 47, 49
socialismo **13**:18
Talleyrand Perigord, Charles Maurice, principe de Benevento **13**:106
trata **13**:256
Versalles **14**:59
Wordsworth, William **14**:154
Revolución Industrial 12:49
— carbón **12**:
— causas **12**:50
— control del Estado **12**:52
— crisis y desocupación **12**:53
— efectos sociales de la Revolución Industrial **12**:52
— electricidad **12**:52
— hierro **12**:51
— industrias textiles **12**:51
— Inglaterra tomó la delantera **12**:50
— máquina de vapor **12**:52
— problemas de la civilización industrial **12**:53
— vías de comunicación y el transporte **12**:52
armada **2**:39
arte de vander **2**:65
carbón **3**:237
comercio **4**:166
consumo **4**:220
energía **5**:257
Estados Unidos **6**:39
Europa **6**:80
exposición **6**:100
fábrica **6**:108
ferrocarril **6**:138
Gran Bretaña **7**:38
hierro **7**:174
industria **7**:317
invenciones y descubrimientos **8**:26
jacobinos **8**:73
juguetes **8**:123
labranza **8**:157
libre cambio **8**:249
máquina neumática **9**:76
Massachusetts **9**:123
materialismo **9**:131
metalurgia **9**:183
<u>Revolución Industrial</u> **5**:204; **12**:51, 52; **13**:142
socialdemocracia **13**:18
transportes **13**:249
urbana, economía **13**:320
vivienda **14**:118
vocación **14**:122
Revolución Inglesa 12:53
Revolución Mexicana 12:53
— autores **12**:107
Carrillo Puerto, Felipe **3**:264
hispanoamericanos **7**:189
Latinoamérica **8**:189
Siqueiros, David Alfaro **13**:5
Taracena, Alfonso **13**:117
Véase México **12**:53
Revoluciones de 1830 12:53
Revoluciones de 1848 12:54
Revolutionibus orbium coelestium **2**:124
revólver 12:54
<u>revólver</u> **12**:55
Revueltas, José 12:55
bibliografía **12**:55
Revueltas, Silvestre 12:55
obra **12**:55
Latinoamérica **8**:196
Limón, José **8**:262
Rey de Reyes **12**:154
<u>*rey del Vals*</u> **2**:229
<u>rey Enrique VIII</u> **12**:55
<u>Rey Jorge VI, Coronación del</u> **9**:273
rey mago Baltasar **5**:260
rey mago Gaspar **5**:260
rey mago Melchor **5**:260
<u>Rey pingüino, Malvinas, islas</u> **9**:47
Reyes Católicos
España **5**:317
Inquisición**7**:336
Pérez de Hita, Ginés **11**:46
Pinzón, Vicente Yañez**11**:100
Pulgar, Hernando del **11**:241
Reconquista **11**:316
Rif **12**:68
Santa Hermandad **12**:214
sitio **13**:10
Toledo **13**:212
Tordesillas, Tratado de**13**:222
Rey Pastor, Julio 12:55
bibliografía **12**:55
rey y reina 12:55
<u>rey y reina</u> **12**:56
Rey, Abel 12:55
bibliografía **12**:55
reyes magos 12:57
— los tres (constelación) **10**:251
<u>reyes magos</u> **12**:56
Epifanía **5**:270
inocentes, Degollación de los **7**:336
Reyes Martínez, Juan José de los **11**:104
Reyes Prieto, Rafael 12:56
biografía **12**:56
Reyes, Alfonso 12:56
bibliografía **12**:56
enciclopedia **5**:253
ensayo **5**:266
Góngora y Argote, Luis de **7**:19
literatura hispanoamericana **8**:282
México **9**:202
Suro, Darío **13**:87
<u>Reyes, Capilla de los</u> **12**:92
Reyes, José Trinidad 12:56
biografía **12**:56
Reyes, Neftalí Ricardo **10**:75
Reyes, Rafael **12**:184
Reyes, Salvador 12:56
bibliografía **12**:56
Reyes, valle de los (Tebas) **10**:63
reyezuelo 12:57
Arizona **2**:35
Reykiavik 12:57
Islandia **8**:52
Reyles, Carlos 12:57
bibliografía **12**:57
Reymont, Wladyslaw Stanislaw 12:57
bibliografía **12**:56
Reynaud, Jean 12:57
bibliografía **12**:56
Reynaud, Paul 12:57
biografía **12**:57
Reynolds , A. **8**:45, 46
Reynolds, Gregorio **7**:45
Reynolds, sir Joshua 12:58
caricatura **3**:246
escuela artística **5**:290
obra **12**:58
pintura **11**:97
retrato **12**:35
Reynosa **13**:108
Reza Pahlavi, Mohammed **8**:39
Reza, Jorge de la **3**:31
rezón **11**:302
Rh negativo **6**:110
Rh positivo **6**:110
Rhea **11**:142; **14**:177
Rhee, Syngman 12:58
biografía **12**:58
Rheinfeld, batalla de **12**:94
Rhesus **6**:110
Rheticus **8**:104
Rhigas, Constantino **7**:62
Rhinoceros **7**:268
Rhizo Ragavis, A. **7**:62
Rhizobium **10**:106
Rhode Island 12:58
— actividad económica **12**:58
— Casa John Brown **12**:59

— clima **12**:58
— educación y actividades culturales **12**:59
— población **12**:58
— recursos **12**:58
— Red **2**:189
— tierras y recursos **12**:58
— White **2**:189
Connecticut **4**:210
Delaware **5**:40
Estados Unidos **6**:33
New England **10**:84
Rhode Island **12**:59
Vinlandia **14**:96
Rhodes, Cecil John 12:60
biografía **12**:60
beca **2**:273
descubrimientos y exploraciones geográficos **5**:76
filantropía **6**:152
Rhodesia 12:60
— del Norte **14**:172
— del Sur **14**:178
— Federación de **14**:172
— hombres de **7**:212
amianto **1**:248
Hammarskjöld, Daj **7**:126
hierro **7**:173
oro **10**:254
Tanzania **13**:114
Unión Sudafricana **13**:313
Zimbabwe **14**:178
Rhodesias **9**:42
Rhodope, sistemas orográficos **12**:293
Rhoe, Thomas **5**:75
Rhondda **7**:38
Riad **1**:334, 336
Riad **1**:333
rial **8**:37
Riaño, Diego de 12:60
biografía **12**:60
Rianos de Creta 12:60
bibliografía **12**:60
Riaza, río **12**:259
Ribadesella **2**:130
Ribagorza o Ribagosa 12:60
— condes de **12**:60
Ribalta **11**:97
Ribalta, Francisco 12:60
bibliografía **12**:60
Ribalta, Juan 12:60
bibliografía **12**:60
Ribar, Iván **14**:167
Ribas, José Félix 12:60
biografía **12**:60
Ribas, Óscar **1**:271
Ribbentrop, Joachín von 12:61
biografía **12**:61
Ribeiro, Bernardo **11**:177
Ribera Chevremont, Evaristo 12:61
bibliografía **12**:61
Puerto Rico **11**:237
Ribera Prat **9**:144
Ribera, Alonso de **4**:41
Ribera, Diego **12**:156
Ribera, José de 12:61
escuela artística **5**:290
España **5**:318
Louvre **8**:313
obra **12**:61
Rivalta, Francisco **12**:60
Velázquez, Diego Rodríguez de Silva y **14**:37
Ribera, Tomás **7**:189
Ribero, Diego **9**:67
Ribeyro, Julio Ramón 12:61
bibliografía **12**:61
Riboflavina **14**:108
ribonucleasa **1**:279
— A **13**:53
ribonucleico, ácido (ARN) 12:61
ribosoma 12:61
espermatogénesis **6**:14
Gilbert, Walter **6**:324
Ribot, Thédule Armand 12:61
bibliografía **12**:61
Ricardo de Cornualles **12**:91
Ricardo de la Vega **12**:166
Ricardo de Turia **12**:6
Ricardo I, *Corazón de León* 12:61
biografía **12**:61
Acre, San Juan de **1**:55
cruzadas **4**:306
Edad Media **5**:207, 208
Enrique II de Inglaterra **5**:265
Gran Bretaña **7**:40
Juan sin tierra **8**:115
Londres **8**:304
Ricardo I, *Corazón de León* **12**:62
Saladino I **12**:171
Tierra Santa **13**:193
Ricardo II **7**:40
Ricardo III 12:62
biografía **12**:62
Edad Media **5**:207
Enrique VIII de Inglaterra **5**:265
heráldica **7**:149
Tudor **13**:280
Ricardo, David 12:62
bibliografía **12**:62
abstinencia **1**:38
Ricardo, Porro **4**:316
Ricaurte, Antonio 12:62
biografía **12**:62
Ricardos, Antonio **1**:214
Ricci, Antonio **12**:81
Ricci, Luigi 12:62
bibliografía **12**:62
Ricci, Mateo **9**:242
Ricciarelli **14**:130
Riccioli **13**:221
Rice Burroughs, Edgar **13**:123
Rice Burroughs, Eduardo **8**:285
Rice, Elmer 12:62
bibliografía **12**:62
Rice, Raymond **10**:17
Richards, Dickinson Woodruff Jr. 12:62
biografía **12**:62
Richards, Theodore William 12:62
biografía **12**:62
Richardson, Robert C. 12:63
biografía **12**:63
Richardson, Samuel 12:63
biografía **12**:63
Richardson, sir Owen Williams 12:63
bibliografía **12**:63
Richelieu, Armand Jean du Plessis, cardenal y duque de 12:63
biografía **12**:63
Champagne, Philip de **4**:18
Corneille, Pierre **4**:249
correo **4**:254
duelo **5**:176
Enrique IV de Francia **5**:265
Grocio, Hugo **7**:67
Guerra de los Treinta Años **7**:87
India **7**:304
Luis XIV **8**:318
Mazarino o Mazarin, Giulio o Jules **9**:145
mobiliario y mueble **9**:254
Odessa **10**:185
prensa (información) **11**:189
Rochela, La **12**:87
sitio **13**:10
Sorbona **13**:42
Turena, Henri de la Tour d' Auvergne, vizconde de **13**:288
Richepin, Jean 12:64
bibliografía **12**:63
Richet, Charles Robert 12:64
bibliografía **12**:63
metapsíquica **9**:185
Richford, New York **12**:87
Richier, Ligier **6**:229
Richmond, George **5**:20
Richter, Adrian Ludwig **2**:270
Richter, Burton 12:63
biografía **12**:63
Ting, Samuel Chao Chung **13**:197
Richter, Frantisek Xaver **4**:28
Richter, Johan Paul Friedrich 12:64
bibliografía **12**:64
Richthofen **5**:75
Richtie, William **2**:281
ricino, aceite de 12:64
laxante **8**:201
lubricante **8**:314
Rickaert **3**:246
Rickert, Heinrich 12:64
bibliografía **12**:64
rickettsia 12:64
enfermedad **5**:261
tifus exantemático **13**:194
ricksha o rickshaw 12:64
Ricla, conde de **4**:313
ridda **1**:336
Ridderstad **13**:71
Ride, Sally K. **9**:326
Rideau, canal de **10**:270
Ridge **11**:38
Ridge, región **6**:315
Ridolf, Karl August **13**:53
Riebeck, Johann Van **4**:101
Riebeeck, J. van **13**:314
riego 12:65
— sistemas de riego **12**:65
— procedencia del agua **12**:65
— uso del riego **12**:66
— artificial **8**:47
— importancia del riego **12**:66
— bombas centrífugas **12**:66
— Canales de **12**:*65*
— importancia del **12**:66
— procedencia del agua **12**:65
— sistema de **12**:65
— uso del **12**:66
jardinería **8**:89
riego **12**:66, 67
Riego y Núñez, Rafael del 12:67
bibliografía **12**:67
Azopardo, Juan Bautista **2**:195
Santa Alianza **12**:209
Riego, sublevación de **4**:260; **6**:136
Riemann, Georg Friedrich Bernhard 12:67
biografía **12**:67
espacio **5**:303
matemáticas **9**:127
Riemann, superficies de **12**:67
Rienza, río **5**:154
Rienzi, Cola di 12:67
biografía **12**:67
Roma **12**:99
Riesa **5**:235
Riesco, Germán **4**:42
Riesco, isla **4**:38
Riesenfeld, microbalanza de **9**:215
Riesengobirge **4**:24
Rietschel, Ernst Friedrich 12:67
— escala de **14**:49
obra **12**:67
Rietti-Greppi-Micheli **13**:104
Rif 12:67
— montañas del **11**:37
— región **2**:295
España **5**:305
Melilla **9**:158
rifa 12:68
rifle 12:68
rifle **2**:43
RIFT 12:68
rift 12:68
Rift Valley 12:68
Alberto, lago **1**:141
Etiopía **6**:67
Rift Valley, great 12:68
Riga 12:69
— Escuela Politécnica de **10**:269
— golfo **2**:230; **8**:232
— puerto **2**:230; **12**:139
— y Moscú **12**:114
Riga, castillo de **8**:233
Riga, Letonia **8**:232
Riganelli, Agustín **5**:295
Rigaud, André 12:69
biografía **12**:69
Dessalines, Jean Jacques **5**:93
pintura **11**:97
Rigel **10**:251
Rigel, estrella **6**:61
Righi **13**:76
Rigidez dieléctrica 5:115
rigodón **13**:75
Rigoletto **7**:244; **10**:15; **12**:126; **14**:55
Rig-Veda 12:69
— cantores del **9**:62
— sánscrito **12**:208
Brahma y brahmanismo **3**:65
creación **4**:277
vedas **14**:32
Rijn, Harmenz van **1**:112, 254
Riksdad **13**:69
riksmaal **10**:134
Rilke, Rainer Maria 12:69
Alemania **1**:166
bibliografía **12**:69
Browning, Elizabeth Barret **3**:88
cuento **4**:320
Eurídice **6**:74
Riluogo, río **12**:317
rima 12:69
métrica **9**:188
Rimac **11**:59
Rimania **9**:154
rimas infantiles **10**:230
Rimbaud, Arthur 12:69
Ahmet, Hashim **1**:119

ajenjo **1**:129
bibliografía **12**:69
Francia **6**:227
literatura **8**:279
simbolismo **12**:327
Rimet, Jules **6**:257
Rímini 12:70
— Francesa da **11**:31
Malatesta, Sigismondo **9**:42
San Marino **12**:194
Rimsky-Korsakov, Nickolaj 12:70
bibliografía **12**:70
Balakirev, Mily Alexeievich **2**:222
Borodin, Alejandro **3**:50
cinco, grupo de los **4**:82
Giazunov, Aleksandr Konstantinovich **6**:332
música **10**:15
Mussorsky, Modest Petrovich **10**:17
Prokofiev, Sergio Sergeievich **11**:211
Respighi, Ottorino **12**:30
Scherezada **12**:246
Stravinsky, Igor Fedorovich **13**:57
Rusia **12**:142
Rin, conde palatino del **12**:161
Rin, Confederación del **12**:168; **14**:146, 156
Rin, campaña del 12:70
Rin, río 12:70
— Alto y Bajo **14**:131
— cuencas del **1**:163
Alemania **1**:159, 163
Baden-Württemberg **2**:213
Basilea **2**:260
Baviera **2**:268
bebidas **2**:272
Colonia **4**:151
Domiciano **5**:155
Duisburg **5**:177
Elba, río **5**:235
Europa **6**:75
Francia **6**:214, 217
Frankfurt **6**:233
germanos **6**:318
Holanda **7**:206
Mannheim **9**:59
suevos **13**:73
Westfalia **14**:146
Rinaldo **13**:125
rincocéfalos **14**:186
rincóforo **7**:22
Rincón del Bonete, represa de **13**:326
Rincón, lagos **5**:157
Rinconete **11**:79
Rinconete y Cortadillo **12**:92
Rinda **10**:185
Ringghit, volcán **8**:91
ringgit **9**:42
Ringstrasse **14**:87
rinitis 12:70
— vasomotora **6**:148
rinoceronte 12:71
— blanco **4**:321; **12**:71
— negro **12**:71
rinoceronte **9**:49
riñones 12:71
— artificial **7**:145
endocrinología **5**:256
glándula **6**:330
hígado **7**:174
nefritis **10**:64
vejiga **14**:35
rinoscopio **10**:270
Rinuccini, Ottavio **5**:16; **10**:215
río 12:72
río Cam, Dublín **8**:44
río del lobo **8**:132
Río Mackenzie, Canadá **9**:9
Río Queenstown **12**:73
Río Branco 12:73
Acre **1**:54
Amazonas **1**:220
Río Branco, José María da Silva Paranhos, barón de 12:73
bibliografía **12**:73
Río Cuarto 12:73
Roca, Julio Argentino **12**:86
Río de Janeiro 12:73
— historia **12**:74
Río de Janeiro **1**:240, 242; **3**:76; **12**:74
acueducto **1**:61
aeroplano **1**:88
América del Sur **1**:243
conferencias panamericanas **4**:203
corrientes marinas **4**:257
Cruz, Oswaldo **4**:305
Ecuador **5**:200
Espíritu Santo **6**:18
Latinoamérica **8**:183
Lavalleja, Juan Antonio **8**:200
Le Corbusier **8**:203
Machado de Assis, Joaquim Maria **9**:8
Manaus **9**:51
pacto **10**:281
paz, tratado de **11**:20
puerto **11**:229
Sousa, Martim Alfonso de **13**:44
televisión **13**:153
Volta Redonda **14**:129
Zweig, Stefan **14**:192
Río de Janeiro, Protocolo de 12:74
Perú **11**:65
Río de la Loza, Leopoldo **9**:201
Río de la Patria **9**:24
Río de la Plata 12:74
— virreinato del **2**:19
— Provincias Unidas del **5**:281
— Virreinato del **14**:103
América del Sur **1**:242
armada **2**:39
Ayolas, Juan de **2**:193
Barco Centenera, Martín del **2**:253
Cisneros, Baltazar Hidalgo de **4**:96
Díaz de Solís, Juan **5**:108
gaucho **6**:292
Hispanoamérica **7**:187
langosta **8**:171
Magallanes, Fernando de **9**:23
Paraguay **10**:322
pejerrey **11**:28
Sobremonte, Rafael de, marqués de **13**:17
Vicente López **14**:76
Río de Oro 12:74
descubrimientos y exploraciones geográficas **5**:71
Guerrero **7**:101
Río Gallegos 12:75
Santa Cruz **12**:212
río Grande **8**:125, 142
Río Grande del Norte 12:75
— historia **12**:75
Río Grande del Sur 12:75
— historia **12**:75
Río Hortega, Pío del 12:75
biografía **12**:75
río Muni 12:75
Fernando Poo **6**:136
Río Negro, Argentina 12:75
Río Negro, Uruguay 12:75
Río Piedras 12:76
Río San Juan 12:76
Río, Andrés Manuel del 12:73
biografía **12**:73
vanadio **14**:21
Río, Dolores del 12:73
biografía **12**:73
México **9**:203
Riobamba 12:76
Checa, Feliciano **4**:24
Chimborazo **4**:45
Ecuador **5**:198
Valdivieso, José Felix **14**:12
Riocreux **13**:274
Rioja 12:76
Mina, Francisco Xavier **9**:227
Navarra **10**:51
Rioja, Enrique 12:76
bibliografía **12**:76
Rioja, Francisco de 12:76
bibliografía **12**:76
Rioja, La 12:76
Famatina **6**:114
Ramírez de Velzco, Juan **11**:294
Riom 12:76
— proceso de **12**:58
Ríos Montt, Efraín 12:77
biografía **12**:77
Ríos Morales, Juan Antonio 12:77
biografía **12**:77
Ríos Urruti, Fernando de los 12:77
biografía **12**:77
Ríos, Los 12:77
Ríos, Pedro de los **2**:29
Riotinto 12:77
— minas de **1**:265
Riparia, Dora **11**:143
ripchacos **2**:94
ripuarios **6**:221
Riquelme, Isabel **10**:191
Riqueti, Honoré Gabriel **12**:47
riqueza 12:77
Riquezas minerales 2:92
Riquilda **6**:286
Risaralda (Pereira), **4**:140
Risaralda **2**:30
Risco, Juan **14**:175
Risco, Palacio del **9**:176
Risco, René del **5**:162
Risorgimento **14**:40
Risueño, José 12:77
obra **12**:77
Rita de Cascia, santa 12:77
biografía **12**:77
ritmo 12:77
— afroantillano **11**:240
— cardiaco **2**:60
— circulatorio, aceleración del **1**:195
— nictemeral **10**:97
— respiratorio, aceleración del **1**:195
folklore o folclor **6**:190
música **10**:10
rito 12:77
— católico **4**:291
— mágico **9**:24
— Sagrada Congregación de **1**:30
— y letra mozárabes **9**:319
congregación **4**:208
religión **12**:11
rito **10**:11; **12**:78
rituales, máscaras **1**:28
vodu y voduismo **14**:125
ritos fúnebres 12:78
Ritsa, lago **1**:29
Ritschl **12**:10
Ritter, Jorge Rodolfo **10**:322
Ritter, Karl 12:78
biografía **12**:78
geografía **6**:306
Humboldt, Alexander von, barón de **7**:247
Ritter, Ole **4**:69
Ritty, James **9**:77
Riu-Kiu, archipiélago de **2**:86; **10**:199
Riva Agüero, José Mariano 12:78
biografía **12**:78
Riva Palacio, Vicente 12:78
biografía **12**:78
México a Través de los Siglos **9**:208
Riva, Torío de la **9**:144
Riva-Agüero, José de la **11**:62
Rivadavia, Bernardino 12:79
biografía **12**:79
educación **5**:218
pato **11**:13
Rivadavia, Comodoro **6**:151
Rivadavia, teatro **9**:160
Rivadeneira, Pedro 12:79
bibliografía **12**:79
Rivadeneyra, Manuel **4**:44
Rivafrecha y Jordán, José de, alias *Campeche* **11**:241
Rivafrecha, Tomás de **3**:192
Rivas 12:79
Costa Rica **4**:269
Rivas Cherif, Cipriano 12:79
bibliografía **12**:79
Rivas Groot, José María **4**:141
Rivas, Ángel César **14**:46
Rivas, Ángel Saavedra, duque de 12:79
bibliografía **12**:79
drama **5**:171
Romanticismo **12**:106
Valera y Alcalá-Galiano, Juan **14**:14
Rivas, Francisco de las **14**:175
Rivas, Pedro Geoffroy **12**:184
Rivaut, Jean **6**:184
Rivelles, Amparo 12:80
biografía **12**:80
Rivelles, Rafael 12:80
biografía **12**:80
Quijote, don **11**:257
Rivera 12:80
Uruguay **13**:327
Rivera Carrera, Norberto **3**:241
Rivera Maestre, Miguel **7**:79
Rivera, Artigas y de **10**:248
Rivera, Diego 12:80
caricatura **3**:247
mural, pintura **9**:335
obra **12**:80

O'Gorman, Juan 10:191
Orozco, José Clemente 10:256
Rivera, Edward 7:189
Rivera, Francisco 2:79; 13:59
Rivera, Fructuoso 12:80
Artigas, José Gervasio 2:74
biografía 12:80
Cagancha, Batalla de 3:153
Flores, Venancio 6:181
treita y tres orientales 13:258
Urquiza, Justo José de 13:325
Uruguay 13:330
Rivera, Héctor 11:240
Rivera, José de, *San Bartolomé* 12:61
Rivera, José Eustasio 12:80
bibliografía 12:80
Colombia 4:141
Uribe Piedrahita, César 13:324
Rivera, Julio A. 12:183
Rivera, Perafrán de 4:269
Rivera, Primo de 2:293, 295; 3:174; 6:113, 262; 10:25
Rivero, Bustamante 10:187
Rivero, Francisco del 3:28
Rivero, Mariano Eduardo de 12:80
biografía 12:80
Rivero, René Marino 13:328
Rivers 2:307
Riviera 12:80
— di Levante 12:81
— di Ponente 12:81
Riviera francesa 12:81
Costa Azul 4:265
Riviera, San Remo 12:81
Rivière, Émili 12:134
Rivoli, duque de 9:124
Riyad 1:335
Riza Khan o Reza Jān, Pahlevi 12:81
biografía 12:81
rizagra 10:186
Rizal, José 12:81
bibliografía 12:81
Filipinas, República de 6:155
Rizi, Francisco 12:81
obra 12:81
Rizi, fray Juan Andrés 12:81
obra 12:81
Rizo, Salvador 4:143
rizoféreo 9:57
rizoma 12:81
nenúfar 10:70
tallo 13:107
rizópodos 12:81
foraminífero 6:192
protozoarios 11:219
radiolario 11:281
Rizzio, David 9:94
RMN 5:275
RNA de transferencia 6:324
RNA mensajero 6:323
Roa Bastos, Augusto 12:82
bibliografía 12:82
Paraguay 10:322
Roa, Israel 4:43
Roabárcena, José María 12:82
biografía 12:82
Road Town 1:309; 14:99
Rob Roy 12:82
biografía 12:82
robalo 12:82
Arizona 2:35
Robben, isla 13:312
Robbia, Luca y Andrea della 12:82
biografía 12:81
escultura 5:294
mayólica 9:144
Robbins, Frederick Chapman 12:82
biografía 12:82
Enders, John F. 5:256
robe 14:68
Robelo Callejas, Alfonso 10:95
Robenval 1:233
Robert, Dom 13:117
Robert, hermanos 6:334
Robert, Nicolás Luis 12:82
obra 12:82
papel 10:314
Suiza 13:82
Roberto de Borón 13:96
Roberts y Sharp 12:308
Roberts, Richard 12:82
biografía 12:82
Sharp, Phillip A. 12:308
Roberts, Tom 2:164
Robertson 5:211; 7:1292
Robertson, islas 5:79
Robeson, Paul 12:82
biografía 12:82
Robespierre, Maximilien Maria Isidore de 12:82
Babeuf, François Noel 2:207
biografía 12:82
Danton, Georges-Jacques 5:11
girondinos 6:327
Marchena y Ruíz de Cueto, José 9:87
Napoleón I, Bonaparte 10:35
Saint-Just, Luis Antonio de 12:166
Robin Hood o Robin de los bosques 12:83
balada 2:221
cuentos infantiles 4:320
Robinia 1:40
Robins, F. C. 14:145
Robinson Crusoe 12:83
Chile 4:40
Defoe, Daniel 5:37
Robinson, Samuel 3:23
Robinson, sir Robert 12:84
biografía 12:84
Robinson-Patman 13:278
roble 12:84
madera 9:12, 15
maquis 9:78
roble 10:10, 99
Robledano 3:247
Robledo, C. Ambrosio 10:205
Robledo, Jorge 12:84
biografía 12:84
Robles, Blas de 4:7
Robles, Diego de 5:295
Robles, Francisco 12:85
biografía 12:85
Cervantes Saavedra, Miguel de 4:8
Robles, Marco Aurelio 10:302
Robles, Osvaldo 9:202
Robleto, Hernán 10:95
robo 12:85
hurto 7:253
robot 12:85
técnica y tecnología 13:135
Robusti, Tintoretto, Jacopo 3:246
roca 12:85
— arcillosa 6:26
— Ayers, parque nacional Uluru 2:164
— basálticas 13:192
— calcáreas 2:5
— comunes 6:313
— graníticas 13:192
— ígneas 6:312
— Leúcade 12:162
— marcadas por el paso del tiempo, Argelia 6:312
— metamórficas 6:312, 313, 336
— plutónicas 6:312
— sedimentarias 6:312
— silíceas 2:5
— volcánicas 14:136
pizarra 11:114
Roca Rey, Joaquín 11:63
Roca Tarpeya 12:86
pena de muerte 11:35
roca, cúpula de la 10:209
Roca, Julio Argentino 12:86
biografía 12:86
pampa 10:298
Rocafort, Berenguer de 5:267
Rocafort, Bernardo de 9:331
Rocafuerte, Vicente 12:86
biografía 12:86
Rocallosas, Montañas 6:309
Rocard, Michel 6:226
Rocca, Alberto de 13:50
Rocco, Alfredo 13:234
Rocha 12:86
Uruguay 13:327
Rocha, Dardo 12:86
biografía 12:86
Plata, La 11:132
Rochas, Beau de 5:115
Rochdale 4:231, 232
Roche, Arnaldo 7:189
Roche, lóbulo de 5:151
Roche, Marcel 14:45
Roche, Mazo de la 3:205
Roche, Tomas 2:99
Rochefoucauld, François, duque de La 12:298
Rochela, La 12:86
Francia 6:217
Rochester 4:184; 5:183, 218; 9:228
Rocinante 3:133; 11:257
rocío 12:87
rock 3:8
Rock Island-Moline 7:270 7:
Rockefeller Center 9:57
Rockefeller de Investigaciones Médicas, Instituto 10:133, 127
Rockefeller, fundación 6:182; 12:180; 14:176
Rockefeller, John Davison 12:87
biografía 12:87
filantropía 6:152
Rockefeller, John D., Jr 12:87
Rockefeller, Nelson 4:65
Rockefeller, Universidad 9:175
Rockford 7:270
Rockhampton 2:162; 11:247
Rocknill, William W. 5:75
Rocky Mountain, Parque 4:156
Rocky Mountain, Parque Nacional 9:284
Rocky Mountains (Rocosas) 12:88; 13:332
Rococó 12:87
estilo 6:54
Francia 6:228
mobiliario y mueble 9:255
vestido 14:67
rococó 12:88
Rocosas, Montañas 12:88
América del Norte 1:235
Andes 1:268
Efedra 5:223
Estados Unidos 6:31
New Mexico 10:87
Yellowstone 14:161
Rocroi 7:87
Rod, Edouard 13:81
roda 3:108; 12:60
rodaballo 12:88
Ródano, río 12:88
— delta del 5:45
Aníbal 1:291
Aviñón 2:190
Europa 6:75
Francia 6:213
Ginebra 6:325
Mediterráneo, Mar 9:153
Saboya 12:156
Suiza 13:76
Ródano, llanura del 10:102
Rodas 12:89
Asia Menor 2:100
comercio 4:165
Egeo, Mar 5:223
exilio 6:93
Grecia 7:55
Hiparco 7:181
Mediterráneo, Mar 9:154
plomo 11:140
sitio 13:10
Rodas, isla de 5:152
Soliman I, el magnífico 13:30
Rodbell, Martin 12:89
biografía 12:89
Gilman, Alfred Goodman 6:324
Rodbertus, Johann Karl 13:17
Rodchenko, Alexander 4:220
Rodeau, José 2:72
Rodenbach, George 12:89
bibliografía 12:89
simbolismo 12:327
rodeo 12:89
huaso 7:235
Rodeo del Medio 2:305
Rodés, Luis 12:89
biografía 12:89
Rodesia 12:89
Rodil 12:173
rodilla 12:89
rodilla 12:90
rodillo litográfico 6:205
Rodin, Auguste 12:90
— El Pensador, estatua 12:90
Bourdelle, Emilio Antonio 3:61
Epstein, Jacop 5:271
escultura 5:294
Francia 6:229
Mestrovic, Iván 9:179
obra 12:90
rodio 12:90
— clorotristrifenilfosfina de 14:151
Rodney, almirante 3:156
Rodó, José Enrique 12:90
bibliografía 12:90
ensayo 5:266
rododendro 12:90
rodofíceas 1:178

Rodolfo I de Habsburgo 12:91
biografía **12:**91
Rodolfo IV **13:**202
Rodolfo, emperador **10:**259
Rodolfo, Lago **6:**67
Rodolphe Vinet, Alejandr **13:**81
Rodón, Francisco **11:**241
Rodrigo, don 12:91
biografía **12:**91
godos **7:**11
Teresa de Jesús, santa **13:**165
Rodrigo de Cota **13:**212
Rodrigo, Joaquín 12:91
biografía **12:**91
Rodrigues, Nélson **3:**76
Rodríguez (Manolete), Manuel **13:**127
Rodríguez Álvarez, Alejandro **3:**274
Rodríguez Arreson, José María **11:**239
Rodríguez Cabrillo **3:**166
Rodríguez Castelao, Alfonso Daniel 12:92
bibliografía **12:**92
Rodríguez de Alconedo **9:**206
Rodríguez de Espinosa, Jerónimo **6:**17
Rodríguez de Silva, Diego **1:**265
Rodríguez de Tió, Lola **11:**237
Rodríguez de Velázquez, Diego **13:**116
Rodríguez del Toro, María Teresa **3:**23
Rodríguez Francia, José Gaspar 12:92
biografía **12:**92
Rodríguez Freyle, Juan **4:**141
Rodríguez Galván, Ignacio **12:**106
Rodríguez García, José **4:**316
Rodríguez González **12:**184
Rodríguez Hernández, Julio Antonio **5:**318
Rodríguez Juárez, Juan 12:92
obra **12:**92
Rodríguez Juárez, Nicolás 12:92
obra **12:**92
Rodríguez Jurado, A. **10:**205
Rodríguez Lara, Guillermo **5:**201
Rodríguez Lobo **11:**177
Rodríguez Marín, Francisco 12:92
bibliografía **12:**92
Quijote, don **11:**257
Rodríguez Peña, Nicolás 12:92
biografía **12:**92
triunvirato **13:**270
Rodríguez Piñeres, Eduardo 12:92
biografía **12:**92
Rodríguez Reyes, Julito **11:**240
Rodríguez Socas, Ramón **13:**328
Rodríguez Urdaneta, Abelardo **5:**162
Rodríguez Velasco, Luis **4:**44
Rodríguez, Abelardo **9:**200
Rodríguez, Andrés **10:**323; **13:**58
Rodríguez, Augusto **11:**239
Rodríguez, Emilio Gaspar **4:**316
Rodríguez, Francisco **10:**205, 302; **11:**178
Rodríguez, fray Antonio 12:91
biografía **12:**91
Rodríguez, Héctor **10:**205
Rodríguez, Isla de **5:**114; **9:**134
Rodríguez, Juan **12:**92
Rodríguez, Lorenzo **9:**204
Rodríguez, Manuel 12:91
biografía **12:**91
Rodríguez, Martín 12:91
biografía **12:**91
Salta, batalla y defensa de **12:**177
Rodríguez, Pedro 12:91
Véase Costillares
Rodríguez, Santiago **5:**161
Rodríguez, Simón 12:91
bibliografía **12:**91
Bolívar, Simón **3:**23
Rodríguez, Ventura 12:91
biografía **12:**91
Carlos III **3:**249
Rodríguez-Larraín, Emilio **11:**64
Roe, Thomas **7:**300
Roebling, Juan **3:**86
roedor 12:92
abrocoma **1:**35
ardilla **1:**352
castor **3:**284
chinchilla **4:**59
hamster **7:**127
mamífero **9:**49
marmota **9:**104
rata **11:**302
vizcacha **14:**119
Roelas, Juan de las 12:92
bibliografía **12:**92
Roemer, Olaf 12:92
biografía **12:**92
roentgen **11:**308
Roentgen, Wilhelm Conrad 12:93
anatomía **1:**261
átomo **2:**144
biografía **12:**93
terapéutica **13:**163
Roepke **5:**193
Rogel, Maestro **14:**22
Roger de Flor 12:93
biografía **12:**93
Grecia **7:**60
Roger de Lauria 12:93
biografía **12:**93
Roger Maris **13:**44
Roger Vadin **2:**254
Rogerismos **12:**93
Rogers, Ginger **2:**105
Rogers, Ginger **4:**83
Rogers, Will 12:93
biografía **12:**93
Rogers, William P. **13:**243
Rogers, Woodes **12:**269
Roggeveen, Jacob **11:**5; **12:**186
Roggeveld **13:**312
Roggeween **5:**77
rogi **10:**270
Rogier, Charles **12:**54
Roh Tae Woo **4:**247
Rohán 12:94
— Luis René Édouard, cardenal de **12:**94
— Luis, caballero de **12:**94
— Enrique, duque de **12:**94
— Guéménée, Príncipe de **12:**94
— Hércules de **12:**94
— villa de **12:**94
Rohrer, Heinrich 12:94
biografía **12:**94
Ruska, Ernst **12:**150
Roidis, E. **7:**62
Rojas González, Francisco 12:95
bibliografía **12:**95
Rojas Pinilla, Gustavo 12:95
biografía **12:**95
Rojas Zorrilla, Francisco de 12:95
bibliografía **12:**95
Rojas, Arístides 12:94
biografía **12:**94
Rojas, bachiller Fernando de 12:94
bibliografía **12:**94
Rojas, Benigno **5:**161
Rojas, Cristóbal **14:**46
Rojas, Diego de 12:94
biografía **12:**94
Rojas, Fernando de **3:**313; **5:**170, 319
Rojas, Graciela **10:**303
Rojas, Isaac Francisco 12:95
biografía **12:**95
Rojas, J. Chaffanjon **10:**251
Rojas, José Antonio de **4:**44
Rojas, Manuel **4:**44; **6:**155; **10:**60
Rojas, Ricardo 12:95
bibliografía **12:**95
ensayo **5:**266
rojo 12:95
— (o de las Perlas), río **6:**31
rojo **12:**96
fósforo **6:**200
precipitado **11:**184
razas humanas **11:**309
Rojo, río **7:**313; **10:**199; **14:**90
Rojo Valle **4:**49
Rojo, Mar 12:96
África **1:**92
Alexander, Boyd **1:**170
Andrade, Ruy Freire de **1:**273
Arabia **1:**334
Asia **2:**85
Babilonia **2:**207
Djibouti, República de **5:**148
dugongo **5:**176
ébano **5:**183
Egipto **5:**224
Eritrea **5:**274
Etiopía **6:**67
Moisés **9:**265
Nubia **10:**144
Sinaí **12:**330
Somalia **13:**33
Sudán **13:**66
Suez **13:**73
Tolomeo II **13:**213
Rokin, Canal **1:**254
Rokosowski **11:**160
Rokossovski, Konstantin **13:**51, 308
Rokotov **12:**143
rol 12:96
Roland, Madame 12:96
biografía **12:**96
Roland, María **12:**49
Rolando francés **5:**208
Rolando, Canción de **5:**271
Rolando, Luigi 12:97
biografía **12:**97
Roldán 12:97
biografía **12:**97
Roldán, Amadeo 12:97
bibliografía **12:**97
Roldán, Antonio **10:**205
Roldán, Belisario 12:97
bibliografía **12:**97
Roldán, Francisco **4:**145, 150
Roldán, José María **11:**336
Roldós, Jaime **5:**201
Rolfe, John **11:**144
Rolfe, Thomas **11:**144
Rolla **10:**17
Rolland, Romain 12:97
bibliografía **12:**97
Rollé **2:**222
Rolling Stones **3:**9
Rolon, Raimundo **10:**323
Roma 12:97
— arquitectura **12:**102
— arte **12:**35
— arzobispo de **2:**79
— basílica de San Pedro **12:**103
— Clemente de **11:**15
— Cloaca Máxima **12:**98
— Colonna **12:**99
— de la plebe **7:**276
— Digesto **12:**103
— Edad Media y Renacimiento **12:**99
— El legado cultural **12:**101
— escultura **12:**102
— escultura Rómulo y Remo **12:**108
— frente a Cartago **7:**278
— Hipólito de **11:**15
— imperial **2:**248; **4:**217
— imperio de **6:**8
— Italia **2:**177
— la ciudad actual **12:**100
— la ciudad antigua **12:**98
— La leyenda de los reyes de **7:**275
— la metrópoli imperial **12:**98
— literatura **12:**103
— pintura **12:**102
— Plaza de San Pedro **12:**100
— Plaza de San Pedro **12:**98
— Plaza Santa en **12:**100
— Puente Castillo de San Ángelo **12:**99
— revolución **12:**54
— salón de Babington **12:**102
— San Juan de Letrán, claustro de **12:**99
— seminario de **11:**102
— siete colinas, ciudad de las **12:**100
— Templo de Venus **12:**101
— Tratado de **4:**189; **6:**172
— Universidad de **11:**107
— y Grecia, primeras civilizaciones **4:**105
Adriano, Publio Elio **1:**75
ánfora **1:**279
arquitectura **2:**56
Bizancio, imperio de **2:**333
Coliseo **4:**135
cristianismo **4:**291
Damasco **5:**9
escena **5:**269
escuela secundaria **5:**292
Estrabón **6:**58
geranio **6:**318
gobierno **7:**5
hortelano **7:**231
mármol **9:**104
Mommsen, Teodoro **9:**272
Numa Pompilio **10:**161
ocupación **10:**184
Pablo, san **10:**279
Petronio, Cayo **11:**73
procesión **11:**205
Roma **2:**56; **4:**135
sacerdote **12:**157

Sicilia **12:**314
Siracusa **13:**5
universidad **13:**316
Vaticano, Ciudad del **14:**29
Vignola, Giacomo Barozzi **14:**91
Roma-Berlín, eje **10:**17
Romagna **13:**184
Romains, Jules 12:104
bibliografía **12:**104
Román **10:**251
Román y Reyes, Víctor Manuel **13:**36
Román, Samuel **4:**43
romana 12:104
— ciudad **9:**62
— Curia **10:**311
— ley **13:**316
— mitología **14:**61, 136
— paloma **10:**296
— República **4:**220; **11:**195
— Sagrada Rota **10:**311
hipogeo **7:**184
mobiliario y mueble **9:**255
Suiza **13:**79
técnica y tecnología **13:**136
trigo **13:**266
Romaña, Emilia **11:**303
Romaña **14:**76
romance 12:104
romancero 12:104
— *de los Doce Pares de Francia* **12:**104
—del Cid **7:**152
— *del Sur* **13:**329
España **5:**319
romances **10:**42
Romances chúcaros **12:**325
romances medievales **7:**116
romanche 12:105
— fosa de la **10:**182
rético o retorromano **12:**33
Suiza **13:**79
Romanelli, Giovani Francesco 12:105
obra **12:**105
roman-fleuve (novela-río) **12:**104
románico 12:105
ábaco **1:**17
arquitectura **2:**57
Colonia **4:**151
Francia **6:**228
mobiliario y mueble **9:**253
relicario **12:**9
romano
— calenda **3:**163
— de Occidente, imperio **10:**186
— de Oriente, imperio **12:**160
— germánico, sacro imperio **10:**270
— arte **2:**57
— imperio **6:**45, 82
— derecho **10:**174, 184
Acuario **1:**58
arco **1:**351
cosméticos **4:**264
cristianismo **4:**291
España **5:**311
galera **6:**265
Galia **6:**265
Hadad o Adad **7:**116
iberos **7:**257
Malta **9:**46
minuto **9:**235
pirotecnia **11:**109
radiestecia **11:**277
rifa **12:**68
secretario (a) **12:**254
Suez, Canal de **13:**74
túnel **13:**283
uniforme **13:**305
vivienda **14:**118
Romano I *Lecapene* 12:105
biografía **12:**105
Romano IV *Diógenes* 12:105
biografía **12:**105
Romano, Giulio **9:**58
Romano, Juan Cristóbal 12:105
biografía **12:**105
Romano, Julio 12:105
obra **12:**105
Romanones, conde de 12:105
biografía **12:**105
Romanov **4:**251
Romanov, dinastía **5:**129; **12:**144
Romanov, imperio de los **12:**41
Romanov, Miguel **12:**144
Romans Nationaux **11:**46
romántica, escuela **6:**182
Romanticismo 12:105
— alemán **7:**65; **10:**138
ártica, región **2:**69
Baralt, Rafael María **2:**250
Chile **4:**44
clasicismo **4:**107
drama **5:**171
español, idioma **6:**5
estética **6:**51
Francia **6:**227
Gray, Tomás **7:**54
Herder, Johann Gottfried von **7:**152
Mahier, Gustav **9:**30
Mérimée, Prosper **9:**175
Nodier, Charles **10:**126
Obligado, Pedro Miguel **10:**175
Petõfi, Sandor **11:**70
pintura **11:**98
Romanticismo **12:**106
Schelling, Friedrich Wilhelm Joseph von **12:**246
Uribe Holguín, Guillermo **13:**324
Uruguay **13:**329
Venezuela **14:**46
Young, Edward **14:**165
romántico, movimiento **7:**243
romanza 12:106
Romas Rojas, Samuel 12:106
biografía **12:**106
rombo 12:106
cuadrado **4:**307
cuadrilátero **4:**308
romboedro 12:106
corindón **4:**248
cristalización y cristalografía **4:**290
romboide 12:106
Rome, Ole **5:**126
Romea Yanguas, Julián 12:106
biografía **12:**106
Romeldale **10:**274
Romeo y Julieta 12:106
— árabes **1:**332
— aldeanos **5:**45
Shakespeare, William **12:**304
Tchaikovsky, Piotr Ilich **13:**129
romería 12:106
Sevilla **12:**299
romero 12:107
Romero Barceló, Carlos Antonio 12:107
biografía **12:**107
Puerto Rico **11:**232
Romero Bosque, Pío **12:**183
Romero de Torres, Julio 12:108
obra **12:**108
Córdoba **4:**241
Romero Pereira, Tómas **10:**323
Romero, Carlos Humberto **12:**184
Romero, Elvio **10:**322
Romero, Emilio **5:**212
Romero, Francisco 12:107
biografía **12:**107
Hillo, Pepe **7:**178
tauromaquia **13:**126
Romero, José Rubén 12:107
bibliografía **12:**107
Romero, Matías **10:**170
Romero, Nicolás **6:**30
Romero, Pedro 12:107
biografía **12:**107
tauromaquia **13:**126
Rommel, Erwin 12:108
biografía **12:**108
Alamein, El **1:**134
artillería **2:**75
Romney Marsh, raza **6:**278
Romney, George 12:108
bibliografía **12:**108
rompecabezas **4:**278
rompehielos 12:108
buque **3:**112
rompehuelgas **11:**93
rompeolas **9:**321
Rómulo **1:**137; **5:**112; 257; **6:**197; **9:**144; **10:**161; **11:**267
Rómulo Augústulo **10:**186
Rómulo Gallegos, Premio **9:**156
Rómulo y Remo 12:108
imperio romano **7:**275
Pan **10:**300
sabinas **12:**156
ron **4:**312
roña de las abejas **1:**25
Roncador **3:**69
Roncal **6:**295
Roncal, Simeón **3:**31
Roncesvalles 12:108
gesta, cantares de **6:**319
Navarra **10:**51
Roncole **14:**55
Ronda 12:109
— plaza de **13:**126
Ronda, ciudad vieja en **5:**315
Ronda **1:**266
Andalucía **1:**266
Málaga **9:**40
Romero, Pedro **12:**107
rondador 12:109
rondas **10:**230
Rondeau, José 12:109
biografía **12:**109
rondó 12:109
— final **13:**36
Rondón, Antonio, padre **14:**11
Rondônia 12:109
— territorio de **9:**12
ronquido 12:109
Ronsard, Pierre de 12:109
bibliografía **12:**109
oda **10:**184
Rooney, Mickey 12:109
biografía **12:**109
Roosa, Stuart A **2:**120
Roosevelt, Anna Eleanor 12:109
bibliografía **12:**109
mujer **9:**326
Roosevelt, Franklin Delano 12:110
América del Sur **1:**246
Arias, Harmodio **2:**29
biografía **12:**110
Borno, Louis Eustache Antoine François Joseph **3:**50
carta del Atlántico **3:**265
Casablanca **3:**270
conferencias panamericanas **4:**204
Crimea **4:**283
dique **5:**138
Monroe, James **9:**281
New Deal **10:**84
Panamá, Canal de **10:**306
Platt, Enmienda **11:**136
Puerto Rico **11:**231
Roosevelt, Anna Eleanor **12:**109
Roosevelt, Franklin Delano **5:**137
Sargent, John Singer **12:**229
Stalin, José **13:**51
Teherán, conferencia de **13:**138
Truman, Harry Swinomish **13:**276
Walace, Henry A. **14:**139
Welles, Sumner **14:**145
Yalta, conferencia de **14:**159
Roosevelt, Theodore 12:110
— Asociación **9:**224
Roosevelt**, Theodore 1:**246
biografía **12:**110
Baquerizo Moreno, Alfredo **2:**249
Borglum, John Gutzon **3:**47
Casa Blanca **3:**269
Estados Unidos **6:**42
futbol mericano **6:**258
Guerra Ruso-Japonesa **7:**99
Mac Arthur, Douglas **9:**5
Monroe, James **9:**280
radiotelefonía y radiotelegrafía **11:**284
Roosevelt, Franklin Delano **12:**110
Taft, William Howard **13:**99
Root, Elihu 12:111
biografía **12:**111
ropalóceros **9:**102
ropones **14:**68
Roque, san 12:111
animal **1:**296
biografía **12:**111
Roquefort **11:**252
Roquefort, queso **6:**216
Roques, archipiélago de los **14:**42
Roraima 12:111
Véase río Branco
Roraima y Kukenaan (Guayana Inglesa) **3:**273
Roraima, monte **7:**111
Rorschach, Hermann **13:**176
Rorschach, manchas de tinta de **14:**120
rosa 12:111
— *de amores* **12:**104
— *de Flandes* **13:**46
— de Oro **10:**268
— *gentil* **12:**104
— monte **13:**76
— *real* **12:**104
— *y Blanca* **12:**203

rosa **12:**112
rosa de Jericó 12:112
Rosa de Lima, santa 12:112
biografía **12:**112
Rosa, Martínez de la **10:**71
Rosa, Ramón **7:**219
Rosa, Salvatore 12:112
bibliografía **12:**112
rosáceas
albaricoque **1:**139
espino **6:**17
flor **6:**178
membrillo **9:**160
níspero **10:**104
quillay **11:**258
rosáceo, árbol **9:**64
rosacruz, emblema **12:**113
Rosacruz, orden 12:112
Rosado del Valle, Julio **11:**241
Rosales, Eduardo 12:113
bibliografía **12:**113
Rosales, Juan José **7:**79
Rosales, Leonardo **11:**243
Rosalyn Yalow **12:**246
rosario 12:113
— costal **11:**300
Fátima, Nuestra Señora de **6:**121
Rosario 12:113
— río **10:**324
— Nuestra Señora del **9:**93
— ciudad **2:**17; **12:**214
Belgrano, Manuel **2:**285
San Pedro **12:**198
Rosario, Germán **11:**240
Rosario Sánchez, Francisco del **5:**160, 161
Rosario, Sinaloa **12:**330
Rosas (las), guerra de **12:**62, 111; **14:**164
Rosas Moreno, José **9:**203
Rosas, Juan Manuel de 12:114
abolicionismo **1:**31
biografía **12:**114
Buenos Aires **3:**98
Rosas, Juventino **9:**203
Rosberg, Kiki **2:**169
Roscio **4:**68
Roscio, Juan Germán 12:114
biografía **12:**114
Rose, Valentín **2:**317
Roselli, Cosimo **13:**12
Roselló, Pedro **11:**232
Rosellón, campaña del **5:**117, 250; **12:**195
Rosellón, ducado de **6:**222
Rosellón **9:**45; **11:**108; **14:**117
Rosemberg, Chiara di **12:**62
Rosenber, Leon S. **2:**220
Rosenberg, Alfred 12:114
biografía **12:**114
nacionalismo **10:**25
racismo **11:**273
totalitarismo **13:**234
Rosenblatt, Ángel 12:114
bibliografía **12:**114
Rosenda **13:**29
Rosenkreuz, Chistian **12:**112
Roses, golfo de **6:**319
Roseti, Cristina **9:**327
Rosetta, piedra de 12:115
Rosetta, piedra de **12:**115
comunicaciones **4:**184
Rosicler, Luis **14:**32
Rosmunda **1:**172
Rosny, Joseph Henry 12:115
Roso de Luna, Mario 12:115
bibliografía **12:**115
rosoli o resoli 12:115
Ross Friary, Monasterio, Irlanda **9:**274
Ross, Jerry **2:**122
Ross, M. D. **6:**334
Ross, mar de **1:**301; **6:**98; **12:**115
Ross, sir James Clark 12:115
Antártida **1:**303
biografía **12:**115
descubrimientos y exploraciones geográficas **5:**79
exploraciones polares **6:**97
MacClure, Robert John **9:**6
Ross, sir John 12:115
biografía **12:**115
descubrimientos y exploraciones geográficos **5:**78
Érebo o Erebo **5:**274
pasos del noroeste y del noreste **11:**8
Ross, sir Ronald 12:115
bibliografía **12:**115
Rossellini, Roberto 12:116
biografía **12:**116
Bergman, Ingrid **2:**297
Neorrealismo **10:**72
Rossellino, Antonio 12:116
obra **12:**116
Rossen **4:**233
Rossetti, Christina Georgina 12:116
bibliografía **12:**116
Rossetti, Dante Gabriel 12:116
bibliografía **12:**116
esteticismo **6:**52
Rossetti, Friedrich von **3:**271
Rossi, Angelo **3:**241
Rossi, Lauro **7:**17
Rossi, Luigi **11:**166
Rossi, Miguel Angel **13:**209
Rossi, Pellegrino, conde 12:116
biografía **12:**116
Rossignol, Antonio **4:**287
Rossini, Giacchino 12:116
Beaumarchais, Pierre Augustin Caron de **2:**271
bibliografía **12:**116
Fígaro **6:**150
música **10:**15
obertura **10:**172
Pergolesi, Giovanni Battista **11:**49
Rossini, Joaquín **10:**216
Rosso **9:**58
Rostand **2:**303
Rostand, Edmond 12:116
bibliografía **12:**116
Cásares, María **3:**271
Cyrano de Bergerac Savinien **4:**336
Ferrer, José **6:**137
Rostand, Jean **6:**230
Rostock 12:116
Alemania **1:**165
Rostov 12:116
— región de **2:**195
Unión de Repúblicas Socialitas Soviéticas **13:**307
Rostov-ha-Donu, Rusia **12:**140
rostra **6:**198
rostro 12:117
Roswitha, monja **5:**170
Rosyth **7:**37
Rota **9:**95
rotación **4:**234, 249; **6:**302; **11:**48; **13:**191
rotación de cultivos 12:117
rotarismo 12:117
rotativa 12:117
— últimas innovaciones **12:**117
prensa **11:**189
reductor **11:**322
Rotblat, Joseph 12:117
biografía **12:**117
Puwash, Conferencias de Ciencias y Asuntos Mundiales **11:**241
Rotea, Agustín de la **9:**201
Rothschild 12:118
— Mayer Amschel **12:**118
— Jacob **12:**118
— Alphonse **12:**118
— Nathan Mayer **12:**118
— Lionel Nathan **12:**118
— Nathalien **12:**118
banco **2:**235
crisis **4:**288
pasatiempo **10:**336
rotífero 12:118
rotocalco **10:**188
rotograbado 12:118
ilustración **7:**273
Rotonda, Santa María de la **10:**308
rotor 12:118
— giratorio **7:**103
magneto **9:**28
motores eléctricos **9:**314
Rotterdam 12:118
— Erasmo de **6:**240; **9:**192; **11:**326
— puerto de **7:**207
— trasatlántico **9:**99
— Tussendijken (casa para obreros) **12:**119
Erasmo, Desiderio **5:**273
Europa **6:**80
puerto **11:**229
rótula 12:119
esqueleto **6:**24
rotuliano **11:**323
Rotuma, isla de **6:**152
Rouault, Jorge **4:**90; **6:**228
Rouelle **13:**324
Rouen **6:**217
Rouge, valle del río **10:**241
Rouget de Lisle, Claude Joseph 12:119
obra **12:**119
marsellesa, La **9:**110
Revolución Francesa **12:**48
Rougon-Macquart **14:**179
Roundhay, Parque **10:**330
Rous, Francis Peyton 12:119
biografía **12:**119
Rousseas, Thèodore **6:**228
Rousseau, Jean Baptiste **7:**196
Rousseau, Jean Jacques 12:119
bibliografía **12:**119
Beaumarchais, Pierre Augustin Caron de **2:**271
Casanova de Seigalt, Giacomo Girolamo **3:**271
civilización y cultura **4:**103
Corday, Carlota **4:**240
Diderot, Denis **5:**114
educación **5:**216, 218
Francia **6:**226
Meléndez Valdés, Juan **9:**158
pedagogía **11:**24
pena de muerte **11:**35
Revolución Francesa **12:**46
Saint-Pierre, Jacques-Henri Bernardino de **12:**167
turismo **13:**289
Stael, madame de **13:**50
Suiza **13:**81
Roussel, Albert **6:**229; **7:**287
Rousselot **6:**191
Rousses **6:**213
Roussy, Gustave **6:**230
Roux, Pierre Paul Emilie 12:120
biografía **12:**120
bacteria y bacteriología **2:**211
Rovere, cardenal de la **2:**312
Rovère, Julio de **11:**194
Rowan Hamilton, William **9:**127
Rowenzori **14:**170
Rowicki, W. **11:**161
Rowland Hill **4:**186; **6:**152
Rowland, Frank Sherwood 12:120
biografía **12:**120
Rowlands, John **5:**76; **13:**52
Roxas, Manuel **11:**267
Roy, Rob **6:**332
Royal Ballet Británico **10:**165
Royal Circo **2:**255
Royal Dutch Shell **5:**95
Royal Exchange o Bolsa de Comercio londinense **7:**65
Royal Institution **12:**152
Royal Oak **13:**61
Royal Society
Hill, Archibald Vivian **7:**178
Huxley, sir Andrew Fielding **7:**254
Mercer, John **9:**172
Robinson, sir Robert **12:**84
Rutherford, sir Ernst **12:**152
Smithson, James Smithson e Institución Smithsoniana **13:**14
Thomson, George Paget **13:**183
Todd, Alexander Robertus **13:**209
royal tennis **13:**157
Royal Tyler **6:**43
royas **11:**42
Royo, Arístides 12:120
biografía **12:**120
Rozanov, Vasili V. **12:**141
Rozas, Juan Martínez de **4:**44
Roze **5:**139
Rozo, Rómulo 12:120
obra **12:**120
Colombia **4:**142
Ruan (Rouen) 12:120
avicultura **2:**189
fayenza **6:**123
pato **11:**13
porcelana **11:**170
Ruan, Juan de **11:**177
ruana **11:**166
Ruanda 12:120
— bandera de **2:**242
— forma de gobierno **12:**120
— kinyaruanda **12:**120
— organización militar **12:**120
— organizaciones político y sindical **12:**120
— swahili **12:**120
— tribu, Hutu **12:**120
— tutsi, nilóticos **12:**120

— Urundi, territorio **2**:283
Bélgica **2**:242
Ruanda **12**:121
Tanzania **13**:115
ruano **3**:133
Ruanville, tope de **7**:302
Ruapehu, monte **10**:158
rubáiyat 12:121
Rubalcava, Manuel Justo **4**:315
Rubbia, Carlo 12:121
biografía **12**:120
Rubens, Peter Paul 12:122
Amberes **1**:224
Andrómeda **1**:275
obra **12**:122
Asunción **2**:131
autorretrato **2**:177
caricatura **3**:246
color **4**:154
crucifixión **4**:301
cupido **4**:331
Delacroix, Ferdinand Victor Eugène **5**:39
Dresde **5**:173
estilo **6**:54
Gran Bretaña **7**:45
Haya, La **7**:133
pintura **11**:95
Rubens, Peter Paul **1**:110
Teniers, David llamado *el Joven* **13**:157
Tintoretto, Jacobo Robusti llamado il **13**:199
Van Dyck, Anton **14**:22
Velázquez, Diego Rodríguez de Silva y **14**:37
xilografía **14**:157
rubéola **5**:277
rubí 12:122
— sangre de pichón **12**:122
piedras preciosas **11**:83
rubia 12:123
extracto **6**:105
rubiáceas **3**:152; **6**:178, 285
rubicón 12:123
— río **4**:10
rubidio 12:123
Rubini **13**:160
Rubinstein, Anton Grigor'evich 12:123
obra **12**:123
Carreño, Teresa **3**:260
Rubinstein, Arthur 12:123
biografía **12**:123
Polonia **11**:161
Rubinstein, Ida **5**:101
Rubinstein, medalla **11**:211
Rubinstein, Nicolás **13**:130
Rubinstein, Pavlova **5**:101
rubio 12:123
Rubio, Federico **3**:6
Rublev, Andrei **12**:143
rublo 12:124
— soviético **6**:57
Rubruck **2**:99
Rubruck, Guillermo de **5**:71
rucás **14**:115
Rückert, Johann Michael Friedrich 12:124
bibliografía **12**:124
ruda 12:124
Rude, François 12:124
escultura **5**:294
Neoclasicismo **10**:71
obra **12**:124
Rudesheim, Alemania **1**:166
Rudin **13**:288
Rudosky, R. **12**:224
rueca y huso 12:125
costura **4**:272
hilo **7**:178, 179
textiles **13**:179
rueda 12:125
— de momentum **7**:103
— de Barlow **2**:255
energía hidráulica **5**:259
ferrocarril **6**:137, 139
freno **6**:234
patinaje **11**:11
transportes **13**:249
rueda hidráulica 12:125
energía hidráulica **5**:258
Rueda Catalina **12**:13
Rueda, Lope de 12:126
bibliografía **12**:126
comedia **4**:163
Cruz, Ramón de la **4**:305
Rueda, Manuel **5**:162
Rueda, Salvador 12:126
bibliografía **12**:126
Modernismo y arte moderno **9**:262
Ruelas, Julio 12:126
obra **12**:126
Ruffo, cardenal **10**:70
Ruffo, Tittá 12:126
biografía **12**:126
Rufino **12**:214
Rufo, Musonio **5**:269
rugby 12:126
balón **2**:229
básquetbol **2**:261
deporte **5**:55
futbol americano **6**:258
Rügen, isla **1**:164
Ruggeri **7**:31
Ruggli, P. **14**:178
Ruhengeri **12**:120
Ruhmkorff, Heinrich Daniel 12:126
biografía **12**:126
Ruhr 12:126
— cuenca del **1**:161
— río **5**:177
Dortmund **5**:166
Westfalia **14**:146
ruibarbo 12:127
bilis **2**:322
purgante **11**:244
Ruidera, lagunas de **7**:73
ruido 12:127
— sísmicos **13**:172
información, teoría de la **7**:328
Penzias, Arno A. **11**:41
sonido **13**:39
tono **13**:220
ruina 12:128
— de Abu Simbel, Egipto **1**:39
— de Conimbrica **2**:52
— de la biblioteca de Celcus **2**:310
— de la biblioteca de Celso en la antigua ciudad de Efeso **2**:312
— del antiguo imperio romano en Trier, Alemania **1**:165
— del imperio de Alejandro Magno en Alinda **1**:156
— ibéricas de Numancia, Soria, España **7**:257
— incas de Machu Picchu **1**:238, 244, 268
— mayas de Copán, Honduras **1**:232; **7**:217
— mayas de Tikal **1**:234
— mayas de Tulum, México **1**:231, 234, 235; **9**:196
— mixtecas **9**:247
— por bomba atómica, Hiroshima **2**:148
— romanas **5**:226
ruiseñor 12:128
ave **2**:178
paseriformes **11**:5
Ruiz Aguilera, Ventura 12:128
bibliografía **12**:128
Ruiz Cortines, Adolfo 12:128
biografía **12**:128
Ruiz de Alarcón y Mendoza, Juan 12:128
Abreu Gómez, Emilio **1**:33
bibliografía **12**:128
España **5**:320
México **9**:202, 203
Ruíz de Montova, Antonio **10**:322
Ruiz Martínez, José **2**:196
Ruiz Wilches, Belisario 12:129
biografía **12**:129
Ruiz Zorrilla, Manuel **6**:150
Ruiz, Bartolomé **6**:271; **11**:115
Ruiz, Guillermo **5**:295; **9**:205
Ruiz, Jacinto **5**:18
Ruiz, José **11**:241
Ruiz, Juan 12:128
bibliografía **12**:128
Ruiz, volcan **4**:137
Rukavishnikov, Nikolai **2**:113
ruleta 12:129
Rulfo, Juan 12:129
bibliografía **12**:129
Rumania 12:129
— artes, letras, ciencias **12**:132
— población, gobierno, división territorial **12**:130
— comercio e industria **12**:130
— historia **12**:130
— bandera de **2**:242
— Cluj-Napoca **12**:130
— María, reina de **9**:333
— pintura, Strambulesco **12**:132
— Reina de **9**:94
— Verfu Mandra, monte **12**:129
ámbar **1**:223
Armenia **2**:46
Balcanes **2**:223
Bucarest **3**:92
Cárpatos, Montes **3**:256
Korea **4**:246
cristianismo **4**:293
dardanelos **5**:18
Europa **6**:81
ferrocarril **6**:141
gitano **6**:328
Gluck, Alma **6**:335
Guerra Mundial, Segunda **7**:94
Moldavia **9**:266
Negro, Mar **10**:68
paz, tratado de **11**:20
Rumania **12**:130, 131, 132
socialdemocracia **13**:17
Transilvania **13**:246
universidad **13**:316
Varsivia, Pacto de **14**:27
vivienda **14**:117
Rumford, Benjamín Thompson, conde de 12:133
biografía **12**:133
rumia **10**:273
rumiantes 12:133
alce **1**:147
almisclero **1**:197
artiodáctilos **2**:77
corzo **4**:263
ñú **10**:168
oveja **10**:272
paleontología **10**:291
toro almizclado **13**:225
yak **14**:159
Rumichaca, puente de **10**:41
rumiñahui 12:133
Belalcázar, Sebastián de **2**:279
rummy 12:133
Rumsey **3**:111
runa 12:134
Runa Yupay **2**:28
Rundstedt, Karl Rudolf Gerd 12:134
biografía **12**:134
Rundu **10**:33
Runeberg, Johan Ludvig **6**:161; **13**:71
Runge, Friedlieb Ferdinand **6**:130
rúnico **5**:284
Rupanco, lago el **10**:267
rupestre, arte 12:134
rupestre, arte **12**:135
Altamira, cueva de **1**:205
arqueología **2**:52
pintura **11**:94
rupia 12:136
Rüppel, E. **5**:75
ruptura 12:136
— ruptura de frente **12**:136
— ruptura de relaciones diplomáticas **12**:136
— ruptura eléctrica **12**:136
Rural Electrification Administration **6**:36
Rüschlikon, Suiza **12**:94
Rusell, Bertrand **4**:77; **9**:131
Rushdie, Salman **3**:5
Rushmore **3**:47
Rushmore, monte **5**:293; **13**:45
Rusia 12:136
— agricultura, ganadería y pesca **12**:138
— arquitectura, escultura y pintura **12**:142
— bandera de **2**:242
— cadena de Sayan **12**:137
— capilla real del palacio Pavlovsk **12**:143
— Catalina II de **11**:159
— cine **12**:144
— clima **12**:138
— comercio **12**:139
— compañía de **6**:223
— división política **12**:140
— economía **12**:138
— el siglo de oro **12**:141
— escultura **12**:143
— formación de una literatura nacional **12**:140
— gobierno **12**:140
— guerra contra **10**:19
— hidrografía **12**:138
— historia **12**:144
— idioma **12**:139
— industria **12**:139
— instrucción pública **12**:139

— las primeras obras **12:**140
— literatura **12:**40
— Meridional, Península de **4:**283
— minería **12:**139
— Moscú, Teatro Bolshoi **12:**139
— música **12:**141
— música, Stravinsky **12:**142
— ópera, *Russalka* **12:**142
— pintura **12:**143
— pintura realista, Venetsianov **12:**143
— regiones geográficas **12:**136
— religión **12:**140
— Reval **12:**114
— Samara, ciudad **12:**140
— Santa Alianza **12:**209
— siderurgia **12:**316
— Subcarpática **4:**27
— zar de **7:**134; **10:**96
- zarista **2:**168
academia **1:**41
ardilla **1:**352
Ártica, Región **2:**70
Berlín, Tratado de **2:**300
bloqueo **3:**8
Cantor, Georg **3:**221
comercio **4:**165
cuento **4:**320
Disraeli, Benjamín **5:**145
ergotina **5:**274
Estonia **6:**58
geología **6:**308
Guerra Mundial, Primera **7:**90
icono **7:**261
Mongolia **9:**277
Moscú **9:**308
Nobel, Alfred Bernhard **10:**108
Paderewski, Ignacy Jan **10:**282
plaga **11:**116
Rapallo **11:**300
Rusia **4:**230; **5:**72; **10:**68, 216, 288; **12:**137, 138, 139, 140, 141, 142, 143, 144, 145, 146, 199, 210
Strauss, Johann **13:**57
Tartaria y tártaros **13:**123
Víctor Manuel II **14:**76
Walace, Henry A. **14**139
Rusia Blanca o Bielorrusia 12:147
— independencia **12:**148
— literatura **12:**149
— Samjakin (Corriente azul) **12:**150
Belarús **2:**279
Rusia Blanca o Bielorrusia **12:**148, 149
Rusiñol y Prast, Santiago 12:150
bibliografía **12:**150
Ruska, Ernst 12:150
Binnig, Gerd **2:**324
biografía **12:**150
microscopio electrónico **9:**218
Rohrer, Heinrich **12:**94
Ruskin, John 12:150
bibliografía **12:**150
Burne-Jones, sir Edward **3:**122
esteticismo **6:**51
Maragall y Gorina, Juan **9:**85
Whistler, James Abbot McNeill **14:**148
Whitman, Walt **14:**149
Wilde, Oscar **14:**150
Ruslan y Ludmila **12:**142
Ruso-Finlandesa, guerra 7:98
Ruso-Japonesa, guerra 7:98
guerra **7:**85
Manchuria **9:**54
Yamamoto Isoroku **14:**160
Ruso-Turcas, guerras 7:101
fusil y rifle **6:**254
guerra **7:**85
Russel, Morgan **12:**331
Russell, lord Bertrand Arthur William 12:150
axioma **2:**192
bibliografía **12:**150
existencia **6:**93
máquinas de calcular **9:**77
verificación **14:**56
Victoria I **14:**77
Russell, Conde **12:**150
Russolo, Luigi **6:**258
Rustavi **6:**317
Rut 12:151,187
biografía **12:**151
ruta comercial 12:151
— rutas actuales **12:**151
— rutas históricas **12:**151
ruta de los castillos **12:**259
rutáceas **6:**179; **13:**225
rutas acuáticas **13:**250
rutena **7:**252
Rutenia 12:151
rutenio 12:152
Ruth 12:152
Véase Rut
Belén o Bethlehem **2:**280
Ruth, Babe **2:**279
Rutherford, sir Ernest 12:152
alfa, partículas **1:**170
átomo **2:**146
bibliografía **12:**152
bomba atómica **3:**37
Chatwick, sir James **4:**17
electrónica **5:**241
elemento químico **5:**244
nitrógeno **10:**106
radiactividad **11:**276
rayos beta **11:**306
Soddy, sir Frederick **13:**23
técnica y tecnología **13:**136
Thomson, sir Joseph John **13:**183
Rutherford, Johnny **2:**169
Rutherford, Joseph Franklin **13:**177
Rutherford: la lámina de oro **2:**146
rutilo **13:**204
Rutland, conde de **12:**303
Ruttledge, Hugh **7:**179
Rüütel, Arnold **6:**58
Ruwenzori **6:**329
Ruwenzori, montes **1:**92; **13:**301
Ruy Díaz de Vivar, el Cid Campeador **11:**316
Ruysbroek, Jan van 12:152
bibliografía **12:**152
Ruysch, Frederik van **7:**209
Ruysdael o Ruisdael, Jacob Isaac van 12:152
obra **12:**152
Ruyter, Michel Adriaanszoon de 12:152
biografía **12:**152
Ruzicka, Leopold 12:152
biografía **12:**152
Ryazán **11:**17
Rydberg, Abraham Víktor **13:**71
Ryeland, raza **6:**278
Ryle, sir Martin 12:152
biografía **12:**152
Rymkiewicz, J.M. **11:**161
Ryswick, la paz de **2:**159
Rytm, sociedad **11:**161
Ryukyu, islas 12:152
Ryumin, Valery **2:**113

S

S 12:153
S.S. (Policía nazi de defensa) **7:**180
S'ukri Al-Quwwatli **13:**7
Sa'Od b'Abd al'Aaz **1:**336, 337
Sa'ud Ibn 'Abd Al 'Aziz 12:243
biografía **12:**243
Saa de Miranda, Francisco **11:**177
Saad-al-Sabbah, príncipe **8:**152
Saadi (Moncharriff-ed-Din) 12:153
bibliografía **12:**153
Saadia, ben Josef **8:**118
Saale **5:**235
Saanen, raza **6:**278
Saar, territorio del 12:153
Saaremaa en el mar Báltico **6:**57
Saarinen, Eliel **6:**161
Saavedra Fajardo, Diego de 12:153
bibliografía **12:**153
Saavedra Guzmán, Antonio de **8:**280
Saavedra Lamas, Carlos 12:154
bibliografía **12:**154
Saavedra, Álvaro de **5:**76
Saavedra, Ángel 12:153
Véase Rivas, duque de **12:**153
Saavedra, Bautista 12:153
bibliografía **12:**153
Saavedra, Cornelio 12:153
biografía **12:**153
Saavedra, Isabel de **4:**8
Saavedra, Juan de **4:**41
Saba **14:**162
Saba, islas **1:**309
Saba, reina de 12:154
biografía **12:**176
Etiopía **6:**69
Salomón **12:**176
Saba, reino de **1:**335
Sabadell 12:154
— Ciudad, Barcelona, Cataluña, España **2:**253
sábado 12:154
Sabah **3:**49
Sabah-Abu-Abdullah **8:**151
sábalo 12:154
arenque **2:**7
sabana 12:154
geografía **6:**303
geología **6:**312
Sabana Camagüey, archipiélago **4:**311
Sabana, Kenia, África **12:**155
Sabanalarga **2:**135
sabañon 12:155
Sabarmati, río **7:**108
Sabat Ercasty, Carlos **13:**329
Sabatier, Paul 12:155
biografía **12:**155
Sabatini, Francesco **3:**249
Sabatini, Rafael 12:155
bibliografía **12:**155
Sábato, Ernesto 12:155
bibliografía **12:**155
Sabena **4:**312
sabiduría 12:155
— diosa de la **12:**327
Minerva **9:**233
sabina 12:155
Sabinal, península **4:**310
Sabinas 12:156
Sabines, Jaime 12:156
bibliografía **12:**156
Sabir, cima de **14:**162
sable 12:156
arma **2:**43
armadura **2:**43
sable **2:**43
vestido **14:**65
Saboaya, María Margarita de **14:**76
Sabogal, José 12:156
biografía **12:**156
Sabor **11:**173
sabotaje 12:156
Saboya 12:156
— Alpes de **6:**213
— Alta **12:**156
— Amadeo de **11:**197
— campaña de **13:**35
— casa de **10:**292; **12:**100
— conde de **12:**156
— duque de **2:**269
— región francesa **12:**156
plebiscito **11:**137
Saboya, dinastía de 12:156
— Amadeo III **12:**156
— Humberto Blancamano **12:**156
— Rey Carlos Alberto **12:**156
— Victor Amadeo II **12:**156
— Victor Manuel **12:**156
— Victor Manuel III **7:**247; **11:**167; **12:**156
dinastía **5:**129
Saboya, ducado de **12:**156
Saboya, duque de **6:**126; **8:**48; **12:**200
Saboya, Filiberto duque de, **5:**282
Saboya, Luis Amadeo de **5:**78
Saboya, Luisa de **5:**136; **9:**92
Saboya, Margarita de **7:**247
Saboya, reina María Luisa de **6:**230, 319; **10:**259
Sabriya **8:**151
Sabú 12:156
biografía **12:**156
sabueso 12:156
Sabutai **9:**276
sacarimetría 12:157
sacarina 12:157
sacarómetro **14:**97
sacaromicetos **14:**97
sacarosa 12:157
azúcar **2:**204
fructosa **6:**239
lactosa **8:**159
Sacasa, Juan Bautista **12:203**; **13:**35
Sacatepéquez 12:157
Saccas, Ammonio **10:**71
Saccharomyces minor **10:**299
Sacco **8:**94
sacerdocio **9:**138; **13:**160
sacerdote 12:157
— de Apolo **8:**173
— de la Misión, congregación de **14:**75

— hindú **12**:10
— mazdeista **7**:295
Enriquez, Camilo **7**:146
Guardani, romano **7**:76
Herrera, Bartolomé **7**:157
ministro **9**:234
Sacerdote **4**:291; **10**:234, 236, 237; **12**:289
sacerdotisa **7**:156; **9**:25
Sacha **5**:197
sachamono **4**:119
Sachetti
Cortona, Pietro da **4**:262
madrigal **9**:20
Sachs, Hans 12:157
bibliografía **12**:157
Nuremberg **10**:165
Sachs, Nelly 12:157
bibliografía **12**:157
Saco, José Antonio 12:158
bibliografía **12**:158
sacramento 12:158
— bautismo **12**:158
— capilla del **14**:29
— confesión **12**:159
— confirmación **12**:158
— eucaristía **12**:159
— eucarístico **7**:65
— extrema unción **12**:159
— matrimonio **12**:159
— orden sagrado **12**:159
— río **6**:31, 32, 33
cristianismo **4**:293
excomunión **6**:91
familia **6**:115
indulgencia **7**:317
sacramento **12**:159
sacrificio 12:160
— de Justo y Pastor **12**:185
holocausto **7**:211
misterios **9**:245
misticismo **9**:245
oblación **10**:174
Sacrificios, isla de los **5**:266; **14**:52
Sacrificios, Piedra de los **9**:205
sacristán 12:160
Sacro Colegio Romano 12:160
cardenal **3**:240
conciliares, teorías **4**:196
Sixto V **13**:12
Sacro Imperio Romano Germánico 12:160
Alemania **1**:159
Bélgica **2**:284
Edad Media **5**:206
Federico I, Barbarroja **6**:124
Francisco II **6**:230
guerra de los 30 años **7**:87
Habsburgo, casa de **7**:116
imperio **7**:274
Sacro, Colegio **10**:311
Sacrosancta **4**:196
sacsahuamán 12:161
Cuzco **4**:336
Incas **7**:291
Sadalmelek **1**:58
Sadat, Mohamed Anwar al 12:161
biografía **12**:161
Saddú, Varanasi, Utar Pradesh, India **7**:297
Sade, Donatien Alphonse François, marqués de 12:161
bibliografía **12**:161
Sade, Hugo de **10**:142
Sadeqain **10**:287
Sadi **1**:333
Sadi-Carnot, Nicolas Léonord **13**:167
Sadiq al-Mahdi **13**:67
Sado **11**:173
Sadoq, gran sacerdote **12**:162
Sadova **4**:26
Sadowa **1**:161
sadra **14**:63
saduceos 12:161
fariseos **6**:117
saduies **1**:335
Sadveji **8**:39
Sáenz de Thorne, Manuela 12:162
biografía **12**:162
Sáenz Peña, Luis **2**:23; **12**:86
Sáenz Peña, Roque 12:162
biografía **12**:162
Sáenz, Álvaro **4**:142
Sáenz, Antonio Mario Norberto 12:162
biografía **12**:162
Sáenz, Benedicto **7**:79
Sáenz, Manuela **12**:162
saeta de agua, planta **12**:162
saeta, canto **12**:299
Sáez, Carlos Federico **13**:329
Sáez, José María 12:162
biografía **12**:162
Safaridas **8**:38
Safárik, Pavel **5**:298
safe (seguro) **2**:278
Safira **1**:260
Safo 12:162
biografía **12**:162
mujer **9**:327
Oda **10**:184
safrada **10**:184
Safwan **11**:20
saga 12:162
— de Frithjofs **13**:71
folklore o folclor **6**:189
oral, literatura **10**:230
sagas
Islandia **8**:53
Suecia **13**:70
sagas nórdicas **11**:313
Sagasta, Práxedes Mateo 12:162
biografía **12**:162
Sagi Barba, Emilio 12:162
biografía **12**:162
Saginaw, río **9**:213
sagitaria 12:162
sagitario 12:162,
astronomía **2**:125
constelación **4**:218
noviembre **10**:142
Sagitario **12**:163
Vía Láctea **14**:73
Zodiaco **14**:179
sagos o sagum **7**:257
Sagrada Escritura **7**:136, 214
Sagrada Familia 12:163
árbol **1**:348
Jesucristo **8**:99

Sagrada Familia **9**:92
Sagrada Familia, catedral **6**:293
Sagrada, isla **13**:184
Sagradas Escrituras
Agar **1**:99
Biblia **2**:308
calendario **3**:163
contrarreforma **4**:229
doctrina **5**:152
profesía **11**:208
redención **11**:320
sobrenaturalismo **13**:17
Trento, concilio de **13**:259
unitarismo **13**:314
Sagradas, guerras 12:163
Sagrado Corazón 12:163
Sagrado Corazón, iglesia del **10**:328
Sagrado Corazón, universidad del **11**:236
Sagrario Metropolitano **9**:204
Sagrario y la capilla del Pocito **7**:191
Sagres **11**:176
Sagres, Escuela de **4**:147
sagú 12:163
fécula **6**:124
rafia **11**:289
Sagua Baracoa **7**:210
Sagua la Grande 12:164
Lamm, Wilfredo **8**:166
Magnat, Jorge **9**:65
Sagua, río de **12**:164
Sagua-Baracoa **4**:311
Saguaro, monumento nacional a **2**:35
sagum **14**:64
Sagunto o Sagunt 12:164
acústica **1**:64
Aníbal **1**:291
arqueología **2**:52
sitio **13**:9
teatro **13**:132
Sahagún, fray Bernardino de 12:164
bibliografía **12**:164
bilbioteca **2**:312
historia **7**:193
latinoamérica **8**:188
matritences, códices **9**:133
Paso y Troncoso, Francisco del **11**:7
universidad **13**:318
Sahara 12:164,
— bandera de **2**:242
— costero **11**:136
— sur del **7**:170
— territorio del **2**:11
África **1**:93
arena **2**:6
Argelia **2**:10
Atlas **2**:139
desierto **5**:88
Egipto **5**:224
elefante **5**:242
Fezzán **6**:145
Gobi, desierto de **6**:336
India **7**:297
Libia **8**:247
momia **9**:271
Sahara español o Sahara occidental **12**:165
Sahara, desierto del **2**:5
Tafilete **13**:99
Tierra **13**:191
viento **14**:89
Sahara español o Sahara occidental 12:165
Saharov, A. D. **13**:110
saheliano, clima **9**:134
Sahuayo **9**:214
sahumador **11**:253
Saibou, Ali **10**:100
Said, Edward W. **10**:249
saiga 12:166
antílope **1**:307
Saigón **2**:87; **14**:90
Saika **13**:301
sainete 12:166
saino 12:166
Saint Andrews, universidad **12**:84
Saint Croix, río **9**:228
Saint Denis, Abadía de, (París) **7**:25
Saint Denis, Ruth **5**:17
Saint Etienne 12:166
Saint Exupéry, Antoine de 12:166
bibliografía **12**:166
literatura infantil **8**:285
Saint Germain, París, Francia **6**:224
Saint Germain, Tratado de **4**:134; **11**:160
Saint Kitts y Nevis 12:166
— bandera de **2**:242
— forma de gobierno **12**:167
comunidad y mercado común del caribe (CARICOM) **4**:190
Latinoamérica **8**:182
Saint Laurent, Lois Stephen **10**:306
Saint Louis Post-Dispatch **9**:244
Saint Louis, Universidad de **9**:244
Saint Marcel, monte **7**:81
Saint Martial de Limonges, abadía de **2**:62
Saint Mary, río **6**:32; **9**:282
Saint Michel, bosque de **10**:197
Saint Pierre y Miquelón 12:167
Sainte Genevieve, Missouri **9**:244
Sainte-Beuve, Charles Agustin de 12:168
bibliografía **12**:168
Sainte-Claire Deville **1**:212
Saintes **10**:293
Saint-Gaudens, Agustus 12:166
obra **12**:166
Saint-Hilaire, Geoffroy de **1**:141; **6**:89
Saint-Just, Luis Antonio de 12:166
biografía **12**:166
Saint-Laurent, Yves **5**:135
Saint-Leger Leger, Alexis **11**:56
Saint-Malo, Malvinas, islas **9**:47
Saint-Moritz 12:167
Alpes **1**:201
Saint-Pierre, Jacques-Henri Bernardino de 12:167
bibliografía **12**:167
Saint-Saëns, Camile 12:167
Fauré, Gabriel **6**:122
obra **12**:167
ópera **10**:216
Pavlova, Ana **11**:17
xilófono **14**:157
Saint-Savin-sur-Gartempe, Francia **11**:96
Saint-Simon, Claude Henri de Rovroy, conde de 12:167
bibliografía **12**:167
Comte, Augusto **4**:180
feminismo **6**:128
socialismo **13**:18
Saint-Víctor, Hugo de **13**:316
Sáinz de la Maza, Regino 12:168
guitarra **:**107
obra **12**:168
Saipán **9**:95; **13**:211
Saipurú, Bolivia **12**:211

Saiva **7**:180
Sajalín o Sakhalin 12:168
— Hokkaido, islas de **8**:174
aino o ainu **1**:122
Asia **2**:95
descubrimientos y exploraciones geográficos **5**:75
guerra Ruso Japonesa **7**:99
Kro-sivo **8**:150
Siberia **12**:312
Unión de Repúblicas Socialistas Soviéticas **13**:307
Sajarov, A. **13**:309
Sajón, palacio **14**:27
Sajonia 12:168
— duque de **12**:161
— Elba, río **12**:168
— Juan Federico de **5**:301
— Mauricio de **13**:259
— Rin, río **12**:168
— río de **12**:168
— Saar **1**:163
Alemania **1**:159
arcilla **1**:350
Dresde **5**:172
Francia **6**:221
Lancero **8**:169
Leipzig **8**:214
Lutero, Martín **8**:326
paz, tratado de **11**:20
Pecblenda **11**:23
Pedro I el grande **11**:25
Reforma **11**:324
Sajonia-Coburgo Gotha, príncipe Leopoldo de **2**:284
Sajonia-Coburgo, Alberto de **5**:213; **14**:77
Sajonia-Coburgo, casa alemana de **12**:54
Sajonia-Coburgo-Gotha, Casa de **14**:152
Sajonia-Weimar, Bernardo de **12**:94
Sajonia-Weimar, ducado de **14**:144
Sakakawea, lago **10**:132
sake **2**:272
sakhalin 12:168
Sakharov, Andrei Dimitriyevich 12:168
biografía **12**:168
saki **2**:62
Sakkara **5**:225
Sakkarah 12:168
Sakmann, Bert 12:168
biografía **12**:168
Sakya **7**:300
Sakya-Muni **2**:96
sal 12:169,
— cálcica **11**:37
— de Epsom **13**:82
— gema **12**:170; **13**:23
— potásica **11**:37
— sódica **11**:37
agua de mar **1**:111
electroquímica **5**:242
mar **9**:82
sal **12**:170
sal amoniaco 12:169
sal común 12:169
— Cabezón de la Sal (España) **12**:170
nitro **10**:105
sal de higuera 12:171
sala Borgia del Vaticano **11**:99
sala de gálibos **3**:114
Sala de Té en París, Francia **6**:220
Sala, isla de **4**:35
Sala y comedor **9**:256
Sala, región **11**:153
Saladino I 12:171
Acre, San Juan de **1**:55
biografía **12**:171
cruzadas **4**:306
Damasco **5**:9
Maimónides **9**:32
Saladino I, Salh-ed-Din Yusuf, **12**:171
salado **7**:109
— del Norte **13**:59
— batallas del **8**:114
Salado, gran lago 12:171
Salado, río
Chile **4**:37
Nuevo León **10**:160
Palmira **10**:295
Santiago del Estero **12**:220
Tamaulipas **13**:108
Salado Mar **9**:323
Salado Valle del **12**:193
Salah Bitar **13**:7
Salam, Abdus 12:171
biografía **12**:171
Glashow, Sheldon Lee **6**:332
Weinberg, Steven **14**:144
Salamá, Capital, Departamento, Guatemala **2**:220
Salama, H. **6**:161
Salamanca 12:171
— batalla **2**:296
— Casa de las Conchas **12**:171
— Ciudad Rodrigo **12**:172
— Daniel **3**:30
— palacio de **12**:5
— Universidad de **4**:260, 304
bachillerato **2**:212
Baeza **2**:215
biblioteca **2**:313
Castilla y León **3**:281
Cervantes Saavedra **4**:8
comuneros **4**:180
Duero, río **5**:176
Edad Media **5**:209
España **5**:308
extremadura **6**:105
León **8**:224
Onís, Federico de **10**:212
Perez, Antonio **11**:45
Salamanca **4**:148, 230
Suárez, Francisco **13**:59
Tirso de Molina **13**:203
Unamuno y Jugo, Miguel de **13**:303
universidad **13**:318
salamandra 12:172
— maculosa **12**:172
ajolote **1**:129
Paz Lozano, Octavio **11**:21
salamándridos **1**:129
salamanquesa 12:172
Salamina
— batalla de **2**:56
— ensenada de **13**:154
— golfo de **7**:99
— victorias de **6**:7
Arístides **2**:31
armada **2**:38
Atenas **2**:133
batalla **2**:264
Esquilo **6**:24
Jerjes I **8**:95
Solón **13**:31
Tolomeo I **13**:213
salangana **10**:98
salares **11**:243
salario 12:172
— básicos **13**:63
capitalismo **3**:226
economía **5**:191
subsidio **13**:63
trabajo **13**:236
salarios-tipo **13**:63
Salas **14**:175
Salas y Carrillo, Manuel **5**:295
Salas, Antonio 12:173
obra **12**:173
Salas, Brindis de **14**:98
Salas, Manuel de 12:173
biografía **12**:173
Salas, Rafael **5**:202
Salas, Tito **14**:46
salasacas **5**:199
Salavarrieta, Policarpia **11**:148
Salaverría e Ipenza, José María 12:173
bibliografía **12**:173
Salaverry, Felipe Santiago 12:173
biografía **12**:173
Socabaya, batalla de **13**:17
Salazar **1**:285
Salazar Arrué, Salvador 12:173
obra **12**:173
Salazar Bondy, Sebastián 12:173
bibliografía **12**:173
Salazar de Espinosa, Juan **9**:165
Salazar López, José **3**:241
Salazar, Adolfo 12:173
obra **12**:173
Salazar, B. **14**:91
Salazar, José María **8**:281
Salazar, Juan de **10**:322
Salazar, Marina Sainz **10**:304
Salcedo, José **5**:161
salchicha 12:173
Saldaña, Bernardo de **12**:128
Saldaña, río **13**:213
Salduba **14**:173
Saleh Khalafaf **13**:285
Salek, Malek **9**:48
Salem, Massachusetts
Hawthorne, Nathaniel **7**:133
Oregon **10**:241
revolución estadounidense **12**:43
Salem, planicie **2**:36
Salerno **13**:323
Salerno **8**:62
sales aromáticas 12:173
sales **1**:187
— de Epsom **11**:244
— de plata **10**:105
— haloideas **7**:125
— metálicas **8**:168
— minerales **1**:189
Salesianos, orden de los **2**:31; **6**:231
Salford Quays, Manchester **9**:52
Salgado, Gustavo Enrique **5**:202
Salgado, Luis H 12:173
obra **12**:173
Salgari, Emilio 12:173
bibliografía **12**:173
literatura infantil **8**:285
salicáceas **1**:134; **12**:243
salicáceo **9**:226
salicilatos **2**:77
salicílico, ácido 12:173
fungicidas **6**:253
tinta **13**:198
Salieri, Antonio **2**:276; **8**:273
salificación 12:174
Salignac Fénelon, François de **13**:147
Salina (la), batalla de **14**:11
Salina Cruz **10**:170
Salina, palacio de la **12**:172
salina, solución **10**:81
Salinar **11**:188
salinar, cultura 12:174
Salinas 12:174
Usumascinta **13**:331
Salinas de Gortari, Carlos 12:174
biografía **12**:174
De la Madrid Hurtado, Miguel **5**:39
Salinas de Gortari, Raúl **12**:174
Salinas, Bahía de **4**:267; **10**:92
Salinas, batalla de las **11**:115
Salinas, Francisco 12:174
bibliografía **12**:174
Salinas, Pedro 12:174
biografía **12**:174
España **5**:320
generación del 27 **6**:299
Salinas, Pedro, *Seguro azar* **12**:174
salios **6**:221
Salisbury **14**:77, 178
Salisbury, condesa de **8**:90
Salisbury, John de **5**:208
Salisbury, Roberto Gascoyne Cecil, marqués de 12:174
biografía **12**:174
salish **7**:308
salitre
comercio **4**:164
nitro **10**:105
polvora y polvorín **11**:163
salitre **4**:258
saliva 12:174
hidrofobia **7**:166
indios americanos **7**:310
carótida **10**:330
salivación **6**:330
salivas **14**:47
Salix **12**:243
Salk Institute de San Diego **2**:230
Salk Institute for Biological Studies de San Diego **7**:104
Salk, Jonas Edward 12:174
biografía **12**:174
Sallé, María **5**:16
Salmanasar I **10**:103
Salmanasar IV **13**:194
Salmanasar, rey **8**:118
salmantina, escuela **6**:197
Salmenhaara, Erkki **6**:161
Salmerón, Nicolás 12:175
biografía **12**:175
España **5**:318
salmo 12:175
salmo gospel **7**:24
salmón 12:175
Alaska **1**:136
Asia **2**:91
salmón **1**:188
Washington, Estado **14**:141
Salmon, André **2**:265
Salmon, río **6**:32; **7**:262
salmonela 12:176
bacteria y bacteriología **2**:211
salmonete 12:176

salmónidos **13:**274
salmos
  arpa **2:**48
  islam e islamismo **8:**52
  literatura **8:**275
  María, Virgen **9:**93
  Purcell, Henry **11:**243
Salo, Arvo **6:**161
Salobreña **9:**327
salol **1:**314
Salom, Bartolomé 12:176
  biografía **12:**176
Salomé 12:176
  biografía **12:**176
  danza **5:**15
  Juan Bautista, san **8:**113
  Strauss, Richard **13:**57
Salomé Jill **9:**224
Salomón 12:176
  Biblia **2:**308
  biografía **12:**175
  Comunidad (Británica) de Naciones **4:**189
  ébano **5:**183
  himno **7:**180
  iberos **7:**256
  imperio británico **7:**275
  jardinería **8:**87
  Melanesia **9:**157
  Palmira **10:**295
  Saba, reina de **12:**154
Salomón, rey
  Cantar de los Cantares **3:**218
  Fenicia **6:**130
  Judá **8:**117
  judaismo **8:**118
  Negus **10:**69
Salomón de , Salmos **1:**325
Salomón, archipiélago de **4:**235
Salomón, Isaac ben **10:**72
Salomón, islas 12:176
  — bandera de **2:**242
  negro **10:**66
  Oceanía **10:**179
Salomón, las minas del rey **7:**119
Salomón, Mar de **9:**157
Salomón, proverbios de **11:**326
Salomón, templo de **8:**97, 118
salomónica **8:**192
Salomón-Lozano, tratado de **8:**213
salón de belleza 12:177
  — historia **12:**177
Salón de la Plástica Mexicana **13:**43
Salón de los Espejos **5:**32
salón del Trono del Dragón **11:**29
Salón en Calais, Francia **6:**215
Salón estilo rococó **12:**88
Salón Literario **2:**25
Salón Nacional de Bellas Artes **2:**303; **7:**18
Salónica **4:**217; **7:**56
Salónica, golfo de **7:**55
Salou, puerto de **12:**37
Salpetrière, hospital de la **11:**220
salpullido **8:**287
salsolácea **6:**16
salström **9:**21
Salt Lake City **13:**39, 332
Salta 12:94, 177, 314
  — Bermejo, río **12:**177
  — ciudad de **8:**231
  — Juramento, río **12:**177
  Argentina, República **2:**19
  Avellaneda, Marco Manuel **2:**182
  bailecito **2:**218
  batalla **2:**264
  Belgrano, Manuel **2:**285
  diaguitas **5:**101
  intendencia **8:**15
Salta, batalla y defensa de 12:177
  Álvarez de Arenales, Juan Antonio **1:**214
  dormilón **5:**165
  Rodríguez, Martín **12:**91
  Warnes, Ignacio **14:**140
saltamontes 12:177
saltatio **5:**13
Salten, Félix 12:178
  bibliografía **12:**178
salterio 12:178
  — de David **12:**175
  crucifixión **4:**301
  dulcémele **5:**177
  Gutenberg, Johann **7:**110
Saltillo 12:178
  — historia **12:**178
  — sarape **12:**226
  Coahuila **4:**118
saltimbanquis **6:**131; **8:**122
Salto 12:178
  — alto **2:**139
  — Ángel **14:**43
  — de altura **2:**139
  — de Tequendama **3:**14
  — Grande, represa de **13:**328
  — largo **2:**139
  Salto **13:**326
  Uruguay **13:**327
saltonas **8:**171
salud 12:178
  — alimentos **12:**179
  — comunidad de naciones **12:**179
  — mental **10:**103
  — otros factores básicos **12:**179
  — pública **11:**217
  economía doméstica **5:**195
  enfermedad **5:**260
  Guyana **7:**175
  salud **1:**190; **12:**179
saludo 12:180
Saluen **2:**95
Saluen, río **2:**87; **5:**75
Salustio **8:**181, 277
Salustio Crispo, Cayo 12:181
  bibliografía **12:**181
Salustri, Carlos Alberto **13:**267
Salvá y Campillo, Francisco 12:181
  obra **12:**181
salvación **4:**292
salvado **10:**299; **11:**244
Salvador 12:184
  Salvador (Bahía) **2:**217
Salvador, El 12:181
  — ciudades **12:**183
  — clima **12:**182
  — extensión y relieve **12:**181
  — geología **12:**181
  — gobierno, religión y educación **12:**183
  — hidrografía **12:**181
  — minas y aguas termales **12:**182
  — orografía **12:**181
  — población **12:**181
  — producción, industria y comercio **12:**182
  — San Bartolo **12:**182
  — San Vicente Usulatán **12:**183
  — Sonsonate **12:**182
  — vías de comunicación **12:**182
  — volcanes **12:**182
  aguachapán **1:**120
  America Central **1:**234
  cabañas **3:**137
  Salvador, El, ferrocarril **12:**182
  Salvador, El, pasisaje montañoso **12:**183
Salvador, Humberto **5:**201
Salvador, torres del **9:**321
salvaje, gato **6:**291
salvamento 12:184
Salvany **8:**94
salvarsán **5:**230
Salvatore Gilli, Filippo **10:**251
salvavidas 12:184
salve 12:185
Salve Regina **11:**49, 166
Salvia **1:**137
salvia 12:185
Salween, río **14:**168
Salyut
  astronáutica **2:**113
  estación espacial **6:**28
Salzach, río **12:**185
Salzburgo 12:185
  — festivales de **7:**198
  — Universidad de **9:**319
  alpes **1:**201
  Austria **2:**166
  Escobar, Luis Antonio **5:**281
  Mozart, Wolfang Amadeus **9:**319
  Reinhardt, Max **11:**335
Salzillo, Francisco 12:185
  obra **12:**185
Salzillo, Vincenzo Nicolás **12:**185
Sam Ambrosio, iglesia de **9:**222
Sam Memed, sierra de **11:**173
Sama **13:**97
Samadhi de Gandhi **7:**298
Samakkbi Tham **13:**103
Samalá, río **11:**253
Samaná 12:185
  — Bahía de **12:**268
  — península de **12:**185
  — penínsulas de **12:**221
Samaniego y Jaramillo, Manuel 12:185
  obra **12:**185
Samaniego, Félix María 12:185
  animal **1:**296
  bibliografía **12:**185
  literatura infantil **8:**284
Sámano, Juan de, don **12:**223
Sámano, virrey **11:**148
Samar **6:**155
Samara (antes Kuybyshev) **6:**81
Samarcia **2:**99
Samaria **8:**99; **12:**185
samario 12:185
samaritano 12:185
  samaritano, piadoso **10:**318
Samarkanda **13:**334
Samarobriva **1:**249
Sama-Veda **12:**208
samba **8:**195
Samborombón, bahía **2:**16
Sambre **10:**197
Sambucetti, Luis **13:**328
Samburu, guerreros **10:**66
Samenidas **8:**38
Samilovitch, Iván **9:**145
Sammónico, Sereno **1:**33
Samo, príncipe **3:**18
Samoa 12:186
  — Americana **10:**180
  astronáutica **2:**120
  Estados Unidos **6:**31
  Oceanía **10:**179
  Samoa, bandera de **2:**242
Samoa Occidental 12:186
  — Savaii, isla **12:**186
  — Tofilou Eti **12:**186
  — Tupua Tamasese Lealofi **12:**186
  — Tupua Tamasese Mea'ole **12:**186
  — Tupuola Efi **12:**186
  — Upolu, isla **12:**186
  — Va'ai Kolone **12:**186
  Comunidad (Británica) de Naciones **4:**189
  Imperio Británico **7:**275
  Samoa Occidental **12:**187
Samoa Oriental 12:187
  — bandera de **2:**242
  Samoa, Casa de paja **12:**186
Samora M. Machel **9:**318
Samos
  acueducto **1:**59
  Asia menor **2:**100
  Epicuro **5:**269
  Grecia **7:**59
Samos, isla de
  Pitágoras **11:**112
  Polícrates **11:**151
  Simónides de Amorgos **12:**329
Samos, Julián de, San **6:**125
Samosir, Sumatra, isla de **13:**84
Samotracia 12:187
  arqueología **2:**51
  Grecia **7:**55
  Victoria de Samotracia **14:**77
samoyedas **2:**95
samoyedo 12:187
samoyedos **2:**70
sampán 12:188
  árbol **1:**346
  marina mercante **9:**96
Sampson **4:**60
Sampson, William Thomas **4:**314
Sams **1:**334
Samsun, puerto de **10:**68
samuco **7:**309, 310
samucos **4:**21
Samuel 12:188
  Belen o Bethlhem **2:**280
  Bilbia **2:**308
  biografía **12:**188
  Judaísmo **8:**118
  Saúl **12:**243
Samuelson, Alfred Marshall **12:**187
Samuelson, Paul Anthony 12:187
  bibliografía **12:**187
  Solow, Robert Merton **13:**31
Samuelsson, B.I. **14:**23
Samuelsson, Bengt I 12:188
  biografía **12:**188
samurai 12:188
  japón **8:**84
  Ito, Irobumi **8:**67
  lucha **8:**315
  Tojo, Hideki **13:**211
Samye, monasterio **9:**54
San Agustín 12:188
  Hansen, Corneille **8:**78

libro **8:**252
San Agustín y Gog **10:**316
San Agustín, Cabo de **9:**23
San Agustín, Colombia **4:**140
San Agustín, cultura de **4:**142
San Agustín, Ecuador **5:**202
San Agustín, Florida **1:**59
San Agustin, fuerte de **9:**166
San Agustín, Lima **7:**191
San Ambrosio **7:**318
San Ambrosio, isla **4:**35
san Anacleto, papa **12:***198*
San Anastasio, catedral de **10:**304
San Andrés **2:**241
San Andrés Tuxtla **14:**52
San Andrés y Providencia 12:188
— cruz de **12:**327
— islas de **4:**137
— volcán de **10:**252
Colombia **4:**140
San Antonio
— cabo **1:**184; **4:**310
— el Real, Convento de **9:**321
— guatemala **7:**77
— México **2:**220
— nave **9:**23
— puerto **4:**37
— río **2:**13
álamo, el **1:**134
Anobón **1:**300
San Bartolomé, matanza del día de 12:188
Enrique IV de Francia **5:**264
San Basilio **2:**135
San Bernabé **7:**74
San Bernardino, parroquia de **14:**158
San Bernardo **10:**193
San Bernardo **12:**189
San Bernardo, albergues **12:**189
San Bernardo, Ártico **12:**188
San Bernardo, Gran 12:188
San Bernardo, pequeño **12:**189
San Bernardo, perros de **12:**189
San Bernardo: variedad canina **2:**303
San Blas, golfo de **10:**300
San Blas, isla **10:**304
San Blas, Mühlhausen **2:**211
San Boal, palacio de **12:**172
San Borja **2:**73
San Borjas **2:**219
San Brandán, isla de **5:**70
San Carlos Borroneo, iglesia de **9:**222
San Carlos de la Rápita **13:**122
San Carlos, Academia de México **9:**206
Patiño Ixtolinque, Pedro **11:**12
Siqueiros, David Alfaro **13:**5
Villagrán García, José**14:**93
San Carlos, Academia de, Bellas Artes de **13:**214
San Carlos, Borromeo, iglesia de **14:**87
San Carlos, colegio de **12:**153, 173
San Carlos, convento de **2:**21
San Carlos, estrecho de **13:**173
San Carlos, río **4:**267
San Cristóbal 12:189
— Canal de **10:**303
— isla **12:**176
— isla de **6:**262
— y Nevis **7:**112, 275, 306
Esija **5:**185
Nicaragua **10:**92
San Diego 12:189
— acuario de **10:**232
— construcción departamental **4:**219
— fuerte de **1:**43
— puerto **4:**300
Estados Unidos **6:**33
geología **6:**311
San Dionisio **10:**328
— abadía de **2:**242
— biblioteca **2:**312
San Dunstán **7:**40
San Elías, monte **1:**135, 230
San Elías, pico de **9:**224
San Esteban, convento de **12:**172
San Esteban, iglesia de **14:**87
San Eugenio **7:**268
San Eusebio, bóveda de **9:**167
san Eustaquio **12:**9
San Eustaquio, isla de **7:**208
San Felipe **7:**73
San Felipe de Arecibo **1:**352
San Félix, isla **4:**35
San Félix, sor Marcela de **14:**33
San Fernando 12:189
— de Apure **1:**330
— río **12:**170
Angeles, Los **1:**281
Berengela de Castilla **2:**295
San Fernando, Academia de Bellas Artes de, de Madrid
Asenjo Barbieri, Francisco **2:**81
Balleu Subías, Francisco **2:**270
Guridi, Jesús **7:**108
Ponz, Antonio **11:**168
San Florentino, Puerto de **4:**238
San Francisco, Brasil 12:190
San Francisco, Estados Unidos 12:189
— bahía de **11:**228
— escuela **9:**201
— río **1:**242; **9:**227
— Sinfónica de **9:**171
conferencia de San Francisco **4:**203
Córdoba **4:**242
Dulles, John Foster **5:**177
Estados Unidos **6:**34
exposición **6:**101
ferrocarril subterráneo **6:**142
fiebre del oro **6:**149
Harte, Francis Brett **7:**135
puerto **11:**229
San Francisco, California **2:**39; **4:**118; **6:**33
Stettinius, Edwuard Riley **13:**55
Tracy, Spencer **13:**239
San Francisco de la Selva **2:**132
San Francisco de Macorís **5:**175
San Francisco del Oro **4:**34
San Francisco, Acatepec **7:**191
San Francisco, Cuevas de (Baja California, México) **12:**135
San Francisco, iglesia de **14:**11
San Francisco, Lima **7:**191
San Francisco, orden de **14:**191
San Francisco, Orden Tercera de **12:**111
San Francisco, Quito **7:**191
San Francisco de Asís
— iglesia de **6:**327
Pardo Bazán, Emilia, condesa de **10:**326
Salas, Antonio **12:**173
San Francisco de Asís **6:**230; **12:**221
San Gabriel de Batoví **2:**194
san Gabriel, misión franciscana de **1:**281
San Gall **2:**312
San Germán des Prés **2:**312
San Germán, Vicaría de **11:**241
San Gil, ciudad **12:**217
San Gotardo 12:190
Alpes **1:**201
Suiza **13:**76
San Grabriel, isla de **11:**133
San Halvard, catedral de **10:**264
San Ignacio de Miní, ruinas coloniales de **11:**178
San Ignacio de Sarriá, Colegio de **12:**89
San Ignacio Miní, ruinas **2:**24
San Ignacio, río **2:**219
San Ildefonso **7:**106; **13:**182
San Isidro 12:191
Beda, El Venerable **2:**275
bibliografía **2:**309
biblioteca **2:**312
San Isidro **7:**184
san Jerónimo **2:**312; **10:**250
San Jerónimo, fuerte de **11:**234
San Joaquín, río **6:**31, 32
San Jorge de Brodheath **5:**245
San Jorge San David **2:**301
San Jorge, en el centro **2:**196
San Jorge, Fuerte de **9:**16
San Jorge, Golfo **2:**14
San Jorge, orden de **8:**90
San José (Buenos Aires) 12:190
Negro, río **10:**69
San José (Costa Rica) 12:190
conferencias panamericanas **4:**204
San José (Uruguay) 12:191
Artigas, José Gervasio **2:**72
Uruguay **13:**327
San José de Mayo 12:192
San José de Mayo **13:**327
San José de Cúcuta **10:**131
San José de Río Negro **9:**51
San José del Cabo, México **2:**220
San José, Guatemala **7:**77
San José, iglesia de **10:**304
San José, Panamá **10:**304
San José, puerto de **13:**299
San José, volcán **1:**269
San Jotge, isla de **6:**336
San Juan, Argentina, provincia **12:**191
San Juan, Argentina 12:191
— ciudad **2:**14
— cordillera de **10:**87
— isla de **10:**130
— provincias de **4:**335
san Juan Bautista
— de Carapoa **6:**245
— de las Misiones **10:**321
— catedral de **4:**251
bautismo **2:**268
San Juan de Ulúa
Ampudia, Pedro de **1:**253
México-Tenochtitlán **9:**208
Veracruz **14:**52
Victoria, Guadalupe **14:**77
San Juan o Saint John 12:192
San Juan, Puerto Rico 12:191
— universidad de **11:**235
aeropuerto **1:**89
Alonso Pacheco Manuel M. **1:**199
Belaval, Emilio S. **2:**280
latinoamérica **8:**192
Muñoz Marín, Luis **9:**334
Puerto Rico **11:**234
San Juan, Puerto Rico **12:**191
San Juan, río 12:192
América Central **1:**234
anansasi, cultura **1:**260
Colombia **4:**137
Costa Rica **4:**267
Utah**13:**332
San Juan, río (México)
Colorado, río **4:**156
Chihuahua **4:**35
Tamaulipas **13:**108
San Juan Clímaco **7:**285
San Juan de Cuyo **10:**256
San Juan de Jerusalén, orden de **1:**217
San Juan de la Cruz **5:**320
San Juan de la Frontera de Huamanga **2:**192
San Juan de Letrán, basílica de **14:**29
San Juan de Luz, Francia **11:**136
San Juan del Río (Durango) **14:**92
San Juan del Río (Querétaro) **11:**250
San Juan Teotihuacán **2:**52; **13:**162
San Juan, alcázar de **4:**102
San Judas **2:**309
San Julián de Setúbal, iglesia de **11:**177
San Julián, bahía de **9:**23
San Justo 12:192
Mantovani, Juan **9:**62
San León Magno, papa **12:**99
San Lorenzo **7:**46
San Lorenzo de El Escorial **9:**20
San Lorenzo de El Escorial, Universidad de **9:**20
San Lorenzo de Potosí, iglesia de **11:**46
San Lorenzo, batalla de **2:**21
San Lorenzo, capilla de **14:**29
San Lorenzo, golfo de **1:**229; **8:**154; **13:**170
San Lorenzo, iglesia de **9:**222
San Lorenzo, río 12:192
Chanclain, Samuel de **4:**19
Chicago **4:**32
Cook, James **4:**231
Estados Unidos **6:**32
Quebec **11:**246
San Lucas **2:**309
— Academia de **9:**60
san Luis **2:**335; **5:**153
San Luis (California) **14:**82
San Luis de Washington **13:**15
San Luis Potosí 12:193
— catedral, **12:**193
— historia **12:**193
— San Agustín, templo **12:**193
— San Francisco, templo **12:**193
— San José, templo de **12:**193
Aguascalientes **1:**113
Alcocer, Mariano **1:**149
educación **5:**218
Hidalgo **7:**163
intendencia **8:**15
Juárez, Benito **8:**116
plata **11:**132

San Luis Río Colorado **13**:40
San Luis, Argentina 12:192
San Luis, Brasil **9**:85
San Luis, ejército de los Cien Mil Hijos de **2**:28
San Luis, isla de **10**:327
San Luis, Mercedes **9**:172
San Luis, Missouri 12:192
San Luis, Plan de **9**:16
San Manual Bueno **13**:303
San Manuel, Sierra de **6**:105
San Marco, Piazza **14**:40
San Marcos 12:193
— basílica de **2**:56
— basílica de **14**:40
— biblioteca de **14**:58
— catedral de **14**:110
— convento de **1**:282
— de León, convento de **11**:253
— de Venecia, iglesia **12**:33
— Perú, Universidad de **11**:171
— Universidad de **4**:250; **10**:293
Aguascalientes **1**:113
Biblia **2**:309
biblioteca **2**:312
San Marino 12:193
— arte **12**:194
— bandera de **2**:242
— castillo **12**:194
— gobierno **12**:194
— historia **12**:194
— San Estanislao **12**:198
San Marino **12**:194
San Martín 12:194
Belgrano, Manuel **2**:285
Belice **2**:286
Godoy Cruz, Tomás **7**:11
San Martín **8**:200
Lavalle, Juan Galo **8**:308
Olavarría, José Valentín de **10**:201
San Martín de Braga **2**:312
San Martín de Tours, abad de **1**:152
San Martín O´Higgins **7**:295
San Martín, cabo **1**:184
San Martín, departamento General **14**:93
San Martín**,** Don José de **1**:148
San Martín, Grau **2**:266
San Martín, Guayaquil **9**:285
San Martín, isla **7**:72
San Martin, islas **1**:309
San Martín, José de 12:194
Aconcagua **1**:53
Aguado, Alejandro María **1**:113
ajedréz **1**:128
Alvear, Carlos María de **1**:215
América del sur **1**:245
Argentina, república **2**:21
biografía **12**:194
Bransen, Federico **3**:67
conferencias panamericanas **4**:203
corrientes **4**:257
Cullo, Nuestra señora de **4**:335
Chacabuco, batalla de **4**:41
dormilón **5**:165
Gonzáles Balcarse **7**:20
independencia **7**:295
La Madrid, Gregorio Araoz de **8**:166
Las Heras, Juan Gualberto Gregorio de **8**:179
lationoamérica **8**:185
Lautaro, logia **8**:199
Maipú **9**:34
panamericanismo **10**:306
Paracas **10**:320
Perú **11**:64
Rodriguez, Manuel **12**:91
San Martín, José de **12**:196
Soler, Miguel Estanislao **13**:29
Tagle y Portocarrero, José Bernardo de **13**:99
San Martín, José Luis Zorrilla de **13**:328
San Martín, Juan de **12**:194
San Martín, Juan Zorrilla de **13**:329
San Martín, Remedios Escalada de **12**:197
San Martín, Tomás de **7**:312
San Martín, torres de **9**:321
San Mateo, Capitulación del 12:197
San Mateo **7**:336
San Mateo Atenco **9**:207
San Mateo, batalla de **12**:62
San Mateo, río **6**:18
San Mauricio, biblioteca **2**:312
San Maximiano, sitial de **9**:253
San Miguel al sureste **2**:196
san Miguel Arcángel **2**:242
San Miguel de Allende **1**:216; **4**:172
San Miguel de Destriana, monasterio **11**:295
San Miguel de Piura **2**:279
San Miguel del Tucumán **13**:280; **14**:94
San Miguel el Grande **1**:216
San Miguel, El Salvador 12:197
San Miguel, golfo de **10**:300
San Miguel, isla de **11**:175
San Miguel, río **5**:196; **13**:331
San Miguel, volcán **12**:197
San Millán **2**:312
San Millán de Yuso, monasterio de **12**:81
San Millán, brujas de **14**:190
San Mungo, catedral protestante de **6**:332
San Nicolás, Acuerdo de **14**:39
San Nicolás **7**:126
San Nicolás de Bari y de los Arroyos **12**:197
San Nicolás de la Cantera **1**:113
San Nicolás de los Arroyos 12:197
San Pablo 12:197
San Pablo de Guelatao **8**:116
San Pablo, altiplano de **9**:287
San Pablo, Brasil **2**:238
San Pablo, catedral de **14**:155
San Pablo, iglesia de **9**:222
San Pablo, islas de **9**:84
San Pablo, islotes **10**:182
San Pablo, lago de **10**:269
San Pablo, río **10**:300
San Patricio **2**:241; **7**:213
San Pedro 12:197
— de Atacama, Calama **1**:315
— de Durazno **5**:181
Biblia **2**:309
Hamburgo **7**:126
Ignacio de Antioquía, San **7**:266
San Pedro de Macorís 12:198
Sosa, Sammy **13**:43
San Pedro de Roma 12:198
— Basílica de, el Vaticano **12**:198
— campanario de **12**:116
— criptas de **12**:199
— cúpula de **9**:220
— iglesia colegiata de **14**:147
— iglesia de **2**:58
— plaza de **12**:98;**14**:29
Farnesio **6**:118
Pio XII **11**:102
Reforma **11**:324
San Pedro, basílica de **2**:58
Vaticano, ciudad del **14**:29
San Pedro Sula 12:199
Honduras **7**:218
San Pedro, río
taramaina **13**:118
Sonsonate **13**:41
México **9**:194
San Pedro Mártir **2**:219
San Pedro, sierra de **6**:105
San Pedro, volcán **13**:31
San Petersburgo 12:199
— Academia de Ciencias de **2**:214
— puerto **2**:230
— San Isaac, iglesia de **12**:200
— Universidad de **11**:211San Petersburgo **6**:81, 85, **6**:332
Andrev, Leoniv Nocolaevich **1**:273
Bernini, Lorenzo **2**:304
Bolshoi, ballet **3**:34
decubrimientos y exploraciones geográficos **5**:166
guerra Ruso-Finlandesa **7**:98
Guitri, Sacha **7**:107
Lenin, Vladimir, Ilich Ulianov **8**:221
Pavlova, Ana **11**:17
paz, tratado de**11**:20
Pedro I, el Grande **11**:25
San Petersburgo **5**:75
San Petersburgo, iglesia Chemenskaya **13**:307
San Petersburgo, Rusia **4**:191
San Petesburgo, teatro Kirov **10**:216
Strauss, Johann **13**:57
Tchaikovsky, Piotr Ilich **13**:129
usura **13**:331
Valakirev, Mili Alekseievich **2**:222
San Quintín, batalla de 12:200
Enrique II de Francia **5**:264
Escorial, el **5**:282
Felipe II **6**:126
Menéndez de Avilés, Pedro **9**:166
San Rafael 12:200
San Rafael, estado de México **9**:207
San Rafael, Mendoza, Argentina **9**:165
San Remigio, abadía de **11**:334
San Remo **8**:62
san Roberto, abad de Molesmes **4**:96
San Roque, Cabo **4**:257
San Roque, retablo de **1**:272
San Salvador 12:200
Colón, Cristobal **4**:149
Duarte, José Napoleón **5**:175
San Salvador Cuscatlán **11**:21
San Salvador de Jujuy **8**:125
San Salvador de la Bahía de Todos los Santos, nombre oficial (Bahía) **2**:217
San Salvador, Carta de **10**:246
San Salvador, isla de **8**:183
San Sebastián (Guipúzcoa). **14**:190
San Sebastián **2**:228
San Sebastián, Colegio de Música de **12**:62
San Sebastián, España **2**:255; **13**:24
San Secondo **5**:172
San Stéfano, Tratado de **2**:300
San Sulpicio, colegio de **12**:19
San Vicente 12:200
— bahía de **10**:192
— Basílica de **9**:318
— Cabo de **4**:166
— canal de **12**:214
— isla de **12**:200
Guyana **7**:112
San Vicente **8**:182
San Vicente de Paul, Sociedad de **10**:278
San Vicente y las Granadinas 12:200
— bandera de **2**:242
Comunidad y mercado común del caribe (CARICOM) **4**:190
Imperio Británico **7**:275
San Vitale, iglesia de **11**:303
San Wenseslao **11**:183
Sana **14**:162
Sanabria **13**:319
Sanabria, González de **13**:273
Sanata Fe de Bogotá **11**:166
sanatorio 12:201
sanavirόm **7**:309
Sancha **6**:135
Sánchez (Frascualo), Salvador **13**:127
Sánchez Albornoz y Menduiña, Claudio 12:201
bibliografía **12**:201
Sánchez Coello, Alonso 12:201
obra **12**:201
Portugal **11**:177
Sánchez de Badajoz, Hernán **4**:268
Sánchez de las Brozas, Francisco 12:201
bibliografía **12**:201
Sánchez Deus **6**:266
Sánchez Erazo, Jesús **11**:240
Sánchez Ferlosio, Rafael **5**:320
Sánchez Gardel, Julio **2**:26
Sánchez Guerra, José **11**:201
Sánchez Hernández, Fidel **12**:183
Sánchez Mejías, Ignacio 12:202
bibliografía **12**:202
tauromaquia **13**:127
Sánchez Povedano, Salvador **6**:234
Sánchez Valverde, A. **5**:162
Sánchez Veitemilla **2**:48
Sánchez Vilella, Roberto 12:202
biografía **12**:202
Puerto Rico **11**:231
Sánchez Villaseñor, José **9**:202
Sánchez, Abel **13**:303
Sánchez, Antonio El Tato **13**:127
Sánchez, Domingo **4**:317
Sánchez, Elizardo **4**:315
Sánchez, Florencio 12:201
bibliografía **12**:201
Drama **5**:171
Giusti, Roberto F. **6**:328
literatura hipanoamericana **8**:283
Uruguay **13**:329

Sánchez, J. M. **10**:303
Sánchez, Juan **5**:160
Sánchez, Julián **5**:318
Sánchez, Manuel **12**:185
Sanchi **7**:298, 303
Sanchi, tope de **7**:302
Sancho **3**:143; **6**:266
Sancho el Fuerte **3**:279
Sancho el Mayor **9**:254
Sancho I **11**:295
Sancho II **1**:175
Sancho II de Castilla **4**:70
Sancho III **1**:175; **5**:315
Sancho III de Navarra (Sancho el Mayor) **3**:279
Sancho IV, ***el Bravo*** **12**:202
biografía **12**:202
María de Molina **9**:94
Sancho Panza **12**:202
biografía **12**:202
Cervantes Saavedra **4**:7
Sancho Polo **11**:271
sancocho **9**:37
sáncrito **2**:292
sanctasanctórum **1**:69
Sancti Spiritus **12**:201
Cuba **4**:311
Argentina, república **2**:18
Rojas, Diego de **12**:95
Sanctorius **13**:168
Sand, **George** **12**:202
bibliografía **12**:202
Chopin, Friéderick **4**:63
Delacroix, Ferdinand Victor Eugene **5**:39
feminismo **6**:128
Francia **6**:227
Gómez de Avellaneda, Gertrudis **7**:19
legión de Honor **8**:211
mujer **9**:324
Romanticismo **12**:106
turismo **13**:289
sándalo **12**:203
incienso **7**:293
madera **9**:15
terapéutica **13**:163
Sandauer **11**:161
Sandburg, Carl **6**:43
Sandeau, **Jules** **12**:203
bibliografía **12**:203
Sand, George **12**:203
Sanders Peirce, Charles **6**:64
Sanders, Mónica **12**:56
Sandi, **Luis** **12**:203
obra **12**:203
Sandía **12**:203
sandía **12**:203
cucurvitáceas **4**:318
sandía **6**:240
Sandino, **Augusto César** **12**:203
biografía **12**:203
Nicaragua **10**:94
Somoza, Anastacio **13**:35
Sandö **6**:136
Sandor Petöfi **7**:253
Sandoval Vallarta, **Manuel** **12**:203
biografía **12**:203
Sandoval, **Gonzalo de** **12**:203
biografía **12**:203
Colima **4**:135
Sandoval, Santiago **11**:11
Sandro Botticelli **5**:289
sandunga **12**:204
Sandwich del Sur, islas **1**:302
Sandwich, archipiélago de **9**:134
Sandwich, islas **2**:13, 136
Sandwich, tierras de **4**:231
saneamiento **12**:204
saneamiento del suelo **7**:175
Sanedrín **12**:205
Jesucristo **8**:100
sanforización **13**:180
Sanfuentes, Juan Luis **4**:42
Sanfuentes, Salvador **4**:44
Sangad Chaloryu **13**:102
Sangallo, Julián de **12**:198
Sangamon, río **7**:269
Sangay **5**:196
Sangay, volcán **1**:268
Sanger, **Frederick** **12**:205
biografía **12**:205
Sanger, Margaret **4**:228
sangre **12**:205
— citratada **13**:245
— de los capilares **7**:146
— grupos, O, A, B y AB **12**:208
— O, A, B y AB **12**:208
— Prueba de **14**:143
— subgrupos, Rh, M y N **12**:208
arteria **2**:67
circulación **4**:91
corazón **4**:236
educaicón física **5**:220
fermentación **6**:133
filariosis **6**:152
grupo sanguíneo **7**:70
hipoglucemia **7**:185
lecitina **8**:202
leucocito **8**:234
mielitis **9**:219
mononuclósis **9**:279
plasma **11**:126
sangre **12**:206
Sangre de Cristo, cordillera **10**:87
sangrías **12**:208
sanguijuela **12**:208
gusanos **7**:109
Sanguily, **Manuel** **12**:208
bibliografía **12**:208
Cuba **4**:315
sanguíneos, grupos **12**:208
Sanguinetti, Julio María **1**:214; **13**:330
Sanhedrín **10**:279
Sani Abacha **13**:46
sanidad pública **9**:151
Sanin Cano, **Baldomero** **12**:208
bibliografía **12**:208
Sanitarios, acuerdos **10**:65
Sanjuán, Pedro **6**:283; **11**:41
sanjuanito, el **5**:201
Sankey, Ira D. **7**:24
sankhya **7**:303
Sankoh, Foday **12**:319
Sanlúcar **9**:165
Sanlúcar de Barrameda **12**:208
Elcano, Juan Sebastián **5**:235
Guadalquivir **7**:71
Sannazaro **2**:223; **8**:65
Sans Avoir, Gauthier **4**:306
Sans Souci, castillo de **11**:180
sánscrito **12**:208
— clásico **8**:217
— *dialectos prácritos primarios* **12**:208
— prácrito **12**:209
— sánscrito **12**:209
— védico **12**:208
alfabeto **1**:171
ario **2**:30
Asia **2**:95
Dravidiano, lenguaje **5**:172
escritura **5**:284
Europa **6**:81
gitano **6**:328
India **7**:303
indoeuropeo **7**:315
Irán o Persia **8**:39
Japón **8**:82
literatura hipanoamericana **8**:287
sánscrito, India **12**:209
sans-culottes **14**:69
sanshee **2**:272
sansimonismo **12**:168
Sansón **12**:209
biografía **12**:209
Dalila **5**:7
Filisteo **6**:156
Sansovino, **Andrea Contucci**, **llamado il** **12**:209
obra **12**:209
Sansovino, **Jacopo Tatti**, **llamado il** **12**:209
biografía **12**:209
Sant Angelo, castillo de
Adriano, Publio Elio **1**:75
Sant Angelo, castillo de **8**:63
Sant Chitpatima **13**:102
Sant Ermengol en Andorra la Vella **1**:272
Sant Joan de Caselles **1**:272
Sant Julia **1**:271
Sant Julia de Lória **1**:270
Sant Miquel d'Engolasters **1**:272
Santa Alianza **12**:209
Alejandro I **1**:157
España **5**:318
Europa **6**:83
Francisco II **6**:230
Nertmich, Clemens Fürs, von, príncipe de **9**:193
Monroe, James **9**:280
Santa Ana **12**:210
Ahedo, cuhcuilla de **7**:118
Santa Ana **1**:256
Santa Ana Chiautempan **13**:208
Santa Ana del Conde **10**:175
Santa Ana, iglesia de **10**:304
Santa Ana, Plaza de Madrid, España **9**:19
Santa Ana, volcán **12**:181
Santa Anna, Antonio López de
Álamo, El **1**:134
Álvarez, Juan **1**:214
Anaya, Pedro María **1**:262
Ayutla, plan de **2**:193
Cordero, Juan **4**:240
López de Santa Anna, Antonio **8**:307
Zarco, Francisco **14**:174
Santa Bárbara **12**:210
Roher, Heinrich **12**:94
Santa Cándida 18
Santa Catalina, monte **7**:46
Santa Catalina, Zamosc, iglesia de **11**:157
Santa Catarina **12**:210
Santa Catarina, río **9**:288
Santa Cecilia, México **13**:156
Santa Clara **12**:210
— Convento de **9**:321; **11**:167
Guevara, Ernesto **7**:102
Véase Villa Clara **12**:210
Santa Claus **12**:210
Santa Claus **12**:211
Santa Coloma, campanario **1**:272
Santa Craz, marqués de **2**:270
Santa Cruz **12**:211
Argentina, república **2**:14
Patagonia **11**:10
Pichincha, batalla de **11**:80
Pizarro, Francisco **11**:115
Santa Cruz de La Sierra **12**:212
guaraníes **7**:76
Santa Cruz de Tenerife **12**:212
Tenerife **13**:156
Santa Cruz y Espejo, **Francisco Eugenio** **12**:213
Santa Cruz, **Andrés** **12**:212
Socabaya, batalla de **13**:17
Santa Cruz, **Domingo** **12**:213
obra **12**:213
Chile **4**:44
latinoamérica **8**:196
Urrutia, Jorge **13**:325
Santa Cruz, isla
descubrimientos y exploraciones geográficos **5**:73
Galápagos, islas **6**:262
Melanesia **9**:157
Santa Cruz de Coimbra, monasterio **11**:177
Santa Cruz de Tlatelolco, Colegio de **9**:201
Santa Cruz del Quiché **11**:254
Santa Cruz Pumacallao, Basilio de **11**:63
Santa Cruz, Alonso de **9**:67
Santa Cruz, Argentina **13**:172
Santa Cruz, palacio de los marqueses de **14**:10
Santa Cruz, provincia de **13**:319
Santa Cruz, río **2**:16; **12**:211
Santa Elena **12**:213
— isla de **6**:31; **11**:101
— monte **14**:141
— península de **5**:197; **12**:174
atlántico, océano **2**:136
Halley, Edmund **7**:124
Imperio Británico **7**:275
islas de la bahía **8**:54
Santa Fe **12**:214
— Coronda **12**:214
— virreinato de **9**:165
Arigas, José Gervacio **2**:73
Berutti, Antonio de **2**:305
Entre Ríos **5**:268
Montovani, Juan **9**:62
Oñate, Juan de **10**:214
Paraná, río **10**:324
Urquiza, Justo José de **13**:325
Santa Fe, **ciudad de** **12**:214
— capitulaciones de **4**:147
Santa Fe de Bogotá
América del sur **1**:245
audiencia **2**:157
Belalcazar, Sebastian de **2**:279
Colombia **4**:143
Jimenez de Quesada, Francisco **8**:103
Lobo Guerrero, Bsartolomé **8**:296
Lugo y Albarracín, Pedro de **8**:317
Pimentel, Antonio de **11**:91
planta martillada **11**:133
Solís y Folch de Gardona, José

duque de Montellano **13**:30
Santa Genoveva **2**:315
Santa Helena **2**:242
— bandera de **2**:242
Santa Hermandad 12:214
Santa Isabel, pico de **6**:136; **7**:106
Santa Liga
criptografía **4**:287
guera de los treinta años **7**:87
Lepanto, Batalla de **8**:229
Santa Lucía 12:214
—bandera de **2**:242
— canal de **12**:214
— cerro de **8**:88
— himno **11**:178
— río **10**:324
Guyana **7**:112
Imperio Británico **7**:275
Indias occidentales, Estados asociados de las **7**:306
Santa Lucía **12**:215
Santa María de Alcabaca, monasterio de **11**:177
Santa María de Covadonga, caverna **11**:316
Santa María de la Gracia, iglesia de **9**:222
Santa María de la Victoria, monasterio de **11**:177
Santa María de las Flores **2**:48
Santa María de Ripoll, **5**:316
Santa María de Tonantzintla, Puebla **7**:191
Santa María del Popolo, iglesia de **11**:99
Santa María del Tule **1**:120, 348
Santa María Guzmán, laguna **4**:35
santa María la Antigua del Darién 12:215
— ciudad de **6**:134
— Universidad Católica de **10**:300
Arias Dávila, Pedro (Pedrarias) **2**:29
Espinoza, Gaspar de **6**:17
Nicuesa, Diego de **10**:97
Nuñez de Balboa, Vasco **10**:164
Santa María la Blanca, iglesia de **9**:321
Santa María la Grande, iglesia de **11**:166
Santa María la Mayor, basílica **11**:303
Santa María Novella **6**:321
Santa María, Andrés de 12:215
obra **12**:215
Santa María Cádiz, Puerto de **11**:141
Santa María, iglesia de **14**:87
Santa María, isla de **4**:38;**6**:273
Santa María, Nuño de **11**:44
Santa María, río **12**:193
Santa María, volcán **1**:234; **11**:253
Santa Marta 12:215
— bahía de **4**:137
— la Sierra Nevada de **1**:268
— Magdalena, Colombia **9**:24
— puerto de **4**:71
Santa miseria **12**:325
Santa Prisca, iglesia de **9**:204
Santa Rita **9**:56
Santa Rosa 12:215
— castillo de **10**:157
— ciudad de **10**:298
— iglesia de **9**:204
— río **5**:196
Santa Rosalí, México **2**:220
Santa Sede 12:215
Concha, José Vicente **4**:195
Florencia **6**:181
nuncio **10**:163
Vaticano, Ciudad del **14**:29
Santa Sofía **5**:205, 302
Santa Sofía de Constantinopla 12:215
biografía **12**:215
Santa Sofía, basílica de **2**:57
Santa Sofía, Estambul, Turquía **12**:216
Santa Sofía, iglesia de **6**:45
Santa Tecla **10**:158
santa Teresa de Jesús **2**:190
Santa Teresa, fuerte de **9**:166
Santa Teresa, iglesia de **14**:46
Santa Veracruz, iglesia de **9**:204
Santa, guerra **7**:61
Santa, Liga **6**:135
Santa, María Domingo **4**:42
Santa, Tierra **6**:144
Santa, valle de **9**:258
santabárbara 12:216
pólvora y polvorín **11**:163
santaláceas **11**:247
Santamaría, Juan **4**:269
Santamaría, Mariano **4**:142
Santamaría, Mongo **11**:240
Santana, ciudad **12**:222
Santana, Pedro 12:216
biografía **12**:216
Dominicana, república **5**:160
Duarte, Juan Pablo **5**:176
Santander 12:216
— ciudad de **12**:216
altamira, cueva de **1**:205
Córdoba, José María **4**:242
Ibérico, sistema **7**:256
Palencia **10**:290
Pereda, José María de **11**:44
Santander, España **12**:217
Santander (Bucaramanga, Colombia), **4**:140
Santander, Francisco de Paula 12:217
biografía **12**:217
Colombia **4**:144
Restrepo, José Félix de **12**:32
Santander, Norte de **10**:131, 298
Santander, Socorro, ciudad **12**:217
Santángel, Luis de 12:217
biografía **12**:215
Colón, Cristobal **4**:147
Santarem **10**:318; **13**:115
Santarém, João de **12**:222
Santas Escrituras **7**:319
Santayana, George Ruíz de 12:217
bibliografía **12**:217
Baeza, Ricardo **2**:215
Santayana, George **6**:43
Santee **13**:45
santería **8**:195
Santiago 12:217
Santiago Apóstol 12:218
Belice **6**:266
biografía **12**:218
transfiguración **13**:244
Santiago Baca, Jimmi **7**:189
Santiago de Chile 12:219
América del sur **1**:244
Comisión Económica para America Latina y El caribe (CEPAL) **4**:171
conferencias panamericanas **4**:204
Cuenca **4**:318
jardinería **8**:88
latinoamérica **8**:192
Maipú **9**:34
Manteola Martínez, Raúl **9**:62
Ovalle, Alonso Ortíz de **10**:272
Uribe Uribe, Rafael **13**:324
Santiago de Chuco **14**:20
Santiago de Compostela 12:218
Coruña, La **4**:263
románico **12**:105
universidad **13**:316
Santiago de Cuba 12:219
— batalla naval de **4**:314
Cuba **4**:312
puerto **11**:229
sitio **13**:10
Santiago de Cuba, combate naval de 12:220
Santiago de León de Caracas **8**:309
Santiago de los Caballeros 12:220
— capital **12**:217
Diaz del Castillo, Bernal **5**:108
Mérida **9**:174
Santiago de Montevideo **13**:330
Santiago de Veragua **14**:53
Santiago del Estero 12:94, 220
Argentina, república **2**:19
culebra de cascabel **4**:328
Dorrego, Manuel **5**:166
Santiago del Nuevo Extremo **14**:11
Santiago Delpin, Eduardo A. 12:220
biografía **12**:220
Santiago *el mayor* **11**:89
Santiago *el menor* 12:220
Santiago Lerma, río **9**:194
Santiago Papasquiaro, río **5**:180
Santiago Rusiñol **12**:108
Santiago Tuxtla **14**:52
Santiago, camino de **14**:74
Santiago, Fundación de la ciudad de **14**:11
Santiago, maestrazgo de **6**:134
Santiago, Miguel de 12:218
biografía **12**:218
Eucuador **5**:202
Santiago, nave **9**:23
Santiago, orden de **10**:236
Santiago, Talagante, provincia **12**:218
Santiago, valle **2**:220
santidad **12**:220
Santig, Hugo E. **1**:53
Santillana del Mar **1**:205
Santillana del Mar **2**:257
Santillana del Mar, Santander **12**:134
Santillana, Gil Blas de **8**:231
Santillana, Íñigo López de Mendoza, marqués de 12:220
bibliografía **12**:220
España **5**:319
refrán y refranero **11**:326
soneto **13**:37
Santis **13**:76
Santis, Giuseppe de **9**:56
Santísima Trinidad
— Ciudad de la **3**:97
catolicismo **3**:294
edad media **5**:207
fiesta **6**:150
herejía **7**:152
Santísima Virgen **8**:113, 114
santo 12:220
Santo Domingo 12:221
— de Fiésole **1**:281
— de Guzmán **5**:155
— de Quito **12**:*91*
— río **9**:174
— trocha de **5**:5
— universidad de **11**:235
— de Soriano **13**:329
— audiencia de **14**:102
— Real Audiencia de **6**:113
— catedral de **7**:190
— ciudad de **12**:216
— Ciudad Trujillo **12**:221
— escuela Nacional de Pintura de **6**:210
América **1**:232
Antillas **1**:308
árbol **1**:348
audiencia **2**:157
ayacucho **2**:192
banano **2**:234
bodega **3**:16
Cestero, Manuel Florentino **4**:12
Colón, Bartolomé **4**:145
contrarreforma **4**:229
Cuba **4**:310
Dessalines, Jean jacques **5**:93
distrito nacional **5**:146
español, idioma **6**:7
Galvan, Francisco José **6**:271
Gonzáles, José Luis **7**:20
independencia **7**:295
lationoamérica **8**:184
literatura hispanoamericana **8**:281
mamey **9**:48
Patiño Ixtolique, pedro **11**:12
Peña Morel, Esteban **11**:41
Perez, José Joaquín **11**:45
Puerto Rico **11**:229
Santoveña, Emeterio **12**:224
Santo Domingo **13**:44
Tejera, Apolinar **13**:139
Ureña, Salomé **13**:324
Santo Domingo **14**:31
Santo Domingo, isla de 12:221
— historia **12**:222
Tirso de Molina **13**:203
Santo Domingo, isla de **12**:222
Santo Grial o Graal **13**:96
— Búsqueda del **13**:96
Santo Oficio **7**:336
santo Rosario **11**:101
Santo Sepulcro de Jesús **5**:207
Santo Sepulcro, Caballeros del **13**:10
Santo Sepulcro, defensor del **4**:306
Santo Sínodo **7**:57
Santo Tomás (Antillas) **11**:111
Santo Tomás de Aquino, Universidad de **4**:323
Santo Tomás de Leipzig, coros de **2**:211
Santo Tomás Moro **7**:43
Santo Tomás, fray Domingo de **11**:254
Santo Tomé y Príncipe 12:222
Portugal **11**:175
Santo Tome y Príncipe, bandera

de **2**:242
Suárez, Mario **13**:15
Santo, Mar **2**:218
Santoliquido, Roque **9**:185
Santorín, isla **6**:76
Santoro, Claudio 12:223
biografía **12**:223
Santos 12:223
Santos Chocano, José 12:223
biografía **12**:223
literatura **8**:279
modernismo y arte moderno **9**:262
Perú **11**:62
Santos Dumont, Alberto 12:223
biografía **12**:223
aeroplano **1**:87
Santos Lugares **14**:73
Santos Pérez **11**:268
Santos Vega 12:223
biografía **12**:223
Ascazubí, Hilario **2**:79
pato **11**:13
Uruguay **13**:329
Santos Zelaya, José **10**:94
Santos, Antonia 12:223
biografía **12**:223
Santos, Brasil, San Vicente, isla **12**:223
Santos, Brazil **2**:177
Santos, Congregación de los **10**:311
Santos, Eduardo 12:223
biografía **12**:223
Colombia **4**:144
Santos, Emilio de los **5**:161
Santos, Feliciano, don **12**:223
Santos, Francisco **11**:79
Santos, Juan **9**:165
Santos, Los 12:223
Santos, Luis Martín **5**:320
Santos, Máximo, general **7**:47
Santos-Dumont **5**:139
Santovenia, Emeterio 12:223
bibliografía **12**:223
Sants Dumont, Alberto **13**:252
santuario 12:224
— de Diana **12**:157
— de Esculapio **7**:231
— de Esquipulas **7**:79
— de Guápulo **12**:91
— de la Virgen de Coromoto **7**:75
— de Santa María de Guadalupe **7**:72
Santurce **2**:60
Santurce, Puerto Rico **12**:220
Sanubio **9**:223
Sanya Dharmasakti **13**:102
Sanz del Río, Julián 12:224
bibliografía **12**:224
España **5**:318
Sanz, Cayetano **13**:127
Sanz, José **3**:23
Sanz, Miguel José **13**:75
Sanziio, Rafael **2**:131
Sanzio, Rafael **1**:280; **6**:53; **10**:330
São Paulo 12:223
América del sur **1**:244
Andrada y Silva, José Bonifacio de **1**:272
Porto Alegre **11**:173
São Salvador **8**:183
São Vicente **8**:183
Saona, llanura del **6**:216, 218
Saosyant **4**:193
Saoura **2**:11
Sapa inka **7**:290
Sapangler Brugh **13**:129
Saparmurad Niazov **13**:292
sapiens **7**:212
sapindácea **6**:119; **13**:196
sapo 12:225
saponificación **6**:48, 332
Sapor, rey **8**:125
sapotácea
mamey **9**:48
árbol de la goma **1**:348
chicozapote **4**:34
gutapercha **7**:109
saprófitos **7**:221
saprótofa **2**:80
Sar, río **12**:218
Sara o Sãray 12:225
Agar **1**:99
Isaac **8**:47
Sara Sampson **8**:232
sarabaítas **4**:230
Saragana **7**:105
Saragat, Giuseppe **8**:64
Saragossa y Doménech, Agustina **1**:118
Sarajevo 12:225
Sarajevo **12**:226
Tisza, Istvan, conde de **13**:204
Saramago, José 12:226
sarampión 12:226
enfermedades de la infancia **5**:262
eritema **5**:274
erupción **5**:277
sordera **13**:42
Sarande, Albania **1**:138
Sarandí **5**:181; **14**:74
sarape 12:226
poncho **11**:166
vaquero **14**:25
sarapia 12:226
— *cumarú* **12**:226
Sarasate y Navascués, Martín, llamado Pablo de 12:226
obra **12**:226
violín, violón y violoncelo **14**:98
Saratoga
hipódromo **7**:184
Pidgeon, Walter **11**:82
Saratov
Razin, Stenka **11**:311
Volga **14**:128
saraveca:310
Saravia, Fernando **10**:95
Sarawak 12:227
Sarawak **3**:49
sarcinator o sartor **12**:233
sarcófago 12:227
— del faraón Hor-aha **12**:168
— del faraón Tutankamón **13**:298
temple **13**:155
sarcoidosis 12:227
sarcoma 12:227
Sardá, José 12:227
biografía **12**:227
sardana 12:227
— baile popular **2**:253
sardanápalo 12:228
Berlioz, Louis Héctor **2**:300
Delacroix, Ferdinand Victor Eugene **5**:39
diccionario **5**:111
Sardes
Asia **2**:100
Jenofonte **8**:94
Polícrates **11**:151
Sardienero, Santander **11**:136
sardina 12:228
atún **2**:155
arenque **2**:8
Sardinata río **10**:131
Sardis **4**:281
sardónica **1**:290
sardónice 12:228
Sardos, Virgen de los **9**:94
Sardou **11**:226
Sardou, Victoriano **2**:303
Sardou, Victorien 12:228
obra **12**:228
Sarduy, Severo 12:228
obra **12**:228
sareveca **7**:309, 310
sargazos **9**:81
Sargazos, Mar de los 12:229
alga **1**:178
anguila **1**:289
Colón, Cristobal **4**:148
Golfo, corriente del **7**:15
mar **9**:81
migración **9**:219
Sargent, John Singer 12:229
obra **12**:229
sargento 12:229
sargo 12:229
Sargón **1**:130
Sargón II **2**:101; **10**:103
Sargón, imperio de **12**:275
sari **14**:63
Sarit Thanarat **13**:102
sármatas **2**:160
Sarmiento, Canal **9**:22
Sarmiento, Domingo Faustino 12:229
almafuerte **1**:193
Alsina, Adolfo **1**:204
Avellaneda, Nicolás **2**:182
bibliografía **12**:229
conferencias panamericanas **4**:203
educación **5**: 216
ensayo **5**: 266
Gainza, Martín de **6**:261
Hernández, José **7**:155
Latinoamérica **8**:188
literatura **8**:273
literatura infantil **8**:285
Mitre, Bartolomé **9**:250
Quiroga, Juan Facundo **11**:268
Rawson, Guillermo **11**:304
Roca, Julio Argentino **12**:86
Sarmiento, José Clemente **12**:229
Sarmiento, la Higuera de **1**:348
sarna 12:230
— *Sarcoptes scabiei* **12**:230
enfermedades parasitarias **5**:262
Escomel, Edmundo **5**:282
Sarney, José 12:230
biografía **12**:230
Brasilia **3**:76
saro **5**:186
Saro Wiwa, Ken **10**:101
saron **6**:146; **11**:127
Saroyan, William 12:230
bibliografía **12**:230
sarracenos 12:230
— *scharkiín* **12**:230
Federico I **6**:124
Fierabrás **6**:149
sarrapia **14**:78
Sarratea, Manuel de 12:230
Argentina, República **2**:21
Artigás, José Gervasio **2**:73
biografía **12**:230
triunvirato **13**:270
Sarrdanápalo **2**:131
Sarre **10**:289
Sarre o Saar, Territorio del 12:231
Sarrebruck **12**:231
sarria **6**:274
Sarriá, Luis de **7**:47
Sarriá, marqués de **14**:32
Sarspsborg **6**:79
Sarstoon **7**:77
Sarto, Andrea del 12:231
anunciación **1**:319
Asunción **2**:131
obra **12**:231
tapiz **13**:116
Vasari, Jorge **14**:28
Sartre, Jean-Paul 12:231
Aristófanes **2**:32
átomo **2**:151
Beauvoir, Simonne de **2**:271
bibliografía **12**:231
determinismo **5**:95
existencia **6**:93
Francia **6**:227
Sartsun, río **7**:76
Sarvepalli Radhakrishnan **7**:301
Sas, Andrés 12:231
biografía **12**:231
SAS-3 **13**:149
sasafrás 12:231
— madera **9**:12, 15
Sasan **8**:38
Sasánidas **8**:38; **9**:178
Sasbachwalden, Alemania **1**:*167*
sasin **1**:307
Saskatchewan, Montana **9**:282
Sassandra **4**:266
Sassoferrato, Giovanni Battista Salvi, llamado 12:232
biografía **12**:232
Sassone, Felipe 12:232
bibliografía **12**:232
Sassou-Nguesso, Denis **4**:207
sastre **12**:233; **14**:67
Sastre, Alfonso **5**:172, 320
Sastre, Marcos 12:232
biografía **12**:232
sastrería e industria de la confección 12:232
— corte y confección **12**:232
— división del trabajo **12**:234
— historia **12**:233
— industria de confección **12**:234
— maquinismo **12**:234
sastrería e industria de la confección **12**:233, 235
Satán **1**:280; **7**:13
satanás 12:235
Athos **2**:135
demonios y diablos **5**:47
infierno **7**:325
Satcom I y II **13**:151
satélite 12:235
astronáutica **2**:109
Discoverer **5**:142
geología **6**:311
satélite artificial 12:235

— Atlantis **12:**242
— Atlas **12:**237
— Atlas-Agena B **12:**241
— cámara WFPC-2 **12:**242
— Ciudad **5:**294
— Cosmos **12:**241
— Courier I-B **12:**239
— de comunicación **13:**144
— de Saturno **11:**81
— de telecomunicación **4:**186, 189
— de Urano **7:**159
— *Discoverer* **5:**142
— Discoverer I **12:**237
— Early Bird **12:**240
— Echo I **12:**239
— Echo II **12:**239
— espaciales **8:**25
— Explorer I **12:**237
— Explorer I **12:**237
— Explorer III **12:**237
— Explorer IV **12:**237
— Explorer XII **12:**239
— fijos **13:**151
— Freedom **12:**238
— Hubble **12:**242
— Injun **12:**239
— Intercosmos I **12:**241
— jovianos **11:**103
— Júpiter-C **12:**237
— Lunik I **12:**238
— Lunik II **12:**238
— Lunik III **12:**238
— Lunik IX **12:**240
— Lunik X **12:**240
— Mariner II **12:**240
— Mariner IV **12:**240
— Mechta **12:**238
— Mercury Friendship 7 **12:**239
— Mercury Liberty Bell 7 **12:**239
— Mercury Sigma 7 **12:**247
— Microlock **12:**237
— Midas III **12:**241
— Minitrack **12:**237
— Mir **12:**242
— natural **8:**321
— Pioneer IV **12:**238
— Pioneer V **12:**238
— Point Muga **12:**240
— Ranger IX **12:**240
— Ranger VII **12:**240
— Ranger VIII **12:**240
— Redstone **12:**237, 239
— Relay **12:**241
— Samos II **12:**241
— Score **13:**144
— Soyuz **12:**241
— Sputnik I **12:**237
— Sputnik I **12:**237
— Sputnik II **12:**237
— Sputnik III **12:**237
— Survegor I **12:**240
— Syncom **12:**241
— Syncom III **12:**240
— Telstar **12:**241
— Thor Able Star **12:**239
— Tiros **12:**239
— torres de **5:**294
— Transit 4-A **12:**239
— tripulado **2:**142
— Vanguard I **12:**236
— Vanguard II **12:**237
— Venusik II **12:**240
— Venusik III **12:**240
— Venusik V **12:**241
— Venusik VI **12:**241
— Vostok I **12:**238
— Zonda V **12:**241
— Echo **12:**241
astrogeología **2:**107
astronáutica **2:**110
comunicaciones **4:**186
Guía y control, sistemas de **7:**102
invenciones y descubrimientos **8:**28
Júpiter **8:**127
Marte **9:**111
OGO **10:**190
satélite artificial **12:**236, 238, 239, 240, 241
Sistema Solar **13:**9
teléfono **13:**144
Vanguard, programa satelital **14:**23
Vostok **14:**132
Satie, Erik **6:**229; **12:**268
sátiras **1:**172
satiriasis **10:**103
Satiricón **11:**73
Sato, Eisaku 12:242
biografía **12:**242
McBride, Sean **9:**6
Satpura, cordillera de **7:**108, 296
Satpura, monte **7:**296
sátrapas persas **7:**100; **8:**38
satrapías **2:**98; **8:**38
Satruno 5, Cabo Cañaveral **2:**119
saturnales **5:**112
Saturnia **12:**242
Saturnino **7:**281
Saturnino de Costa, Manuel **7:**106
saturnismo 12:242
— anemia **12:**242
— cólicos saturninos **12:**242
— etilenodiminotetracético, ácido **12:**242
— neuropatías **12:**242
— quelatos cálcicos **12:**242
— vasculopatías **12:**242
Saturno 12:242
— Titán **12:**243
astronomía **2:**124
Ceres **3:**333
cibeles **4:**66
dioses paganos **5:**136
geología **6:**310
Herschel **7:**159
Neptuno **10:**74
Pioneer, sondas espaciales **11:**119
Quirón **11:**269
Saturno **11:**103
Saturno **2:**105; **12:**243
Saturno 1-B **2:**116
Saturno 5 **2:**117
Saturno I **4:**130
Saturno V **1:**326
Saturno V **4:**130
Sistema Solar **13:**9
Urano **13:**320
sauce 12:243
saúco 12:243
saudade **13:**139
saudosismo **13:**139
Saúl 12:243
Alferi, Vittorio, conde de **1:**172
Biblia **2:**308
biografía **12:**243
Saulo **10:**279
Saunders, James **7:**44
sauquillo **14:**75
Saura, Antonio **5:**319
saurio 12:244
saurofidios **14:**186
saurópodos **3:**86; **5:**133, 136
Saussure, Ferdinand de 12:244
bibliografía **12:**244
estructuralismo **6:**64
Saussure, Henri de **12:**244
Saussure, Horace Bénedict de 12:244
bibliografía **12:**244
Sauternes **2:**272
Sautuola, Marcelino de **1:**205; **12:**134
saúva **1:**222
Sauvage **9:**99
Sauvy, Alfred **13:**164
Sava, río **5:**11, 299; **14:**170
Savaii, islas de **12:**186
Savalún, montañas **2:**195
Savang Vatthana, rey **8:**173
Savannah **6:**316
Savannah River, complejo de **10:**153
Savannah, barco de vela **9:**99
Savannah, río **6:**32; **13:**45
Savater, Fernando 12:244
bibliografía **12:**244
Savaya, sierra de **3:**25
Save **2:**284
Save, cuenca del **4:**294
Save, río **12:***293*
Save, valles del **4:**294
*Saverio, el cruel 2:*37
Savery, Thomas **9:**75
savia 12:245
árbol **1:**347
árbol de la goma **1:**348
palmera **10:**295
átomo **2:**153
higuera **7:**177
hoja **7:**203
laca **8:**158
madera **9:**13
Savona **11:**101
Savonarola, Girolamo 12:245
Bartolomeo, Lobaccio Dellaporta **2:**259
bibliografía **12:**245
Botticelli, Sandro **3:**60
Eliot, George **5:**246
Sawtooth **7:**262, 263
Sawyer, Amos **8:**243
Sax, Adophe **12:**245
Sax, sierras de **1:**184
Saxa Rubra **2:**238
saxífraga 12:245
saxofón 12:245
saya **7:**291
Sáyago **9:**205
Sayan, montañas de **14:**162
Sayan, sistemas orográficos de **12:**136
Sayanes, Jablonoi, montes **2:**218
Sayiri Tupac **13:**286
Sayn-Wittgenstein **8:**273
Sayri Tupac **14:**92
Sayula II **14:**36
Sayyaf, Abu **6:**156
Sbarbi, José María **11:**326
Scajaro, Antonio o Scaiario, Antonio **2:**262
Scala **2:**304
scanner PET **5:**270
Scapa **7:**37
Scapa Flow **13:**61
Scapino **14:**69
Scappi, Bartolomé **4:**124
Scaramuccia **14:**69
Scarlatti, Alessandro 12:245
biografía **12:**245
Couperin, François **4:**273
orquesta **10:**257
Scarlatti, Domingo 12:245
obra **12:**245
Scarron, Paul 12:246
bibliografía **12:**246
Rojas Zorrilla, Francisco de **12:**95
Scarron, poéta **9:**34
scattering **13:***49*
Schacht, Horace Gree Hjalmar 12:246
biografía **12:**246
Schaefer, sistemas de **2:**83
Schaefer, Vincent **8:**294
Schaeffer, Pierre 4:197
Schaffhausen **13:**80, 81
Schally, Andrew Victor 12:246
biografía **12:**246
Yalow, Rosalyn Sussman **14:**159
schanti **14:**61
Scharder **5:**78
Schaudinn, Friedrich **12:***321*
Schaus **7:**206
Schawlow, Arthur L. 12:246
biografía **12:**246
Bloembergen, Nicolaas **3:**7
Towns, Charls Hard **13:**235
Schebesta, etnólogo **7:**198
Scheckter, Jody **2:**169
Scheel, Walter **1:**162
Scheele, Carl Wilhelm 12:246
biografía **12:**246
cianhídrico **4:**65
cloro **4:**115
fluorita **6:**185
fósforo **6:**199
láctico, ácido **8:**159
oxígeno **10:**277
Scheffield, Universidad de **11:**172
Scheiner **1:**167
Scheiner, Julius **5:**151
Scheler, Max 12:246
bibliografía **12:**246
Romero, Francisco **12:**107
Schelling, Friedrich Wilhelm Joseph von 12:246
Alemania **1:**166
bibliografía **12:**246
idealismo **7:**265
Krause, Karl Christian Friederich **8:**147
Schend, montaña **2:**195
Schenherr, Simón **4:**141
Scherazada 12:246
biografía **12:**246
Mil y una noches, las **9:**225
Nijinsky, Vaslav **10:**102
Scherezada, ballet **2:**220
Scherbakov (Rybinsk) **14:**128
Scherchen, H. **5:**105
Schertz **4:**116
scherzo 12:246
sonata **13:**36
Tamayo, Franz **13:**108
Scheveningen **7:**134

Schiaparelli, F. **8**:313
Schiaparelli, Giovanni **9**:111
Schiaparelli, Juan Virgilio **9**:111
Schick Gutiérrez, René **10**:94
Schick, Bela 12:246
biografía **12**:246
Schick, René **13**:36
Schiller **5**:171
Schiller, Dante Gabriel **3**:271
Schiller, Johann Cristoph Friedrich von 12:246
balada **2**:221
bibliografía **12**:246
Goethe, Johann Wolfgang **7**:13
Gómez de Avellaneda, Gertrudis **7**:19
Humboldt **7**:248
lied **8**:256
literatura **8**:274
Stael, madame de **13**:50
teatro **13**:133
Thorvaldsen, Bertel **13**:183
Schiller, Walter **14**: 139,144
Schilling, D. F. **1**:88
Schinkel, Karl Friedrich **1**:166
Schipa, Tito 12:247
obra **12**:247
Schiraz **12**:153
Schirra, Walter M 12:247
biografía **12**:247
schirwal **14**:65
Schistocerca paranensis **8**:171
Schizotrypanum cruzi **14**:182
Schlegel, August Wilhelm von 12:247
bibliografía **12**:247
Judío errante **8**:119
lingüistica **8**:266
Schlegel, Friedrich von 12:247
bibliografía **12**:247
romanticismo **12**:106
Schleicher, August **8**:266
Schleiden, Jacob Mathias **4**:97
Schleiden, Matthias Jakob **3**:317
Schlemmer, Oscar **2**:267
Schleswig-Holstein 12:247
— dinastía **5**:130
— Guillermo de **4**:290
Alemania **1**:163
Cristián IX **4**:290
Schleyer, Johann Martin **8**:220
Schleyer, Juan Martín **7**:265
Schlick, Moritz **14**:56
Schliemann, Heinrich 12:247
bibliografía **12**:247
Grecia **7**:58
Micenas **9**:212
olimpiada **10**:204
Troya **13**:274
Schlüter, Poul **5**:126
Schmeling, Max **3**:63
Schmelling, Max **8**:105
Schmid, canónigo **12**:247
Schmid, Johann Christoph 12:247
bibliografía **12**:247
Schmidel, Ulrich 12:247
biografía **12**:247
historia **7**:193
literatura hispanoamericana **8**:280
Schmidt, Bernhard Voldemar 12:247
— cámara de **12**:247
— cámara de **12**:248
— espejo de **12**:248
Alemania **1**:162
lengua **8**:216
obra **12**:247
Schmitt, Harrison H **2**:120
Schmoller, Gustav **13**:34
Schneakopp, monte **5**:235
Schneekoppe **13**:67
Schnitzer, Edward **5**:76
Schnitzler, Arthur 12:248
bibliografía **12**:248
drama **5**:171
schnorkel 12:248
submarino **13**:61
Schockley, William **13**:246
Schodinger **12**:204
Schoenbrunn, tratado de **7**:197
Schöffer, Peter **7**:285
Schola Cantorum **13**:330
Scholes, Soule y Glidden **4**:184
Schomburgk, M. **10**:251
Schonberg **8**:141
Schönberg, Arnold 12:248
Austria **2**:167
Berg, Alban **2**:296
expresionismo **6**:102
Ives, Charles Edward **8**:69
obra **12**:248
Schongauber, Martin **7**:28
Schongauer, Martin **1**:166
Schopenhauer, Arthur 12:248
Alemania **1**:166
bibliografía **12**:248
Danzig **5**:17
inconsciente **7**:293
Mann, Thomas **9**:59
melodía **9**:159
racismo **11**:273
Schosser **6**:233
Schouten **1**:197; **2**:330
Schouten, G.C. **7**:230
Schouten, islas **9**:157
Schowb, Marcel **2**:325
Schradr, F. **2**:138
Schranz **1**:219
Schrenck, Leopold **5**:75
Schrieffer, John Robert 12:248
biografía **12**:248
Cooper, Leon N. **4**:231
superconductividad **13**:84
Schrödinger , ecuación de **8**:222
Schröidinger, Erwin 12:249
bibliografía **12**:249
Austria **2**:168
Schubert, Franz 12:249
Anunciación **1**:319
Austria **2**:167
biografía **12**:249
Bruckner, Anton **3**:88
fantasía **6**:116
Lied **8**:256
Romanticismo **12**:106
Tárrega, Francisco **13**:122
vals **14**:18
Schuchardt **14**:28
Schuerer **4**:119
Schuller, Günther **8**:144
Schulten, Adolf 12:249
bibliografía **12**:249
iberos **7**:256
Schultz, Charles **4**:170
Schultz, Theodore W 12:249
bibliografía **12**:249
Schuman **2**:282
Schumann, Hruotberht **11**:78
Schumann, Robert 12:249
Alemania **1**:165
Bach, familia **2**:212
Brahms, Johannes **3**:65
concierto **4**:196
Grieg, Edvard **7**:65
lied **8**:256
obra **12**:249
romanticismo **12**:106
Sajonia **12**:168
sonata **13**:36
Schumpeter **13**:55
Schumpeter **5**:193
Schuschnigg, Kurt von 12:249
Austria **2**:167
biografía **12**:249
Schütz, Henri **1**:165
Schwabe **13**:27
Schwankbard **6**:185
Schwann, Teodoro 12:250
bibliografía **12**:250
célula **3**:317
citología **4**:97
Schwartz, Melvin 12:250
biografía **12**:250
dirigible **5**:139
Steinberger, Jack **13**:5
Schwartz, Severino Bertoldo **11**:163
Schwarzerd, Phillipp **1**:166; **4**:275; **9**:157
Schweickart, Russel L **2**:117
Schweinfurth **5**:251; **12**:124
Schweitzer, Albert 12:250
bibliografía **12**:250
Schwetz, Anna J. **6**:237
Schwinger, Julian Seymour 12:250
bibliografía **12**:250
Tomonaga, Sin-Itiro **13**:218
Feynman, Richard Philips **6**:144
Schwitters, Kurt **1**:166
Schwyz **13**:80
Scientific Discovery **12**:329
Scilo de Lidia **6**:252
Scioto, río **10**:194
Sciurus **1**:352
Sclafani **10**:292
Sclater **14**:180
Scobee, Francis **13**:242, 243
Scobee, Richard **13**:243
SCORE **12**:241
Scorsese, Martin **5**:50
Scotland Yard 12:250
Scoto, Duns **2**:184, 188
Scott Archer, Frederick **6**:203
Scott, David R **2**:47, 115, 117
Scott, Giles G. **7**:45
Scott, Key Francis **2**:230
Scott, Robert Falcon
Antártida **1**:303
descubrimientos y exploraciones geográficos **5**:79
Scotland Yard **12**:250
Scott, Robert Falcon **5**:77
Shackleton, sir Ernest Henry **12**:303
Scott, sir Walter 12:250
bibliografía **12**:250
balada **2**:221
Edimburgo **5**:211
Gran Bretaña **7**:44
highlander **7**:175
historia **7**:192
Hugo, Victor **7**:243
literatura infantil **8**:286
Manzoni, Alessandro **9**:65
Palma, Ricardo **10**:294
Rob Roy **12**:82
Robin Hood o Robin de los bosques **12**:83
Romanticismo **12**:106
Vigny, Alfred Victor, conde de **14**:91
Scott, Winfield 12:251
biografía **12**:251
Niños Héroes **10**:103
Scott-Paine, Humberto **8**:169
scramblers (embrolladores) **11**:287
Scriabin **9**:269
Scriabin, Aleksandr Nicolaievich 12:251
obra **12**:251
Impresionismo **7**:287
Rusia **12**:142
Scribe, Agustín Eugène 12:251
obra **12**:251
libreto **8**:250
Sardou, Victorien **12**:228
Scripps, E. W. **8**:19
scro imperio romano Germánico **2**:242
scrub 2:162
Scully Power, Paul **13**:243
SCUM **6**:129
Scutari **1**:137
Seaborg, Glenn Theodore 12:251
biografía **12**:251
americio **1**:247
berkelio **2**:298
Mcmillan, Edwin Mattison **9**:145
mendelevio **9**:163
plutonio **11**:142
Wilkinson, Geoffrey **14**:151
seaborgio 12:251
Seaga, Edward **8**:77
Seahorse **10**:69
Searo, Matilde de **8**:65
Sears, torre **11**:301
Seascape, Manet, Edouard **9**:56
SEATO **13**:102
Seattle 12:251
puerto **11**:229
Thomas, E. Donnall **13**:183
Dhemelt, Hans G. **5**:39
Estados Unidos **6**:34
Seb, Dios **10**:264
Sebaldo, San **10**:165
Sebastián de Horozco **8**:201
Sebastián de Portugal **9**:287
Sebastián Elcano **13**:252
Sebastián Lerdo de Tejada **8**:307
Sebastián, don, rey **9**:108; **11**:176
Sebastián, san 12:251
biografía **12**:251
ojeda, Alonso de **10**:197
Sebastiano Caboto **5**:73, 78
Sebastianov **2**:113
Sebastopol 12:251
— puerto de **10**:68
Crimea **4**:283
sitio **13**:10
Tolstoi, Leon Nikolaevich, conde de **13**:214
sebo 12:252
harina **6**:48
seborrea **3**:138
Seboyim **13**:24
Sebring, Florida **2**:168
Sebú **6**:145; **9**:105
seca **6**:280

secado **8:**199
secador **8:**200
SECAM 12:252
secano 12:252
sección 12:252
— de asalto **1:**162
oficina **10:**189
Secesión, guerra de 12:252
Estados Unidos **6:**37
Farragut, David Glasgow **6:**119
Faulkner, William **6:**121
Grant, Ulysses Simpson **7:**50
Guerra de Secesión **7:**88
invenciones y descubrimientos **8:**26
Ku-Klux-Klan **8:**150
Lee, Robert Edward **8:**209
Lowell, James Rusell **8:**313
Maryland **9:**116
Mitchel, Margarita **9:**246
New Orleans **10:**88
Reclus, Elisée **11:**315
Wallace, Lewis **14:**139
Washington, Brooker Taliaferro **14:**140
Whitman, Walt **14:**149
Zaragoza **14:**174
Zeppelin, Fernando, conde de **14:**177
Sechehaye, Albert **12:**244
Sechuan **4:**64
seco, subtrópico **1:**108
Secondat, Charles de, barón de Montesquieu **12:**46
Secondo, San **8:**65
secoya 12:252
— *gigantea* **12:**252
— *sempervirens* **12:**253
Secoyas gigantes **14:**165
Yosemite **14:**164
secreción 12:253
— externa **6:**330
— gástrica, estimulante de la **7:**191
leche y lechería **8:**203
secrétaire à abattant **9:**255
secrétaires **9:**255
secretaría 12:253
— Federal, Kuala Lumpur, Malasia **9:**41
secretario 12:254
secretario(a) 12:254
secta de los mormones **13:**14
secta shia **8:**37
sectas cristianas **11:**218
sector privado 12:254
sectores económicos 12:254
secundario, periodo **6:**89
secundina **12:**273
sed 12:254
sed **12:**255
seda 12:255
— artificial **14:**65; **13:**181
— gusano de **14:**65
— historia **12:**256
— mariposa de la **12:**255
— proceso industrial **12:**255
— producción mundial **12:**256
— sericicultura **12:**255
— sericíparas, glándulas **12:**255
— *tussor* **12:**257
Abkhazia **1:**29
China **4:**50
fibra **6:**145
Hangchow **7:**127
migala **9:**219
Nobel, Alfred Benhard **10:**108
rayón **11:**305
seda **12:**256; **13:**122
textiles **13:**180
vestido **14:**64
seda, ruta de la 12:257
Sedaine, Michel Jean 12:257
obra **12:**257
sedal **11:**67
sedante
droga **5:**174
hachís **7:**116
marihuana **9:**96
tranquilizante **13:**241
sedante nervioso **1:**145
sedativo 12:257
sedia dantesca **9:**254
sedia savonarola **9:**254
sedición **12:**257
sedimentación 12:257
conglomerado **4:**206
glaciar **6:**329
sedimentaria, roca 12:257
— clástica **12:**257
metamorfismo **9:**184
sedimentos sueltos **6:**313
seducción 12:257
Sedwick, Adam **5:**97
Seeckten, Hans von **12:**134
Seek and Find **12:***116*
Seekonk, río **12:**58
Seeland, isla
Baltico, Mar **2:**230
Copenhague **4:**233
Sefard o Sepharad **12:**257
sefardíes o sefarditas 12:257
lenguas romances **8:**221
Seferis, Giorgios 12:257
bibliografía **12:**257
Séfora **9:**265
segadora 12:258
— mecánicas **7:**234
trilladora **13:**267
Segall, Lasar **3:**76
segar **4:**329
Seghers, Anna **1:**166
Segismundo 12:258
biografía **12:**258
Suecia **13:**70
Alemania **1:**160
Bayaceto I **2:**269
segmentación **1:**276; **5:**67; **14:**184
segmento 12:258
— esférico **12:***258*
Segni, Antonio **8:**64
Segor **13:**24
Segou **10:**67
Segovia 12:258
— academia de artillería de **11:**220
— acueducto de **11:**227; **14:**74
— España **2:**214
— Grande, río **1:**234
acueducto **1:**60
Arias Dávila, Pedro (pedrarias) **2:**29
comuneros **4:**180
ferias **6:**132
guitarra **7:**107
Soria **13:**43
Zuloaga, Daniel **14:**190
Segovia, Andrés 12:259
biografía **12:**259
Segovia, Santa María la Real de Nieva **12:**259
Segre **1:**270
Segrè, Emilio 12:259
biografía **12:**259
Segregación racial **13:***313*
Segrelles Albert, José 12:259
obra **12:**259
seguidilla 12:259
— boleras **12:**260
— manchegas **12:**260
— seguiripas gitanas **12:**260
seguidilla **12:**260
Seguin **4:**273
Segunda Conferencia Internacional Americana de México **2:**215
segunda guerra Médica **2:**135; **7:**100
Segunda Guerra Mundial
Baviera **2:**269
Bloque Ibérico **3:**8
comprador y arte de comprar **4:**177
Elytis, Odysséus **5:**247
fortificación **6:**198
Hahn, Otto **7:**119
Laval, Pierre **8:**199
Marshall, islas **9:**110
mortero **9:**305
Pío XII **11:**102
Santa Lucía **12:**215
Segunda Guerra Mundial **2:**298
tecnocrácia **13:**137
Yalta, conferencia de **14:**159
Véase Guerra Mundial, Segunda
segunda hipoteca **7:**186
segunda infancia **7:**319
Segunda Internacional **8:**19, 221
segunda pirámide de Gizeh **11:**247
Segunda República **11:**45, 197, 202
Segunda República Española **8:**231; **12:**67
Segunda Revolución Inglesa **12:**53
Segura, Manuel Ascensio **11:**62
Segura, Ruy López de **1:**128
seguridad 12:260
— Consejo de (CS) **6:**247, 248, 320
— económica **12:**267
— en el hogar **12:**261
— en el transporte **12:**264
— en la calle **12:**260
— en las diversiones **12:**262
— en locales cerrados **12:**263
— industrial **12:**264
— pasos peatonales **12:**265
seguridad **12:**261, 262, 263, 264
táctica **13:**98
seguro 12:265
— diversas formas **12:**265
— empresa de **12:**265
— operaciones **12:**266
— sobre la vida **12:**266
seguro **12:**266
seguros sociales 12:267
seguros, actividad en una empresa de **12:**265
Sehkambi, cuenca del **1:**138
Sehwyz **13:**80
Seibo, El 12:268
Seibo, El, Santa Cruz de El Seibo **12:**268
Seifert, Jaroslav 12:268
bibliografía **12:**268
Seignobos, Charles 12:268
bibliografía **12:**268
Uruguay **13:**329
Seipel, Ignacio **12:**250
seiritas **1:**171
seis de Puerto Rico **8:**195
Seis Días, guerra de los **11:**272
seis, grupo de los 12:268
Sejong **4:**247
sekat **2:**95
Sekondi-Takoradi **6:**321
SELA, Sistema Económico Latinoamericano 12:268
Dominicana, República **5:**162
selacio **3:**305; **5:**285; **11:**75
selamlyko **14:**112
Selangor, Malasia **9:**42; **10:**65
Selasie, Haile **6:**69; **8:**258
seldyúcidas **8:**39
selección **7:**284
selección artificial 12:268
vida **14:**80
selección natural 12:268
— de las especies **14:**81
— ley de la **13:**245
— teoría de la **14:**138
evolución, teoría de la **6:**89
Selegua **7:**77
selenio 12:268
Berzelius, Juan Jacobo **2:**305
selenita **14:**163
seléucida 12:269
Alejandro III **1:**156
Asia Menor **2:**100
Grecia **7:**60
Irán o Persia **8:**38
Mesopotamia **9:**178
Seleuco I Nicátor **12:**269
Seleuco Nicator **1:**311
Selika **10:**216
Selim I **2:**251; **13:**30, 296
Selim II **1:**334
Selim Palmgren **6:**161
Selim, rey **7:**300
Selina **12:**64
Selinginsk **2:**98
Seljanka **12:**149
Selkirk, Alexander 12:269
bibliografía **12:**268
Defoe, Daniel **5:**37
Juan Fernández, Archipiélago **8:**114
Robinson Crusoe **12:**83
Selkirk, condado de **12:**250
sella **9:**253
sella balnearis **9:**253
sella curulis **9:**253
Sella, río **2:**130
Sellen, Francisco y Antonio **4:**315
sello 12:269
— de correo **6:**152, 154
— postal **7:**178
— Privado, lord del **2:**155
anillo **1:**292
oblea **10:**174
sello de Salomón 12:269
Selmi **4:**136; **13:**216
Selous **1:**95
Selten, Reinhard 12:269
bibliografía **12:**269
selva 12:269
— de Bohemia **2:**268
— de coníferas **12:**270
— de los Suicidas **2:**49

— ecuatoriales **8**:228; **12**:269
— húmeda **2**:327
— tropicales **12**:270; **13**:280
América del Sur **1**:241
forestal, explotación **6**:195
selva **12**:270
Viet Nam **14**:90
selva negra 12:270
abeto **1**:28
Danubio, río **5**:11
Europa **6**:75
Württemberg **14**:155
Selye, Hans 12:270
bibliografía **12**:270
selyúcidas 12:270
Turquía **13**:295
Sem **8**:218; **11**:309
semáforo 12:270
ferrocarril **6**:140
semáforo **12**:285
tránsito **13**:246
Semana **3**:164
semana santa 12:270
— fiestas, Sevilla **12**:299
— semana mayor **12**:270
Andalucía **1**:266
calvario **3**:173
Domingo de Ramos **5**:155
Pasión de Cristo **11**:5
Sixtina, Capilla **13**:11
Viernes Santo **14**:90
semang **2**:95
semántica 12:270
gramática **7**:31
sustantivo **13**:88
tautología **13**:127
Semarang **8**:91
Semblanzas literarias **10**:288
sembradora **9**:76
semejante **10**:318
semejanza 12:271
Semele **2**:209; **5**:135
semen 12:271
espermatozoide **6**:15
Semenov, Nikolaj Nikolaevic 12:271
biografía **12**:271
Semenyaka, Ludmila **3**:34
semicolgados **1**:339
semiconductor 12:271
— microchips **12**:*271*
ingeniería de materiales **7**:332
microelectrónico **9**:215
Varistancia (de varistor) **14**:27
semiconsonante **7**:31
semidiós **7**:151
semidioses **5**:136; **6**:122; **9**:247
semiesférica **10**:319
semigrupos **7**:70
semilla 12:272
— adaptación de la **12**:274
— blanca **8**:205
— composición de las reservas **12**:272
— de alfalfa **1**:172
— de carrizo germinando **9**:279
— del árbol del hule **7**:245
— embrión **12**:272
— germinación de la **12**:274
— reservas **12**:272
— tegmen **12**:273
— tegumentos **12**:273
árbol **1**:345
fruto **6**:239
heno **7**:146
higuera **7**:177
labranza **8**:156
palmera **10**:294
poder germinativo **11**:145
semilla **12**:273, 274, 275
semilunar **4**:237
semínolas **11**:85; **13**:129
semiología **6**:64
semiótica 12:275
Eco, Humberto **5**:187
estructuralismo **6**:65
Semipalatinsk **8**:136
Semíramis 12:275
biografía **12**:275
semirrectas **1**:290
semisalvaje **7**:200
semita 12:275
— lenguas **12**:276
África **1**:93
Asiria **2**:101
E. **5**:183
Hadad o Adad **7**:116
lengua **8**:218
P. **10**:279
semita **12**:276
vivienda **14**:116
semítico **2**:102; **7**:135; **13**:93
Semíticocamíticas **2**:95
semitocamítico **8**:216
semivocal **7**:31
Semliki, río **1**:141; **5**:213
Semmelweiss, Ignác Fülöp 12:276
asepcia **2**:81
biografía **12**:276
Semmerlweis **9**:150
semnones **13**:73
Sempach **13**:80
Sempronia **2**:260
sempronio **7**:100
Sempronio, en Trebia **1**:291
sen 12:276
terapéutica **13**:163
yen **14**:162
Sena 12:276
— Departamento del **6**:218
— río **6**:75, 142, 213, 218
Normandía **10**:130
submarino **13**:60
senado 12:277
— historia **12**:277
— Romano **8**:257
Augusto, Cayo Julio César Octaviano **2**:159
Australia **2**:163
imperio romano **7**:276
senador **5**:137
señal de la Cruz 12:284
señales 12:284
— auditivas **12**:284
— de audio **13**:151
— de video **13**:150; **14**:82
— eléctrica **14**:82
— internacionales, códigos simbólicos **12**:284
— radioeléctricas 12:285
— signos vitales **12**:284
— telegráficas
— telegráficas **7**:142; **11**:281

señalizaciones de la pista de aterrizaje **2**:135
Senam, cuenca del **1**:138
Senaquerib 12:278
Asiria **2**:101
Babilonia **2**:207
biografía **12**:278
Nínive **10**:103
Senda en el campo **12**:152
Sender, Ramón José 12:278
bibliografía **12**:278
Sendero Luminoso 12:278
Sendic, Raúl **13**:286
Séneca **1**:110; **2**:160; **4**:241; **7**:152; **10**:333
Séneca, Lucio Anneo 12:278
Andalucía **1**:265
biografía **12**:278
geografía **6**:304
latina, literatura **8**:181
Séneca, Marco Anneo 12:279
bibliografía **12**:278
España **5**:313
senecas **7**:310
senectud **5**:143
Senefelder **4**:184
Senefelder, Aloys 12:279
Litografía **8**:286
obra **12**:279
Senegal 12:279
— bandera de **2**:242
— gobierno **12**:280
— República de **5**:6
Guinea-Bissau **7**:105
lemur **8**:215
Malí **9**:43
Paz, Tratado de **10**:329
Senegal, río 12:281
Malí **9**:43
Senegambia **1**:98
Senett **13**:89
Sengirli **7**:116
Senguerr, río **2**:16
Senhora da noite **13**:139
Seni Pramoj **13**:102
senilidad 12:281
senior 12:281
Sennacieca Asocio Tutmondo **6**:13
seno 12:282
trigonometría **13**:266
senoi **2**:95
Señor **5**:155
señores feudales **6**:144
señoríos **13**:234
señoríos militares **9**:178
Sens, Guillaume de **7**:44
sensación 12:282
percepción **11**:43
enfermedades de la infancia **5**:262
sensibilidad 12:282
entendimiento **5**:267
fotografía **6**:201
hipnotismo **7**:182
sensibilización 12:282
sensitiva 12:282
sensitometría 12:282
sensores y movilizadores **7**:103
sensualismo 12:282
Condillac, Étienne Bonnot de **4**:200
sentadas o sésiles **7**:202
sentencia 12:283
— de muerte de Carlos I **12**:53
— judicial **1**:323
proceso de Nuremberg **11**:206
sentido corporal **7**:109
sentido del equilibrio **9**:90
sentido figurado **7**:73
sentidos 12:283
física **6**:165
Lecona, Ernesto **8**:208
sentimiento 12:283
sentimiento **12**:284
educación **5**:213
Leitmotiv **8**:214
Sentinum **7**:278
senufo **4**:266
Senusret III **5**:227
sépalos **6**:177, 179; **11**:7
separación de bienes 12:285
separación isotópica **8**:179
separación matrimonial o divorcio 12:285
separador centrifugo **8**:199
separatismo **13**:275
Sepik, valle del **10**:317
sepiolita **6**:22
Seples **5**:302
sepsis puerperales **2**:81
septemtriones (Siete bueyes) **10**:263
septentrional **7**:144; **9**:43; **10**:263, 297
Septentrional, llanura **1**:163
séptica **7**:154
septicemia 12:285
forúnculo **6**:254
septiembre 12:286
Septimio Severo **7**:40
sepulcro y sepultura 12:286
— azteca **2**:202
— del cardenal Tavera **2**:305
— iglesia del **10**:269
Hipogeo **7**:184
Sequeira, Antonio **11**:177
Sequeira, Luis de **5**:72
Sequeros **12**:172
sequía 12:287
pino **11**:94
sequoia 12:287
ser 12:287
sustancia **13**:88
serafines **1**:280
Serafita **2**:231
Serao, Matilde 12:288
bibliografía **12**:288
Serapeum **1**:155
Serapis 12:288
Amón-Ra **1**:252
dioses paganos **5**:136
Tolomeo I **13**:213
serbal 12:288
árbol **1**:346
Serbia 12:288
— guerra con **4**:294
Croacia **4**:295
Macedonia **9**:7
Montenegro **9**:287
Sercq **7**:39
serdab **9**:124
Serdán, Aquiles **9**:16
Serdán, Ciudad **5**:108
Serdica **13**:24
Serebrier, José **13**:328
Serekunda **6**:273
Seremban **10**:65
Serena, La 12:288
serenata 12:288
Sereno Grano **1**:331
seres mágicos **8**:283
seres mitológicos **13**:163
seres vivos **7**:115
Sereth, río **5**:11
Sergant **7**:45
Sergeevic, Nikolaj **6**:64
Sergeevich Kruschov, Nikita **13**:32

Sergipe 12:288
Sergiyev Posadm, Monasterio de, Moscú, Rusia **9**:274
seri **7**:309
Sérica **4**:46, 54
sericicultura 12:288
sericina **13**:180
Serie de satélites geoestacionarios de operación ambiental **7**:12
Serie Mundial **2**:279
serie química **7**:164
serie, producción en **6**:193
Serifos, isla de **11**:57
serigrafía 12:288
seris **13**:41
sermón 12:289
Sermón de la Montaña **10**:282; **11**:31
Taulero, Johanes **13**:126
Viernes Santo **14**:90
Serna, La, general **7**:83
Serna, Ramón Gómez de la **5**:320
serología 12:289
seroterapia 12:289
Ehrlich, Paul **5**:230
serotipos **1**:68
serotonina **10**:80, 81
Serov, Valentín **12**:143
Serpa Pinto, Alexandre Alberto da Rocha 12:289
biografía **12**:289
Serpedón **6**:84
serpentario 12:289
serpentina 12:289
asbesto **2**:79
mineralogía **9**:230
serpiente 12:290
— albina **1**:141
— anaconda **12**:291
— áspid **12**:291
— Boa constrictora **12**:290
— boas **12**:290, 291
— Emplumada **2**:202; **11**:253
— Emplumada **9**:137
— gabón 12:290
— mocasín **9**:257
— pitón **12**:291
— ratonera incuvando sus huevos **7**:242
— reina **2**:35
— surucucú **12**:291
— veneno **12**:292
Hidra **7**:164
serpiente **12**:291, 292
Serpis, río **1**:151; **14**:12
Serpollet **2**: 171
sérpulas **7**:109
serquinermiut **8**:155
Serra do Mar **2**:16
Serra y Ferrer, Miguel José **12**:292
Serra, fray Junípero 12:292
biografía **12**:292
California **3**:166
serrallo 12:292
serranía de Cuenca **7**:73
Serranía de Ronda, Málaga **9**:40
serranías **13**:326
serránidos **3**:146
Serrano, bachiller **2**:212
Serrano, José **7**:285; **12**:166
serranos **7**:309
Serrao, Francisco **9**:23
Serrat, Joan Manuel 12:292
obra **12**:292
Serravalle-Dogano **12**:193
Serrezuela **5**:185
serrucho **3**:258
Sert y Badía, José María 12:292
obra **12**:292
España **5**:318
Sertorio, Quinto 12:293
biografía **12**:292
Pompeyo, Cneo **11**:165
España **5**:313
Sérvalo Gutiérrez **11**:64
Servandone **10**:71
Servandoni, Giovanni **5**:280
Servan-Schreiber **5**:212
Servet o Serveto, Miguel 12:293
anatomía **1**:261
bibliografía **12**:292
Calvino, Jean Cauvin o Caulvin **3**:174
círculación **4**:91
Gran Bretaña **7**:44
medicina **9**:150
Reforma **11**:325
Servia 12:293
— serviobosnios **12**:294
Bayaceto I **2**:269
Belgrado **2**:285
berlín, Tratado de **2**:300
Eslavos **5**:297
Guerra Mundial, Segunda **7**:90
Mohamed II **9**:264
Paz, Tratado de **11**:19
títere **13**:204
Yugoslavia **14**:167
servicio doméstico **12**:297
Servicio Meteorológico **4**:168
servicio militar 12:294
— señores feudales **12**:294
armada **2**:40
infantería de marina **7**:324
patriotismo **11**:15
servicio militar **12**:295
servicio público 12:295
servicio público **12**:296
servicio secreto 12:296
— sbirri **12**:296
— servicio de inteligencia o de espionaje **12**:296
Servicios aéreos **7**:38
servicios, prestación de **10**:64
servidores Web **8**:20
servidumbre 12:297
— humana **9**:133
esclavitud **5**:281
feudalismo **6**:143
trabajo **13**:236
Servier **13**:332
Serviformica gledaria **7**:227
servillas **14**:70
Servio Tulio **4**:171; **6**:199; **7**:275
servios **1**:75
Servios, Reino de los **14**:167
servocroata **8**:218
Servolo, San **14**:40
servomecanismo 12:297
servomotor 12:297
servosistema 12:297
Sesach **4**:286
sésamo **8**:314
sésamo aráquidas **2**:91
sésamo, aceite de **9**:91
sésiles **7**:204
Sesostris **11**:297
Sesostris III **5**:227
sesquióxido de aluminio **4**:248
Sessa, duque de **14**:33
Sessé y Lacasta, Martín de 12:297
biografía **12**:297
Sestri Levante **12**:81
set **13**:157
Set, dios del mal **10**:264
Setabensis **12**:61
setas **7**:221
Seth **1**:252
Sethi I 12:297
biografía **12**:297
Ramsés II **11**:297
Suez, canal de **13**:74
Settignano, Desiderio da **5**:294
Setúbal **11**:175
Setúbal, bahía de **11**:173
seudónimo 12:297
seudópodo 12:298
amiba o ameba **1**:249
protozoarios **11**:219
radiolario **11**:281
seudotérmino **11**:314
Seúl (Kijo o Kyong-Song) 12:298
Seúl **4**:244, 247
Seurat, Georges **11**:111
Seurat, Georges 12:298
obra **12**:298
Signac, Paul **12**:321
Sevagram **7**:298
Sevan, lago **2**:45
Sevastianov, Vitali **2**:113
Severini, Gino **6**:258
Severn **7**:33
Severn, río **11**:227
Severo **9**:161; **10**:250
Severo, Lucio Septimio 12:298
biografía **12**:298
Papiniano, Emilio **10**:316
Seversky, Alejandro de 12:298
Véase De Seversky, Alejandro **12**:298
Sévigné, Henry de, marqués **12**:*298*
Sévigné, Marie de Rabutin-Chantal, marquesa de 12:298
bibliografía **12**:298
Sevilla 12:298
— escuela pictórica **14**:11
— Alcázar de **8**:88; **10**:288
— Casa de Contratación o Lonja **12**:298
— Casa de Pilatos **12**:298
— Catedral de **12**:60
— Córdoba, España **2**:184
— Exposición Universal en **12**:299
— Giralda de **1**:266
— Hospital de la Caridad de **14**:11
— la gracia, ciudad de **12**:299
— mosaico en **10**:311
— Plaza Maestranza de **13**:126
— San Isidoro de **7**:268
— Semana Santa, fiestas de **12**:299
— Universidad de **4**:310
atlántico, Océano **2**:137
Carmona **3**:250
Córdoba **4**:241
Díaz de Solís, Juan **5**:108
Fernández de Enciso, Martín **6**:134
Halffter, Ernesto y Rodolfo **7**:124
lara, Agustín **8**:176
Machado, Antonio **9**:7
Ponce de León, Juan **11**:166
Sevilla **12**:299
Universidad **13**:316
Zuloaga, Ignacio **14**:190
sevillanas **10**:207
Sévres, Tratado de 12:299
París, Tratados de **10**:329
Porcelana **11**:170
Zuluoaga, Daniel **14**:190
Sewall, Samuel **6**:43
Seward, William Henry **1**:136
sexagesimal 12:299
sexagesimal, sistema **9**:235
sexantes **2**:108
sexo **5**:222; **6**:301
sexo femenino **9**:323
sexo y educación sexual 12:300
sextante 12:301
buque **3**:111
cuadrante **4**:307
Sextilis **1**:101
Sexto Tarquino **13**:121
Sexto y Cneo **4**:10
sexual **12**:25
sexuales **10**:173
Seybold, Cristián Federico 12:301
bibliografía **12**:301
Seychelles 12:301
— bandera de **2**:242
— estructura económica **12**:302
— geografía económica **12**:302
— geografía física **12**:301
— historia **12**:302
— islas **9**:39
— rupia **12**:136
Comunidad (Británica) de Naciones **4**:189
imperio británico **7**:275
Seychelles **12**:302
Seymour, Alan **2**:164
Seymour, Juana
Ana Bolena **1**:255
Bolena, Ana **3**:21
Enrique VIII de Inglaterra **5**:265
Seymour, península de **10**:129
Sforza **9**:222
Sforza, Ascasio **12**:209
Sforza, Carlos 12:302
Sforza, Luis, el Moro, duque de Milán **14**:96
sgabello **9**:254
sha Jahan **7**:300
shabaptiana **7**:308
Shackleton, sir Ernest Henry 12:302
bibliografía **12**:302
exploraciones polares **6**:98
Wilkins, sir George Hubert **14**:150
Shaftesbury **11**:147
Shaftesbury, Anthony Ashley Cooper, primer conde de 12:303
biografía **12**:303
Shaftesbury, Anthony Ashley Cooper, séptimo conde 12:303
biografía **12**:303
Shaftesbury, Anthony Ashley Cooper, tercer conde de 12:303
biografía **12**:303
Shah Mat **1**:127

Shah Pahlevi I **8**:37
Shah Reza Pahlevi **8**:106
Shah-Jahan 12:303
biografía **12**:303
Shakespeare, William 12:303
— Central Park, New York **12**:306
— *Cisne del Avon* **12**:306
— Hamlet **12**:305
— Inglaterra **13**:132
— Macbeth **12**:305
— Stratford **12**:304
Adonis **1**:73
arte **2**:64
bibliografía **12**:303
comedia **4**:163
drama **5**:170
espectro **6**:10
Garrick, David **6**:286
Gran Bretaña **7**:43
Lamb, Charles **8**:166
literatura **8**:274
Mendelssohn, Félix **9**:164
Montale, Eugenio **9**:281
Pasternak, Boris Leonidovich **11**:8
Pérez Galdós, Benito **11**:146
Tieck, Johan Ludwig **13**:187
Shakleton, E. **6**:97
Shakta **7**:180
Shamir, Isaac 12:306
biografía **12**:306
Israel **8**:58
Peres, Shimon **11**:44
Shamisan, Japón **2**:88
Shammar, Yebel **10**:64
Shamo **6**:336
Shamo, desierto **9**:276
Shan, sistemas orográficos de **12**:136
Shanghai 12:307
Asia **2**:93
descubrimientos y exploraciones geográficos **5**:75
Eça de Queiros, José María **5**:184
Hangchow **7**:127
puerto **11**:229
Shanghai **13**:190
Tien-Tsin **4**:51
Shanghai, Casa de té, Yuyuan **12**:307
Shankar Dayal Sharma **7**:301
Shankar, Ramsewak **13**:86
Shannon **7**:45
Shannon, Claude E. **7**:327
Shansi **4**:58
Shao-chi, Liu **9**:66
Shapiro, Alexander **9**:78
Shapley, Harlow 12:308
biografía **12**:308
Shaposhnikov, Boris Michailovich 12:307
biografía **12**:307
Sharjah **5**:249
Sharkey, Jack **3**:63
Sharp, Phillip A. 12:308
biografía **12**:308
Roberts, Richard **12**:82
Sharp, William F. 12:308
bibliografía **12**:308
Markowitz, Harry M. **9**:103
Sharpe, William 12:308
bibliografía **12**:308
Sharpey, fibras resistentes **7**:241
Sharrett, Moshe **12**:336
Shasta, monte **6**:31
Shat al Arab **6**:72
Shatalov, Vladimir **2**:113
Shatt-al-Arab **13**:195
Shaw, George Bernard 12:308
Baeza, Ricardo **2**:215
bibliografía **12**:308
Chesterton, Gilbert Keith **4**:30
comedia **4**:163
Don Jaun **5**:163
Fabiana, Sociedad **6**:107
Grammática, Emma **7**:31
Gran Bretaña **7**:44
Irlanda (EIRE) **8**:46
laborismo **8**:154
Maugham, William Somerset **9**:133
opinión pública **10**:225
Reinhardt, Max **11**:336
Socialismo **13**:19
Webb, Sydney **14**:144
Shawn, Ted **5**:17
Shawnee, Bosque Nacional de **7**:270
Shawnee, colinas **7**:269
Shawnes, tribus **5**:40; **7**:309; **11**:39
Sheaf, río **12**:308
Shebeli, río **6**:67
Sheerness **7**:37
Sheffield 12:308
Gran Bretaña **7**:36
Sheilal **5**:225
Shell Research Limited **4**:250
Shelley, Percy Bysshe 12:308
bibliografía **12**:308
Browning, Robert **3**:88
Judio Errante **8**:119
oda **10**:184
poesía **11**:147
romanticismo **12**:106
Shelton, G. **4**:170
Shen Nung **1**:63; **8**:157; **13**:25
Shen Tsung Wen **4**:58
shenyang 12:309
Manchuria **9**:53
Shenzhen **7**:221
Sheol **6**:18
Shepard, Alan Bartlett Jr. 12:309
biografía **12**:309
astronáutica **2**:113
satélite artificial **12**:238
Sheptoon, Doopgein **3**:125
Sherar, Alfredo Vicente **3**: 241
Sheraton y Hepplewhite, estilos **9**:255
Sherbro, isla de **12**:318
Sheridan, R.B. **7**:43
sheriff 12:309
Sherlock Holmes 12:309
Poe, Edgard Allan **11**:146
Conan Doyle, sir Arthur **4**:192
Sherman, John:166
Sherman, ley **12**:111; **13**:278
Sherman, William Tecumseh **4**:156
Sherrington, sir Charles Scott 12:309
biografía **12**:309
Adrian, Edgard Douglas **1**:74
comportamiento animal **4**:174
Sherwood Anderson **13**:53
Sherwood Rowland, F. **9**:268
Shetland **2**:136; **7**:32; **10**:130
Shetland del sur, islas 12:309
Argentina, República **2**:13
Antártida **1**:302
exploraciones polares **6**:98
Shetland, islas 12:309
— Bressay **12**:309
— Fetlar **12**:309
— Mainland **12**:309
— Unst **12**:309
— Whalsey **12**:309
— Yell **12**:309
Gran Bretaña **7**:34
Shetucket-Thames, río **4**:211
Shevardnadze, Eduard 12:310
biografía **12**:310
Georgia **6**:317
Shgiperia **1**:137
shi'a **1**:334
shicriabá **7**:310
Shigella **5**:143
Shiji **1**:257
Shikita, Masuzo **7**:162
Shikoku **8**:78
Shikotan **8**:150
Shilka **1**:255
Shill (Inglaterra) **2**:187
Shiller **7**:13
shiluk **13**:66
Shimonoseki **11**:20
Shinano **8**:79
Shinar **8**:41
shipibo **7**:310
Shire, raza **6**:277
shiriano **7**:310
Shirra, Walter M **2**:114
Shleiermacher **12**:10
Shler, Zöles **5**:78
Shmun **1**:251
shock **11**:200
shock o choque 12:309
Shockley **2**:254
Shockley, William Bradford 12:310
bibliografía **12**:310
Shoda, Michiko **1**:130
shogunado **8**:67
shoguns **13**:211
shone **2**:247
Shonin, Georgi S **2**:113
shorthorn 12:310
aberdeen angus **1**:27
— raza animal **2**:18; **6**:276
shoshones **7**:309
Shostakovich, Dimitrij 12:310
bibliografía **12**:310
Rusia **12**:142
Khachaturian, Aran Il´ic **8**:140
Showalter Hench, Philip **1**:57; **4**:262; **8**:137
Shreveport **8**:312
Shrieffer **2**:254
Shrophire **10**:274
Shropshire, raza **6**:278
Shu Ching Chan **4**:58
Shubenacadie **10**:156
Shubin, Fedor I. **12**:143
Shujing **1**:257
Shull, Clifford G. 12:310
biografía **12**:310
Brockhouse, Bertrand Neville **3**:83
maíz **9**:36
Shulze, Johann **6**:203
Shumann, Robert **6**:302
Shun Zhi **5**:7
shunt 12:310
Shuppililiumask **7**:, gobierno de195
Shushkevich, Stanislav **12**:148
Shushufindi **5**:197
Shuster **4**:170
Shwe Dagon **11**:299
Shylock **13**:331
Si Ssu Hsun **4**:59
Siam 12:310
— Golfo de **2**:87, 88
arroz **2**:61
Asia **2**:98
descubrimientos y exploraciones geográficos **5**:75
Malaca**9**:39
Polo, Marco **11**:157
Tailandia **13**:101
siamés **6**:291; **9**:39; **10**:335; **13**:101
siameses, hermanos 12:310
siamochinos **2**:95
Siamón **12**:176
Sian Ka'an, Parque **10**:331
Siangtan **4**:52
Síbaris y sibaritismo 12:310
Sibelius, Jan 12:310
obra **12**:310
Siberia 12:311
— aspecto físico **12**:311
— Chita **12**:312
— del Norte **2**:298
— Gorno-Altai **12**:312
— historia **12**:312
— Irkutsk **12**:312
— Kemerovo **12**:312
— Krasnoyarsk **12**:312
— Kurgan **12**:312
— Magadan **12**:312
— meseta de **2**:85
— Novosibirsk **12**:312
— Novosibirsk, ciudad **12**:140
— occidente de **7**:199
— Omsk **12**:140, 312, 313
— Pico Topografov **12**:311
— pueblo y govierno **12**:312
— repúblicas de Buriat-Mogol **12**:312
— Rusia **12**:137
— Sayan, monte **12**:311
— Sibir **12**:312
— Stanovoi, monte **12**:311
— Tomsk **12**:312
— transporte y comercio **12**:312
— Tuva **12**:312
— Tyumen **12**:312
— Yakut **12**:312
Alcazarquivir **1**:147
Armiño **2**:46
arqueología **2**:52
Begin, Menaheim **2**:277
Corea **4**:243
Dostoievski, Fedor M. **5**:166
geología **6**:307
guerra Ruso-Japonesa **7**:98
Kamchatka **8**:132
Mendeleyev, Dmitry Ivanovich **9**:164
Omsk **10**:210
Pushkin, Alexandr **11**:244
Siberiano **12**:312
tundra **13**:283
Yeneisei **14**:162
Siberiano, mar **12**:136
siberianos **2**:95
sibila 12:313
adivinación **1**:70
sixtina, capilla **13**:11
Sibiu **13**:246

siboney **13:**103
siboneyes **4:**313
Sibun, río **2:**286
Sic et non **1:**26
Sica, Vittorio de 12:313
biografía **12:**313
cinematografía **4:**84
Neorrealismo **10:**72
Sicardi, A. **3:**105
sicasica **7:**309
Siccardi, Honorio **5:**105
Sichel, amaurosis de **10:**190
Sichuan, depresión de **4:**48
Sicilia 12:313
— isla **6:**76
— Italia, isla de **6:**70
— Simeto, río **12:**314
— virrey de **6:**134; **13:**153
Agrigento (Girgenti) **1:**109
Astarté **2:**105
Edad Media **5:**208
Fernández de la Cuerva, Francisco **6:**134
Habsburgo, casa de **7:**116
Jónico, mar **8:**107
maremoto **9:**90
papiro **10:**317
piratería **11:**107
Tirreno, mar **13:**203
viento **14:**90
Sicione **11:**96
siclo 12:314
sicocinesis **9:**185
sicomoro **1:**345, 349
sicómoro 12:314
sicoterapia **9:**177
Sicre y Velez, Juan José 12:314
obra **12:**314
sicu 12:314
Sículo, Diodoro **13:**154
Sículo, Lucio Miríneo **5:**317
sida 12:314
— virus de **12:**315
drogadicción **5:**175
Siddhartha **7:**161, 300
Siddim, valle de **13:**24
sidecar **9:**312
sideral **7:**224; **9:**175; **12:**241
siderita **7:**172
siderurgia 12:316
Sidi Bou Sahid **2:**102
Sidi Ifni **7:**266
Sidney **2:**162
Sidney Australia **10:**220
Sidney Lanier, lago **6:**316
Sidney Webb **13:**19
Sidney, sir Philip 12:316
arcadia **1:**349
bibliografía **12:**316
Sidney, Universidad de **4:**250
Sidón **4:**165; **8:**58; **9:**223
Sidón Fenicia **6:**84, 129, 130
sidra 12:316
— Golfo de **4:**92
alcohol **1:**150
bebidas **2:**272
Siebe, Augusto **3:**127
Siècle **6:**172
Siedentopf, H. F. W. **14:**189
Siegbahn, Kai Manne 12:316
biografía **12:**316
Siegbahn, Karl Manne Georg 12:316
biografía **12:**316
Siegel **4:**170
siembra 12:316
— y plantación **11:**94
labranza **8:**155
Siemens & Haske AG de Berlín **12:**150
Siemens, Charles William 12:316
obra **12:**316
Siemens, Ernest Werner von 12:317
— efecto **12:**317
bibliografía **12:**317
Siemens, Friedrich **12:**51
Siemens-Martin, procedimiento de **12:**51
siempreviva 12:317
Sien Shao **12:**43
Siena 12:317
— catedral de **12:**317
— púlpito de **11:**110
— *Sena Iulia* **12:**317
mármol **9:**104
Quercia, Iacobo di Pietro d´Angolo **11:**250
Sienita **6:**313
sienítico **11:**170
Sienkiewicz, Henryk 12:317
bibliografía **12:**317
Polonia **11:**161
Quo Vadis? **11:**270
sierra (herramienta) **12:**318
—carpintería **3:**258
Sierra (Ecuador) **12:**318
— de Coro **8:**176
— de la Estrella **11:**173
— de las Palomas **8:**175
— de, San Luis **6:6:**308
— Geral, Brasil **13:**326
— Gorda **7:**74
Puebla **11:**226
Sierra Leona 12:318
— bandera de **2:**242
— educación **12:**318
— gobierno **12:**320
— historia **12:**318
— Kenema **12:**318
— Kissy **12:**318
— Koido-Nueva Sembehun **12:**318
— limba **12:**318
— Lungi (Freetown) **12:**318
— Makeni **12:**318
— mende **12:**318
— península de **12:**318
— Pepel **12:**318
— Port Loko **12:**318
— Strasser **12:**320
— temne **12:**318
comunidad (Británica) de Naciones **4:**189
Freetown **6:**234
Guinea, República de **7:**105
Lagos **8:**164
Níger **10:**100
Sierra Madre
— de Dios **7:**76
— del Sur **7:**101
— Meridional o del Sur **9:**17, 193
— México **9:**17, 284
— Occidental **1:**208
— Oriental **1:**208
sierra
— de Minas y Carape **8:**200
— Madre de México **7:**76
— Monte Alto **6:**30
— Monte Bajo **6:**30
— Morena **2:**213; **6:**105
— Nevada **6:**30; **9:**327; **13:**208
— Paul **7:**189
— Sagra **7:**71
Sierra, Justo 12:318
biografía **12:**318
México **9:**201
positivismo **11:**179
Sierra, Roberto **11:**240
siervo 12:320
trabajo **13:**236
feudalismo **6:**143
Siete Años, Guerra de los **9:**95; **10:**61
Siete Ciudades, isla de las **5:**70
siete durmientes de Éfeso, Los 12:320
siete maravillas del mundo 12:320
— antiguo **9:**135
— Coloso de Rodas **12:**321
— estatua de Zeus (o Júpiter) **12:**320
— faro de Alejandría **12:**321
— jardines colgantes de Babilonia **12:**320
— mausoleo de Halicarnaso **12:**320
— pirámides de Egipto **12:**320
— templo de Diana en Éfeso **12:**321
Siete Partidas **4:**259
Siete Picos **7:**73
siete sabios de Grecia 12:321
Lombardo Toledano, Vicente **8:**301
Solón **13:**31
siete Sacramentos **4:**229; **14:**30
Siete Semanas, guerra de **6:**230
Siete Sierras **7:**106
Sieyès, Emmanuel Joseph 12:321
biografía **12:**321
directorio **5:**139
sífilis 12:321
Ehrlich **5:**230
insuficiencia **8:**14
Noguchi, Hideyo **10:**127
sordera **13:**42
sifón 12:321
hidrstática **7:**168
pulpo **11:**242
sifonápteros **8:**9
sifones **3:**206
sifr **2:**34
Sigeberto **3:**91
Sigfrido **5:**168; **6:**302; **10:**92
Sigililaria **6:**308
siglo 12:321
Sigma 7 **2:**114
sigmoides **4:**237
Sigmund Freud **13:**59, 75, 87
Signac, Paul 12:321
obra **12:**321
Pissarro, Camille **11:**111
Signill **13:**71
signo 12:322
— alfabéticos **1:**171
— del álgebra **1:**179
— libro de los **7:**65
— musical **4:**109
— operatorios **1:**180
— y señales **4:**182
Signorelli, Luca 12:322
obra **12:**322
Orbieto **10:**262
Sixtina, capilla **13:**12
signos de interrogación y exclamación 12:322
Siguateguacán **12:**210
Sigüenza y Góngora, Carlos de 12:322
Abreu Gómez, Ermilo **1:**33
obra **12:**322
sikh **14:**63
Sikh, Templo **10:**156
sikhs **7:**298, 299
Si-kiang (o río del oeste) 12:322
Sikkeland, T. **8:**198
Sikkim (Gangtok) **7:**299
Sikorski (Estados Unidos) **2:**186
Sikorski **7:**142
Sikorsky, Igor Ivanovich 12:322
biografía **12:**322
Sil **9:**235
Sila o Sula, Lucio Cornelio 12:322
biografía **12:**322
Mario Cayo **9:**100
Sila, Pablo Cornelio **4:**9
sílaba 12:322
— mística **9:**62
silbato de Galton **13:**39
Sile **14:**39
Silecia, Breslau, ciudad de **12:**323
Silene **8:**108
Sileno 12:322
Silense **6:**335
silepsis 12:322
Siles Salinas, Luis Adolfo **3:**30
Siles Zuazo, Hernán 12:323
biografía **12:**323
Silesia 12:323
— checa **3:**18
— cuenca de **4:**25
Maria Teresa de Austria **9:**95
sílex 12:323
cuarzo **4:**309
silfos **7:**116
Silhouette, Esteban de **12:***325*
silicato 12:323
— de alúmina **8:**174
— de berilo **8:**335
— de cinc **8:**335
— de alúmina **7:**48
talco **13:**105
sílice 12:323
cuarzo **4:**309
silicio 12:323
— aplicaciones **12:**323
Tierra **13:**192
Verselios **2:**305
silicosis 12:323
enfermedades profesionales **5:**262
neumoconiosis **10:**77
silicua **6:**239
Silillica, sierra de **3:**25
silimanita **10:**77
silla civil **9:**253
silla de montar 12:324
silla de Penélope **9:**253
silla doble **9:**252
silla y sillón 12:324
Silla, cerro de la **9:**288
Silla, reino de **4:**244
Sillanpää, Frans Eemil 12:325
bibliografía **12:**325
sillas ceremoniales **9:**252
sillas episcopales **9:**253
Sillón antiguo **9:**255
sillón-pupitre **9:**254

silo 12:325
leche y lechería **8:**204
Siloe, Diego de **9:**40
silogismo 12:325
argumento **2:**29
Silone, Ignazio **8:**65
Silos **2:**312
silueta 12:325
silúrico 12:325
siluro 12:325
geología **6:**308
Silva Porto **1:**287; **11:**177
Silva Valdés, Fernán 12:325
bibliografía **12:**325
Uruguay **13:**329
Silva, Adhemar da **10:**205
Silva, Alfonso de **11:**63
Silva, António José da 12:325
Véase Alejandinho, el
Silva, Augusto da **3:**241
Silva, Cristino de **11:**177
Silva, José Asunción 12:325
bibliografía **12:**325
Silva, Lincoln **10:**322
Silva, Medardo Ángel 12:325
bibliografía **12:**325
Silva, Oscar da **11:**178
Silva, Rea **7:**275
Silva, Tristao da **11:**178
Silva, Víctor Domingo 12:325
bibliografía **12:**325
Silvano 12:325
Silvaterium **7:**297
Silvercity **10:**87
Silverstone, Inglaterra **2:**168
Silvestre, Luna **11:**21
silvestre, paloma **10:**296
Silveti, Juan **13:**127
silvicultura 12:326
silvina **11:**179
Silvretta, monte **13:**76
sima de San Martín **6:**13
Si-ma Qian **1:**257
Simancas, archivo de 12:326
simaruba 12:326
Simbad *el marino* 12:326
Simbad el Marino y Alí-Babá **2:**216
simbiosis 12:326
Simbirsky **11:**311
simbolismo 12:326
— cristiano **7:**14
— literario **8:**279
— místico **9:**173
símbolo 12:327
— masónicos **9:**120
símbolos matemáticos 12:327
Simen, cordillera **6:**67
Simenon, Georges 12:328
bibliografía **12:**328
Simeón Estilita *el Viejo*, san 12:328
biografía **12:**328
Jesucristo **8:**99
simetría 12:328
— bilateral **10:**70
— radial **6:**62
Simferopol **4:**283
símil 12:328
simios **2:**90; **11:**198
Simmel, Geora 12:328
bibliografía **12:**328
Simmonds, Kennedy A. **12:**167
Simms, William Gilmore 12:328
Ku-Klux-Klan **8:**150
bibliografía **12:**328
Simó, Manuel **5:**163
Simoda **6:**41
Simón el Cirineo **8:**97
Simon, Carly **12:**331
Simon, Claude 12:328
bibliografía **12:**328
Simon, Herbert Alexander 12:329
bibliografía **12:**328
Simón, san 12:329
Véase apóstoles **12:**329
Simon, Teodoro **2:**324
Simónides de Amorgos 12:329
bibliografía **12:**329
Simónides de Ceos 12:329
biografía **12:**329
Simovich, general **14:**167
simplex **9:**250; **13:**146
Simplón 12:329
— túnel del **6:**141
alpes **1:**201
Suiza **13:**79
Simpson **9:**150
Simpson, Jacobo **4:**117
Simpson, Melvin **6:**324
Simpson, sir James Young 12:329
biografía **12:**329
Simpson, Wallis Warfield **5:**213
simulación 12:329
Simuladora, gran **14:**41
simúlidos **14:**26
simún 12:329
Simyra **6:**129
sinagoga 12:329
escriba **5:**283
rabino **11:**272
Sinaí 12:330
— monte **6:**85
— península de **13:**6, 74
— Santa Catelina, monte (Yébel Katerina) **12:**330
Sinaítico **6:**85
Sinaloa 12:330
— historia **12:**331
— México **2:**220
— río **12:**330
— San Ignacio **12:**330
Sinán, Rogelio **10:**303
sinapsis **5:**48; **10:**79
sinapsis colinérgicas **1:***50*
sinápticas, interacciones **10:**81
sinartrosis **2:**72
Sinaruco, río **14:**43
Sinatra, Frank 12:331
biografía **12:**329
sinavirones **14:**115
Sinchi Roca **7:**289; **9:**54
Sinclair, Upton 12:331
bibliografía **12:**331
Sinclair, Upton **6:**43
sinclinal 12:331
— pliegue **6:**313
minería **9:**232
síncopa 12:331
figuras del lenguaje **6:**151
gramática **7:**31
síncope **5:**90
sincrociclotrón **1:**47
sincronismo 12:331
televisión **13:**150
sincrotrón 12:331
Gell-Mann, Murray **6:**298
sindicalismo y sindicato 12:331
— de la ex URSS **2:**237
— moderado **12:**332
— obreros **7:**195
anarcosindicalismo **1:**260
síndico 12:333
síndrome 12:333
— de Bárány **2:**250
— de Ellis Van Creveld **5:**145
— de inmunodeficiencia adquirida **12:**314
— del estrés **12:**270
— Down **5:**167
— histérico **7:**191
— premenstrual (SPM) **9:**170
sinécdoque 12:333
sinergia 12:333
sinfonía 12:333
— alpina **13:**57
— *callejera* **12:**126
— *clásica* **12:**142
— indígena centroamericana **5:**43
— mexicana **5:**43
— número cuatro en fa menor **13:**129
— *número uno* **12:**311
— quisqueyana **5:**163
— *sevillana* **13:**289
— *Coral* **12:**333
Disney, Walt **5:**143
singapoa **13:**122
Singapur 12:333
— bandera de **2:**242
— Bukit Timah, monte **12:**333
— geografía económica **12:**334
— gobierno **12:**334
— historia **12:**334
— islas **9:**42
— la ciudad **12:**334
Singer and Company,I.M. **12:**335
Singer, Isaac Bashevis 12:334
vestido **14:**70
arte de vander **2:**65
biografía **12:**334
máquina de coser **9:**74
sastrería e industria de la confección **12:**234
Singer, Isaac Merritt 12:335
biografía **12:**334
Singer, Joshua **12:**335
Singerman, Berta 12:335
biografía **12:**335
Singidunum 2:284
Singleton Copley, John **9:**123
Sin-itiro Tomonaga **6:**144
Sinkiang 12:335
— historia **12:**335
— Turquestán Oriental **12:**335
— uigur, imperio **12:**335
— Urumchi **12:**335
Sinks, cañón **14:**156
sinódico **9:**175
Sínodo de Aquilea **1:**226
Sínodos de Occidente **8:**96
Sínodos de Oriente **8:**96
sinólogos **5:**170
Sinón **3:**136
Sínope **1:**261; **2:**258; **5:**134
Sinope, puerto de **10:**68
Sinópticos **8:**98
sinovial **4:**324
Sinowatz, Fred **2:**167
sinsonte 12:335
sintagma **2:**238
sintaxis 12:335
latín **8:**180
síntesis 12:335
— de la urea **14:**154
— de moléculas **8:**213
— de proteínas **12:**61
— histórica, Europa **6:**81
— proteica **6:**324
— química **4:**285
hierba **7:**171
sintoísmo 12:336
— del Japón **1:**219
Asia **2:**96
Corea **4:**244
religión **12:**11
sintonía 12:336
Sintra, Pedro de **5:**72
Sinú (Colombia)
Bolívar **3:**22
Córdoba **4:**241
Montería **9:**288
Valencia **14:**14
Sión
Biblia **2:**308
Rumania **12:**132
sionismo 12:336
Sionista
— Congreso **10:**129
— jefe de los **7:**160
— movimiento **14:**145
Begin, Menaheim **2:**277
sioux
indios americanos **7:**310
Minnesota **9:**228
Nebraska **10:**61
Pieles rojas **11:**85
South Dakota **13:**46
Sioux City **10:**61
Sípilo, monte **13:**113
Siponto **6:**48
Sipparce **2:**310
Siqueiros, David Alfaro 13:5
obra **13:**5
Cuevas, José Luis **4:**326
Latinoamérica **8:**194
México **9:**206
Montenegro y Nervo, Roberto **9:**287
Orozco, José Clemente **10:**256
Síquem **8:**97
Siqueo
Cartago, Ciudad antigua **3:**266
Pigmalión **11:**87
Sirac, Ben **13:**5
Sirac, Libro de 13:5
Siracusa 13:5
— batalla naval de **12:**93
Arquímedes **2:**53
Corinto **4:**248
Dionisio *el viejo* **5:**134
geometría **6:**314
Guerras Púnicas **7:**100
logística **8:**300
Peloponeso o Morea **11:**33
Platón **11:**135
Roger de Lauria **12:**93
Sicilia **12:**314
Sirah **2:**309
sirena 13:5
sirenas 13:5
Aqueloo **1:**330
Capri **3:**227
sirénidos **13:**324
sirenio 13:5
mamífero **9:**49
dugongo **5:**176
Siret **12:**129
Siria 13:5
— bandera de **2:**242

— desierto de **5**:89; **10**:292
— monasterios de **9**:64
— República de **5**:9
— rey de **4**:307
Abdullah, Ibn–Hussein **1**:21
acueducto **1**:59
aeroplano **1**:87
Alejandreta **1**:154
Alejandro III **1**:156
Alepo **1**:168
algodón **1**:182
Arabia **1**:333
Armenia **2**:46
arroz **2**:62
Asia **2**:87
Asiria **2**:101
castillo de las cruzadas **4**:306
comercio **4**:165
cristianismo **4**:291
cruzadas **4**:307
cuneiforme **4**:329
Damasco **5**:9
drusos **5**:175
Edad Antigua **5**:202
Egipto **5**:228
ermitaño **5**:275
esponja **6**:20
Éufrates, río **6**:72
Fenicia **6**:129
gitano **6**:328
Golán, Alturas de **7**:13
Hadad o Adad **7**:116
Hammurabi **7**:126
hiena **7**:170
imperio romano **7**:281
Irán e Iraq, guerra de **8**:35
Istar **8**:58
Jordania **8**:107
Lausana, tratado de **8**:198
lenteja **8**:224
Levante **8**:236
Líbano **8**:240
Mahoma **9**:31
Marco Antonio **9**:87
Mediterráneo, Mar **9**:154
Saladino I **12**:171
seléucida **12**:269
semita **12**:275
sionismo **12**:336
vestido **14**:66
Zenobia **14**:177
siringa **3**:299
siringomielia 13:8
Sirio 13:8
luz **8**:332
Sirio, Alejandro **1**:214
siriono **1**:241; **7**:309
Siripo **2**:25
Sirius, estrella **6**:61; **9**:30
siroco **6**:214; **8**:61
Sironya, colinas de **7**:296
Sirrah **1**:274
Sirte, Golfo de **9**:153
Sirven **14**:129
sisal
agave **1**:100
Angola **1**:285
Antillas Holandesas **1**:309
cuerda **4**:320
Sisebuto **1**:312
Sísifo 13:8
Corinto **4**:248
Folklore o folclor **6**:189
Sisley, Alfred 13:8
biografía **13**:8
Francia **6**:228
impresionismo **7**:286
Renoir, Pierre Auguste **12**:20
sismología y sismógrafo 13:8
— de Benioff **13**:8
astronáutica **2**:118
terremoto **13**:171
Tristán, Fidel J. **13**:269
sismogramas **13**:8
Sismondi, Jean-Charles Sismonde de **13**:17
Sistema
— Alpino **2**:84
— analista **1**:257
— antropométrico de Bertillon **1**:319
— arterial **8**:21
— bicameral **7**:9
— Braille **2**:316
— capitalista **5**:194; **13**:17
— catenaria **6**:139
— circulatorio **1**:295, 236
— circulatorio **4**:91, 324
— circulatorio periférico **7**:191
— cuánticos **8**:209
— cúbico **4**:290
— de alcantarillado **1**:145
— de alimentación **13**:5
— de congelación **4**:206
— de educación **5**:194
— de engranajes **7**:331
— de gobierno **7**:7
— de lanzamiento **10**:145
— de liberación **10**:145
— de montañas **7**:179
— de Pamir y Karakorum **13**:185
— de poleas **7**:69
— de proyección en cartografía 9:67
— de terrazas **2**:60
— de transporte en las Villas de Ganive, Benin **2**:293
— de Transporte Supersónico (STS), **4**:302
— decimal **13**:114
— económico **5**:188
— endocrino **1**:295
— esquelético **1**:294
— excretorio **1**:295
— expertos **8**:15
— feudal **5**:205
— fluvial **8**:231
— glandular **8**:21
— hexagonal **10**:100
— Himalayo, *Cadena de nieves* **2**:85
— integumentario **1**:294
— jeroglífico **7**:195
— judicial **7**:8
— jurídicos **7**:6
— Kunlun **4**:48
— legal **7**:5
— legislativos **8**:212
— linfático **5**:284; **8**:266
— linfático **8**:265
— mayoritario **8**:242
— medieval **1**:105
— mixto **11**:280
— modernos **13**:147
— montañoso alpino y al del Rin **2**:269
— multilateral de liquidaciones **1**:62
— muscular **1**:294; **7**:321
— neurovegetativo **8**:231
— nutritivo **1**:295
— ortorrómbico **4**:290
— periódico **8**:172
— planetario **7**:152; **8**:175
— portuario **5**:310
— reproductor **1**:295
— respiratorio **1**:295
— rotatorio **4**:249
— tonal **13**:218
— triclínico **4**:290
— unitario **10**:189
— venoso **8**:21
Sistema Económico Latinoamericano (SELA) 13:8
comercio **4**:167
Cuba **4**:312
Ecuador **5**:198
Guyana **7**:111
Honduras **7**:218
Uruguay **13**:328
Sistema eléctrico 2:172
sistema métrico decimal 13:9
Véanse Metro y Sistema Métrico; Peso
sistema nervioso
— maduración del **7**:321
anfetamina **1**:277
animal **1**:294
corazón **4**:324, 327
drogadicción **5**:174
drogadicción **5**:174
embriología y embrión **5**:249
enfermedades mentales **5**:262
histamina **7**:191
intestino **8**:21
Loewi, Otto **8**:299
sistema nervioso central
ataxia **2**:132
atropina **2**:154
Erlanger, Joseph **5**:275
sordera **13**:42
sistema solar 13:9
astronomía **2**:124
cometa **4**:168, 169
Júpiter **8**:127
Tierra **13**:191
Venus **14**:51
Sistemas de seguridad 2:176
sisterna Fischer **2**:256
sístole **4**:237
Sita **11**:293
Sita, princesa **14**:15
site **13**:10
Siteki **13**:90
sitio 13:9
— Amberes **13**:10
— Barcelona **13**:10
— Berlín **13**:10
— Cádiz **13**:10
— Cartago **13**:9
— conmemorativo del muro de Berlín **2**:300
— Constantinopla **13**:10
— Corregidor **13**:10
— de Puerto Arturo **7**:45
— Gibraltar **13**:10
— Granada **13**:10
— Jerusalén **13**:10
— Jerusalén **13**:9
— La Rochela **13**:10
— Leningrado **13**:10
— Mantua **13**:10
— Numancia **13**:9
— Orléans **13**:10
— París **13**:10
— Puerto Arturo **13**:10
— Rodas **13**:10
— Roma **13**:9
— Sagunto **13**:9
— Santiago de Cuba **13**:10
— Sebastopol **13**:10
— Stalingrado **13**:10
— Tiro **13**:9
— tradicionalmente reconocido del nacimiento de Jesús **2**:280
— Troya **13**:9
— Venecia **13**:10
— Verdún **13**:10
— Viena **13**:10
Sitka **1**:136
Sitter, Willen de 13:10
biografía **13**:10
Sittong **2**:95
situación 13:10
situacionismo 13:10
Siurot y Rodríguez, Manuel 13:10
biografía
siux 13:10
— Wanduta 1913 **13**:11
vivienda **14**:114
Siv, Peder **5**:126
Siva 13:11,
— estatua de **7**:302
— templo de **8**:82
Brahama y brahamanismo **3**:65
India **7**:300
símbolo **12**:327
Trimurti **13**:267
Visnú **14**:105
siv-baktas **13**:11
Sivo **8**:151
Sivori, Eduardo 13:11
obra **13**:11
Sixaola, río **10**:300
Sixtina, Capilla 13:11
— vista de la **12**:18
conciliares, teorías **4**:196
Renacimiento **12**:18
Roma **12**:100
Signorelli, Luca **12**:322
Sixto IV 13:12
— mausoleo de **11**:156
biografía **13**:12
Francisco de Paula, san **6**:231
inquisición **7**:336
Iván III **8**:69
Julio II **8**:125
Regiomontanus, Johann Müller llamado **11**:331
Roma **12**:100
Sixtina, capilla **13**:11
Tordesillas, tratado de **13**:222
Torquemada, fray Tomás de **13**:227
Vaticano, Ciudad del **14**:29
Sixto V 13:12
biografía **13**:12
contrarreforma **4**:229
pontificios, estados **11**:167
Sacro Colegio Romano **12**:160
Skabeyev, Frol **12**:140
Skagen, Cabo **5**:122
Skagerrak 13:13
Báltico, mar **2**:230
Europa **6**:76
Dinamarca **5**:122
Noruega **10**:133

Suecia **13:**68, 69
Skanderbeut, Mali **1:**137
Skansen **13:**70
Skarga **11:**161
Sketchs **5:**113
skiádeion **14:**63
Skidoo **12:**109
Skikda **2:**11
Skinner, Burrhus Frederic
Comportamiento animal **4:**174
determinismo **5:**95
Skiol **5:**125
skittles **3:**32
Sklodowska, Marie **4:**332
Sklowaczeweski, S. **11:**161
Skoda **2:**75
Skokie **10:**71
Skopje, Macedonia **9:**7
Skorina **12:**149
Sköttkonung, Olaf **13:**70
Skovgaard **5:**126
Skrjabin, Mihail **12:**61
Skupchtina **4:**295
Skurla **5:**277
SkyDome **13:***226*
Skye **7:**32, 136
Skylab
Apolo **1:**328
astronáutica **2:**120
cohete **4:**130
estación espacial **6:**28
slalom **10:**205
Slamet **8:**91
Slawata **5:**35
Slayton, Donald **2:**113
Sledmere House, Yorkshire **9:**254
Sleeman **13:**184
Slesieski **11:**161
slide **3:**8
slip **14:**70
Sliunkov, Nikolai **12:**148
slivovitza **2:**272
slogan 13:13
Slovenská, Matica **5:**299
Slovenske, montañas **5:**297
Slowacki **11:**161
Smalley, Richard 13:13
biografía **13:**13
Curl, Robert F. Jr. **4:**333
Kroto, sir Harold W. **8:**148
Smetana, Bedrich 13:13
Checa, República **4:**28
Dvorak, Antonin **5:**182
obra **13:**12
Smiles, Samuel 13:13
bibliografía **13:**12
Smith, Adam 13:13
biografía **13:**13
economía **5:**190
intervencionismo **8:**20
libre cambio **8:**249
Maltus, Thomas Robert **9:**46
Revolución Francesa **12:**46
Ricardo, David **12:**62
tarifa **13:**119
valor **14:**16
Smith and Wesson **12:**55
Smith, Bessie **3:**9
Smith, Cecil **11:**156
Smith, Gladys Mary **11:**81
Smith, Hamilton 13:14
biografía **13:**14
Smith, Ian **14:**178
Smith, John
Estados Unidos **6:**43
Pocahontas **11:**144
Smith, Joseph 13:14
biografía **13:**14
Canaletto **3:**207
Smith, June Edith **9:**224
Smith, Mamie **3:**9
Smith, matemático inglés **9:**234
Smith, Michael 13:14
biografía **13:**14
Smith, Octavio 13:14
bibliografía **13:**14
Smith, Robert **1:**151
Smith, Theobald 13:14
biografía **13:**14
Smith, Top **3:**9
Smith, W. **5:**79
Smithfield **7:**183
Smithfield **8:**303
Smithson, James Smithson 13:14
— Área Biológica de la Zona del Canal de Panamá **13:**15
— Departamento de Etnología Americana **13:**15
— Galería de Arte Freer **13:**15
— Galería Nacional de Arte **13:**15
— Museo Nacional del Aire **13:**15
— Observatorio Astrofísico **13:**15
— Parque Zoológico Nacional **13:**15
biografía **13:**14
Smithson, Tennant
invenciones y descubrimientos **8:**23
iridio **8:**42
osmio **10:**264
Smithsonian, Instituto
— castillo del **8:**10
Washington, D.C. **14:**140
smithsonita 13:14
cinc **4:**81
Smoky Dome **6:**31
Smolensk **5:**149
Smoluchowski, Marian **3:**88
Smonly, monasterio de **12:**143
Smrkovsky, Josef **4:**27
smut **9:**37
Smuts, Jan Christiaan 13:15
biografía **13:**15
Liga de las Naciones **8:**258
Smyrna **13:**158
Smyslov, Vasily **1:**128
Snake, río
— presa en el **7:**263
Estados Unidos **6:**32
Idaho **7:**262
Washington, estado de **14:**141
Snegur, M. **9:**266
Snel, G **2:**289
Snell, George Davis 13:15
biografía **13:**15
Snellus **6:**305
Sniardwy, lago **11:**157
Snipe **14:**35
Snowden **8:**154
Snyder, Hartland S **2:**128
Soa **8:**131
Soane, John **7:**45
Soares, Mário 13:15
biografía **13:**15
Potugal **11:**177
Soarikoski, Pentti **6:**161
sobaquillo **13:**126
Sobat, río **6:**67
Soberana Asamblea General Constituyente **2:**21
soberanía 13:15
— del estado **7:**6
— política **6:**102
Sobhuza I **13:**90
Sobhuza II **13:**90
Sobieski, Juan 13:16
biografía **13:**14
Polonia **11:**159
sobreacumulación 13:16
sobrealimentación 13:16
sobrecargo 13:16
sobrejuez **1:**67
sobremesa **13:**196
Sobremonte, Rafael de, Marqués de 13:17
biografía **13:**17
Reconquista de Buenos Aires **11:**316
sobrenaturalismo 13:17
sobrepelliz **1:**52
sobreproducción 13:17
Sobrero, Ascanio **10:**107
sobreseimiento 13:17
Socabaya batalla de 13:17
Socarrás, Prío **2:**266
Socavón, Virgen del **10:**262
sochantres **11:**238
sociabilidad 13:17
socialdemocracia 13:17
Suecia **13:**69
Socialdemócrata, Partido, bolchevique **9:**269
socialismo 13:18
— cristiano **8:**142
— de Estado **2:**96; **13:**19
— democrático **8:**153
— el socialismo científico **13:**18
— el socialismo posmarxista **13:**19
— el socialismo utópico **13:**18
— en Inglaterra **14:**144
— en Uruguay **13:**170
— humanista **5:**193
— posmarxista **13:**19
— tendencias modernas **13:**19
cristianismo **4:**292
Dostoievski, Fedor M. **5:**166
economía **5:**193
Fabiana, Sociedad **6:**107
feminismo **6:**128
Fourier, Charles **6:**205
laborismo **8:**154
Nikrumah, Kwame **10:**108
teología de la liberación **13:**161
Webb, Sidney **14:**144
socialización **13:**17
sociedad 13:20
— anónima **4:**172
— capitalista **5:**193
— conyugal **9:**132
— rural **3:**195
Sociedad de Naciones 13:20
— Consejo de la antigua **12:**292
— Origen **13:**20
— Estructura **13:**20
— Órganos auxiliares **13:**20
Angell, sir Norman **1:**282
Arias, Harmodio **2:**29
Belaúnde, Víctor Andrés **2:**280
Benes, Eduardo **2:**292
Bourgeois, Léon Victor Auguste **3:**61
derecho internacional **5:**60
Guerra Mundial, Primera **7:**92
Israel **8:**57
Jerusalén **8:**98
laborismo **8:**154
mandato **9:**55
Wilson, Thomas Woodrow **14:**152
sociedad mercantil 13:20
Véanse Compañía; Economía
sociedad protectora de animales 13:20
sociedad secreta 13:21
sociedad, islas de la 13:20
Véase Tahití
Cook, James **4:**231
Polinesia **11:**153
Society for Psychical Research **6:**18
Socini **13:**314
sociología 13:21
— Actual **13:**304
— animal **6:**71
— de las masas **13:**22
— descriptiva **13:**47
— estratificación **6:**59
asimilación **2:**100
Comte, Auguste **4:**180
criminología **4:**284
estratificación **6:**59
historia **7:**193
Ianni, Octavio **7:**255
información, ciencia de la **7:**327
lectura **8:**206
Solvay, Ernest **13:**32
Soco, río **5:**157
Socompa 13:22
Soconusco 13:22
Socotora 13:22
aloe **1:**198
Arábigo, Mar **1:**338
Sócrates 13:23
bibliografía **13:**24
Alcibíades **1:**148
Antístenes de Atenas **1:**314
Aristófanes **2:**32
Atenas **2:**134
cicuta **4:**69
dialéctica **5:**102
Diógenes **5:**134
educación **5:**214
educación física **5:**220
Eurípides **6:**74
filosofía **6:**158
Grecia **7:**61
helenismo **7:**140
humanismo **7:**247
Jenofonte **8:**94
Liceo **8:**255
literatura **8:**276
manuscritos **9:**64
Pericles **11:**50
Platón **11:**135
regla áurea **11:**331
Rosellini, Roberto **12:**116
Zenón de Citio **14:**177
sodalita **13:**23
Soddy, sir Frederick 13:23
biografía **13:**17
Gran Bretaña **7:**44
Ramsay, sir William **11:**297
Söderblom, Nathan 13:23
bibliografía **13:**17
Södergran, Edith **6:**161
Soderini, Pedro **14:**61
sodio 13:23

biología **2**:326
elemento químico **5**:245
Gay-Lussac, Joseph-Louis **6**:295
lapislázuli **8**:174
molécula **9**:266
nitratos **10**:105
Tierra **13**:192
sodio-grafito, reactor de **2**:153
Sodoma 13:24
Lot **8**:309
Muerto, Mar **9**:323
Sodoma, Giovanni Antonio Bazzi, llamado il 13:24
obra **13**:24
Soekarno, Achmed 13:24
biografía **13**:24
Sofar **8**:105
sofás **9**:252
Soffi, Mazzini **13**:270
Soffici **6**:258
Sofía 13:24
Adrianópolis **1**:75
Constantino I **4**:217
Iván III **8**:69
Pedro I, *el Grande* **11**:25
Sofía de Grecia 13:24
biografía **13**:24
sofisma 13:24
sofista 13:23
educación **5**:214
Isócrates **8**:54
Sófocles 13:24, 133, 240
Antígona **1**:305
Atenas **2**:134
Ayax **2**:193
Bello, Andrés **2**:288
bibliografía **13**:24
Edipo **5**:211
Electra **5**:236
escena **5**:279
Eurípides **6**:74
Grecia **7**:61
helenismo **7**:140
papiro **10**:317
Pericles **11**:50
Sofonías **2**:309
Sofonisba **1**:172
Sofron **4**:124
softball 13:25
software 13:25
información, ciencia de la *7*:327
programa (computación) **11**:209
Sogne **6**:162
Sohbeya **1**:194
Soilthurn **13**:80
Soissons, batalla de **4**:114
soja o soya 13:25
— Descripción y variedades **13**:25
— Usos **13**:26
— Cultivo **13**:26
— Producción **13**:26
Sojana, río **2**:335
Sojo, Vicente Emilio 13:26
obra **13**:24
Sokar o Seker **13**:100
Sokoto **10**:101
Sol 13:26
— caballeros del (Italia) **13**:21
— constitución del Sol **13**:9
— de tarde **13**:43
— eclipse de **5**:187
— el Dios-Sol **13**:27
— energía solar **13**:27
— hijas del, **1**:134
— isla del **13**:206
— manchas solares **13**:27
— Naciente, Orden del **4**:199
— piedra del o Calendario Azteca **9**:205
— templo del **10**:295
arqueoastronomía **2**:49
asteroides **2**:105
astrofísica **2**:107
astrolabio **2**:108
astronáutica **2**:110, 116
astronomía **2**:123
Atahualpa **2**:132
atmósfera **2**:141
átomo **2**:143
aurora boreal **2**:161
bomba de hidrógeno **3**:39
clima **4**:112
cometa **4**:168, 169
creación **4**:277
cromósfera **4**:298
Cuzco **4**:336
día **5**:99
dios egipcio *Horus* **1**:74
eclipse **5**:186
Ekhnatón **5**:235
espícula **6**:15
esquema **5**:99
estaciones de año **6**:27
geología **6**:310
granulación solar **7**:50
guía y control, sistemas de **7**:103
Halley, Edmond **7**:124
helio **7**:142
hora **7**:223
Huitzilopochtli **7**:245
Júpiter **8**:127
Kepler, Johannes **8**:140
sistema solar **13**:9
Sol **2**:123; **8**:331
solsticio **13**:31
tiempo **13**:188
Tierra **13**:191
universo **13**:319
zodiaco **14**:179
sol de medianoche 13:28
Sol, danza del 13:28
Sol, piedra del 13:28, 159
Sol, pirámide del
arqueología **2**:52
Estado de México **6**:30
Teotihuacan **13**:162
Solaiz **11**:161
Solana, Rafael **9**:202
Solanas, Fernando **5**:152
Solano Lima, Vicente **2**:24
Solano López**,** Francisco
América del Sur **1**:246
Guerra del Paraguay **7**:88
Paraguay **10**:322
Triple Alianza **13**:269
soldado 13:28
— de infantería de tierra **7**:323
— infantes de marina **7**:323
granaderos **7**:48
historia **7**:191
migración **9**:219
termes **13**:166
soldadura 13:28
latón **8**:197
plomería (fontanería) **11**:139
termita **13**:167
soldurius **7**:257
solea **14**:64
soleares 13:29
Soledad, isla
Malvinas, islas **9**:47
Territorio del Fuego, Antártida e Islas del Atlántico sur **13**:173
solenoide 13:29
Soler 13:29
Soler, Bartolomé 13:29
bibliografía **13**:29
Soler, Miguel Estanislao 13:29
biografía **13**:29
Soleure (Suiza), **8**:146
solfataras **14**:127
Solferino, batalla de **4**:303
Solidaridad (Solidarnosc) 13:29
Jaruzelski, Wojciech Witold **8**:90
Polonia **11**:160
Walesa, Lech **14**:138
solidificación 13:30
solido 13:30
Soliman Celebí 13:30
biografía **13**:30
Soliman I, el magnífico 13:30
Arabia **1**:334
Barbarroja **2**:251
biografía **13**:30
Jerusalén **8**:96
Turquía **13**:296
Solimán II **13**:10
Soling **14**:35
Solingen 13:30
solinkés **9**:55
solípedo **2**:103
Solís y Folch de Gardona, José duque de Montellano 13:30
biografía **13**:30
Solís, Antonio de **8**:280
Solís, Cleva 13:30
bibliografía **13**:30
solitaria
gusanos **7**:109
tenia **13**:157
Sóller y Pollensa, bahías de **9**:45
Sóller, Puerto de, Mallorca **9**:45
Sollum **5**:225
Sologub, Fedor **12**:141
Solohov, Mihail Aleksandrovich 13:30
biografía **13**:30
Sololá 13:31
Solomón **12**:176
Solomos, Dionisio **7**:62
Solón 13:31
Atenas **2**:133
Atlántida **2**:137
biografía **13**:31
camafeo **3**:179
Creso **4**:281
derecho **5**:59
Grecia **7**:62
India **7**:303
Pisístrato **11**:111
prostitución **11**:216
siete sabios de Grecia **12**:321
Solórzano Pereira, Juan de **8**:239
Solórzano, Juan de **5**:253
Solórzano, Carlos 13:31
bibliografía **13**:30
Solov'iev, Vladimir Sergeevich 13:31
bibliografía **13**:30
Solow, R. M. **12**:187
Solow, Robert Merton 13:31
bibliografía **13**:30
solsticio 13:31
— de invierno **13**:31
— de verano **13**:28, 31
eclipse **5**:186
estaciones del año **6**:28
verano **14**:53
solución y solvente 13:31
— acuosa **8**:165
— salina **7**:145
extracto **6**:105
furfurol **6**:254
Solventil **5**:7
Solutré, cueva de **6**:219
solvatación 13:32
Solvay, Ernest 13:32
biografía **13**:32
Solzhenitsin, Aleksandr Isajevich 13:32
bibliografía **13**:32
Soma **9**:62
Somalia, República de 13:32
— bandera de **2**:242
Abruzos, Luis Amadeo **1**:35
África **1**:93
Arábigo, Mar **1**:338
descubrimientos y exploraciones geográficos **5**:69
Djibouti, República de **5**:148
Francia **6**:225
lengua **8**:218
Rojo, Mar **12**:96
Somalí, Movimiento Nacional **13**:33
somatogénesis 13:34
Sombart, Werner 13:34
biografía **13**:34
sombra 13:34
sombras chinescas 13:34
sombrero 13:34
— industria **13**:34
— de paja **13**:34
Jipijapa **8**:103
vestido **14**:69
sombrilla y paraguas 13:34
paracídas **10**:318
vestido **14**:72
Somerset, Maugham
cometa **4**:168
Gran Bretaña **7**:44
Somma, monte **14**:72
Somme
— batalla del **13**:113
— río **6**:214
— valle del **6**:219
Amiens **1**:249
Guerra Mundial, Primera **7**:91
somníferos
droga **6**:66
insomnio **8**:9
somnolencia **5**:174
Somodevilla y Bengoechea Zenón de, marqués de la E 13:35
biografía **13**:35
Somontano, llanura **7**:240
somorgujo 13:35
Somosierra, sierra de **12**:259
Somoto, montaña de **10**:92
Somoza Debayle, Anastasio 13:36
biografía **13**:36
Somoza Debayle, Luis 13:36
biografía **13**:36
Somoza, Anastasio 13:35

biografía **13:**36
Sandino, Augusto César **12:**203
Sompot Upa-in **13:**103
son 13:36
— chapín **13:**36
Arizona **2:**34
Cuba **4:**316
Ganges, río **6:**280
sones y corridos de México **8:**195
sonambulismo o somnambulismo 13:36
disociación (psicología) **5:**144
hipnotismo **7:**183
sueño **13:**73
sonar 13:36
armada **2:**39
radar **11:**275
sonata 13:36,
alegro **1:**154
andante **1:**266
concierto **4:**195
tocata **13:**209
sonda 13:36
— acústica **5:**187; **13:**37
Sonda, islas de la 13:36
— archipiélago **2:**84
— estrecho de **7:**316; **9:**84
— Menor **13:**36
Asia **2:**86
sonda espacial 13:36
— o satélites de exploración planetaria **2:**110
sondaneses **9:**43
sondeo 13:36
Sonderburg-Slücksburg, dinastía **5:**130
Sondroka **5:**169
soneto 13:37
Song-ha, río **2:**87
Sóngoro cosongo **7:**104
sonido 13:37, 220
— articulados **8:**218
— dañinos **10:**196
— Efecto Doppler **13:**39
— Energía de las ondas sonoras **13:**39
— guturales **8:**220
— Instrumentos musicales **13:**40
— Límites de los sonidos perceptibles **13:**39
— Movimiento vibratorio y ondas **13:**37
— musicales **13:**39
— Naturaleza de las ondas sonoras **13:**37
— Ondas supersónicas **13:**40
— Otros casos de reflexión del sonido **13:**39
— Propagación del sonido **13:**38
— Reflexión del soniso. Eco **13:**38
— Resonancia **13:**40
— Ruidos y sonidos musicales **13:**39
— Señales submarinas por medio de ondas sonoras **13:**38
— teoría del **11:**304
— Timbre **13:**40
— Velocidad del sonido **13:**38
— volumen **10:**260
física **6:**164
fonética **6:**191
frecuencia **6:**234
onomatopeya **10:**212
vibración **14:**75
Wheatstone, Charles **14:**147
Sonne **5:**126
Sonneborn, T.M. **14:**143
sonoluminiscencia **8:**320
Sonora **10:**108, 164, 175
Sonora 13:40
— desierto de **2:**35
— Historia **13:**41
— intendencia de **12:**331
— lagarto en el desierto de **8:**162
— río **9:**194
yaqui **14:**160
Sonsonate 13:41
Sony **14:**82
Sonzogno **9:**119
Soong, familia 13:41
— Charlie Jones Soong **13:**41
— Tse-Ven Soong **13:**41
— Quing-ling **13:**41
Sooublette **2:**184
Sopladores de corno, festival del vino, Alsacia, Francia **6:**225
soplete 13:28, 41
— de alta presión **13:**41
— de cortar **13:**41
— de oxiacetileno **1:***50*
— de soldar **13:**41
soprano 13:42
canto **3:**221
contralto **4:**228
coro **4:**250
cuarteto **4:**309
dúo **5:**179
tiple **13:**200
Sor, Fernando 13:42
Véase Sors, Fernando **13:**34
Sor, río **6:**266
sorbitol 13:42
Sorbona 13:42, 304
— Hemiciclo de la **11:**244
— Universidad de la **9:**166
biblioteca **2:**312
Luis IX, san **8:**317
olimpiada **10:**204
París **10:**328
Pasteur, Luis **11:**8
sordera 13:42
— congénita **13:**42
— de cañón **13:**42
— de recepción **10:**195
— de transmisión **10:**195
— nativa **13:**42
— profesionales **13:**42
oído **10:**195
sordomudo 13:42
lenguaje por signos **8:**220
mudez **9:**321
Sorel, Georges **1:**260
Sören Kierkegaard **7:**259
Sorenson, Soren **11:**77
sorgo 13:43
— campesina cosechando **1:**94
— en crecimiento **4:**278
Soria 13:43
Duero, río **5:**176
Numancia **10:**161
Soriano 13:43
Asencio, Grito de **2:**81
Uruguay **13:**327
Soriano, Juan 13:43
biografía **13:**34
Sorlingas **7:**32, 33
Soro, Enrique **4:**43
Sorolla y Bastida, Joaquín 13:43
obra **13:**34
Sorozábal, Pablo 13:43
obra **13:**43
Sorpresas, Cabo de las **4:**166
Sorre, Max **6:**306
Sorrento **13:**125
Sorrento, bahía de Napoles, Mediterráneo **9:**154
Sors, Fernando 13:43
biografía **13:**43
sosa 13:43
blanqueo **2:**336
papel **10:**315
Sosa, Sammy 13:43
biografía **13:**43
Sosukeonu **8:**84
Sotavento, islas de (Sous le Vent)
Antillas **1:**308
Aruba **2:**78
Polinesia Francesa **11:**153
Tahití **13:**100
soteriología 13:44
Soto, Hernando de 13:44
biografía **13:**44
América **1:**233
Atahualpa **2:**132
caballo**3:**135
descubrimientos y exploraciones geográficos **5:**73
Felipillo **6:**128
Memphis **9:**163
Mississippi **9:**243
Pizarro, Francisco **11:**115
Soto, Jesús Rafael 13:44
biografía **13:**44
Soto, Marco Aurelio
Honduras **7:**219
Maceo y Grajales, Antonio **9:**7
Soto, Pedro Juan 13:44
biografía **13:**44
Soubirous, Bernadette
Bernardita de Lourdes, santa **2:**303
Lourdes **8:**312
Soublette, Carlos 13:44
biografía **13:**44
souchong **13:**130
Soufflot **10:**71
Soufriére, monte **7:**72
Soufrière, volcán **12:**200
Soulages, Pierre **6:**228
Soulouque, Faustin 13:44
biografía **13:**44
Sousa, Martim Alfonso de 13:44
biografía **13:**44
South Carolina 13:45,
— Actividad económica **13:**45
— Clima **13:**45
— Territorio, recursos e hidrografía **13:**45
— Vida animal **13:**45
tabaco **13:**94
South Dakota 13:45
— Actividad económica **13:**46
— Clima **13:**45
— Hidrografía **13:**45
— Tierra y recursos **13:**45
— Turismo **13:**46
— Vida vegetal y animal **13:**45
Southampton 13:*46*
— lord **12:**303
— planta de tratamiento de aguas residuales en **1:**111
— Water **13:**46
Canal de la Mancha **3:**207
Gran Bretaña **7:**34, 37, 38
puerto **11:**229
Titanic **13:**204
Southdown **10:**274
Southdown, raza **6:**278
Soutsos **7:**62
Soutullo Otero, Severiano 13:46
bibliografía **13:**43
soux **7:**309
Souza Coutinho, Francesco **1:**287
Souza, Inglés de **3:**76
Souza, Tomás de *2:217*
Sovetsk (Tilsit) **10:**98
soviet 13:46
— de Soldados y Trabajadores **13:**306
— Cosmos **6:**99
— Supremo, Presidium del **14:**131
comunismo **4:**192
Gromyko, Andrei A. **7:**68
Presidium **11:**193
Zinoviev, Grigori Evseievich **14:**179
soviets
— Palacio de los **9:**309
Alemania **1:**161
Soweto **13:**314
Soy puro mexicano **2:**45
soya 13:25
Véase Soja
Manchuria **9:**53
Soyer, Aldo **4:**124
Soyinka, Wole 13:46
bibliografía **13:**43
soyó **13:**288
Soyuz 13:46
Vostok **14:**132
Spa, Bégica **2:**168
Spaak, Paul Henri 13:47
biografía **13:**47
Space Laboratory, Programa del **13:**47
Space Research Organization **13:**47
Spacelab 13:47
Spadafora, Hugo **10:**302
Spalato
Dalmacia **5:**8
Mestrovic, Iván **9:**179
Spallanzani, Lazzaro 13:47
biografía **13:**47
generación espontánea **6:**299
vida **14:**80
Spandau, prisión de **7:**161
Spanish Harlem **7:**130
Spanish, pico **6:**31
Spano, Carlos Guido y
Argentina, República **2:**25
Pringles, Juan Pascual **11:**202
sparagmos **5:**135
spare **3:**32
Sparre **13:**71
Spassky, Boris **1:**128
speaker **4:**181
Speaking of Dreams 2:215
Speakman **2:**273
SPEAR, Richter, Burton **12:**63
Speke, John Hanning 13:47
bibliografía **13:**47

Speke, J. H. **10:**102
descubrimientos y exploraciones geográficos **5:**76
Victoria, lago **14:**77
Spellman, cardenal Francis Joseph 13:47
biografía **13:**47
Spemann, Hans 13:47
biografía **13:**47
Spencer & Perkins **10:**191
Spencer Country **7:**306
Spencer, Herbert 13:47
biografía **13:**47
biología **2:**327
evolucionismo **6:**90
Fiske, John **6:**170
Isabel I **8:**48
materialismo **9:**131
religión **12:**10
sociología **13:**22
Spencer, Heriberto **1:**209
Spender, Aldington S. **7:**44
Spender, S. **2:**156
Spengler, Oswald 13:47
bibliografía **13:**47
Spenser, Edmund 13:47
bibliografía **13:**47
Sperry Electric Company **13:**48
Sperry, Elmer Ambrose 13:48
biografía **13:**48
Sperry, Roger Wolcott 13:48
biografía **13:**48
Hubel, David Hunter **7:**235
Wiesel, Torsten N. **14:**150
Spes **6:**13
Spessivtzeva, Olga 13:48
biografía **13:**48
Speyer o Espira **6:**17
Spezia, Golfo de **12:**308
Spezia, La 13:48
Spica, estrella **6:**61
Spider **2:**117
Spiegelman, Art **4:**171
Spies, Clandio **4:**44
Spies, Johann **6:**122
Spiks **13:**44
spin 13:48
— isotópico **13:**48, 49
— teoría del **13:**48
antipartícula **1:**311
gráfica del movimiento **13:**49
Spinks, Leon **3:**63
Spinks, Michael **3:**63
Spínola, general **3:**142
Spinoza, Baruch 13:49
bibliografía **13:**49
Amsterdam **1:**254
cartesianismo **3:**267
Haya, La **7:**134
Holanda **7:**209
metafísica **9:**180
Panteísmo **10:**308
racionalismo **11:**272
Schelling, Friedrich Wilhelm **12:**246
spiritus animalis **14:**79
Spitsberg, archipiélago de **10:**133
Spitteler, Carl George Friedrich 13:49
bibliografía **13:**49
Suiza **13:**82
Spitzberg 13:49
ártica región **2:**70
descubrimientos y exploraciones geográficos **5:**78
exploraciones polares **6:**97
Nordenskjöld, Nils Adolf **10:**129
Noruega **10:**134
pasos del noroeste y del noreste **11:**8
Spitzer, Leo
estilística **6:**52
lingüística **8:**266
Spizella passerina **7:**24
Split **5:**8
split-brain **13:**48
Spokane **6:**101
Spon **2:**51
SportsPalast **6:**29
Spósito **13:**329
Spota, Luis 13:49
bibliografía **13:**49
México **9:**202
Spranger, Eduard 13:50
bibliografía **13:**50
carácter **3:**231
Spree
Alemania **1:**164
Berlín **2:**299
Spring Hill **13:**158
Springdale **2:**37
Springfield **7:**269
sprinklers **3:**42
Spruce, Ricardo **10:**251
spuaw **11:**86
Sputnik 13:50
cohete **4:**130
Mercurio, programa **9:**173
Sputnik 1 **4:**185
Sputnik 2 **8:**165
Vostok **14:**132
Spyri, Johanna 13:50
bibliografía **13:**50
literatura infantil **8:**285
Suiza **13:**82
Squarcione, taller de **9:**61
squaters **2:**163
Sri Lanka 13:50
— bandera de **2:**242
anfibio **1:**278
arroz **2:**61
Asia **2:**88
átomo **2:**151
Bengala **2:**292
Colombo **4:**145
Comunidad Británica de Naciones **4:**189
dravidiano, lenguaje **5:**172
elefante **5:**243
especias **6:**8
imperio británico **7:**275
labranza **8:**157
lémur **8:**215
lengua **8:**216
marfil **9:**90
perla **11:**53
pimienta **11:**91
rubí **12:**122
rupia **12:**136
violín, violón y violoncelo **14:**98
srî Pandit Jawaharlal Nehru **6:**279
Sriankam, templo **7:**298
Sronbtsan-Gam-po **13:**185
Ssuma Hsiangju **4:**57
St John Bolingbroke, Henry **8:**250
St. Augustine **1:***346*
St. Basil's, Catedral de, Moscú, Rusia **9:**308
St. John´s **7:**306
St. John´s, Colegio de Cambridge **12:**171
St. Laurent Pearson, Louis **11:**22
St. Lawrence, Ayot **12:**308
St. Marys, río **6:**182
St. Moritz **4:**333; **13:**268
Stabat Mater
María, Virgen **9:**93
Todi, Jacapone da **13:**210
Stabia **14:**72
Stabroeck **7:**112
Stackelberg H. F., von **9:**328
Staël, madame de 13:51
bibliografía **13:**51
feminismo **6:**128
Francia **6:**227
mujer **9:**324, 327
Necker, Jacques **10:**63
Pellico, Silvio **11:**31
Récamier, madame **11:**313
Suiza **13:**81
Stafford Cripps **7:**301
Stafford, Thomas **2:**113, 114
Stagnelius, Erik Johan **13:**71
Stahl, Agustín **2:**269
Stahl, Georg Ernst **1:**167, 299
Stahovic, A. **12:**150
Stalin III **13:**113
Stalin, José 13:51
— Premio **11:**211
— Vissarionovich Dzhugashvili, Josif llamado **13:**99
biografía **13:**51
Albania **1:**138
bolchevique **3:**21
comunismo **4:**191
concentración, campos de **4:**192
Crimea **4:**283
dictador **5:**113
Gomulka, Wladyslaw **7:**19
Kosygin, Aleksei Nicolaevich **8:**146
Kruschov, Hruscëv Nikita **8:**149
Litvinov, Maksim **8:**289
Potsdam **11:**181
Rumania **12:**131
Seifert, Jaroslav **12:**268
Solzhenitsin, Aleksandr **13:**32
Teherán, conferencia de **13:**138
Tito, Josip Broz, llamado **13:**206
Trotsky, Leon **13:**273
Turquestán **13:**293
Unión de Repúblicas Socialistas Soviéticas **13:**306
Stalin e Historia de la revolución rusa **13:**273
Voroshilov, Kliment Yefremovich **14:**131
Yalta, conferencia de **14:**159
Stalingrado 13:51
— batalla de **13:**51
— historia **12:**308
artillería **2:**75
batalla **2:**265
Guerra Mundial, Segunda **7:**95
Mao Tsetung **9:**66
sitio **13:**10
Tolbuhin, Fëdor Ivanovich **13:**211
Unión de Repúblicas Socialistas Soviéticas **13:**307
Volga **14:**128
Stalino 13:52
Stallings, Lawrence **6:**43
Stamic, Jan **4:**28
Stampa **8:**65
standard 13:52
Standard Oil **13:**99
Standish, Myles 13:52
biografía **13:**52
Stanford Linear Accelerator Center **11:**53
Stanford Moore **13:**53
Stanford, Universidad de
educación **5:**218
Lederberg, Joshua **8:**208
Tatum, Edward Lawrie **13:**125
Stanhope, George Edward, Carnarvon conde de **2:**52
Stanhope, James **8:**108
Stanhope, P. **7:**45
stanitzas **4:**263
Stanley, sir Henry Morton 13:52
— catarata de **5:**260
— lago de **4:**208
África **1:**95
biografía **13:**52
Congo, río **4:**207
descubrimientos y exploraciones geográficos **5:**76
Victoria, lago **14:**77
Stanley, Wendell Meredith 13:52
biografía **13:**52
Stanovoi **2:**85
Stansley-Williams **9:**111
Stanwick, Barbara 13:52
biografía **13:**52
Stark, Johannes 13:52
biografía **13:**52
Starkadh *el Viejo* **5:**277
Starof **12:**143
Starr, Ringo **2:**271
Stasov, Vladimir **12:**142
Stassfurt, Alemania **11:**179
Staten Island **14:**21
Statio **8:**181
Statistical Testing of Business Cycle Theories **13:**197
Staubbach 13:52
Staudinger, Hermann 13:53
biografía **13:**53
Staunton, Howard **1:**268
Stavanger 13:53
Véase Noruega
Staviski, Alexandre **6:**44
Stayira, Halkidiki, Grecia 32
Steamboat Springs **4:**156
Stearns Eliot, Thomas Becket, santo Tomás **2:**274
generación perdida **6:**299
Steatornis caripensis **14:**44
Stecchetti, Lorenzo 13:53
bibliografía **13:**53
Steel Olcott, Henry **13:**162
Steel, sir Richard **1:**67
Steen, Jan 13:53
obra **13:**53
Stefan Sweig **13:**56
Stefani, agencia 13:53
Stefani, Guglielmo **13:**53
Stefánik, Milan **5:**299
Stefansson, Vilhjalmur 13:53
biografía **13:**53
Steffani, Agostino **10:**215
Steffansson, expedición de **14:**150
Stegomyia **9:**310
Stegosaurus **5:**133
Stein, Gertrude 13:53
bibliografía **13:**53
Stein, William Howard 13:53

biografía **13**:53
Anfinsen, Christian Boehmer **1**:279
Steinbeck, John Ernst **13**:53
biografía **13**:53
Estados Unidos **6**:43, 44
Renoir, jean **12**:20
Steinberger, Jack **13**:53
biografía **13**:53
Lederman, Leon Max **8**:209
Schwartz, Melvin **12**:250
Steinitz, Wilhelm **13**:53
biografía **13**:53
ajedrez **1**:128
Anderssen, Adolf **1**:268
Steinlen **3**:246
Steinmetz, Charles Proteus **13**:53
biografía **13**:53
Stella **14**:146
Stella Maris, loma de **9**:84
stencil **9**:78, 226
Stendhal **13**:54,
Baroja, Pío **2**:255
biografía **13**:54
Francia **6**:227
turismo **13**:289
Zweig, Stefan **14**:192
Stenon **10**:330
Stepanek, Juan **1**:53
Stepanovic Popov, Aleksandr **11**:283
Stepanovich Arensky, Anton **11**:274
Stephan, Heinrich von **13**:54
biografía **13**:54
Stephens, Friedrich **13**:54
Stephens, James **4**:320
Stephens, John Lloyd **13**:54
bibliografía **13**:54
Copán **4**:233
descubrimientos y exploraciones geográficos **5**:74
Quiriguá **11**:267
Stephenson, George **13**:54
biografía **13**:54
cable **3**:141
ferrocarril **6**:138, 139
Gran Bretaña **7**:44
locomotora **8**:297
Trevithick, Richard **13**:260
Stepinac, Alojzije, primado de Croacia **4**:295
Stepnuey, alcalde de **2**:155
Stepp **14**:107
Sterkfontein, Transvaal **2**:165
Sterling and Francine Clark Art Institute, Williamstown **9**:123
Sterling Cole **2**:151
Sterling Heights, Michigan **9**:214
Stern, Daniel **8**:273
Stern, grupo **10**:292
Stern, Otto **13**:54
biografía **13**:54
Sterna **7**:17
Sternberg **13**:17
Sternberg, Josef von **5**:116
Sterne, Laurence **13**:54
bibliografía **13**:54
Stettin **10**:185
Stettin **13**:55
Stettin, puerto **2**:230
Stettinius, Edward Reilly **13**:55
biografía **13**:55
Steven Nagel **13**:243
Stevens, Ruby **13**:52
Stevens, S. **12**:319
Stevens, Siaka **12**:319
Stevenson, Hampshire **2**:161
Stevenson, Robert Lois **13**:55
bibliografía **13**:55
Gran Bretaña **7**:44
literatura infantil **8**:285
Samoa **12**:186
tesoro **13**:175
Stevenson, Teófilo **10**:205
Stevin, Simon
anamorfosis **1**:259
paralelogramo **10**:324
Stewart, Jackie **2**:169
Stewart, James **13**:55
biografía **13**:55
Stewart, Robert
Canning, Geroge **3**:217
transbordador **13**:243
stibium **1**:310
stick *7:*197
Stieber, Guillermo **12**:*297*
Stieler **2**:138
Stiernhielm, Georg **13**:71
Stifter, Adalbert **2**:167
Stigler, George Joseph **13**:55
bibliografía **13**:55
Still, Andrew Taylor **10**:268
Stiller, Mauritz **10**:65
Stinnes, Hugo **13**:55
biografía **13**:55
Stirner, Max **1**:260
Stoa **6**:55
stock **13**:55
Stock **3**:33
Stockbridge **11**:289
stocks, gestión de **13**:55
Stockton **13**:54
Stoeffler **1**:167
Stoelzel **13**:271
Stoffels, Hendrickje **12**:15
Stokes, A. **7**:45
Stokes, mortero **9**:305
Stokes, William **13**:56
bibliografía **13**:56
Stokowski, Leopold **13**:56
biografía **13**:56
stola **14**:64
Stolberg, Luisa **1**:172
Ston, sir Richard **13**:56
biografía **13**:56
Stone Mountain (Georgia) **8**:150
Stone, Harlan **3**:242
Stonehenge **13**:56
arqueoastronomía **2**:49
Europa **6**:82
Stoney, G. Johstone **5**:240
Stoney, George **13**:183
Stonington **4**:211
Storch, Nicolás **1**:256
Store Baelt, estrecho **6**:76
Stork, Henri **8**:69
Storm Berg, montes **13**:312
Storm, Ricardo **13**:328
Storni, Alfonsina **13**:56
bibliografía **13**:56
litertura hispanoamericana **8**:283
mujer **9**:327
Storting **13**:56
Véase Noruega
Story Musgrave **13**:243
Stoss, Veit **1**:166
Stowe, Calvin **2**:276
Strachey, Giles Lytton **13**:56
bibliografía **13**:56
biografía **2**:325
Stradivarius, Antonio Stradivari, llamado **13**:56
Amati **1**:219
obra **13**:56
Straparola, Juan Francisco **8**:283
Strasburger, Eduard **4**:97
Strassburg, Gottfried von **1**:165
Strasser, Valentín **12**:319
Strassmann, Fritz **6**:170; **9**:156
Strataburgum **6**:59
Stratford-on-Avon **12**:*303*
Strauss, Johann **13**:57
Austria **2**:167
Balseiro Dávila, Rafael **2**:229
obra **13**:57
opereta **10**:223
vals **14**:18
Strauss, Oscar **13**:57
obra **13**:57
Strauss, Richard **13**:57
Alemania **1**:165
Eulenspiegel, Till **6**:73
Hofmannsthal, Hugo von **7**:198
lied **8**:257
obra **13**:57
Schönberg, Arnold **12**:248
Straussburger **7**:153
Stravinsky, Igor Fedorovich **13**:57
Delibes, Léo **5**:44
expresionismo **6**:102
folklore o folclor **6**:190
Ives, Charles Edward **8**:69
jazz **8**:92
obra **13**:57
Rusia **12**:142
Streell, M. **4**:116
Street, J.E. **7**:45
Streicher, Julius **11**:273
Streisand, Barbra **13**:57
biografía **13**:57
Sinatra, Frank **12**:331
Streptococcus pneumoniae **10**:77
Streptomyces aureofaciens *2:*160
Stresemann, Gustav **13**:57
biografía **13**:57
Stresemann, Gustav **3**:81
Strijdom **13**:314
strike **3**:32
strikes **2**:278
Strindberg **5**:171, 230
Strindberg, Johann August **13**:57
bibliografía **13**:57
Lagerkvist, Pär Fabian **8**:163
Suecia **13**:71
Stringfello **2**:187
Stroessner, Alfredo **13**:57
Strohmeyer **3**:151
Stromboli, volcán **8**:59
Strómholm **13**:89
Strömo **6**:136
Stroncature **10**:316
Strontian, Escocia **6**:64
Strutt Rayleigh, John William, lord **11**:297
Strutt, Jebediah **13**:141
Stuart Fitz-James, Jacob **13**:58
Véase Alba, Duque de
Stuart Mill, John **13**:58
Véase Mill, John Stuart
Carlyle, Thomas **3**:249
nominalismo **10**:128
Spencer, Herbert **13**:47
tarifa **13**:119
utilitarismo **13**:333
Stuart, Gilbert **9**:123
Stuart, John McDouall **5**:77
Stuary Mill, John **11**:277
Stud-Book **7**:184
studium generale **13**:315
Stuebel, Alfons Maritz **13**:58
biografía **13**:58
stuga **14**:116
Stumpf, reobinóculo de **11**:308
stupa **13**:58, 103
Stúr, Ludovít **5**:299
Sturgeon, William **13**:145
Sturluson, Snorri **5**:210
Sturm und Drang **1**:166
Stursa, Jan **4**:28
Sturt, Charles **5**:77
Sturzenbecker **13**:71
Sturzo, Luigi **13**:58
biografía **13**:58
Stuttgart **1**:165
Stuttgart **13**:58
Baden-Württemberg **2**:213
Stuyvesant, Peter **1**:309
Styx **7**:164
Suabia
— Alpes de, cadena de los **14**:155
— Beatriz de **6**:135
— ducado de **14**:156
— Federico de **4**:306
Sualina, puerto de **10**:68
suan-pan **1**:17
Suardíaz, Luis **13**:58
bibliografía **13**:58
Suares, Buñuel **4**:124
Suárez Carreño, José **13**:59
bibliografía **13**:59
Suárez de Paiva **13**:273
Suárez de Peralta **9**:202
Suárez Flammerich, Germán **13**:59
biografía **13**:59
Suárez González, Adolfo **13**:59
biografía **13**:59
Suárez Veintemilla, Mariano **13**:59
biografía **13**:59
Suárez y Romero, Anselmo **13**:59
bibliografía **13**:59
Suárez, Daniel **4**:142
Suárez, Diego **9**:10
Suárez, Francisco **13**:59
biografía **13**:59
Suárez, Inés de **12**:219; **14**:12
Suárez, Jaime **12**:184
Suárez, Joaquín **13**:59
biografía **13**:59
Suárez, José **9**:206
Suárez, Luis **9**:206
Suárez, Marco Fidel **13**:59
bibliografía **13**:59
Suárez, Vicente **10**:103
Suassuna, Ariano **3**:76
suástica **13**:59
Suave Patria **8**:308
Suazilandia **4**:189
Suazo Córdova, Roberto **13**:59
biografía **13**:59
Subandinas, sierras **13**:59
subatómica, teoría **5**:241
subconsciencia o subconsciente **13**:59
subdesarrollo **13**:60
subempleo **5**:91

Subercasaux, Benjamín 13:60
bibliografía **13:**60
Subercaseaux, Pedro 13:60
obra **13:**60
suberosa, capa **4:**240, 262
Subhanburi **13:**103
Subiaco **2:**293
subjetivismo 13:60
Sublicius, puente **11:**227
sublimación 13:60
Véase Psicoanálisis
submarino 13:60
— Nautilus **14:**150
— nuclear **8:**26
— suelo **10:**290
— nucleares **2:**152
submarino **13:**61, 62, 63
Subrahmanyan Chandrasekhar **6:**205
Subroc **13:**62
subsidio 13:63
subsónico 13:63
subterráneo 13:63
subtiaba **7:**309
Suburbana **7:**276
Suburbio, Stéfano, San **6:**45
suburbios **13:**322
subway **6:**142
sucesión 13:63
— Apertura de la sucesión **13:**64
— de Austria, guerra de **6:**177
— Española, guerra de **7:**207
— guerra de **6:**322
— Juicio sucesorio **13:**65
— Legados **13:**65
— *Sucesión ab intestato* **13:**64
— Testamento **13:**64
— vacante **13:**64
Sucesos, periódico **5:**39
Suchet **5:**250
Suchiate 13:65
Guatemala **7:**76
Suchitán, volcán **8:**130
Suchitepéquez 13:65
Suchow o Tungshan 13:65
Suckert, Kurt Erich **9:**41
Suckling, Mauricio **10:**69
Sucksdorff, Arne **5:**152
sucre 13:65
Sucre **9:**288
Sucre, Antonio José de 13:65
— estatua de **11:**279
Arboleda, Julio **1:**348
Ayacucho, batalla de **2:**193
biografía **13:**65
Bolivia **3:**29
Calderón, Abdón **3:**161
Ecuador **5:**200
Perú **11:**64
Pichincha, batalla de **11:**80
Sucre, Bolivia **2:**249
Sucre, estado de **4:**329
Sucumbíos 13:66
Sucuruí, río **10:**324
Sud Chichas **13:**75
Sudáfrica, República de 13:66
— bandera de **2:**242
— Darling **13:**312
— guerra de **4:**192
— segregación racial en **1:**322
Bantú **2:**246
bloqueo **3:**8
Ciudad del Cabo **4:**101
cromo **4:**298
Dakar **5:**6
discriminación **5:**142
Durban **5:**181
ferrocarril **6:**141
fiebre del oro **6:**149
Homo sapiens **7:**216
hotentote **7:**233
Johannesburgo **8:**105
Lesotho **8:**231
Mandela, Nelson **9:**55
oficinas gubernamentales **13:**311
Pretorius, Martin Wessels **11:**195
Unión Sudafricana **13:**311
Sudán 13:66
— bandera de **2:**242
— historia **13:**66
— puerto **13:**66
África **1:**93
arroz **2:**62
astronáutica **2:**121
descubrimientos y exploraciones geográficos **5:**75
Dnieper, río **5:**149
Estados Unidos **6:**43
Kahrtum **8:**140
panarabismo **10:**307
Timbuctú **13:**196
Sudanesa, República 13:67
Véase Malí
sudatorium **13:**166
Sudaviva, República de **9:**43
Sudermann, Hermann 13:67
bibliografía **13:**67
Süderö **6:**136
Sudete, región del 13:67
Sudetes, montañas 13:67
sudor o transpiración 13:67
sudra **2:**96
sudras **3:**276; **7:**180
Sudre, Jean Francois **8:**220
Sue, Eugenio 13:67
bibliografía **13:**67
folletín **6:**191
Judío Errante **8:**119
Sueca, Academia **13:**72
Suecia 13:68
— Aspecto físico **13:**68
— bandera de **2:**242
— Carlos XII, rey de **9:**145
— Ciencias **13:**71
— Ciudades **13:**69
— Comercio **13:**69
— Cristina de **14:**30
— Educación **13:**69
— El pueblo sueco **13:**69
— Geografía económica **13:**68
— Gobierno **13:**69
— Gustavo Adolfo de **8:**327
— Historia **13:**70
— Ingrid de **6:**125
— Literatura **13:**71
— princesa de **2:**106
— rey de **6:**125
— Transportes **13:**69
Acadia **1:**41
astillero **2:**106
Berna **2:**302
Comunidad Europea **4:**190
Descartes, René **5:**68
Dresde **5:**173
Estocolmo **6:**55
Europa **6:**76
Federico Guillermo, *el Gran Elector* **6:**125
Guerra Mundial, Segunda **7:**94
Haakon VI, rey de Noruega **7:**113
Indias, compañías de **7:**304
Jhonson, Eyvind **8:**106
Lützen **8:**327
mineralogía **9:**229
Monumento de San Jorge **8:**108
Westfalia, paz de **14:**147
suelo 13:72
— Principales clases **13:**72
— Formación del suelo **13:**72
— Características **13:**72
— Procesos destructivos **13:**73
— termómetros de **6:**29
sueño 13:73
— hipnótico, inducir al **7:**182
— invernal **7:**162
Sueño de una noche de verano **13:**183, 205
Suenon **5:**125
suero antitetánico **8:**143; **13:**178
suero de la verdad **11:**41
suero sanguíneo **1:**314
sueroterapia **14:**5
Suesca **8:**103
Suetonio Tranquilo, Cayo 13:73
biografía **2:**325
correo **4:**253
Esparciano, Elio **6:**7
suevos 13:73
Suez 13:73
— Golfo de **5:**224; **12:**330
— historia **13:**74
— istmo de **1:**92; **2:**84
Egipto **5:**225
Suez, Canal de 13:73
Alejandría **1:**155
Disraeli, Benjamin **5:**145
Marsella **9:**109
Rojo, Mar **12:**96
Suez, Canal de **14:**55
sufeta **1:**292
Suffolk, convención de **12:***44*
Suffolk, raza **6:**278
sufijo 13:75
Véase Afijo
Sufis **11:**247
Sufitas **8:**39
sufragio 13:75
Véase Votación
sufragio universal **4:**260; **5:**236
sugestión 13:75
— poética **9:**44
Suharto, general **7:**316
Suhumi **6:**317
suicidio 13:75
suidas **7:**258
suido **3:**329
Suifu, puerto **4:**51
suipacha 13:75
suislawana **7:**308
suite 13:75
Suiza 13:75
— Alemana **12:**91
— Alpes **6:**141; **9:**284
— bandera de **2:**242
— boliviana **1:**268
— Ciudades **13:**80
— Clima **13:**77
— Comunicaciones **13:**78
— Cultura y artes **13:**81
— de Estados Unidos **10:**84
— Enseñanza **13:**79
— Geografía económica **13:**77
— guardia **14:**30
— Hidrografía **13:**76
— himno nacional **14:**156
— Historia **13:**80
— independencia de **14:**147
— Industria **13:**78
— Italia **9:**285
— Organización política y administrativa **13:**79
— Orografía y geología **13:**76
— Población, idiomas y religión **13:**79
— St. Moritz **13:**268
— Tirol **13:**203
— Turismo **13:**79
— y Francia, frontera **2:**213
alemán, idioma **1:**157
Berna **2:**302
cristianismo **4:**292
Ginebra **6:**325
Jungfrau **8:**126
Keller, Gottfried **8:**136
modernismo y arte moderno **9:**263
referéndum **11:**322
Zweig, Stefan **14:**192
sujeto 13:82
Véase Oración Gramatical
Suk, Josef **4:**28
Sukhotai **13:**103
sukuma nyanwezi **13:**114
sula 13:82
Sulaco **14:**164
Sulaimaniya **8:**150
Sulayhíes, los **1:**335
Suleimán **5:**71
sulfaguanidina **13:**82
sulfamidas 13:82
sulfamido-resistencia **13:**82
sulfanilamida **13:**82
sulfapiridina **13:**82
sulfas **11:**259
sulfatia-zol **13:**82
sulfato 13:82
— bárico **2:** 254
— de calcio **13:**85
— de magnesia **5:**173
— de sodio **11:**244
— en el yeso **2:**205
sulfhídrico **2:**211
sulfoantimoniato **6:**114
sulfonamidas **7:**147; **10:**78
sulfúrico anhídrido **7:**164
sulfúrico, ácido 13:82
sulfuro 13:82
— de dicloroetilo **8:**34
— de hidrógeno **11:**74
— de hierro **1:**350
— de mercurio **2:**301
sulfuroso, ácido **2:**336
Sullivan, Anne **8:**136
Sullivan, John **3:**63
Sullivan, Kathryn **13:**243
Sullivan, Louis **7:**270
Sullivan, sir Arthur Seymour 13:82
bibliografía **13:**82
Sully Prudhomme, René François Armand, llamado 13:82
bibliografía **13:**82
Sully, Maximilien de Béthune, duque de **6:**222
Sulphur Springs **9:**200
sultán al-Nahayan de Abu Dhabi **5:**249

sultán ayyubí **12:**171
sultán Ibn-Saud **7:**137
sultán Nural-Din **12:**171
sultán otomano Mohamed II **5:**209
Sultán, Palacio del, Kuala Kangstar, Malasia 9:41
sultanes pasivos **13:**296
Sultepec **6:**30; **9:**207
Sulville **2:**231
Suma contra los gentiles **13:**216
Suma teológica **1:**176; **5:**208; **13:**216
Sumapaz, macizo de 13:83
— pico de **4:**137
Sumatra 13:83
Asia **2:**84, 86
Bengala **2:**292
descubrimientos y exploraciones geográficos **5:**71
gibón **6:**322
Indonesia, República de **7:**315
Java **8:**92
Polo, Marco **11:**157
Sumava **4:**24
Sumbawa, (Indonesia) **14:**128
Sumer 13:84
sumeria **4:**329
sumerios
águila **1:**115
Asiria **2:**101
astronomía **2:**123
Sumer **13:**84
sumiller 13:84
— de Corps **13:**84
— de Cortina **13:**84
Sumner, James Batcheller 13:84
biografía **13:**84
Sumner, William Graham **6:**70
sumo **7:**218
Sumo Pontífice **11:**167
sumo-mísquito **7:**309
Sumpul **12:**181
Sun Valley Center for the Arts and Humanities **7:**263
Sun Yat-Sen 13:84
biografía **13:**84
Chiang Kai–Shek **4:**30
China **4:**56
Kuomintang **8:**150
Mao Tse–Tung **9:**66
Yuan-Shi-Kai **14:**165
Sund **4:**233
Sund, estrecho **2:**230; **6:**76
sundström **9:**21
Sundsvall **6:**79
Sunflower, monte **8:**132
Sung, dinastía **11:**170
Sungari, río **7:**129
Sungkiang, Manchuria **9:**52
Sungkiang, provincia de **7:**129
sunnita
Irán e Iraq, guerra de **8:**34
Islam e islamismo **8:**51
Sunsho, taller de **7:**204
Sunthorn Kongsompong **13:**103
suntuarias, leyes **14:**71
superávit 13:84
Véase Déficit y Superávit
superconductibilidad 13:84
Cooper, Leon N. **4:**231
Giaever, Ivar **6:**321
Josephson, Brian David **8:**110
superconductores
— de tipo I **13:**84
— de tipo II **13:**84
Kurl, Robert F., Jr. **4:**333
super-ego o super-yo **11:**223
superficie 13:85
— medidas de **1:**55
— terrestre **6:**306
superfosfato 13:85
supergalaxias **2:**129
supergás 13:85
superheterodino 13:85
detector **5:**94
radiorreceptor **11:**281
superhombre **7:**312; **11:**273
Superior **7:**48
Superior, Escuela Normal **10:**285
Superior, Lago **6:**32; **9:**228
Superior, Laguna **10:**170
Superior, Península **9:**213
superioridad racial **11:**273
Superman **4:**170; **5:**187
Supermán o Superhombre **7:**195
supermercado **4:**176
supernova **10:**82
superrealismo **5:**267; **8:**275
superstición 13:85
adivinación **1:**70
magia **9:**24
talismán **13:**105
turquesa **13:**293
Superunda, conde de **9:**60
Supervielle, Jules 13:85
bibliografía **13:**85
supervivencia **1:**293
supinación **5:**296
suplicio de toca **13:**224
suprarrenal 13:85
— hormonas **13:**86
— sintético, esteroide **6:**51
ACTH **1:**57
endocrinología **5:**256
hormonas **7:**229
suprasensibles **10:**174
supraventriculares **2:**60
Suprema Armonía **11:**29
suprema corte **4:**260
suprematismo **11:**95
supresión de penas carcelarias **13:**262
supuraciones **2:**81
Suquía **4:**241
Sur, cordillera del **2:**15
Sur, isla del **10:**158
Sur, Mar del **4:**261; **8:**214; **10:**165, 280
Sur, revista **9:**44
Sura, Lucio Licinio **1:**351
Sura, río **14:**128
Surabaya **8:**91
Surakarta **8:**91
suras **9:**32
Surata **2:**99
suri **10:**167
Surinam 13:86
— bandera de **2:**242
— río **10:**324
Amazonas, río **1:**222
Aranjuez **1:**341
Guyana **7:**111
Holanda **7:**208
Latinoamérica **8:**182
Suro, Darío 13:87
obra **13:**87
surrealismo 13:87
— francesa, poesía **6:**284
arte **2:**64
Bretón, André **3:**80
Cortázar, Julio **4:**258
Dalí, Salvador **5:**7
España **5:**319
Francia **6:**227
Laxness, Halldór Kiljan **8:**201
Michaux, Henry **9:**212
modernismo y arte moderno **9:**263
museo Dalí **13:**87
Paz Lozano, Octavio **11:**21
pintura **11:**95
Surrey **8:**302
Surumi **8:**176
Surveyor 13:87
Luna, la **8:**324
Sus, río **9:**105
Susa 127
Susak, Rijeka **6:**171
Susana 13:87
biografía **13:**87
suspensión 13:87
— automóvil **2:**174
suspensión 13:87
Susquehanna, río **6:**32
Susquehanna, tribus **11:**39
Sussex **5:**223
Sussex, duque de **13:**43
Sussex, Inglaterra **4:**328
sustancia 13:87
— adhesiva **4:**131
— albuminoideas **8:**265
— alimenticias **1:**185
— cerebral **8:**202
— colorante **8:**175
— combustibles **8:**167
— compleja **7:**167
— fundamentales de los alimentos **1:**186
— gaseosas **1:**211
— grasas **8:**286
— líquidas **1:**211
— nutritivas **8:**177
— orgánica o metálica **10:**276
— radioactivas **2:**146
— sintéticas **7:**178
sustancias **1:**38; **4:**297
sustanciación 13:88
sustantivo 13:88
— propios **6:**301
análisis gramatical **1:**258
casos gramaticales **3:**275
lenguaje **8:**219
nombre **10:**127
sustitución 13:88
sustracción 13:88
sustraendo **1:**179; **13:**88
sustrato 13:88
Sutherland (Nueva Zelanda) **3:**273
Sutherland, Joan 13:88
biografía **13:**88
Suti **1:**251
Sutlej, río **7:**296
Sutras **7:**303
Suttner, Berta Kinsky, baronesa 13:89
bibliografía **13:**89
Suva **6:**151
Suvarov o Suvorov, Alexandr Vasilievich, conde y p 13:89
biografía **13:**89
Suvernia **6:**214
Suwannee, río **6:**182
suyá **7:**310
Suynk **9:**276
suyos **13:**101
Svedberg, Theodor 13:89
biografía **13:**89
Sven Anders Hedin **13:**71
Sven Lidman **13:**71
Sven Olof Palme **13:**70
Sverdlovsk 13:89
Siberia **12:**313
Sverdrup, Otto Neumann 13:89
biografía **13:**89
Svir, río **10:**212
Svoboda, Ludvik **4:**27
swahili
Bantú **2:**246
negro **10:**66
Tanzania **13:**114
Swammerdam, Jan **12:***208*
Swan, lago **8:**139
Swansea **7:**38
Swanson, Gloria 13:89
biografía **13:**89
Swap, acuerdo 13:89
SWAPO **1:**288
Swart, Charles Robberts **13:**314
Swarte, Joost **4:**170
Swarteberg, cordilleras **13:**312
swazi **13:**90
Swaziland Industrial Development Co. **13:**90
Swazilandia 13:90
— bandera de **2:**242
— Estructura Económica **13:**90
— Etnología e Historia **13:**90
imperio británico **7:**275
swazis **2:**247; **13:**90
sweater o suéter **14:**70
sweatshop **7:**271
Swedenborg, Emanuel **13:**71
Swedenborg, Emmanuel 13:90
bibliografía **13:**90
Sweeney **6:**254
sweepstake **8:**44
sweets **3:**231
Sweezy, P.M. **6:**90
Sweken **7:**37
Swift, Jonathan 13:90
bibliografía **13:**90
humorismo **7:**250
Gran Bretaña **7:**43
Irlanda (Eire) **8:**46
literatura **8:**278
Voltaire, Francisco María **14:**129
Swigert, John Leonard **2:**119
Swinburne, Algernon Charles 13:91
bibliografía **13:**91
swing **8:**92
Swinnerton, Frank Artur 13:91
bibliografía **13:**91
Swinnerton, Jacobo **7:**194
Sycamium **7:**120
Sydenham **2:**218
Sydenham, Thamas 13:91
biografía **13:**91
Sydney 13:91
Darling **13:**92
Nueva Gales del Sur **10:**157
Robinson, sir Robert **12:**84
Sydney, Lorna, cantante **2:**164
Sykes-Picot, acuerdo secreto franco-británico **10:**292
syllabus 13:92
Sylt, isla 1:164
Sylvanus Olympio **13:**210

Symington **9**:98
Symouria, reptil **6**:308
Synge, John Millington 13:92
bibliografía **13**:92
Synge, Richard **9**:113
Syr Daria **1**:340; **2**:87; **13**:334
Syr Daria, río **12**:138
Szamotulski **11**:161
Szczecin (Stettin) **11**:157
Szczecin **13**:55
Szeged **7**:252; **13**:92
Szekely **7**:253
Szent-Györgyi, Albert von 13:92
biografía **13**:92
Sziges, plaza de **13**:30
Sztuka, grupo **11**:161
Szymborska, Wislawa 13:92
bibliografía **13**:92
Szyszlo, Fernando de **11**:64

T

T 13:93
T. S. H. 13:278
Véase Radiotelefonía y Radiotelegrafía
taba 13:93
Taba, acuerdos de **6**:295
tabaco 13:93
— calidades **13**:94
— efectos del tabaco **13**:94
— en rollo **13**:94
— historia **13**:93
— la cosecha **13**:93
— la planta **13**:93
— producción mundial **13**:94
— turco **13**:294
Abkhazia **1**:29
Adén **1**:67
Andorra **1**:270
Argelia **2**:10
Armenia **2**:46
Habana, Ciudad de La **7**:114
Heredia **7**:152
labranza **8**:156
Laos **8**:173
Lempira **8**:215
nicotina **10**:96
Paraguay **10**:321
Pinar del Río **11**:91
pipa **11**:104
tabaco **4**:314, 316; **8**:140
vestido **14**:68
tábano 13:95
artrópodo **2**:78
díptero **5**:137
Tábara, Enrique 13:95
obra **13**:95
Tabaré **13**:328, 329; **14**:188
Tabasará, río **10**:300
Tabasco 13:95
— historia **13**:95
— La Venta **10**:207
— río de **7**:66
Cortés, Hernán **4**:260
Echeverría Álvarez, Luis **5**:185
Iduarte, Andrés **7**:266
La Venta **8**:201
mayas **9**:136
olmecas **10**:207
Pellicer, Carlos **11**:31
Taracena, Alfonso **13**:117
Venta, La **14**:49
tabernáculo 13:95
— de la catedral de Burgos **2**:9
— de los Mormones **13**:39
fiesta **6**:149
salmo **12**:175
tabes dorsal 13:95
tabique **14**:186
tabla de piedra **4**:329
tabla o mesa redonda 13:95
Spencer, Edmund **13**:48
tabla periódica
actínidos **1**:57
clasificación **4**:107
tabla periódica **5**:245
flúor **6**:184
laurencio **8**:198
tabla pitagórica **9**:329
Tabla, monte **13**:312
Tablada, batalla de la **1**:152
Tablada, José Juan 13:96
bibliografía **13**:96
México **9**:202
Tablas Alfonsinas 13:96
Tablas de la ley 13:96
Véase Decálogo
Aarón **1**:17
libertad, estatua de la **8**:247
Pentecostés **11**:41
tablilla asiria **7**:192
Tabor 13:96
transfiguración **13**:244
Taborga, Lola 13:96
bibliografía **13**:96
Tabriz 13:96
Azerbaiján, Persa **2**:195
Irán o Persia **8**:39
tabú 13:96
tabuladora electrónica **9**:77
Tabzcoob, cacique **9**:96
tacamaca 13:96
Tacámbaro 13:96
— río **9**:214
Tacaná 13:96
América Central **1**:234
Guatemala **7**:77
San Marcos **12**:193
tacha 13:96
Táchira 13:97
— depresión de **9**:174
— San Antonio del **7**:18
llanos, los **8**:290
Tácito, Cayo Cornelio 13:97
Agrícola Cneo Julio **1**:101
bibliografía **13**:97
biografía **2**:325
Fénix **6**:130
germanos **6**:319
persecución **11**:57
Quintiliano, Marco Fabio **11**:266
secretario (a) **12**:254
Suetonio Tranquilo, Cayo **13**:73
taciturno **12**:249
Taciturno, Guillermo el **6**:118
Tacna 13:97
Ancón, tratado de **1**:264
anexión **1**:277
arbitraje **1**:345
Coolidge, Calvin **4**:231
Guerra del Pacífico **7**:88
Valdivia, Pedro de **14**:11
Tacna y Arica, conflicto de 13:97
taco 13:97
tortilla **13**:230
taco de madera **2**:44
tacómetro 13:97
velocímetro **14**:39
Tacón, Miguel **12**:158
Taconic, montañas **9**:121; **14**:57
Tacora, volcán **4**:36
táctica 13:97
— familiar **7**:109
— militar **5**:234
infantería de marina **7**:323
tacto 13:98
Tacuarembó 13:98
— combate de **2**:73
Asencio, Grito de **2**:81
Tacuarembó **13**:326
Uruguay **13**:327
Tacuarí **2**:285; **10**:321
Tacuarí, río **9**:132
Tadjikistán 13:98
— bandera de **2**:242
Afganistán **1**:90
Amú-Daria **1**:254
rublo **12**:123
Tafilete 13:99
cuero **4**:323
Tafna, tratado de **2**:11
Taft, William Howard 13:99
biografía **13**:99
Estados Unidos **6**:42
tagalo **2**:96; **8**:216
tagalos **9**:43
Tagasta, África **9**:277
Tagaste **1**:118
Tagilamento **14**:39
Tagle y Portocarrero, José Bernardo de 13:99
biografía **13**:99
Taglioni, Filippo **5**:16
Taglioni, María **5**:16
Tagore, Rabindranath 13:99
bibliografía **13**:99
tagua 13:100
marfil **9**:91
Tahití 13:100
— Pequeña **13**:100
Oceanía **10**:179
perla **11**:53
Pitcaim, isla **11**:112
Polinesia Francesa **11**:153
tahuantisuyo o tahuantinsuyo 13:101
— imperio de **9**:54; **12**:161
Cuzco **4**:336
incas **7**:291
Pachacútec, Inca Yupanqui **10**:281
taiga 13:101
Asia **2**:90
Taigeto **6**:7; **10**:330; **11**:138
Taihang, cordillera **4**:48
Tailandia 13:101
— arte **13**:102
— bandera de **2**:242
— educación **13**:101
— forma de gobierno **13**:101
— geografía económica **13**:101
— geografía física **13**:101
— historia **13**:101
Laos **8**:173
Mekong **9**:156
rubí **12**:122
seda **12**:257
tigre **13**:195
Taine, Hyppolite Adolf 13:103
Barrés, Maurice **2**:257
bibliografía **13**:103
Brandes, Jorge **3**:67
Naturalismo **10**:48
poética **11**:147
taíno 13:103
Cuba **4**:313
Dominicana, República **5**:158
Taipa y Coloane, islas de **9**:5
Taipei **6**:197
Tairona, culturas de **4**:141
Tait, Pedro **8**:137
Taitao, Península de **4**:37
Taiwan 13:103
— bandera de **2**:243
— Estrecho de **6**:198
Australia **2**:164
Formosa (Taiwan) **6**:197
Ryukyu, islas **12**:152
té **13**:130
Tajín **9**:204; **11**:106; **13**:103, 234; **14**:52
Tajín chico **13**:104
Tajín grande **13**:104
Taj-Mahal 13:103
Agra **1**:101
India **7**:298
Shah-Jahan **12**:303
Taj Mahal, Agra **13**:103
Tajo 13:104
Aranjuez **1**:341
España **5**:305
Europa **6**:75
Extremadura **6**:105
Madrid **9**:20
normandos **10**:130
Portugal **11**:173
Tajo, río **13**:213
Yuste **14**:168
Tajo de Ronda, Málaga **9**:40
Tajo de Tequixquiac **9**:208
Tajo, estuario del **8**:272
Tajo, vega del **9**:20
Tajumulco, volcán **1**:234; **12**:193
Takasima, isla de **10**:29
Takayama, Japón **12**:64
takilma **7**:308
Takkaze, río **6**:67
Taklamaigan, desierto de **10**:169
Takoradi, puerto **6**:321
Tal, Mikhail **1**:128
taladro 13:104
carpintería **3**:258
fuego y sus consecuencias **6**:242
Talal I **8**:107
Talamanca, cordillera de **4**:266, 267
Talán Vacub Zibán **3**:156
Talara, Perú, desierto de **2**:6
Talara, puerto de **11**:114
Talas, batalla de **12**:335
talasemia 13:104
talasocracia **4**:282; **7**:58
Talavera de la Reina 13:104
Toledo **13**:212
Talavera, fray Hernando de **4**:147; **13**:212
Talbot, William Henry Fox 13:104
biografía **13**:104
fotografía **6**:203
Talca 13:104
Marín de Poveda, Tomás **9**:96
O'Higgins, Bernardo **10**:192
San Martín, José de **12**:196
Talca 13:105
— provincia de **4**:37
Talcahuano 13:105
— puerto **4**:37, 193

Concepción **4:**193
O'Higgins, Bernardo **10:**192
talco 13:105
mineralogía **9:**230
taleguilla **13:**127
tálero 13:105
Tales de Mileto 13:105
alma **1:**192
astronomía **2:**123
biografía **13:**105
electricidad **5:**236
siete sabios de Grecia **12:**321
Talía 13:105
musas **10:**7
talio 13:105
talión 13:105
— ley del **11:**35
talismán 13:105
berilio **2:**297
genios **6:**301
talla brillante **11:**83
talla dulce **7:**27
talla rosa **11:**83
talla y tallado 13:105
Tallahassee **6:**182
Tallaví, José 13:106
biografía **13:**106
Talleyrand Périgord, Charles Maurice, príncipe de 13:106
biografía **13:**106
Stael, madame de **13:**50
Tallien, Madame **3:**138
Tallinn 13:107
Estonia **6:**57
tallo 13:107
— consistencia y duración **13:**107
— estructura interna **13:**107
— filiforme **7:**147
— tallos aéreos **13:**107
— tallos subterráneos **13:**107
filotaxia **6:**158
hilandería e hilados **7:**177
mijo **9:**221
tallo **4:**272
tallo con flores **9:**312
rizoma **12:**81
Talma, François-Joseph 13:107
biografía **13:**107
Talmud 13:108
Alfonso X el Sabio **1:**176
cábala **3:**129
hebreo **7:**136
islam e islamismo **8:**51
Maimónides **9:**32
talo 13:108
Horas **7:**224
talofita 13:108
Véase planta
Taltal, puerto **4:**37
talud o cantil **10:**181
Talux **12:**318
Tamagno, Francisco **13:**160
Tamanaco **12:**61
Tamar, Cabo **9:**22
Tamargo, Agustín 13:108
bibliografía **13:**108
tamarindo 13:108
Tamarugal **14:**11
Tamatave, Madagascar **9:**11
Tamaulipas 13:108
— historia
Ciudad Madero **4:**102
huapango **7:**235
Tamayo y Baus, Manuel 13:109
bibliografía **13:**109
Tamayo, Franz 13:108
bibliografía **13:**108
Bolivia **3:**31
Tamayo, José Luis 13:108
biografía **13:**108
Tamayo, Rufino 13:108
Coronel, Pedro **4:**252
Latinoamérica **8:**195
México **9:**206
Oaxaca **10:**170
obra **13:**108
Tamazula **4:**328
Tamazunchale **12:**193
Tamberlick **13:**160
tambomachay 13:109
Tambopata **9:**18
tambor 13:109
Latinoamérica **8:**195
tambor **8:**11
teponaztli o teponascle **13:**162
tamborito 13:109
Tambre **6:**266; **12:**218
Tamerlán 13:109
Akbar, Abul-P-Fath Yalai al Dín Muhammad **1:**130
Asia Menor **2:**100
biografía **13:**109
Damasco **5:**9
India **7:**300
Turquía **13:**296
Támesis 13:109
Europa **6:**75
Gran Bretaña **7:**33
Londres **8:**303
Scotland Yard **12:**250
submarino **13:**60
Támesis **13:**110
Windsor **14:**152
Tamil Nadu, Madrás **7:**299; **9:**16
Tamin, Dunash ben **10:**72
tamiz 13:110
Tamm Igor' Evgenevich 13:110
biografía **13:**110
Tamm-Dankov, método de **13:**110
Tampa **2:**52; **6:**183; **9:**207; **13:**44
Tampa, Conspiraciones de **9:**7
Tampico 13:108
— Historia **13:**108
Laguna, Tomás Antonio de la Cerda y Aragón, marqués de la **8:**165
México, Golfo de **9:**207
Tana, lago **5:**75, **6:**67
Tana, Malaca **9:**39
Tana, río **5:**278
tanagra 13:110
Tananarive 13:110
Madagascar **9:**11
Tanaro **11:**143
Tancítaro **9:**214; **14:**128
Tancredo de Hauteville 13:110
biografía **13:**110
Tandil 13:111
— sistema de **2:**14
Tanganica 13:111
Congo, río **4:**207
Kilimanjaro **8:**141
Nyasa o Ñasa **10:**166
Zanzíbar **14:**172
Tanganica, lago 13:111
Livingstone, David **8:**289
tangará 13:111
tangente 13:111
Fermat, Pierre **6:**132
Tánger 13:111
Haeckel, Ernst Heinrich **7:**118
Larache **8:**176
Marruecos **9:**106
tango 13:112
Gardel, Carlos **6:**285
Tangopoulos **7:**62
Tangting, lago **4:**49
tánico, ácido 13:112
azul de metileno **2:**206
tanino **13:**112
tanino 13:112
agalla **1:**99
corcho **4:**239
eucalipto **6:**72
olmo **10:**208
saúco **12:**243
Tannenberg **7:**180; **8:**288
Tannhäuser 13:113
biografía **13:**113
tanque 13:113
— blindado **5:**232
— de batalla M-1 **2:**263
— experimetación **3:**114
periscopio **11:**52
tantalio 13:113
Berzelius, Juan Jacobo **2:**305
Tántalo 13:113
Esmirna **5:**302
folklore o folclor **6:**189
Niobe **10:**103
tanto por ciento 13:114
regla de interés **11:**333
Tanzania 13:111
— bandera de **2:**243
— historia
Comunidad (Británica) de Naciones **4:**189
Dar es Salaam **5:**18
Estados Unidos **6:**43
imperio británico **7:**275
Rhodesia **12:**60
Zanzíbar **14:**172
Tao **13:**115
Tao Chien **4:**58
Tao Yuan Ming **4:**58
taoísmo 13:115
Asia **2:**96
haiku **7:**120
Lao-Tse **8:**173
Manchuria **9:**52
Vietnam **14:**90
Tapajoz 13:115
Amazonas, río **1:**221
guaraníes **7:**75
Pará o Grão Pará **10:**318
tapetes **4:**176; **13:**297
tapetes **8:**194
Tapia y Rivera, Alejandro 13:115
bibliografía **13:**115
Puerto Rico **11:**237
tapioca 13:115
fécula **6:**124
mandioca **9:**55
tapiz 13:115
gobelinos **6:**336
Irán o Persia **8:**37
tapiz **13:**116
vestido **14:**66
tapón 13:117
taquicardia 13:117
arritmia **2:**60
taquigrafía 13:117
comunicaciones **4:**184
educación **5:**219
Pitman, Isaac **11:**113
taquímetro 13:117
aeroplano **1:**86
eje **5:**231
taracea 13:117
Taracena, Alfonso 13:117
bibliografía **13:**117
tarahumara 13:117
— Sierra **4:**34
tarairu 13:118
taramaina 13:118
tarantela 13:118
folklore o folclor **6:**190
tarántula 13:118
acanto **1:**42
Tarapacá 13:118
— el león de **1:**170
— historia
Ancón, tratado de **1:**264
Chile **4:**37
Guerra del Pacífico **7:**88
Iquique **8:**34
pampa **10:**298
Tarapoto 13:118
tarascos 13:118
arte plumario **2:**66
Mesoamérica **9:**178
Pátzcuaro **11:**16
Tarde, Gabriel de **13:**22
Tarento 13:119
apeninos **1:**324
Guerra Mundial, Segunda **7:**94
Jónico, Mar **8:**107
Pirro **11:**109
Síbaris y sibaritismo **12:**310
Tari **10:**317
Tariácuri 13:119
Tarifa 13:119
— cabo de **9:**153
— clases de tarifas **13:**119
— finalidad de tarifas **13:**119
— historia **13:**120
— la política económica y las tarifas **13:**120
tarifa Aduanera Exterior de la Comunidad **1:**270
tarifas aduaneras **13:**119
tarifas proteccionistas **13:**120
Tarija 13:120
— río **13:**120
republiquetas, Las **12:**27
Tarik **4:**241; **5:**314
Tarim, cuenca de **2:**85
Tarim, depresion de **4:**47
Tarim, río **2:**87; **5:**75
Tãriq b Ziyãd **6:**322; **12:**91
Tãriq Ben Ziyad **13:**212
tarjeta de crédito 13:120
tarjeta postal 13:120
Tarkington, Newton Booth 13:121
bibliografía **13:**121
Tarna, puerto de **10:**33
Tarna, río **10:**133
Taroko, Asia **4:**136
Tarpeya, roca 13:121
Tarpeyo, Espurio **13:**121
tarpón 13:121
Tarqui, batalla de **10:**201
Tarquino el Soberbio, Lucio 13:121
biografía **13:**121
Tarquino el Viejo o Prisco, Lucio 13:121
biografía **13:**121

imperio romano **7:**275
Tarraconense, región **14:**29
Tárrago, Torcuato **1:**134
Tarragona 13:123
— arzobispo de **11:**330
— Campo de **13:**122
Acrópolis **1:**56
avellano **2:**183
muñeca **9:**332
Olegario, san **10:**201
Poblet, monasterio de **11:**144
Reus **12:**37
tarrarmiut **8:**155
Tarrasa **2:**253
Tárrega, Francisco 13:122
obra **13:**122
Segovia, Andrés **12:**259
tarsero 13:122
Tarsicio, San **14:**74
Tarsis **4:**306; **8:**106
Tarso **6:**24; **9:**87; **10:**279
Tartaglia o Tartalea 13:122
álgebra **1:**180
biografía **13:**122
tartamudeo 13:122
Tartaria 13:122
lapislázuli **8:**174
símbolo **12:**327
tartaria y tártaros 13:123
Asia **2:**97
cosacos **4:**263
Damasco **5:**9
fuego y sus consecuencias **6:**243
hogar **7:**199
invasión **8:**23
mongol, imperio **9:**276
tartárico, ácido 13:123
azul de metileno **2:**206
estereoquímica **6:**50
tamarindo **13:**108
Tartarín de Tarascón 13:123
tártaro 13:123
Danaide **5:**10
Tifón **13:**193
turco **13:**288
Ucrania **13:**300
tártaro emético 13:123
tartesio 13:123
Argantonio **2:**9
España **5:**312
iberos **7:**256
Tartini, Giuseppe 13:123
obra **13:**123
taruga 13:123
Tarzán 13:123
cómic **4:**170
historietas **7:**194
Weissmuller, John **14:**145
tasa 13:124
— de interés **5:**194
— de matrimonios hispanos **7:**188
— de natalidad **7:**188
— interna de rentabilidad **13:**31
tasajo 13:124
Paraguay **10:**321
Tashkent 13:124, 334
Tasman, Abel Janszon 13:124
biografía **13:**124
Nueva Zelanda **10:**159
Tasmania 13:124
Australia **2:**163
descubrimientos y exploraciones geográficas **5:**77
eucalipto **6:**72
monotrema **9:**280
ornitorrinco **10:**253
zoogeografía **14:**180
TASS 13:125
astronáutica **2:**113
periodismo **11:**51
Tasso, Torquato 13:125
bibliografía **13:**125
epopeya **5:**271
Jáuregui y Aguilar, Juan de **8:**90
Tatcher, Margaret **7:**43; **8:**242; **9:**38
Tatsimandravat, Richard **9:**11
Tattersall, Ricardo **7:**183
tatú 13:125
armadillo **2:**42
tatuaje 13:125
maorí **9:**65
tatuejo 13:125
Véase Armadillo
armadillo **2:**42
Tatum, Edward Lawrie 13:125
biografía **13:**125
Lederberg, Joshua **8:**208
Taube, Henry 13:125
biografía **13:**125
Taulero, Johanes 13:125
biografía **13:**125
Táuride, palacio de **12:**143
Tauro 13:126
aldebarán **1:**152
astronomía **2:**125
constelación **4:**218
géminis **6:**298
Tauro, montes 13:126
Asia **2:**84
tauromaquia 13:126
Lagartijo **8:**162
Montes, Francisco **9:**288
Sassone, Felipe **12:**232
tautología 13:127
Tavárez Colón, Elisa **11:**239
Tavárez, Manuel Gregorio239
Taveuni, islas **4:**235
Tavora, Franklin 13:127
bibliografía **13:**127
Taxco o Tasco 13:127
— historia **13:**127
Guerrero **7:**101
Latinoamérica **8:**193
México **9:**201
Taxi tradicional, isla de Madagascar **9:**11
taxidermia 13:127
taxidermia **13:**128
taxímetro 13:128
taxonomía 13:128
botánica **3:**56
clasificación **4:**107
zoología **14:**181
Taxos, islas **7:**55
tayasuidos **2:**77
Tayáuh **9:**136
Taylor Barnum, Phineas 4:89
Taylor Farnsworth, Philo **13:**149
Taylor Wang **13:**243
Taylor, Charles **12:**319
Taylor, Coleridge Samuel **2:**221; **8:**278
Taylor, Elizabeth 13:128
biografía **13:**128
Taylor, Joseph 13:128
biografía **13:**128
gravitacionales, ondas **7:**54
Taylor, Richard 13:128
biografía **13:**128
Friedman, Jerome Isaac **6:**237
Taylor, Robert 13:129
biografía **13:**129
Taylor, Zachary 13:129
biografía **13:**129
taylorismo 13:129
Tayru Túpac, Juan Tomás 13:129
obra **13:**129
Tchad 13:129
Véase Chad
Tchaikovsky, Piotr Ilich 13:129
obra **13:**129
Bolshoi, ballet **3:**34
cinco, grupo de los **4:**82
danza **5:**16
folklore o folclor **6:**190
música **10:**16
Rachmaninoff, Sergei Vasilievich **11:**274
Rusia **12:**142
sinfonía **12:**333
té 13:130
— la planta **13:**130
— de México **1:**226
— preparación **13:**130
— variedades **13:**130
bebidas **2:**272
cafeína **3:**153
China **4:**50
Hangchow **7:**127
Tea **13:**204
tea resinosa **1:**210
teatinos 13:131
— orden de los **10:**238
— San José de los **10:**292
teatro 13:131
— Albéniz de Montevideo **13:**328
— Antoine **2:**304
— Apolo **7:**130
— barroco **8:**194
— breve hispanoamericano contemporáneo **13:**31
— Broadway **13:***132*
— Carre **1:***254*
— clásico **5:**271; **8:**276
— Colón **13:**301
— Colón, Buenos Aires **2:**259
— de Bayreuth **1:**165
— de conflicto **8:**222
— de José Elizaguirre Echegaray **2:**290
— de la Comedia **11:**94
— de la crueldad **4:**301
— de la Cúpula del Coliseum de Barcelona **2:**268
— de la Ópera Cómica **10:**188
— de la Scala **1:**299
— de Orientación **7:**23
— Degollado **7:**71
— dei Piccoli **13:**205
— del absurdo **6:**227; **7:**51; **8:**32; **13:**260
— en la Acrópolis de Atenas **1:**56; **13:**131
— en la Edad Media **13:**132
— español contemporáneo **13:**228
— Ford **8:**264
— géneros **4:**305
— griego **11:**49
— Imperial **13:**211
— Juárez **7:**75
— latinoamericano del siglo xx **13:**31
— Libre **1:**315
— María Guerrero de Madrid **2:**268
— Mariinskii **13:**48
— Metropolitan **13:**184
— moderno **13:**133
— moderno **7:**259
— oficial de la Comedia Francesa **12:**64, 246
— oriental, Hong Kong **2:**84
— producciones de **14:**84
— Real de Madrid **1:**300; **9:**172
— Sara Bernhardt **2:**303
arquitectura **2:**56
comedia **4:**163
Edad Media **5:**209
espectáculos **6:**10
Instituto Nacional de Bellas Artes (INBA) **8:**10
mayas **9:**140
Novo, Savador **10:**143
Pirandello, Luigi **11:**106
Xirgu, Margarita **14:**158
Tebaida 13:133
Tebas 13:133
— Eumelo de **14:**72
— guerra de **8:**94
— necrópolis de **9:**161
Acrópolis **1:**56
arcadia **1:**349
Cadmo **3:**152
Epaminondas **5:**269
Europa **6:**84
Grecia **7:**60
Niobe **10:**103
Pelópidas **11:**32
Sethi I **12:**297
Trasíbulo **13:**255
treita tiranos **13:**258
Tebicuary **7:**73; **10:**323
teca 13:134
Laos **8:**173
tecalli **10:**212
Tecate **2:**218
Tecáxic-Calixtlahuacan **9:**131
techo 13:134
Techo de América **1:**53
techo de las nubes 13:134
techo de nubes **13:**135
Techo del mundo, meseta **10:**297; **13:**185
Techotlalla **8:**69; **11:**264
techumbre **12:**216
teclado **7:**284; **10:**247
tecnecio 13:134
técnica y tecnología 13:134
— biológica **13:**136
— constancia de la **14:**49
— de la madera y del agua **13:**136
— de la química industrial **13:**136
— de venta **2:**65
— del acero y del petróleo **13:**136
— del hierro y del carbón **13:**136
— el autómata **13:**136
— electrónica **6:**299
— foto-electro-magnética **13:**136
— geológica **11:**216
— la herramienta **13:**135
— la máquina **13:**136
— nuclear y cibernética **13:**136

agricultura **1**:123
audiovisual, educación **2**:158
comunicaciones **4**:185
educación **5**:217
ferrocarril **6**:140
inteligencia artificial **8**:15
prensa (información) **11**:190
tecnología **13**:136
tecnología de punta **2**:158
tecnicolor 13:137
tecnocracia 13:137
Tecnológico Carnegie en Pittsburgh **9**:224
Tecolotla, río **14**:52
Tecolotzin **9**:136
Tecpancaltzin **13**:215
tecpanecas **10**:30
tecpantlalli **2**:200
Tecto, Juan de **9**:210
tectónica global, teoría de la **6**:313; **9**:62
tectónicos **8**:164; **13**:171
Tees, bahías de **7**:34
teflón 13:137
Apolo **1**:326
plásticos **11**:129
teflón **13**:138
Teglatfalasar, imperio de **2**:101
Tegucigalpa 13:138
— catedral de **7**:220; **11**:269
San Pedro Sula **12**:199
tegumento 13:138
Véase Semilla
Teherán 13:96
Azerbaiján Persa **2**:195
Estados Unidos **6**:42
Irán o Persia **8**:38
Roosevelt, Franklin Delano **12**:110
Teherán **8**:37
Teherán, conferencia de 13:138
Teherán, Declaración de **13**:138
Tehuacán 13:138
Tehuacán, valle de 13:138
Tehuantepec, istmo de **1**:228; **8**:58; **9**:194; **10**:170; **14**:173
tehuelches **1**:32; **7**:309; **10**:298; **14**:115
Teide **5**:305;**9**:285
Teide, Pico de 13:138, 156
Teilhard de Chardin, Pierre 13:139
bibliografía **13**:139
Francia **6**:228
teína 13:139
teísmo **2**:132; **5**:39; **6**:18; **8**:147
Teive, Diego de **4**:147; **5**:71
Teixeira de Pascoães, Joaquim 13:139
bibliografía **13**:139
Teixeira, Pedro **1**:222
Teja Zabre, Alfonso **9**:202
Tejada Sorzano, José Luis 13:139
biografía **13**:139
Bolivia **3**:30
Tejeda Sorzano **13**:108
Tejeda y Guzmán, Luis de 13:139
Argentina, República **2**:24
bibliografía **13**:139
barroco **2**:258
Córdoba **4**:241
literatura hispanoamericana **8**:280
tejado 13:139
plomería (fontanería) **11**:138
tejedor **13**:140
Tejedor, Carlos **2**:183
tejedora navajo **10**:50
tejedores de Flandes **2**:282
tejeduría **13**:179; **14**:61
Tejera Guevara, Enrique Guillermo 13:139
biografía **13**:139
Tejera, Apolinar 13:139
bibliografía **13**:139
Tejera, Diego Vicente 13:139
bibliografía **13**:139
Tejera, Emiliano **5**:162
tejido 13:139
— animale **7**:191
— beta **1**:326
— celular **7**:168
— conectivo **9**:90
— conjuntivo **1**:294
— duro **1**:294
— epitelial **1**:294
— fibroso **1**:294
— fibrosos **10**:7
— gelatinoso **1**:294
— leñoso **9**:13
— linfoide **8**:235
— muerte de **10**:63
— muscular **1**:294
— nervioso **1**:294
— óseo **7**:241
— parenquimatoso **9**:154
— sanguíneo **1**:294
— vegetal **7**:191
tejido **1**:37
animal **1**:293
árbol **1**:348
cuerpo humano **4**:325
epitelio **5**:271
infarto **7**:324
química **11**:259
retículo-endotelial, sistema **12**:33
tejido de punto 13:140
estampado **6**:46
Habana, Ciudad de La **7**:114
higrómetro **7**:177
Paracas **10**:320
tejillo **14**:66
tejo 13:141
coxcojilla, avión o pata coja **4**:274
madera **9**:12
tejón 13:141
— mielero **11**:302
abeja **1**:25
teju 13:141
lagarto **8**:163
Tejupilco **9**:207
Teketik, puerto de **9**:217
Tel Aviv 13:141
Ben-Gurion, David **2**:289
Jerusalén **8**:98
Rabin, Yitzhac **11**:272
sionismo **12**:336
Tel Aviv **8**:55
Tel Quel **12**:228
Tela 13:142
— de algodón **1**:182
— filtrantes **10**:32
— metálica **8**:168; **10**:315
hule **7**:245
plásticos **11**:130
Tela, Honduras **7**:218
Telamón **2**:28; **7**:279
Telamón, Salamina rey de **2**:193
telar 13:140
— de Penélope **13**:116
— mecánico **13**:142
costura **4**:272
técnica y tecnología **13**:135
Tenochtitlán **13**:159
telaraña **1**:341
teleautógrafo 13:142
telecinesis **9**:185
telecomunicación 13:142
— medios de Transmisión **13**:142
— sistemas de telecomunicación **13**:142
comunicaciones **4**:187
telecomunicación **4**:186
Telefasa **6**:84
teleférico 13:142
Véase Funicular
Telefónica (España) **13**:142
telefónicos, sistemas **12**:6
teléfono 13:142
— cables, guías de ondas y ondas hertzianas **13**:143
— comunicación por satélites **13**:144
— conmutación **13**:144
— transmisión **13**:143

comunicaciones **4**:183
Edison, Thomas Alva **5**:211
teléfono **6**:141
Hughes, David Edward **7**:243
magneto **9**:28
radiotelefonía y radiotelegrafía **11**:282
teléfono **4**:182; **8**:23; **13**:143
varistancia (de varistor) **14**:27
telegrafía eléctrica **14**:147
telegrafía inalámbrica **7**:243; **9**:88
telegrafía óptica **13**:145
telegrafista **5**:211
Telegrafnoye Agentstvo Sovetskovo Sojuza **13**:125
telégrafo 13:145
— automático **14**:147
— de Wheatstone y Cooke **13**:145
— historia **13**:145
— impresor **7**:243
— meseta del **2**:136
— óptico **4**:183, 184
— óptico de Chappe **13**:145
— sistemas modernos **13**:146
— telégrafo de Morse **13**:145
alambre **1**:133
comunicaciones **4**:183
criptografía **4**:286
De Forest, Lee **5**:37
Eiffel, torre **5**:230
ferrocarril **6**:140
Hughes, David Edward **7**:243
invenciones y descubrimientos **8**:24
Marconi, Guglielmo **9**:87
navegación **10**:53
radiotelefonía y radiotelegrafía **11**:282
telecomunicación **13**:142
telégrafo **4**:182
telegrama de Ems **7**:89
telegu **2**:96;**7**:300
Teleki, Samuel **5**:76
telelocito **5**:67
Telémaco 13:147
—*Nell'Isola di Calipso* **13**:43
biografía **13**:147
Nausica **10**:50
Odisea **10**:185
Penélope **11**:37
telemática **13**:142
telémetro 13:147
— de coincidencia **13**:147
— estereoscópicos **13**:147
agrimensura **1**:109
radiocontrol **11**:278
tiro **13**:201
teleobjetivo 13:147
zoom, lentes **14**:187
teleósteos **1**:289; **7**:10; **11**:75; **14**:186
Telepaneca **9**:20
telepatía 13:147
telequinesia 13:147
Véase Espiritismo
telescopio 13:147
— astronómicos, Hawai **2**:129
— de 15 metros **8**:12
— de Cassegrain **13**:148
— de rayos gamma **2**:113
— espacial Hubble **7**:54
— Lick **10**:176
— montaje y disposición **13**:148
— reflector **6**:205
— reflectores **10**:89, 176, 184; **13**:148
— refractor del observatorio de Yerkes **13**:148
— Schmidt **2**:107
— Schmidt o cámara **10**:184
telescopio **4**:74
aberración **1**:27
astrofotografía **2**:107
astronomía **2**:125
conglomerado **4**:206
cruz del sur **4**:302
doble estrella **5**:150
estrella **6**:61
física **6**:169
Foucault, Jean Bernard Léon **6**:205
Galileo Galilei **6**:267
Herschel **7**:159
Hooke, Robert **7**:223
ingeniería **7**:329
instrumento **8**:13
luz **8**:332
Loch Ness, monstruo **8**:296
nova **10**:137
objetivo **10**:173
observatorio **10**:176
ocular **10**:184
pasatiempo **10**:336
satélite artificial **12**:242
telescopios solares 13:149
telescopio solar **13**:148
teletipo 13:149
Véase Telégrafo
comunicaciones **4**:184
Internationa News Service (Ins.) **8**:19
televisión 13:149
— aplicaciones industriales **13**:152
— barrido electrónico **13**:149
— barrido mecánico **13**:149
— cámara **13**:149
— de alta definición (HDTV) **14**:83
— difusión **13**:151

— en América Latina **13:**153
— en colores **13:**150
— estudios de **14:**82
— funcionamiento **13:**149
— industrial **13:**152
— por cable **14:**83
— programación **13:**151
— programas en cadena **13:**151
— recepción **13:**150
— utilidad científica **13:**153
audiovisual, educación **2:**157
comunicaciones **4:**181
educación **5:**218
Einstein, Albert **5:**230
electrónica **5:**242
ferrocarril **6:**141
filtro **6:**159
física **6:**169
fotografía **6:**202
Helmholtz, Hermann Ludwig Ferdinand von **7:**143
Hertz, Heinrich Ruddph **7:**160
ión **8:**31
reflector **11:**323
vista, educación por medio de la **14:**106
televisora **13:**152
Telica, volcán **10:**92
Telis **12:**310
Tell me how long the train's been gone **2:**224
Tell, el **2:**10
Tell, Guillermo **13:**153
biografía **13:**153
drama **5:**171
Rossini, Giacchino **12:**116
Suiza **13:**80
Teller, Edward **7:**166
Téllez, fray Gabriel **8:**277; **13:**203, 259
Téllez, Gabriel **5:**320; **13:**203
Téllez-Girón, Pedro Alcántara **13:**153
biografía **13:**153
Tellier, Carlos **4:**214
Tellier, Charles **6:**230, 237
Tellier **14:**8
Tello, Julio César **13:**153
biografía **13:**153
Caracas **10:**320
Tello, Manuel C **13:**153
biografía **13:**153
Telmo, san **13:**153
biografía **13:**153
telolecito **3:**6
Teloloapan **7:**102
Teloloapan y Tixtla de Guerreo **7:**101
Teloloapan, río **6:**30; **9:**207
Telpaneca **10:**92
telpochcalli **13:**153
aztecas **2:**199
México **9:**200
Telpochtli **13:**181
Telstar I **4:**186; **13:**144
telugu **5:**172
telurio **13:**153
telurio **13:**154
tema **5:**212; **6:**248, 321; **13:**44
Temascalcingo **14:**36
Temascaltepec **6:**30; **9:**207
Temin, Howard Martin **13:**154
Baltimore, David **2:**230
biografía **13:**154
Temis **13:**154
Horas **7:**224
Pickering, hermanos **11:**81
titanes **13:**204
Temístocles **13:**154
armada **2:**38
batalla **2:**264
biografía **13:**154
Grecia **7:**59
Guerras Médicas **7:**99
ostracismo **10:**269
Pireo, El **11:**108
Temninck **10:**253
Temnos **1:**273
temor **5:**140
témpano **1:**302
Tempelhoff, en Berlín **1:**89
temperamento **3:**230
temperatura **13:**154
— cohesión **2:**144
— diferencias de **14:**87, 88
atmósfera **2:**141
fiebre **6:**147
física **6:**168
fuego y sus consecuencias **6:**242
fusión, punto de **6:**255
gas **6:**287
hidrofobia **7:**166
hielo **7:**169
invernadero **8:**28
isoterma **8:**54
Kelvin, escala de **8:**137
ladrillo **8:**161
liofilización **8:**269
Pcífico, océano **10:**280
termes **13:**167
termita **13:**168
termopar **13:**169
tempestad **13:**154
tormenta **13:**223
viento **14:**89
templado **8:**28
templanza **8:**129
templarios **13:**154
— orden de los **6:**221; **9:**120
caballería, órdenes de **3:**132
Felipe IV el Hermoso **6:**128
temple **13:**155
— al aceite **13:**155
— natural **7:**157
metalurgia **9:**184
pintura **11:**94
Temple, orden del **10:**236
Temple, Shirley **13:**155
biografía **13:**155
Temple, sir William **13:**91
templo **13:**155
— Borobudur, Bali, Indonesia **7:**315
— brahmánico **2:**225
— budista, Thailandia **2:**84
— de Alexander Nevsky, Sofía, Bulgaria **13:**24
— de Amón **5:**224, 229
— de Angkor **1:**283
— de Atocha (Madrid) **2:**294
— de Bayon en Angkor **1:**283
— de Cristo en Moscú **13:**129
— de Dashour **1:**70
— de Fatehpur, Agra, India **1:**101
— de Faustina **1:**316
— de Hazrat Fatimeh, Irán **2:**87
— de Isis **5:***225*
— de Jerusalén **1:**205
— de Júpiter Capitolino **13:**121
— de Karnak **5:**227
— de Khiva **13:**293
— de Kwannon **13:**211
— de la concordia, Agrigento, Sicilia **1:**109
— de la Fortuna Augusta **11:**164
— de la Paz **2:**311
— de la Sagrada Familia **2:**252
— de Lázaro, Belém, Jerusalén **1:**205
— de los tres Budas, Hong Kong, China **1:**205
— de Luxor **1:**227
— de Menfis **2:**310
— de Philae en Egipto, África **1:**97
— de Quetzalcóatl **13:**162
— de Ramsés II **13:**133
— de Ranakpur, Rajastán, India **7:**295
— de San Mateo **13:**119
— de Santa Prisca **13:**127
— de Shiva , Mahabalipur **13:**6
— de Tláloc **13:**159
— de War Xieng Thong **1:**206
— del Sol **1:**74; **7:**292
— jainista **7:**302
— japonés, Byodo-in-Oahu **2:**98
— Karnak **5:**227
— Luxor **5:**227
— Mayor de Tlatelolco **1:**121; **2:**201, 203; **9:**208; **13:**159, 160, 208
— Mayor, México **2:**199
— mazdeista en Jaiselmar, Rajastán, India **7:**298
— megalítico **5:**203
témpora **13:**155
Temporada de duendes **13:**44
temporal **1:**251; **3:**332
Temuco **13:**155
Araucania, Región de la **1:**343
Cautín **3:**303
Temudjin **9:**276
Tena **13:**155
Oriente **10:**250
tenacidad **13:**156
física **6:**164
Tenancingo **6:**30; **9:**207
Tenango **6:**30; **9:**207
Tenantzinco **9:**131
Tenasserim **13:**101
Tenayuca **13:**156
aztecas **2:**202
chichimecas **4:**34
México **9:**204
pirámides de México y América Central **11:**106
Quinatzin Tlaltecatzin **11:**264
tenaza **3:**258
tenca **13:**156
tendencia global **11:**204
tendencias **11:**95
Tendencias modernas **13:**19, 20
ténder **6:**139
Tendilla, conde de **5:**233; **8:**50
tendón **13:**156
— de Aquiles **5:**243
tendones **10:**7
tendones, músculos mano derecha **9:**59
Tendre **13:**76
tenebrismo **12:**60; **14:**38
Tenebroso, mar **4:**146; **5:**69; **10:**54
tenedor **4:**316; **8:**234
Tenedos **2:**100
teneduría de libros **4:**223
tenencia y depósito de armas **13:**156
tenerías **4:**322
Tenerife **13:**156
— isla de **5:**305
— Pico de **5:**305
árbol **1:**347
guanches **7:**75
Teide, pico de **13:**138
tenez **13:**157
Teng Hsiao-Ping **12:**43
Tengri-nor **2:**88
tenia **13:**156
enfermedades parasitarias **5:**262
helmintiasis **7:**143
teniente **13:**157
— de corbeta **2:**40
— de fragata **2:**40
— de navío **2:**40
— general **6:**300
— del reino **13:**157
— de alcalde **13:**157
audiencia **2:**157
Teniers **7:**133
Teniers, David llamado el Joven **13:**157
alquimia **1:**202
Louvre **8:**313
obra **13:**157
Teniers, David III **3:**246
teñir **14:**61
tenis **13:**157
— de mesa **11:**91
Tennant, Charles **11:**262
Tennessee **13:**158
— actividad económica **13:**158
— clima **13:**158
— hidrografía **13:**158
— tierra y recursos **13:**158
— turismo **13:**157
— vida vegetal y animal **13:**158
Estados Unidos **6:**32
ku-klux-klan **8:**150
Memphis **9:**162
Oak Ridge **10:**169
tabaco **13:**94
Tennessee Valley Authority **6:**36, 39
Tennessee Walking Horse **13:**158
Tennessee, río **13:**158
Tenno, Jimmu **12:**336
Tenno, Komei **10:**18
Tennyson **2:**274
Tennyson, Alfred **2:**221; **3:**249; **13:**96, 158; **14:**149
Tennyson, lord **5:**244
Teno o Tana, río **6:**159
Tenoch **13:**159
biografía **13:**159
aztecas **2:**196
nahuas **10:**30
tenochcas **2:**196, 198, 200
Tenochtitlán **13:**159
— arte **13:**156
— rey de **10:**30
Aguilar, jerónimo de **1:**116
Axayácatl **2:**192
aztecas **2:**200
Coyoacán **4:**274
Cuitláhuac **4:**327
ferias **6:**132
Huitzilopochtli **7:**245
Latinoamérica **8:**183
México **9:**198

Noche Triste, La **10:**126
Palos de la Frontera **10:**297
Pellicer, Carlos **11:**31
Tenayuca **13:**156
Tenochtitlan **2:**49
Tlatelolco **13:**208
tenor 13:159
barítono **2:**254
canto **3:**221
contralto **4:**228
dúo **5:**179
orquesta **10:**257
trombón **13:**270
Tenorio **4:**267
Tenorio, Cristóbal **14:**33
Tenosique **13:**95, 331
Tenquedama, salto del **4:**31, 329
ténrec **8:**5
Tensif, río **9:**105
tensilón **10:**32
Tensing **1:**202
Tensing Norgay **7:**179
tensión 13:160
— eléctrica **7:**317
— superficial **8:**270
elasticidad **5:**235
polipasto **11:**155
tensión sanguínea 13:160
Véase Sangre
tentáculo 13:160
anémona marina **1:**276
zoología **14:**183
Tentáculos de medusa **13:**160
Tenzig Norgay, montañista **9:**284
Tenzing Norgay **6:**86
teocalli o teocali 13:160
— de Huitzilopochtli **2:**198
aztecas **2:**202
teocentli **9:**38
teocracia 13:160
islam e islamismo **8:**51
Teócrito 13:160
Balbuena, Bernardo de **2:**223
bibliografía **13:**160
égloga **5:**230
Grecia **7:**62
Virgilio **14:**99
teodolito 13:160
— magnético **13:**160
alineación **1:**192
brújula de agrimensor **3:**90
colimador **4:**135
instrumento **8:**13
mapa **9:**70
topografía**13:**221
Teodomiro **13:**160
Teodomiro obispo **12:**218
Teodora 13:160
biografía **13:**160
Teodoredo **5:**314
Teodorico 13:160
— rey, sepulcro del **11:**303
Alemania **1:**167
biografía **13:**160
Atila **2:**135
Boecio, Severino **3:**16
Edad Media **5:**205
godos **7:**11
libro **8:**252
oblación **10:**174
ostrogodo **10:**269
Turismundo **13:**291
Teodoro I **10:**76, 312
Teodoro Svedberg **13:**72
Teodosia **8:**130
Teodosio I, Flavio 13:161
Bizancio, imperio de **2:**332
biografía **13:**161
cristianismo **4:**291
Habacuc **7:**113
Honori, Flavio Augusto **7:**223
Occidente, imperio de **10:**178
Olimpia **10:**203
Teodosio II **2:**333; **5:**205; **10:**203
Teodosio, emperador **1:**75, 226; **10:**283
Teofrasto 13:161
bibliografía **13:**161
botánica **3:**56
fundición **6:**252
La Bruyere, Jean de **8:**158
opio **10:**226
trigo **13:**266
Teofrasto Bombasto **13:**161
Teogenes **13:**9
Teogonía **2:**134; **7:**61, 160
teología 13:161
culpa **4:**328
metafísica **9:**180
patrología **11:**15
religión **12:**12
universidad **13:**316
teología de la liberación 13:161
Arístide, Jean-Bertrand **2:**31
Perú **11:**62
Teológica, Academia **13:**31
teológico **4:**292
teológicos y filosóficos, estudios **7:**76
teólogo **5:**266; **7:**152; **11:**185; **13:**239
teopantlalli **2:**200
Teopanzolco **2:**202; **11:**106
Teopanzolco, pirámides de **9:**204
teorema 13:161
— algebraico del binomio **10:**89
— de Bernoulli **2:**304
— lógico **13:**127
— matemático **10:**11
geometría **6:**315
hipótesis **7:**186
teoría 13:161
— de ecuaciones polinominales **7:**70
— de la Evolución, **6:**86, 89
— de la explotación **6:**100
— de la relatividad general **7:**52
— de la relatividad general de Einstein **7:**54
— de los números **2:**34
— del bienestar **2:**60
— del dominio universal **7:**7
— evolutiva **7:**124
— general del equilibrio y finanzas públicas **7:**163
— matemática de la información **7:**328
— ondulatoria de la luz **7:**254
— sociológica **7:**5
— de supersimetrías **7:**50
— físicas **7:**83
— históricas **7:**193
— individualistas **13:**22
— sobre la velocidad **7:**181
teoría atómica 13:161
átomo **2:**145
Berzelius, Juan Jacobo **2:**305
Teoría de las ideas **7:**265
teóricos de la guerra **7:**84
Teos **1:**257
teosofía 13:161
Blavatsky, Elena Petrovna **3:**6
ocultismo **10:**184
Suecia **13:**71
teósofo **13:**162; **14:**34
Teotenanco **9:**131
Teotepec, cerro de **9:**17
Teotihuacán 13:162
— y Tenochtitán, saneamiento **12:**204
Cacaxtla **3:**147
Estado de México **6:**30
Kaminaljuyu **8:**132
Monte Albán **9:**286
Pellicer, Carlos **11:**31
Teotihuacán **13:**163
totonaca **13:**234
Tula **13:**281
teotihuacana **2:**52; **11:**106
teotl **13:**160
tepache 13:162
bebidas **2:**272
maíz **9:**38
Tepalcatepec **9:**214
tepanecas **9:**131; **13:**20
tepecansos **7:**309
tepehuanes **7:**309; **10:**59
Tepehuanes, Sierra de **5:**179
tepehuas **14:**52
Tepeji del Río **7:**163
Tepeyac **7:**72
Tepeyac, El cerro del **7:**72
Tepéyacac **13:**159
Tepeyácac, calzada de **12:**203
Tepic **10:**59
tepidarium **13:**166
Teplitz **2:**276
teponaztli o teponascle 13:162
México **9:**203
Tepotzotlán, convento de **9:**204
Tequendama, salto de 13:162
Bogotá **3:**18
teques **14:**47
tequila 13:162
agave **1:**100
Tequisquiapan **11:**250
Ter, río **2:**253; **6:**319
terafósidas **13:**118
Téraj **1:**33
Terán, Juan B 13:162
bibliografía **13:**162
terapéutica 13:163
— anabólica **1:**274
enfermero **5:**263
Hipócretes **7:**183
terapéutico, sistema **10:**268
terapia **5:**260
terapia del reeplazo hormonal (TRH) **9:**168
terapia genética **13:**14
terata **13:**163
teratología 13:163
terbia **13:**163
terbio 13:163
Terboch, Gerard **11:**97
Terborch, Gerardo 13:163
obra **13:**163
Terceira **2:**196
Tercer Estado 13:163, 164
Véase Revolución Francesa
tercer mundo 13:163
Corea **4:**246
López Portillo y Pacheco, José **8:**307
subdesarrollo **13:**60
Tercer Reich **1:**313; **4:**295
Tercera Cruzada **1:**159; **6:**124, 127
tercera dimensión (3D) **14:**84
Tercera Guerra Púnica **2:**81
tercera infancia **7:**319
Tercera Internacional **2:**279; **13:**18, 20
Tercera Internacional Socialista **8:**19, 221
Tercera muralla **2:**48
tercera persona **11:**58
Terceras, islas **1:**147
tercerón **9:**327
terceto **9:**188; **13:**37
terciario 13:164
Véase Geología
artiodáctilos **2:**77
Evolución, Teoría de la **6:**89
extinción **6:**104
paleontología **10:**291
tercio 13:164
terciopelo 13:164
lana **8:**169
terebinto 13:164
tereftalato **5:**5
Terencio Áfer, Publio 13:164
bibliografía **13:**164
comedia **4:**163
Terencio Lucano **13:**164
Terencio Varrón **2:**311
tereno **7:**310
Terentila, ley **4:**82
Teresa **11:**176; **13:**303
Teresa de Ávila, santa **10:**237
Teresa de Calcuta, madre 13:164
biografía **13:**164
Teresa de Calcuta **13:**165
Teresa de Cepeda y Ahumada **13:**165
Teresa de Jesús, santa 13:165
bibliografía **13:**165
Cruz, San Juan de la **4:**304
España **5:**319
mujer **9:**327
Navarro Tomás, Tomás **10:**52
Vega Carpio, Felix Lope de **14:**33
Teresa del Niño Jesús, santa 13:165
bibliografía **13:**165
Tereshkova, Valentina Vladimirovna 13:165
biografía **13:**165
astronautica **2:**111
Vykovsky, Valery F. **9:**326
Teresina **11:**79
tergal **5:**5
Tergéstum **13:**263
Tergucigalpa **7:**218
terileno **10:**32
terital **5:**5
Terkel, Studs **10:**230
terlenka **5:**5
Termales, fuentes **14:**127
termas 13:165
— de Pompeya **13:**166
— o baños de Caracalla **2:**248
termes 13:166
— Castas y organización social **13:**166
— Vivienda **13:**166
— Alimentación **13:**167
zoologia **14:**183
térmica, corriente 13:167
Termidor **1:**101

terminales **8:**164
Término **10:**161
término medio 13:167
término municipal 13:167
término, grado de un **1:**179
terminología **10:**128
términos **6:**315
Términos, laguna de **7:**155
termita, 13:167
soldadura **13:**28
termiteros **13:**166
termítidos **13:**166
termo 13:167
Véase Termos
termobaroscopio **6:**267
termodinámica 13:167
— tratado de **14:**22
Kelvin, William Thomson, lord **8:**137
termología **13:**168
Termoeléctrica, aguja **2:**274
termoelectricidad 13:167
termología **13:**168
termoestables **11:**126
termógrafo 13:167
estación meteorológica **6:**29
termoiónica 13:168
Véanse Electrónica; Válvula Termoiónica
— válvula **6:**176
termología 13:168
física **6:**164
termómetro 13:168
— centígrado **7:**29
— de máxima **13:**168
— de mercurio **13:**154
— digital **13:***168*
dilatación **5:**121
Fahrenheit, Gabriel Daniel **6:**112
mercurio (azogue) **9:**173
termonucleares, elementos **7:**167
termopar 13:168
Termópilas 13:169
— batalla de las **9:**212
— paso de las **13:**154
Esparta **6:**7
termoplásticos **11:**126
termoquímica 13:168
termorregulación 13:169
termos 13:169
termoscopio **13:**168
Termosfera 2:142
termosifón 13:169
termostato 13:169
terna **8:**310
ternura **5:**249
terópodos **5:**133
terpeno 13:170
terpsícore 13:170
Véase Músas
Terra Nova **12:**250
terra patria **10:**22
Terra, Gabriel 13:170
biografía **13:**170
Terracina **7:**278
Terracini **8:**266
terracota 13:170
Terralla Landa, Esteban de **8:**280
terramicina 13:170
Terranova 13:170
— América **2:**232
— bancos de **11:**174
— isla de **2:**136; **12:**167
aeroplano **1:**87
terrario 13:171
Terrell, Ernie **3:**63
terremotos 13:*171*
geología **6:**311
terreno **10:**285; **14:**166, 180
Terrés, José **9:**201
terrestres **1:**342; **6:**253
terrestres, Movimientos **13:**192
territorio 13:172
— de las Islas Ashmore y Cartier **2:**163
— de las Islas del Mar de Coral **2:**163
— de Sicilia **1:**324
— del Noroeste **7:**270, 304
— del Norte **2:**163
— Libre de Trieste **13:**263
Territorio del Fuego, Antártida e islas del Atlánt 13:172
Territorio y Recursos 2:36
Territorio, recursos e hidrografía 13:48
territorios **7:**81
terror **13:**173; **14:**69
Terror antiquus, ballet **2:**220
terrorismo 13:173
Terry Hart **13:**243
Terry, Dame Ellen Alice 13:173
biografía **13:**173
Irving, Henry **8:**47
mujer **9:**326
Terschling, isla **14:**190
Terskej **8:**143
Tertsetis, Y. **7:**62
Tertuliano **10:**283; **11:**15
Tertuliano, quinto septimio Florente 13:173
bibliografía **13:**173
teru teru 13:173
Teruel 13:173
Aragón **1:**340
Tesalia 13:173
—reino de **2:**27
Leónidas **8:**228
tesalios **7:**58
Tesalónica **4:**92; **13:**161
teselas **9:**306
Teseo 13:174
Medea **9:**148
Tesino **7:**100; **13:**77, 80, 81
Tesino, lago **6:**75
Tesino, río **1:**291; **13:**76
tesis 13:174
hipótesis **7:**186
Tesla, Nikola 13:174
Westinghuose, George **14:**147
radiotelefonía y radiotelegrafía **11:**284
biografía **13:**174
tesmotetas **1:**352
Tesorería **13:**175
tesoro 13:175
— de Atreo **2:**55
— de Guarrazar **13:**175
— de Príamo **13:**274
tesoros **13:**174
Tespis **13:**240
***test* 13:**175
— Diversos tipos de *test* **13:**175
— *Test* de personalidad **13:**175
— Psicodiagnóstico de Rorschach **13:**176
— Administración de los *tests* **13:**176
— Interpretación del resultado **13:**176
test Symonds **13:**176
Testa, Clorindo 13:177
biografía **13:**177
Testament poétique **13:**83
testamentaria **13:**63
testamento 13:64
— Antiguo **10:**206, 282
— Antiguo**1:**349
— cerrado **13:**64
— *literario* **10:**288
— Nuevo **10:**160, 279
— ológrafo **13:**64
— por acto público **13:**64
fideicomiso **6:**147
historia sagrada **7:**194
testeras **2:**43
testículo 13:177
andrógenos **1:**273
espermatozoide **6:**15
Véase reproducción
testigo 13:177
testigos de Jehová 13:177
testimonio 13:177
— Falso **13:**177
testosterona **1:**273; **6:**51; **7:**229
testudínidos **13:**232
Testut, Jean Léo **1:**261
Tetabiate **14:**160
tetania 13:177
tétanos 13:177
bacitracina **2:**209
cuero cabelludo **4:**323
tetigónidos **10:**261
Tetis 13:178
Aqueloo **1:**330
Pioneer, sondas espaciales **11:**103
Tetlepanquetzal **4:**310
Tetrabiblos **13:**214
tetracloruro de carbono **7:**147
tetradoxina **14:**154
tetraedro 13:178
tetraetilo de plomo **1:**69
tetrafluoretileno **13:**137
tetragonal **4:**290
tetrahidrocannabinol **9:**96
tetraóxido **5:**144
tetrarca **13:**178
Tetrarca de Galilea **7:**155
tetrarquía 13:178
Dioclesiano, Cayo Aurelio Valerio **5:**134
tetróxido de nitrógeno **10:**277
Tetuán 13:178
Marruecos **9:**108
Tetzcoco **13:**159
teúrgia **10:**72
Teutates **12:**160
Teutoburger, selva de **1:**164
teutones 13:178
Mario, Cayo **9:**100
teutónica, mitología **6:**188
Teutónica, Orden **4:**254; **8:**288
teutónico **13:**69, 107
Teutschland **1:**158
Tewkesbury **12:**62
Texas 13:178
— Actividad económica **13:**179
— campaña de **2:**30
— Clima **13:**179
— Hidrografía **13:**179
— Tierras y recursos **13:**178
— Turismo **13:**179
— Vegetación y vida animal **13:**179
agua de mar, purificación del **1:**111
Guadalupe Hidalgo **7:**73
Kennedy, John Fitzgerald **8:**138
México **9:**199
Texcatlipoca **2:**202
Texcoco**1:**257; **6:**30; **10:**91; **13:**160
Texcoco, escuela de **6:**281
Texcoco, lago de **2:**197; **8:**159, 183; **9:**208; **14:**169
Texcoco, Rey de **10:**76
Texel, isla **14:**190
textalite **11:**127
textilería **4:**271
textiles 13:179
— chinos **13:**181
vestido **14:**124
texto 13:181
— escrito **7:**192
— occidental **7:**137
— oriental **7:**137
— sagrados **13:**181
editor y editorial **5:**212
electrotipia **5:**242
textura **13:**72
Texupilco **6:**30
Teya **7:**11
Tezcatlipoca 13:181
dioses paganos **5:**136
religión **12:**11
Tezcatzonco **10:**270
Teziutlán, Puebla **4:**240; **8:**301
Tezozómoc **8:**69; **9:**136; **10:**76
Tezuka, Osamu **4:**171
Thackeray, William Makepeace 13:181
bibliografía **13:**181
Carlyle, Thomas **3:**249
Gran Bretaña **7:**44
traducción **13:**239
Thagard, Norman **13:**243
thaichinas **2:**96
Thailandia 13:181
Indochina **7:**312
Myanmar **10:**19
zoogeografía **14:**180
Thalen **11:**216
thaler **13:**105
Thalia **7:**28
thalweg **6:**329; **13:**172
Thamasp II, rey de Persia **10:**29
Thammasat **13:**101
Thanin Kraivichien **13:**102
Thanom Kittikachorn **13:**102
Thant, U 13:181
biografía **13:**181
Thar o desierto Índico **2:**86; **5:**89; **11:**292
Tharpe, Rosetta **7:**24
Tharrats, Joan Josep **5:**319
Thatcher, Margaret 13:182
biografía **13:**182
THC **9:**96
Theiler, Max 13:182
biografía **13:**182
Theiss, río **6:**49
Thelluson **10:**63
Thenard **4:**289
Thénard, Louis Jacques, barón de **1:**112; **6:**295; **4:**115
Theorell, Axel Hugo, 13:182
Suecia **13:**72
biografía **13:**182
Theory of Price (Teoría de los

precios) **13**:55
Theotocópuli, Jorge Manuel **13**:182
Theotokópoulos, Doménikos 13:182
España **5**:318
obra **13**:182
Thera, Grecia **1**:*173*
thermas **9**:253
Theuda, doña **12**:60
Thibaud, Jacques 13:182
aniquilación **1**:299
Casals, Pau **3**:271
Cortot, Alfredo **4**:262
obra **13**:182
Thiene, Cayetano de **13**:131
Thiers, Ejército de **4**:180
Thiers, Louis Adolphe 13:182
Thiers, Adolphe **6**:223; **12**:54
biografía **13**:182
Revoluciones de 1830 **12**:54
Thimmonier **8**:27
Thimonnier, Barthélemy **9**:74; **12**:234
Thionville **6**:216, 217
Thívai **13**:134
T-Ho, ciudad maya de **9**:174
Thomas Alva Edison **13**:143
Thomas Arnold **7**:243
Thomas Corneille **13**:240
Thomas Dewey **13**:276
Thomas H. **10**:154
Thomas Malthus **13**:17
Thomas Watson **13**:143
Thomas, Ambroise 13:183
obra **13**:183
ópera**10**:220
Thomas, Dylan Mareais 13:183
biografía **13**:183
Thomas, E Donnall 13:183
bibliografía **13**:183
Thomas, Piri **7**:189; **11**:238
Thomason, William (Lord Kelvin) **8**:111, 131, 137
Thompson **2**:298
Thompson, Augusto Goeminne **5**:99
Thompson, S.G. **9**:163; **13**:89
Thomsen, E. **5**:127
Thomsen, J **2**:50
Thomson Wilson, Charles **3**:182
Thomson, Benjamin **3**:171
Thomson, George Paget 13:183
biografía **13**:183
Gran Bretaña **7**:44
Thomson, James 13:183
átomo **2**:146
bibliografía **13**:183
electrón **5**:240
Gran Bretaña **7**:43
Thomson, sir Joseph John 13:183
biografía **13**:183
Rutherford, sir Ernest **12**:152
Thomson, George Paget **13**:183
Thomson, William 13:183
Gran Bretaña **7**:44
Véase Kelvin, William
Thon **10**:197
Thonbuy **2**:245
Thor **1**:34
Thor Heyerdahl **10**:281; **7**:308
Thoreau **7**:133; **14**:149
Thoreau, David **6**:43
Thoreau, Henry David 13:183
bibliografía **13**:183
Thorild, T. **13**:71
Thorn **10**:275
Thorn, Gastón **8**:329
Thorndike, E. L. **4**:174
Thorne, Jaime **12**:162
Thornton, William **13**:243
Thorntwaite **4**:113
Thorpe **1**:219
Thorpe, J. **7**:44
Thórshavn **6**:136
Thorvaldsen, Bertel 13:183
Copenhage **4**:233
Dinamarca **5**:126
obra **13**:183
Thot **5**:284
Thouars, Du Petit **9**:105
Thowson **10**:71
Three Mile Island **10**:150
Throup, Matilde **4**:40
thug 13:183
Thuiller, Emilio **11**:94
thule 13:184
exploraciones polares **6**:95
Rasmussen, Knud Johann Victor **11**:301
Thun, lago Suiza **13**:81
Thune **13**:77
Thurd **13**:221
Thuringewald **1**:163
Thutmosis *el Grande* **13**:298
Tiahuanaco **3**:28; **5**:295; **8**:132
Tiahuanaco I **13**:184
Tiahuanaco II **13**:184
Tiahuanaco o Tiwanacu 13:184
— región de **1**:121
— ruinas de **1**:121, 122, 208
Tiamat **4**:277
tiamina 13:184
Véase Vitaminas
Tiam-Shan, montes **8**:135
Tian Chan o Tien Shan 13:184
Tiananmen **11**:29
Tiananmen, plaza de **4**:53
Tiang, dinastía **5**:71
*tianguis 2:*200
Tianjin **4**:46, 51
Tianshan **12**:335
tiara **4**:251; **14**:61
Tías, rey Sirio **1**:73
Tib **9**:51
Tibbets, Paul W. **3**:37
Tibbett, Lawrence Mervil 13:184
biografía **13**:184
Tíber 13:184
Sixto IV **13**:12
Tiber 13:185
— río **4**:10; **12**:100; **13**:184
Roma **12**:97
Tiberg **11**:216
Tibergen, Jan **13**:197
Tiberíades **2**:87; **12**:205; **13**:111
Tiberíades, batalla de **4**:306
Tiberíades, lago **6**:267; **8**:107; **12**:171; **13**:193
Tiberio 13:184
Augusto, Cayo Julio César Octaviano **2**:160
biografía **13**:184
Caligula Cayo Julio César, llamado **3**:168
Pilato, Poncio **11**:89
sacerdote **12**:157
Suetonio Tranquilo, Cayo **13**:73
Tácito, Cayo Cornelio **13**:97
Tiberio Cavallo **6**:333
Tiberio Graco **7**:28
Tiberio Sempronio **7**:28
Tiberio y Agripina **1**:*110*
Tibesti, macizos montañosos el **12**:164
Tibet 13:185
— Economía **13**:185
— Historia **13**:185
— meseta del **2**:85
— meseta del **9**:176
— sal común **12**:169
agricultura **1**:107
dalai lama **5**:7
Everest, monte **6**:86
Himalaya **7**:179
lengua **8**:216
Mongolia **9**: 276
Ossendowski, Fernando **10**:267
polo **11**:156
Speke, John Hanning **13**:47
teocracia **13**:160
Tibet **4**:48, 57; **14**:159
Tibetana, altiplanicie **14**:168
tibetanos **2**:95; **7**:300; **13**:293
tibetobirmanes **2**:96; **2**:95
tibia **6**:24
Tibidabo **2**:252
Tibiko Taka Ngwana Fund **13**:90
Tibulo, Albius 13:186
biografía **13**:186
Tiburcio Carías Andino **7**:219
tiburón 13:186
— aleta blanca **13**:187
— aleta blanca de arrecife **13**:186
— ballena **13**:186
— de Puerto Jackson **13**:186
— de punta negra **13**:187
— gris **13**:187
— nodriza **13**:186
Aceite **1**:45
mar **9**:81
Panamá **10**:303
Sonora **13**:41
Tiburón, Cabo **4**:137
tiburones **2**:155
tic 13:186
ticho brahe 13:186
clepsidra **4**:111
Ticiano **7**:28
Ticina, canteras de **9**:222
Ticino **11**:143
Ticknor, George 13:186
bibliografía **13**:186
Estados Unidos **6**:43
Ticonderoga, potaaviones **2**:120
ticuna **7**:310
Tidor **9**:270
Tidore, isla **5**:235
Tieck, Johan Ludwing 13:187
bibliografía **13**:187
Genoveva de Bravante **6**:302
Tiemann **11**:262
tiempo 13:187
— atmosférico **13**:*188*
— de arena **13**:229
— de oscilación **11**:36
— geológico **6**:**6**:307
Edad Media **5**:207
Física **6**:165
historia **7**:191
tiempo **13**:188, 189
Vera, Francisco **14**:51
Tien Shan, montes **10**:297
Tien, sistemas orográficos **12**:136
Tien, Ti o Shang-ti **12**:11
Tiena, Cayetano de **10**:238
Tien-Chan **2**:85
Tien-Chan, cordillera (Montes Celestes) **2**:84
Tien-Chan, monte **2**:84
Tien-Chen **13**:198
Tienda de campaña 13:190
tienda de dulces **7**:188
Tiendas en un poblado de indios en Utah, EE.UU. **7**:198
Tienlung Shan **4**:58
Tienta 13:190
vestido **14**:72
Tien-Tsin 13:190
boxers, sublevación de los **3**:63
Nankín o Nanjin **10**:34
Tiépolo **7**:266; **11**:97; **13**:190
Tiépolo, Giambattista 13:190
aguafuerte **1**:112
obra **13**:190
Tiergarten de Berlín, Parque **10**:331
Tiergarten, parque **2**:300
Tierra (*Paca mama*) **7**:293
Tierra 13:190
— antípoda **5**:69
— azul **1**:223
— Blanca **14**:52
— *cálida* **2**:29
— caliente **14**:43
— de Fuego **2**:13
— de Fuego y Antártica e islas del Atlántico Sur, territorio nacional de **2**:18
— de lagos y volcanes **10**:93
— de Luis Felipe **10**:129
— de océano **13**:60
— de Van Diemen **13**:124, 125
— esfericidad de la **9**:22
— estructura de la **6**:311
— Graham **13**:172
— La atmósfera **13**:191
— La hidrosfera **13**:191
— La litósfera **13**:192
— movimiento de rotación de la **6**:205
— movimiento del eje de rotación de la **10**:166
— Movimientos terrestres **13**:192
— superficie de la **11**:116
Astrid Bernardotte **2**:107
átomo **2**:143
aurora boreal **2**:161
Clemont—Ferrand **4**:112
comunicaciones **4**:186
contaminación ambiental **4**:226
cosmogonía **4**:264
día **5**:99
eclípse **5**:186
energía solar, aprovechamiento de la **5**:260
equinoccio **5**:272
estaciones del año **6**:27
evolución, teoría de la **6**:89
extinción **6**:104
gusanos **7**:109
Haití **7**:121
helio **7**:142
invernadero, efecto de **8**:28
Joachim von Laucher, George **8**:104
júpiter **8**:127
Laika, perra **8**:165
latitud y longitud **8**:196
legua **8**:212

luz **8:**330
planeta **11:**119
Tierra del Fuego 13:192
América del Sur **1:**239
Chile **4:**38
Magallanes **9:**22
Nordenskjöld, Otto **10:**129
Patagonia **11:**10
Tierra en erupción **13:**109
Tierra Firme **4:**166, 263
Tierra Firme, Reino de **14:**53
tierra negra o tirs **9:**106
Tierra Prometida **8:**117, 118; **9:**265
Tierra Santa 13:193
cruzadas **4:**306
Lagerkvist, Pär Fabian **8:**163
Ricardo I, Corazón de León **12:**61
tierra vegetal 13:193
Tierra Victoria **5:**274; **12:**115
Tierradentro, cultura de 13:193
Colombia **4:**141
Tierras Árticas **4:**231
Tierras Australes **6:**219
tierras céricas **13:**193
tierras de labor **8:**44
tierras de labranza **7:**50
Tierras de Lenin **2:**70
tierras ítricas **13:**193
Tierras Negras **13:**299
tierras permeables **8:**205
tierras raras 13:193
iterbio **8:**67
Tierri **7:**208
Tiestsin **11:**28
Tiétar **2:**189
Tieté, río **10:**324; **12:**224
Tiflis (Tbilisi) 13:193
Georgia **6:**316
Khachaturian, Aram Il´ic **8:**140
Rusia **12:**146
Transcaucácea **13:**243
tiflópidos **12:**290
tifoidea 13:193
bacteria y bacteriología **2:**211
Eberth, Karl Joseph **5:**184
kala-azar **8:**131
tifón 13:193
folklore o folclor **6:**189
Hidra **7:**164
tifones **4:**48; **10:**280; **14:**89
tifus **2:**160; **5:**260; **6:**286; **13:**194
tifus exantemático 13:194
Nicolle, Charles Jules Henri **10:**96
piojo **11:**102
rickettsia **12:**64
tifus marino **11:**302; **12:**64
Tigelino **10:**75
Tiglath-Piléser 13:194
— Tiglath-Piléser I **13:**194
— Tiglath-Piléser III **13:**194
biografía **13:**194
Tigre 13:194
— río **1:**319
Monagas **9:**273
tigre 13:194
— de Bengala **3:**253; **13:**194
— de pelo largo **2:**91
Argentina, República **2:**17
Laos **8:**173
tigre real **2:**90
Tigre 13:195
— provincia de **6:**68
— reino de **6:**67
Eritrea **5:**274
Etiopía **6:**68
tigridia 13:195
tigrillo **6:**126
tigrinya **5:**274
Tigris, río 13:195
— río **1:**335, 338; **2:**216; **11:**57
arroz **2:**61
Babilonia **2:**207
Éufrates **6:**72
Kurdistán **8:**150
mongol, imperio **9:**276
vestido **14:**61
Tihange-lez-Huy, Universidad de **11:**107
tijera 13:195
costura **4:**272
Tijeras **13:**195
tijereta 13:195
Tijuana 13:195
Baja California **2:**218
Ensenada **5:**266
Tikal 13:195
— Guatemala **8:**182
Mayas **9:**137
pirámides de México y América Central **11:**106
Tilburg **7:**207
tilde **7:**31
Tilden **3:**301
Tilghman **10:**315
Tilgner, Victor O **2:**168
tiliáceas **14:**168; **13:**195
tilio **12:**98
Till Eulenspiegel **6:**189
Tilly, Juan Tserclaes, conde de 13:195
biografía **13:**195
Guerra **7:**87
tilma (manta) **7:**72
tilo 13:195
árbol **1:**347
madera **9:**12
Tilos **7:**127
Tilsit **13:**107
Tiltil, campo de **12:***91*
tímalo 13:195
timbal 13:195
timbó 13:196
timbre eléctrico 13:196
— de alarma **13:**196
— Ley del **10:**284
— postales con flores típicas de Gabón, África **6:**259
Timbuctú 13:196
Joffre, Joseph Jacques Césaire **8:**105
timeláceа **13:**232
Timeo **2:**137
Times **2:**138
Times Square, Manhattan **10:**89
Times, periódico **2:**254
Timgad **6:**198
timina **5:**151
Timisoara **12:**130; **13:**246
timo 13:196
atrofia **2:**154
endocrinología **5:**256
glándulas **6:**331
Timócrates **5:**48
Timófanes **13:**196
Timofeiev, Yermak **5:**75
Timok, río **12:**293
timol 13:196
anticéptico **1:**314
Timoleón 13:196
biografía **13:**196
Alfieri, Vittorio, conde **1:**172
timón 13:196
— de Atenas **12:**304
— de dirección **13:**196
— de popa **9:**98
— de profundidad **13:**196
giróscopo **6:**328
hélice **7:**141
junco **8:**125
servomotor **12:**297
Timoneda, Juan de 13:196
bibliografía **13:**196
Timor 13:196
— Oriental **7:**316; **11:**296
— Oriental, conflicto de **13:**197
— Oriental, independencia de **14:**158
Indonesia, República de **7:**315
Portugal **11:**175
Timoshenko, Semyon Konstantinovich 13:197
biografía **13:**197
Timoteo Bright **13:**117
Timoteo, san 13:197
biografía **13:**197
timotocuicas **14:**47
timpánica, mucosa **10:**195
tímpano 13:197
sordera **13:**42
Timsah **13:**74
timucuana **7:**309
Timuri-len **9:**276
Timur-I-Leng **2:**98
Timur-Lang **13:**109
Timur-Lenk **13:**109
tiña 13:199
Tina, monte **1:**308
tinamú 13:197
Véase Inambú
Tinbergen, Jan 13:197
bibliografía **13:**197
Frisch, Karl von **6:**238
Tinbergen, Nikolaas 13:197
biografía **13:**197
Lorenz, Konrad Zacharias **8:**308
Tinca **13:**156
tinción 13:197
cromatografía **4:**297
osnio **10:**265
Tindal, Matthew **5:**39
Tindaro **3:**284
Tinel, Edgar **6:**191
Ting, Samuel Chao Chung 13:197
biografía **13:**197
Tingentera o Iulia **13:**119
Tingis **13:**111
Tingitana **9:**108
tinglado **8:**204
Tinglado Puertorriqueño *2:*60
Tingo María e Iquitos **11:**61
Tinguiririca, volcán **10:**193
Tinián, isla de **9:**95
Tinis **5:**227
Tinoco Granados, Federico **4:**270
Tinoco, Federico **11:**269
tinta 13:197
— china **13:**198
— simpática **13:**198
Tintero **13:**198
tintes **13:**198
tintes de índigo **13:**198
Tintín **4:**170
Tinto, río **10:**297
tintorería 13:198
— la operación del tinte **13:**198
— los mordientes **13:**198
— materias tintóreas artificiales **13:**198
— Materias tintóreas naturales **13:**198
Tintoretto, Jacobo Robusti llamado il 13:199
Cézanne, Paul **4:**15
escuela artística **5:**283
Italia **8:**66
manierismo **9:**58
obra **13:**199
Tintoreto **13:**199
Voroshilov, Kliment Yefremovich **14:**131
tintura 13:199
Tio **1:**286
Tío Sam **10:**22; **12:**327
Tiocol **3:**301
Tiovivo 13:199
tipa 13:199
tipi **14:**114
tipificación **13:**175
Tipitapa, río **9:**50; **10:**95
tiple 13:200
contralto **4:**228
tipo 13:200
— de aislamiento **1:**125
— de cambio **4:**229
— de metal **9:**181
— Descripción **13:**200
— Material **13:**200
— movibles **7:**110; 283
tipografía 13:200
editor y editorial **5:**212
imprenta **7:**283
tipología 13:200
tipología lingüística 13:200
Tiradentes 13:201
biografía **13:**201
Minasgerais **9:**227
Tirana 13:201
tirando **13:**201
tiranía 13:201
Albania **1:**137
hogar **7:**199
monarquía **9:**273
tiránidos **2:**294
Tiranión *el Gramático 2:311*
Tirano Banderas **14:**20
Tirant lo Blanch **9:**86
tiras cómicas **7:**194
Tiraspol **9:**266
tiratrón **12:**6
tiretropa 13:201
Tirinto **7:**58; **11:**57; **12:**247
tirios **7:**257
Tiro 13:201
Dido **5:**114
Fenicia **6:**129
Mileto **9:**223
sitio **13:**9
tiro 13:201
— de pichón **13:**201
— ligero **6:**277
— pesado **6:**277
— campos de **13:**201
tiro al vuelo 13:201
Véanse Casa; Deporte
Tiro, Marín de **4:**147
tiroides 13:202
cretinismo **4:**282
emoción **5:**250

glándula **6:**331
hipoglucemia **7:**185
obesidad **10:**173
Tirol 13:202
— Historia **13:**202
— Tirol del norte **13:**202
— Tirol del sur **13:**202
Alemania **1:**160
Austerlitz **2:**161
correo **4:**254
lenguas romances **8:**221
Paracelso, Felipe Aurelio Teofrasto Bombast von Hohenheim **10:**320
Tirón, Marco Tulio 13:202
bibliografía **13:**202
taquigrafía **13:**117
tirona **7:**310
Tiros **10:**43
tirotricina 13:202
tirotrofina **13:**202
tiroxina **5:**173; **7:**229; **8:**137; **13:**202; **14:**163
Tirpitz, Alfred von 13:203
biografía **13:**203
Tirreno, Mar 13:203
Córcega **4:**239
Etruscos **6:**71
Ostia **10:**268
Tiber **13:**184
tirrenos **7:**151
Tirso de Molina 13:203
bibliografía **13:**203
teatro **13:**133
Trenci, Jacobo de **13:**259
Tirteo 13:203
bibliografía **13:**203
Tirucharapalli **7:**298
Tisandier **5:**139
tisanópteros **7:**144; **8:**9
tisanuro 13:203
insecto **8:**9
Tiselius, Arne Wilhelm Kaurin 13:203
biografía **13:**203
Suecia **13:**72
Tishteen **13:**6
Tisifone **6:**254; **11:**142
tisis **13:**279
Tiso, Jozef **5:**299
tisri **13:**95
Tissandier, Gastón **1:**89
Tisza **9:**276
Tisza, Istvan, conde de 13:204
biografía **13:**204
Tisza, río **5:**11; **7:**250
Titán **11:**103; **12:**64
Titán 2 **2:**114
Titán de Bronce **9:**7
Titán III **4:**130
titán Pallas **14:**77
Titán, monte **12:***193*
titanes 13:204, 320
Atlas **2:**138
cíclopes **4:**69
gigante **6:**323
Véanse Cíclopes; Erebo
Titania **10:**172; **13:**320
Titanic 13:204
ártica, región **2:**70
nafragio **10:**49
Titanic **9:**261
Titánidas **6:**295; **13:**204
titanio 13:204
armadura **2:**43
hierro **7:**173
Titano, monte **12:**194
títeres 13:204
— en la plaza Staromestske **13:**205
tití 13:204
Titicaca 13:205
Puno **11:**243
republiquetas, Las **12:**27
Titicaca, lago **3:**26; **6:**134; **7:**311
titiriteros **6:**131
Tito Aurelio Fulvio **1:**316
Tito Livio 13:206
Agricola, Ceneo Julio **1:**102
Antrpófago **1:**317
Domiciano **5:**155
Véase Livio Tito
Tito Maccio Plauto **13:**240
Tito Yupanqui, Francisco **3:**31
Tito, emperador **13:**9
Tito, Flavius Sabinus Vespasianus 13:206
biografía **13:**206
Tito, Josip Broz, llamado 13:206
— muerte de **4:**296
biografía **13:**206
Eslovenia **5:**301
Titograd **9:**287
Titón **9:**161
titotrofina **12:**246
Titov, Gherman Stepanovich 13:206
Astronáutica **2:**111
biografía **13:**206
satélite artificial **12:**238
titración **11:**77
Titu Cusi Yupanqui **14:**92
título 13:206
— académico **13:**207
— de honor **11:**202
registro de la propiedad **11:**331
título nobiliario 13:207
nobleza **10:**125
Titus **12:**15
Tívoli **14:**22, 179
Tiwanacu **13:**184
Tixera, José de la **7:**178
Tixtla **7:**102
tiza 13:*207*
Tizatlán y Malinalco **2:**202
Tiziano Vecellio 13:*207*
Anunciación **1:**319
Dresde **5:**173
Italia **8:**66
obra **13:**207
Palma, Iacopo d´Antonio Migretti **10:**294
Tizoc **1:**120; **2:**198, 203
Tizón 13:208
Véase Añublo, Tizón O Roya
Tjapinskij, V. **12:**149
Tjiliwong, río **14:**159
*tlacatecuhtli 2:*199
Tlacopan **1:**257; **2:**198; **13:**159
Tlacuache 13:208
Véase Zarigüeya
zoología **14:**175
tlacuilos **2:**200; **4:**126
Tlahualilo, laguna **5:**180
tlahuicas **4:**321; **10:**30
Tlahuizcalpantecuhti, o de la Estrella Matutina **13:**281
tlailotlaques **11:**264
Tlalnepantla **6:**30; **9:**207
Tláloc 13:208
aztecas **2:**203
dioses paganos **5:**136
tlaloques **13:**208
Tlalpujahua **9:**214
tlántico (Barranquilla) **4:**140
tlapalería 13:208
tlapalli **13:**208
tlapaneca-subtiaba **9:**178
Tlatelolco 13:208
— colegio de **12:**164; **14:**191
— Colegio de **9:**165, 201
— México **2:** 192, 198
aztecas **2:**198
Huitzilopochtli **7:**245
Tlatelolco, Tratado de 13:208
Cuba **4:**315
García Robles, Alfonso **6:**284
Tlatilco 13:208
Tlatlauhqui Tezcatlipoca **13:**181
tlatoani **13:**208
*tlatoani 2:*199
tlatocalalli 2: 200
*tlatocan 2:*199
Tlaxcala 13:208
— Historia **13:**208
intendencia **8:**15
México, Estado de **9:**207
Tlaxcala de Xicohténcatl 13:208
Tlaxcallam **10:**30
tlaxcaltecas **8:**69; **10:**30; **13:**208
Tlazoltéotl **4:**119
Tlemcen **2:**11
Tlillalcápatl **4:**310
Tloque Nahuaque **2:**202; **10:**76
Tlotzin **11:**264
TNT **3:**243; **6:**100; **13:**215, 226, 267
Toá **13:**324
Toabré **4:**124
Toamasina **9:**11
Toay **10:**298
Tob, Sem 13:208
biografía **13:**208
toba **7:**309
Toba Lojo **8:**84
Tobago **4:**150; **8:**182; **13:**8
Tobago, isla de **10:**329
Tobar García, Francisco **5:**201
Tobar Ponte, Martín 13:209
biografía **13:**209
Tobar, Carlos R 13:209
bibliografía **13:**209
Tobar, Guzmán Isabel de **2:**223
tobas 13:209
Chaqueña, cultura **4:**21
tobera **8:**31
Tobías 13:209
biografía **13:**209
Rafael, san **11:**289
Tobías el ángel **12:**113; **13:**274
Tobin, James 13:209
bibliografía **13:**209
Tobolsk **10:**96
Tobón Mejía, Marco **4:**142
Toboso, El 13:209
Tobruk **4:**92; **8:**248; **12:**108
tocadiscos **11:**81
Tocantins 13:209
Paráograõpará **10:**318
Tocantis **9:**85
tocario **8:**217
tocaris **2:**95
tocas **14:**65
tocata 13:209
tocoferol **14:**108
tocólogo **2:**81
Tocopilla, puerto **4:**37
Tocornal, Manuel Antonio **4:**44
tocororo 13:209
Tocquecille, Charles Alexis Clérel de **6:**228
Tocqueville, Charles Alexix Henri Clérel, conde de 13:209
biografía **13:**209
Tocumen, ciudad de Panamá **1:**89
Tocumen, río **10:**300
Tocuyo, llanura de **11:**178
Todd, Alexander Robertus 13:209
biografía **13:**209
Todi, Jacapone da 13:209
bibliografía **13:**209
Todi, Jacopone da **9:**93
Todos los Santos, bahía de 13:210
Bahía **2:**217
Todos los Santos, Canal de **9:**22
Todos los Santos, fiesta de 13:210
Todos los Santos, lago de 13:210
Todos Santos, México **2:**220
tofos **7:**24
toga 13:210
— candida **14:**64
— palmata **13:**210
— picta **14:**64
— pretexta **13:**210; **14:**64
— pulla **13:**210; **14:**64
— purpurea **14:**64
— romana **9:**260
— viril **13:**210; **14:**64
Toggenburg, raza **6:**278
Togliatti, Palmiro 13:210
bibliografía **13:**210
Tognbee, Arnold **13:**235
Togo 13:210
— bandera de **2:**243
Alemania **1:**161
Guinea **7:**105
Togolandia **6:**320
Toisón **4:**199
toisón de oro 13:211
Toisón, Orden del **4:**198
Toivo Kuula **6:**161
Tōjō, Hideki 13:211
biografía **13:**211
tojolabal 13:211
Tokai, valle de **7:**251
Tokay **2:**272
Tokelau, islas **11:**153
Tokio 13:211
— bahía **14:**164
— Hospital General de **10:**127
— Japón **2:**88
— Universidad de **10:**187
aeroplano **1:**87
tokonoma **14:**113
Tokutavo **8:**85
Toland, Gregg **6:**193
Toland, John **5:**39
Tolbert, William Richard **8:**243
Tolbiac, batalla de **4:**114
Tolbuhin, Fëdor Ivanovich 13:211
biografía **13:**211
toldería **14:**115
Toledo 13:212
— conquista de **11:**176
— espadas de **13:**155
— Nuevo Reino de **10:**59
— Puente de **9:**19
alcázar **1:**147
Juana la Loca **8:**115
mobiliario y mueble **9:**254

Toledo, Francisco de, conde de Oropesa 13:213
biografía **13:**213
Toledo, Juan Bautista de **5:**282; **7:**158
Tolemaida **6:**129; **13:**214
Tolemaida, batalla naval de **12:***93*
tolerancia 13:213
Toletum **13:**212
Tolfa **1:**213
Toli-Bulak **6:**336
Tolima (Ibagué) **4:**140
Tolima 13:213, 83
— región **4:**138
— volcán **1:**268
montaña **9:**285
Tolimán **11:**250
Tollan **7:**163
Tollan Xicocotitlán **13:**281
Tolland, hombre de **8:**264
Toller, Ernst **6:**102
Tollocan **13:**215
Tolmino **7:**91
Tololo, Cerro **4:**235
Tolomei **12:**317
Tolomei, Claudio **10:**184
Tolomeo **7:**281; **9:**67; **10:**180; **13:**96
Tolomeo Filadelfo **2:**308; **8:**251
Tolomeo I 13:213
biografía **13:**213
Euclides de AlejandríaTolomeo I **6:**72
Tolomeo II 13:213
biografía **13:**213
faro **6:**118
Tolomeo V, rey **8:**96
Tolomeo XII 13:214
biografía **13:**214
Egipto **5:**227
Pompeyo, Cneo **11:**165
Tolomeo, Claudio 13:214
bibliografía **13:**214
atlas **2:**138
Tolomeo, Filadelfo **2:**310
Tolomeo, rey **11:**109, 331
Tolomeos **4:**111; **5:**227; **8:**96; **13:**133
Tolomeos de Egipto **1:**55, 154, 156
Tolón 13:214
— puerto de **10:**35; **11:**220
costa Azul **4:**265
Tolosa (Toulouse) 13:214
— Universidad de **9:**166
Avicultura **2:**189
Tolosa, Juan de, capitán **14:**169
Tolsá **7:**72; **10:**71
Tolsá, Manuel de 13:214
escultura **5:**295
México **9:**204
obra **13:**214
Patiño Ixtolinque, Pedro **11:**11
Tolsá, plaza **13:**214
Tolstoi, Aleksej Nicolaevich 13:214
bibliografía **13:**214
drama **5:**171
Gorki, Maksim **7:**23
Reinhrdt, Max **11:**336
Tolstoi, León Nikolaevich, conde de 13:214
bibliografía **13:**214
literatura **8:**279
Trubetzkoi, principe Pablo **13:**274
toltecas 13:215
— estatuas **9:**205
matlatzinca **9:**131
Tolten, río **1:**343; **14:**94
Toluca de Lerdo 13:215
— Nevado de **6:**30; **14:**128
— valle de **6:**30
tolueno 13:215
nafta **10:**29
química **11:**260
Tolva **12:**60
Tom Sawyer, Aventuras de **4:**319; **13:**121
tomacorriente 13:215
tomahawk 13:216
pieles rojas **11:**86
tomahawks pipas **13:**216
Véase Pipa de la Paz
tomaína 13:216
Tomás **1:**329
Tomás Campanella **13:**18, 333
Tomás de Aquino, santo 13:216
bibliografía **13:**216
Edad Media **5:**208
escolasticismo **5:**281
himno **7:**180
orden religiosa **10:**237
París **10:**328
predestinación **11:**185
Realismo **11:**313
Véase Apóstoles
Tomás de Kempis 13:217
Véase Kempis; Tomás de
Tomás Moro, santo 13:217
Véase Moro, Santo Tomás
Tomás, santo 13:216
adjetivo **1:**70
existencia **6:**93
Ojeda, Alonso de **10:**197
tomate 13:217
tomates **13:**216
Tomaval, castillo de **14:**104
Tombaugh, Clyde **11:**141
Tombouctou **13:**196
Tombstone **13:**261
Tombuctu **13:**196
Tomcat **1:***88*
Tomé, Santo **4:**257
Tomelloso 13:217
Ciudad Real **4:**102
Tomi **10:**275
tomillo 13:217
Tomilo **1:**137
Tomislav **4:**295
tomismo **13:**216
tomistas **5:**282
Tommaso Ghirlandaio, Domenico de **13:**12
tomografía **4:**249
tomografía computarizada 13:217
cirugía **4:**95
Hanshouldsfield, Godfrey Newbold **7:**234
tomógrafo 13:217
— universal **11:**308
Tomonaga, Sin-itiro 13:218
biografía **13:**218
Schwinger, Julian Seymour **12:**250
Tompson, Benjamin **6:**43
Ton Duc Thang **14:**90
Tonacacíhuatl **13:**181
tonadilla 13:218
Cruz, Ramón de la **4:**305
Puerto Rico **11:**238
Tonalá **4:**30
*tonalámatl 2:*201
tonalidad 13:218
música **10:**12
escala musical **5:**277
Tonantzintla, Observatorio Astrofísico de **9:**201
Tonatiuh **1:**213; **2:**202
tondero **11:**62
Tondo, cabañas de **9:**58
Tonegawa, Susumu 13:218
biografía **13:**218
tonelada 13:218
— corta **13:**218
— larga **13:**218
tonelaje 13:218
— bruto **13:**218
— de desplazamiento **13:**218
— de registro **13:**218
— neto **13:**218
tones **13:**32, 134
Tonga o islas de los Amigos 13:218
— bandera de **2:**243
— isla **5:**77; **10:**179
imperio británico **7:**275
lengua **8:**217
Polinesia **11:**153
Tonga **13:**218
Tongatapu **13:**218
Tongdaemun **4:**245
tónica **7:**31; **13:**122, 218
tonkawa **7:**309
Tonkín o Tonquín 13:219
— delta de **2:**95
— Golfo de **2:**88
Indochina **7:**313
Vietnam **14:**90
Tonlé Sap, lago **9:**156
Tönnies **6:**90
Tönnies, Ferdinand **4:**187
tono 13:219
oído **10:**196
perla **11:**53
Venezuela **14:**47
tonquinol **1:**197
tonsila 13:220
Véase Amígdalas y Amigdalitis
tonsura 13:220
tonsurado **14:**140
tonsurantes **13:**199
Tonteac **10:**108
Tontons Macoutes **5:**182
Topa Inca **7:**291
Topa Inca Yupanqui **7:**289
topacio 13:220
piedras preciosas **11:**84
topacio azul **13:**220
Topeka **8:**132
Topelius, Zachris **13:**71
topes **7:**302
Töpffer, Rodolf 13:220
bibliografía **13:**220
Topiltzin **13:**281
Topinard **11:**309
Topino **13:**184
Topkapi, palacio, Estambul **2:**85
topo 13:220
topografía 13:221
astrolabio **2:**108
topógrafo **4:**218
trigonometría **13:**267
útica **13:**333
Topolobampo, bahía de **12:**330
topología 13:221
— algebraica **9:**10
matemáticas **9:**127
toponimia **6:**304
topos **7:**292; **8:**5
toqrikoq o gobernadores **7:**291
Toquinche **1:**343
Tor 13:221
torácicos **6:**280
torácicos, anillos **9:**100
toracoplastia **13:**279
Torah 13:221
islam e islamismo **8:**52
toranas **13:**58
Torata **1:**280
tórax 13:222
insecto **8:**5
Torbay **7:**104
Torbellino 13:222
Colombia **4:**143
viento **14:**89
Torbes **13:**97
torcazas **10:**296
torcedura 13:222
primeros auxilios **11:**200
Torcello **14:**40
Torcuato Tasso **13:**111
tórculo de nervios **7:**284
Tordera, río **2:**253
Tordesilla **11:**247
Tordesillas, monasterio de **8:**102
Tordesillas, Tratado de 13:222
latinoamérica **8:**183
Colón, Cristobal **4:**149
tordo 13:222
— mosqueado **3:**133
— rodado **3:**133
ave **2:**180
caballo **3:**133
malvís **9:**48
toreo **9:**288
torero 13:222
Hilio,Pepe **7:**178
lagartijo **8:**162
Véase Tauromaquia
Tores, Camilo **4:**141
torgotos **3:**170
Toribio, Antonio 13:222
Dominicana, República **5:**162
obra **13:**222
Toribio, santo **1:**70
tories **7:**41; **13:**232
torio 13:89, 223
átomo **2:**151
radiactividad **11:**276
Törless **10:**16
tormenta 13:223
— de frente frío **13:**223
— eléctrica **13:***223*
— magnética **9:**29, 51
— magnéticas **2:**161; **13:**223
tormentas **9:**186
Véase Meteorología
tormento y tortura 13:223
Tormes **2:**189
Tormes, Alba de **12:**172
Tormes, río **12:**171, 172
Tornabuoni, Lucrecia **9:**324
tornado 13:224
Véase Viento
vela **14:**35
tornamesa **11:**81
tornasol 13:224
Torne **13:**68
Tornea, río **5:**278
torneado **11:**169
torneo 13:224

torneo **4:**287
Véase Justas y Torneos
Tornero, Santos **4:**44
Tornhill, J. **7:**45
tornillo 13:280
— de banco **13:**281
— de coincidencia **13:**281
— de seguridad **13:**281
— hidráulico **2:**54
— micrométrico **9:**216
Arquímides **2:**53
física **6:**167
máquina **9:**73
Véase Tuerca
Tornio, puerto de **6:**159
torniquete 13:224
— hidráulico **13:**224
torno 13:224
— para hilar **14:**67
Arquímides **2:**53
ingeniería **7:**331
toro 13:224
— de Creta **7:**151
leche y lechería **8:**203
toro almizclado 13:225
Toro Zambrano, Mateo de 13:225
biografía **13:**225
Chile **4:**41
Toro, Alfonso **9:**202
Toro, constelación del **11:**138
Toro, Cortes de **9:**320
Toro, David 13:225
biografía **13:**225
Bolivia **3:**30
Toro, Fermín 13:225
bibliografía **13:**225
Venezuela **14:**46
Toro, monte **9:**169
Toro, Osvaldo **11:**240
toromiro **11:**5
Torondoy, río **9:**174
toronja 13:225
toronja **4:**98
toronjil 13:225
Toronto 13:226
Ontario **10:**213
Pearson, Lester Bowles **11:**22
toros 13:226
Véase Tauromaquia
torpederos **11:**42
torpedista ingeniero **13:**227
torpedo 13:226
— Bliss-Leavitt **13:**226
— funcionamiento **13:**226
armada **2:**39
submarino **13:**62
Torquato, Tasso **13:**125
Torquemada, Fray Tomás de 13:227
biografía **13:**227
torre 13:227
— Blanca **13:**227
— cuadrada o *ziggurat* **2:**102
— de David **8:**74
— de Espantaperros **2:**212
— de Juan Abad **11:**253
— de los Escipiones **13:**121
— del Oro **12:**298
— del Trust Center en Miami **13:**277
— Eiffel **1:**209
— Sears, lago Michigan **7:**48
torre de Londres 13:228
Londres **8:**303
Torre Tagle y conde de la Monclova, marqués de **13:**99
Torre Tagle, Palacio **11:**63
Torre Ugarte, José de la **1:**148
Torre y Huerta, Carlos de la 13:228
biografía **13:**228
Cuba **4:**316
Torre, Carlos María de la 13:227
biografía **13:**227
cardenal **3:**241
Torre, Guillermo de 13:227
bibliografía **13:**227
Torre, Haya de laBlanco, Hugo **2:**280
Torre, Lisandro de la 13:227
bibliografía **13:**227
Torre, Macedonio de la **11:**64
Torrealba, Juan Vicente **14:**47
Torrearévalo **12:**224
Torregrosa, Luis **11:**240
Torrejón y Velasco, Tomás de **11:**63
Torrejón, Andrés 13:228
Véase Móstoles, Alcalde de
Torrelaguna **8:**102
Torrelio Villa, Celso **3:**30
Torrelobatón **4:**180
Torremolinos **9:**40
Torrens, río **1:**67
torrente 13:228
Torrente Ballester, Gonzalo 13:228
bibliografía **13:**228
torrentes **6:**311
Torreón 13:228
Coahuila **4:**118
México **9:**200
Torres (Bombita), Ricardo **13:**127
torres **13:**119
Torres Amat **10:**201
torres blindadas **11:**52
Torres Bodet, Jaime **8:**282
Torres Bodet, Jaime 13:229, 304
bibliografía **13:**229
México **9:**202
Torres de Vera y Aragón, Juan 13:229
biografía **13:**229
Corrientes **4:**257
Hernandarias **7:**154
torres de vigilancia de la Gran Muralla China **9:**336
Torres García, Joaquín 13:229
obra **13:**229
Torres gemelas en Chicago **7:**271
Torres Méndez, Ramón 13:229
Colombia **4:**143
obra **13:**225
Torres Naharro, Bortolomé de 13:229
bibliografía **13:**229
Torres Quevedo, Leonardo 13:229
máquinas de calcular **9:**77
Niágara **10:**92
obra **13:**229
Torres Restrepo, Camilo 13:229
biografía **13:**229
Torres Villarroel, Diego de 13:229
bibliografía **13:**229
Torres, Camilo 13:228
bibliografía **13:**228
Fernández Madrid, José **6:**135
Popayán **11:**168
Torres, Carlos Arturo 13:228
bibliografía **13:**228
Torres, estrecho de **10:**157
Torres, fray Cristóbal de 13:228
biografía **13:**228
Torres, General **2:**247
Torres, Juan José **3:**30
Torres, Luis Váez de **10:**179
Torrevieja **12:**170
Torri, Julio 13:230
bibliografía **13:**230
Torricelli **13:**336; **11:**193
Torricelli, Evangelista 13:230
biografía **13:**230
Torrijos Herrera, general Omar **10:**301
Torrijos Herrera, Omar **10:**302
Torrijos, José María de 13:230
biografía **13:**230
Torrijos, Omar 13:230
bibliografía **13:**230
Torrijos-Carter **6:**42
torsión 13:230
elasticidad **5:**235
torta **13:**200
tortícolis 13:230
tortilla 13:230
Véanse Comal; Maíz, Nixtamal
Tortilla Flat **13:**53
Tortillas de maíz **13:***230*
tórtola 13:231
— isla de **1:**309; **14:**99
cocotzín **4:**125
Tortosa 13:231
tortuga 13:231
— acuática **6:**262
— de Grey **13:**137
— galápago **6:**262
— gigante de las Galápagos **13:**231
— isla de **11:**107
— islas **7:**121
— laúd **11:**248
— marina **13:**231
— marinas **9:**219
— moteada **13:**231
— verde o caguama **11:**248
Asia **2:**91
Costa Rica **4:**266
tortura **2:**80; **5:**63
Toruño, Juan Felipe 13:232
biografía **13:**232
torvisco 13:232
Tory 13:232
tos 13:232
— convulsiva **13:**232
tos ferina 13:232
enfermedades de la infancia **5:**262
epistaxis **5:**271
Tosan-Sa, Corea **4:**244
Tosca 13:232
Véase Ópera
Toscana 13:232
— meridonal **11:**167
— región de **6:**181
etruscos **6:**71
Jerez de la Frontera **8:**94
Pisa **11:**110
porcelana **11:**170
Siena **12:**317
Toscana **13:**233
Víctor Manuel II **14:**76
vivienda **14:**117
Toscanelli dal Pozzo, Paolo 13:233
biografía **13:**233
Toscanini, Arturo 13:233
biografía **13:**233
Toscano, Salvador **9:**204
Toselli, Enrico 13:233
obra **13:**233
tosferina
Véase Tos Ferina
bacteria y bacteriología **2:**211
Bordet, Jules **3:**47
Tossa de Mar, España **4:**266
tostación 13:233
metalurgia **9:**183
Tosti, Francesco Paolo 13:233
obra **13:**233
total **1:**277
totalitarismo 13:233
frente popular **6:**235
Hobbes, Thomas **7:**195
tótem 13:234
— en Canadá **13:**234
hogar **7:**199
matrimonio **9:**132
religión **12:**11
tótem **12:**11
tabú **13:**96
totemismo **14:**181
totonaca 13:234
indios americanos **7:**309
Mesoamérica **9:**178
Cortés, Hernán **4:**260
Ixtlilxóchitl I, Ometochtli **8:**69
Veracruz **14:**52,
volador, danza del **14:**125
Totonacapan **10:**91
Totonicapán 13:234
totopo **9:**37
Totoquihuatzin **10:**91
totoró **7:**310
Tougurt **2:**10
Toulose **6:**218
Toulouse Lautrec, Henri Marie de 13:*234*
biografía **13:**234
caricatura **3:**246
Francia **6:**228
Picasso, Pablo **11:**79
Tounai **2:**282
Tour, Quentin de la **11:**97
Touré **7:**105
Tourna **14:**22
Tournai **5:**277; **13:**116
Tournefort, Joseph Pitton de **6:**230
Tours o Poitiers **2:**265
Tours, biblioteca **2:**312
Tours, Francia **2:**231
Tours, Gregorio, san **7:**192
Toussaint Louverture **2:**306; **5:**93, 160; **7:**295
Toussaint, Anna **7:**209
Toussaint, Manuel 13:234
biografía **13:**234
Tovar y Tovar, Martín 13:235
obra **13:**235
Tovar, Manuel Felipe de 13:234
biografía **13:**234
Tovar, Manuel José 13:234
biografía **13:**234
Tovar, Pantaleón 13:235
bibliografía **13:**235
Tovignano **4:**239
Tovolaccino **10:**243
Towens **11:**211
Townes Hope, Leslie **7:**223
Townes, Charles Hard 13:235
biografía **13:**235
Townsend **10:**157

Townsville **2:**162
toxemia **10:**78
tóxicas, sustancias **11:**125
toxicología 13:235
medicina **9:**150
toxicomanía 13:235
adicción **1:**69
Dale, sir Henry Hallet **5:**7
narcotráfico **10:**41
toxina 13:235
— microbianas **13:**204
anticuerpo **1:**305
enfermedad **5:**261
enzimas **5:**268
erupción **5:**277
estreptococos **6:**63
microbio **9:**215
mielitis **9:**219
toxinas **10:**326
Toxophilus **1:**352
Toy, Ernest **2:**164
Toynbee, Arnold Joseph 13:235
bibliografía **13:**235
Toyohara **12:**168
Tozquentzin **8:**69
Tqvarch'eli **1:**29
trabajo 13:235
— de la construcción **13:**237
— día del **6:**150
— División de trabajo **13:**236
— doméstico, sistema de **12:**51
— en el campo **13:**236
— Evolución de la técnica **13:**237
— Evolución histórica **13:**236
— manuales **13:**236
termodinámica **13:**167
Véanse División del trabajo; Economía, Esclavitud; Revolución Industrial; Sindicalismo y Sindicatos
trabalenguas 13:237
trábea **13:**210
trabuco 13:237
tracción **1:**339
tracería 13:238
— flamígera **13:**238
— geométrica **13:**238
Trachodon **5:**133
Tracia 13:238
— historia **13:**238
— Oriental **8:**198
— rey de **10:**243
Claudio **4:**109,
Constantino I **4:**217
Demócrito **5:**47
Entenza, Berenguer de **5:**267
Eurídice **6:**74
tracoma 13:238
oftalmología **10:**190
xeroftalmina **14:**157
tractor 13:238
— automáticos **8:**156
— oruga **13:**238
— para agricultura **1:**104
Tracy, Spencer 13:239
biografía **13:**239
trade union **7:**42
Trade Unions **10:**275
tradición 13:239
tradición puritana o calvinista **7:**201
tradición vienesa **9:**30
narración **10:**42
traducción 13:239
— automática **13:**239
— libre **13:**239
traducianismo **4:**278
Trafalgar 13:239
— plaza **13:**239
Alcalá Galiano, Dionisio **1:**143
armada **2:**39
batalla **2:**265
Francia **6:**223
Gravina, Federico Carlos **7:**52
Napoleón I, Bonaparte **10:**37
Pérez Galdós, Benito **11:**46
tragedia 13:131, 240
— griegas **8:**276
— musa de la **10:**7
Dreiser, Theodore **5:**172
literatura **8:**276
Voltaire, Francisco María **14:**129
tragicomedia 13:240
Vicente, Gil **14:**75
tragopán 13:240
tragúlidos **2:**77
Tragus **1:**167
traición 13:240
Traiguén **4:**38
Trail **4:**157
trailers **2:**170
Trajano Marco Ulpio 13:240
— columna de **13:**12
— emperador **1:**75; **11:**227
— estatua de **5:**226
— foro de **2:**52
Andalucía **1:**265
Arabia Saudita **1:**335
arquitectura **2:**56
biblioteca **2:**311
biografía **13:**240
España **5:**313
gladiadores **6:**330
Ignacio de Antioquía, san **7:**266
Plinio *el joven* **11:**138
Roma **12:**98
Sofía **13:**24
viaducto **14:**74
traje 13:241
— de baño **14:**70
— de luces **13:**127
— morado **10:**173
— regional, Guatemala **7:**80
— típicos **13:**308
Véase Vestido
Trajinera **14:**158
trajineras **9:**196
Trakl, George **2:**168
Tralles, Artemio de **12:**216
trama **2:**37; **13:**139, 164
Tramojo 2:44
trampa y trampero 13:241
Trampal y del Duque, lagunas del **7:**63
trance 13:241
— hipnótico **13:**241
— mediúmnico **13:**241
hipnotismo **7:**182
tranquilizante 13:241
drogadicción **5:**174
transacción 13:241
Trans-Alai, cordillera de **8:**221
Transalpina **6:**265
transamazónica 13:241
transandino 13:242, 243
Transantártica**,** montañas **1:**303
Transasiático **2:**93
Transat **14:**36
transatlántico 13:242
marina mercante **9:**99
Véase Buque
Transbaikalia **12:**139, 312
Transbordador 13:242
— en Zaire **14:**171
Gran Bretaña **7:**38
transbordador espacial 13:242
— Atlantis **4:**129
— El desastre del Challenger **13:**242
— Elementos del transbordador **13:**242
— Tripulación **13:**242
Kennedy, Centro Espacial **8:**138
Transcaucasia 13:243
Brest Litovsk, paz de **3:**79
Georgia **6:**316
Transchino **2:**93
transcontinental 13:243
Transdniester, Moldavia **9:**266
transexual 13:243
transferencia 13:243
transfiguración 13:244
transformación 13:244
— euclidiana **13:**244
— geométrica **13:**244
— algebraicas **13:**244
transformador 13:244
radiotransmisor **11:**288
transformismo 13:245
evolución, teoría de la **6:**89
Haeckel, Ernst Heinrich **7:**118
Transfuguración, Catedral de la **12:**145
transfusión de la sangre 13:245
— intracardiaca **13:**245
— o de plasma **7:**14 6
factor Rh **6:**110
transgresión **11:**23
Transhimalaya, cordillera **2:**85
transiberiano 13:245
Asia **2:**93
transportes **13:**250
Vladivostok **14:**119
Transicaspiano **2:**93
transición 13:245
— electrónica **13:**246
Transilvania 13:246
— Alpes de **6:**75
lapislázuli **8:**174
magiar **9:**26
Rumania **12:**129
transistor 13:246
transistores **4:**90
Glaever, Ivar **6:**321
Véanse Radiorreceptor; Radiotelegrafía y Radiotelefonía, Televisión; Válvula Termoiónica
tránsito 13:246
— señal de **10:**65
Trans-Jobam **13:**33
Transjordania 13:247
— estado de **1:**251
Abdullah, Ibn-Hussein **1:**21
Herodes **7:**155
Jordania **8:**107
sionismo **12:**336
Transkei **13:**314
translúcido 13:247
transmanchuriano **2:**93
transmediterráneo 13:247
transmigración 13:247
— del alma **3:**65
creacionismo **4:**278
transmisión 13:247
— hereditaria, cromosomas X y Y, especie **12:**300
— inalámbrica **4:**183
— lateral o desviación gradual **12:**27
— radiofónicas **11:**285
— radiotelegráficas **11:**283
transmisión **5:**237
transmutación 13:247
— de elementos **8:**201
transparencia 13:247
transpiración 13:247
Véase Sudor y Transpiración
transpirenaico 13:247
transplantador **7:**239
transplante de órganos **10:**7
Transportación Espacial, Sistema de **13:**242
Transportador 13:248
— de ángulos **8:**13
escala **5:**277
transportador de cadena 13:248
transportes 13:248
— aéreo **13:**252
— Aparece la rueda **13:**249
— Características y rutas **13:**251
— El ferrocarril **13:**250
— El transporte y la civilización **13:**252
— fluviales, aéreos y terrestres **5:**199
— internacional **6:**46
— Las rutas acuáticas **13:**250
— Las rutas del aire **13:**251
— Las rutas terrestres **13:**248
— marítimo **13:**251
Véanse Aeroplano; Automóvil; Aviación; Barco; Camino; Comunicaciones; Ferrocarril; Navegación; Rueda
transposición **4:**286
transtornos de la sensibilidad **13:**8
transtornos motores **13:**8
transubstanciación 13:254
consustanciación **4:**221
transuriano **10:**125
transurianos, elementos **9:**145
Transvaal 13:254
bóers **3:**17
Haggard, sir Henry Raider **7:**119
Kruger, Paulus **8:**148
Pretoria **11:**195
Rhodes, Cecil John **12:**60
Unión Sudafricana **13:**311
Transversal, Eje Volcánico **10:**252
tranvía 13:254
— Aisthom, Estocolmo, Suecia **13:**79
— en el centro de la ciudad de Baden-Württenberg **2:**213
— urbano en Amsterdam, Holanda **13:**255
tranvías **1:**167
Trapani **12:**314
trapecio 13:255
cono **4:**212
cuadrilátero **4:**308
trapecistas **1:**55

Véase Circo
trapenses **4**:97
trapeza 2:235
trapezoide 13:255
tráquea 13:255
— tubos **14**:184
garganta **6**:285
tráquea **8**:176
traquearteria **14**:51
traquita **4**:233
Tras os Montes **5**:176
trasandino **1**:269
trasatlántico *Andrea Doria* **10**:49
Trascendentalismo 13:255
trasdós **1**:350
trasgos **7**:116
Trashumancia 13:255
nomadismo **10**:127
trashumante **6**:275
Trasíbulo 13:255
biografía **13**:255
treinta tiranos **13**:258
Trasimeno 13:255
— lago **7**:100
traslación, movimiento **10**:143; **14**:135
traslativos de dominio **13**:207
trasplante 13:255
trasplante de órganos 13:255
Trastamara **1**:146
Trastamara, Enrique de **5**:177
trasudación **7**:168
trata 13:256
— de blancas **13**:43
— la trata en Hispanoamérica **13**:256
— la abolición de la trata **13**:256
tratado 13:256
— angloegipcio **5**:226, 228
— Clases de tratados **13**:257
— Concordato **13**:257
— Culturales **13**:257
— Cumplimiento **13**:257
— de 1668 **1**:331
— de Alcaçobas, **13**:222
— de Alcaraz **13**:325
— de Alianza **1**:341; **13**:257
— de Amiens **1**:309; **13**:268
— de Ancón **2**:30; **7**:88; **13**:118
— de Basilea **5**:159
— de Berlín **2**:300
— de Brest-Litovsk **13**:306
— de Cooperación Amazónica **1**:222
— de Fontainebleau **7**:11
— de Greenville **5**:40
— de Guadalupe Hidalgo **7**:73, 189
— de La Haya **13**:84
— de Lausana **1**:75; **7**:336
— de Libre Comercio (TLC) **8**:187
— de Lima **7**:255
— de Límites **13**:222
— de Locarno **13**:57
— de Lomé **13**:86
— de Maastricht **5**:126; **7**:61
— de Montevideo **1**:131
— de Münster **5**:136
— de Nanjing **7**:220
— de Neuilly **7**:92
— de No Proliferación Nuclear **7**:167
— de Nuremberg **5**:62
— de París **1**:309; **5**:11; **13**:10
— de Paucarpata **2**:335
— De paz **13**:257
— de paz de Camp David **5**:229
— de paz de Versalles **7**:92
— de Río **2**:60
— de Riswick **5**:159
— de Saint Germain **7**:92; **13**:202
— de San Ildefonso **1**:341
— de San Stefano **13**:296
— de Sévres **7**:61,92
— de Tlatelolco **7**:167
— de Tordesillas **1**:232; **5**:73, 317
— de Utrech **1**:168, 183; **2**:284; **13**:171, 269
— de Verdún **1**:159
— de Versalles **1**:54, 161; **5**:18, 96; **7**:93, 195
— de Viena **5**:126
— de Wad-Ras **7**:266
— de Washington **13**:278
— de Wedmore **1**:177
— de Westfalia **1**:160, 204; **13**:70
— de Zaragoza **13**:222
— del Atlántico Norte (OTAN), **1**:162; **6**:81
— del Pilar **2**:22
— del Trianón **7**:92; **13**:260
— Económicos y comerciales **13**:257
— egipcio-israelí **13**:75
— Especiales **13**:257
— hispanomarroquí de Madrid **9**:108
— Hull-Alfaro **1**:246
— Ichazo-Benítez **7**:97
— Osnabruck **5**:136
— para la Desnuclearización de los Fondos Marinos **7**:167
— Políticos **13**:257
— soviético-estadounidense **13**:309
— Trujillo-Hull **13**:276
traumatismo 13:257
insuficiencia **8**:14
traumatología **13**:257
Travancore **7**:298
traveling 13:257
Travers, Morris William **11**:297
Travers, sir **10**:71
Traversari, Pedro Pablo **5**:202
Traverse, lago **9**:228
travertino 13:257
travesti **13**:243
travestismo **13**:243
Traviata, La 13:258
Véase Ópera
Travis, condado de **2**:161
travois **14**:114
Trbovlje **5**:300
Treacy **2**:209
Trebbia **11**:143
Trebia **7**:100; **13**:89
Trebisonda **8**:253; **11**:157
Trebizonda, puerto de **10**:68
Treblinka **4**:193
trébol 13:258
— silvestres **13**:258
forraje **6**:198
hierba **7**:171
Trechsel **12**:*293*
Tredegar (Gales) **2**:306
Tregaskis **4**:256
tregua 13:258
— con España **7**:134
— de Dios **13**:258
Tréguier **12**:19
Treinta Años, guerra de los 13:258
Véase Guerra
treinta tiranos 13:258
Peloponeso o Morea **11**:33
Treinta y Tres 13:258
Uruguay **13**:327
treinta y tres orientales 13:258
Treitschke, Heinrich von **10**:25
Trejo y Sanabria, Fray Hernando de **4**:241; **13**:319
Trejo, Blanca Lydia **4**:320
Trejos Fernández, José Joaquín **4**:270
Trelles, Carlos M 13:258
bibliografía **13**:258
trematodo 13:258
fasciola **6**:120
zoología **14**:183
trementina, 13:258
barniz **2**:255
lacre **8**:159
lápiz **8**:175
tremolita **2**:79; **9**:229
Trémolo **12**:168
tren
— bala japonés **2**:68
— en miniatura **8**:123
— rápido TGV **8**:336
Trenci, Jacobo de 13:259
biografía **13**:259
Trengganu **9**:42
Trent **10**:137
Trentino **7**:91
Trentino-Alto Adigio **13**:202
Trento **11**:17; **13**:202
Trento, concilio de 13:259
contrarreforma **4**:229
cristianismo **4**:292
Fracastoro, Girolamo **6**:205
mariología **9**:100
noviciado **10**:142
Palestrina, Giovanni **10**:293
sacramento **12**:158
Vulgata **14**:136
Trenton **6**:32; **10**:86; **14**:142
trenzas **14**:66
trepanación 13:259
trepang 13:259
trépano **13**:259
treponema 13:259
— *pallidum* **14**:41
Trequier **12**:*321*
Tres Acequias **10**:192
Tres Arroyos 13:259
tres Brueghel **2**:284
Tres Cruces **4**:37
Tres Forcas, Cabo **9**:158
Tres Garantías
— ejército de las **7**:267
— plan de las **7**:295
tres Gracias **13**:105
Tres Grandes, conferencia de **2**:155
Tres Marías 13:259
Tres Montes **10**:192
Tres poetas de la soledad **14**:158
Tres principios populares (San Min Chu I) **13**:84
Tres Sorores **1**:339
Tres Zapotes 13:259
olmecas **10**:208
Tresguerras, Francisco Eduardo 13:260
obra **13**:260
Tressa, río **12**:317
Trevelyan **7**:193
Tréveris **13**:18
Tréveris, arzobispo de **12**:161
trevira **5**:5
Treviso **11**:101
Trevithick, Richard 13:260
biografía **13**:260
Trezena, rey de **13**:174
Trezzo, Jácome **5**:283
Triada **4**:282
tríada primordial **6**:295
Triaditza **13**:24
Triana, barrio de **12**:298
Triana, José 13:260
obra **13**:260
Triana, José Jerónimo 13:260
bibliografía **13**:260
Triana, Rodrigo de **1**:265; **4**:149
triangulación 13:221, 260
triángulo 13:260
Piscis **11**:110
triángulo **9**:127
trigonometría **13**:266
Trianon **4**:295; **10**:24, 329
Trianón, Tratado de 13:260
Hungría **7**:252
triarios **8**:210
triásico 13:261
Véase Geología
Triatoma megista **5**:251
triatómica **9**:266
tribalismo **6**:259
Tribhuvana **10**:73
triboluminiscencia **8**:320
Triboniano 13:261
bibliografía **13**:261
tribu 13:234, 261
— cañari **5**:199
— cara **5**:199
— de Judá **7**:113
— de Leví **8**:236
— indígena **13**:261
— Micmac **8**:114
— panzaleo **5**:199
— puruhá **5**:199
— quito **5**:199
tribuna **6**:198
tribunal 13:261
— consistorial **4**:216
— de la Inquisición **7**:336; **11**:46, 325
— de la Rota **9**:133
— de Versalles **13**:209
— del Santo Oficio **13**:227
— eclesiástico **7**:336
— estatal, Dinamarca **13**:262
— General de Justicia **11**:235
— Permanente de Arbitraje **7**:133
— Supremo **4**:213
Tribunal de Justicia Internacional 13:262
Haya, La **7**:133
Véase Naciones Unidas
tribunal de menores 13:262
Tribune de Geneve **13**:80
tribuni plebi **13**:262
tribuno 13:262
— de la plebe **13**:262
imperio romano **7**:277

tribus
— célticas **1:**204
— jónicas **2:**133
— salvajes **7:**182
— y grupos etnográficos **7:**310
tributo **5:**253; **6:**143, 163; **14:**28
tricálcio **6:**199; **13:**85
Triceratium favus **5:**106
Triceratops **5:**133
Trichomona vaginalis **14:**42
Trichonymphidae **14:**183
triclinios **9:**253
tricloroetileno **11:**74
tricocéfalos **10:**70
tricomía **7:**284
tricomoniasis **5:**153; **14:**42
tricóptero 13:263
insecto **8:**9
tricota **14:**70
tricromía 13:263
tricúspide **4:**237
tridente **6:**329
tridimensional 13:263
Véase Cine
tridiona **5:**270
Trieste 13:263
— Historia **13:**263
Adriático **1:**76
Alejandría **1:**154
Guerra Mundial, Primera **7:**91
Italia **8:**62
triestearina **6:**48
trifosfato de uridina **13:**209
trifostato de adenosina (ATP) **13:**209
trigémino **7:**109
triglifos **6:**238
trigo 13:263
— el cultivo **13:**264
— el trigo y la humanidad **13:**265
— harina de **10:**298
— la planta **13:**263
— producción y comercio mundial **13:**265
harina **7:**129
labranza **8:**157
leche y lechería **8:**204
Trigo, José **11:**7
trigonal **4:**290
trigonometría 13:266
astronomía **2:**125
matemáticas **9:**126
navegación **10:**52
refracción **11:**326
Regiomontanus, Johann Müller, llamado **11:**331
Trikalá **13:**173
Trilateral, Comisión 13:267
trilita 13:267
trilla 13:267
Véase Labranza
trilladora 13:267
— combinada **13:**267
— simultáneas **13:**267
trilobites 13:267
geología **6:**308
Trilussa 13:267
bibliografía **13:**267
Trimurti 13:267
Visnú **14:**105
trinchera 13:268
ametralladora **1:**248
Trincheras, guerra de **7:**91
Trindade, ciudad **12:**222
trineo 13:268
animal doméstico **1:**298
esquimales **6:**26
exploraciones polares **6:**96
nieve **10:**100
transportes **13:**253
Trineos **13:**268
Trinidad, cucaracha de **4:**317
Trinidad Reyes, José **7:**219
Trinidad y Tobago 13:268
— bandera de **2:**243
— Capital **6:**181
— ciudad de **2:**293
asfalto **4:**190
imperio británico **7:**275
Puerto España **11:**229
Venezuela **14:**42
Trinidad, santísima 13:268
— de Florencia, iglesia de la **6:**321
trinitrotolueno **9:**155; **11:**74; **13:**267
Trinity, río **5:**8
Trino del Diablo **13:**123
trinomio **1:**179
triodo o lámpara de tres electrones **11:**284; **12:**6
trionicoideos **11:**248
Trióxido de nitrógeno o anhídrido nitroso **10:**277
tripanosoma 13:268
animal **1:**296
enfermedad **5:**261
zoología **14:**182
tripanosomiasis **4:**17; **5:**251, 262
triparsamida **13:**95
Triplano Fokker **1:**88
Triplar **10:**174
Triple Alianza 13:268
Bismark, Otto von **2:**331
globo aerostático **6:**334
Gran Bretaña **7:**42
Italia **8:**63
Mitre, Bartolomé **9:**251
Nezahualcóyotl **10:**91
triple autoridad **3:**296
Triple Entente 13:269
Francia **6:**223
Grecia **7:**61
Guerra Mundial, Primera **7:**90
triploblásticos **1:**275
trípodes **6:**203
Trípoli **2:**214, 295; 313; **4:**306; **8:**248; **10:**52
Trípoli y Tripolitania 13:269
Tripolitania **8:**63, 171, 247
tripsina **5:**269; **10:**307; **11:**41
tríptico **12:***33*
Triptolemo **13:**266
triptongo **5:**137; **14:**125
Tripura (Agartala) **7:**299
trique **9:**178
triquina y triquinosis 13:269
gusanos **7:**109
nematelmintos **10:**70
triquinosis **5:**262
triquiuros **14:**184
trirreme 13:269
— persas **2:**38
marina mercante **9:**97
trisacaridos **7:**164
Tristán 13:269
batalla **2:**264
Belgrano, Manuel **2:**285
dragón **5:**168
Tristán da Cunda **7:**275
Tristán de Leonís **13:**96
Tristán Tzara **11:**79
Tristán, Fidel J. 13:269
biografía **13:**269
Tristán, Flore Célestine 13:269
bibliografía **13:**269
Tristán, Flora **9:**324, 326
Tristán, Luis **13:**182
Tristão, Nuño **5:**72, 265
Triste, Golfo **14:**42
Tristeza del camino **2:**251
trisurcos **1:**339
tritio **8:**55; **13:**93
Tritón 13:269
— fuente del **12:**100
Neptuno **10:**74
Plutón **11:**142
submarino **13:**62
tritón 13:270
Rusia Blanca o Bielorrusia **2:**148
trituradores **9:**268
triunvirato 13:270
Trivandrum **7:**295, 298
Trivium **1:**176
Trobriand **10:**317
Trobriand isla de **9:**157
Trobriand, islas **10:**317
Trocadero **10:**329
Trocha de Mariel **9:**7
Troeltsch, Ernesto **7:**194
tróficas **13:**8
Trogir junto al mar Adriático **1:**75
troglodita 13:270
vivienda **14:**110
troglodítica **14:**110
trogónido
tocororo **13:**209
quetzal **11:**252
troikas **13:**268
troje o silo **7:**231
trolebús 13:270
ómnibus **10:**210
tromba 13:270
Véase Viento
Trombetti **14:**28
trombina **4:**118
trombón 13:270
trombones **13:**270
trombos **4:**238
trombosis 13:270
trompa 13:271
— de Fallopio **4:**228
trompas **13:**270
trompeta 13:271
trompeta **8:**11
trompo 13:271
trona **14:**156
Tronador **4:**40
Tronador, pico **13:**210
Tronador, volcán **1:**269; **8:**290
tronco 13:271
— premicénico **2:**52
tronco **10:**10
Véase Tallo
Troncoso, Francisco **11:**177
Troncoso, Manuel J. **5:**161
Trondheim 13:271
Véase Noruega
Troodos, macizo de **4:**60
tropa de carretas **13:**11
tropas de la ONU destruyendo armamento confiscado **6:**248
tropas napoleónicas **8:**22
trópico 13:271
— árido **1:**108
— de Cáncer **2:**84; **7:**132; **13:**271; **14:**180
— de Capricornio **2:**162; **13:**271
— húmedo **1:**107
— semiárido **1:**107
Trópico de Cáncer **9:**224
Trópico de Capricornio **9:**224
tropismo 13:272
tropo 13:273
Véase Figuras del lenguaje
troposfera 13:273
atmósfera **2:**142
Crutzen, Paul **4:**302
estratosfera **6:**60
lluvia radiactiva **8:**295
tiempo **13:**187
viento **14:**87
troquel 13:273
estampado **6:**45
troquelmintos **12:**118
troquílidas **4:**134
Trotamundos de Harlem 2:262
Trotmania **5:**166
Trotsky, León 13:273
bibliografía **13:**273
bolchevique **3:**21
Revolución Bolchevique **12:**41
Rusia **12:**145
trotskystas **13:**273
Trouvé **5:**256
trovador 13:273
Edad Media **5:**208
feudalismo **6:**144
soneto **13:**37
Trovatore, Il 13:273
Véase Ópera
Trovoada, Miguel **12:**222, 223
troy 13:273
Véase Peso Troy
Troya 13:273
— arqueológica **13:**274
— ciudad de **2:**100
— de Homero **13:**273
— Elena de **5:**245
— I **13:**274
— II **13:**274
— III **13:**274
— IV **13:**274
— IX **13:**274
— murallas de **10:**74
— rey de **11:**196
— VI **13:**274
— VII **13:**274
— VIIb **13:**274
— VIII **13:**274
Agamenón **1:**99
Andrómaca **1:**274
bandera **2:**238
Eneas **5:**257
Esculapio **5:**292
etruscos **6:**71
Grecia **7:**58
Helena **7:**140
hitita, cultura **7:**195
Ifigenia **7:**266
Ilíada **7:**268
Laocoonte **8:**173
Marte **9:**111
Memnón **9:**161
Menelao **9:**166
Minerva **9:**233
Odisea **10:**185
Paris **10:**329

ruta comercial **12**:151
Schliemann, Heinrich **12**:247
sibila **12**:313
sitio **13**:9
transportes **13**:249
Ulises **13**:301
Troya, Rafael 13:274
obra **13**:274
Troyag guerra de **4**:248
troyanos **2**:8
Troyes **11**:68
Troyes 13:274
Troyes, Cristián de **7**:65
Troyes, tratado de **6**:222
Troyon, Constant 13:274
obra **13**:274
Trubetzkoi, príncipe Pablo 13:274
obra **13**:274
Trubia, río **10**:33
trucha 13:274
— arcoiris **13**:275
— pico **6**:31
trucs o bogias **8**:298
truculento **13**:205
Trud (Trabajo), **9**:309
Trudeau, Pierre Elliott 13:275
biografía **13**:275
Trudeau, Pierre **10**:22; **13**:275
Trudjman, F. **4**:297
Trueno (*Ilyapa*) **7**:293
trueno 13:221
trueno **13**:276
trueque 13:276
Véase Permuta
trufa 13:276
Trujillo (Perú) **13**:276
Trujillo (Venezuela) **13**:276
Trujillo Molina, Rafael Leónidas 13:276
biografía **13**:276
Trujillo, Héctor **5**:161
Trujillo, plaza de **11**:115
Trujillo, puerto de **4**:145
Trujillo, Rafael L. **5**:161
Truly, Richard **13**:243
trumai **7**:310
Truman, Harry Swinomish 13:276
biografía **13**:274
bomba atómica **3**:37
Franck, James **6**:232
hidrógeno, bomba de **7**:167
Trumpler, Robert Julius **6**:104
truncado **2**:42
truque **13**:141
Trus, P. **12**:150
trusas **14**:67
trust 13:277
— Competencia y monopolio **13**:277
— del tabaco **13**:99
— El cártel **13**:277
— El trust **13**:278
— Ventajas y defectos **13**:278
Trutta **13**:275
Trutta ferox **13**:275
Trutta namagcusch **13**:275
Trutta purpurata **13**:275
Trutta vulgaris **13**:275
Trygve Lie **8**:255
Trypanosoma gambiense **13**:268
Trypanosoma gambiense **14**:182
Tsaidam, Depresión de **4**:47
Tsai-Lun **10**:314
Tsangpo (Brahmaputra superior), valle del **13**:185
Tsangpo **13**:185
tsang-tzas **7**:310
tsan-tsa 13:278
Véase Jíbaros
Tsao Chih **4**:57
Tsao Ya **4**:58
Tsaritsin **11**:311; **13**:51
Tsarkoe-Selo **8**:88
Tschermak, Erich von **9**:163
Tseng Yuo **4**:59
tserb **14**:65
Tsesmoievitz, príncipe **9**:287
tsetsé, mosca 13:278
Tse-Ven Soong **13**:41
Tsiafajavona **13**:110
Tsiaje-Javona, pico **9**:10
Tsien-tsin **7**:314
Tsiling-Chan, monte **2**:84
Tsing Shi-wang-ti **4**:55
Tsingtao 13:278
Tsinling, cordillera **4**:48
tsiracuas **4**:22
Tsiranana, Phihbert **9**:11
Tsirihibina, río **9**:10
tsonga **13**:90
Tsushima, combate naval de **2**:41
Tsushima, isla de **7**:99
Tsutomu Hata **8**:84
Tu Fu **4**:58
Túa **11**:173
Tuamotú, islas 13:278
Tuamotú-Gambier, archipiélago **11**:153
Tuapse, puerto de **10**:68
Tuareg **14**:115
tuareg **8**:218; **9**:55; **10**:100; **14**:116
Tubau, María 13:280
Véase Alvares, María de Sancho Abarca
tuberculina 13:278
tubérculo 13:278
tuberculosis 13:279
— de la piel 142
— pulmonar **7**:142
tuberculosis **10**:78
tuberculosis **2**:211
tuberculosis **2**:83
tuberculosis **3**:31
tuberculosis **5**:260, 270, 282
tuberculosis **6**:136
tuberculosis **8**:202
tuberosa 13:279
Véase Nardo
Tubinga **13**:50
Tubinga, Universidad de **9**:166
Tubman, William **8**:243
tubo
— de aluminio **1**:213
— de Crookes **2**:144
— de Pitot **7**:168
— de Torricelli **2**:256; **13**:230
— digestivo **1**:37; **8**:21
— electrónicos **6**:152
tubos **1**:132
tubo neumático 13:281
tubular púrpura, planta **10**:181
tubulidentado 13:279
Véase Desdentado
tubulidentado **3**:330; **5**:86; **13**:282
tucán 13:279
tucano **7**:309, 310
Tucapel 13:280
— batalla de **4**:41
araucanos **1**:344
Ercilla y Zúñiga, Alonso de **5**:274
Valdivia, Pedro de **14**:12
Tucayana **13**:86
Tucídides 13:274
biografía **13**:274
Grecia **7**:61
historia **7**:192
literatura **8**:276
oral, historia **10**:230
ostracismo **10**:269
Peloponeso o Morea **11**:33
Tucson, Arizona, EE.UU. **9**:241
Tucumán (ciudad) **13**:280
Tucumán (provincia) **13**:280
— batallas de **8**:166
— Congreso de **10**:256; **12**:162
— San Miguel de **7**:295
Tucumán y Salta 2:285
Tucupita **5**:45
Tudor 13:280
biografía **13**:280
— María **4**:276; **7**:40; **8**:48, 144; **11**:244
tuerca y tornillo 13:280
Tuerca **1**:44
Tueskägg, Suen **3**:221
Tufiño, Rafaell **11**:241
tugela, cataratas 13:281
tugeri **14**:114
Tuira, río **10**:300
Tula 13:281
— de Allende **7**:163
Hidalgo **7**:163
juego de pelota **8**:121
Quemada, La **11**:249
Tulancingo **7**:163
tularemia **5**:261; **6**:286
tülbend **13**:282
Tulcán 13:282
Tule, árbol de Santa María del **10**:171
Tule, isla de **11**:113
tulio 13:282
Tulio Hostilio **1**:137; **7**:275
tulipán 13:282
— blancos **1**:183
tulipero 13:282
tulipomanía **13**:282
Tullerías, las 13:282
— jardines de **10**:327
— palacio de las **9**:94
Tullerías, las **12**:48
Tulúa **14**:20
Tulum **9**:140
Tumaco **10**:41
Tumaco, puerto **4**:137
Tuman **4**:243
Tumba de Adriano **1**:75
Tumbas de Anfouchy **1**:155
Tumbes 13:282
Tumbez, río **5**:196
Tumbos **11**:59
tumefacción **6**:209
Tumen **4**:243
tumor 13:282
— malignos **3**:210
hernia **7**:155
insuficiencia **8**:14
páncreas **10**:307
Tumuc-Haumac **3**:69
túmulo 13:282
Tumuyán **1**:343
tun **7**:79
tuna **3**:149; **10**:129
Tunal, río **5**:180
Tunas, Las 13:282
Tuncahuán **5**:202
Tundra 13:283
ártica, región **2**:71
Asia **2**:86, 90
bioma **2**:327
desierto **5**:89
geografía **6**:303
llanura **8**:292
Túnel 13:283
— formado por corrientes de agua en Indiana **7**:306
— efecto **5**:277
— oblicuos **9**:231
— vehicular **13**:284
túnel aerodinámico 13:284
Túnez (ciudad) **13**:284
Túnez (estado) **13**:284
— bandera de **2**:243
— historia **13**:284
Argelia **2**:11
Atlas **2**:138
berberiscos **2**:295
Juan de Austria **8**:113
Mediterráneo, Mar **9**:153
zuavo **14**:189
tung 13:285
Tung Cheebwa **7**:220
Tung Chi, emperador **4**:56
Tung San Sheng **9**:52
Tungasuca **13**:286
tungstato de calcio **8**:335
tungstato de magnesio **8**:335
tungsteno 13:285
América del Sur **1**:243
astronáutica **2**:110
Elhúyar, Fausto **5**:246
luz eléctrica **8**:333
São Paulo **12**:224
tungueses **2**:95
Tungurahua 13:286
Ambato **1**:223
Cotopaxi **4**:272
Ecuador **5**:199
Tunguses, tribus **2**:94, 95; **4**:243
túnica 13:286
— de Nemrod **2**:238
— griega **9**:260
— íntima **14**:64
vestido **14**:61
tunicelas **10**:173
Tunicia **6**:225
Tuniyán, río **9**:165
Tunja 13:286
— río **1**:75
— valle de **4**:31
Boyacá **3**:64
tunjos **4**:32
Tunnard **7**:45
Tunney, Gene **3**:63 **5**:48
tunor **11**:279
Tuntankhamón **3**:251
Tuntún de pasa y grifería **10**:292
tuoinambá **7**:309
Tupá **9**:38
Túpac **12**:22
Tupac Amaru 13:286
biografía **13**:213
independencia **7**:294
quichuas o quechuas **11**:255
Toledo, Francisco de **13**:213
Vilcamba **14**:92
Tupac Yupanqui **11**:270
tupamaros 13:286, 330
tupambaé **9**:241

tupangato 13:286
Tupí **7:**75; **13:**118
tupi-guaraní **7:**309, 310; **8:**217; **14:**115
tupiniquín **7:**309
Tupungato **1:**269; **4:**37; **9:**165
Túquerres, meseta de **10:**41
turanio **11:**310; **13:**293
turbante 13:286
— amamah **14:**65
Turbay, Julio César **4:**144
turbelarios **14:**184
turberas **3:**234
turbidez, medición de la **10:**64
turbina 13:286
— de acción **13:**287
— de vapor **8:**199
— hidráulica **5:**259
— hidráulica **13:**287
— de vapor **3:**109; **6:**168
— hidroeléctrica **13:**287
turbine fuel **1:**85
Turbio **7:**74
Turbio, río **2:**256
Turbo **4:**139
turbocompresores **4:**179
turbojet **1:**82; **13:**288
Turbopropulsor 13:288
turborreactor 13:288
vuelo **14:**136
turbotrenes **6:**140
Turca, República **6:**45
Turcas
— dinastías **12:**270
— islas las **1:**309
Turchi, Fondaco del **14:**40
Turcialba, volcan **4:**267
Turcios, Froylan 13:288
bibliografía **13:**288
turco 13:288
— osmanlíes **2:**100, 241
— otomanos **2:**100
— seléucidas **5:**207
turcomanos **2:**94; **13:**288; **14:**112
turcotártaras **2:**95
turdetano **1:**171; **7:**257; **8:**58; **13:**123
Turdidae **11:**70
túrdidos **13:**123, 222
Turégano **12:**259
Turena **5:**233
Turena, Henri de la Tour d'Auver-gne, vizconde de 13:288
biografía **13:**288
turf 13:288
Véase Hipódromo
Turgot, Anne Robert Jacobo 13:288
bibliografía **13:**288
Turgovia **13:**80, 81
Turguenev **4:**320
Turguenev, Ivan Sergevich 13:288
bibliografía **13:**288
Turgut Özal **13:**297
Turia **5:**307; **13:**173
Turia, río **14:**12
Turín 13:288
Amicis, Edmondo de **1:**249
conservatorio **4:**215
Europa **6:**81
Italia **8:**62
Po **11:**142
rosoli **12:**115
Víctor Manuel II **14:**76
Turina, Joaquín 13:289
obra **13:**289
Turingia **1:**163, 165; **2:**268; **6:**239; **9:**175; **10:**99; **14:**144
Turingia, selvas de **1:**164
Turismo 13:289
turista **1:**272
Turismundo 13:291
biografía **13:**291
Turkana, lago **7:**214
Turkestán 13:291
mongol, imperio **9:**276
Véase Turquestán
Turkey, John W. **7:**328
turkmenas **13:**292
Turkmenistán 13:291
— bandera de **2:**243
Afganistán **1:**90
descubrimientos y exploraciones geográficos **5:**75
Irán o Persia **8:**35
Uzbekistán **13:**334
turkmeno **13:**291
Turku o Abo **6:**160
turmalina 13:292
berilio **2:**297
piedras preciosas **11:**84
Turmero **1:**340
Turner, G. **7:**45
Turner, J. **3:**205
Turner, Joseph Mallord William 13:292
obra **13:**292
Turner, Nat **14:**100
Turner, William **12:**150
Turno **5:**257
turón 13:292
Turov **12:**148
Turpana, A. **10:**303
Turpín, arzobispo **8:**253
turquesa 13:293
piedras preciosas **11:**84
Turquestán 13:293
— afgano 13:293
— chino 13:293
— ejército del **14:**166
— historia 13:293
— ruso 2:86; **13:**293
alfombra **1:**174
Asia **2:**84
cosacos **4:**263
descubrimientos y exploraciones geográficos **5:**75
estepas **6:**49
lengua **8:**217
Turquía 13:294
— alfombra tipo persa en **1:**173
— Aspecto físico **13:**294
— bandera de **2:**243
— Educación **13:**295
— europea **2:**223
— familia en **13:**295
— Gobierno **13:**295
— guerra a **10:**96
— Historia **13:**295
— independencia de **7:**336
— Mediterráneo **9:**153
— Mohammed II, sultán de **2:**288
— oriental **6:**72
— Principales ciudades **13:**295
— Recursos económicos **13:**294
— sultán de **10:**51
— tienda de tapetes en **13:**297
— Transporte y comercio **13:**294
Adrianópolis **1:**75
Angora o Ankara **1:**289
Asia **2:**100
Bagdad **2:**216
Berlín, tratado de **2:**300
Bosnia y Herzegovina **3:**51
Creta o Candia **4:**282
Darviche danzando **5:**65
eslavos **5:**297
Estambul o Istambul **6:**44
Galilea **6:**267
harén **7:**129
Irán o Persia **8:**35
Kemal Atatürk **8:**137
Mármara, Mar de **9:**104
Mohamed II **9:**264
Negro, Mar **10:**68
Palestina **10:**292
paz, tratado de **11:**19
Turquino, pico **1:**308; **4:**311
Turrialba, volcán **1:**234
Turró y Darder, Ramón 13:297
bibliografía **13:**297
turrones **1:**195
Turtle, montañas de **10:**132
Tusculum, observatorio **12:**93
Tus-Go **2:**87
Tuskegee **14:**140
Tussaud, Marie Gresholtz 13:297
obra **13:**297
Tusum **1:**336
tutamona **11:**264
Tutankhamen o Tutankamón 13:297
— tumba de **2:**52
biografía **13:**297
antigüedades **1:**306
Carter, Howard **3:**267
Egipto **5:**227
Luxor **8:**329
Tebas **13:**133
tutela 13:298
tutelo **13:**11
Tuthmosis III 13:298
biografía **13:**298
farón **6:**117
vidrio **14:**85
Tutmes **5:**227
Tutmosis **5:**227
Tutmosis IV **1:**227
Tutu, Desmond 13: 298
biografía **13:**298
Tuva 13:298
Tuvalu 13:298
— bandera de **2:**243
Véase Gilbert y Ellice, islas
Tuxpan **9:**207; **10:**59; **12:**128
Tuxpan, río **14:**52
Tuxpango **5:**258
Tuxtla Gutiérrez **4:**30
Tuyru Tupac, Juan Tomás **11:**63
Tuyú, bancos **11:**133
Tuyutic **4:**269
Twagiramungu, Faustin **12:**121
Twain, Mark 13:298
Véase Clemens, Samuel L.
Twin Falls **7:**264
Two Harbors **7:**49
Tyche griega **6:**198
Tycho Brahe **4:**92; **5:**126; **12:**92
Tydings-McDuffe,ley **11:**267
Tygart, río **14:**146
Tyler, Tim **4:**170
Tylor, sir Edward Burnett **1:**299
Tymi, río **12:**168
Tyndale, William 13:298
bibliografía **13:**298
Tyndall, John 13:298
bibliografía **13:**298
Tyne **7:**33
Tyrannosaurus rex **5:**133
Tyson, Mike **3:**63
Tzannetakis, Tzanis **7:**61
Tzara, Tristan **5:**6; **9:**263; **12:**132
tzeltales **7:**309
Tzinancatétec **9:**131
Tzintzuntzan **9:**214; **11:**16; **13:**118, 119
tzompantli **2:**203; **13:**159
tzotziles **7:**309

U

U 13:299
U.S. Steel Corporation **13:**55
U.L. Wetcheek **6:**143
U-233, Seaborg, Glenn **12:**251
U-235 13:299
Uad Draa, valle del **9:**105
Uad Fez, río **6:**144
Uad Fez, valle del **6:**145
uadis **2:**10
uapichana **7:**310
Uaxactún 13:299
pirámides de México y América central **11:**106
arqueología **2:**52
Mayas **9:**137
Ubalde, Manuel **1:**115
ubangui 13:299
Congo, río **4:**208
Ubaté **4:**329
Ubaté, sabana de 13:299
ubicación, teoría de la **13:**321
Ubico, Jorge 13:299
biografía **13:**299
Arbenz Guzmán, Jacobo **1:**344
Arévalo, Juan José **2:**9
Ubilishev, maestro **2:**222
Ubina **2:**193
U-boats **13:**61
Ubud, Indonesia **2:**96
Ucayali **8:**308; **9:**85
Ucayalí, río **1:**220, 221
Uccello, Paolo **5:**289; **11:**58
Ucello **11:**97
Uchichi (Tanganica) **13:**111
Ucrania 13:299
— bandera de **2:**243
— historia **13:**300
— recursos 13:300
bandera de **2:**243
Besarabia **2:**305
Brest Litovsk, Paz de **3:**79
Europa **6:**80
maíz **9:**35
Stalino **13:**52
Tobuhin, Fëdor Ivanovich **13:**211
Voroshilov, Kliment Yefremovich **14:**131
Ucubis, Bética **2:**160
Ucucyabnal **9:**143
Uderzo, A. **4:**170
UDT **13:**196
Ueberlingen **2:**56
ued o *uad* **9:**105

Uei **4:**205
Uelé **13:**299
Uemura, Noami **6:**97
Uganda 13:301
— bandera de **2:**243
Alberto, Lago **1:**141
comunidad (británica de naciones) **4:**189
Eduardo, Lago **5:**213
Heligoland **7:**142
Imperio Británico **7:**275
Kenia **8:**138
Ruanda **12:**120
Speke John Hanning **13:**47
Sudan **13:**66
Tanzania **13:**115
Uganda **13:**300
Ugarte Eléspuru, Juan Manuel **11:**64
Ugarte, Floro M 13:301
obra **13:**301
Ugolek 2:112
ugrico **7:**252
ugro **13:**288
ugro-mongola **7:**311
Uguccione da Lodi **8:**64
Uhuru, satélite **2:**129
uigures **13:**288
Uinta **4:**155
uitoto **7:**310
Ujiji **8:**289
Ukereué, lago **13:**47
Ukiyoyé, escuela **7:**204
Ulama **2:**201
Ulan Bator **9:**277
ulanos austriacos y alemanes **3:**130
Ulanova, Galina **3:**34
Ulate Blanco, Otilio **6:**150
Ulate, Otilio 13:301
biografía **13:**301
Costa Rica **4:**270
Picado Michalski, Teodoro **11:**79
úlcera 13:301
anhídrido **1:**290
Estonia **6:**57
Hitching, George H. **7:**195
Ulbricht, Walter **1:**163
ulcerosa **6:**290
Ulewaia, monte **13:**330
Ulfila, monje **9:**242
Ulianovsk **14:**128
Ulises 13: 301
Aquiles **1:**331
Ayax **2:**193
Capri **3:**228
Circe **4:**89
Eolo **5:**269
lucha **8:**315
Música **10:**50
Penélope **11:**37
Ulises, perro de **2:**28
Ulises, sonda espacial **8:**127
Ulist del Norte **7:**136
Ulist del Sur **7:**136
Ulla, río **11:**167
Ullar **6:**24
Ullman, Douglas Elton **6:**112
Ulloa Elías, Manuel 13:301
biografía **13:**301
Ulloa, Antonio de 13:302
biografía **13:**302
California **3:**166
La Condamine, Charles Marie de **8:**159
Mendoza, Juan Antonio de **9:**165
platino **11:**134
Ulloa, Jorge **9:**165
Ulloa, Juan Antonio de **8:**115
Ulloa, Luis 13:301
bibliografía **13:**301
Ullswater **7:**34
Ullua **6:**266
Ulm **5:**68; **10:**37, 91; **11:**113
ulmáceas **10:**208
Ulpiano **12:**103
Ulsan **4:**246
Ulster 13:301
Patricio, san **11:**14
última cena **7:**65
Última Esperanza, Magallanes **9:**22
Última Thule **13:**53, 184
Ultra **13:**301
ultracentrifugación **9:**10; **13:**89
Ultrafax **4:**186
ultraísmo 13:301
ultramar **8:**174
Ultramar, Territorio de **11:**153
ultramicroscopio 13:301
Zsigmondy, Richard **14:**189
ultrasonido 13:302
— aplicación **13:**302
cirugía **4:**95
minería **9:**232
ultrasonido **9:**150
ultravioleta 13:302
— radiaciones **10:**278
— rayos **6:**185
astrofotografía **2:**107
ultravioleta **8:**335
Ultrecht, tratado de **6:**222, 322
Ulúa **4:**260
Ulúa, río **1:**234; **7:**218
umagen **7:**273
Umaña Bernal, José 13:302
bibliografía **13:**302
Umar **1:**336
umaua **7:**310
umbelas **6:**326; **7:**327; **13:**303
umbelíferas 13:303
angélica **1:**281
biznaga **2:**334
cilantro **4:**80
imperatoria **7:**274
nectario **10:**63
perejil **11:**44
zanahoria **14:**172
umbral **1:**270; **11:**228
umbral de rentabilidad 13:303
Umbral, Francisco 13:303
bibliografía **13:**303
Umbría **13:**184, 255, 320
Umbría, escuela de la **11:**99
Umbro-Marchigione **1:**324
Umer Anteh **13:**33
Um-Er-Rebia, río **9:**105
Umezurtza **13:**330
umiak **6:**26
Umm al Kaiwan **5:**249
umpquas **7:**310
Un asunto tenebroso **2:**231
un automóvil Ferrari Testarossa **2:**172
Un combate gigantesco **2:**38
Un encuentro en el espacio **2:**114
Un golpe de dados **9:**44
Un grillo **7:**66
Un herreo forja unas herraduras **6:**196
Un jardín en Oriente **2:**257
Un paseo en globo **2:**183
Un perdido **2:**258
Un sueño americano **9:**32
Un tranvía llamado Deseo **14:**151
Un verdadero inglés **5:**37
Una excursión a los indios ranqueles **2:**26
una fracción por un número entero, multiplicación de **6:**207
Una hija de Eva **2:**231
Una noche en el Monte Pelado **10:**17
Una y dos Cámaras **7:**9
Unakas, macizo de **6:**31
unalachtigo **5:**40
Unalaska, isla de **1:**170
unalatchigos **7:**309
UNAM **13:**31
unami **5:**40
Unamuno **11:**24
Unamuno y Jugo, Miguel de 13:303
bibliografía **13:**303
Balseiro, José Agustín **2:**229
ensayo **5:**266
Ganivet, Ángel **6:**280
Generación del 98 **6:**299
Ibarbourou, Jauna de **7:**255
literatura **8:**280
Marías, Jualian **9:**95
Quijote, Don **11:**257
unanimistas **5:**177
Unanue, José Hipólito 13:303
biografía **13:**303
Perú **11:**62
Unare, cuencas del **1:**319
uñas **11:**83
Uncia, distrito minero **6:**47
Uncía, mina de **11:**12
unctorium **13:**166
Underground Comic **4:**170
Undset, Sigrid 13:303
bibliografía **13:**303
mujer **9:**327
Noruega **10:**136
unducción **7:**317
Undurraga, Antonio de 13:303
bibliografía **13:**303
UNESCO 13:303
— boletín para bibliotecas de la **13:**304
— correo de la **13:**304
— crónica **13:**279
Angkor **1:**283
Caballero Calderon,Eduardo **3:**132
delegación **5:**42, 125, 158, 229
Generalife **6:**300
Huxley, Julian S. **7:**254
Tamayo, Rufino **13:**109
vista educación por medio de la **14:**106
Ungaretti, Giuseppe 13:304
bibliografía **13:**304
ungido **9:**176
ungulados 13:304
caballo **3:**133
pezuña **11:**77
UNICEF 13:304
unicelular **9:**215; **11:**219; **14:**182
unicornio 13:305
vía láctea **14:**73
unidad 13:15, 305
— astronómica **1:**321
— Campesina, Comite de (CUC) **9:**163
— celular del halita **9:**230
— Central de Procesamiento (CPU) **10:**223
— de acción **13:**133
— de carga eléctrica **4:**273
— de lugar **13:**133
— de orden superior **13:**305
— de Procesamiento Central **4:**179
— de tiempo **13:**133
— del impuesto **7:**288
— forrajeras **11:**184
— monetaria **11:**252
— o patrón **9:**190
adición **1:**69
catolisísmo **3:**296
fraccionarios, nímeros **6:**206
uniforme 13:305
física **6:**165
uniformismo **8:**335
uniformitarianismo **6:**104
unilateral **13:**177
unión **7:**333
unión aduanera **2:**282
Unión Aduanera Latina **3:**8
Unión Americana **2:**34
Unión Árabe **8:**42
Unión Cívica **2:**23
Unión Cívica Radical **2:**24
Union College de New York **13:**53
Unión de Calmar **13:**70
Unión de Centro Democrático **13:**59
Unión de Estados Soberanos **13:**310
Unión de Juventudes Comunistas **13:**30
Unión de Kalmar **10:**135
Unión de Lublin **2:**279
Unión de Puerto Rico, Partido **9:**335
Unión de Repúblicas Socialistas Soviéticas 13:306
— extensión y límites **13:**306
— la época de Stalin **13:**307
— la guerra fría **13:**307
— la revolución rusa y la instauración de la Unión Soviética **13:**306
— la Unión Soviética después de la muerte de Stalin **13:**308
— la Unión Soviética y la Segunda Guerra Mundial **13:**307
Albania **1:**138
avena **2:**183
azúcar **2:**204
cobre **4:**121,185, 232, 243, 247
constructivismo **4:**220
Cuba **4:**312
Deng Xlaoping **5:** 49
economía **5:**193
Edad contemporánea **5:**204
Estonia **6:**57
Europa **6:**76
ferrocarril **6:**140
Georgia **6:**317
Gorbachov, Mihail **7:**22
Kazajstán **8:**135, 147, 160
Khachaturian, Aram Il´ic **8:**140
Liga de las naciones **8:**258
Mercurio, programa **9:**173
Negro, mar **10:**68
privatización **11:**204
proceso de Nuremberg **11:**206
Spuntnik **13:**50

Transcaucasia **13**:243
Vostok, programa espacial **14**:131,160
Unión de Utrecht **7**:104
Unión Democrática Cristiana **8**:145
Unión Estadounidense de Libertades Cívicas **10**:71
Unión Europea (UE) **7**:37; **8**:187, 288; **11**:160
Unión Europea Occidental 13:310
Europa **6**:84
Unión Evangélica **7**:87
Unión Francesa 13:310
Indochina **7**:314
Laos **8**:173
Véase Francia
Unión Francesa, Viet Nam **2**:248
Unión General de Correos **13**:311
unión hipostática **3**:295
Unión Internacional de Estudios Sociales **2**:283
Unión Internacional de las Repúblicas Americanas **10**:246
Unión Internacional de Telecomunicaciones (UIT) **10**:28
Unión Interparlamentaria **2**:220
Unión Jack **2**:241
Unión Monetaria Latina **8**:271
Unión Nacional Africana de Kenya **8**:138
Unión Nacional Revolucionaria Guatemalteca **7**:81
Unión Nacionalista del Pueblo **11**:44
Unión Nicaragüense Opositora (UNO) **10**:95
Unión Pacific **13**:52
Unión Panamericana 13:310
juegos panamericanos **8**:122
Unión Panamericana de Washington **2**:9
Unión para la Liberación de Rusia **8**:140
Unión Parlamentaria Escandinava **2**:220
Unión Postal Austroalemana **13**:311
Unión Postal Panamericana **13**:311
Unión Postal Sudamericana 13:311
Unión Postal Universal 13:311
Naciones Unidas **10**:28
Pacheco, Gregorio **10**:281
Unión Sagrada **10**:252
Unión Sudafricana 13:311
— Agricultura **13**:312
— Ciudades **13**:313
— Clima **13**:312
— Comercio **13**:313
— Comunicaciones **13**:313
— Costas **13**:312
— Educación **13**:313
— Ganadería **13**:312
— Hidrografía **13**:312
— Historia **13**:314
— Industria **13**:313
— Lenguas **13**:313
— Minerales **13**:312
— Morfología **13**:312
— Organización política **13**:313
— Población **13**:313
— Religión **13**:313
azúcar **2**:204
economía **5**:193
Holanda **7**:208
Union Theological Seminary **7**:124
Unión Togolesa por la Democracia **13**:211
Unión, Tratado de la **4**:190
UNITA **1**:288
unitaria 13:314
unitarismo 13:314
United Nations Children's Fund **13**:304
United Nations Educational, Scientific and Cultura **13**:303
United Nations International Children's Emergency **13**:304
United Nations Peacekeeping Forces **6**:247
United Party **1**:323
***United Press* 13**:125, 314
periodismo **11**:51
United States **9**:99
univalvas **4**:194
universal **11**:313
Universal e Internacional de Bruselas, Exposición **6**:101
Universal Pictures **13**:128
Universal, Exposición **6**:142
Universala Esperanto Asocio **6**:13
universales **10**:174
universales **6**:236
Universales, Montes **13**:173
universalismo 13:314
— constructivo **13**:229
universidad 13:315
— Autónoma de Madrid **2**:131
— Calvinista de Amsterdam **7**:207
— Católica de Puerto Rico **7**:269
— Chicago **13**:48, 53, 324
— Complutense **2**:313
— de Alcalá de Henares **8**:103; **13**:203
— de Berkeley **13**:14
— de Berlín **7**:131, 248; **13**:34
— de Bolonia **13**:47
— de Boston **2**:310
— de Breslau **5**:38; **13**:54
— de Bruselas **9**:166
— de Buenos Aires **1**:349; **2**:25, 60, 183; **7**:110; **13**:319
— de Cambridge **1**:267; **7**:39, 133, 161, 197, 223, 254; **13**:158, 209, *315*
— de Caracas (Venezuela) **13**:319
— de Caracas **2**:79; **7**:20
— de Colonia **7**:131; **13**:53, 125
— de Columbia **1**:71; **2**:100, 274, 289; **7**:266
— de Cornell **7**:210; **13**:48
— de Dublín **7**:14
— de Durham **7**:133
— de Edimburgo **13**:54
— de Essex **2**:29
— de Estocolmo **7**:126
— de Friedrich-Wilhelms en Berlín **7**:12
— de Gante **7**:161
— de Georgetown **2**:131; **7**:120
— de Glasgow **13**:209
— de Guanajuato **7**:20
— de Harvard **1**:51, 99; **2**:289; **5**:193; **7**:195; **13**:14, 15, 41, 53, 128, 209
— de Heidelberg **7**:138, 161; **13**:47, 316
— de Johns Hopkins **2**:230
— de la ciudad del Cabo **13**:182
— de la Columbia Británica, Canadá **13**:14
— de las Indias Occidentales **1**:309
— de Leipzig **7**:139; **13**:23, 57
— de Lima **13**:286
— de Londres **7**:135, 178
— de Lovaina **2**:283; **7**:107; **9**:166
— de Lyon **7**:104
— de Madrid **1**:143; **2**:194; **13**:303
— de Manchester **7**:178; **13**:14, 209
— de Montpellier **7**:234
— de Montreal **13**:23
— de Moscú **13**:31
— de Odessa **13**:110
— de Oslo **7**:113, 131
— de Oxford **2**:47, 160; **7**:39, 124, 133, 196, 197, 254; **13**:14, 23, 197, 209, 303
— de Padua **13**:125
— de París **1**:301; **13**:42, 316
— de Princeton **7**:198
— de Puerto Rico **2**:60; **7**:20, 81
— de Purdue **2**:47
— de Salamanca **2**:285; **5**:316; **13**:303
— de Salzburgo **7**:269
— de San Marcos de Lima (Perú) **13**:319
— de Santiago **13**:319
— de Santiago de Chile **13**:269
— de Santiago de Compostela (España) **7**:158
— de Santiago de la Paz **13**:318
— de Stanford **7**:130, 198; **13**:125
— de Tasmania **13**:124
— de Texas **2**:161, 279
— de Thammasat **13**:102
— de Tubingen **7**:131
— de Tucumán **13**:57, 89, 162, 203
— de Turín **2**:191
— de Ultrech **7**:207
— de Upsala **2**:305; **7**:108, 137
— de Valencia **2**:196
— de Viena **2**:166; **7**:135
— de Virginia **13**:55
— de Washington **13**:55
— de Wisconsin **13**:154
— de Yale **1**:208
— de Yaley **1**:51
— de Zurich **13**:53
— del Cairo **1**:339
— del Estado de Haití **7**:121
— del Sur de California **2**:47
— Frankfurt **13**:209
— Georgiana de Roma **7**:269
— Harvard **1**:267
— Imperial **13**:211
— Johns Hopkins **7**:130
— La universidad en España **13**:317
— La universidad en Hispanoamérica **13**:318
— McGill **7**:197
— Moscú **13**:110
— Nacimiento de la universidad **13**:315
— Nacional Autónoma de Honduras **7**:218
— Nacional Autónoma de México **1**:149; **3**:214, 274; **5**:185; **7**:20; **13**:318, 330
— pontificias de San Ignacio y de Sant **13**:319
— Rice **13**:13
— Rockefeller de New York **7**:130; **13**:53, 125
— Shantiniketan **7**:303
— Técnica de Munich **7**:236
— Urbana **1**:267
— Veracruzana **13**:153
educación **5**:215
facultad **6**:35, 111
Universitaria, biblioteca **10**:276
universitas **13**:315
Universitas discipulorum **13**:316
Universitas magistrorum **13**:316
Universitas magistrorum et scholarium **13**:316
University College de Londres **7**:254
universo 13:319
año luz **1**:320
astronomía **2**:129
big bang, teoría **2**:324
cosmogonía **4**:264
espacio **5**:302
física **6**:169
UNIX, sistema **10**:223
unkapapas **7**:310
Unprofor **4**:296
UNRRA 13:319
Unruh, Fritz von **6**:102
Unser, Al **2**:169
Unser, Bobby **2**:169
Unsha, río **14**:128
Unterwalden **13**:80
Uña 13:319
Upanda **1**:284
upas antiar **1**:304
Uppsala, Suecia **13**:*71*
Upsala 13:319
Karlfeldt, Erick Axel **8**:135
Upsala, Universidad de **8**:267; **10**:129
Ur **1**:33; **2**:52; **6**:73; **13**:84
Ur de Caldea **7**:194
Urabá **4**:263
Urabá, gobernación de **6**:134
Urabá, Golfo de **2**:223; **4**:137, 263; **10**:164; **12**:215
Ural 13:320
— río **6**:74
Asía **2**:86
Razin, Stenka **11**:311
ural-altaico **13**:293
Urales, montes 13:320
— cordillera de los **12**:136
Europa **6**:74
grafito **7**:30
Kazajstán **8**:135
rodio **12**:*90*
Siberia **12**:311
uralita 13:320
Uralo-altaicas **2**:95
uraloaltaico **8**:216
Uralsk **13**:320
Uranga, Emilio **9**:202

Urania **10:**7
uraninita **13:**320
uranio 13:320
— natural o U-238 **2:**151
— uranio-radio **11:**161
— y metales fisionables 2:151
Arizona **2:**34
átomo **2:**144
bario **2:**254
bomba atómica **3:**36
combustible **4:**163
einstenio **5:**231
hierro **7:**173
isótopos **8:**55
materia **9:**130
Nier, Alfred Otto Charles **10:**99
pecblenda **11:**23
torio **13:**223
vidrio **14:**85
Urano 13:320
Urano planeta 13:320
astronomía **2:**124
cibeles **4:**66
furias **6:** 254
Neptuno **10:**74
persona **11:**58
Zeus **14:**177
uranología o astronomía de observaciones **2:**123
Urauaddi, río **2:**93
Urbain **9:**215
Urbain, George **6:**230; **8:**67
Urbain-Jean-Joseph Le Vernier **6:**230
Urbana **12:**249
urbana, economía 13:320
urbana, política 13:321
Urbaneja, Diego Bautista 13:321
biografía **13:**321
Urbaneja, Luis Manuel 13:321
bibliografía **13:**321
urbanidad 13:321
urbanismo 13:321
urbanización 13:322
higiene **7:**175
Urbano II 13:322
Amines, Pedro de **1:**250
biografía **13:**322
cruzadas **4:**306
Edad Media **5:**207
investiduras, querella de las **8:**29
orden religiosa **10:**235
Urbano IV, papa **13:**216
Urbano V **11:**70; **14:**66
Urbano VI 13:323
biografía **13:**323
Urbano VIII 13:323
biografía **13:**323
San Pedro de Roma **12:***198*
Vaticano, ciudad del **14:**29
urbanos **10:**210
urbanos, centros **14:**13
Urbiciani **8:**64
Urbina **12:**85
Urbina, Diego de **4:**5
Urbina, José María 13:323
biografía **13:**323
Ascasubi, Manuel **2:**80
Robles, Francisco **12:***85*
Veintemilla, Ignacio de **14:**34
Urbina, Luis G 13:323
biografía **13:**323
México **9:**202
urbinismo **13:**323
Urbino **2:**312; **11:**289; **13:**323
Urbino, Federico de **12:***194*
Urbino, Palacio Ducal de 9:254
Urbión, Picos de **5:**176
Urcuyo Maliaños, Francisco **10:**95
Urdaneta Arbelaez, Roberto **4:**144
Urdaneta, Alberto 13:323
obra **13:**323
Colombia **4:**143
Urdaneta, Andrés de 13:323
biografía **13:**323
descubrimientos y exploraciones geográficas **5:**76
Urdaneta, Rafael 13:323
biografía **13:**323
Colombia **4:**142
Maracaibo **9:**85
Venezuela **14:**45
Urdemalas, Pedro de **11:**79
urdimbre **2:**37; **13:**139
urdimbre de sarga **13:**140
Urdiñola, Francisco de **12:**178
urdu **7:**299
urea 13:324
adherencia **1:**68
arginina **2:**27
orgánicos, compuestos **10:**244
plásticos **11:**127
Ureche, Grigore **12:**132
uremia 13:324
convulsión **4:**230
insuficiencia **8:**14
urémico **13:**324
Ureña, Salomé 13:324
bibliografía **13:**324
Dominicana , República**5:**162
Ur-Engur, rey **2:**52
uréteres **14:**35
Urey **1:**112
Urey, Harold Clayton 13:324
biografía **13:**324
Urga, ciudad de **9:**277
Urger, obispado de **1:**271
Uri **13:**80
urial **10:**273
urias **2:**71
Uribante **13:**97
Uribe Holguín, Guillermo 13:324
obra **13:**324
Colombia **4:**143
Posada Amador, Carlos **11:**178
Uribe Piedrahita, César 13:324
bibliografía **13:**324
Colombia **4:**141
Uribe Uribe, Rafael 13:324
biografía **13:**324
Uriburu, José Evaristo **2:**23; **12:***86*
Uriburu, José F. **14:**165
Uriburu, José Félix **2:**24
Urica **12:**61
úrico, ácido 13:324
excreción **6:**92
urinario, sistema **12:**24
urisconsulto **8:**177
Uritorco **4:**242
Urla, Monte **12:**129
Urmia **2:**87
Urmia, lago **2:**195
urna **4:**280
Urocordios **14:**185
Urocyon cinereo argenteus **14:**189
urodelo 13:324
ajolote **1:**129, 278
urogallo 13:324
gallo de monte **6:**270
Urola, río **7:**107
uropéltidos **12:**291
urotropina **1:**314
Urquiza **11:**18
Urquiza, general **2:**294
Urquiza, Juan José **12:**229
Urquiza, Justo José de 13:324
biografía **13:**324
Argentina, República **2:**23
Azcazubi, Ilario **2:**79
Blanes, Juan Manuel **2:**336
Lamadrid, Gregorio Aráoz de **8:**166
Paraná **10:**325
Roca Julio Argentino **12:***86*
Rosas, Juan Manuel, de **12:***114*
Urrabieta Vierge, Daniel **11:**257
urraca 13:325
Galicia **6:**266
Urriolagoitia, Mamerto **3:**30
Urrutia, Jorge 13:325
obra **13:**325
Urrutia, Manuel **4:**315
úrsidos **10:**265; **14:**182
Ursinos, Ana María de la Tremouille, Princesa de l 13:325
biografía **13:**325
Orsini, Familia **10:**259

URSS 13:325
Azerbaiján **2:**195
Edad Contemporánea **5:**204
Egipto **5:**225
Europa **6:**84
Guerra del Golfo Pérsico **7:**88, 112, 167, 196
neutrones, bomba de **10:**82
Véase Unión de Repúblicas Socialistas Soviéticas
Ursúa, Pedro de **10:**298
Úrsula **11:**70; **13:**59
Úrsula Benincasa **13:**131
Ursula Mirouet **2:**231
Úrsula, santa 13:325
biografía **13:**325
Ángela de Médici, santa **1:**279
úrsulas, convento de las **12:**172
Ursulinas **1:**279
Ursulinas, congregación de las **10:**238
Urteaga, Mario **11:**64
urticáceas **10:**259; **11:**293
urticaria 13:325
alergia **1:**169
helmintiasis **7:**143
uru **7:**309
Uruapan **9:**214
Uruapan, Michoacán **11:**268
Urubamba **10:**208
Urubamba, valle de **9:**9
Uruguaiana 13:326
Uruguay, río 13:326
Argentina, República **2:**13
Concordia **4:** 197
Entre Ríos **5:**268
Haedo, Cuchilla de **7:**118
Mercedes **9:**172
Paysandú **11:**19
Urquiza, Justo José **14:**325
Uruguay 13:326
— Administración y gobierno **13:**327
— Arquitectura **13:**328
— bandera de **2:** *243*
— concepción de **2:**73
— Economía **13:**327
— Educación y cultura **13:**328
— El territorio **13:**326
— Escultura **13:**328
— Flora y fauna **13:**326
— Historia **13:**329
— imperio de **2:**23
— Literatura **13:**329
— Música **13:**328
— Pintura **13:**329
— Población **13:**326
— Proceso histórico del **14:**191
— República de **6:**181; **9:**43, 172, 227
— República Oriental del **8:**202
América del sur **1:**242
Blanco, Jaun Carlos **2:**335
Bustamante Rivero, José Luis **3:**124
Colonia **4:**151
Dorrego, Manuel **5:**166
Flores, Venacio **6:**181
indios americanos **7:**310
Lavalleja, Juan Antonio **8:**200
novela **10:**142
Paysandú **11:**19
Sistema Económico Latinoaméricano **13:**8
Soriano **13:**43
uruguayo **13:**124
Uruhu, río **13:**209
Uruk **13:**84
Urumbamba, río en Perú. **8:**292
Urumea, río **7:**107
Urup, isla **8:**150
urushi, árbol **2:**255
Uryankhai **13:**298
Urzúa, Juan Pablo **4:**44
US Holocaust Memorial Museum en Washington, D.C. **7:**211
Usa **4:**177
Usambara, montes **13:**114
Usandizagá **12:**162
Usandizaga, José María de 13:330
obra **13:**330
Usatges, promulgación de los **11:**295
usbecos **2:**94; **13:**288
Uscadama **1:**75
useo Municipal **7:**134
Ushuaia 13: 330
Territorio del Fuego, Antártida **13:**172
Ushuaia **2:**13
Usiacurí **2:**135
Usigli, Rodolfo 13:330
bibliografía **13:**330
Arreola, Juan José **2:**59
literatura hispanoamericana **8:**283
Villaurrutia, Xavier **14:**95
Uskub **7:**92
Uskúdar, suburbio **6:**45
Uslar Pietri, Arturo 13:330
bibliografía **13:**330
Usmail **13:**44
uso 13:330
— de la ciencia de la información **7:**327
— del hormigón **7:**228
— y aplicaciones **7:**173
arroz **2:**62
asfalto **2:**82
soldadura **13:**28

Uspallata **1**:269
ustachis **4**:296
Ustic, río **14**:128
Usturt, meseta de **1**:340
usufructo 13:331
— imperfecto **13**:331
— perfecto **13**:331
— universal **13**:331
Usulután 13:331
Salvador, L. **12**:182
Usumacinta 13:331
América **1**:234
Chiapas **4**:31
Guatemala **7**:76
Guatemala **7**:77
México **9**:194
Yaxchilán **14**:161
Usumbura (Burundi) **13**:111
usura 13:331
interés **8**:17
Monte de Piedad **9**:287
Usuri, río **12**:136
usurpación 13:331
— de atribuciones **13**:331
— de carácter religioso **13**:331
— de estado **13**:331
— de funciones públicas **13**:331
— de patentes, marcas y nombres comercial **13**:331
— de títulos **13**:331
hurto **7**:253
Utah 13:332
— Actividad económica **13**:332
— Clima **13**:332
— Hidrografía **13**:332
— Tierra y recursos **13**:332
— Vida animal **13**:332
Anasazi, cultura **1**:261
Estados Unidos **6**:31
indios americanos **7**:311
plata **11**:132
Utah **10**:47
young, Brigham **14**:165
Utado **1**:352
Utah, Centro Médico de la Universidad de **4**:238
Utah, gran lago de sal de **14**:156
Utatlán **9**:138
utensilios **6**:92; **14**:85
Útero 13:332
— en sección **6**:298
corión **4**:249
parto **10**:334
***Uti possidetis*, principio del 13**:332
Útica 13:333
Utila **8**:54
útiles **8**:9
Útiles de labranza **8**:157
utilidad 13:333
— de la astronomía **2**:123
— de la gramática **7**:30
— final **14**:16
— pública **6**:103
— social **11**:117
— y daños de las hormigas **7**:228
oferta y demanda **10**:188
valor **14**:15
utilitarismo 13:333
utilizcaión **7**:170
Utman **1**:336
utopía 13:333
— realizadas **13**:57
Utrech , Adriano de **8**:102
Utrech **5**:230; **7**:207; **13**:316
Utrecht, paz de 13:333
Felipe V **6**:127
Utrera **9**:87
Utretch **11**:19
Utricularia vulgaris **11**:124
Utrillo, Maurice **2**:265; **12**:150
Uttar Pradesh (lucknow) **7**:299
uva, fruto la **1**:265; **10**:335; **14**:78
Uvita, río **4**:267
UWP **12**:215
Uxmal 13:334
— casa del Gobernador **13**:334
— México **12**:10
— ruinas de **5**:295
arqueología **2**:52
mayas **9**:142
Uylenburgh, Saskia van **12**:15
uzbek **13**:293
Uzbekistán 13:334
— bandera de **2**:243
— História **13**:334
Afganistán **1**:90
Kazajstán **8**:135
seda **12**:256
Tashkent **13**:124
uzbekos **13**:98, 291
Uzcudun, Paulino 13:334
biografía **13**:334
Joe Louis **8**:105
Uzghorod **12**:151
Uzvyssa **12**:150
Uzzano, Nicolás de 13:334
biografía **13**:334

V

V 13:335
V Cumbre Iberoamericana **2**:24
Vaagö **6**:136
Vaal **13**:312, 314
Vaalverberg **7**:205
vaca **1**:45
Vaca 13:335
carne **3**:251
ganadería **6**:275
leche y lechería **8**:203
vaca **14**:6
Vaca de Castro, Cristóbal 13:335
Alvarado, Alonso de **1**:213
biografía **13**:335
Pizarro, Hernando **11**:116
virreinatos **14**:103
vaca marina **13**:5
Vacación 13:335
vacas marinas **2**:70
vacceos **7**:257
vaciado **11**:169
Vacío 13:336
anihilación **1**:292
luz **8**:331
Vaclara **2**:312
Vacuiado de hierro fundido **7**:173
vacunación 14:5
— Tipos de vacunas **14**:5
infancia **7**:320
vacunas y sueros 14:5
— Sueros **14**:5
— antirrábica **7**:166
— antitetánica **13**:178, 303
— antivariolosa **5**:260
— BCG **13**:279
animal **1**:296
Vacuno, El ganado Shorthorn **14**:6
vacuno, ganado 14:6
— El ganado Shorthorn **14**:6
— Raza Hereford **14**:7
— Aberdeen Angus **14**:7
— Galloway **14**:7
— Brahmán **14**:7
— Raza holandeza **14**:7
— Jersey **14**:7
— Guernesey **14**:7
— Producción mundial **14**:8
— Clasificación general **14**:8
aberdeen, angus **1**:27
Crimea **4**:283
vacunoterapia **14**:5
vacuola 14:8
zoología **14**:182
vacuosa alimenticia **1**:249
Vadi, Alberto **11**:241
vadmal **8**:53
Vadodara **7**:298
Vaduz 14:8
Vaea, Samoa, Monte **13**:55
Vaeroe, isla **9**:21
Váez de Torres, Luis 14:9
biografía **14**:9
descubrimientos y exploraciones geograficos **5**:77
Vafio **4**:282
vagancia 14:9
vagidos **7**:321
vagina **14**:9
Vago, Pieer **6**:228
vagones **7**:173, **8**:297
vagonetas **9**:232
vagotonía 14:9
vaguada 14:9
vagules **2**:70
Váh, río **5**:297
vahído **14**:60
Vahlen **4**:92
Vahva Maorocotí, Jocahu **5**:159
vaiceshika **7**:303
vaichias o aldeanos o artesanos **2**:96
Vaiganch, isla de **2**:71
Vail **4**:156
vaina 14:9
fruto **6**:239
hoja **7**:202
vaina sinovial **13**:156
vainilla 14:9
aromáticos, compuestos **2**:48
especias **6**:8
vainilla **14**:10
vainillina **14**:10
Väinö Kirstinä **6**:161
Väinö Linna **6**:161
Vainonen, Vasily **3**:34
vaishnava **7**:180
vaisias **3**:276
vaisias **7**:180
vajillas **8**:200
Val do Lobo, Portugal **12**:*31*
Val, Luis de 14:10
bibliografía **14**:10
folletín **6**:191
valacos **7**:61
Valais
— biblioteca **2**:312
— cantón de **12**:329
Suiza **13**:76
Valaoritis, A. **7**:62
Valaquia **12**:130
Valaquia **9**:264
Valbanera **2**:312
Valbuena o Balbuena, Bernardo de 14:10
bibliografía **14**:10
Valbuena Prat **11**:254
Valcarce, Antonio **5**:106
Valcárcel, Gustavo **11**:62
Valcárcel, Teodoro **11**:63
Valdavia, río **10**:290
Valdelomar, Abraham 14:10
biografía **14**:10
Perú **11**:62
Valdemar II **5**:125
Valdemar IV **5**:125
valdenses **7**:336; **11**:57
Valdepeñas 14:10
bebidas **2**:272
ciudad real **4**:102
Valderrama, Carlos 14:11
obra **14**:11
Valdés Domínguez, Fermín **9**:112
Valdés Leal, Juan de 14:11
bibliografía **14**:11
Andalucía **1**:266
escuela artística **5**:290
Valdés Machuca, Ignacio **8**:281
Valdés, Alfonso de 14:11
bibliografía **14**:11
Valdés, Gabriel de la Concepción **4**:315
Valdés, Héctor **4**:43
Valdés, I. J. **10**:303
Váldes, Jerónimo **11**:202
Valdés, Juan de 14:11
obra **14**:11
diálogo **5**:103
Valdés, Meléndez **10**:71
Valdés, Palacio **10**:288
Valdivia 14:11
Valdivia 14:11
Aguilar, Jerónimo de **1**:116
caballo **3**:135
Ercilla y Zúñiga, Alonso de **5**:274
jardinería **8**:88
Lagos, los **8**:165
mobiliario y mueble **9**:254
Valdivia, Luis de **4**:41
Valdivia, Pedro de 14:11
— fundación de la ciudad de Santiago **14**:11
— la conquista de Chile **14**:11
— la memoria de Valdivia **14**:12
— regreso y muerte **14**:12
— valdivia en Perú **14**:12
Aguilar, Jerónimo de **1**:116
biografía **14**:11
caupolicán **3**:302
Chile **4**:41
concepción **4**:193
descubrimientos y exploraciones geográficos **5**:73
gallina **6**:269
Lautaro **8**:198
literatura hispanoamericana **8**:280
Santiago de Chile **12**:219
Tucapel **13**:280
Villagra, Francisco de **14**:93
Valdivia, puerto **4**:37
Valdivia, región de **4**:36
Valdivia, río **4**:37
Valdivieso, José Félix 14:12
biografía **14**:12
Valdovinos, Arnaldo **10**:322
Valencay **6**:136

Valencia 14:12
Valencia 14:13
Valencia 14:14
valencia 14:14
Valencia, Antonio María 14:14
obra **14:**14
Valencia, canónigo de **9:**175
Valencia, conjuración de **11:**253
Valencia, Conservatorio de **14:**162
Valencia, Cortes de **9:**86
Valencia, España **14:**13
Valencia, general **7:**158
Valencia, Golfo de **9:**153
Valencia, Guillermo 14:14
bibliografía **14:**14
Colombia **4:**144
Popayán **11:**168
Silva, José Asunción **12:**325
Valencia, Guillermo León 14:14
biografía **14:**14
Valencia, lago **14:**46
Valencia, Martín de **9:**210
Valencia, museo de **12:**60
Valencia, Reinaldo **4:**142
Valencia, reino de **1:**184; **10:**314
Valenciana, Comunidad **14:**12
valenciano **9:**160
Valenciennes **5:**277
Valenilla Lanz, Laureano **14:**46
Valente, emperador **7:**11
Valente, Flavio 14:14
biografía **14:**14
Valentia Edetanorum **14:**13
Valentín, Basilio **1:**310
Valentín, Bobby **11:**240
Valentiniano **10:**174
Valentiniano I **14:**14
Valentiniano I **7:**28
Valentiniano III **2:**135
Valentino, Rodolfo 14:14
biografía **14:**14
Blasco Ibañes, Vicente **3:**5
Valentinus **12:**61
Valenzuela, Rafael **6:**232
Valera y Alcalá-Galiano, Juan 14:14
bibliografía **14:**14
Valera, Eamon de **8:**45
Valera, Juan **1:**139; **4:**293, 319; **5:**320; **7:**190
Valera, Víctor **14:**47
valeriana 14:14
valerianácea **14:**14
valerianato **13:**139
Valeriano, Publio Aurelio Licinio 14:15
biografía **14:**15
Valerio Flaco **12:**103
Valero Flaco **5:**271
Valéry, Paul 14:15
bibliografía **14:**15
Gillén, Jorge **7:**104
valhala 14:15
valíes **14:**172
Valio, Julián **3:**285
Valira **1:**270
valkiria 14:15
—*Véase* Valquiria
Valladares, José de **7:**79
Valladolid (hoy Morelia) **7:**164
Valladolid (Morelia) **11:**269
Valladolid 14:19
Valladolid 14:19
comuneros **4:**180
Duero, río **5:**176
Empecinado, Juan Martin Diaz, el **5:**250
ferias **6:**132
Hidalgo y Costilla, Miguel **7:**163
intendencia **8:**15
León **8:**224
Mendoza, Antonio de **9:**165
Suárez, Francisco **13:**59
Valencia **10:**290
Zorrilla y del Moral, José **14:**188
Valladolid, Academia de Caballería de **11:**247
Valladolid, cortes de **11:**317
Valladolid, España **14:**18
Valladolid, San Gregorio de, Colegio de **14:**109
valle 14:19
sonido **13:**37
Valle 14:20
valle aluvial **11:**143
Valle Arizpe, Artemio de **9:**202
Valle Caviedes, Juan del **8:**280
valle de Bogotá **2:**279
valle de Cauca **2:**279
Valle de la luna, desierto de Atacama, Chile **2:**132
valle de Magdalena **2:**279
valle de México **2:**197
Valle del Cauca 14:20
Valle del Mamut **14:**156
valle del Sambre **2:**282
Valle Inclán, Ramón María del 14:20
bibliografía **14:**20
Quevedo y Villegas, Francisco de **11:**254
valle Oeste **2:**36
Valle Riestra, José María 14:21
obra **14:**21
Valle Verde **2:**35
Valle y Caviedes, Juan del **11:**62
Valle, Inclán Ramón María de **2:**290
Valle, José Cecilio del 14:20
biografía **14:**20
Honduras **7:**219
Valle, Pompeyo del **7:**219
Valle, Rafael Heliodoro 14:20
bibliografía **14:**20
literatura hispanoamericna **8:**282
Valle-Inclán del, Ramón **9:**262
Valle-Inclán, Ramón **1:**199
Valle-Inclán, Ramón de **6:**299
Valle-Inclán, Ramón del **6:**15
Valle-Inclán, Ramón María del **5:**320
Vallejo, César 14:20
bibliografía **14:**20
generación del 27 **6:**299
ultraísmo **13:**301
Vallejo, José Joaquín **4:**44
Vallejos, Roque **10:**322
Vallenar **10:**191
valles **5:**309
valles de erosión **14:**19
valles de erupción **14:**19
valles de Moldava **2:**284
valles de replegamiento **14:**19
valles de rotura **14:**19
valles transversales **14:**19
Vallés, Francisco de 14:21
bibliografía **14:**21
Valles, Lorenzo **13:**60
Valles, río **12:**193
Valley Forge **14:**142
Valley, región **6:**315
Valley, The **1:**309
Vallin **12:**143
Vallois, H.V. **1:**122
Valls **13:**122
Valltorta, cueva del barranco de **12:**134
Valmiki 14:15
bibliografía **14:**15
India **7:**303
Valmy **12:**49
Valois, Enrique de **11:**159
Valois, familia 14:15
biografía **14:**15
Valois, Isabel de **4:**5
Valois, Isabel de **6:**126
Valois, Margarita de **5:**264
Valois, Ninette de **5:**17
Valois, reina Isabel de **6:**127
Valois-Angulema **10:**252
Valois-Orleans **10:**252
Valona, Golfo de **1:**138
Valona, puerto de **1:**138
valones **2:**284
Valonia **2:**284
valor 14:15
— alimenticio **6:**240
— de cambio **5:**190
— de uso **5:**190
— decisivo **1:**120
— económico **13:**14
— nutritivo **2:**62
— propagandístico **10:**137
— prosódico **11:**243
papel moneda **10:**316
sobreacumulación **13:**16
valores **10:**174
valores al cobro **2:**236
valores en custodia **2:**236
valores estéticos **1:**37
valores mobiliarios 14:16
— acciones **14:**16
— bonos y obligaciones **14:**16
— fondos públicos **14:**16
— obligaciones o cédulas hipotecarias **14:**17
— cotizaciones **14:**17
— redención **14:**17
valores morales **1:**37
Valores y monedas **13:**288
Valores, bonos y obligaciones **14:**16
Valores, mercado de **8:**303
Valparaíso 14:17
Valparaíso 14:17
— academia de Estudios Científicos de **2:**256
— historia **14:**17
— puerto **4:**37
— puerto de **14:**148
— río **14:**169
— Santiago de **10:**191
Aconcagua **1:**53
Allende,Gossens, Salvador **1:**216
América de sur **1:**245
Chile **4:**37
energía **5:**258
hipódromo **7:**184
Juan Fernández, Archipiélago **8:**114
Mendez Nuñez, Casto **9:**164
piratería **11:**107
Polinesia **11:**153
puerto **11:**229
Valquirias 14:18
vals 14:18,47,138
— *del emperador* **13:**57
— rey del **13:**57
Valseca, Gabriel de **11:**178
valvas **6:**239
Valverde, batalla de **11:**44
Valverde, Manuel **1:**115
Valverde, Vicente de 14:18
biografía **14:**18
Pizaro, Francisco **11:**115
válvula 14:18
— aórtica **4:**237
— cardiaca **14:**18
— de radio **4:**184
corazón **4:**237
válvula de seguridad 14:18
olla de presión **10:**208
válvula mitral **4:**237
válvula termoiónica 14:18
radiotelefoía y radiotelegrafía **11:**284
válvulas **11:**138
válvulas **8:**298
válvulas electrónicas **12:**6
válvulas sigmoideas **14:**18
vampiro 14:21
Véase Murciélago
Van **2:**87
Van Allen, cinturón de **9:**151
Van Allen, cinturones de radiación **11:**103
Van Allen, James A **2:**143
Van Allen, radiaciones **12:**239
Van Buren, Martin **6:**41
Van Dam, Louis **6:**191
Van de Eden **2:**276
Van de Graaf, generador de **8:**13
Van der Ende **13:**49
Van Der Goes, Hugo 14:22
obra **14:**22
Van der Heyden **3:**41
Van Der Meer, Jan 14:22
Véase Vermeer, Jan
Van Der Meersch, Maxence 14:22
bibliografía **14:**22
Van Der Waals, Johannes Diderik 14:22
biografía **14:**22
Van Der Weyden, Roger 14:22
obra **14:**22
Van Diemen **4:**220; **5:**77
Van Dyck, Anton 14:22
agua fuerte **1:**112
Amberes **1:**224
crucificción **4:**301
Dresde **5:**173
escuela artística **5:**290
Gran Bretaña **7:**45
Haya, la **7:**133
lumbre **8:**313
obra **14:**22
Van Dyck **2:**284
vos **14:**131
Van Eyck 14:23
Bélgica **2:**284
obra **14:**23
xilografía **14:**157
Van Gogh, Vincent 14:23
autorretrato **2:**177
Francia **6:**228
obra **14:**23
Van Gogh, Vincent **14:**23
Van Loo, Abraham Louis **14:**24

Van Loon, Enrique Guillermo 14:24
bibliografía **14:**24
van Noort, Adam **8:**107
Van Ruysdael, Jacob Isaac **8:**313
Van Vleck, John Hasbrouck 14:24
biografía **14:**24
Van, Lago **6:**72
Van, Louis Le **6:**228
Van't Hoff, Jacobo Enrique 14:24
bibliografía **14:**24
estereoquímica **6:**50
vanadinita **14:**21
vanadio 14:21
hierro **7:**173
Vance, Adriana **1:**53
Vancouver 14:21
Vancouver 14:21
Columbia Británica **4:**157
geología **6:**311
puerto **11:**229
Vancouver **1:**236
Vancouver isla de **4:**157
Vancouver, Jorge 14: 15
biografía **14:**15
Vanda Dimitry **5:**182
Vandalia **7:**271
Vandalia Statehouse State Historic Site **7:**270
vándalo 14:21
Argelia **2:**11
bárbaros **2:**251
España **5:**314
Grecia **7:**60
Siracusa **13:**5
Vandalusia **1:**264
Vandelomar, Francisco **11:**240
Vander Wyden **2:**284
Vanderbilt, Cornelio 14:21
biografía **14:**21
Vanderbilt, Universidad de **14:**22
Vanderstuyft **3:**261
Vane, John Robert 14:23
biografía **14:**23
Vanellus **2:**182
Vänern **13:**68, 69
Vänern, lago, **6:**75
Vanguard, programa satelital 14:23
vanguardia 14:23
Chile **4:**44
dadaísmo **5:**6
edad contemporánea **5:**203
Pasos, Joaquín **11:**7
Sardui, Severo **12:**229
vanguardia **14:**23
Zinge, John Millington **13:**92
vanguardismo 14:23
Colombia **4:**141
Vanloo 14:24
obra **14:**24
Vanloo, Abraham Louis **14:**24
Vanloo, familia **6:**228
Vanloo, Jacobo **14:**24
Vannes **14:**75
Vanoise, macizo de **6:**213
vanos ovalados **7:**191
vanos poligonales **7:**191
Vanuatu 14:24
—bandera de **2:**243
Comunidad (Británica) de Naciones **4:**189
Francia **6:**219
Melanesia **9:**157
Vanuata **7:**275
Vanucci, Pietro **2:**131
vapor 14:24
— máquina de **14:**143
—de agua **9:**75
electricidad **5:**237
energía solar, aprovechamiento de la **5:**260
exaporación **6:**85
fábrica **6:**108
ferrocarril **6:**139
invernadero, efecto de **8:**28
locomotora **8:**297
nubes **10:**143
tiempo **13:**187
vapotrón 14:25
Vaquelin **2:**154
vaquería 14:25
Véase Leche y Lechería
vaquero 14:25
Vaquero, ganado **14:**25
Vaqueros supervisando el ganado **6:**275
vaquita de san Antón, insecto **9:**102
Var **8:**221
Var, río **6:**214
vara 14:25
varadero **11:**42
Varadero, Cuba **4:**315
Varadero, playa **9:**125
Varanasi **7:**298
Varanasi, India **12:***10*
varas **13:**270
Vardebilt, Comodoro **14:**22
Varela Cruz, Juan **2:**25
Varela Neyra **11:**63
Varela, Félix **4:**315
Varela, Florencio 14:25
bibliografía **14:**25
Varela, Juan Cruz 14:25
bibliografía **14:**25
Varela, Pedro **6:**181
Varenio **6:**305
Varennes **5:**11
Vargas Llosa, Mario 14:26
bibliografía **14:**26
fuerzas de paz de ls naciones unidas **6:**248
latinoaméricas **8:**190
Perú **11:**62
Vargas Rosas, Luis **4:**43
Vargas Tejada, Luis **4:**141
Vargas Vila, José María 14:26
bibliografía **14:**26
Colombia **4:**141
Vargas, Getulio Dornelles 14:26
biografía **14:**26
Amapá **1:**218
Brasíl **3:**75
latinoamérica **8:**187
Vargas, José 14:26
biografía **14:**26
Venezuela **14:**45
Vargas, Luis 14:26
biografía **14:**26
Varia invención **2:**59
variable 14:26
variables económicas **6:**27
variación 14:26
— en la estructura y espectro de los átomos **13:**52
— sinfónica **13:**43
várice **6:**175
varicela 14:26
erupción **5:**277
varices **14:**27
varicosas **13:**301
varicosis 14:27
varilla **8:**292
Vario **9:**147
varistancia (de varistor) 14:27
Varmus, Harold Elliot 14:27
biografía **14:**27
Varmus, HE **2:**330
Varna, puerto de **10:**68
varnas o colores **2:**96
Varo, derrota de **2:**160
varón **7:**199
Varona, Enrique José 14:27
bibliografía **14:**27
Varona, Enrique José **4:**316
Varrón **4:**123
Varron, Marco Terencio 14:27
bibliografía **14:**27
Aníbal **1:**291
Varsovia 14:27
— Conservatorio de **10:**282
— Gran Ducado de **11:**181
Chopin, Friedrick **4:**63
concentración, campos de **4:**193
Europa **6:**81
guerra mundial, segunda **7:**93
Lodz **8:**299
revoluciones de 1830 **12:**54
URRS **13:**308
Varsovia **14:**27
Varsovia, pacto de 14:27
bloque continental **3:**7
Europa **6:**81
Varuna **9:**250
varzea **1:**241
Vas Ferreira, Carlos **13:**329
Vas Ferreira, María Eugenia **13:**329
Vasa, Gustavo **6:**55
vasallaje 14:28
edad moderna **5:**210
feudalismo **6:**143
vasallos **6:**143
vasallos **7:**200
vasallos moros **9:**320
Vasarely, Victor **10:**215
Vasari **6:**327
Vasari, Giorgio **3:**276
Vasari, Jorge 14:28
bibliografía **14:**28
vasco 14:28
Francia **6:**218
Gurdi, Jesús **7:**108
Iberos **7:**255
imperio romano **7:**277
Vasco da Gama **5:**72; **7:**397; **11:**331
Vasco de Lobeira **5:**319
Vasco de los Guerreros **7:**259
Vasco de Quiroga **7:**307
Vasco Núñez de Balboa **5:**72, 73
Vasco, lengua **6:**81
Vasco, país 14:28
Vasco-Navaro, montañas **5:**304
Vasconcellos, Carlos de **3:**241
Vasconcelos, José 14:28
bibliografía **14:**28
México **9:**201
Santos Chocano, José **12:**223
Suro, Darío **13:**87
Vasconcelos, Luis de **13:**201
Vasconcelos, presidente **2:**258
Vascongadas **7:**107; **14:**119
Vasconia 14:28
Vascos, montes **11:**108
vascuence 14:29
vasculatura sanguínea **9:**168
vasectomía **4:**228, 229
vaselina 14:29
plásticos **11:**128
vasícula biliar **14:**60
vasija **7:**73
Vasiliades **7:**62
Vasiliev, Vladimir **3:**34
Vasilievich, Iván **12:**141
Vaslav Nijinsky **5:**16
vasodilatador **7:**191, 325
vasopresina **5:**100
vasos capilares **4:**324
vasos comunicantes **11:**181
vasos lacticíferos **8:**180
vasos linfáticos **5:**244
vasos sanguíneos **1:**282, 294
vasos sanguíneos **4:**91
vasos sanguíneos **7:**142
Vásquez de Arce y Ceballos, Gregorio 14:29
obra **14:**29
Colombia **4:**143
Vásquez de Coronado, Francisco **5:**73
Vásquez de Coronado, Juan **4:**269
Vassiliou, George **4:**61
vástago **7:**334
Vaticana **2:**315
Vaticana, biblioteca **11:**102
Vaticano I, Concilio **4:**196
Vaticano II, Concilio **9:**132; **10:**228; **12:**27
Vaticano, Ciudad del 14:29
— Biblioteca y archivo del **14:**30
— Biblioteca y archivo del Vaticano **14:**30
— Códice **14:**30
— Concilios del Vaticano **14:**30
— grutas del **12:**199
— Historia **14:**29
— Julia del **10:**293
— obelisco del **13:**12
— palacio del **10:**288
Angélico, Fra **1:**282
biblioteca **2:**313
ciudad del Vaticano **4:**117
concilio **4:**196
Cristina de Suecia **4:**293
curia **4:**332
Escopas **5:**282
Europa **6:**81
Goya y Lucientes, Francisco de **7:**26
Israel **8:**58
Laoconte **8:**173
papado **10:**311
Pastrana Borrero, Misael **11:**10
Roma **12:**99
sixtina, capilla **13:**11
Suecia **13:**71
Urbano VIII **13:**323
Vaticano **2:**243; **8:**124; **14:**30
vaticinium **14:**29
vatímetro 14:30
— de corriente alterna **14:**30
— electrodinámico **14:**30
— térmico **14:**31
vatio 14:31
— (watt) **11:** 179
electricidad **5:**238
kolovatio **8:**141
medidas eléctricas **9:**152
Vätter, lago **6:**75
Vättern **13:**68

Vaucluse, Francia **2**:190
Vaud **13**:80, 81
Vaugelas, Claude Faure de **6**:211
vaupés 14:31
— río **14**:115
Vauquelin **4**:298
Vauquelin, Louis Nicolas **10**:96; **11**:262
Vaurien **14**:35
Vaux, Calvert **9**:192
Vayo, Francisco del **4**:5
Vaz Corte Real, Juan **5**:71
Vaz Ferreira, Carlos 14:31
bibliografía **14**:31
Vaz Ferreira, María Eugenia 14:31
bibliografía **14**:31
Belloni, José Leoncio **2**:289
mujer **9**:327
Vaz, Juan **11**:177
Vaz, Tristao **6**:251
Vazov, Iván 14:31
bibliografía **14**:31
Vázquez Cobo, Alfredo **4**:144
Vázquez de Arce y Coballos, José Gregorio 14:31
obra **14**:31
Vázquez de Ayllón, Lucas 14:31
biografía **14**:31
descubrimiento y exploraciones geográficos **5**:73
Vázquez de Coronado **11**:227
Vázquez de Coronado, Francisco 14:31
biografía **14**:31
América **1**:233
Cíbola **4**:68
Vázquez de Coronado, Juan 14:31
biografía **14**:31
Vázquez de la Frontera, Pedro **5**:71
Vázquez del Mercado, Ginés **5**:180
Vázquez Díaz, Daniel 14:31
obra **14**:31
Vázquez, Francisco **14**:53
Vázquez, Horacio **5**:161
Vázquez, Julio Arítonio **4**:43
Vázquez, Pedro **5**:246
VB **10**:103
VCR (Videocasette Recorder) **14**:83
veas áuricas **14**:35
Vecelli, Ticiano **6**:326
Vecht **7**:206
vecindad 14:31
vector 14:32
espiral **6**:17
vector **9**:315
Vector, economía **14**:32
vector, radio **10**:318
vectores **9**:317
vectorial **6**:165
Veda **2**:30
Veda **7**:192
Veda, Yajur **12**:*208*
Vedangas 7:303
vedanta **7**:303
vedas 14:32
Asia **2**:98
enfermedades de la piel **5**:262
Hinduísmo **7**:180
India **7**:300
libro **8**:250
literatura **8**:276
mantra **9**:62
razas humanas **11**:310
sánscrito **12**:208
veddas **2**:94
Vedel, Sorense **5**:126
Vedia **9**:250
Vedia, Agustín de 14:32
biografía **14**:32
Vedia, Delfina de **9**:250
védica **1**:100; **2**:98; **12**:*208*
vedika **13**:58
Veenius, Otto van **12**:122
Vega Carpio, Félix Lope de 14:32
bibliografía **14**:32
Vega, Ana Lydia **11**:238
Vega, doña María **12**:223
Vega, Ed **11**:238
Vega, estrella **6**:61
Vega, Garcilaso de la **3**:282; **5**:204, 230, 320; **8**:277, 280,188; **11**:62
Vega, La. 14:33
Vega, Ricardo de la 14:33
bibliografía **14**:33
Bretón, tomás **3**:80
Vega, Tony **11**:240
Vega, Ventura de la 14:33
bibliografía **14**:33
Vegecio **14**:72
vegetación 14:33
— culto a la vegetación **14**:33
vegetal 14:34
híbrido **7**:162
hilo **7**:178
irrigación **8**:46
vegetal **11**:336
vegetales **3**:56
vegetales dicotiledóneos **8**:241
vegetales, adaptabilidad de los **11**:126
vegetales, comunidades **14**:34
vegetales, enfermedades de los **5**:261
vegetales, fibras **10**:309
vegetales **14**:34
vegetarianismo 14:34
vegetariano **11**:330
vegetativa **2**:81
vehiculares **13**:284
vehículo 14:34
— aerodinámico **1**:78
diferencial **5**:117
Ford, Henry **6**:193
Véase Transporte
Vehículo de Transporte Espacial Estadounidense (Sp **13**:47
vehículo educativo **7**:195
vehículos **13**:224
vehículos de navegación **1**:123
vehículos eléctricos **2**:171
veideopelículas **14**:82
Veiga, Carlos **3**:142
Veiga, Pascual 14:34
obra **14**:34
Veinte mil leguas de viaje submarino **14**:57
Veinte poemas de amor y una Canción desesperada **10**:75
Veintemilla, Dolores 14:34
bibliografía **14**:34
Veintemilla, Ignacio de 14:34
biografía **14**:34
Veintemilla, Ignacio de **6**:59
veintena de tóxcatl **13**:181
Vejeces **12**:*325*
vejez 14:35
— enfermedades de la **6**:318
vejiga 14:35
Albarrán Dominguez, Joaquín **1**:139
laparoscopia **8**:174
vejiga natatoria **11**:74
Vejigantes 2:60
vela 14:35
— deporte náutico **14**:35
bujía **3**:101
marina mercante **9**:96
Suiza **13**:82
Vela, Cabo de **1**:238
Vela, cabo de la **10**:164
Velado, Calixto **12**:184
Velarde y Cienfuegos, Romualdo **8**:111
Velarde, Pedro **5**:18
velas **10**:320
velas cuadradas **14**:35
velas de cruz **14**:35
velas de estay **14**:35
velas latinas **14**:35
velas Marconi **14**:35
velas redondas **14**:35
Velasco **2**:287
Velasco Alvarado, Juan 14:36
biografía **14**:36
Perú **11**:65
Velasco Ibarra, José María 14:37
bibliografía **14**:37
Arosemena Tola, Carlos Julio **2**:48
Ecuador **5**:200
Pons, Antonio **11**:166
Velasco Maidana, José María **3**:31
Velasco, Antonio de **7**:285
Velasco, jerónima de **7**:201
Velasco, José María 14:36
obra **14**:36
latinoamérica **8**:194
México **9**:206
Velasco, Juan de 14:36
literatura hispanoamericana **8**:280
bibliografía **14**:36
Velasco, Luis de 14:36
biografía **14**:36
Velasco, Luis de 14:36
biografía **14**:36
Mendoza, Antonio de **8**:238
leyes de indias **9**:165
recopilación **11**:317
virreintatos **14**:103
Velasco, Manso de **2**:132
Velásquez, José Antonio 14:37
obra **14**:37
Velasquez, Nydia **7**:190
velay, monte de **6**:212
Velázquez **4**:261; **12**:61
Velázquez Cárdenas, Joaquín **9**:201
Velázquez, Diego 14:37
autorretrato **2**:177
biografía **14**:37
Cortés, Hernán **4**:260
Dominicana, república **5**:159
Grijalva, Juan de **7**:66
Madrid **9**:19
Olid, Cristobal de **10**:202
Prado, Museo del **11**:182
Velázquez, Diego Rodríguez de Silva y 14:37
obra **14**:37
Velázquez, Fidel 14:38
biografía **14**:38
Velázquez, José Francisco **14**:47
Velente **2**:332
veleros **1**:122; **9**:243; **14**:135
Veléry, Paul **6**:227
veleta 14:38
estación meteorológica **6**:29
meteorología y meteoro **9**:187
penibérico, sistema **11**:37
Vélez de Guevara, Luis 14:38
bibliografía **14**:38
España **5**:320
Inés de Castro **7**:318
Vélez de la Gomera, Peñón de **5**:303
Vélez de Santander **14**:38
Vélez Ladrón de Guevara, Francisco Antônio **4**:141
Vélez Sarsfield, Dalmacio 14:38
bibliografía **14**:38
Vélez Sarsfield, jurista **11**:137
Vélez, Lupe 14:38
biografía **14**:38
Vélez, marqués de los **11**:46
Vélez, río **9**:40
Vélez-Málaga **9**:40
Veljugin, A. **12**:150
Velletri **11**:101
vellocino de oro 14:39
Véanse Argonáutas; Jasón
bandera **2**:238
Jasón **8**:90
Medea **9**:147
vellón **8**:168
vellosa **2**:183
vellosilla 14:39
Velo Nupcial **14**:164
velocidad 14:39
— de la luz **8**:331, 332
— del sonido **13**:38
— sideral **2**:148
anemómetro **1**:276
carrera **3**:260
cuarta dimensión **4**:309
doble estrella **5**:151
física **6**:165
hidrómetro **7**:168
movimiento **9**:316
potencia **11**:179
relatividad **12**:8
velocímetro 14:39
digital, tecnología **5**:120
instrumento **8**:13
velódromos **4**:69
velón **6**:146
velos **14**:65
Veloz Maggiolo, Marcio 14:39
bibliografía **14**:39
Bominicana, república **5**:162
veludillo **13**:164
vena 14:39
yugular **14**:168
vena porta **7**:174
venablo **14**:65
venado **2**:35; **14**:141
venado de cola blanca **2**:36
venados **2**:17
venados cola blanca **8**:32
Venancio Flores **13**:330
Venanzio **10**:318
venas **4**:324
Venas dilatadas **14**:27
Vences **13**:325
vendaje 14:39
vendas **14**:39
vendedor **4**:178; **5**:201

vender **14:**48
vender, arte de **4:**279
Venderbilt, Cornelio **14:**21
vendetta **4:**239
vendimia **8:**156
Vendôme, M. de **11:**147
Vendome, plaza **10:**328
Vendramin-Calergi, Palazzo **14:**40
Vendryes, J. **8:**266
Venecia 14:39
— Academia de **2:**131
— Conjuración de **13:**153
— Italia **2:**235
— Jaime de **13:**316
— obispo de **11:**101
— palacio de **12:**100
adriático **1:**76
Atlántico, océano **2:**137
comercio **4:**165
Descartes, René **5:**68
ferias **6:**132
Goldini, Carlo **7:**14
Italia **8:**62
paz, tratado **11:**19
Ursula, Santa **13:**325
Venecia **10:**202
Venecia **2:**37
veneciana, escuela **9:**61
veneciano **8:**62
Veneciano, Dominico **3:**276
venecianos **13:**263
Venegas, Leandro **9:**60
veneno 14:40
— Acción fisiológica **14:**41
— de acción general **14:**41
— de acción local **14:**41
— Productos venenosos **14:**41
alcaloide **1:**144
veneno **14:**41
Venera **13:**36
Venera 15 y 16 **14:**51
Venera 2 **14:**51
Veneración de la bandera **2:**243
venéreas, enfermedades 14:43
— Gonorrea y sífilis **14:**41
— SIDA **14:**41
— Otras enfermedades venéreas **14:**42
clamidea **4:**106
Venetiaan, Runaldo R. **13:**87
Véneto **8:**217; **10:**283; **14:**57
Véneto, región del **14:**39
Veneto, Vittorio **7:**94
venezolana, guerra de independencia **9:**99
Venezolanos, Andes **9:**174
Venezuela 14:42
— Arquitectura **14:**46
— Clima **14:**43
— Costas e islas **14:**42
— Educación **14:**45
— Escultura **14:**47
— Flora y fauna **14:**43
— Hidrografía **14:**43
— Historia **14:**47
— La depresión de Maracaibo **14:**42
— La meseta de las Guayanas **14:**43
— Las cordilleras **14:**42
— Literatura **14:**46
— Los llanos del Orinoco **14:**42
— Música **14:**47
— Pintura **14:**46
— Población y gobierno **14:**45
— Recursos naturales y economía **14:**44
— Regiones geográficas **14:**42
— Transporte y comunicaciones **14:**45
academia **1:**41
asfalto **2:**82
Bolívar **3:**22
contadora, grupo **4:**226
De Acosta Gómez, Alfredo **5:**5
Falcón **6:**113
independencia **7:**294
joropo **8:**108
maraca **9:**84
Venezuela, bandera de **2:**243
venganza masiva **10:**145
Venizelos **4:**217; **7:**61
Venizelos, Eleuterio 14:48
biografía **14:**48
venosa **7:**145
venoso, sistema **12:**30
venta 14:48
— Política de ventas **14:**48
— de productos **11:**225
Venta Salada **13:**138
Venta, la 14:49
Olmecas **10:**208
venta, métodos de **14:**49
ventaja **2:**81
ventaja comparativa 14:49
ventana 14:49
ventanal decorativo **14:**109
ventanas **1:**124
ventas, política de **14:**48
Ventayol **13:**329
ventilación 14:49
— natural **14:**49
— mecánica **14:**50
— moderna **14:**50
ventilador 14:50
lámpara de seguridad **8:**168
ventisquero 14:50
nieve **10:**100
Véase Río
ventisqueros **13:**298
ventosa 14:50,183,186
ventriculares **2:**60
ventrículo **14:**186
ventrículos **4:**237, 238
ventriloquia 14:50
Ventuari **1:**220
Ventuari, río **14:**43
Ventura de la Vega **14:**175
Ventura Landa, general **13:**286
Ventura, José **12:**228
Venturi, efecto de 14:51
Venturi, Giovanni Battista 14:51
biografía **14:**51
Venturi, tubo de 14:51
Venus 14:51
Venus 14:51
— de Medici **14:**51
— Genetrix **14:**51
— saliendo del mar **1:**323
abril **1:**35
asrtogeología **2:**107
astronáutica **2:**120
bosque **3:**53
cupido **5:**136
Gaileo Galilei **6:**267
Halley, Edmond **7:**124
Istar **8:**58
Pigmallion **11:**87
satélite artificial **12:**240
Tifón **13:**194
Venus **4:**331
Venus de Milo **2:**51; **5:**178; **9:**224
Venusberg **14:**51
Venustiano Carranza, bahía de **11:**265
Venustiano Carranza, presa **9:**195
Veperi **9:**16
Vera Cruz, Alonso de la **13:**318
Vera y Aragón, Juan Torres de **6:**282
Vera y Pintado, Bernardo de **8:**281
Vera, Chytilava **4:**28
Vera, Francisco 14:51
bibliografía **14:**51
Vera, Pedro Jorge 14:51
Ecuador **5:**201
Vera, Pedro de **3:**208; **6:**97; **10:**163, 294
Veracruz 14:52
— historia **14:**52
Alvarado, Pedro de **1:**213
Córdoba **4:**241
educación **5:**218
Hidalgo **7:**163
intendencia **8:**15
México **9:**199
puerto **11:**229
Tajín **13:**103
Veracruz, México **14:**53
Veragua 14:53
tauromaquia **13:**126
Veraguas 14:53
indios americanos **7:**310
Panamá **10:**300
verano 14:53
estaciones del año **6:**28
Verano, Palacio de **11:**29
Verapaz, macizo de **7:**76
Verástegui **9:**254
Veray Torregrosa, Amaury 14:53
obra **14:**53
Verazzano **1:**233
Verazzano, Giovanni da **1:**233
verbales **11:**50
Verbales, accidentes **14:**53
verbenáceas **13:**134
verbo 14:53
— transitivo **4:**174
— intransitivos **4:**174
análisis gramatical **1:**258
concilio **4:**196
oración **10:**228
tiempo **13:**187
verbum **14:**53
Vercingétorix 14:54
biografía **14:**54
Galia **6:**265
París **10:**328
verdad 14:54
educación **5:**213
Filón de Alejandría **6:**157
Verdad y Ramos, Francisco Primo de 14:54
biografía **14:**54
Verdadera historia de la conquista de la Nueva España **8:**188
Verdadera historia de una navegación maravillosa **12:**247
Verdaguer y Santaló, Jacinto 14:54
bibliografía **14:**54
Verdaguer, Jacinto **2:**137; **8:**221
Verdaguer, Mosén Jacinto **5:**320
verde **1:***37*
verde malaquita **2:**214
Verde, cabo **1:**92; **5:**169, 235
Verde, Césario **11:**177
Verde, río **10:**324; **12:**193; **13:**332
verderón 14:55
verderones **11:**5
Verdi, Giuseppe 14:55
obra **14:**54
Gómez, Antonio Carlos **7:**18
Italia **8:**66
Requiem **12:**27
Verdi, José **10:**216
Verdier **10:**289
Verdugo Landi **9:**40
verdugos, los **11:**142
Verdún 14:55
Danton, George **5:**11
guerra mundial, primera **7:**91
sitio **13:**10
Verdún, sitio de **2:**75
Verdún, tratado de **6:**221
verduras **1:**186, 190
Verduzco, José Sixto 14:55
biografía **14:**55
Vere, Edward de **12:***303*
Veremundo **11:**29
Veretico, rey **7:**213
Verga, Giovanni 14:55
bibliografía **14:**55
Italia **8:**65
Vergara y Vergara, José María 14:56
bibliografía **14:**56
Vergara, Convenio de **9:**175
Vergara, José María **4:**141
Vergara, Juan de **4:**141
vergas **6:**210
Vergine, Guillermo **3:**268
Verhaecht, Tobias **12:**122
Verhaere, Emili **2:**284
Verhaeren, Émile **6:**227
Verhaeren, Emilio 14:56
biografía **14:**56
Vericolor **13:**152
Vericón **13:**152
verificación 14:56
verismo **8:**317; **14:**56
Verissimo, Erico Lopes 14:56
bibliografía **14:**56
latinoamérica **8:**190
Verkhoiansk **2:**89
Verkhoyansk, cordilleras de **12:**137
Verkhoyansk, monte **12:**311
Verlaine, Paul 14:56
bibliografía **14:**56
ajenjo **1:**129
Contreras, Francisco **4:**229
Francia **6:**227
modernismo y arte moderno **9:**262
simbolismo **12:**327
Zweig, Stefan **14:**192
verme **6:**152
Vermeer de Delft, Jan **8:**313
Vermeer, Jan 14:57
obra **14:**57
estilo **6:**54
pintura **11:**94
vermiculares **8:**21
vermífugos **10:**278
vermífugos **7:**171
Vermland **8:**163
Vermont 14:57
— actividad económica **14:**57
— Territorio y recursos

naturales **14:**57
— turismo **14:**57
— valle de **14:**57
Estados Unidos **6:**33
New England **10:**84
Vermont **14:**56
Vermont Piedmont **14:**57
vermut **11:**150
vermuth **2:**272
Vernardakis **7:**62
Verne, Julio 14:57
bibliografía **14:**57
energía **5:**257
folletín **6:**191
literatura infantil **8:**286
transportes **13:**252
Vernet, Luis **9:**47
Verney Cameron **5:**76
vernier **3:**165; **14:**57
Vernier, Pierre 14:57
bibliografía **14:**57
nonio **10:**129
Vernon **1:**281; **5:**297
Vernov, Sergei N **2:**143
Verona 14:57
— catedral de **2:**131
— congreso de **12:**67
— economía **14:**58
Italia **8:**62
Verona, Fra Giocondo de **12:**198
Veronés **9:**254
Veronés, el **11:**168
Veronés, Paolo 14:58
escuela artística **5:**289
obra **14:**58
Veronese, Vittorino **13:**304
verónica 14:58
Verrazzano **5:**74, 78
Verrazzano, Juan de 14:58
biografía **14:**58
pasos del noroeste y del noreste **11:**7
Verres **4:**68
Verrocchio **5:**294; **10:**243
Verrocchio, Andrea del **9:**149
Verrocchio, Andrés Cioni, llamado el 14:58
obra **14:**58
Verrocchio, Julián **14:**58
Verrochio, Andrea del **5:**289
verruga 14:58
— peruana **10:**256
versales **9:**144
Versalio, Andrés **14:**60
Versalles 14:58
— Conferencia de Paz de **10:**252, 282
— corte de **6:**216
— palacio de **6:**65; **9:**255; **10:**288; **12:**6
— Tratado de **7:**92; **13:**57
comuna **4:**180
equitación **5:**273
jardín zoológica **8:**86
María Antonieta **9:**94
parques **10:**331
paz, tratado de **11:**20
Verse **10:**197
Verses **12:**116
Versión de los Setenta **13:**213
verso 14:59
— alejandrino **14:**59
— barroco **8:**188
— español **8:**195
— latino **8:**181
— libre **14:**59
— octosílabo **14:**59
— sánscritos **9:**62
haiku **7:**120
versolibrismo **14:**20
Vert **13:**46
vértebra 14:59
— dorsales **13:**222
— lumbares **1:**21
esqueleto **6:**22
vertebrados 14:59
— amniotas **4:**249
— superiores **3:**6
— tetrápodos **1:**74
acantocéfalos **1:**42
geología **6:**308
hombre **7:**212
lamprea **8:**168
paleontología **10:**291
pez **11:**74
tórax **13:**222
vertedero 14:59
contaminación ambiental **4:**227
vertical **6:**314, 236
vértice **1:**289; **11:**120, 152
vértices geodésicos **1:**208
verticilo **6:**158
Vertiente atlántica **5:**305
Vertiente mediterránea **5:**305
vértigo 14:60
ergotina **5:**274
Vértiz y Salcedo, Juan José de 14:60
biografía **14:**60
virreinatos **14:**104
Vértiz, virrey **2:**24
Verviers **11:**107
Vervins **12:**94
Verwoerd **13:**314
Vesalio, Andrés **14:**60
vesícula biliar 14:60
vesículas sinápticas **10:**79
vesificantes **6:**287
Vesnine, hermanos **12:**143
Vespa **2:**190
Vespasiano, Tito Flavio 14:60
biografía **14:**60
Vespucci, Amérigo **6:**181
Vespucio, Américo 14:60
bibliografía **14:**60
Colón, Cristobal **4:**150
Díaz de Solís, Juan **5:**108
portulano **11:**178
utopía **13:**333
Venezuela **14:**47
Vesta 14:61
astronomía **2:**124
dioses paganos **5:**136
fuego y sus consecuencias **6:**243
vestíbulo, oído **10:**195
vestido 14:61
— accesorios del vestuario **14:**71
— Asiria **14:**61
— aspectos psicológicos **14:**71
— Bizancio **14:**64
— China **14:**62
— Creta **14:**62
— Egipto **14:**61
— el apogeo del Renacimiento **14:**66
— el predominio francés **14:**68
— el problema de la moda **14:**70
— el siglo IXX **14:**69
— el siglo XIV **14:**66
— el siglo XVII **14:**67
— el siglo XX **14:**69
— Grecia **14:**63
— industrias fabriles **14:**125
— industrias textiles, del vestido y el calzado **14:**124
— Israel **14:**62
— la Edad Moderna **14:**67
— la India **14:**63
— la Revolución Francesa **14:**68
— la ropa primitiva **14:**61
— los árabes **14:**65
— los comienzos del feudalismo **14:**65
— Persa **14:**62
— Roma **14:**63
escena **5:**279
vestigios **2:**52
vestimenta **14:**61
vestimenta indígena **5:**200
Vestimenta típica de los hombres beduinos en Jordania **2:**275
Vesubio 14:72
— erupción del **7:**151
apeninos **1:**324
Plinio el viejo , Cayo Plinio II **11:**138
Tito, Flavius Sabinus Vespacianus **13:**206
volcán **14:**128
veta **9:**183
vetas **10:**255
veterano 14:72
— del Bronx, Administración de **14:**159
veterinaria 14:72
— escuela **14:**73
anémona **1:**276
universidad **13:**318
veterinarium **14:**72
vetilación **7:**331
Vetluga, río **14:**128
veto 14:73
Fuerzas de paz de las Naciones Unidas **6:**248
vetones **7:**257
Vetonia **9:**174
Vetorek **2:**112
Vexilla Regis **2:**243
Vézelay **10:**308
Vezelay, iglesia de **14:**99
Vezére, valle del **6:**219
VHS (Video Home System) **14:**83
Vía Appia **12:**98, 102
Vía Augusta **5:**313
via crucis 14:73
Viá del Mar, Chile **11:**136
Vía Eterna **13:**115
vía húmeda **11:**311
Vía Láctea 14:73
astronomía **2:**129
átomo **2:**149
cruz del sur **4:**302
Escorpión **5:**283
estrella **6:**61
línea Equinoccial **8:**265
nebulosa **10:**62
Santiago Apóstol **12:**218
universo **13:**319
vía nuclear **14:**57
vía ósea **13:**42
vía seca **11:**311
viaducto 14:74
viajante 14:74
Véase corredor
viajeros **13:**107
viajes 14:74
vial **7:**331
Viamonte, Juan José 14:74
Argentina, República **2:**23
biografía **14:**74
Viana do Castelo **11:**175
Viana, Javier de 14:74
bibliografía **14:**74
Uruguay **13:**329
Vianna, Pazo del Consejo de **11:**177
viático 14:74
viator **13:**262
Viaud, Luis-Maríe-Julien **8:**310
víbora 14:74
— cornuda **2:**91
— de cascabel **2:**35
vibración 14:75
— eléctricas **7:**160
— inmateriales **13:**44
reflector **11:**322
sonido **13:**37
vibrado **13:**110
vibradores **11:**333
vibradores ultrasónicos **11:**162
vibrante **7:**31
vibratorio y ondas, Movimiento **13:**37
viburno 14:75
Vicálvaro, insurrección de **10:**186
vicario 14:75
— Leona **11:**266
Vicchio **1:**281
vicealmirante **2:**40
Vicente de Paul, san 14:75
biografía **14:**75
Bossuet, Jacobo Benigno **3:**54
orden religiosa **10:**239
Vicente Ferrer, san 14:75
biografía **14:**75
Vicente López 14:76
Vicente Yañez Pinzón **1:** 232, 233, 265
Vicente, Gil 14:75
bibliografía **14:**75
España **5:**319
Portugal **11:**177
Vicenza **10:**293; **13:**316
Vicenzo Bellini, Norma de **13:**89
vicepresidente 14:76
Vich, catedral de **12:***292*
Vich, Ciudad, Barcelona, Cataluña, España **2:** 253
Vichada 14:78
Vichada, río **4:**137
Vichy 14:78
Francia **6:**224
Vick, España **2:**228
Vickrey, William S. 14:76
bibliografía **14:**76
Vico **5:**185
Vico, Antonio 14:76
biografía **14:**76
Vico, Juan Bautista 14:76
biografía **14:**76
historicismo **7:**194
Víctor Catalá 14:76
Véase Albert Paradis, Catalina
Víctor III, papa **9:**286
Victor Luis **6:**228
Víctor Manuel **1:**249; **6:**181; **9:**222; **12:**156
Víctor Manuel II 14:76
Amadeo I **1:**216

Azeglio, Máximo Taparelli **2**:195
biografía **14**:76
Garibaldi, Giuseppe **6**:286
Italia **8**:63
Mazzini, Giuseppe **9**:145
Víctor Manuel III 14:76
abdicación **1**:20
biografía **14**:76
Saboya, dinastía de **12**:156
victoria 14:77
Victoria 14:77
— Australia **9**:158
— capital **12**:301
— cascadas en Zimbabwe, África. **1**:*95*
— ciudad de **5**:*180*
— de Chorrillos y Miraflores **2**:249
— Eladio **4**:12; **5**:161
— emperatriz **5**:204
— Entre Ríos **14**:77
— estatua de la **2**:134
— Memorial **7**:298
— nave **9**:23
— Nyanza **13**:47
— puerto de **4**:52
— reina de Gran Bretaña **10**:271
— Tierra de **1**:303
— Universidad de **14**:145
Aragua **1**:340
Gran Bretaña **7**:42
Victoria Aptera **2**:56
Victoria de Durango **5**:179
Victoria de la Gran Estrella **1**:280
Victoria de Samotracia 14:77
escultura **5**:294
Victoria Eugenia **6**:232
Victoria I 14:77
biografía **14**:77
Victoria, cataratas 14:77
Zambia **14**:171
Victoria, Guadalupe 14:77
biografía **14**:77
Bustamante, Anastacio **3**:124
Ciudad Victoria **4**:103
México **9**:199
Victoria, lago 14:77
Alberto, Lago **1**:141
descubrimientos y exploraciones geográficos **5**:76
Kenia **8**:138
Nilo, río **10**:102
Tanganica, lago **13**:111
Tanzania **13**:114
Victorica, Miguel Carlos 14:77
obra **14**:77
Victory **10**:70
Victurnien Vergniaud, Pierre **6**:327
vicuña 14:78
Argentina, República **2**:17
fibra **6**:145
lana **8**:168
poncho **11**:166
Vicuña Mackenna, Benjamín 14:78
Chile **4**:44
Vicus, cultura 14:78
vid 14:78
Argelia **2**:10
enología **5**:264
filoxera **6**:158
labranza **8**:156
mildew **9**:223
Santiago de Chile **12**:219
vid, filoxera de la **10**:326
vida 14:79
— animal **2**:36; **7**:263; **8**:139
— anímica **7**:150
— condiciones físicas **14**:80
— Condiciones físicas **14**:80
— Condiciones genéticas **14**:80
— condiciones genéticas **14**:80
— Condiciones sociales **14**:81
— condiciones sociales **14**:81
— *criolla* **2**:28
— *de Bagardo* **12**:328
— *de Beethoven* **12**:*97*
— *de César Borgia* **12**:155
— *de Cicerón* **13**:202
— *de Cristo* **10**:316
— *de Dominguito* **12**:230
— *de don Juan Valera* **2**:*194*
— *de Jesús* **12**:19
— *de la Santa Madre Teresa de Jesús* **13**:165
— *de las abejas* **9**:22
— *de San Benito* **13**:24
— *de Tolstoi* **12**:*97*
— *del capitán John Smith* **12**:328
— *del universo* **2**:60
— en el mar **2**:41
— familiar **7**:198
— media **2**:145
— vegetal **2**:35
— vegetal y animal **2**:35
— y muerte en el exilio **2**:74
— y opiniones de Tristram Shandy **13**:54
— *y tiempo de Juan Cabezón de Castilla* **2**:30
— *y viajes de Magallanes* **2**:*259*
Vidal de Besalú **13**:273
Vidal, Arnaldo **8**:122
Vidales, Luis 14:81
bibliografía **14**:781
vidalita 14:81, 151
Videla, general **4**:227
Videla, Jorge Rafael **2**:24
video 14:82
— artículos de **14**:83
— cinta de **14**:83
— el caso Betamax **14**:83
— el impacto del video **14**:83
— el presente digital **14**:83
— el presente digital **14**:83
— el video actual **14**:83
— la videocasetera doméstica **14**:83
— las industrias de video **14**:83
— video intractivo **14**:83
— videocámaras **14**:83
— videograbación **14**:82
videocámaras **14**:83
videocasete 14:84
videodisco standard **14**:83
videograbadoras digitales **14**:83
videojuegos **8**:123
videos caseros **14**:82
videotape **14**:83
vidicón **13**:150, 152
Vidkun Quisling **4**:131
Vidor, King 14:84
obra **14**:84
Vidriera **14**:109
vidriería **13**:193
vidrieros **2**:69
vidrio 14:84
— catalanes **14**:85
— de seguridad **14**:86
— de sílice **14**:86
— de sosa y calcio **14**:85
— en polvo **14**:85
— fibra de **14**:86
— hueco **14**:84
— pirexy **3**:46
— plano **14**:86
— temperado **14**:86
artes industriales **2**:68
lente **8**:222
Maastricht **9**:5
vidrio **2**:68
Viedma **6**:329
Viedma, lago **6**:171
Vieira, Antonio **11**:177
Vieira, Elena **11**:178
Vieira, João Bernardo **7**:106
Vieira, Lusitano **11**:177
Vieja España **12**:173
Vieja, pirámide de la **13**:334
viejo del agua **1**:120
Viejo Mundo **2**:136; **4**:288; **5**:203; **9**:278
Viejo, Testamento **6**:157; **13**:221
Vielé-Griffin, Francois **6**:227
Viena 14:87
— academia de **13**:52
— academia de Bellas Artes de **7**:195
— academia de Ciencias de **11**:185
— círculo de **14**:56
— congreso de **10**:329; **12**:194
— museo de **6**:326
— ópera Imperial de **14**:138
— orquesta filarmónica **4**:195
— tratado de **4**:290; **9**:62; **12**:167
— universidad de **8**:170; **10**:172; **11**:117
Anderssen, Adolf **1**:268
equitación **5**:273
Estados Unidos **6**:141
Haenquen **7**:119
jardinería **8**:88
Revoluciones de 1848 **12**:54
sitio **13**:10
Wagner von Jauregg, Julius **14**:138
Zuinglio, Ulrico **14**:190
Vienne **8**:261
Vientiane **7**:313; **8**:173; **9**:156
viento 14:87
— alisios **14**:88
— brisas **14**:88
— de depresión ciclónica **14**:**89**
— dominantes **10**:143
— locales **14**:**90**
— molino de **12**:66
— monzones **14**:88
— simún **14**:89
— siroco **14**:90
— solar **2**:119
— tornado **14**:89
— tromba o manga marina **14**:89
— túnel de **14**:155
— uracán **14**:89
— vientos locales **14**:90
— vinetos de depresión ciclónica **14**:89
atmosfera **2**:141
cometa **4**:167
Holanda **7**:205
montaña **9**:284
sonido **13**:40
Tierra **13**:191
Vieques, islas de **11**:229
Viera **1**:163
Viera Altamirano, Napoleón **12**:184
Viera, Pedro **2**:81
Viera, Pedro José **2**:72
Viernes **12**:*84*
viernes 14:90
viernes santo 14:90
Viesca **4**:118
Vieta, **François 1**:180
Vietcong **14**:90
Viète François **4**:287; **6**:229
Vieth **5**:220
Vietminh 14:90
Laos **8**:173
Vietnam 14:90
— bandera de **2**:243
— conflicto bélico de **7**:197
— del Norte **7**:197, 314
— del Sur **7**:197, 314
— guerra de **6**:42, 128; **10**:107
— historia **14**:90
— República Democrática de **7**:196
— República Socialista de **4**:122
Annam o Anam **1**:299
Cochinchina **4**:122
Francia **6**:225
Indochina **7**:312
Laos **8**:173
Mekong **9**:156
Paz, Tratado de **11**:20
seda **12**:257
Tailandia **13**:102
Vietnam **2**:89
Vietnamg guerra de **4**:300
vietnamitas **6**:301
Vieux Fort **12**:214
Vieux-Colombier **9**:226
Vieuxtemps **2**:284
Vieytes, Hipólito 14:91
Argentina, República **2**:25
bibliografía **14**:91
viga 14:91
— de celosía **11**:227
— simple **11**:227
Vigán, Luzón **11**:267
Vigano, Salvatore **5**:16
vigas atirantadas **11**:227
Vigas Linares, Oswaldo 14:91
obra **14**:91
Vigée-Lebrun, Louise Élisabeth **6**:228
Vigeland, Gustav **10**:136
Vigenère, Blas de **4**:286, 287
Vigil, Constancio 14:91
bibliografía **14**:91
literatura infantil **8**:285
vigilada **8**:246
Vigneaud, Vincent du 14:91
biografía **14**:91
Vignemale **1**:339
Vignemales, pico de **6**:212
Vignola **9**:58
Vignola, Giacomo Barozzi 14:91
obra **14**:91
Vaticano, Ciudad del **14**:29
Vigny, Alfred Victor, conde de 14:91
bibliografía **14**:91
Romanticismo **12**:106

Vigo 14:91
Galicia **6:**266
VIH **7:**217
Vijaya Lakshmi Pandit **9:**325
Viking **2:**112
Viking **8:**324; **13:**36; **14:**23
vikingos 14:92
armada **2:**38
piratería **11:**107
Reykiavik **12:**57
Suecia **13:**70
vikoles de Filipinas **9:**43
Vila Real **11:**175
Viladrich, Miguel 14:92
obra **14:**92
Vilamajó, Julio **13:**328
Vilanova, Arnaldo de 14:92
biografía **14:**92
Vilar, Manuel **9:**205
vilayatos **13:**295
Vilcamba 14:92
Vilcapugio, batalla de **14:**140
Vilcapujio **2:**285; **12:***195*
Vildoso Calderón, Guido **3:**30
Villa Albani **9:**167
Villa Boa Dai, Vietnam *7:314*
Villa Clara 14:92
Villa Constitución **12:**214
villa de Grimaldi, Italia **7:**66
Villa de Madrid, navío **9:**164
Villa del Pueblito **11:**250
Villa Dolores **4:**242
Villa Hermosa, Perú **2:**8
Villa Koraoff, Lydia **6:**324
Villa Lobos, Héctor **4:**63
Villa María 14:93
Córdoba **4:**242
Villa Peixoto **10:**98
Villa Real **13:**87
Villa Unión **5:**179
Villa, Francisco 14:92
Azuela, Mariano **2:**205
biografía **14:**92
Carranza, Venustiano **3:**259
Huerta, Victoriano **7:**238
Obregón, Alvaro **10:**175
Zapata, Emiliano **14:**173
Villa, Jaime **10:**95
Villacañas **13:**213
Villacastín **12:**259
Villacis, Aníbal **5:**202
Villacorta, Alfonso Mercado de **10:**301
Villada, Manuel **9:**201
Villaespesa, Francisco 14:93
bibliografía **14:**93
Villaespesa, Francisco **9:**262
Villafranca del Penadés **9:**222
Villafranca, Ciudad, Barcelona, Cataluña, España **2:**253
Villagra, Francisco de 14:93
biografía **14:**93
Lautaro **8:**198
Villagrán **1:**116; **5:**274
Villagrán García, José 14:93
biografía **14:**93
Latinoamérica **8:**195
Villahermosa (Tabasco) **7:**23; **13:**95
Villalar **4:**180
Villalar, batalla de **3:**249
Villalmanzo **9:**175
Villalobos **5:**295
Villalobos Vélez, Guadalupe **14:**38
Villa-Lobos, Héctor 14:93
Latinoamérica **8:**196
modinha **9:**263
obra **14:**93
Villalobos, Ruy López de **6:**155, **10:**289
Villalón, Cristóbal de **5:**319
Villalonga, Jorge de, conde de la Cueva **14:**103
Villalpando, Cristóbal de 14:93
Correa, Juan, llamado el viejo **4:**252
Latinoamérica **8:**193
México **9:**206
obra **14:**93
Villalpando, Francisco de **12:**5
Villamediana, conde de **4:**254
villancico 14:93
— el villancico en otros países **14:**94
villancico, el villancico en otros países **14:**94
villano 14:94
Villanueva **4:**242; **9:**9
Villanueva Galeano, ignacio **7:**219
Villanueva, Arnaldo de **11:**261
Villanueva, Carlos Raúl 14:94
obra **14:**94
Villanueva, Juan de **3:**249
Villapinzón **5:**281
Villari, Marcos **13:**29
Villarica, Guayra **10:**322
Villarica, lago **1:***243*
Villarica, volcán **1:***239*
Villarino **10:**69
Villarluengo **1:**340
Villarreal **13:**122
Villarreal, Federico 14:94
biografía **14:**94
Villarrica 14:94
Villarrica 14:94
— volcán **14:**94
Guairá **7:**73
Paraguay **10:**321
Villarroel, Diego de 14:95
biografía **14:**95
Villarroel, Gualberto 14:95
biografía **14:**95
Villarroel, Gualberto **3:**30
villas del Don **13:**30
Villaseño, Vicente **4:**269
Villaseñor, José Antonio **3:**308
Villaspesa **5:**320
Villasur, Pedro de **10:**61
Villaurrutia, Xavier 14:95
bibliografía **14:**95
Villaverde, Cirilo **4:**315
Villavicencio **9:**179
Villavicencio, Antonio **3:**31
Villavicencio, Rafael 14:95
bibliografía **14:**95
Villaviciosa **2:**130
Villeda Morales, Ramón **7:**219
Villefranche **12:**81
Villegas **2:**258
Villegas, Esteban Manuel de 14:95
bibliografía **14:**95
Villegas, Juan de **2:**256
Villegas, Micaela **1:**218
Villehardouin **7:**192
Villehardouin, Geoffroi de **6:**226
Villena, Enrique de **5:**319
Villena, Enrique de Aragón, marqués de 14:95
bibliografía **14:**95
Villeneuve **3:**246
Villeneuve, Pierre Charles **13:**240
Villers-Cotterets **5:**177
Villon y Marot **2:**221
Villon, Françoisc de Montcorbier 14:95
bibliografía **14:**95
Villoviado (Burgos) **9:**175
Vilna 14:92
— historia **14:**92
Vimala, templo de **7:**303
Viminal, colina **12:**100
Viña del Mar 14:98
Viña, Pedro de la **8:**64
vinagre 14:95
Vinalapó **1:**184
Viñas de ira **13:**53
Viñas, Tierra de **1:**232
Vinay, Ramón **2:**254
Vince, Leonardo de **2:**186, 259
vincennes **7:**306**10:**328**11:**170**12:**161
Vincennes, cárcel de **10:**289
Vincennes, castillo de **9:**227
Vincent Kidder, Alfred **1:**260
Vinces, río **5:**198
vinchas **1:**343
Vinci, Leonardo da 14:95
invenciones y descubrimientos **8:**24
obra **14:**95
vínculo **5:**148
Vindel **13:**68
Vindelicia **13:**202
Vindhia, monte **7:**296, 297
Vindhya Parvata **7:**108
vindicación **10:**188
Vindobona **2:**160
Vines **1:**202
vinícola **2:**46
vinificación **14:**96
vinilita **7:**32, **11:**127
vinilo **11:**127
Vinlandia 14:96
vino 14:96
— blanco **8:**197
— clases de vinos **14:**97
— de mesa **14:**97
— de pasto **14:**97
— de postre **14:**97
— de quina y de pepsina **14:**98
— espumoso **14:**97
— espumosos **11:**334
— ferruginosos **14:**98
— seco **14:**97
— tintos y rojos **14:**97
vinosa **13:**199
vinyón **6:**146
Viola, Anselmo **13:**43
Viola, Manuel **5:**319
Viola, Roberto Eduardo 14:98
biografía **14:**98
Viola, Roberto E. **2:**24
violáceas **6:**179, **11:**40; **14:**98
violáceo **5:**180
violación **5:**247
Violada, llanos de la **1:**339
violencia **5:**44
violeta 14:98
violín, violón y violoncelo 14:98
— historia **14:**98
Violle, Jules **8:**333
Viollet-Le-Duc, Eugène Emmanuel 14:99
obra **14:**99
violoncelos **4:**227
Viondi **9:**112
vipéridos, familia de los **2:**104
Vipsania Agripina **1:**110
Viracocha 14:99
Virchow **8:**150
Virchow, Rudolf Ludwig Karl 14:99
biografía **14:**99
víreo 14:99
vireónidos **14:**99
Virgen
— capilla de la **12:**322
— con el Niño **5:**163
— de Guadalupe **4:**291
— de Guadalupe **8:**185
— de la Chiquinquirá **7:**71
— de los Alfileritos **13:**212
— del Carmen **4:**335
— del santuario de Meritxell **1:**272
— la coronación de la **1:**282
— pintura italiana **9:**92
— río **13:**332
Gabriel, san **6:**260
Virgen María 14:99
salve **12:**185
Vírgen María **10:**239
Vírgenes, islas 14:99
Antillas Británicas **1:**309
Estados Unidos **6:**31
imperio Británico **7:**275
Virgilio 14:99
bibliografía **14:**99
Mantua **9:**62
papado **10:**312
Virginia 14:99
— Actividad económica **14:**100
— Hidrografía **14:**100
— Historia **14:**100
— Recursos naturales **14:**100
— Turismo **14:**100
Estados Unidos **6:**32
Virginidad, dogma de la **9:**93
Virgo 14:100
Libra **8:**248
constelación **4:**218
vírgula divina **11:**277
vírgula furcata **11:**277
vírgulas **9:**215
virgulita **1:**47
Viriato 14: 100
viridis **7:**164
Virólogo **5:**177
virreinales **2:**157
virreinatos de América 14:100
— de América **3:**227
— de la América española **3:**269
— de la Nueva España **14:**103
— de Nueva Granada **8:**153; **14:**103
— de Perú **14:**103
— de Perú **8:**159
— del Río de la Plata **8:**15; **14:**103
— del Río de la Plata **14:**103
— el Consejo de Indias **14:**101
— la casa de contratación de Sevilla **14:**101
— las audiencias **14:**102
— los ayuntamientos **14:**102
— los virreinatos **14:**102
— los virreyes **14:**102
Virtanen, Artturi Ilmari 14:104
biografía **14:**104
Virú 14:104
viruela 14:104

Virués, Cristóbal de 14:104
bibliografía **14:**104
Virunga, montes **12:**120
virus 14:104
— de Epstein-Barr **9:**279
— de inmunodeficiencia humana (VIH) **9:**328; **12:**314, 315
— de la parotiditis **12:**82
— de la poliomielitis **12:**82
— de la varicela **14:**145
— del tabaco **14:**80
— filtrable **8:**309
adenovirus **1:**68
Viry **4:**124
Visa **13:**120
visado 14:105
Visagra **13:**212
Visarionovic Chugachvili, José **4:**191
visayas **9:**43
Viscarra Monje, Humberto **3:**31
víscera **8:**296
viscosidad 14:105
gel **6:**297
viscosímetros **14:**105
Viscoso, proceso **11:**305
Visegrad **1:**273
Visen **11:**175
Visenú **3:**65
Viseo, Fernando, duque de **9:**63
Vishakhapatnam **7:**295
Vishinsky, Andrei Yanuarievich 14:105
biografía **14:**105
Vishnú **1:**283; **8:**148; **11:**293
Vishwanath Pratrap Singh **7:**301
visibilidad 14:105
visigoda, dominación **5:**314
visigodo 14:105
Francia **6:**218
godos **7:**11
Visión
— caleidoscópica **8:**208
— de Anáhuac **12:**56
— de San Bernardo **12:**92
— del Perú **14:**20
— estereoscópica **11:**308
— sintética **8:**207
— mecanismos de la **14:**138
visir 14:105
Visitación a Isabel **9:**93
visitadores sociales **11:**195
visitas científicas **5:**205
Visnú 14:105
India **7:**300
símbolo **12:**327
Siva **13:**11
Viso, monte, Alpes **11:**142
visón 14:105
ártica, región **2:**71
visor 14:105
fotografía **6:**201
Vísperas del gozo **12:**174
Vissariónovich Dzhugashvili, Iosif **13:**50
vista, educación por medio de la 14:106
Vistaspa **14:**188
vístula 14:106
Aurelio, Marco **2:**160
Cracovia **4:**275
Polonia **11:**157
Suecia **13:**70
Vístula, río **2:**230; **6:**75, 318; **14:**21,27
vistuliana **11:**159
Vita di un uomo (Vida de un hombre) **13:**304
Vita, Timoteo della **11:**289
Vitaba, río **4:**25
vitáceas **14:**78 **14:**
Vital Aza **12:**166
Vital Brazil **4:**327
vitalidad **5:**288
vitalismo **13:**10; **14:**79
vitaminas 14:106
— ácido fólico piridoxina (vitamina B6) **14:**108
— ácido pantoténico **14:**108
— B **14:**108
— biotina **14:**108
— colina **14:**108
— inositol **14:**108
— niacina (äcido nocotinico o factor PP) **14:**108
— riboflavina (vitamina B2 o G) **14:**108
— tiamina (vitamina B1) **14:**108
— vitamina B12 **14:**108
— vitamina C (antiescorbútica) **14:**108
— vitamina D (antirraquítica **14:**108
— vitamina E (tocoferol). **14:**108
— vitamina K (antihemorrágica). **14:**108
— vitaminas hidrosolubles **14:**108
— vitaminas liposolubles. Vitamina A (antixeroftálmi **14:**107
Vitebsk, ciudad **2:**279
vitela **5:**102; **11:**49
Vitelio **13:**97; **14:**60
Vitelio Vespasiano **13:**73
vitelo **5:**67
Viterbo **11:**167; **12:***105*
viti 14:109
Véase Fui
viticultor **14:**96
viticultura **7:**162
Vitis vinífera **14:**78
vitivinícola **5:**264
vito **5:**13
Vito, Juan Bautista **8:**65
Vito, santo **2:**218
Vítor **13:**118
Vitoria 14:109
álaba **1:**136
Vitoria, batalla **2:**296
Vitoria, batalla de **8:**202; **14:**145
Vitoria, España **9:**22
Vitoria, fray Francisco de 14:109
bibliografía **14:**109
España **5:**317
Vitoria, puerto de **6:**18
Vitoria-Gasteiz **14:**28
vitral 14:109
vitral **4:**301
vitrina de fino tallado **9:**255
vitriolo 14:109
Véase Sulfúrico, ácido
Vitrubio **13:**224, 131
Vitrubio Polión, Marco 14:110
obra **14:**110
Roma **12:**102
vituallas **8:**176
viuda negra 14:109
viudez 14:109
Viva l'Italia **12:***116*
Vivaldi, Antonio 14:110
obra **14:**110
Italia **8:**66
Vivanco, Manuel Ignacio de 14:110
biografía **14:**110
Vivarais **6:**212
Vive como quieras **13:**55
vivero 14:110
vivérrido **9:**57
vivérridos **6:**292
Vives, Amadeo 14:110
obra **14:**110
Vives, Juan Luis 14:110
bibliografía **14:**110
España **5:**317
Vives, Luis **5:**103; **14:**21, 104
Vives,Amadeo **8:**102
Viviani **6:**268
Viviani, Vincenzo **2:**256
vivienda 14:110
— África **14:**115
— América **14:**114
— Asia **14:**112
— celtorromana **14:**116
— Europa **14:**116
— Historia de la vivienda moderna **14:**118
— móvil **12:**17
— Oceanía **14:**113
— sísmica **13:**172
— Viviendas primitivas **14:**110
hogar **7:**199
insecto **8:**8
prehistoria **11:**187
vivienda **1:**220
vivíparo 14:118,186
hombre **7:**212
parto **10:**334
vivisección 14:118
coballo **4:**120
Vivó **1:**271
Vivó, Jorge 14:119
biografía **14:**119
Vivorini **3:**256
vizcacha 14:119
América del sur **1:**239
Argentina, república **2:**17
vizcaína **7:**157
Vizcaínas, Colegio de las **9:**204
Vizcaíno **11:**257; **14:**28
Vizcaíno, Sebastián **3:**166
Vizcardo, Pablo **11:**62
Vizcarrondo, Carmelina **11:**237
Vizcaya 14:119
España **5:**309
Vizcaya o de Gascogne, golfo de **6: 6:**212
Vizcaya o de Gascuña, Golfo de **3:**218
Vizcaya, golfo de **2:**307, 232; **6:**76; **7:**15
vizconde de Lesseps **13:**74
vizconde de Turena **7:**87
Vizeu, catedral de **11:**177
Vjaceslav, Mihailovich **8:**149
Vladimir Illich Lenin **7:**274
Vladimiro I el grande, san 14:119
biografía **14:**119
Vladivostok 14:119
— puerto de **7:**98; **12:**139
ferrocarril **6:**141
guerra Ruso-Japonesa **7:**99
Manchiria **9:**53
Vlieland, isla **14:**190
vocablo **5:**121, **10:**162, 228
vocabulario 14:119
— simple **8:**207
composición y redacción **4:**175
India **7:**303
lectura **8:**207
vocación 14:119
— agricultura y alimentación **14:**123
— anécdotas **14:**120
— artes gráficas y publicaciones **14:**124
— comercio **14:**124
— comporatmiento social **14:**123
— comportamiento emocional **14:**123
— comportamiento mental **14:**123
— condiciones físicas **14:**123
— construcción **14:**124
— cuestionario **14:**120
— cursos por correspondencia **14:**121
— cursos rápidos **14:**121
— educación vocacional **14:**121
— ensayos y autobiografías **14:**120
— enseñanza universitaria **14:**121
— escuelas comerciales **14:**121
— escuelas de agricultura **14:**121
— escuelas de artes y oficios **14:**121
— escuelas de capacitación **14:**121
— fuentes de trabajo **14:**123
— grado de inteligencia **14:**123
— industriales fabriles **14:**124
— industrias textiles, del vestido y el calzado **14:**124
— la entrevista **14:**120
— las artes y los oficios a través de la historia **14:**121
— métodos de orientación **14:**122
— orientación vocacional **14:**122
— periodos de aprendizaje **14:**121
— profesiones **14:**1251
— servicios domésticos y personales **14:**125
— tests **14:**120
— transportes y comunicaciones **14:**124
vocal 14:125
gramática **7:**31
vocálica **13:**122
Voccelio **2:**288
Voccellio, Tiziano **2:**131
voces griegas **1:**34
voces latinas **1:**34
voces latinas **8:**217
voces turcas **8:**217
voces verbales **8:**217
voder 14:126
vodevil **1:**54
vodka 14:126
bebidas **2:**272
vodu y voduismo 14:126

vodun **10:**68
Vogado, Juan **4:**147
Vogl, H. K. **5:**151
Vogt, Karl **9:**131
Vogt, químico **7:**191
vogulos **2:**94
Voice Operation Demonstrator **14:**125
Voivodina **4:**294; **5:**301
volador, danza del 14:125
volante 14:125
escape **5:**278
troquel **13:**273
volapié **13:**127
volapuk 14:125
Véase Idioma Internacional
volapuk **7:**265
volapük **8:**220
volátil **6:**289
volatilización **1:**145
volcán 14:126
— causas del vulcanismo **14:**126
— erupciones **14:**126
— tipos de volcanes **14:**126
— otras manifestaciones volcánicas **14:**127
— distribución geográfica de los volcánes **14:**127
— Cotopaxi **5:**198
— ilustración **14:**136
volcanes **11:**162
volcanes activos **14:**126
volcanes apagados o extintos **14:**126
volcanes dormidos **14:**126
volcánica, isla **14:**127
volcánicas, rocas **6:**312
volcánico transversal, eje 14:128
volcánico, cinturón **14:**128
volcánico, Cono **14:**126
volcánicos **8:**164
volcánicos, fenómenos **14:**136
voleo **13:**264
volframio 14:128
tungsteno **13:**285
volga 14:128
— región del **12:**139
Asia **2:**86
Europa **6:**75
guerra mundial, primera **7:**95
Neva **10:**82
Stalingrado **13:**51
Volga, lago **1:**111
Volgogrado **13:**51
Volgogrado, ciudad **12:**140
Volhard **11:**262
Volinov, Boris V **2:**113
Völkerbund und Demokratie (Sociedad de Naciones y democracia) **11:**255
Völklingen **12:**231
Volkov, Vladislav N **2:**113
Volkskammer **7:**220
Volkstaat y Vorwaerts **2:**272
volley-ball 14:128
Volney **10:**295
Volney, Constantin François Chasseboeuf, conde de 14:128
bibliografía **14:**128
Volos **7:**56
volovelismo 14:129
planeador **11:**118
volscos **7:**277
Volsinia **6:**71
Volsk **14:**128
Volta Redonda 14:129
biografía **14:**129
Volta Redonda, altos hornos de **7:**173
Volta, Alessandro 14:129
biografía **14:**129
electricidad **5:**238
Galvani, Luigi **6:**271
Italia **8:**66
pila eléctrica **11:**88
Volta, pila de **5:**238
Volta, río **3:**271; **4:**107305; **5:**, 112, 170, 252, 294; **6:**125, 226, 320; **7:**192, 243; **8:**278; **9:**281; **10:**71; **11:**163, 313; **12:**161
Voltaire, Francisco María Arouet, llamado 14:129
Bastilla **2:**262
bibliografía **14:**129
Leibniz, Gottfried Wilheim **8:**214
revolución Francesa **12:**46
títeres **13:**205
voltaje **2:**172; **6:**300
Volterra **6:**71
Volterra, Daniel da 14:130
obra **14:**130
manierismo **9:**58
voltímetro **8:**12; **13:**160
voltio 14:130
amperio y amperímetro **1:**252
electricidad **5:**238
Ginebra **6:**325
kilovatio **8:**141
medidas eléctricas **9:**152
volts **3:**225
volubles o trepadores **13:**107
volumen 14:130
cono **4:**212
física **6:**165
libro **8:**251
volumen **5:**270
volumétricos **11:**322
voluntad 14:130
— teoría de la **11:**273
Voluptuosidad **12:**168
voluta 14:131
Véase Columna
volva **1:**218
volvanes, Erupciones **14:**127, 136
vómito 14:131
— negro **6:**148
lombriz intestinal **8:**301
Von Baer **5:**248
Von Bolton **13:**113
Von Economo **5:**251
Von Euler, U **2:**192
von Helmholtz, Herman Ludwig Ferdinand **4:**154
von Humboldt, Alexander **1:**99, 167; **6:**306
Von Kleist **1:**167
von Linné , Carlo **8:**201
Von Moltke **5:**233
Von Staudt, Clausen **7:**45
von Sutter, Bertha **6:**237
von Uexküll **6:**70
von Waldeyer, Wilhelm **4:**97
von Welsbach,Carl Aver **8:**67
Von Wroblewski, Zygmunt **4:**285
Voralberg **2:**166
Voronca, Ilarie **12:**132
Voroncov **11:**169
Voronoff, Serge 14:131
biografía **14:**131
Voroshilov **3:**102
Voroshilov, Clemente E. **13:**308
Voroshilov, Kliment Yefremovich 14:131
biografía **14:**131
Vorster, Balthazar J. **13:**314
Vorsterman **14:**157
Vorts, Lagos **6:**57
Vos, Cornelis de **14:**131
Vos 14:131
— Cornelis de **14:**131
— Pablo de **14:**131
— Martín de **14:**131
— Simón de **14:**131
Vosgos 14:131
abeto **1:**28
Europa **6:**75
Juana de Arco, Santa **8:**115
Voskhod **2:**111
Vossler, Karl 14:131
bibliografía **14:**131
estilística **6:**52
lingüística **8:**266
Menendez Vidal, Ramón **9:**166
Vostok, programa espacial 14:131
votación 14:132
— métodos **14:**133
— la máquina de votar **14:**134
Votan 14:134
votar, máquina de **14:**134
votivas **6:**244
Votkinsk **13:**129
voto **4:**232; **5:**236; **14:**133
voto acumulado **14:**134
voto australiano **14:**133
Vouéche **4:**289
Vouet, Simon **6:**228
Vouet, Simon de **8:**222
Vouga **11:**173
Vovación, Enseñanza universitaria **14:**121
vox prius facta **2:**62
Voyager 2 **13:**36, 320
Voyager **8:**324
Voyager I **13:**36
Voyager, naves **8:**127
voyavai **7:**310
voz 14:134
canto **3:**220
voz de Dios **4:**195
Vranitzky, Franz **2:**167
Vries, Hugo de 14:135
biografía **14:**135
evolución, teoría de la **6:**89
Vritra **7:**316
Vrubel, Mikhail **12:**143
Vsconia **6:**280
Vtadaika, río **13:**24
Vucetich, Juan 14:135
biografía **14:**135
antropometría **1:**319
dactiloscopía **5:**5
Vucetich, museo **14:**135
vudú **5:**182; **7:**121; **8:**195; **10:**68
vuelo 14:135
— espacial **1:**325
— teoría del **14:**135
— vuelo a vela **14:**135
— vuelo planeado **14:**136
Vueltas, San Antonio de las **7:**157
Vukubu-Cakia **3:**145
vulcanismo 14:136
geiser **6:**296
Oceanía **10:**179
vulcanización 14:136
Vulcano 14:136
armadura **2:**42
Caco **3:**148
dioses paganos **5:**136
fuego y sus consecuencias **6:**243
vulcanología 14:136
vulgar **2:**67
vulgaris **7:**164
Vulgata 14:136
vulneraria 14:136
Vulpes fulva **14:**189
vultúridas **3:**101
vulva **10:**334
Vuoksenniska **6:**159
Vuy, Raimundo de **9:**46
Vyasa **7:**303; **9:**30
Vyrts, Lagos **6:**57
Vytautas el Grande **8:**288

W

W 14:137
Waal río **7:**206
Waals, Johannes Diderik van der 14:137
biografía **14:**137
Wabash, río **7:**305
wabhabi **1:**336
Wace, Robert **13:**96
Wad Nedani **13:**66
Wad Ras, Tratado de **9:**108
Wadi alQurá **1:**336
Wadman **13:**71
Wadowice **8:**115
Wagner de Reyna, Alberto **11:**62
Wagner von Jauregg, Julius 14:138
biografía **14:**138
Wagner, Mauricio F 14:137
biografía **14:**137
Wagner, Otto **2:**168
Wagner, Wilhelm Richard 14:137
Alemania **1:**165
armonía y acorde **2:**46
Bach, familia **2:**212
Bayreuth **2:**270
Brahms, Johannes **3:**65
buque fantasma **3:**118
coro **4:**250
leitmotiv **8:**214
música **10:**13, 15
Nibelungos **10:**92
Nietzsche, Friedrich **10:**99
obra **14:**137
ópera **10:**219
romanticismo **12:**106
Sachs, Hans **12:**157
Sajonia **12:**168
wahabitas **7:**259
wahbabies **1:**336
wahhabí Ibn Sa'ud **1:**335
Waiblingen **7:**83
Waifre, duque **11:**104
Wainwright **13:**10
Waitangi, tratado de **10:**159
Waitsfield, Vermont **10:**274
Wakamba **8:**138
Wakamura, Kuniwo **10:**289
Wakash **7:**308
Wakca khoyaq **7:**290

Wake **2**:98
Waksman **9**:150
Waksman, Selman Abraham 14:138
biografía **14**:138
walaitpuana **7**:308
Walcott, Derek 14:138
bibliografía **14**:138
Walcott, Joe **3**:63
Wald, Bohmer **4**:24
Wald, George 14:138
biografía **14**:138
Waldheim, Kurt **2**:167; **10**:28
Waldmüller, Ferdinand G **2**:168
Waldo Emerson, Ralph **8**:275
Waldseemüller, Martin **1**:227; **4**:150
Waldteufel **5**:14
Waldteufel, Emile 14:138
obra **14**:138
Walesa, Lech 14:138
biografía **14**:138
Polonia **11**:160
Solidaridad **13**:29
Walhalla **8**:129; **10**:185
Walker **4**:203
Walker, Centro de Arte **9**:229
Walker, William **4**:269, 270; **6**:133; **10**:94
Walkyrias **10**:185
Wall Street 14:139
Manhattan, isla de **9**:57
New York **10**:90
Wall Street **5**:192
Wall Tower **1**:209
Wallace **1**:222
Wallace Haise, Fred **2**:119
Wallace Johnson **12**:319
Wallace, Alfred Russel 14:138
bibliografía **14**:138
Wallace, Edgard 14:139
bibliografía **14**:139
Wallace, Henry A 14:139
biografía **14**:139
Wallace, Lewis 14:139
bibliografía **14**:139
Wallace, sir William 14:139
biografía **14**:139
Wallach, Otto 14:139
biografía **14**:139
Walldseemüller **9**:67
Wallen **13**:77
Wallenberg, J. **13**:71
Wallenstein, Albrecht Eusebius Wenzel von 14:139
biografía **14**:139
Wallis **6**:219
Wallis, isla **11**:153
Wallis, Juan **4**:287; **5**:77; **12**:327
Wallis, Samuel **13**:101
Wallon, Henri **6**:230
Walpole **11**:113
Walpole, Hugh Seymour 14:138
bibliografía **14**:138
Walpole, sir Robert conde de Oxford 14:138
biografía **14**:138
Walpurgis, noche de 14:138
Walram **10**:44
Walras **5**:190
Walras, León **1**:192
Walseemüller, Martín **14**:61
Walt, J. **7**:44
Waltari, Mika **6**:161
Walter, Bruno 14:138
biografía **14**:138
Walter, Lionel **12**:118
Walters, Charles **7**:50
Walton, Ernest **4**:124
Walton, Ernest Thomas Sinton 14:138
biografía **14**:138
Walton, Isaac **1**:289
Walzen **14**:18
wamani **7**:291
Wamba 14:139
Wamba, rey **11**:12
Wan Chía Pao **4**:58
Wandalenhaus **1**:264
Wang Chieu **4**:59
Wang Chung **4**:57
Wang Hui **4**:59
Wang Kon **4**:244
Wang Shih Mia **4**:59
Wang Wei **4**:59
Wang Yuan Chi **4**:59
Wang-chuck, Jigme **3**:125
Wang-chuck, Jigme Dorji **3**:126
Wang-chuck, Jigme Singghye **3**:126
Wangchuk, Ugyen **3**:125
Wangen **14**:78
wanka **11**:255
Wankowirz **11**:161
Warburg, Otto Heinrich 14:140
biografía **14**:140
Ward, Clara **7**:24
Warden, Alfred M **2**:120
Waring, teorema de **5**:113
Warnemünde **12**:116
Warner, Heinrich Leopold **1**:166
Warnes, Ignacio 14:140
biografía **14**:140
Warnow, río **12**:116
warrant 14:140
Wartburg, castillo de **8**:327
Wartha **10**:185
Wartha, río **11**:181
Warwickshire **5**:246
Warzawa (Varsovia) **11**:157
Wasatch, cordillera de **6**:31
Wash, bahía de **7**:33
Washington Carver, George **11**:263
Washington, Academia Nacional de Ciencias de **13**:84
Washington, Booker Taliaferro 14:140
bibliografía **14**:140
Washington, Carnegie de **4**:233
Washington, D. C. 14:140
— avión Stearman en **1**:85
Antigua Oficina Postal **4**:255
Librería del Congreso **6**:43
Suprema Corte de Justicia **4**:259
Washington, estado de 14:140
— actividades económicas **14**:141
— clima **14**:141
— territorio y recursos **14**:141
— turismo **14**:141
Monte Olympic y valle Skagit **14**:141
Parque nacional Olympic; Portland; Seattle **14**:141
Washington, George 14:141
— retrato oficial de **14**:142
biografía **14**:141
Adams, John **1**:65
canal **3**:206
condecoración **4**:199
Estados Unidos **6**:40
Irving, Washington **8**:47
Kósciuskzo, Tadeusz **8**:146
Paine, Thomas **10**:284
Revolución Estadounidense **12**:45
Saint–Simon, Claude Henri **12**:167
Washington, Instituto Carnegie de **10**:127
Washington, Irving **8**:47; **11**:46
Washington, monte **6**:31; **10**:85
Washington, monumento a **14**:140
Washington, prisión federal de **7**:233
Washington, Universidad Católica de **9**:156, 244
Washington, Universidad de **10**:182; **14**:91
Washkanski, Louis **2**:255
washo **7**:309
wasidíes **1**:336
Wasmann, Erich 14:142
bibliografía **14**:142
Wasmosy, Juan Carlos **10**:323
Wassermann, August von 14:142
biografía **14**:142
Wassermann, Jokob 14:142
bibliografía **14**:142
Wassermann, reacción de 14:143
Wast, Hugo 14:143
Véase Martínez Zubiria, Gustavo
Wastphalen, Emilio Adolfo **12**:61
Wat Phra Keo, Bangkok **2**:95; **13**:102
Watch Watch **5**:63
Watchung **10**:86
Wateau, Antoine **14**:68
Wateau, Jean Antoine **14**:143
Water Gap **10**:86
water polo 14:143
Waterloo, batalla de 14:143
Carnot, Nicolás Léonard **3**:254
Waters, Muddy **3**:9
Waterville **5**:183
Watling **2**:216
Wat-Rajapurana **13**:103
Watson, estructura de **10**:155
Watson, James Dewey 14:143
biografía **14**:143
Crick, Francis Harry **4**:283
doble hélice **5**:151
nucleicos, ácidos **10**:155
Wilkins, Maurice Hugh **14**:150
Watson, John **11**:224
Watson, John Broadus **4**:174
Watson, Thomas **2**:288
Watson-Watt, R.A. **7**:44
watt **6**:167
Watt, James 14:143
biografía **14**:143
Black, Joseph **2**:334
buque **3**:108
ciencia **4**:76
ingeniería **7**:330
máquina de vapor **9**:75
Revolución Industrial **12**:52
transpotes **13**:250
Watt, W. **5**:238
Watteau, Jean Antoine 14:143
obra **14**:143
watts **8**:28
Watts, G.F. **7**:45
Wavell, conde de **12**:108
Waverley **12**:251
wawaki **11**:255
Wawona **12**:253
Wayne, John 14:144
biografía **14**:144
wayñu **11**:255
Wayoming **10**:60
wazyk **11**:161
Wearmouth **2**:312
Wearmouth, (Durham), Inglaterra **2**:275
Web Site **8**:91
Webb, Beatrice **6**:107; **9**:326; **11**:168
Webb, Sidney 14:144
bibliografía **14**:144
Webb, Sidney **8**:154
Weber **10**:172, 216; **13**:332
Weber, Joseph **7**:54
Weber, Karl Maria Friedrich von 14:144
música **10**:15
obra **14**:144
ópera **10**:219
Weber, Max **8**:319; **13**:22, 34
Webern, Anton von **2**:167; **10**:16; **12**:248
Webster, Daniel 14:144
biografía **14**:144
Webster, Noah 14:144
bibliografía **14**:144
Webster, William **4**:65
Wechsler-Bellevue **13**:176
Weddel, James **6**:98
Weddel, mar de **1**:301; **6**:98
Wedekind, Frank 14:144
obra **14**:144
Weden, isla de **2**:52
Wee Kim Wee **12**:334
Weese, Harry **7**:305
Wegener, Alfred Lothar 14:144
— deriva de continentes según **5**:63
bibliografía **14**:144
deriva **5**:63
Wehrmacht **13**:52
Weidman, Charles **8**:262
Wei-hai-wei, puerto de **4**:56
Weimar 14:144
— duques de **7**:12
Bauhaus **2**:267
votación **14**:133
Weinberg, Steven 14:144
bibliografía **14**:144
Glashow, Sheldon Lee **6**:332
Weinninger, Otto **9**:162
Weisbaden **10**:44
Weisel, Torsten N. **13**:48
Weisenthal, Karl F. **9**:74
Weiss, Henry **7**:233
Weiss, Peter **1**:166
Weissbach, H **2**:192
Weisshorn **13**:76
Weissman, August **10**:154
Weissmuller, John 14:145
biografía **14**:145
tarzán de los monos **13**:123
Weitz, Paul **13**:243
Weizmann, Chaim 14:145
biografía **14**:145
Israel **8**:57
sionismo **12**:336
Weizsaecker, Richard von **1**:163
Welch, Ashbel **6**:140
Welcomem, monte **13**:312
Weller, Thomas Huckle 14:145
biografía **14**:145
Enders, John F. **5**:256

Welles, Orson 14:145
biografía **14:**145
cinematografía **4:**84, 85
Welles, Sumner 14:145
biografía **14:**145
Wellington 14:145
Wellington, Arthur Wellesley, duque de 14:145
batalla **2:**264
biografía **14:**145
España **5:**318
Goya y Lucientes, Francisco **7:**26
Wellington, canal de **10:**332
Wellman, Walter **5:**139
Wells Beadle, George **13:**125
Wells, Herbert George 14:145
bibliografía **14:**145
ciencia **4:**77
cometa **4:**169
Fabiana, Sociedad **6:**107
literatura infantil **8:**286
Wells, Horace **1:**277
Wells, Junior **3:**9
Wells, Orson **13:**75
Welsbach, barón Carl Aver von **10:**71
Welse **5:**176
Welser **1:**173; **4:**250; **5:**165
Welty, Eudora **9:**327
wendas **13:**55
Wennerberg, Gunnar **13:**71
Wenzel von Wallenstein, Alberto Eusebio, general **7:**87
Werfel, Franz 14:146
bibliografía **14:**146
Wergeland, Henrik 14:146
bibliografía **14:**146
Werner **7:**247; **13:**82
Werner Heisenberg **13:**218
Werner, Alfred 14:146
bibliografía **14:**146
Werner, Ernst **12:**317
Werner, Zacharias **1:**166
Wernes **12:**27
Werther **10:**16
Weser, cuenca **1:**163
Weser, río **6:**175; **7:**131
Wesley Hyatt, John **11:**126
Wesley Powell, John **7:**45
Wesley, John **4:**293; **9:**188
Wesser **7:**142
Wesser, río **14:**146
Wessex **7:**129; **10:**275
Wessin, Elías **5:**161
West End **8:**302
West Highland, raza **6:**276
West Orange **5:**211, 231; **11:**16; **13:**36
West Point en New York **1:**40
West Virginia 14:146
— tierra y recursos **14:**156
— hidrografía **14:**146
— clima **14:**156
— vegetación y vida animal **14:**156
West, B. **7:**45
West, Morris **2:**164
West, Thomas **5:**40
Westar I y II **13:**151
Westbrook, Harriet **12:**308
Western Union Telegraph **13:**143
Westerwald **1:**163
Westfalia 14:146
— ducado de **14:**146
Beethoven, Ludwig van **2:**277
Westfalia, paz de 14:147
derecho internacional **5:**60
diplomacia **5:**136
paz, tratado de **11:**20
Westinghouse **2:**152; **8:**298
Westinghouse Electric Company **4:**184
Westinghouse, George 14:147
biografía **14:**147
Westminster **10:**288, 308
Westminster, arzobispo de **14:**153
Westminster, abadía de 14:147
coronación **4:**251
gótico **7:**25
Purcell, Henry **11:**243
Westminster, abadía de **1:**18; **2:**57; **7:**41; **8:**303; **14:**147
Westminster, estatuto de **7:**274
Westminster, revista de **9:**223
Westphalen, Emilio Adolfo **11:**62
Wetterberg **13:**71
Wettin, familia de **12:**168
Weyden, Roger van der **5:**290; **6:**176; **12:***32*
Weygand, Maxime 14:147
biografía **14:**147
Weyl, Hermann **14:**150
Weyler, Valeriano 14:147
biografía **14:**147
Whangarei, museo de **10:**159
Wharton, duque de **14:**165
Wheatstone, Charles 14:147
biografía **14:**147
Wheelwright, William 14:147
biografía **14:**147
whig Marlborough **1:**255
whigs **7:**41; **13:**232
Whipple, George Hoyt 14:148
biografía **14:**148
whiskey, roca del **10:**61
whisky o whiskey 14:148
whist 14:148
Whistler, James Abbot McNeill 14:148
obra **14:**148
White Mountains **10:**85
White Star **13:**204
White, Edward H. **1:**327; **2:**114, 116
White, montañas **2:**34
White, Patrick Victor Martindale 14:148
bibliografía **14:**148
White, río **7:**305
White, Robert **1:**88
Whitehead, Alfred North **7:**44; **12:**150
Whitehead, Robert **13:**226
Whitelocke, John 14:148
biografía **14:**148
Whiteman, Paul 14:148
obra **14:**148
Whiting **7:**306
Whitman, Walt 14:148
bibliografía **14:**145
Whitman, Walt **14:**149
Whitney, Elí 14:149
biografía **14:**149
Whitney, monte **1:**230; **6:**31
Whitsunday, isla **8:**50
Whittier, John Greenleaf **6:**43
Whyte Black, sir, James **7:**195
Wicksteed, Philip Henry **13:**55
Wiclef **7:**253
Widhorn **13:**76
Widmann, J. **12:**327
Wieck, Clara **12:**249
Wieck, Friedrich **12:**249
Wiegand, Teodoro **9:**223
Wieland, Christoph Martin 14:149
bibliografía **14:**149
Wieland, Heinrich Otto 14:149
biografía **14:**149
Wieliczka, minas de **11:**158
Wieliczka, Polonia **12:**170
Wien, Guillermo 14:149
biografía **14:**149
Wien, Wilhem **6:**10
Wienbarg, Ludolf **1:**166
Wiencke, isla **5:**80
Wiener, Norberto **4:**66; **9:**77
Wieschaus, Eric F 14:149
biografía **14:**149
Wiese, C. **13:**301
Wiesel, Eliezer 14:149
bibliografía **14:**149
Wiesel, Torsten N. 14:150
biografía **14:**150
Wiesel, Torsten N. **7:**235
Wieser, Friedrich von **13:**55
Wight 14:150
Wigman, Mary **5:**17
Wigner, efecto **14:**150
Wigner, Eugene Paul 14:150
bibliografía **14:**150
wigwam **11:**86
Wijdenbosch, Jules **13:**86, 87
Wil **12:**107
Wilberforce, William **5:**281
Wilde, Eduardo **2:**26
Wilde, Oscar 14:150
bibliografía **14:**150
aforismo **1:**92
comedia **4:**163
cuento **4:**320
literatura infantil **8:**284
Wilder, Billy **6:**137
Wilder, Thornton Niven 14:150
bibliografía **14:**150
Wild-Fuess **2:**256
Wilfredo *el Velloso*, conde **6:**286
Wilhelm, August **8:**266; **12:**106, 247
Wilhelm-Institut, Kaiser (Instituto Max Planck) **14:**178
Wilhelmshaven **13:**61
Wilhem Pabst, Georg **3:**322
Wilhem Scheele, Carl **13:**71
Wilhemshaven **12:***37*
Wilkes, Charles **1:**303; **5:**79; **6:**98
Wilkie, D. **7:**45
Wilkins, John **7:**265
Wilkins, George Hubert **1:**303; **6:**97
Wilkins, Maurice Hugh Federick 14:150
biografía **14:**150
Wilkins, sir George Hubert 14:150
bibliografía **14:**150
Wilkinson, Geoffrey 14:150
biografía **14:**150
Wilkinson, John **9:**75
Willaert **9:**312
Willard, Jess **3:**63; **5:**48
Willemette, río **10:**241
Willemstad **1:**309
William Turner, Joseph Mallord **3:**246
Williams, Alberto 14:151
obra **14:**151
Williams, Grenville **3:**301
Williams, Stanley T. **6:**43
Williams, Tennessee 14:151
bibliografía **14:**151
Williamsburg **10:**90; **14:**100
Willkie, Wendell Lewis 14:151
biografía **14:**151
Willliams, George sir **2:**103
Willoch, Kaare **10:**136
Willstaetter, Ricardo 14:151
biografía **14:**151
Wilmington **5:**41
Wilson, Alejandro **4:**168
Wilson, Charles Thomson Rees 14:151
— cámara **14:**151
biografía **14:**151
Wilson, Harold **7:**43; **8:**154
Wilson, Kenneth Geddes 14:151
biografía **14:**151
Wilson, Monte, observatorio de **12:**308
Wilson, Robert Woodrow 14:151
biografía **14:**151
Wilson, Thomas Woodrow 14:151
bibliografía **14:**151
Catorce puntos **3:**298
Estados Unidos **6:**42
Liga de las Naciones **8:**258
Panamá, Canal de **10:**306
Roosevelt, Franklin Delano **12:**110, 111
Sociedad de Naciones **13:**20
Wiltersmarsh, raza **6:**278
Wiltshire (Inglaterra) **13:**56
Wimbledon **3:**95, **13:**157
Winchester **6:**254
Winckelmann, Hohann **9:**166
Winckelmann, Joachim **1:**166; **2:**51
Windaus, Adolf 14:152
biografía **14:**152
Wind-Big Horn, río **14:**156
Windelband **12:**10, 64
Windermere **7:**34
Windhoek **10:**33
Windows **10:**223
Windriver, pico de **6:**31
Windscale 1 **10:**150
Windsor 14:152
— castillo de **14:**152
— dinastía **5:**129
Windsor, Támesis **13:**109
Windward, islas **12:**200
Wineland, David **5:**38
Winesburg **1:**267
Winfrido **3:**44
Wingate, Orde Charles 14:152
biografía **14:**152
Wingfield, Walter **13:**157
Winifredo **10:**58
winji-winji **14:**114
Winkelried, Arnoldo de 14:152
biografía **14:**152
Winkler, Clemente **6:**318
Winneba **6:**321
winnebago **13:**11
Winnipesaukee, lago **10:**85
Winooski, río **14:**57
Winsconsin 14:152
— actividad económica **14:**153
— clima **14:**153
— hidrografía **14:**153
— presas de **14:**153

— río **14:**153
— territorio y recursos **14:**153
— turismo **14:**153
— universidad de **8:**208, 264
— vida animal **14:**153
Winsconsin **14:**153
Winslow Taylor, Frederick **13:**129
Wintergreen **12:**174
Wintersburg, Arizona **5:**257
Winterthur **13:**80
Wiseman, Nicholas Patrick 14:153
biografía **14:**153
wistaria 14:153
Witch **6:**129
witherita **2:**254
Witiza, familia de **12:***91*
Witlacoochee, río **6:**182
witoto **3:**50
Witte, conde Sergei **13:**245
Wittemberg, iglesia de **11:**218
Wittenberg, Universidad de **8:**326; **9:**157; **11:**324; **13:**316
Wittgenstein, Ludwig **12:**150
Wittgenstein, Paul **11:**303
Wittig, Georg 14:153
bibliografía **14:**153
Witwatersrand, yacimientos de **10:**254
Witz, Konrad **1:**166
woacon **13:**11
Wodehouse, Pelham Grenville 14:154
bibliografía **14:**154
Wöelfl, Joseph **2:** 276
Wöhler, Friederich 14:154
biografía **14:**154
Wojciechowsky, Stanislaw **11:**91
Wojtyla, Karol Josef **8:**115
Wolf, Friederich August 14:154
bibliografía **14:**154
Wolf, Hugo 14:154
obra **14:**154
Wolff, Christian **11:**272
Wolf-Foxb sistema de ríos **14:**153
wolfram 14:154
Véase Tungsteno
wolframio **13:**285
Wolkmar **4:**306
Wollan, E. O. **12:**310
Wollaston, William **10:**288
Wollstonecraff Shelley, Mary **6:**128
Wolsey Thomas, **5:**265
Wolsey, Thomas 14:154
biografía **14:**154
Woltje **13:**205
Wolzogen, Hans von **8:**214
Women's Liberation **6:**128
Won-Ti **8:**87
Wood Buffalo, Parque Nacional de **10:**331
Wood, fuerte de **8:**247
Woodhenge **2:**50
Woods, lago **9:**228
Woodward, regla de **14:**154
Woodward, Robert Burns 14:154
biografía **14:**154
Wool Exchange o Bolsa de la Lana **7:**37
Woolark **10:**317
Woolf, Virginia 14:154
bibliografía **14:**154
Woolsey, James **4:**65
Woolworth **10:**90
Woonasquatucket, río **12:**58
Worcester **5:**179; **11:**170
Worcester Art Museum **9:**123
Wordsworth, William 14:154
bibliografía **14:**154
Works Progress Administration (WPA) **10:**84
World Trade Center **6:**43; **10:**90; **11:**301
World Wide Web **8:**20, 91
Worms **4:**197
Worms, Concordato de **12:**160
Worms, decreto de **11:**324
Worms, Dieta de **11:**324
Woss, Celeste **5:**162
Wotan germano **10:**185
Wotruba, Fritz **2:**168
Woulfe, Peter **13:**286
Wounded Knee **12:**28
Wounded Knee Battlefield **13:**46
Wozzeck **10:**16
Wrangel 14:155
ártica, región **2:**70
Asia **2:**88
Wrangel, Karl **7:**87
Wren, Percival Cristóbal 14:155
bibliografía **14:**155
epitafio **5:**271
Wren, sir Cristóbal 14:155
obra **14:**155
Wright, Frank Lloyd 14:155
— casa en Arizona de **14:**154
obra **14:**155
Wright, Hermanos Wilbur y Orville 14:155
aeroplano **1:**82, 87
aviación **2:**187
biografía **14:**155
Curtiss, Clenn Hammond **4:**334
invenciones y descubrimientos **8:**24
planeador **11:**118
transportes **13:**252
Wright, Judith **2:**164
Wright, Laboratorio Aeronáutico **14:**155
Wright, Lemuel **1:**173
Wright, métodos de **9:**77
Wright, Richard 14:155
bibliografía **14:**155
Wrigley Field **7:**270
Wroclaw (Breslau) **11:**157; **12:**323
Wu Tao Tzu **4:**59
Wu Wang **4:**55
Wuhan **4:**51; **7:**127
Wular, lago **7:**296
Wulf, Ethel **1:**177
Wundt, Guillermo 14:155
bibliografía **14:**155
Wundt, Willi **9:**131
Wuolijoki, Hella **6:**161
Wupper, río **13:**30
Wurtman, RJ **2:**192
Württemberg 14:155
— duque de **12:**246
biografía **14:**155
Kepler, Johannes **8:**140
Sacro Imperio Romano Germánico **12:**161
Wurtz, Charles Adolph **8:**160
Wurtzburgo **2:**269; **13:**52, 316
Wurzburg **8:**299; **12:**93
Wurzburgo, castillo de **11:**324
Wurzburgo, Universidad de **11:**307
Wutai **4:**58
wute **3:**186
wyandot **5:**40
Wyandotte **2:**189
Wycliffe, John 14:156
biografía **14:**155
Wyler, Valeriano **4:**192
Wyman, Jane 14:156
biografía **14:**156
Wynne Apperley, George Aven 14:156
obra **14:**156
Wynton Marsalis **3:**9
Wyoming 14:156
— actividad Económica **14:**156
— clima **14:**156
— hidrografía **14:**156
— tierra y recursos **14:**156
— turismo **14:**156
— vegetación y vida animal **14:**156
Danzante piel roja **11:**86
Rocosas, Montañas **12:**88
Yellowstone **14:**161
Wyspianski **11:**161
Wyss, Juan David **14:**156
Wyss, Juan Rodolfo 14:156
bibliografía **14:**156
Wyzynski, cardenal **11:**160

X

X. 14:157
Xaltocan **10:**30
Xanana **7:**316
xantina **2:**178
Xantipo **11:**49,334
xantopsia **7:**262
Xaquixahuana **11:**116
xarayes **4:**16; **10:**164
Xaudaró **3:**247
Xavier Gaubrelet **1:**329
Xavier Villaurrutia, premio **11:**7
Xbalanque **4:**193
xenartro 14:157
desdentados **5:**86
xenófobas, tendencias **8:**150
xenofobia **6:**70; **13:**233
xenón 14:157
atmósfera **2:**141
xenopéltidos **12:**290, 291
Xenopoulus, G. **7:**62
xenotima **8:**67
xerófilas **2:**16; **5:**89
xeroftalmia 14:157
Xerox Corporation **9:**226; **10:**210
xhosa **13:**314
Xi'an **5:***293*
xicalli **1:**247; **8:**101
Xicoténcatl, Felipe Santiago **10:**103
xífidos **11:**75
xifosis **6:**324
xilema **3:**183 **12:**245
xilófono 14:157
xilografía 14:157
grabado **7:**28
Gutenberg, Johann **7:**110
Ximenes Belo, Carlos Filipe 14:158
biografía **14:**158
Timor **13:**197
Xingú, río **1:**221; **9:**132; **10:**318; **14:**115
Xinjiang Uygur, desierto de **4:**46
Xiquipilco **9:**131
Xirau, Ramón 14: 158
bibliografía **14:**158
Xirgu, Margarita 14:158
biografía **14:**158
Xitle **9:**208
Xizang **4:**46, 56
Xkalac **11:**265
Xmacané **3:**145
Xoa, reino de **6:**67
Xochicuauhtla, encomienda de **1:**116
xochimilcas tecas tributarios **2:**197; **10:**30
Xochimilco 14:158
— historia **14:**158
— lago de **13:**290
— lago de **4:**59; **8:**159; **9:**208; **14:**158
aztecas **2:**200
jardinería **8:**89
Olid, Cristóbal de **10:**202
Xochitécatl **3:**147
Xóchitl **13:**215
Xocoyotzin (Joven Señor) **9:**258
xoho **6:**68
Xoloc, fuerte de **12:***203*
Xolotlán **9:**50
xosa **2:**247
Xototlán, lago **10:**92
Xpigacoc **3:**145
xyleno **10:**29

Y

Y. 14:159
yabal Tariq **6:**322
Yablonoy, montes **12:**137
yacaré 14:159
Véase Cocodrilo
yácatas **13:**118
yachtina **13:**194
yachting **13:**290
yacimiento 14:159
— petrolíferos **6:**288; **9:**232
minería **9:**231
hierro **7:**173
yacimientos **9:**231
Yacubi **5:**71
yacutas **14:**112
yacutos **2:**94
Yadkin, río **10:**132
yagan **7:**309, 310
yaganes o patagónicos **7:**310; **13:**192; **14:**115
Yaguarón, río **2:**72; **13:**326
yahua **7:**310
yahuapwerí **7:**310
Yahuar Huacac **7:**289
yahuna **7:**310
Yahya Khan, Mahammed **10:**287
yak 14:159
Asia **2:**91
Yakarta 14:159
Indonesia, República de **7:**315
Java **8:**91
Yakima, río **14:**141
yakoniana **7:**308
Yakurtsk **2:**99
Yakutia 14:159
Yale, Linus **8:**292
Yale, Universidad de **8:**166, 209; **10:**191; **14:**76
Yalilov, A **2:**195
Yalow, Rosalyn Sussman 14:159

biografía **14:**159
Yalta **4:**283; **10:**60; **13:**51, 308
Yalta, acuerdos de **11:**160
Yalta, conferencia de 14:159
Yalú 14:160
Corea **4:**243
Yalú, río **7:**99; **9:**52, 327
Yama el Yadid, mezquita **2:**11
Yamal, península de **10:**173
yamamadí **7:**310
Yamamoto Isoroku 14:160
biografía **14:**160
yámanas **14:**115
yamato **2:**95; **8:**84
yameo **7:**310
yamiaca **7:**309
Yamoussoukro **4:**266
Yamuna, río **7:**296
yana **7:**309
yanakonas **7:**290
Yanaón **7:**304
Yanayev, Guennadi **7:**22
Yáñez Pinzón, Vicente **1:**221; **3:**75; **5:**73, 317
Yáñez, Agustín 14:160
bibliografía **14:**160
Yang **1:**63, 6; **4:**205
Yang Shangkun **4:**57
Yang-na **1:**281
Yangon **10:**20
Yangoon, puerto **7:**313
Yangshou, China **4:**58
Yang-tse-kiang 14:160
— valle del **8:**157
Amarillo, río **1:**218
Asia **2:**87
China **4:**49
Yunnán **14:**168
yangüeses **11:**257
Yanisei, río **2:**53
Yanisei,Golfo de **2:**88
Yankee Clipper 2:119
Yankee, cultura **9:**34
yankees **9:**228
yanona sintética **11:**263
Yantchen **11:**156
Yáotl **13:***181*
*yaoyizques 2:*199
Yap,isla de **9:**216
Yapey **4:**257
Yapeyú, Argentina **12:***194*
Yaque del Norte, río **5:**157; **14:**3
Yaque del sur **2:**203
yaqui 14:160
Sonora **13:**40
Yaqui, río **9:**194, 195; **14:**160
Yara, grito de 14:160
Yaracuy 14:160
— depresión de **9:**174
— río **14:**160
yarararé **7:**309
yarastas **1:**120
yaraví 14:160
Perú **11:**62
yarda 14:160
distancia **5:**145
metro y sistema métrico **9:**190
Yarmouth **7:**35
Yarmuk **8:**107
yaro **7:**309, 310
Yaropolk **14:**119
Yaroslav **14:**128
Yasanobú **8:**84
yate 14:161
Yatreb **9:**153
Yatrib **1:**335, **9:**31
yatromecánica **14:**79
Yauco **14:**53
Yavaros **13:**40
yavuaná **7:**310
Yaxartes, río **2:**97
yaxchilán 14:161
juego de pelota **8:**122
México **9:**204
Yaya **11:**230
Yayael **11:**230
Yayauhqui Tezcatlipoca **13:***181*
Yazld I en Arabia **1:**336
Ybarra **5:**199
Yeager, Charles E. **1:**88
Yeats, William Butler 14:161
bibliografía **14:**161
esteticismo **6:**52
Synge, John Millington **13:**92
yébel Hajir **13:**23
Yecapixtla 14:161
— río **14:**161
Yedo **8:**82; **13:**211
Yegorov, Boris **2:**111
Yegros, Fulgencio 14:161
biografía **14:**161
Yekaterimburgo, ciudad **12:**140
Yekaterinburg **13:**89
Yeliseyev, Alexis S **2:**113
Yellala **4:**208
Yellow Kid **4:**169
Yellowstone 14:161
— parque **4:**262, 321
— parque Nacional de **6:**32, 194; **14:**156
— río **6:**32; **14:**156
yelmo **2:**42; **7:**150
Yeltsin, Boris **6:**43; **7:**22; **10:**146; **12:**146; **13:**309
yema **1:**347; **7:**242
Yemen, República del 14:162
— bandera de **2:** 243
Adén **1:**67
panarabismo **10:**307
Socotora **13:**22
Yemení, Estado Unificado **14:**162
yemeníes **1:**335
yen 14:162
Yen Li Pen **4:**58
Yenan **9:**66
Yenang-Yanng **10:**20
Yenbo **7:**137
Yenesei, Golfo del **10:**173
Yenikalé **4:**283
yenisei 14:162
ártica, región **2:**70
yeniseyos **2:**94
Yenkina, monte **10:**100
Yentl **13:**57
Yeosu **4:**246
Yepes y Álvarez, Juan de **4:**304
Yepes, Narciso 14:162
obra **14:**162
yerba mate **1:**45; **9:**125; **10:**321
yerbicida 14:162
Yereban, plaza de **13:**19
Yeremenko **13:**51
Yergenievich Tamm, Igor **3:**333; **6:**232
Yerkes 14:162
— observatorio de **11:**142
Yermaoguacor **11:**231
Yermo, Gabriel de **8:**68
yero 14:162
Yerovi Indaburu, Clemente **5:**201
Yerovi, Leónidas 14:162
bibliografía **14:**162
Yersin **2:**211
Yeseinin **5:**178
yeso 14:163
yeso mate 14:163
Yesügei **6:**301
yeyuno **8:**21
Yezdererd III **8:**38
Yhombi-Opango, Joachim **4:**207
Yi In-jik **4:**247
Yiang Zemin **4:**57
Yibah **2:**292
yiddish 14:163
yiguirro **4:**267
yinn **1:**334
Yitzhak Rabin **6:**295
YMCA **2:**103
Yoaquim **13:**87
Yocahú Vagua Maorocotí **11:**231
Yocasta **1:**305; **5:**211, 296
yodo 14:163
Yodo, río **10:**262
yodoformo 14:164
yoduro 14:164
— potásico **1:**57; **5:**173
Yoelson , Asa **8:**106
yoga 14:164
Yoga-Sutra **11:**11
yoguismo **7:**303
yogurt 14:164
leche y lechería **8:**204
Yogyakarta, Taman Sari, Java **2:**94
Yohualli Ehécatl **13:***181*
Yojoa, lago **7:**218
Yokohama 14:164
puerto **11:**229
ricksha orickshaw **12:**64
Tokio **13:**211
Yolaida, cordillera de **10:**92
Yolanda **12:**173
Yolanda, princesa **14:**76
Yom Kippur **8:**57
Yomeri Kaguta **13:**301
Yopal **4:**140
yoquis **11:**254
Yorick **3:**100
York **1:**284
York **13:**95, 280
York, cabo de **11:**301
York, casa de 14:164
Yorkshire (Inglaterra) **2:**193
Yorkshire Inglaterra **4:**307
Yorkshire **7:**35; **13:**54
Yorkshire, raza **6:**277, 278
Yorktown **14:**100
Yoro 14:164
Yoruba **8:**195; **10:**100
yorubas **10:**67
Yosai **8:**84
Yosemite 14:164
Yoshida, Shigeru 14:164
biografía **14:**164
Yoshihito **7:**186; **10:**19
Young Men´s Christian Association **2:**103; **9:**315
Young, Brigham 14:165
biografía **14:**165
Young, Edward 14:165
bibliografía **14:**165
Young, William J. **7:**129
Ypacaraí **10:**321
Ypané **12:**198
Ypiranga, grito de 14:165
Ypiranga, río **14:**165
Yrigoyen, Hipólito 14:165
biografía **14:**165
Ysaye, Eugène Augustus **13:**182
Yssel, lago **7:**205; **14:**190
Yssel, río **7:**206
ytria **13:**163
Yu **2:**98
yuán **4:**51
Yuan-Shi-Kai 14:165
biografía **14:**165
Yuba, río **13:**33
yuca 14:165
Yucatán 14:165
— historia **14:**166
Yucatán 14:166
— canal de **9:**207
— estrecho de **7:**16
— historia **14:**166
— museo arqueológico del estado de **9:**174
— península de **6:**104; **7:**155; **9:**136; **10:**309; **11:**211
Yucay, valle de **9:**54
yucayeques taínos **11:**230
yuco-azteca **9:**178
Yudenich, Nicolai Nicolaievich 14:166
yugo 14:166
Yugoslavia 14:166
— antigua **4:**247
— bandera de **2:**243
— historia **14:**166
— República **12:**294
Adriático **1:**76, 137
Guerra Mundial, Segunda **7:**96
Lauzana, Tratado de
Macedonia **9:**7
Pío XII **11:**102
resolí o resoli **12:**115
Unión de Repúblicas Socialistas Soviéticas **13:**308
yugular 14:168
Yugurta 14:168
biografía **14:**168
yujitsu **1:**121
yukagira **2:**96
yukagiros **2:**94
Yukawa, Hideki 14:168
biografía **14:**168
yukeros **2:**94
yuki **7:**309
Yukón 14:168
Yukon, río **1:**136
Yule, Joe, Jr. **12:***109*
Yuma **2:**35; **7:**310
yumana **7:**309
Yumasey **1:**87
yumbos **5:**199
Yuna, río **5:**157
Yunan **5:**75
Yung Lo, emperador **4:**58; **11:**28
Yungay **4:**203; **12:**213
Yungay, batalla de 14:168
Yunkang **4:**58
Yunnán 14:168
— mesetas de **4:**49
yunque **13:**197
Yunque, Álvaro 14:168
bibliografía **14:**168
yunque, oído **10:**195
Yunque, San Gabriel del **10:**214
Yupanqui **1:**121
Yupanqui, Pachacuti Inca **5:**200
Yurécuaro **9:**214
Yuria **12:**156

Yuriria **7:**74
Yuririapúndaro, convento **7:**190
yurtas **3:**170
Yuruá, río **1:**221
Yusovka Ucrania **13:**52
Yuste 14:168
Yusulf I **6:**300
Yusupov, príncipe **11:**302
yute 14:168
yuto-azteca **2:**200; **7:**309;**13:**117
yuto-azteca, familia **10:**30; **14:**160
yuxtaposición 14:168
acreción, disco **1:**55
Yves de Kerguélen-Trémarec **6:**98
Yvypora **10:**322
YWCA **2:**103

Z

Z 14:169
Zaachile **14:**173
Zaardam **7:**205
Zabala o Zavala, Bruno Mauricio de 14:169
biografía **14:**169
Zabala, Juan Carlos **10:**205
zacahuil **9:**37
Zacapa 14:169
Zacapu **9:**214
Zacarías 14:169
biografía **14:**169
Biblia **2:**309
Juan Bautista, San **8:**113
zacate **10:**270
Zacatecas 14:169
— catedral de **9:**204
— historia **14:**169
— Sierra de **12:**193
Aguascalientes **1:**113
Coronel, Pedro **4:**252
López Rayon, Ignacio **8:**307
plata **11:**132
Zacatecoluca **11:**21
Zacatelco **13:**208
Zacatenco, cultura de 14:169
Zachrisson, B. A. **10:**303
Zacinto **12:**164
Zaculeu **9:**138
Zadar **4:**296; **5:***8*
Zadkine, Ossip **6:**229
zafiro 14:170
lapilázuli **8:**174
piedras preciosas **11:**83
zafra 14:170
azúcar **2:**204
Zafy, Albert **9:**11
Zagal **9:**327
zagalillo **11:**257
Zagorje **5:**300
Zagreb 14:170
— arzobispo católico de **4:**295
— Croacia **4:**294
Andric, Ivo **1:**273
Eslovenia **5:**301
Tito, Josip Broz, llamado **13:**206
Zagreo, Dionisos **10:**244
Zahedi, general **8:**39
Zahir Shah, Mohamed **1:**90
zahoríes **11:**277
Zahuapan **13:**208
Zaid bin **5:**249
Zaire, República del 14:170
— bandera de **2:**243
— historia **14:**169
— República de **4:**208
África **1:**94
Congo, río **4:**208
Eduardo, lago **5:**213
Hammarskjöld, Dag **7:**126
Mobutu Sese Seko **9:**257
radio **11:**277
Ruanda **12:**120
Sudán **13:**66
Zakharof **12:**143
Zaki, Ahmed **9:**43
Zakopaene **11:**157
Zalacaín el aventurero **2:**255
Zalamea Borda, Eduardo 14:171
bibliografía **14:**171
Colombia **4:**141
Zaldumbide, Gonzalo 14:171
bibliografía **14:**171
Ecuador **5:**201
Silva, Medardo Ángel **12:**325
Zalewscczinski, golfo de **11:**157
Zalokostas, Y. **7:**62
Zama **1:**292; **5:**280; **7:**100
zamacueca **11:**62
Zambeze 14:172
Angola **1:**284
ferrocarril **6:**138
hipopótamo **7:**186
Zambeze, río **5:**76; **9:**317, 318; **10:**166; **14:**77
Zambeze-Luapula **4:**207
Zambia 14:172
— economía **14:**171
— historia **14:**171
Angola **1:**289
bandera de **2:**243
Bantú **2:**246
Comunidad (Británica) De Naciones **4:**189
imperio británico **7:**275
Tanganica, lago **13:**111
Zamboanga **6:**155
zambos **7:**311; **10:**68
Zambra gitana **12:**168
zambumbia **7:**219
Zam-Chascar o Ramadán **2:**193
Zamenhof, Lazar Ludwik **6:**13; **7:**265; **10:**261
zamis **13:**103
Zamora (provincia) 14:172
Benavente, Toribio de, o Motolinia **2:**290
Zamora (ciudad) 14:172
— Catedral de **10:**178; **12:***105*
— cordillera de **8:**300
— río **14:**172
Duero, río **5:**176
Michoacán **9:**214
Ocampo, Florian de **10:**178
Zamora Chinchipe 14:172
Zamora, Ezequiel, general **14:**160
Zamora, José **1:**131
Zamorano, Rodrigo **10:**9
zamuro **14:**187
zanahoria 14:172
Zañartu, Miguel José de 14:172
biografía **14:**172
Záncara, río **7:**73
zancuda **2:**191; **6:**8
Zandvoort, Holanda **2:**168
Zánganos **1:***22, 25*
zanjas **11:**154
Zanjón, pacto del **4:**314; **9:**7
Zanjón, paz de **7:**18
Zanni, Pedro Leandro **1:**87
Zante, islas **9:**154; **14:**60
Zanussi, Krzysztof **11:**161
Zanzíbar 14:172
— economía, **14:**172
— isla **1:**142; **5:**74; **14:**172
Heligoland **7:**142
Tanganica **13:**111
zapa, guerra de **12:**196
záparo **7:**310
zapata (pieza de freno) **6:**234
Zapata Inca, Juan **11:**64
Zapata, Emiliano 14:172,92
biografía **14:**172
Carranza, Venustiano **3:**259
Huerta, Victoriano **7:**238
Zapata, Marcos **11:**64
Zapata, península **4:**310
Zapiola, José **4:**318
Zapolya **7:**252
Zapote **3:**154
Zapote, río **4:**267
Zapoteca, cultura **14:**173
zapoteco (ca). 14:173
zapoteco 14:173
Monte Albán **9:**286
Zapotocky, Antoni **4:**27
Zappeion, Atenas **2:**133
zar Alejandro I **6:**160
zar Basilio IV **12:**144
zar de Rusia **1:**20
zar Iván III **12:**142
zar Pedro *el Grande* **12:**199
Zar ruso Nicolás I **12:**142
Zara **1:**76; **12:**115
zarabanda **13:**75
zaragatona **11:**244
Zaragoza 14:173
Zaragoza, provincia 14:174
Agustina de Aragón **1:**118
Argensola, Lupercio Leonardo y Bartolomé Leonardo de **2:**12
Bayeu, Subías Francisco **2:**270
Felipe II **6:**127
imprenta **7:**285
La Mar y Cortázar, José **8:**166
Palafox, José **10:**289
Pérez, Antonio **11:**45
romería **12:**107
universidad **13:**318
Zaragoza, España **12:**107
Zaragoza, España, santuario de la Virgen del Pilar **12:**107
Zaragoza, Ignacio 14:174
biografía **14:**174
Juárez, Benito **8:**116
Zaragoza, Pilar de **5:**317
Zaragoza, Universidad de **10:**43
zaraguros **7:**310
zarandeo **13:**110
zarapito 14:174
Zárate 14:175
Zárate, Gonzalo de **14:**174
Zárate, Juan Ortiz de **13:**229
Zárate, Julio Ortiz de **4:**43
Zárate, Ortiz de **2:**254
Zaratustra **12:**11; **13:**49; **14:**188
Zarco, Francisco 14:174
biografía **14:**174
Zaremba **13:**129
Zarickij, A. **12:**150
zarigüeya 14:175
zarigüeyas **14:**174
zarista, asamblea **12:**200
Zaruma **10:**256
Zarumilla, río **11:**58
zarza 14:175
Zarzamora **14:**174
zarzaparrilla 14:175
droga **5:**173
zarzaparrilla **14:**175
zarzuela 14:175
— grande **10:**223
— teatro de la **14:**175
Asenjo, Barbieri Fransisco **2:**81
Chapí, Ruperto **4:**20
Elizondo, José **5:**247
Zatopek, Emil **2:**140**10:**205
Zauditu **6:**69
Zavala, Juan **2:**140
Zavala, Silvio 14:175
bibliografía **14:**175
México **9:**202
Zavaleta **3:**124
Zavallos, Bernardo de **10:**304
Zavattini, Cesare **5:**88
Zawadzki, Alexander **11:**160
Zayas Bazán, Carmen **9:**112
Zayas, Alfredo **4:**314; **7:**157
Zbigniew Brzezinski **13:**267
Zea **12:**128
Zea criptosperma **9:**36
Zea mays **9:**34
Zea, Francisco Antonio 14:176
biografía **14:**176
Colombia **4:**141
Zea, Leopoldo 14:176
biografía **14:**176
Zebedeo **8:**114; **11:**26; **12:**218
Zedillo, Ernesto **9:**200
Zedong **12:***42*
Zeeman, efecto **14:**176
Zeeman, Pedro 14:176
biografía **14:**176
espectro y espectroscopio **6:**11
Lorentz, Hendrick Antoon **8:**308
Stark Johannes **13:**52
Zeemann **9:**28
Zegríes **1:**26; **8:**49; **9:**327
Zeidler **9:**328
Zeiss, Carlos 14:176
biografía **14:**176
zéjel **14:**93
Zelanda **7:**207
Zelanda, islas de **7:**205
Zelanda, Nueva **14:**145, 180
Zelaya 14:176
— departamento de **9:**310
Bluefields **3:**8
Zelaya Sierra, Pablo **7:**220
Zelaya, José Santos 14:176
biografía **14:**176
Zell, Sofía Dorotea, duquesa de **8:**108
Zelter **10:**243
Zeman **5:**112
Zemes **5:**136
Zempoala **14:**52
Zendavesta o Avesta 14:176
Edad Antigua **5:**203
libro **8:**250
Ormuz **10:**252
zendo **2:**95; **7:**315; **8:**37, 217
Zenea, Juan Clemente **4:**315
Zener, Clarence **14:**176
Zener, diodo 14:176
— esquema de un **14:**176
Zeno Gandía, Manuel 14:176
bibliografía **14:**176

Puerto Rico **11:**237
Zenobia 14:176
biografía **14:**176
Zenodoto **6:**335
Zenón **1:**157; **8:**62; **10:**186, 330
Zenón de Citio 14:177
biografía **14:**177
Estoicismo **6:**55
Zenón de Elea 14:177
biografía **14:**177
Zenón, el, estoico **7:**62
Zenón, emperador de Oriente **10:**186
zenzontle 14:177
Véase Sinsontle
zeolita 14:177
Zeppelin, conde **5:**139, 165, 185
Zeppelin, Ferdinand von **13:**252
Zeppelin, Fernando, conde de 14:177
biografía **14:**177
aerostación **1:**89
Zequeira Arango, Manuel de **4:**315
Zermatt, Suiza **13:**76
Zernike, Frits 14:177
biografía **14:**177
Zeus 14:177
— templo de **2:**133; **11:**32
Adonis **1:**73
Argos **2:**28
Cadmo **3:**152
concepción virginal **4:**193
Elena de Troya **5:**245
Filemón y Baucis **6:**154
hombre lobo **7:**213
Juno **8:**126
Minos y minotauro **9:**235
Paris **10:**329
Pluto **11:**141
Saturno **12:**242
Tántalo **13:**113
Zeuxis 14:178
obra **14:**178
Parracio **10:**331
pintura **11:**96
Zhelev, Zhelyu **3:**104
Zhivkov, Todor **3:**104
Zhukov, Gregori K. 14:178
biografía **14:**178
Unión de Repúblicas Socialistas Soviéticas **13:**308
Zhukov, mariscal **3:**102; **14:**131
Ziegler, Karl 14:178
biografía **14:**178
Natta, Giuliu **10:**46
Zilahy, Lajos 14:178
bibliografía **14:**178
Zillerthal, macizo de **13:**202
Zimbabwe 14:178
— bandera de **2:**243
algodón **1:**182
Comunidad (Británica) de Naciones **4:**189
cromo **4:**298
imperio británico **7:**275
Unión Sudafricana **13:**312
Zimbabwe **4:**278
Zimbalist, Efrem **6:**335
zinc **2:**34, 36; **9:**282
Zingarelli, Nicola Antonio **2:**288; **12:**62
Zinin **11:**262
Zinkenstock, lago **1:**199
Zinkernagel, Rolf M 14:178
biografía **14:**178
Doherty, Peter C. **5:**153
Zinnemann, Fred **8:**136
zinnia 14:179
Zinoviev, Grigori Evseievich 14:179
biografía **14:**179
bolchevique **3:**21
Zipaquirá **4:**181, 329
Zirate, pico de **9:**214
Zitácuaro **8:**307; **9:**214; **11:**296
Zitácuaro, Junta de **8:**307
Zitek, Josef **4:**28
Zobeida, sultana **2:**216
zocos (bazares) **9:**107
zodiaco 14:179
astrología **2:**108
Cáncer **3:**210
equinoccio **5:**272
géminis **6:**298
Libra **8:**248
signo **12:**322
Virgo **14:**100
zodiaco, representación de sagitario **12:**163
Zoé, viuda de León VI **12:**105
Zogú I 14:179
biografía **14:**179
Zola, Emile 14:179
bibliografía **14:**179
literatura **8:**273
Naturalismo **10:**48
zollverein 14:180
Alemania **1:**161
Zolorin, Wenceslao de **7:**202
Zolotas, Xenophon **7:**61
zona 14:180
— alpina **13:**76
— de radiación **2:**143
Zond **13:**36, 46
Zongolica **13:**138
zoófitos o fitozoarios **13:**160; **14:**183
zoogeografía 14:180
zoográficos **9:**71
zoolatría 14:180
zoología 14:181
— clasificación de los animales **14:**181
— historia de la zoología **14:**186
— los dos subrreinos **14:**182
— los metazoarios **14:**183
— museo de, Berlín **12:**21
biología **2:**326
Blumenbach, Johann Friedrich **3:**9
dragón **5:**168
espetón **6:**15
Herrera, Alfonso **7:**157
mamífero **9:**48
Quatrefages de Breau, Jean Louis Armand de **11:**246
zoología **14:**182
zoológico **1:**293; **8:**75, 86
zoológico **5:**188; **9:**278; **10:**47
zoom, lentes 14:187
zooplancton 14:187
plancton **11:**118
zootecnia 14:187
zopilote 14:187
Zopirino **4:**124
Zoppif **13:**82
zoque **7:**309; **9:**178
Zoquiapan **13:**159
Zoraida **9:**327
Zorba el griego **7:**62
Zorbas, Alexis **7:**62
Zorn, Andrés 14:187
obra **14:**187
zoroastrismo **14:**187
Zoroastro 14:187
ahriman **1:**120
Armenia **2:**45
biografía **14:**187
fuego y sus consecuencias **6:**243
Irán o Persia **8:**38
misiones y misioneros **9:**242
parsis **10:**332
religión **12:**11
Zorobabel 14:188
biografía **14:**188
Zorrilla de san Martín, Juan 14:188
bibliografía **14:**188
Zorrilla y del Moral, José 14:188
bibliografía **14:**188
Romanticismo **12:**106
Zorrilla, Alberto **10:**205
zorrillo o zorrino 14:189
Véase Mofeta
zorro 14:189
— azul **14:**188
— rojo **14:**189
— rojos **2:**36
— voladores **10:**5
chacal **4:**16
zorzal 14:189
paseriformes **11:**5
Zorzi de Castel, Giorgione **10:**294
Zoser **12:**320
zoster **7:**156
zotol **2:**272
Zouga, valle del **8:**289
zozobra **12:**17
Zsigmondy, Richard 14:190
biografía **14:**190
Zuaua (Zuavia) **14:**189
zuavo 14:190
Zubiaurre, Ramón de 14:190
obra **14:**190
Zubirán, Salvador **9:**201
Zubiri, Xavier 14:190
bibliografía **14:**190
España **5:**320
Marías, Julián **9:**95
Zuccaro, Federico **4:**11; **13:**207
zueco 14:190
Véase Calzado
Holanda **7:**205
Zug **13:**77, 80, 81
Zügel, Heinrich von **6:**112
Zuiderzee 14:190
— golfo del, desecación del **7:**205
Ivens, Joris **8:**69
Zuimaco **11:**231
Zuinglio, Ulrico 14:190
biografía **14:**190
Zújar **7:**73
Zukor, Adolph **5:**46
Zulfikar Ali Bhutto **2:**307
Zulia 14:190
— estado de **9:**84
— río **9:**85
Coro **4:**250
Zuloaga, Plácido **14:**190
Zuloaga, Daniel 14:190
obra **14:**190
Zuloaga, Félix **8:**116
Zuloaga, Ignacio 14:190
España **5:**318
generación del 98 **6:**299
obra **14:**190
Rusiñol y Prast, Santiago **12:**150
zulú **2:**246; **8:**327; **13:**90
Zulú, nación **10:**67
Zululandia 14:191
lengua **8:**217
negro **10:**67
Zum Felde, Alberto 14:191
biografía **14:**191
Zumalacárregui, Tomás de 14:191
biografía **14:**191
zumaque 14:191
Zumárraga, Juan de 14:191
biografía **14:**191
indigenismo **7:**307
indios americanos **7:**312
Zumárraga, Juande, fray **9:**201
Zumaya, Francisco de **9:**206
Zumaya, Manuel **8:**280
Zumeta, César **14:**46
Zumpango **6:**30; **9:**207
Zungaria **2:**86
zuñi **1:**261; **7:**309
Zúñiga y Acevedo, Gaspar de 14:191
biografía **14:**191
Zúñiga, Juana de **4:**261; **10:**61
Zúñiga, Luis Andrés **7:**219
Zurbarán **7:**152; **9:**40; **11:**46, 97; **14:**31
Zurbarán de Castilla **12:**81
Zurbarán Salazar, Francisco de 14:192
escuela artística **5:**290
obra **14:**191
Louvre **8:**313
Zürbriggen, Mathias **1:**53, 202
zurdo 14:192
Zurich 14:192
— Universidad de **14:**179
Alpes **1:**201
biblioteca **2:**315
correo **4:**254
dadaísmo **5:**6
Gesner, Konrad **6:**319
lacustres, pueblos **8:**159
Pauli, Wolfgang E. **11:**16
Roentgen, Wilhelm Conrad **12:**93
universidad **13:**317
Zurichno **13:**80
Zviad Gamsajurdia **6:**317
Zweig, Arnold 14:192
bibliografía **14:**192
Expresionismo **6:**102
Zweig, George **6:**298
Zweig, Stefan 14:192
bibliografía **14:**192
Zwickau **12:**249
Zwicky, Fritz **2:**128; **10:**82
Zwigeig **2:**325
Zwingli, Ulrich **11:**324
Zwinglio, Huldrych **13:**81
Zworykin, Vladimiro K. 14:192
biografía **14:**192
comunicaciones **4:**184
iconoscopio **7:**261